Juristische Kurzlehrbücher
für Studium und Praxis

Hans-Armin Weirich
Grundstücksrecht

Grundstücksrecht

**Systematik und Praxis
des materiellen und formellen Grundstücksrechts**

von

Justizrat Professor Dr. Hans-Armin Weirich

Notar a. D.
Ingelheim am Rhein

2. neubearbeitete Auflage

C. H. BECK'SCHE VERLAGSBUCHHANDLUNG
MÜNCHEN 1996

Die Deutsche Bibliothek – CIP-Einheitsaufnahme

Weirich, Hans-Armin:
Grundstücksrecht : Systematik und Praxis des materiellen und formellen Grundstücksrechts / von Hans-Armin Weirich. – 2., neubearb. Aufl. – München : Beck, 1996
ISBN 3-406-35277-4

ISBN 3 406 35277 4

Satz und Druck: Appl, Wemding
Gedruckt auf säurefreiem, alterungsbeständigem Papier
(hergestellt aus chlorfrei gebleichtem Zellstoff)

Vorwort zur 2. Auflage

Das Grundeigentum ist ein Rechts- und Wirtschaftsgut von großer individueller, volkswirtschaftlicher und rechtspolitischer Bedeutung. Im privaten Bereich bilden Grundstücke und Gebäude eine wichtige Grundlage für die persönliche Lebensgestaltung. Volkswirtschaftlich stellen sie den wesentlichen Teil des Volksvermögens dar. Durch die Beständigkeit ihrer Werte sind sie die Voraussetzung für den in einer modernen Wirtschaftsgesellschaft unentbehrlichen Realkredit. Sozial- und wirtschaftspolitisch kommt den Investitionen im Immobilienbereich eine besondere Bedeutung zu. Für den beratenden und vertragsgestaltenden Juristen ist das Grundstücksrecht deshalb ein weites Arbeitsfeld.

Beim Studium und in den Lehrbüchern wird das Grundstücksrecht in der Regel zusammen mit dem Recht der beweglichen Sachen als Teil des Sachenrechts behandelt, und im BGB sind diese beiden Bereiche, trotz ihrer großen Verschiedenheit, in einer gesetzestechnisch unübersichtlichen Weise ineinander verwoben. Das erschwert den Zugang zu dem sowohl dogmatisch wie praktisch eigenständigen „Grundstücksrecht." Es bedarf deshalb einer eigenen Darstellung. Sie soll dem Lernenden eine systematische Einführung und dem Praktiker ein Hilfe bei der Rechtsgestaltung bieten.

Besonderen Dank schulde ich meinem lieben Kollegen Herrn Notar Carl-Lothar Wolpers, der mich auch bei der Neubearbeitung des Manuskripts wieder in vielen Gesprächen mit zahlreichen Anregungen freundschaftlich-kritisch begleitet und unterstützt sowie das Sachregister und das Gesetzesregister erstellt hat. Frau Roswitha Sattelmair hat wieder mit Sorgfalt die Schreibarbeiten erledigt. Herr Kollege Dr. Stefan Hügel in Weimar hat sich freundlicherweise bereit erklärt, die Besonderheiten des Grundstücksrechts in den neuen Bundesländern in einem eigenen Kapitel darzustellen.

Ingelheim am Rhein, im April 1996 — Hans-Armin Weirich

Übersicht

Inhaltsverzeichnis VII
Literaturverzeichnis XIX
Abkürzungsverzeichnis XXI

Rz.

§ 1. Die wirtschaftliche und rechtliche Bedeutung des Grundeigentums 1
§ 2. Die Rechtsgrundlagen und Strukturprinzipien 8
§ 3. Das Grundstück 19
§ 4. Der Erwerb und Verlust von Rechten an Grundstücken . . 52
§ 5. Der Erwerb des Eigentums an Grundstücken 90
§ 6. Der Grundstückskaufvertrag 159
§ 7. Die Vertretung im Grundstücksrecht 228
§ 8. Das Grundbuch 281
§ 9. Das Grundbuchverfahren 324
§ 10. Die Rechtsbehelfe und Rechtsmittel in Grundbuchsachen . 427
§ 11. Das unrichtige Grundbuch 461
§ 12. Der öffentliche Glaube an die Richtigkeit des Grundbuchs 487
§ 13. Öffentlich-rechtliche und privatrechtliche Verfügungsbeschränkungen 512
§ 14. Der Rang im Grundbuch 565
§ 15. Die Vormerkung 629
§ 16. Die Dienstbarkeiten 708
§ 17. Der Nießbrauch an Grundstücken 755
§ 18. Das Vorkaufsrecht an Grundstücken 805
§ 19. Die Reallast 877
§ 20. Das Altenteilsrecht 946
§ 21. Die Sicherung von Geldforderungen durch Grundpfandrechte 963
§ 22. Die Hypothek 1034
§ 23. Die Grundschuld 1117
§ 24. Das Wohnungseigentum 1203
§ 25. Das Erbbaurecht 1292
§ 26. Besonderheiten des Grundstücksrechts in den neuen Bundesländern (Verfasser: Notar Dr. Stefan Hügel, Weimar) . . 1345

Gesetzesregister 523
Sachregister 537

Inhaltsverzeichnis

Rz.

§ 1. Die wirtschaftliche und rechtliche Bedeutung des Grundeigentums

I. Die wirtschaftliche Bedeutung
1. Grundeigentum ist ein wesentliches Element der Vermögensbildung 1
2. Die Bedeutung des Grundeigentums für den Realkredit 2
3. Das Grundeigentum im Schnittpunkt privater und öffentlicher Interessen 3

II. Verfügungsfreiheit und Sozialpflichtigkeit
1. Das Eigentum als Freiheitsraum 4
2. Die Sozialpflichtigkeit des Grundeigentums 5
3. Das Prinzip der Verhältnismäßigkeit 7

§ 2. Die Rechtsgrundlagen und Strukturprinzipien

I. Das materielle Grundstücksrecht 8
II. Das formelle Grundstücksrecht 10
III. Rechte an Grundstücken sind Herrschaftsrechte mit subjektiven Wirkungen 11
IV. Abschlußfreiheit und Typisierung 13
1. Die beschränkte Zahl der dinglichen Rechte 14
2. Der inhaltliche Typenzwang 15
V. Die Erkennbarkeit der Sachenrechte 16
VI. Einschränkungen der Erkennbarkeit im Grundstücksrecht 17

§ 3. Das Grundstück

I. Begriff des Grundstücks 19
II. Grundstücksgleiche und ähnliche Rechte
1. Das Wohnungseigentum 23
2. Das Erbbaurecht 24
3. Das Schiffseigentum 25
4. Die eingetragenen Luftfahrzeuge 26
III. Veränderungen des Grundstücks
1. Die Teilung durch den Eigentümer 27
2. Die Vereinigung durch den Eigentümer 30
3. Die Zuschreibung durch den Eigentümer 32
4. Veränderungen durch behördliche Maßnahmen 33
IV. Bestandteile und Zubehör
1. Die Bedeutung für die Vertragsgestaltung 37
2. Die wesentlichen Bestandteile 38
3. Zubehör 46

§ 4. Der Erwerb und Verlust von Rechten an Grundstücken

I. Der Doppeltatbestand: Einigung und Eintragung
1. Beide Voraussetzungen müssen erfüllt sein 52
2. Vergleich mit dem Recht der beweglichen Sachen 53
3. Der Anwendungsbereich 54

Rz.

II. Die Einigung
1. Dinglicher Vertrag 56
2. Das Abstraktionsprinzip 57
3. Fehleridentität 61
4. Formfreiheit und Eintritt der Bindung 62
5. Fälle zur Wiederholung 65
6. Rechtsänderungen ohne Einigung 66

III. Die Eintragung
1. Die Wirkungen der Eintragung 71
2. Die Reihenfolge von Einigung und Eintragung 72
3. Die Bezugnahme auf die Eintragungsbewilligung 73
4. Die Wiedereintragung eines fehlerhaft gelöschten Rechts 77

IV. Das Verhältnis von Einigung und Eintragung
1. Einigung und Eintragung müssen sich inhaltlich decken 78
2. Tod oder Geschäftsunfähigkeit eines Beteiligten 79
3. Nachträgliche Verfügungsbeschränkungen und Verfügungsverbote . . 80

V. Der Verlust von beschränkten dinglichen Rechten 82

§ 5. Der Erwerb des Eigentums an Grundstücken

I. Das Erfordernis der Beurkundung des schuldrechtlichen Vertrages
1. Notarielle Beurkundung 90
2. Die Zwecke der Beurkundung 93
3. Der Umfang der Beurkundungspflicht 94
4. Form und Inhalt der Beurkundung 99
5. Aufspaltung des Beurkundungsverfahrens in Angebot und Annahme . 102
6. Berufung auf Treu und Glauben gegenüber der Formnichtigkeit des Vertrages? 108
7. Schadensersatzansprüche trotz Formnichtigkeit des Vertrages? 109
8. Heilung der Formnichtigkeit durch Auflassung und Eintragung 111
9. Änderung und Aufhebung des schuldrechtlichen Vertrages 117

II. Die Auflassung
1. Form der Auflassung 123
2. Gleichzeitige Anwesenheit der Beteiligten 129
3. Die Auflassung ist bedingungsfeindlich 131
4. Die Verknüpfung von Kausalgeschäft und Auflassung 136
5. Auflassung nur bei Wechsel der Rechtsträgerschaft 140
6. Die weitere Auflassung durch den Auflassungsempfänger 142
7. Das dingliche Anwartschaftsrecht 143

III. Die Auflassung ohne Rechtsgrund 151
1. Der Bereicherungsanspruch vor der Eigentumsumschreibung 152
2. Der Bereicherungsanspruch nach der Eigentumsumschreibung 153
3. Der Ausschluß des Bereicherungsanspruchs 154

§ 6. Der Grundstückskaufvertrag

I. Die Mängel des Kausalgeschäfts
1. Der Vertrag ist unvollständig beurkundet 159
2. Die Parteien haben den Vertrag bewußt unrichtig beurkunden lassen 162
3. Die Parteien haben unbewußt etwas Unrichtiges beurkunden lassen 164
4. Der offene Einigungsmangel 167
5. Der versteckte Einigungsmangel 168
6. Der einseitige Irrtum 171
7. Der beiderseitige Irrtum 173
8. Fehlen oder Wegfall der Geschäftsgrundlage 174
9. Das Scheitern des Vertrages aus anderen Gründen 177

Rz.

II. Die Gewährleistungspflichten beim Grundstückskauf
1. Die Haftung für Rechtsmängel 179
2. Die Haftung für Sachmängel 182

III. Die Haftung für Verschulden bei Vertragsverhandlungen 194

IV. Der Zahlungsverzug des Käufers
1. Der Eintritt des Verzuges 196
2. Der vertragliche Ausschluß des § 454 BGB 197
3. Die Möglichkeiten des Verkäufers 198

V. Zur Vertragsgestaltung
1. Die Interessenlage 204
2. Die Sicherung des Verkäufers 205
3. Die Sicherung des Käufers 211
4. Die Treuhandabwicklung durch den Notar 214
5. Der Kauf von Bauland 222
6. Die Haftung aus Vermögensübernahme 226

§ 7. Die Vertretung im Grundstücksrecht

I. Die rechtsgeschäftliche Vertretung
1. Die Vollmacht 228
2. Der Widerruf der Vollmacht 229
3. Die Vertretung ohne Vertretungsmacht 230
4. Das Selbstkontrahieren des Vertreters 234
5. Die Form der Vollmacht 238
6. Die bindende Vollmacht 242
7. Die Altersvorsorge-Vollmacht 243

II. Die gesetzliche Vertretung natürlicher Personen
1. Geschäftsunfähigkeit und beschränkte Geschäftsfähigkeit 244
2. Die gesetzlichen Vertreter 247

III. Die Vertretung der Gesellschaften und Körperschaften des Privatrechts . 261

IV. Die Vertretung der Körperschaften des öffentlichen Rechts 272

§ 8. Das Grundbuch

I. Die geschichtliche Entwicklung 281

II. Das Grundbuchsystem
1. Der Zweck des Grundbuchs 290
2. Das Grundbuchamt 291
3. Die Organe des Grundbuchamts 293

III. Buchungszwang und Buchungsfreiheit
1. Das Grundbuchblatt als Grundbuch 297
2. Ausnahmen vom Buchungszwang 299
3. Keine Eintragung öffentlich-rechtlicher Lasten und Verfügungsbeschränkungen 300

IV. Die 5 Teile des Grundbuchs
1. Die Aufschrift 302
2. Das Bestandsverzeichnis 303
3. Die Abteilung I (Eigentümerverzeichnis) 306
4. Die Abteilung II 310
5. Die Abteilung III 311

V. Die Grundakten
1. Die Führung der Grundakten 312
2. Das Handblatt 313

VI. Die Grundbucheinsicht 314

VII. Das EDV-Grundbuch 319

Rz.

§ 9. Das Grundbuchverfahren

I. Die Rechtsgrundlagen und Verfahrensgrundsätze 324

II. Der Antrag
1. Der Antrag als Verfahrenshandlung 326
2. Das Antragsrecht 328
3. Der Antrag auf Grundbuchberichtigung durch Vollstreckungsgläubiger 332
4. Der Inhalt des Antrags 333
5. Die Form des Antrages 335
6. Die materiellrechtlichen Wirkungen des Antrages 337
7. Die Rücknahme des Antrages 338
8. Das Ersuchen einer Behörde 339

III. Die Eintragungsbewilligung
1. Die Bewilligung des Betroffenen 340
2. Das Prinzip der formellen Bewilligung 345
3. Die Rechtsnatur der Eintragungsbewilligung 348
4. Der Inhalt der Eintragungsbewilligung 353
5. Behördliche Genehmigungen und Bescheinigungen 356
6. Das Ersuchen einer Behörde 357

IV. Der Nachweis der Auflassung 358

V. Die Grundbuchberichtigung 362
1. Die Berichtigungsbewilligung 363
2. Der Nachweis der Unrichtigkeit 365

VI. Der formelle Nachweis der Eintragungsvoraussetzungen
1. Die Beibringung der Unterlagen 377
2. Der Nachweis durch Urkunden 378
3. Die öffentliche Beglaubigung 383
4. Die öffentliche Urkunde 387
5. Urkunden im zwischenstaatlichen Verkehr 389

VII. Der Grundsatz der Voreintragung 394

VIII. Der Verfahrensablauf
1. Der Antragseingang 396
2. Das Prüfungsverfahren 397
3. Das Legalitätsprinzip 398
4. Die Eintragung 403
5. Die Behandlung fehlerhafter Anträge 404
6. Das Amtsverfahren im Grundbuchrecht 416

§ 10. Die Rechtsbehelfe und Rechtsmittel in Grundbuchsachen

I. Die Zulässigkeit der Beschwerde
1. Das allgemeine Beschwerderecht 427
2. Keine Beschwerde gegen eine Eintragung 432
3. Die eingeschränkte Beschwerde nach § 71 II 2 GBO 437
4. Sonderfall: Die Zurückweisung eines Berichtigungsantrages 440

II. Das Verfahren
1. Der Antrag auf Änderung einer Entscheidung des UdG 445
2. Die Erinnerung gegen eine Entscheidung des Rechtspflegers 446
3. Die Beschwerde 449
4. Die weitere Beschwerde 456
5. Die Kosten des Verfahrens 458

III. Sonstige Möglichkeiten bei unrichtiger Eintragung 459

IV. Die Dienstaufsichtsbeschwerde 460

Rz.

§ 11. Das unrichtige Grundbuch

I. Der Begriff der Unrichtigkeit 461
II. Die Ursachen der Unrichtigkeit
1. Rechtsänderungen außerhalb des Grundbuchs 464
2. Fehlen einer Genehmigung 465
3. Fehlen der dinglichen Einigung 466
4. Divergenz von Einigung und Eintragung 467
5. Fehlerhafte Löschung 468
III. Der Berichtigungsanspruch
1. Der Inhalt des Anspruchs 469
2. Anspruchskonkurrenzen 474
3. Einwendungen gegen den Berichtigungsanspruch 476
4. Der Widerspruch gegen die Richtigkeit des Grundbuchs 477
5. Der Amtswiderspruch 481
6. Die Löschung von Amts wegen 486

§ 12. Der öffentliche Glaube an die Richtigkeit des Grundbuchs

I. Die gesetzliche Vermutung der Richtigkeit
1. Der Grundbuchstand begründet die Vermutung der Richtigkeit 487
2. Die positive Vermutung 489
3. Die negative Vermutung 490
4. Die Verfahrenswirkung 491
5. Der Umfang der Vermutung 492
II. Der gutgläubige Erwerb vom Nichtberechtigten
1. Der Vertrauensschutz 493
2. Die Voraussetzungen für den gutgläubigen Erwerb 496
3. Wirkungen und Grenzen des Schutzes 503
4. Die Ansprüche des Geschädigten 510
5. Verhinderung des gutgläubigen Erwerbs durch das Grundbuchamt? . . 511

§ 13. Öffentliche-rechtliche und privatrechtliche Verfügungsbeschränkungen

I. Systematischer Überblick 512
II. Gerichtliche Verfügungsverbote 516
III. Das gerichtliche Erwerbsverbot 523
IV. Verfügungsbeschränkungen mit öffentlich-rechtlichem Genehmigungsvorbehalt 526
V. Verfügungsbeschränkungen des Privatrechts
1. Die Verfügungsbeschränkungen für gesetzliche Vertreter 533
2. Die Ehegattenzustimmung 534
3. Die Beschränkung durch Nacherbschaft 545
4. Die Beschränkung durch Testamentsvollstreckung 547
VI. Der Schutz des Erwerbers gegen nachträgliche Verfügungsbeschränkungen 548
VII. Der Gutglaubensschutz gegen Verfügungsbeschränkungen 557
VIII. Vertraglich begründete Verfügungsbeschränkungen 560

§ 14. Der Rang im Grundbuch

I. Die Bedeutung des Ranges
1. Mehrere Rechte stehen in einem Rangverhältnis zueinander 565
2. Der Rang in der Zwangsversteigerung 568
II. Die bewegliche Rangordnung des BGB 588

Rz.

III. Die Bestimmung des Ranges
1. Das Zusammenspiel von formellem und materiellem Recht 590
2. Das formelle Verfahren 591
3. Der materiellrechtliche Rang 593
4. Rang und öffentlicher Glaube 601
5. Von der Rangordnung des Grundbuchs abweichende Rangverhältnisse 602

IV. Die Rangänderung
1. Das Rangverhältnis kann nachträglich geändert werden 607
2. Die Fälle des Rangtauschs 610

V. Der Rangvorbehalt
1. Zweck und Inhalt 615
2. Der Rangvorbehalt in der Vertragsgestaltung 617
3. Das Risiko bei Rangrücktritt und Rangvorbehalt 618
4. Gestaltungsformen des Rangvorbehalts 619
5. Absolute und relative Rangverhältnisse 623
6. Unterschiede zwischen Rangänderung und Rangvorbehalt 627
7. Rangvorbehalt oder Eigentümergrundschuld ? 628

§ 15. Die Vormerkung

I. Der Sicherungszweck der Vormerkung
1. Die Risikophase zwischen Verpflichtungsgeschäft und Eintragung . . . 629
2. Die sicherungsfähigen Rechte 632

II. Die Entstehung der Vormerkung
1. Die materiellen Voraussetzungen 635
2. Die formellen Eintragungsvoraussetzungen 650
3. Die Eintragung im Grundbuch 660

III. Zur Vertragsgestaltung
1. Die Interessenlage bei Grundstücksveräußerungen 663
2. Die Kostenfrage 664
3. Veräußerungs- und Belastungsverbote und ihre Sicherung durch Vormerkung 665

IV. Die Wirkungen der Vormerkung
1. Keine Verfügungsbeschränkung und keine Grundbuchsperre 668
2. Die Rangwirkung der Vormerkung 669
3. Die relative Unwirksamkeit vormerkungswidriger Verfügungen 673
4. Die Durchsetzung des Anspruchs aus der Vormerkung 678
5. Die Vormerkung in der Zwangsversteigerung 680
6. Die Vormerkung in den Masseverfahren 684
7. Der Unterschied zwischen Vormerkung und Amtsvormerkung nach § 18 GBO 688
8. Der Unterschied zwischen Vormerkung und Widerspruch 689

V. Das Erlöschen der Vormerkung
1. Das Erlöschen des gesicherten Anspruchs 690
2. Die Aufhebung der Vormerkung 691
3. Das Erlöschen der gerichtlich verfügten Vormerkung 693
4. Die Löschung der Vormerkung nach der Erfüllung des Anspruchs . . 694

VI. Der gutgläubige Erwerb einer Vormerkung 695
1. Der gutgläubige Ersterwerb 696
2. Der gutgläubige Zweiterwerb 701
3. Die Schutzwirkung der gutgläubig erworbenen Vormerkung 705

§ 16. Die Dienstbarkeiten

I. Allgemeines
1. Begriff 708
2. Arten 709
3. Die Begründung 710

Rz.

II. Die Grunddienstbarkeit
1. Herrschendes und dienendes Grundstück 717
2. Typologie der Grunddienstbarkeiten 719
3. Inhaltliche Grenzen 723
4. Das Erlöschen 727

III. Die beschränkte persönliche Dienstbarkeit
1. Begriff und Inhalt 728
2. Anwendungsbereiche 731
3. Das Trilemma der Vertragsgestaltung 733
4. Das dingliche Wohnungsrecht 736

IV. Die Baulast
1. Begriff und Zweck 750
2. Begründung und Rechtswirkung 752
3. Die Baulast in der Vertragsgestaltung 753

§ 17. Der Nießbrauch an Grundstücken

I. Der Nießbrauch in der Vertragspraxis 755
1. Der Vorbehaltsnießbrauch 756
2. Der Zuwendungsnießbrauch 760
3. Der Vermächtnisnießbrauch 763
4. Der Sicherungsnießbrauch 766

II. Begründung und Erlöschen des Nießbrauchs
1. Die Begründung 767
2. Der Berechtigte 769
3. Aufhebung und Erlöschen 770
4. Der Nießbrauch in der Zwangsvollstreckung 771

III. Der gesetzliche Inhalt des Nießbrauchs
1. Gegenstand des Nießbrauchs 774
2. Die Rechte des Nießbrauchers 776
3. Die Pflichten des Nießbrauchers 781
4. Die Rechte und Pflichten des Eigentümers 785

IV. Zivilrechtliche und steuerliche Gestaltungsfragen
1. Typenzwang und Vertragsfreiheit 787
2. Unentgeltlich und entgeltlich bestellter Nießbrauch 791
3. Die Lastenverteilung – Nettonießbrauch und Bruttonießbrauch 792
4. Die einkommensteuerliche Behandlung des Nießbrauchs 793
5. Die vermögensteuerliche Behandlung des Nießbrauchs 801
6. Das Entnahmeproblem beim Vorbehaltsnießbrauch 802

§ 18. Das Vorkaufsrecht an Grundstücken

I. Allgemeines
1. Begriff 805
2. Geschichtliche Entwicklung 806
3. Der praktische Anwendungsbereich 807
4. Die gesetzlichen Grundlagen 809
5. Schuldrechtliches und dingliches Vorkaufsrecht 810

II. Die Begründung des dinglichen Vorkaufsrechts
1. Begründung durch Vertrag 812
2. Begründung durch Verfügung von Todes wegen 813
3. Berechtigter und Verpflichteter 814
4. Die Eintragung im Grundbuch 815

III. Der Inhalt des dinglichen Vorkaufsrechts
1. Unübertragbarkeit und Unvererblichkeit 816
2. Bedingungen und Befristungen 817
3. Vorkaufsrecht für einen oder mehrere Verkaufsfälle 818

Rz.

4. Die Befugnis zum Vorkauf 819
5. Das Erlöschen des Vorkaufsrechts 820

IV. Die Ausübung des Vorkaufsrechts
1. Voraussetzung ist ein rechtswirksamer Kaufvertrag 821
2. Die Anzeigepflicht des Verkäufers 823
3. Frist für die Ausübung 824
4. Die Ausübungserklärung 825
5. Das Vorkaufsrecht an mehreren Grundstücken 828
6. Das Vorkaufsrecht bei mehreren Berechtigten 829
7. Möglichkeiten und Grenzen der Verhinderung 830

V. Die Rechtsverhältnisse nach Ausübung des Vorkaufsrechts
1. Zwei selbständige Kaufverträge 837
2. Die Vormerkungswirkung des Vorkaufsrechts 838
3. Das Rechtsverhältnis zwischen Verkäufer und Vertragskäufer 839
4. Das Rechtsverhältnis zwischen Verkäufer und Vorkäufer 842
5. Das Rechtsverhältnis zwischen Vertragskäufer und Vorkäufer 844
6. Die Maklerprovision 848

VI. Die gesetzlichen Vorkaufsrechte
1. Die Vorkaufsrechte der Gemeinden 850
2. Das siedlungsrechtliche Vorkaufsrecht 859
3. Vorkaufsrechte nach Landesrecht 860
4. Das Vorkaufsrecht des Mieters nach dem Wohnungsbindungsgesetz . . 861
5. Das Vorkaufsrecht des Mieters nach § 570b BGB 862

VII. Das Vorkaufsrecht zu vereinbartem Preis 864

VIII. Das Vorkaufsrecht der Miterben
1. Zweck und Gegenstand 866
2. Die Ausübung 867
3. Die Wirkung 868

IX. Ankaufsrecht und Wiederkaufsrecht
1. Das Ankaufsrecht 870
2. Das Wiederkaufsrecht 873

§ 19. Die Reallast

I. Entwicklungsgeschichte und Rechtsnatur 877
1. Die Vorläufer 878
2. Die wesentlichen Begriffselemente 879

II. Die Reallast in der Vertragspraxis
1. Übergabeverträge 886
2. Vertragliche Rentenverpflichtungen 890
3. Das Rentenvermächtnis 893
4. Der Erbbauzins 894
5. Andere Anwendungsfälle 895

III. Begründung und Erlöschen
1. Die Begründung des dinglichen Rechts 896
2. Das Kausalgeschäft 898
3. Das Erlöschen der Reallast 899
4. Die Reallast in der Zwangsversteigerung 900
5. Landesrechtliche Besonderheiten 902

IV. Die Ansprüche aus der Reallast
1. Die Anspruchskonkurrenzen 903
2. Die Vollstreckung wegen Geldforderungen 905
3. Die Vollstreckung wegen anderer Ansprüche 912

V. Die Bemessung und Wertsicherung wiederkehrender Geldleistungen
1. Die Bemessung einer Rente 913

Rz.
2. Der Schutz gegen Entwertung 919
3. Die Einschränkung der Vertragsfreiheit 920
4. Die Wertsicherung von Renten in der Vertragspraxis 922

VI. Die einkommensteuerliche Behandlung wiederkehrender Leistungen und Bezüge
1. Die Bedeutung für die Vertragsgestaltung 932
2. Grundsätze der Besteuerung 934

§ 20. Das Altenteilsrecht

I. Geschichte, Zweck und Inhalt 946
II. Landesrechtliche Regelungen 952
III. Gestaltungsfragen. 954
IV. Der Schutz des Altenteils im Vollstreckungsverfahren 960

§ 21. Die Sicherung von Geldforderungen durch Grundpfandrechte

I. Allgemeines über Sicherheiten für Geldforderungen 963
II. Grundpfandrechte sind Verwertungsrechte 964
III. Die wirtschaftliche Bedeutung der Grundpfandrechte 968
IV. Kreditfragen
1. Beleihungswert und Beleihungsgrenze 972
2. Der Auszahlungssatz 974
3. Der Zinssatz 976
4. Die Nebenleistungen 982
5. Fälligkeit und Tilgung des Kredits 984
V. Die Erleichterung des Beurkundungsverfahrens bei Grundpfandrechten . 987
VI. Die Unterwerfung unter die sofortige Zwangsvollstreckung
1. Die Unterwerfungserklärung 990
2. Das Verfahren 992
3. Der Bestimmtheitsgrundsatz 993
4. Die dingliche Unterwerfungserklärung 994
5. Das persönliche Schuldversprechen/Schuldanerkenntnis mit Unterwerfungserklärung 996
6. Die formellen Voraussetzungen der Zwangsvollstreckung 1002
7. Die Erteilung der Vollstreckungsklausel für und gegen Rechtsnachfolger 1008
8. Die Abwehrrechte des Schuldners 1012
VII. Der gesetzliche Löschungsanspruch und die Löschungsvormerkung
1. Der Löschungsanspruch nachrangiger Grundpfandrechtsgläubiger . . . 1015
2. Die Wirkung 1018
3. Die Vormerkungswirkung des Löschungsanspruchs 1019
4. Der Löschungsanspruch in der Zwangsversteigerung 1020
5. Das Entstehen von Splitterrechten 1021
6. Der vertragliche Ausschluß des Löschungsanspruchs 1022
7. Der Anspruch des Gläubigers auf Löschung des eigenen Rechts 1023
8. Die beschränkte Wirkung gegen vorgehende Grundschulden 1024
9. Die Löschungsvormerkung für andere Berechtigte 1027
VIII. Die Grundpfandrechte im Insolvenzverfahren 1031

§ 22. Die Hypothek

I. Der Pfandrechtscharakter der Hypothek
1. Schuld und Haftung 1034
2. Die Bindung an den Schuldgrund 1037

Rz.

3. Die zu sichernde Forderung 1038
4. Der Umfang der gesicherten Forderungen 1043
5. Gläubiger und Schuldner 1046
6. Die Gesamthypothek 1049
7. Die Bruchteilshypothek 1050
8. Eigentümergrundschuld und Eigentümerhypothek 1051
9. Die abstrahierte Hypothek 1058

II. Die Verkehrshypothek
1. Begriff der Verkehrshypothek 1060
2. Die Verkehrshypothek als Briefhypothek 1061
3. Die Verkehrshypothek als Buchhypothek 1063

III. Die Verwirklichung der Hypothekenhaftung
1. Die Pfandreife 1064
2. Die Legitimation des Gläubigers 1065
3. Die Haftung des Grundstücks 1067

IV. Die Abwehrrechte gegen die Hypothek. 1080

V. Die Übertragung der Hypothek
1. Grundsatz 1086
2. Die Übertragung der Briefhypothek 1087
3. Beglaubigung der Abtretungserklärung 1088
4. Die Abtretung außerhalb des Grundbuch 1089
5. Die Übertragung der Buchhypothek 1090
6. Das Abtretungsverbot 1091

VI. Der gutgläubige Erwerb der Hypothek
1. Die Abwehrrechte gegen den Zessionar 1092
2. Der Interessenkonflikt 1093
3. Gutglaubensschutz durch Forderungsfiktion 1094
4. Die Abwehrrechte aus dem Hypothekenverhältnis 1096
5. Die Erweiterung des Gutglaubensschutzes bei Briefhypotheken 1097
6. Die Verhinderung des gutgläubigen Erwerbs 1099

VII. Die Sicherungshypothek und ihre Sonderformen
1. Die Sicherungshypothek des BGB 1101
2. Die vollstreckungsrechtlichen Formen 1105
3. Die Höchstbetragshypothek 1110

VIII. Das Erlöschen der Hypothek
1. Kein Erlöschen bei Übergang der Hypothek 1112
2. Die Fälle des Erlöschens 1116

§ 23. Die Grundschuld

I. Die Verdrängung der Hypothek durch die Grundschuld 1117

II. Die Abstraktheit der Grundschuld 1120

III. Die Sicherungsgrundschuld
1. Der Begriff 1126
2. Der Kreditvertrag 1129
3. Der Sicherungsvertrag 1131
4. Das Grundschuldverhältnis 1157
5. Die Abwehrrechte des Eigentümers gegenüber dem Erstgläubiger . . . 1163
6. Die Abwehrrechte des Eigentümers gegenüber einem Zessionar 1170
7. Die Abtretung der Ansprüche aus dem Sicherungsvertrag 1174
8. Das Schuldversprechen/Schuldanerkenntnis 1182
9. Die Risiken und Vorzüge der Grundschuld 1188

IV. Die Eigentümergrundschuld
1. Die verdeckte und die offene Eigentümergrundschuld 1189
2. Die Begründung der offenen Eigentümergrundschuld 1190

Rz.
3. Die praktische Bedeutung der Eigentümergrundschuld 1195
4. Die Verwertung der Eigentümergrundschuld 1197
5. Eigentümergrundschuld und gesetzlicher Löschungsanspruch 1202

V. Muster: Grundschuldbrief

§ 24. Das Wohnungseigentum

I. Allgemeines
1. Das Wohnungseigentum ist eine Sonderform des Grundeigentums . . . 1203
2. Rechtsgrundlage, Zweck und Bedeutung des Wohnungseigentums . . . 1204
3. Die Systematik des Wohnungseigentums 1206
4. Gemeinschaftseigentum und Sondereigentum 1209

II. Die Begründung des Wohnungseigentums
1. Die Begründung durch Vertrag 1217
2. Die Begründung durch einseitige Teilungserklärung 1220
3. Weitere Voraussetzungen bei beiden Begründungsformen 1223
4. Die Eintragung im Wohnungsgrundbuch 1232

III. Das Gemeinschaftsverhältnis der Wohnungseigentümer
1. Die dreigliedrige Einheit 1235
2. Die Rechte und Pflichten der Wohnungseigentümer 1244
3. Der Verwalter 1247
4. Die Versammlung der Wohnungseigentümer 1253

IV. Die Sondernutzungsrechte. 1261

V. Die Veräußerung des Wohnungseigentums
1. Die Beurkundung des Vertrages 1266
2. Die Zustimmung zur Veräußerung 1267
3. Der Übergang von Kosten und Lasten 1269
4. Die Haftung für rückständige Gemeinschaftsabgaben 1270
5. Der Eintritt des Erwerbers in die Rechte und Pflichten 1271

VI. Das Dauerwohnrecht 1274

VII. Das gerichtliche Streitverfahren nach 43 ff. WEG
1. Allgemeines 1276
2. Die Gegenstände des Verfahrens 1278
3. Die Beteiligten 1282
4. Die Verfahrensgrundsätze 1283
5. Rechtsmittel und Rechtskraft 1287
6. Die Kosten des Verfahrens 1291

§ 25. Das Erbbaurecht

I. Geschichte, Zweck und Bedeutung
1. Geschichtliche Entwicklung 1292
2. Die Aufspaltung des Eigentums 1295
3. Die wirtschaftliche und sozialpolitische Bedeutung 1298

II. Die Begründung des Erbbaurechts
1. Die formellen und materiellen Voraussetzungen 1300
2. Der erste Rang des Erbbaurechts 1302
3. Grundbuch und Erbbaugrundbuch 1305

III. Die vertragliche Gestaltung
1. Dingliche und schuldrechtliche Elemente des Vertrages 1307
2. Der dingliche Teil des Vertrages 1308
3. Das Nutzungsentgelt und seine Wertsicherung 1311
4. Der Erbbauzins und seine Wertsicherung 1315
5. Der Erbbauzins in der Zwangsversteigerung 1325
6. Der Rangvorbehalt für den Erbbauberechtigten 1328

Rz.

7. Die Anpassung alter Erbbaurechtsverträge 1330
8. Vertragliche Verfügungsbeschränkungen 1331
9. Vorkaufsrechte 1333
10. Sonstige Vereinbarungen 1334

IV. Die Übertragung des Erbbaurechts 1335

V. Die Beendigung des Erbbaurechtsverhältnisses
1. Der Heimfall 1340
2. Die Aufhebung durch Vertrag 1341
3. Konfusion 1342
4. Die Beendigung durch Zeitablauf 1343
5. Das Vorrecht auf Erneuerung 1344

§ 26. Besonderheiten des Grundstücksrechts in den neuen Bundesländern

I. Besonderheiten des Grundeigentums
1. Volkseigentum, § 8 VZOG 1346
2. Eigentum in ehelicher Vermögensgemeinschaft 1348
3. Nachlaßspaltung 1351
4. Bodenreformland 1355

II. Selbständiges Gebäudeeigentum und Baulichkeiten
1. Selbständiges Gebäudeeigentum 1362
2. Baulichkeiten 1368

III. Sachenrechtsbereinigung/Schuldrechtsanpassung
1. Abgrenzung 1369
2. Sachenrechtsbereinigung 1372
3. Schuldrechtsanpassung 1379

IV. Rückübertragungsansprüche
1. Abtretung 1381
2. Genehmigung nach der Grundstücksverkehrsordnung 1383

Allgemeines Literaturverzeichnis

Lehrbücher zum Sachenrecht:

Baur/Stürner:	Lehrbuch des Sachenrechts, 16. Aufl. 1992
Eickmann:	Grundstücksrecht in den neuen Bundesländern, 2. Aufl. 1992
Eickmann/Pinger:	Immobiliensachenrecht, 6. Aufl. 1988
Gerhardt:	Immobiliarsachenrecht, 3. Aufl. 1993
Müller, Klaus:	Sachenrecht, 3. Aufl. 1993
Schwab/Prütting:	Sachenrecht, 25. Aufl. 1994
Westermann u. a.:	Immobiliensachenrecht, 6. Aufl. 1988
Wieling:	Sachenrecht, 1992
Wolf, Ernst:	Lehrbuch des Sachenrechts, 2. Aufl. 1979
Wolf, Manfred:	Sachenrecht, 12. Aufl. 1994
Wolf/Raiser:	Sachenrecht, 10. Überarbeitung 1957

Verfahrensrecht:

Eickmann:	Grundbuchverfahrensrecht, 3. Aufl. 1994
Eickmann/Gurowski:	Grundbuchrecht, 4. Aufl. 1992
Demharter:	Grundbuchordnung, 21. Aufl. 1995
Haegele/Schöner/Stöber (HSS):	Grundbuchrecht, 10. Aufl. 1993
Kuntze/Ertl/Herrmann/ Eickmann (KEHE):	Grundbuchrecht, 4. Aufl. 1991
Meikel/Bearbeiter:	Grundbuchrecht, 7. Aufl. 1986–1995
Nieder:	Grundbuchsachen, 1994
Stöber:	GBO-Verfahren und Grundstückssachenrecht, 1991
Wolfsteiner:	Die vollstreckbare Urkunde, 1978

Handbücher:

Brambring/Jerschke/Waldner: (Beck'sches Notarhandbuch-(Bearbeiter):	Beck'sches Notarhandbuch 1992
Reithmann/Albrecht/Basty (RAB):	Handbuch der notariellen Vertragsgestaltung, 7. Aufl. 1995

Formularbücher:

Hoffmann/Becking/Schippel:	Beck'sches Formularbuch zum Bürgerlichen, Handels- und Wirtschaftsrecht, 5. Aufl. 1991
Keim:	Immobiliarverträge, 2. Aufl. 1993
Kersten/Bühling:	Formularbuch und Praxis der Freiwilligen Gerichtsbarkeit, 20. Aufl. 1994
Münchener Vertragshandbuch:	Band 4 (Langenfeld), 1. Halbband, 3. Aufl. 1992

Kommentare:

RGRK:	Das Bürgerliche Gesetzbuch, Kommentar, hrs. von Mitgliedern des BGH, 13. Aufl. 1994 ff.
Erman:	Handkommentar zum BGB, 9. Aufl. 1993
Jauernig:	Bürgerliches Gesetzbuch, 7. Aufl. 1994

Münchener Kommentar
(MünchKomm-Bearbeiter): . . . Kommentar zum BGB, Band 4, 2. Aufl. 1986
Palandt/Bearbeiter: . . . . Kommentar zum BGB, 54. Aufl. 1995
Soergel/Bearbeiter: . . . . Kommentar zum BGB, Band 6 (Sachenrecht), 12. Aufl. 1990
Staudinger/Bearbeiter: . . . . . . Kommentar zum BGB, 12. Aufl. 1978ff./13. Aufl. 1993ff.

Schrifttum zu Einzelkapiteln und Spezialfragen s. jeweils an den einschlägigen Stellen.

Abkürzungsverzeichnis

a.A.	anderer Ansicht
a.a.O.	am angegebenen Ort
Abs.	Absatz
Abt.	Abteilung
a.E.	am Ende
a.F.	alte Fassung
AfA	Absetzung für Abnutzung
AG	Amtsgericht, Aktiengesellschaft
AGB-Gesetz	Gesetz zur Regelung des Rechts der Allgemeinen Geschäftsbedingungen
AGBGB	Ausführungsgesetz zum BGB
AktG	Aktiengesetz
Anh.	Anhang
Anm.	Anmerkung
AO	Abgabenordnung
Art.	Artikel
Aufl.	Auflage
AV GeschBeh.	Allgemeine Verfügung über geschäftliche Behandlung der Grundbuchsachen
BauGB	Baugesetzbuch
BauGB-MaßnG	Baugesetzbuch-Maßnahmengesetz
BauO	Bauordnung (der neuen Bundesländer)
BayObLG(Z)	Bayerisches Oberstes Landesgericht (Entscheidungen in Zivilsachen)
BayVBl.	Bayerische Verwaltungsblätter
BBergG	Bundesberg-Gesetz
Bd.	Band
beschr. pers. Dienstbarkeit	beschränkte persönliche Dienstbarkeit
bestr.	bestritten
BeurkG	Beurkundungsgesetz
BewG	Bewertungsgesetz
BFH	Bundesfinanzhof
BGB	Bürgerliches Gesetzbuch
BGBl.	Bundesgesetzblatt
BGH(Z)	Bundesgerichtshof (Entscheidungen in Zivilsachen)
BMF	Bundesministerium der Finanzen
BNotO	Bundesnotarordnung
BStBl.	Bundessteuerblatt
BT	Bundestag
BVerfG(E)	Bundesverfassungsgericht (Entscheidungen)
BVerwG	Bundesverwaltungsgericht
BvS	Bundesanstalt für vereinigungsbedingte Sonderaufgaben
BWNotZ	Zeitschrift für das Notariat in Baden-Württemberg
bzgl.	bezüglich
bzw.	beziehungsweise
Co.	Compagnie
d.h.	das heißt
DB	Der Betrieb (Zeitschrift)
ders.	derselbe
dies.	diesselbe(n)
Diss.	Dissertation

DNotI-Report . . . Informationsdienst des Deutschen Notarinstituts
DNotV . . . . Zeitschrift des Deutschen Notarvereins
DNotZ . . . . Deutsche Notarzeitschrift
DRiG . . . . Deutsches Richtergesetz
DtZ . . . . Deutsch-Deutsche Rechts-Zeitschrift
EB . . . . Eintragungsbewilligung
EDV . . . . elektronische Datenverarbeitung
eG . . . . eingetragene Genossenschaft
EG . . . . Eigentümergrundschuld, Einführungsgesetz
EGAO . . . . Einführungsgesetz zur AO
EGBGB . . . . . . Einführungsgesetz zum BGB
EGFGB . . . . . . Einführungsgesetz zum FGB (der DDR)
EGInsO . . . . . . Einführungsgesetz zur InsO
EGZVG . . . . . . Einführungsgesetz zum ZVG
EheG . . . . Ehegesetz
Einl. . . . . Einleitung
ErbbauVO . . . . . Verordnung über das Erbbaurecht
ErbStG . . . . Erbschaftsteuer- und Schenkungsteuergesetz
Erl. . . . . Erläuterung
EStDV . . . . Durchführungsverordnung zum EStG
EStG . . . . Einkommensteuergesetz
EStR . . . . Einkommensteuer-Richtlinien
EV . . . . Eigentumsvormerkung
e.V. . . . . eingetragener Verein
evtl. . . . . eventuell
EW . . . . Eigentumswohnung
f. (ff.) . . . . folgende (fortfolgende)
FGB . . . . Familiengesetzbuch (der DDR)
FGG . . . . Gesetz über die Angelegenheiten der Freiwilligen Gerichtsbarkeit
FlurbG . . . . Flurbereinigungsgesetz
Fn. . . . . Fußnote
FreiwG . . . . Freiwillige Gerichtsbarkeit
G . . . . Gesetz
GB . . . . Grundbuch
GBAmt . . . . Grundbuchamt
GBBerG . . . . . . Grundbuchbereinigungsgsetz
GBl. . . . . Gesetzblatt
GBO . . . . Grundbuchordnung
GBV . . . . Grundbuchverfügung
gem. . . . . gemäß
GemE . . . . Gemeinschaftseigentum
GemO . . . . Gemeinschaftsordnung
GenG . . . . Gesetz betreffend die Erwerbs- und Wirtschaftsgenossenschaften
GeschO . . . . Geschäftsordnung
GewO . . . . Gerwerbeordnung
GG . . . . Grundgesetz für die Bundesrepublik Deutschland
GGV . . . . Gebäudegrundbuchverfügung
ggf. . . . . gegebenenfalls
GmbH . . . . Gesellschaft mit beschränkter Haftung
GmS-OGB . . . . . Gemeinsamer Senat der Obersten Gerichtshöfe des Bundes
GrdstVG . . . . . . Grundstücksverkehrsgesetz
GrEStG . . . . Grunderwerbsteuergesetz
GrS . . . . Großer Senat
GrStG . . . . Grundsteuergesetz
GVG . . . . Gerichtsverfassungsgesetz
GVO . . . . Grundstücksverkehrsordnung
h.M. . . . . herrschende Meinung
HGB . . . . Handelsgesetzbuch
HöfeO . . . . Höfeordnung
HöfeVfO . . . . . . Verfahrensordnung für Höfesachen

i.d.F. . . . . in der Fassung
i.Gr. . . . . in Gründung
i.S.v. . . . . im Sinne von
i.V.m. . . . . in Verbindung mit
IHK . . . . Industrie- und Handelskammer
InsO . . . . Insolvenzordnung
JA . . . . Juristische Arbeitsblätter (Zeitschrift)
JFG . . . . Jahrbuch für Entscheidungen in Angelegenheiten der Freiwilligen Gerichtsbarkeit und des Grundbuchrechts
Jura . . . . Juristische Ausbildung (Zeitschrift)
JuS . . . . Juristische Schulung (Zeitschrift)
JZ . . . . Juristen-Zeitung
Kap. . . . . Kapitel
KG . . . . Kammergericht, Kommanditgesellschaft
KGJ . . . . Jahrbuch für Entscheidungen des Kammergerichts
KO . . . . Konkursordnung
KostO . . . . Kostenordnung
lat. . . . . lateinisch
lit. . . . . litera (Buchstabe)
LFGG . . . . Landesgesetz über die Freiwillige Gerichtsbarkeit (Baden-Württemberg)
LG . . . . Landgericht
LM . . . . Lindenmaier/Möhring, Nachschlagewerk des Bundesgerichtshofs in Zivilsachen
LöA . . . . Löschungsanspruch
LöV . . . . Löschungsvormerkung
LPG . . . . Landwirtschaftliche Produktionsgenossenschaft
LPG-Gesetz . . . . Gesetz über die Landwirtschaftlichen Produktionsgenossenschaften (der DDR)
LuftRG . . . . . . Gesetz über Rechte an Luftfahrzeugen
LVO . . . . Landesverordnung
m. . . . . mit
m.E. . . . . meines Erachtens
m.w.N. . . . . mit weiteren Nachweisen
MaBV . . . . Makler- und Bauträgerverordnung
MDR . . . . Monatsschrift für Deutsches Recht
ME . . . . Miteigentum
MittBayNot . . . . Mitteilungen des Bayerischen Notarvereins
MittRhNotK . . . Mitteilungen der Rheinischen Notarkammer
Mot. . . . . Motive zum BGB
Mrd. . . . . Milliarde(n)
n.F. . . . . neue Fassung
NJW . . . . Neue Juristische Wochenschrift
NJW-RR . . . . . . Rechtsprechungsreport der NJW
Nr(n). . . . . Nummer(n)
NutzEV . . . . . . Nutzungsentgeltverordnung
o.a. . . . . oben angegeben
OGH . . . . Oberster Gerichtshof für die britische Zone
OHG . . . . Offene Handelsgesellschaft
OLG . . . . Oberlandesgericht
OLGZ . . . . Entscheidungen der Oberlandesgerichte in Zivilsachen
Prot. . . . . Protokolle der Kommission für die II. Lesung des Entwurfs des BGB
RAG . . . . Rechtsanwendungsgesetz (der DDR)
RegVBG . . . . . . Registerverfahrenbeschleunigungsgesetz
RG(Z) . . . . Reichsgericht (Entscheidungen in Zivilsachen)
RGBl. . . . . Reichsgesetzblatt
Rpfleger . . . . . . Der Deutsche Rechtspfleger (Zeitschrift)
RPflG . . . . Rechtspflegergesetz
RpflJb. . . . . Rechtspfleger-Jahrbuch

RSG . . . . Reichssiedlungsgesetz
Rz. . . . . Randziffer
s. . . . . siehe
S. . . . . Seite
SachenRÄndG . . . Sachenrechtsänderungsgesetz
SachenRBerG . . . Sachenrechtsbereinigungsgesetz (Art. 1 SachenRÄndG)
SchiffsRegO . . . . Schiffsregisterordnung
SchiffsRG . . . . . Schiffsrechtegesetz
SchuldRAnpG . . . Schuldrechtsanpassungsgesetz
SE . . . . Sondereigentum
SHG . . . . Sozialhilfegesetz
SN . . . . Sondernutzungsrecht
sog. . . . . sogenannte (-r, -s)
StGB . . . . Strafgesetzbuch
StPO . . . . Strafprozeßordnung
st. Rspr. . . . . . . ständige Rechtsprechung
str. . . . . streitig
SystDarst. . . . . . Systematische Darstellung
TE . . . . Teilungserklärung (WEG)
Tz. . . . . Textziffer
u. a. . . . . unter anderem
u.U. . . . . unter Umständen
UdG . . . . Urkundsbeamter der Geschäftsstelle
UmwG . . . . Umwandlungsgesetz
UStG . . . . Umsatzsteuergesetz
usw. . . . . und so weiter
Verf. . . . . Verfasser
VerglO . . . . Vergleichsordnung
VermG . . . . Vermögensgesetz
VermStG . . . . . . Vermögensteuergesetz
VGH . . . . Verwaltungsgerichtshof
vgl. . . . . vergleiche
VIZ . . . . Zeitschrift für Vermögens- und Investitionsrecht
VN . . . . Veränderungsnachweis
VO . . . . Verordnung
VOB . . . . Verdingungsordnung für Bauleistungen
Vorb(em). . . . . . . Vorbemerkung
VR . . . . Vorkaufsrecht
VZOG . . . . Vermögenszuordnungsgesetz
WährG . . . . Währungsgesetz
WE . . . . Wohnungseigentum
WEer . . . . Wohnungseigentümer
WEG . . . . Wohnungseigentumsgesetz
WGV . . . . Wohnungsgrundbuchverfügung
WoBauG . . . . . . Wohnungsbaugesetz
WoBindG . . . . . Wohnungsbindungsgesetz
WPM . . . . Zeitschrift für Wirtschaft und Bankrecht, Wertpapiermitteilungen
z. B. . . . . zum Beispiel
ZGB . . . . Zivilgesetzbuch (der DDR)
ZPO . . . . Zivilprozeßordnung
ZRP . . . . Zeitschrift für Rechtspolitik
ZVG . . . . Gesetz über die Zwangsversteigerung und die Zwangsverwaltung
z.Zt . . . . zur Zeit

§ 1. Die wirtschaftliche und rechtliche Bedeutung des Grundeigentums

I. Die wirtschaftliche Bedeutung

Das Grund- und Gebäudeeigentum bildet den wesentlichen Teil des Volksvermögens. Seine besondere Bedeutung für den Einzelnen und für die Volkswirtschaft beruht auf einer Vielzahl von Gründen:

1. Grundeigentum ist ein wesentliches Element der Vermögensbildung

1 **Die Streuung des Grundeigentums in der Bundesrepublik Deutschland zeigt eine gesunde Struktur;** dies ist ein wichtiger Faktor für die Stabilität der gesellschaftlichen Verhältnisse. Nach der letzten vom Statistischen Bundesamt durchgeführten Erhebung über Haus- und Grundeigentum besaßen im Jahre 1993 von den 28,93 Millionen privaten Haushalten im früheren Bundesgebiet 14,6 Millionen Haushalte (= 50,5 %) Grundvermögen in Form von unbebauten Grundstücken, Wohngebäuden, Eigentumswohnungen und/oder sonstigen Gebäuden. In den neuen Bundesländern und Berlin-Ost waren es bei 6,7 Millionen privaten Haushalten 1,9 Millionen (= 27,7 %).

Nach Berufsgruppen ergaben sich im Jahre 1993 folgende Anteile

	früheres Bundesgebiet	neue Länder und Berlin-Ost
Landwirte	88,3 %	(84,6 %)
Selbständige	71,2 %	53,5 %
Beamte	63,9 %	(20,3 %)
Angestellte	51,2 %	30,4 %
Arbeiter	48,8 %	30,3 %
Arbeitslose	28,4 %	21,5 %
Nichterwerbstätige	47,1 %	23,2 %

Aus den von den Haushalten angegebenen (geschätzten) Verkehrswerten ergaben sich Gesamtverkehrswerte von 6221 Mrd. DM für das frühere Bundesgebiet sowie von rund 391 Mrd. DM für die neuen Länder und Berlin-Ost (Quelle: Laube, Grundvermögen privater Haushalte Ende 1993, WiSta 6/1995 S. 486 ff.).

Der Grund und Boden hat sich in der bisherigen Wirtschaftsgeschichte langfristig als **besonders wertbeständig erwiesen**; er gilt deshalb seit jeher als die sicherste Vermögensanlage.

2. Die Bedeutung des Grundeigentums für den Realkredit

2 **Volkswirtschaftlich hat der Kredit eine doppelte Funktion:** Anlagebereites freies Geldvermögen wird durch den Kredit in arbeitendes Kapital umgewandelt und dorthin geleitet, wo es zur Finanzierung von Investitionen benötigt wird. Andererseits wird der im Ansparen liegende Konsumverzicht mit Zinsen belohnt und dadurch die Kapitalbildung gefördert.

Grundlage für das Kreditwesen ist die Sicherheit der gewährten Kredite. Grundpfandrechte erfüllen diesen Sicherungszweck in hervorragender Weise, weil das Grundeigentum das wertbeständigste Sicherungsobjekt darstellt und weil durch unser Grundbuchsystem die Klarheit der Rangverhältnisse und die Wirkung des Pfandrechts gegen jedermann gegeben ist. Unter den zahlreichen Möglichkeiten der Kreditsicherung, die unsere Rechtsordnung zur Verfügung stellt, nimmt die **Sicherung durch Grundpfandrechte** deshalb einen besonderen Platz ein. Die institutionellen Anleger, wie Banken, Sparkassen, Bausparkassen, Pfandbriefanstalten, Lebensversicherungsgesellschaften, Arbeitgeber und auch die öffentliche Hand (Landesdarlehen) bevorzugen die Sicherung ausgelegter Kredite durch Grundpfandrechte. Der dadurch gesicherte Kredit ist wegen seines geringeren Risikos für den Kreditgeber in aller Regel auch niedriger verzinslich als ein ungesicherter oder weniger gut gesicherter Kredit.

Das **Volumen** der durch Grundpfandrechte gesicherten Kredite spiegelt seine Bedeutung für die Volkswirtschaft. Genaue Zahlen darüber fehlen zwar, aber man wird davon ausgehen können, daß die in der Bundesrepublik ausgelegten Kredite an inländische Nichtbanken insgesamt in Höhe von rund 4 Billionen DM (Juni 1994; Monatsbericht der Deutschen Bundesbank vom August 1994) zum großen Teil durch Grundpfandrechte gesichert sind. Zum Größenvergleich: Im Jahre 1994 betrug das gesamte Jahres-Bruttosozialprodukt der Bundesrepublik Deutschland, d.h. die Summe aller Leistungen der gesamten Volkswirtschaft, 3.297 Mrd. DM.

3. Das Grundeigentum steht im Schnittpunkt privater und öffentlicher Interessen

3 **Das Eigentum und die sonstigen Rechte an Grundstücken sind in unserem privaten und öffentlichen Leben in vielfacher Weise von Bedeutung.** Als Stichworte seien dafür nur genannt:

- Der Wohnungsbau ist die Grundlage des Wohnens in Eigentum und Miete
- Die Eigentumsbildung ist ein wichtiges Element der Sozialpolitik
- Die Bauwirtschaft mit den Ausbaugewerben bildet einen der Hauptfaktoren der volkswirtschaftlichen Konjunktur
- Die Landwirtschaft ist die Grundlage für die Ernährung (Probleme der Sozial- und Agrarstruktur)
- Die gesellschaftspolitischen Ziele des Umweltschutzes, der Raumordnung und Landschaftsgestaltung beeinflussen Inhalt und Umfang des Eigentumsrechts
- Für Industrie, Handel und Gewerbe ist der Grundbesitz Produktionsmittel, Kapital- und Kostenfaktor
- Die Bau- und Verkehrsplanung (Städtebau, Siedlungsplanung, Straßen- und Wegebau) baut auf dem verfügbaren Grundbesitz auf und beeinflußt die Raumordnung
- Die Steuerpolitik knüpft in vielfacher Weise an die vorhandene Grundstückssubstanz und an den Rechtsverkehr mit Grundstücken an. Die wichtigsten Tatbestände sind:
  - Unbebaute Grundstücke unterliegen der Grundsteuer A, bebaute Grundstücke der Grundsteuer B.
  - Mieteinkünfte, Spekulationsgewinne bei der Veräußerung von Grundeigentum i.S. des § 23 EStG sowie der bei der Veräußerung von betrieblichem Grundvermögen (meist) entstehende Veräußerungsgewinn sind steuerpflichtige Einkünfte; andererseits können durch Abschreibungen auf Gebäudewerte Minderungen der Einkommensteuer erzielt werden.
  - Bei der Gewerbesteuer wird betriebliches Grundvermögen dem Gewerbekapital zugerechnet.
  - Die entgeltliche Veräußerung von Grundvermögen unterliegt der Grunderwerbsteuer, die Schenkung oder Vererbung der Erbschaft- und Schenkungsteuer.
- Wegen der Besteuerung, aus Gründen der Bodenpolitik und aus ordnungsrechtlichen Gründen besteht ein öffentliches Interesse an klaren Eigentumsverhältnissen; der Steuerfiskus und die Kommune müssen wissen, wer Eigentümer ist; das Grundbuchsystem mit seiner Offenlegung dient daher auch den Interessen von Staat und Gemeinden.

II. Verfügungsfreiheit und Sozialpflichtigkeit

Im Bodenrecht konkurrieren elementare private und gewichtige öffentliche Interessen. Ihm kommt deshalb in allen Rechtsordnungen eine zentrale Bedeutung zu.

1. Das Eigentum als Freiheitsraum

4 **Das Privatrecht hat kulturgeschichtlich und sozialpolitisch einen hohen Stellenwert.** Es ist die Voraussetzung einer auf Freiheit und Selbstverantwortung des Menschen und der Respektierung privater Rechte aufbauenden Sozialordnung. Seine wesentlichen Elemente sind die prinzipielle **Anerkennung des Privateigentums** an Sachgütern aller Art mit der sich daraus ergebenden Freiheit der Verwendung und Verfügung sowie die **Privatautonomie** als Möglichkeit der Selbstgestaltung von Rechtsbeziehungen durch Verträge und die **Anerkennung freier Verbandsbildung.**

Art. 14 I 1 des Grundgesetzes bestimmt als Grundrecht unserer Verfassung: „Das Eigentum und das Erbrecht werden gewährleistet." Dieses Grundrecht hat das Bundesverfassungsgericht so interpretiert: „Das Eigentum ist ein elementares Grundrecht, das in einem inneren Zusammenhang mit der Garantie der persönlichen Freiheit steht. Ihm kommt im Gesamtgefüge der Grundrechte die Aufgabe zu, dem Träger des Grundrechts einen Freiheitsraum im vermögensrechtlichen Bereich sicherzustellen und ihm damit eine eigenverantwortliche Gestaltung des Lebens zu ermöglichen. Die Garantie des Eigentums als Rechtseinrichtung dient der Sicherung dieses Grundrechts" (BVerfGE 24, 367, 389 = NJW 1969, 309). Die Anerkennung des Privateigentums i. S. eines grundsätzlich freien Nutzungs- und Verfügungsrechts ist unlösbar verbunden mit der Freiheit der Persönlichkeit, der Vertragsfreiheit, der Freiheit der Berufswahl und der Gewerbefreiheit. Diese Rechte wären nicht mehr gewährleistet, wenn der Gesetzgeber an die Stelle des Privateigentums etwas setzen könnte, was den Namen „Eigentum" nicht mehr verdient (BVerfG a. a. O.).

2. Die Sozialpflichtigkeit des Grundeigentums

5 **Das Grundeigentum unterliegt trotz seines Privatrechtscharakters dem Sozialstaatsprinzip.** Zwar bestimmt § 903 BGB: „Der Eigentümer einer Sache kann, soweit nicht das Gesetz oder Rechte Dritter entgegenstehen, mit der Sache nach Belieben verfahren und andere von jeder Einwirkung ausschließen." Im Gegensatz zum unbeschränkten römischen dominium war der Grundbesitz im deutschen Recht aber nie eine reine Privatsache. So unterschied man im germanischen Dorf die dem Sondergebrauch zugewiesene Hofstätte (Hausfrieden), die Äcker und Wiesen im Besitz aller Dorfgenossen und das übrige Land (Wald, Weide, Gewässer), das die Allmende bildete, die jeder unbeschränkt nutzen konnte (Mitteis/Lieberich, Deutsche Rechtsgeschichte, 18. Aufl. 1988, Kap. 5 II 4 und 7).

6 **Durch § 903 BGB wird das Eigentum als das umfassende Herrschaftsrecht an einer Sache begründet und zugleich mit einem Vorbehalt versehen.** In diesem Sinne schränkt Art. 14 I 2 GG auch die Ge-

währleistung des Eigentums ein: „Inhalt und Schranken werden durch die Gesetze bestimmt." Und Art. 14 II GG fügt die **Sozialpflichtigkeit** bei: „Eigentum verpflichtet. Sein Gebrauch soll zugleich dem Wohle der Allgemeinheit dienen." Das Eigentum steht damit verfassungsrechtlich im Spannungsfeld zwischen Freiheit und Bindung. Auch in einer Verfassungsordnung, die das Privateigentum bejaht, kann das Recht des Grundeigentümers, sein Eigentum zu nutzen und darüber zu verfügen, nicht unbegrenzt sein. Solche Bindungen ergeben sich insbesondere aus planungsrechtlichen und sozialstaatlichen Gründen. Aus der großen Zahl der öffentlich-rechtlichen und privatrechtlichen Beschränkungen, die das Eigentum an Grundstücken überlagern und einengen, nur einige **Beispiele:**

- Wer ein Grundstück bebauen will, darf dies nur mit besonderer Genehmigung und in dem Rahmen tun, der durch den Bebauungsplan und baurechtliche Vorschriften gezogen ist (§§ 29ff. BauGB, Landesbauordnungen, Ortssatzungen); außerdem sind nachbarrechtliche Beschränkungen nach §§ 905–924 BGB und nach Landesrecht zu beachten (Bauordnungen der Länder s. Sartorius I, Anm. 3 zur Überschrift BauGB; Nachbarrechtsgesetze der Länder s. Palandt/Bassenge, Art. 124 EGBGB Rz. 2).
- Die Veräußerung eines landwirtschaftlichen Grundstücks bedarf der Genehmigung nach § 2 GrdstVG; diese kann u. a. versagt werden, wenn „die Veräußerung eine ungesunde Verteilung des Grund und Bodens bedeutet" (§ 9 I Nr. 1 GrdstVG).
- Die Veräußerung und Belastung von Grundstücken in Sanierungsgebieten bedarf der Genehmigung nach § 144f. BauGB.
- Beim Verkauf eines Grundstücks kann ein Vorkaufsrecht nach dem BauGB, einem landesrechtlichen Denkmalschutzgesetz oder anderen landesgesetzlichen Bestimmungen in Frage kommen (s. Rz. 849–860).
- Bei Eigentumswohnungen kann der Mieter ein Vorkaufsrecht haben (§ 2b WoBindG und § 570b BGB; (s. Rz. 861f.).
- Die weinbergsmäßige Neuanpflanzung von Weinreben bedarf einer Genehmigung nach der weinwirtschaftlichen Gesetzgebung.
- Die Preisbildung bei der Vermietung von Wohnraum und das Kündigungsrecht des Vermieters unterliegen weitgehenden gesetzlichen Beschränkungen.
- Weitere Einschränkungen ergeben sich aus den landesrechtlichen Denkmalschutz-, Naturschutz- und Höfegesetzen.

3. Das Prinzip der Verhältnismäßigkeit

Die theoretischen Eckpunkte eines jeden Bodenrechts sind: 7

- die totale Verfügungsmacht des Eigentümers; dies wäre ein extrem individualistisches System,

– die totale Verstaatlichung; sie wäre ein extrem kollektivistisches System.

In der konkreten Ausgestaltung stellt jedes Bodenrecht eine Mischform zwischen totaler Freiheit und totaler Gebundenheit dar. Nur die Gewichtung ist unterschiedlich; sie wird von den jeweiligen gesellschaftspolitischen Grundauffassungen bestimmt.

Der Grund und Boden ist nicht beliebig vermehrbar. Zwar kann die Gebäudesubstanz vermehrt, und es kann auch die Art der Nutzung des Bodens intensiviert werden (Ackerland oder Wald wird zu Bauland), aber die Gesamtfläche des Grund und Bodens wird dadurch nicht verändert. Hinzu kommen in der Raumplanung ökologische Gesichtspunkte, die einer beliebigen Umwidmung des Bodens Grenzen setzen.

Eine gerechte Rechts- und Sozialordnung muß deshalb beim Bodenrecht die Interessen der Allgemeinheit weit stärker zur Geltung bringen als bei anderen Vermögensgütern. Der Grund und Boden ist weder volkswirtschaftlich noch in seiner sozialen Bedeutung mit anderen Vermögenswerten ohne weiteres gleichzusetzen; er kann im Rechtsverkehr nicht wie eine mobile Ware behandelt werden (BVerfGE 21, 73, 82f. = NJW 1967, 619). Aber jede gesetzliche Inhalts- und Schrankenbestimmung des Eigentums an Grundstücken muß zwischen dem legitimen Eigentümerinteresse und dem Gemeinwohl abwägen und an dem Prinzip der Verhältnismäßigkeit gemessen werden. Dabei ist immer die grundlegende Wertentscheidung des Grundgesetzes zugunsten des Privateigentums als eines der fundamentalen Grundrechte unserer freiheitlichen Rechts- und Wirtschaftsordnung zu beachten.

§ 2. Die Rechtsgrundlagen und Strukturprinzipien

I. Das materielle Grundstücksrecht

Im Grundstücksrecht sind materielles und formelles Recht eng miteinander verflochten. Unter **materiellem Recht** versteht man die Regeln, die das Entstehen, den Inhalt, die Inhaltsänderungen, die Übertragung und das Erlöschen von Rechten bestimmen, unter **formellem Recht** die dabei zu beachtenden Verfahrensregeln.

8 **Das 3. Buch des BGB (Sachenrecht) behandelt das Recht der beweglichen Sachen (Mobiliarsachenrecht) und das Recht an unbeweglichen Sachen (Immobiliarsachenrecht = Grundstücksrecht).** Dem Umfange nach halten sich die beiden Rechtsbereiche ungefähr die Waage. Im **Aufbau** sind sie nicht deutlich voneinander getrennt: sie überdecken sich teilweise und sind gliederungsmäßig mehrfach ineinander verschränkt. Das erschwert das Verständnis des Grundstücksrechts, das sowohl systematisch als auch in der Praxis ein eigenständiges Rechtsgebiet darstellt.

9 **Ausschließlich Grundstücksrecht enthalten:**

§§ 873–902	BGB: Allgemeine Vorschriften über Rechte an Grundstücken
§§ 925–928	BGB: Erwerb und Verlust des Eigentums an Grundstücken
§§ 1018–1029, 1090–1203	BGB: Beschränkte dingliche Rechte an Grundstücken.

Einige Abschnitte des 3. Buches „Sachenrecht" gelten sowohl für bewegliche wie für unbewegliche Sachen:

§§ 854–872	BGB: Besitz
§§ 903–924	BGB: Inhalt des Eigentums
§§ 985–1007	BGB: Ansprüche aus dem Eigentum
§§ 1008–1011	BGB: Miteigentum
§§ 1030–1067	BGB: Nießbrauch.

Auch an anderen Stellen des BGB finden sich Bestimmungen, die für das Grundstücksrecht von Bedeutung sind, z. B.:

§§ 93–103	BGB: Bestandteile, Zubehör, Nutzungen
§§ 313	BGB: Beurkundungspflicht bei Grundstücksveräußerung

§§ 434ff., 440, 320–327	BGB: Rechtsmängelhaftung (wichtige Anspruchskette!)
§§ 459–479	BGB: Sachmängelhaftung
§§ 504–514	BGB: Vorkaufsrecht (zusammen zu lesen mit §§ 1094–1104 BGB)
§ 570 b	BGB: Vorkaufsrecht des Mieters an der gemieteten Eigentumswohnung
§ 1416	BGB: Begründung von ehelichem Gesamtgut durch Ehevertrag.

Darüber hinaus findet sich materielles Grundstücksrecht in zahlreichen weiteren Gesetzen, insbesondere im Wohnungseigentumsgesetz (WEG) und der Erbbaurechtsverordnung (ErbbauVO).

II. Das formelle Grundstücksrecht

10 **Kern des formellen Grundstücksrechts ist die Grundbuchordnung** i.d.F. vom 26.5. 1994 (**GBO**). Sie dient der Verwirklichung des Grundbuchsystems, von dem das Liegenschaftsrecht des BGB beherrscht wird. Das Grundbuch soll als öffentliches Register über die Rechtsverhältnisse des Grundstücks Auskunft geben, insbesondere den Bestand, das Eigentum sowie die Belastungen und Verfügungsbeschränkungen ausweisen, und es bringt durch Eintragung die dinglichen Rechte zur Entstehung. Vereinzelt finden sich jedoch auch im BGB, im WEG und in der ErbbauVO Vorschriften des Grundbuchverfahrensrechts.

Neben der GBO gibt es eine Reihe von weiteren Vorschriften, die Organisationsregeln und Verfahrensrecht enthalten. Hier sind vor allem zu nennen:

- die VO zur Durchführung der GBO (**GBVerfügung-GBV**) vom 24.1. 1995,
- die Allgemeine Verfügung über die geschäftliche Behandlung der Grundbuchsachen vom 25.Februar 1936 (**AV GeschBeh.**), die jedoch in zahlreichen Ländern durch Landesvorschriften ersetzt ist; sie enthält die Geschäftsordnung für die Grundbuchämter,
- die VO über die Anlegung und Führung der Wohnungs- und Teileigentumsgrundbücher (**Wohnungsgrundbuchverfügung-WGV**) vom 24.1. 1995,
- die VO über die Anlegung und Führung von **Gebäudegrundbüchern (GGV)** v. 15.7. 1994; BGBl.I 1606.

III. Rechte an Grundstücken sind Herrschaftsrechte mit subjektiven Wirkungen

Sachenrechte sind Herrschaftsrechte an Sachen. Sie wirken absolut, d.h. gegen jedermann, ohne Unterschied, ob zwischen dem Inhaber des Rechts und dem Dritten vertragliche Beziehungen bestehen oder nicht. 11

Das Eigentum ist das Vollrecht an der Sache. Es ist gesetzlich als das umfassende Verfügungs-, Nutzungs- und Abwehrrecht ausgestaltet. Der Umfang der Rechte des Eigentümers ist durch die §§ 903–924 BGB näher bestimmt. Die beschränkten dinglichen Rechte sind Abspaltungen des Eigentums, z.B.: Der Wohnungsberechtigte ist befugt, die Wohnung unter Ausschluß des Eigentümers zu bewohnen (§ 1093 BGB).

Aus der dinglichen Rechtsstellung ergeben sich jedoch auch subjektive Rechte gegenüber Personen. Beispiele:

- Der Eigentümer kann wegen vorsätzlicher oder fahrlässiger Verletzung des Eigentums **Schadensersatz** verlangen (§ 823 I BGB).
- Der nichtbesitzende Eigentümer kann von dem ohne Rechtsgrund besitzenden Nichteigentümer die **Herausgabe** verlangen (Herausgabeanspruch nach § 985 BGB).
- Der Eigentümer kann von dem Störer die **Unterlassung oder Beseitigung einer Beeinträchtigung** verlangen (Unterlassungsanspruch nach § 1004 BGB), es sei denn, daß die Einwirkung die Benutzung des Grundstücks nicht oder nur unwesentlich beeinträchtigt (§ 906 BGB), z.B.: über die Ortsüblichkeit hinausgehende Belästigungen durch Lärm, Licht, Luftverunreinigung, Erschütterungen, Pflanzen, Pflanzenschutzmittel usw.
- Der Berechtigte aus einer Dienstbarkeit kann vom Eigentümer die **Duldung einer Nutzung** verlangen (Nutzungsanspruch nach § 1018 BGB), z.B. die Duldung einer Hochspannungsleitung über das Grundstück, eines Wohnungs- oder Mitbenutzungsrechts.
- Der Hypothekar (Hypothekengläubiger) kann vom Eigentümer die **Duldung der Zwangsvollstreckung** wegen einer ihm zustehenden Forderung verlangen (Duldungsanspruch nach §§ 1113, 1147 BGB).

Im Baurecht ist der Nachbarrechtsschutz zweigleisig: Neben dem privatrechtlichen Abwehr- oder Schadensersatzanspruch besteht u.U. ein öffentlich-rechtlicher Abwehr- und Entschädigungsanspruch. Die Genehmigung eines Bauvorhabens durch die Baubehörde stellt einen „Verwaltungsakt mit Doppelwirkung“ dar: Der Bauherr wird begünstigt und der Nachbar möglicherweise beeinträchtigt. Soweit die Bauordnungsvorschriften auch den Zweck haben, Interessen des Nachbarn zu schützen, gewähren sie ihm deshalb gegenüber der Bauaufsichtsbehörde einen Anspruch auf Aufhebung der verletzenden Maßnahme, den Erlaß 12

immissionsmindernder Auflagen oder die Beseitigung der Folgen. Die prozessuale Durchsetzung dieser Abwehrrechte geschieht im Wege der verwaltungsgerichtlichen Klage (s. Battis/Krautzberger/Löhr, BauGB, 4. Aufl. 1994, § 31 Rz. 93 ff.). **Beispiele:**
- Die Stadt genehmigt ein Bauvorhaben mit einem nach öffentlichem Baurecht zu geringen Bauwich (= seitlicher Grenzabstand) oder einer unzulässigen Gebäudehöhe.
- Die zuständige Behörde genehmigt in der Nachbarschaft eines Wohngebietes ohne überwiegende Gründe des Gemeinwohls die Errichtung oder den Betrieb eines umweltbelastenden Betriebes.

IV. Abschlußfreiheit und Typisierung

13 **Im Grundstücksrecht besteht grundsätzlich Abschlußfreiheit,** d. h. die Beteiligten können frei entscheiden, ob sie ein Recht an einer Sache begründen, übertragen, ändern oder löschen wollen (z. B. Übertragung des Eigentums, Bestellung einer Hypothek usw.). **Es besteht aber nur eine beschränkte Gestaltungsfreiheit.** Das Prinzip der Vertragsfreiheit ist aus Gründen der Klarheit, der Sicherheit und Leichtigkeit des Rechtsverkehrs durch eine Typisierung in doppelter Hinsicht eingeschränkt: durch die beschränkte Zahl und die beschränkte inhaltliche Gestaltbarkeit der dinglichen Rechte an Grundstücken.

1. Die beschränkte Zahl der dinglichen Rechte

14 **Es besteht eine Beschränkung auf die gesetzlich vorgesehenen Rechtsinstitute:** Der Kreis der möglichen dinglichen Rechte an Grundstücken ist begrenzt (numerus clausus der Sachenrechte), d. h. nur die vom Gesetz zur Verfügung gestellten Rechte können im Grundbuch eingetragen werden; so gibt es z. B. keine Eintragung eines Mietrechts, eines Pachtrechts, eines rechtsgeschäftlichen Veräußerungsverbots (§ 137 BGB).

Anders im Schuldrecht: Dort gibt es weder zahlenmäßig noch inhaltlich eine Beschränkung der Vertragstypen, d. h. es besteht grundsätzlich Vertragsfreiheit (§ 305 BGB). Die Vertragstypen des BGB sind grundsätzlich dispositives Recht. Aus dem Grundsatz der Vertragsfreiheit folgt, daß es neben den im Gesetz geregelten schuldrechtlichen Vertragstypen des BGB eine nicht begrenzte Zahl von Verträgen sui generis gibt, z. B. Übergabeverträge, Treuhandverträge, Garantieverträge, Leasingverträge, Factoringverträge usw. Neue Vertragsformen bilden sich laufend in der Rechtspraxis, wie z. B. Bauträgerverträge, Bauherrenmodelle, Erwerbermodelle usw. Allerdings gibt es auch im Schuldrecht gesetzliche

Schranken der Vertragsfreiheit, z. B. durch §§ 134, 138, 242 BGB, das AGB-Gesetz, das Arbeitsrecht, das Mieterschutzrecht usw.

2. Der inhaltliche Typenzwang

Es besteht eine inhaltliche Typenfixierung: die im Grundbuch einzutragenden Rechte können nur den gesetzlich möglichen Inhalt haben, d. h. es besteht keine oder nur eine beschränkte Freiheit bei der Gestaltung des gewählten Rechts. Vereinbarungen, die den Typenrahmen überschreiten, können nicht zum Bestandteil des dinglichen Rechts werden, sondern nur schuldrechtliche Wirkungen haben. So gibt es z. B.: 15

- keine Eintragung eines Vorkaufsrechts zu vereinbartem Preis (vgl. §§ 505 II, 1098 I BGB und Rz. 864)
- keine Dienstbarkeit mit Verpflichtung des Eigentümers zu einem positiven Tun als Hauptinhalt der Dienstbarkeit (§§ 1018, 1090 I BGB; s. Rz. 723)
- keine Eintragung eines vererblichen Nießbrauchs (§ 1061 BGB)
- keine Bezeichnung eines Wohnungsrechts als „unentgeltlich" oder „entgeltlich" (s. Rz. 739).

Bei der Begründung und Verwendung von dinglichen Rechten an Grundstücken besteht also eine **doppelte Bindung**, nämlich betreffend den Typ und die inhaltliche Gestaltung des Rechts. Praktisch bedeutet dies: Wenn die Eintragung eines nicht eintragungsfähigen Rechts oder eines an sich zwar eintragungsfähigen, aber mit einem unzulässigen Inhalt ausgestalteten Rechts beantragt wird, darf das GBAmt dem Antrag nicht entsprechen (§ 18 I GBO; s. Rz. 404–415).

V. Die Erkennbarkeit der Sachenrechte

Das Schuldrecht regelt Rechtsbeziehungen zwischen einzelnen Personen. Eine Publizität der Rechte ist nicht erforderlich und häufig auch nicht erwünscht. Dritte brauchen z. B. nicht zu wissen, daß A und B ein Darlehensgeschäft abgeschlossen haben, denn sie werden von dem Vertrag rechtlich nicht betroffen. **Im Gegensatz dazu wirkt das Sachenrecht absolut,** d. h. z. B., Eigentum und Besitz an Sachen wirken gegen jedermann. Dies setzt voraus, daß die bestehenden Herrschaftsrechte grundsätzlich für jeden erkennbar sind. Bei der Bestellung und Übertragung dinglicher Rechte verlangt das Gesetz deshalb die Wahrung bestimmter äußerlich erkennbarer Formen. 16

Im **Mobiliarsachenrecht** knüpft die Erkennbarkeit an den Besitz an (§§ 854 ff. BGB). Im **Grundstücksrecht** wird die Erkennbarkeit gesichert durch den Zwang zur Eintragung im Grundbuch (Staatliches Register, Auskunftsstelle) und durch die Begrenzung der Zahl der Sachenrechte in Verbindung mit der inhaltlichen Typisierung.

Die Eintragung im Grundbuch entfaltet drei Wirkungen:

- Rechte an Grundstücken entstehen gemäß § 873 BGB durch Einigung und Eintragung (konstitutive Wirkung der Grundbucheintragung).
- Das Grundbuch hat die Vermutung der Richtigkeit für sich (§ 891 BGB); es wird vermutet, daß ein eingetragenes Recht besteht und daß ein gelöschtes Recht nicht besteht; dies ist eine Beweislastregel: Wer die Unrichtigkeit des Grundbuchs behauptet, ist dafür beweispflichtig.
- Der Erwerber eines Rechts an einem Grundstück wird in seinem guten Glauben an die Richtigkeit des Grundbuchs geschützt (§§ 892, 893 BGB).

VI. Einschränkungen der Erkennbarkeit im Grundstücksrecht

17 **Das privatrechtliche Grundstücksrecht ist heute weitgehend durch Vorschriften des öffentlichen Rechts überlagert.** Dadurch gibt es zahlreiche Belastungen und Verfügungsbeschränkungen an Grundstücken, die nicht im Grundbuch eingetragen werden (§ 54 GBO) und infolgedessen „unsichtbar" sind, z. B.:

- Vorkaufsrechte der Gemeinde nach §§ 24–28 BauGB (s. Rz. 850)
- Preislimitiertes Vorkaufsrecht der Gemeinde nach § 3 BauGB-MaßnG an Grundstücken im Außenbereich, die im Flächennutzungsplan als Wohngebiet ausgewiesen sind (s. Rz. 851)
- Landesgesetzliche Vorkaufsrechte, z. B. betr. Denkmalschutz, Waldrecht usw.
- das Vorkaufsrecht des Mieters einer öffentlich geförderten Wohnung nach § 2b WoBindG, wenn sie vor oder nach der Umwandlung in eine Eigentumswohnung an einen Dritten verkauft wird (s. Rz. 861)
- das Vorkaufsrecht des Mieters an der gemieteten Eigentumswohnung gem. § 570b BGB (s. Rz. 862)
- fällige Erschließungsbeiträge und Ausbaubeiträge nach dem BauGB sowie den Kommunalabgabegesetzen der Länder und den darauf beruhenden Ortssatzungen
- fällige Grundsteuerbeträge (§ 12 GrStG)
- öffentliche Baulasten, soweit die Länder ein Baulastengesetz erlassen haben (s. Rz. 750–754)
- Mietpreis- und Belegungsbeschränkungen nach § 6ff. WoBindG
- Verfügungsbeschränkungen und Veränderungssperren, z. B. nach § 51 BauGB (Umlegungsverfahren), § 144 BauGB (Sanierungsverfahren), §§ 2ff. Grdst VG. Auch soweit diese Verfügungsbeschränkungen kraft

ausdrücklicher Vorschrift eingetragen werden sollen, wirken sie gegen Sondernachfolger auch dann, wenn sie nicht eingetragen sind.

Die zunehmende Tendenz des Gesetzgebers zur Schaffung öffentlichrechtlicher Belastungen und Verfügungsbeschränkungen an Grundstükken erklärt sich aus der bereits dargestellten besonderen öffentlich-rechtlichen Bedeutung und Sozialbindung des Grundeigentums („Eigentum verpflichtet", Art. 14 II 1 GG). Durch die fehlende Eintragung dieser Belastungen wird aber die vorzügliche Einrichtung des deutschen Grundbuchs, um das man uns in vielen anderen Ländern beneidet, teilweise wieder entwertet.

18 **Auch im Privatrecht gibt es aus dem Grundbuch nicht erkennbare Belastungen**, die auch gegen jeden Sondernachfolger wirken, z. B.:

- altrechtliche Dienstbarkeiten aus der Zeit vor der Anlegung des Grundbuchs; sie bedürfen nicht der Eintragung im Grundbuch (Art. 187 EGBGB)
- Überbau- und Notwegrenten (§§ 913, 914, 917 II 1 BGB); sie sind als gesetzliche Belastungen von der Eintragung im Grundbuch ausgeschlossen (§§ 914 II 1, 917 II 2 BGB)
- In den Ländern der ehemaligen DDR gibt es auch noch nicht in jedem Fall eingetragene, jedoch fortbestehende dingliche Rechte, z. B. Gebäudeeigentum, Eigentum an Baulichkeiten nach § 296 ZGB sowie Leitungsrechte, die nun durch eine Dienstbarkeit erkennbar gemacht werden können.

§ 3. Das Grundstück

Literaturhinweis: Bengel/Simmerding, Grundbuch, Grundstück, Grenze, 4. Aufl. 1995

I. Begriff des Grundstücks

19 **Der Grundstücksbegriff ist im BGB und der GBO nicht definiert;** er wird vorausgesetzt (vgl. §§ 94ff., 873, 890 BGB, 3 GBO).

Im allgemeinen Sprachgebrauch gilt eine wirtschaftliche Betrachtungsweise. Man versteht dabei unter einem Grundstück einen Teil der Erdoberfläche, der erkennbar abgegrenzt und in einer bestimmten Weise genutzt wird (sog. „Wirtschaftsgrundstück"). **Beispiel:** Hausgrundstück, bestehend aus Haus- und Gartenparzelle.

Das Grundstück im Sinne des Sachenrechts ergibt sich aus einem Zusammenwirken zwischen den Vermessungsbehörden (Katasterämtern) und den Grundbuchämtern, wobei die Katasterämter zuständig sind für die Angabe der tatsächlichen Verhältnisse und die Grundbuchämter für die Angabe der rechtlichen Verhältnisse des Grundstücks.

Das Grundbuch und das Liegenschaftskataster müssen in Übereinstimmung gehalten werden. Dies wird durch landesrechtlich geregelte wechselseitige Mitteilungspflichten gesichert:
- das Katasteramt zeigt dem Grundbuchamt die Veränderungen im Bestand oder der Beschreibung der Flurstücke durch Auszüge aus den Veränderungsnachweisen an
- das Grundbuchamt teilt dem Katasteramt die eingetretenen Änderungen des Eigentums durch Veränderungslisten mit.

Während der automatisierte Datenaustausch zwischen dem Liegenschaftskataster und der Finanzverwaltung systematisch ausgebaut wird, stagniert die Weiterentwicklung der Zusammenarbeit mit den Grundbuchämtern.

20 **Die Funktion der Katasterämter.** Die ganze Erdoberfläche des Staatsgebiets ist vermessen und nach Gemarkungen, Fluren und Flurstücken (früher: Parzellen) in einem amtlichen Verzeichnis, dem sog. **Liegenschaftskataster,** erfaßt. Die Einrichtung dieser Kataster ist landesrechtlich geregelt. Sie bestehen aus der Liegenschaftskarte, einschließlich des zugrundeliegenden Zahlenwerks, und dem Liegenschaftsbuch und bilden das amtliche Verzeichnis der Grundstücke i.S. des § 2 II

GBO. Darüber hinaus bildet das Liegenschaftskataster die Grundlage für raumbezogene Informationssysteme.

Die automatisierte Liegenschaftkarte (ALK) ist der darstellende Teil. Sie besteht aus den Flurkarten, in denen die Flurstücke einschließlich der Gebäude maßstabsgerecht (Regelmaßstab 1:1000) nach ihrer Lage als Teil der Erdoberfläche geometrisch dargestellt und mit der jeweiligen Flurstücksnummer gekennzeichnet werden. **„Flurstück"** ist also ein Teil der Erdoberfläche, das im Liegenschaftskataster mit einer besonderen Nummer bezeichnet, beschrieben und dargestellt ist. Es bildet die Buchungseinheit des Liegenschaftskatasters. Durch die Ordnungsmerkmale Gemarkungsname, Flur- und Flurstücksnummer in Verbindung mit dem Kartenwerk ist das Flurstück im Liegenschaftskataster genau bezeichnet.

Das automatisierte Liegenschaftsbuch (ALB) ist der beschreibende Teil. Es besteht aus dem **Flurbuch** und dem **Eigentümerverzeichnis**. Im Flurbuch werden die Grundstücke in topografischer Reihenfolge nach Lage, Nutzungsart, Flächengröße und den Ergebnissen der amtlichen Bodenschätzung beschrieben. Es enthält außerdem grundstücksbezogene Hinweise auf Baulasten, Denkmal- und Grabungsschutz, Naturschutzgebiete, Wasser- und Heilquellenschutzgebiete, Weinlagen und zukünftig wohl auch Altlasten. Im Eigentümerverzeichnis sind für den jeweiligen Eigentümer alle ihm gehörenden Flurstücke einer Gemarkung mit Lagebezeichnung, Nutzungsart, Fläche und Ertragsmeßzahl eingetragen.

21 **Die Funktion der Grundbuchämter.** Das Grundbuchamt übernimmt vom Liegenschaftskataster die Flur- und Parzellennummer sowie die Bezeichnung der Wirtschafts- und Nutzungsart. Im Grundbuch wird das Flurstück entweder auf einem besonderen Grundbuchblatt (Realfolium) oder zusammen mit anderen Flurstücken desselben Eigentümers (Personalfolium) verbucht (§§ 2 II, 3 I GBO). Jedes Flurstück erhält im Bestandsverzeichnis grundsätzlich eine eigene Nummer. Es können aber auch mehrere Flurstücke unter einer Nummer des Bestandsverzeichnisses zusammengefaßt werden (zusammengefaßtes Grundstück). **Grundstück im Rechtssinne** ist demnach ein katastermäßig vermessener, beschriebener und kartenmäßig dargestellter Teil der Erdoberfläche, der im Grundbuch auf einem besonderen Blatt oder unter besonderer Nummer geführt wird (RGZ 84, 265, 270). Mehrere Flurstücke können also ein Grundstück im Rechtssinne bilden, aber nicht umgekehrt mehrere Grundstücke ein Flurstück. In der Regel sind jedoch (Kataster-) Flurstück und das (Grundbuch-) Grundstück identisch.

22 **Im Steuerrecht gilt teilweise ein anderer Grundstücksbegriff** als im Zivilrecht. Da es wirtschaftliche Vorgänge oder Zustände erfassen soll, werden die zivilrechtlichen Kategorien in bestimmten Fällen durch eine wirtschaftliche Betrachtungsweise verdrängt. Als Grundstück gilt im Steuerrecht deshalb unter bestimmten Voraussetzungen auch ein Gebäude, das auf fremdem Grund und Boden errichtet oder in sonstigen Fällen einem anderen als dem Eigentümer des Grund und Bodens zuzurechnen ist, selbst wenn es wesentlicher Bestandteil des Grund und Bodens geworden ist (§§ 70 III, 94 BewG). **Beispiel:** Der Sohn errichtet auf seine Kosten ein Haus auf dem Grundstück seiner Eltern. Es wird vereinbart, daß nur der Sohn das Haus nutzt und er damit nach Belieben verfahren darf (umbauen, abreißen). Das Haus erhält in diesem Falle einen eigenen steuerlichen Einheitswert und wird nach den Grundsätzen des wirtschaftlichen Eigentums (§ 39 II Nr. 1 AO) auch einkommensteuerlich dem Sohn zugerechnet (z. B. Inanspruchnahme der AfA gemäß §§ 7ff. EStG).

In den **Bilanzen** der Unternehmen werden der Grund und Boden und die Gebäude getrennt aufgeführt, denn nur die Gebäude können steuerlich abgeschrieben werden, während der Grund und Boden nicht der Abnutzung unterliegt (vgl. § 6 I Nrn. 1 und 2 EStG).

II. Grundstücksgleiche und ähnliche Rechte

Neben dem Volleigentum an Grundstücken gibt es als wichtige Sonderformen das Wohnungseigentum und das Erbbaurecht. Zum langfristig auslaufenden Gebäudeeigentum in den Ländern des Beitrittsgebiets s. § 26. Zum Bergwerkseigentum s. BBergG BGBl. 1980 I 1310.

1. Das Wohnungseigentum

23 **Wohnungseigentum ist ein Miteigentumsanteil (Bruchteilseigentum) an einem Grundstück in Verbindung mit dem Sondereigentum an einer Wohnung oder einem nicht zu Wohnzwecken dienenden, in sich abgeschlossenen Gebäudeteil** (§ 1 II, III WEG). Es ist echtes Eigentum an Grundstücken in einer Sonderform und wird in vielen Beziehungen wie ein Grundstück behandelt. Für jede Eigentumswohnung ist deshalb in der Regel ein besonderes Wohnungsgrundbuchblatt anzulegen (§§ 7, 8 II WEG). Es entspricht im Aufbau dem normalen Grundbuchblatt. Im Bestandsverzeichnis steht das Wohnungseigentum, in Abt. I der Wohnungseigentümer und in Abt. II und III werden die Verfügungsbeschränkungen und Belastungen eingetragen. Nach Anlegung dieser Wohnungsgrundbuchblätter wird das Grundbuchblatt des Grundstücks geschlossen (im übrigen vgl. nachstehend § 24).

2. Das Erbbaurecht

24 **Das Erbbaurecht ist „das veräußerliche und vererbliche Recht, auf oder unter der Erdoberfläche des (belasteten) Grundstücks ein Bauwerk zu haben“** (§ 1 I ErbbauVO). In Bezug auf das Grundstück ist

das Erbbaurecht ein beschränktes dingliches Recht; deshalb wird seine Eigenschaft als grundstücksgleiches Recht teilweise bestritten (s. Sauren, NJW 1985, 180). Praktisch werden Erbbaurechte jedoch wie Grundstükke behandelt (§ 11 ErbbauVO). Auf dem Grundbuchblatt des Grundstücks wird das Erbbaurecht in Abt. II als Belastung eingetragen. Für das Erbbaurecht wird ein besonderes Erbbaugrundbuchblatt angelegt (§ 14 ErbbauVO); es entspricht einem normalen Grundbuchblatt: Das Erbbaurecht steht im Bestandsverzeichnis, der Erbbauberechtigte in Abt. I, die Belastungen und Verfügungsbeschränkungen kommen in Abt. II und III (im übrigen s. nachstehend § 25).

Hinweis: In den neuen Bundesländern konnte und kann unabhängig vom Eigentum am Boden selbständiges Eigentum an Gebäuden und Anlagen bestehen. Dieses Gebäudeeigentum wird grundsätzlich wie Grundstückseigentum behandelt (s. Art. 233 § 4 I EGBGB und Rz. 1364). Zur langfristigen Überführung dieser Sonderformen des Eigentums in das Recht des BGB s. Sachenrechtsbereinigungsgesetz vom 21. 9. 1994 BGBl. 2457.

3. Das Schiffseigentum

25 **Schiffe sind bewegliche Sachen.** In bestimmten Fällen müssen sie jedoch, in anderen Fällen können sie im Schiffsregister eingetragen werden, das dem Grundbuch vergleichbar ist. In diesen Fällen werden sie weitgehend wie Grundstücke behandelt (SchiffsRG, RGBl. 1940 I 1499 = BGBl. III Nr. 403–4).

- Die Eintragung der Schiffe und Rechte an Schiffen erfolgt je nach Kategorie des Schiffs im Seeschiffsregister, Binnenschiffsregister oder Schiffsbauregister; s. dazu SchiffsRegO, BGBl. 1951 I 359.
- Sachenrechtlich gibt es an Schiffen nur das Eigentum, die Schiffshypothek und den Nießbrauch sowie die Vormerkung im Schiffsregister.
- Der Inhalt der Schiffsregister bewirkt die positive und negative Vermutung der Richtigkeit und Vollständigkeit (entsprechend 891 BGB) und den Schutz des gutgläubigen Erwerbs (entsprechend §§ 892, 893 BGB).
- Die Zwangsvollstreckung in Schiffe erfolgt nach den Grundsätzen der Liegenschaftsvollstreckung (§§ 870 a, 864 ZPO).

4. Die eingetragenen Luftfahrzeuge

26 **Flugzeuge sind bewegliche Sachen.** Aber die in der Luftfahrzeugrolle beim Luftfahrtbundesamt in Braunschweig eingetragenen Flugzeuge **werden dennoch in zweierlei Hinsicht wie Grundstücke behandelt** (LuftRG, BGBl. I 1959, 57):

- Die **Zwangsvollstreckung** in diese Flugzeuge richtet sich nach dem ZVG (§§ 47, 99 I LuftRG, 870 a ZPO, 171 a ff. ZVG).

- Das Flugzeug kann mit einem **Registerpfandrecht** belastet werden; das Pfandrecht ist der Sicherungshypothek nachgebildet und entsteht durch Einigung und Eintragung in das beim Amtsgericht Braunschweig geführte Luftfahrzeug-Pfandrechtsregister.

III. Veränderungen des Grundstücks

1. Die Teilung durch den Eigentümer

27 **Der Eigentümer ist grundsätzlich berechtigt, sein Grundstück zu teilen;** dies ist zwar materiell-rechtlich nicht ausdrücklich geregelt, ergibt sich aber aus § 903 BGB. Hauptfälle in der Praxis sind die Veräußerung einer Teilfläche/von Teilflächen des Grundstücks und die nicht unmittelbar mit einem weiteren Rechtsvorgang verbundene Vorratsteilung, z.B. die Aufteilung in mehrere Bauplätze. Nach materiellem Recht erforderlich für die Grundstücksteilung sind eine darauf gerichtete Willenserklärung des Eigentümers und deren Vollzug im Grundbuch.

Verfahren. Von einigen landesrechtlichen Besonderheiten abgesehen, richtet sich das Verfahren im wesentlichen nach den folgenden Regeln:

Die Teilung eines Grundstücks setzt vielfach eine behördliche Genehmigung voraus:

a) Gemäß § 19 BauGB bedürfen der Genehmigung:
- jede **Grundstücksteilung im Innenbereich**, d.h. innerhalb des räumlichen Geltungsbereichs eines Bebauungsplans (§ 30 I BauGB) und innerhalb der im Zusammenhang bebauten Ortsteile (§ 34 BauGB)
- eine **Grundstücksteilung im Außenbereich**, wenn das Grundstück bebaut oder eine Bebauung genehmigt ist oder die Teilung der Bebauung oder kleingärtnerischen Dauernutzung dienen soll (§ 35 BauGB)
- eine **Grundstücksteilung im Geltungsbereich einer Veränderungssperre** nach § 14 BauGB.

Zuständig für die Erteilung der Genehmigung ist in diesen Fällen die Baugenehmigungsbehörde (§ 19 III BauGB).

b) Gemäß Art. 119 Nr. 2 EGBGB können die **Länder** die Teilung eines Grundstücks untersagen oder beschränken; von diesem Vorbehalt ist jedoch nur in einigen Ländern Gebrauch gemacht worden.

c) Die Teilung von Grundstücken in einem förmlich festgelegten **Sanierungsgebiet** bedarf der Genehmigung durch die Sanierungsbehörde (§§ 144 I Nr. 2, 145 BauGB). Das gleiche gilt für die Teilung von Grundstücken in einem städtebaulichen Entwicklungsbereich (§ 169 I Nr. 5 BauGB).

Die katastermäßige Teilung. Mit dem Antrag auf Genehmigung der Teilung ist ein auf der Grundlage der amtlichen Flurkarte erstellter Lageplan mit Einzeichnung der beabsichtigten Teilung vorzulegen. Sodann erfolgt die Vermessung auf Antrag des Eigentümers bei der Vermessungsbehörde (Katasteramt) oder bei einem öffentlich bestellten Vermessungsingenieur. Dabei wird die neue Grenzlinie durch Grenzsteine oder in einer anderen dauerhaften Weise bezeichnet (**Abmarkung**). Über die vorgenommene Abmarkung und die Zustimmung des Eigentümers wird eine Niederschrift aufgenommen (vgl. die Abmarkungsgesetze der Länder). Die Ergebnisse der Vermessung werden sodann, nach rechnerischer Prüfung, in einem **Veränderungsnachweis** (VN) niedergelegt, der den alten und neuen Bestand ausweist und die örtlichen Veränderungen in einem beglaubigten Lageplan darstellt. Regelmäßig wird das Ergebnis unmittelbar, d.h. bereits vor der Wahrung im Grundbuch, in das Liegenschaftskataster übernommen. 28

Übernahme in das Grundbuch. Die katastermäßige „Teilung" bereitet die rechtliche Teilung vor. Zu diesem Zweck erhält das GBAmt einen Auszug aus dem Veränderungsnachweis und übernimmt die Ergebnisse in das Bestandsverzeichnis. Die rechtliche Wirkung der Teilung in neue Grundstücke tritt erst dadurch ein, daß das GBAmt die neugebildeten Flurstük ke jeweils unter einer eigenen Nummer im Bestandsverzeichnis einträgt (§§ 2 III GBO, 13 IV GBV). Dazu bedarf es gemäß § 30 GBO der Bewilligung des Eigentümers in der Form des § 29 GBO und eines entsprechenden Antrages gem. § 13 GBO. Steht die Teilung in Verbindung mit einer anderen formgebundenen Grundbucherklärung, z.B. der Veräußerung einer Teilfläche, ist der Teilungsantrag in der Regel bereits im Vertrag enthalten, anderenfalls ist eine besondere formgebundene Erklärung gegenüber dem Grundbuchamt erforderlich. Nach Landesrecht sind auch die Katasterämter befugt, die Erklärung des Eigentümers zu beglaubigen. 29

2. Die Vereinigung durch den Eigentümer

Der Eigentümer kann mehrere Grundstücke rechtlich dadurch zu einem Grundstück vereinigen, daß er sie unter einer Nummer des Bestandsverzeichnisses im Grundbuch eintragen läßt (§§ 890 I BGB, 5 GBO). Voraussetzung ist, daß die Grundstücke im Bezirk desselben Grundbuchamts liegen und unmittelbar aneinander grenzen. Dies ist durch Vorlage einer katasteramtlich beglaubigten Karte nachzuweisen (§ 5 II GBO). Erforderlich für die Einigung ist ein Antrag des Eigentümers gegenüber dem GBAmt. Er bedarf gemäß § 30 GBO, da er zugleich die materielle Bewilligung der Grundstücksvereinigung nach § 890 BGB beinhaltet, der Form des § 29 GBO. Nach Landesrecht sind in der Regel auch die Katasterämter befugt, die Erklärung des Eigentümers zu beglaubigen. **Hauptfälle:** 30

- Bei der Errichtung oder Erweiterung eines Bauwerks würde ohne eine Grundstücksvereinigung bzw. Flurstücksverschmelzung die baurechtlich zulässige Geschoß- und Grundflächenzahl überschritten, oder es könnten die vorgeschriebenen Grenzabstände nicht eingehalten werden; das Bauamt macht deshalb die Baugenehmigung von einer Grundstücksvereinigung abhängig.
- Soll Wohnungseigentum auf mehreren bisher selbständigen Grundstücken gebildet werden, ist vorher die Bildung eines einheitlichen Grundstücks durch Vereinigung (§ 890 I BGB) oder durch Bestandteilszuschreibung (§ 890 II BGB) erforderlich (§ 1 IV WEG).

Rechtswirkungen. Die vereinigten Grundstücke verlieren ihre Selbständigkeit und werden nichtwesentliche Bestandteile des einheitlichen Grundstücks. Will der Eigentümer später die Vereinigung wieder auflösen und die Parzellen wieder unter getrennten Nummern des Bestandsverzeichnisses führen, so bedarf er dazu in bestimmten Fällen einer Teilungsgenehmigung (s. Rz. 27).

Die bisherigen Belastungen bleiben auf den ursprünglichen Bestandteilen bestehen, es tritt also keine Belastungserstreckung nach § 1131 BGB ein. Nach der Vereinigung kann jedoch nur noch das einheitliche Grundstück belastet werden. Zur grundbuchtechnischen Durchführung s. § 13 I, II GBV.

31 **Zusammenschreibung.** Von der rechtlichen Vereinigung mehrerer Grundstücke zu einem Grundstück zu unterscheiden ist die formale Zusammenschreibung mehrerer selbständig bleibender Grundstücke durch das Grundbuchamt auf einem Grundbuchblatt. Dies geschieht häufig aus rein praktischen Gründen und ist lediglich ein grundbuchtechnischer Vorgang ohne rechtliche Auswirkungen (§ 4 GBO).

3. Die Zuschreibung durch den Eigentümer

32 **Der Eigentümer kann ein Grundstück einem anderen Grundstück als Bestandteil zuschreiben lassen** (§§ 890 II BGB, 6 GBO). Die Zuschreibung ist eine besondere Art der Vereinigung, unterscheidet sich von dieser aber durch eine andere Behandlung der eingetragenen Belastungen. Die bisher auf dem Stammgrundstück lastenden Grundpfandrechte erstrecken sich ohne besondere rechtsgeschäftliche Pfandunterstellung kraft Gesetzes auf das zugeschriebene Grundstück, und zwar einschließlich der dinglichen Vollstreckungsunterwerfung nach § 800 ZPO (§§ 1131, 1192 I BGB). Für andere Belastungen, z.B. Reallasten, tritt keine Erstreckung ein. Rechte, mit denen das zugeschriebene Grundstück belastet ist, gehen den erstreckten Grundpfandrechten im Range vor (§ 1131 S. 2 BGB). Neue Belastungen erstrecken sich auf das ganze Grundstück. Zur grundbuchtechnischen Durchführung s. § 13 I, II GBV.

Vereinigung und Zuschreibung gem. § 890 I, II BGB sollen aber nur erfolgen, wenn dadurch keine Verwirrung zu befürchten ist (§§ 5, 6 GBO), insbesondere sollen etwaige Schwierigkeiten bei einer Zwangsversteigerung der Grundstücke vermieden werden, die sich aus unterschiedlicher Belastung der ursprünglichen Teile ergeben können. Wenn das Grundbuchamt in Ausübung seines Ermessens die gleichmäßige Belastung zur Voraussetzung macht, ist entweder eine Freigabe des einen oder eine Nachbelastung des anderen Flurstücks, bei mehreren Belastungen in Verbindung mit einer Rangänderung, erforderlich.

Die Zulässigkeit der Grundstücksvereinigung und Zuschreibung ist in den Ausführungsgesetzen einiger Länder zum BGB beschränkt worden (s. Art. 119 Nr. 3 EGBGB).

4. Veränderungen durch behördliche Maßnahmen

Reale Veränderungen im Zuschnitt des Grundstücks durch vermessungstechnische Maßnahmen sind auch aufgrund behördlicher Verfahren möglich:

a) Umlegungsverfahren

33 Im Umlegungsverfahren sowie im Grenzregelungsverfahren nach dem BauGB dient der rechtskräftige Umlegungsplan als amtliches Verzeichnis i. S. des § 2 II GBO. Die Berichtigung des Grundbuchs erfolgt auf Ersuchen der Umlegungsstelle (§§ 74, 84 I BauGB).

b) Flurbereinigungsverfahren

34 Maßgeblich für das Verfahren ist das FlurbG (BGBl. 1953, 591). Der rechtskräftige Flurbereinigungsplan dient als amtliches Verzeichnis i. S. des § 2 II GBO (§ 81 I FlurbG). Die Berichtigung des Grundbuchs erfolgt auf Ersuchen der Flurbereinigungsbehörde.

c) Zerlegung

35 Die Katasterbehörde kann aus katastertechnischen Gründen ein Flurstück in mehrere selbständige Flurstücke aufteilen. Gründe dafür können sein z. B. die Anpassung der Flurstücke nach Veränderungen in der Bebauung, Nutzung, Unterteilung der Straßenzüge, Umgemeindung eines Flurstücksteils usw. Als rein katastertechnische Maßnahme bedarf die Zerlegung nicht der Zustimmung des Eigentümers, darf aber nicht gegen die wohlverstandenen Interessen der Berechtigten verstoßen. Auf das gegebene Rechtsmittel gegen die Zerlegung ist im Veränderungsnachweis hinzuweisen (vgl. Bengel/Simmerding, Grundbuch, Grundstück, Grenze, 4. Aufl. 1995; Kriegel, Katasterkunde in Einzeldarstellungen, Heft 4 Nr. 2.1.1).

d) Verschmelzung

36 Um die Zahl der Flurstücke im Rahmen des Möglichen und Zweckmäßigen niedrig zu halten, kann die Katasterbehörde Flurstücke, die örtlich zusammenhängen und ein Grundstück im Rechtssinne bilden, zu einem Flurstück zusammenfassen. Die Verschmelzung ist eine rein katastertechnische Maßnahme und steht deshalb im Ermessen der Katasterbehörde. Sie wird von Amts wegen und regelmäßig gebührenfrei vorgenommen (vgl. Bengel/Simmerding a.a.O., §§ 5, 6 Rz. 19–22).

IV. Bestandteile und Zubehör

Literaturhinweis: Binger, Regelungen über Scheinbestandteile, Zubehör und andere auf dem Grundstück befindliche Gegenstände in Grundstücks-, Kauf-und Übertragungsverträgen, MittRhNotK 1984, 205

1. Die Bedeutung für die Vertragsgestaltung

37 Die Rechtsordnung hat die Tendenz, den Wertverlust einer Sache durch das Auseinanderreißen von wirtschaftlich zusammengehörigen Sachteilen zu verhindern; **die Teile einer einheitlichen Sache sollen ein möglichst einheitliches rechtliches Schicksal haben.** Bestandteile und Zubehörgegenstände einer Sache stehen deshalb gem. §§ 93–97 BGB in einer, im einzelnen unterschiedlich eng gestalteten, rechtlichen Verbindung mit der Hauptsache. Im Grundstücksrecht bestimmen die Art der Verbindung sowie die Zweckbestimmung nach der Verkehrsauffassung den Rechtscharakter der Teile. Die wichtigsten Begriffe für die Vertragspraxis sind:
- wesentliche Bestandteile eines Grundstücks (§ 94 I BGB)
- wesentliche Bestandteile eines Gebäudes (§ 94 II BGB)
- Scheinbestandteile (§ 95 BGB)
- mit dem Grundstück verbundene Rechte (§ 96 BGB)
- Zubehörgegenstände (§ 97 BGB)
- bewegliche Gegenstände ohne Zubehöreigenschaft.

Die begrifflich richtige Beurteilung der Sachteile ist bei Grundstücksveräußerungen eine Voraussetzung für klare, rechtswirksame und in der Durchführung streitfrei bleibende Vereinbarungen der Beteiligten. Ist die rechtliche Einordnung eines Gegenstandes unsicher, sollten eindeutige Absprachen getroffen werden.

2. Die wesentlichen Bestandteile

An wesentlichen Bestandteilen können keine besonderen dinglichen Rechte bestehen. Sie teilen das rechtliche Schicksal der Hauptsache. Im Falle einer Übereignung der Hauptsache bedarf es deshalb für sie keiner besonderen Regelung (§ 93 BGB).

a) Der allgemeine Begriff „wesentliche Bestandteile"

Als **„wesentliche Bestandteile"** einer Sache bezeichnet man solche Teile einer einheitlichen, aber zusammengesetzten Sache, die nicht voneinander getrennt werden können, ohne daß der abgetrennte oder der zurückbleibende Teil zerstört oder in seinem Wesen verändert wird (§ 93 BGB). Dieser allgemeine Grundsatz gilt sowohl für bewegliche Sachen wie für Grundstücke. In seinem „Wesen verändert" ist ein Teil, wenn durch die Trennung seine Brauchbarkeit und damit sein Wert nicht unerheblich gemindert wird. **38**

Als **einfache Bestandteile** (= nichtwesentliche Bestandteile) bezeichnet man Gegenstände, die man von der Hauptsache trennen kann, ohne daß sie zerstört oder wesentlich verändert werden. Eine gesetzliche Definition dafür gibt es allerdings nicht. Die Abgrenzung zu den wesentlichen Bestandteilen ist deshalb im Einzelfall unsicher; Beispiele aus der Rechtsprechung s. Palandt/Heinrichs § 93 Rz. 5ff. Auch einfache Bestandteile folgen dem Schicksal der Hauptsache; sie können jedoch Gegenstand besonderer Rechte sein. Im Grundstücksrecht haben sie nur geringe praktische Bedeutung, weil die in Frage kommenden Gegenstände in der Regel entweder wesentliche Bestandteile des Gebäudes oder Zubehör sind (s. Rz. 40 und 46–51).

b) „Wesentliche Bestandteile" eines Grundstücks

Für Grundstücke gelten gem. §§ 94–96 BGB einige besondere Regeln, die den allgemeinen Begriff „wesentliche Bestandteile" teils erweitern und teils einschränken. **39**

Zu den „wesentlichen Bestandteilen" eines Grundstücks gehören die mit dem Grund und Boden fest verbundenen Sachen, insbesondere Gebäude, sowie die Erzeugnisse des Grundstücks, solange sie mit dem Boden zusammenhängen (§ 94 I BGB; sog. Akzessionsprinzip). Nach deutschem Sachenrecht sind somit die auf dem Grundstück errichteten Gebäude, wenn sie mit ihrem Fundament in das Grundstück hineingebaut und damit fest verbunden sind, rechtlich Bestandteil des Grundstücks. Abgesehen vom Wohnungseigentum, den Sonderfällen des § 95 I BGB, insbesondere dem Erbbaurecht, sowie dem einstweilen fortbestehenden Gebäudeeigentum im Beitrittsgebiet gibt es kein Sondereigentum an Gebäuden. Es gilt der römisch-rechtliche Grundsatz: superficies solo cedit (= das Eigentum am Gebäude folgt dem Eigentum am Grundstück). Der Eigentümer des Grundstücks ist also -was von juristischen Laien oft verkannt wird- auch Eigentümer des darauf stehenden Gebäudes.

Nicht zu wesentlichen Bestandteilen des Grundstücks werden Aufbauten, die nur auf den Boden aufgesetzt sind und ohne Zerstörung an anderer Stelle wieder aufgebaut werden können, z.B. transportable Fertiggaragen und Hütten; sie gelten als bewegliche Sachen und bedürfen deshalb im Falle einer Veräußerung der besonderen Übertragung nach den Regeln der §§ 929ff. BGB.

c) „Wesentliche Bestandteile" eines Gebäudes

40 **Zu den „wesentlichen Bestandteilen" eines Gebäudes gehören die zur Herstellung des Gebäudes eingefügten Sachen** (§ 94 II BGB; Maßgeblichkeit des Gebäudezusammenhangs). Darin liegt eine Erweiterung des § 93 BGB, denn als „zur Herstellung eingefügt" gelten nicht nur die mit dem Gebäude fest verbundenen Teile, sondern auch locker verbundene, wenn sie nach der Verkehrsanschauung dazu dienen, das Gebäude zu seinem Verwendungszweck geeignet zu machen. Es entscheidet der Zweck, nicht die Art der Verbindung (BGH NJW 1978, 1311). Hier ist deshalb die Zuordnung schwieriger, und es gibt dazu eine umfangreiche, nicht immer widerspruchsfreie Rechtsprechung. „Eingefügt" i.S. des § 94 II BGB sind auch solche Gegenstände, die leicht lösbar und austauschbar sind, wenn durch ihre Entfernung das Gebäude für den vorgesehenen Zweck ungeeignet wird. Dazu gehören z.B. Türen und Fenster, auch eingehängte Fensterläden, Heizkörper, Öltank und Brenner, Fahrstühle, Klimaanlagen, Warmwasserspeicher, Waschbecken und Badewannen, und zwar auch dann, wenn sie leicht und ohne wirtschaftlichen Wertverlust vom Gebäude getrennt werden können. Auch Einbauküchen und Einbaumöbel gehören dazu, wenn sie dem Baukörper besonders angepaßt sind und deshalb mit ihm eine Einheit bilden (BGH NJW 1984, 2278; zahlreiche Einzelfälle der Rechtsprechung s. Palandt/Heinrichs § 93 Rz. 5–8).

Ist –wie im Regelfalle– das Gebäude wesentlicher Bestandteil des Grundstücks, so werden die in das Gebäude eingefügten Sachen mittelbar auch wesentliche Bestandteile des Grundstücks.

d) Die Wirkungen der Einfügung

41 Mit der Einfügung als Bestandteil in das Grundstück oder das Gebäude **verliert** das eingefügte Material bzw. der eingefügte Gegenstand **seine Sonderrechtsfähigkeit** (§ 93 BGB). Besondere dingliche Rechte können an wesentlichen Bestandteilen nicht mehr bestehen; das Eigentum am

Grundstück erstreckt sich auf die als Bestandteil eingefügte Sache (§ 946 BGB). Die praktische Bedeutung dieses Vorgangs zeigt sich an folgenden **Beispielen:**

- Ein auf dem Grundstück errichtetes Gebäude ist Eigentum des Grundstückseigentümers. Das gilt unabhängig davon, wer das Gebäude geplant, errichtet oder finanziert hat, und es gilt auch dann, wenn – wie häufig – das Gebäude wirtschaftlich wertvoller ist als das Grundstück.
- Bei einer Übertragung des Eigentums am Grundstück geht ipso iure auch das Eigentum an den wesentlichen Bestandteilen auf den Erwerber über; einer besonderen Übertragung bedarf es nicht.
- Der Lieferant einer beweglichen Sache, z.B. der Heizungsbauer, verliert mit dem Einbau der Heizkörper sein Eigentum; dies gilt auch im Falle der Lieferung unter Eigentumsvorbehalt, weil § 946 BGB zwingendes Recht ist.
- Die Haftung des Grundstücks für Hypotheken und Grundschulden erstreckt sich auch auf die Bestandteile des Grundstücks (§ 1120 BGB).
- Im Falle einer Anordnung der Zwangsversteigerung des Grundstücks erfaßt die Beschlagnahme des Grundstücks gemäß § 20 I ZVG auch seine Bestandteile.

e) Wegnahmerechte

Vereinbarung. Da wesentliche Bestandteile mit dem rechtlichen Schicksal der Hauptsache verbunden sind, kann der Eigentümer sie bei der Veräußerung des Grundstücks nicht einseitig von der Veräußerung ausschließen. Möglich ist aber die Vereinbarung eines Wegnahmerechts zwischen den Vertragsbeteiligten. Es berechtigt den Veräußerer, den Gegenstand, z.B. Beleuchtungskörper, Kamin, eingebautes Wappen, vom Grundstück bzw. Gebäude zu trennen, damit seine Eigenschaft als „wesentlicher Bestandteil" aufzuheben, d.h. ihn von der Übereignung auszunehmen oder ihn nach Grundbuchumschreibung sich wieder anzueignen. Zur Ausübung des Wegnahmerechts s. § 258 BGB. **42**

Gesetzliches Wegnahmerecht des Mieters. Der Mieter ist berechtigt, Sachen, die er mit dem Grundstück verbunden hat, wegzunehmen, und zwar auch dann, wenn sie durch die Einfügung wesentliche Bestandteile geworden sind, z.B. Deckenlampe, Wandschrank, Waschbecken, Sträucher im Garten usw. (§ 547a BGB). Der Vermieter kann die Wegnahme durch Zahlung einer angemessenen Entschädigung abwenden, es sei denn, daß der Mieter ein berechtigtes Interesse an der Wegnahme hat (§ 547a II BGB). Entsprechendes gilt für den Wiederverkäufer (§ 500 BGB), den Pächter (§ 581 II BGB), den Entleiher (§ 601 II BGB), den Nießbraucher (§ 1049 II BGB), den Wohnungsberechtigten (§ 1093 I BGB) und den Vorerben (§ 2125 II BGB). **43**

f) Scheinbestandteile

44 **Von den Regeln der §§ 93, 94 BGB gibt es drei Ausnahmen.** Gemäß §§ 95, 97 II 1 BGB sind weder Bestandteile noch Zubehör, sondern sog. Scheinbestandteile:

- Sachen, die nur zu einem vorübergehenden Zweck mit dem Grund und Boden verbunden sind, d.h. wenn die spätere Trennung vom Grundstück von Anfang an beabsichtigt ist, z.B. ein vom Mieter errichteter Schuppen, ein vom Pächter errichtetes Treibhaus, Bäume in einer Baumschule (§ 95 I 1 BGB); werden Sachen von einem Mieter oder Pächter mit dem Grundstück verbunden, so spricht selbst bei massiver Bauweise die Vermutung dafür, daß dies nur für die Dauer des Nutzungsverhältnisses geschehen sollte (BGH NJW 1984, 2878 (Holzhaus), NJW 1987, 774 (massives Gartenhaus mit Anbau);
- Gebäude und andere Werke, die in Ausübung eines dinglichen Rechts mit einem fremden Grundstück verbunden worden sind (§ 95 I 2 BGB); Hauptfall ist das bei Begründung des Erbbaurechts vorhandene oder vom Erbbauberechtigten in Ausübung eines dinglichen Rechts errichtete Gebäude (§ 12 I, II ErbbauVO); in Frage kommen aber auch die Errichtung von Anlagen durch den Inhaber eines Nießbrauchsrechts, einer Grunddienstbarkeit oder aufgrund eines Überbaurechts gemäß § 912 BGB (Palandt/Heinrichs § 95 Rz. 5); bei einem rechtswidrigen, nicht entschuldigten Überbau wird jedoch das Eigentum am Grundstück auf der Grenzlinie vertikal geteilt (BGH JuS 1985, 479);
- Sachen, die nur zu einem vorübergehenden Zweck in das Gebäude eingefügt worden sind (§ 95 II BGB).

Scheinbestandteile werden grundsätzlich als bewegliche Sachen behandelt, sie gehen nicht in das Eigentum des Grundstückseigentümers über und unterliegen bei der Übereignung den Regeln der §§ 929ff. BGB.

g) Mit dem Grundstück verbundene Rechte

45 **Als Bestandteile eines Grundstücks gelten auch die mit dem Eigentum am Grundstück verbundenen Rechte** (§ 96 BGB). Sie können vom Eigentum am Grundstück nicht getrennt werden. Dies sind insbesondere die Grunddienstbarkeit beim herrschenden Grundstück (§§ 1018–1029 BGB) sowie Vorkaufsrechte und Reallasten, wenn sie zugunsten des jeweiligen Eigentümers des Grundstücks bestellt sind (§§ 1094 II, 1105 II BGB). Auf Antrag werden sie auf dem Grundbuchblatt des herrschenden Grundstücks im Bestandsverzeichnis vermerkt, was in der Praxis auch zu empfehlen ist (s. Rz. 718).

3. Zubehör

a) Die Zubehöreigenschaft

Auch bei rechtlich gegenüber dem Grundstück selbständigen beweglichen Sachen kann eine **wirtschaftliche Zuordnung zum Grundstück** bestehen, die es rechtfertigt, in bestimmten Fällen ihr rechtliches Schicksal mit dem Eigentum am Grundstück zu verbinden. Das Gesetz bezeichnet diese Gegenstände als Zubehör. 46

Begriff. Zubehör sind bewegliche Sachen, die zwar körperlich selbständig und deshalb nicht Bestandteile, aber nach ihrer wirtschaftlichen Bestimmung dem Grundstück bzw. Gebäude zu dienen bestimmt sind und zum Grundstück bzw. Gebäude in einem dieser Bestimmung entsprechenden räumlichen Verhältnis stehen (§ 97 I 1 BGB). Eine Sache ist jedoch nicht Zubehör, wenn sie nach allgemeiner **Verkehrsauffassung**, wie sie in den Lebens- und Geschäftsgewohnheiten zum Ausdruck kommt, nicht als Zubehör angesehen wird (§ 97 I 2 BGB). Nicht Zubehör sind auch Gegenstände, die nur vorübergehend für den wirtschaftlichen Zweck einer anderen Sache benutzt werden (§ 97 II 1 BGB), z.B. die vom Pächter einer Gastwirtschaft eingebrachte Möblierung. Zur Abgrenzung der Zubehöreigenschaft gibt es eine sehr umfangreiche und mit den Zeitverhältnissen in fließender Entwicklung bleibende Rechtsprechung.

Einbaumöbel und Einbaugeräte können wesentliche Bestandteile oder Zubehör des Gebäudes sein. Für die Abgrenzung ist im Zweifel entscheidend, ob sie nur zu den Raummaßen passend angeschafft sind, wie z.B. in der Regel Waschmaschinen, Herde, Kühlschränke (Zubehör) oder ob sie so in das Gebäude eingepaßt wurden, daß sie mit den umschließenden Gebäudeteilen eine Einheit bilden (wesentliche Bestandteile).

b) Einzelfälle aus der Rechtsprechung

Beispiele erleichtern die begriffliche Einordnung. 47

Zubehör sind z.B.:
- die Apothekeneinrichtung auf einem Apothekengrundstück
- Baumaterialien auf dem Baugrundstück (BGH NJW 1972, 1187)
- die Einrichtung einer Gastwirtschaft, wenn das Grundstück auf die dauernde Nutzung als Gastwirtschaft angelegt ist (BGH NJW 1974, 269)
- der Heizölvorrat eines Wohnhauses (OLG Düsseldorf NJW 1966, 1714)
- das auf einen bestimmten gewerblichen oder landwirtschaftlichen Betrieb abgestellte Inventar (§ 98 BGB).

Zubehör sind nicht und haben deshalb ein vom Grundstück völlig unabhängiges rechtliches Schicksal:
- vom Wohnungsmieter angebrachte Beleuchtungskörper
- zum Verkauf bestimmte Waren (RGZ 66, 88)
- der Kraftfahrzeugpark eines Speditionsunternehmens (BGH NJW 1983, 746)
- Rohmaterial in einem gewerblichen Betrieb (RGZ 86, 326, 330).

Weitere Beispiele s. Palandt/Heinrichs, § 93 Rz. 5.

c) Die Wirkungen der Zubehöreigenschaft

48 **Die Verpflichtung zur Übertragung eines Grundstücks erstreckt sich im Zweifel auf die dem Eigentümer gehörenden Zubehörgegenstände** (§ 314 BGB); es bedarf daher keiner ausdrücklichen Bezeichnung dieser Gegenstände im Kaufvertrag und auch keiner besonderen Übergabe. Vom Verkauf ausgeschlossene Zubehörstücke sind jedoch zu erwähnen. Bewegliche Sachen, die weder Bestandteil noch Zubehör sind, werden von der Veräußerung nicht erfaßt, z. B. Möbel, Kraftfahrzeuge usw. Sollen sie mitveräußert werden, so bedarf dies der besonderen Vereinbarung. Zur Vermeidung etwaiger späterer Meinungsverschiedenheiten ist es deshalb bei den Vertragsverhandlungen zweckmäßig, in allen Zweifelsfällen klarzustellen, was als mitverkauft oder nicht mitverkauft gewollt ist (z. B.: sind die dem Eigentümer des Grundstücks gehörenden Beleuchtungskörper mitverkauft?).

Gehört das Zubehör dem Veräußerer, so erstreckt sich die Einigung über den Eigentumsübergang an dem Grundstück im Zweifel auch auf diese Gegenstände. Eine spezifizierte Einigung und eine Besitzübergabe der einzelnen Zubehörstücke ist nicht erforderlich (§ 926 I BGB).

Gehört das Zubehör nicht dem Veräußerer – z. B. unter Eigentumsvorbehalt gelieferte Gegenstände –, so richtet sich der Erwerb nach den für bewegliche Sachen geltenden Regeln; d. h. zum gutgläubigen Erwerb sind der gute Glaube des Erwerbers an das Eigentum des Veräußerers und der Besitzübergang erforderlich (§§ 926 II, 932–936 BGB).

49 **Die Mithaftung des Zubehörs.** Eine Hypothek oder Grundschuld soll den Zugriff auf das Grundstück als wirtschaftliche Einheit ermöglichen. Die Haftung für Grundpfandrechte erstreckt sich deshalb im Rahmen der (komplizierten) Regelung der §§ 1120–1122 BGB auch auf die dem Eigentümer des Grundstücks gehörenden Zubehörstücke (s. Rz. 1099–1111).

Die praktischen Auswirkungen des § 1120 BGB zeigen sich in der Zwangsvollstreckung: Die Zwangsvollstreckung in das unbewegliche Vermögen umfaßt auch die Gegenstände, auf die sich das Grundpfandrecht erstreckt (§ 865 I ZPO). Zubehörstücke, die für ein Grundpfandrecht mithaften, unterliegen deshalb nicht der Zwangsvollstreckung in das bewegliche Vermögen, können also nicht durch den Gerichtsvollzieher gepfändet werden (§ 865 II 1 ZPO). Der Beschluß, durch den die Zwangsversteigerung des Grundstücks angeordnet wird, bewirkt zugleich die Beschlagnahme des dem Eigentümer gehörenden Zubehörs (§ 20 II ZVG). Das im Besitze des Schuldners befindliche Zubehör wird, ohne besonderes Ausgebot, mit dem Grundstück mitversteigert, und zwar auch dann, wenn es nicht im Eigentum des Schuldners steht, es sei denn, daß der Zubehöreigentümer rechtzeitig die Freigabe erwirkt hat (§ 55 I, II ZVG). Mit dem Zuschlag erwirbt der Ersteher auch die Zubehörstücke, auf die sich die Zwangsversteigerung erstreckt hat (§ 90 II ZVG).

d) Aufteilung des Kaufpreises auf Grundstück und Zubehör

50 **Bei einem Grundstücksverkauf kann der auf das Zubehör entfallende Teil des Kaufpreises gesondert ausgewiesen werden.** Dann ist lediglich der auf das Grundstück nebst seinen Bestandteilen entfallende Teilkaufpreis maßgeblich für:

- die Grunderwerbsteuer
- die Vollzugsgebühr des Notars gem. § 146 KostO
- die Gebühren des GBAmts für die Eintragung des Eigentums sowie für die Eintragung und Löschung der Eigentumsvormerkung (§§ 60, 66, 68 KostO).

In der Vertragsgestaltung ist es deshalb zweckmäßig, wenn bewegliche Gegenstände von nicht unbeträchtlichem Wert mitverkauft werden, seien sie Zubehör oder nicht, den Kaufpreis wertentsprechend aufzuteilen. Die Finanzverwaltung wird jedoch die Aufteilung nur anerkennen, wenn sie angemessen erscheint.

e) Die Beurkundung der Abreden über Zubehör

51 **Häufig wollen die Beteiligten den Verkauf des Zubehörs oder anderer beweglichen Gegenstände vom beurkundeten Grundstückskauf abtrennen**, sei es, um Gebühren zu sparen, sei es, weil sie darüber erst später eine Vereinbarung treffen wollen. Davor ist nachdrücklich wegen der Gefahr der Nichtigkeit des gesamten Vertrages oder nachträglicher Streitigkeiten zu warnen. Ist das Grundstücksgeschäft mit den Nebenabreden in der Weise verbunden, daß beide miteinander stehen und fallen, also nur zusammen gelten sollen (Verknüpfungswille), dann muß das ganze Rechtsgeschäft beurkundet werden, anderenfalls ist auch das Grundstücksgeschäft unwirksam (s. Rz. 94–98).

§ 4. Der Erwerb und Verlust von Rechten an Grundstücken

I. Der Doppeltatbestand: Einigung und Eintragung

1. Beide Voraussetzungen müssen erfüllt sein

52 **Rechte an Grundstücken sind das Eigentum als das Vollrecht und die in den Abteilungen II und III des Grundbuchs einzutragenden beschränkten dinglichen Rechte**: der Nießbrauch, die Dienstbarkeiten, das Vorkaufsrecht, die Reallast, das Erbbaurecht, die Hypothek, die Grundschuld und die Rentenschuld. Sie werden sachenrechtlich erworben durch **Einigung und Eintragung** (§ 873 I BGB). Dies ist ein **Doppeltatbestand.** Beide Tatbestände müssen erfüllt sein und sie müssen sich auch inhaltlich decken; nur zusammen bewirken sie die Rechtsänderung. Man spricht deshalb auch von einem zwei-aktigen Rechtsgeschäft oder auch von einem Doppeltatbestand (Baur/Stürner, Sachenrecht, 16. Aufl. 1992, § 19 B I 1).

Beide Voraussetzungen sind auch gleich wichtig: Die Einigung enthält das rechtsgeschäftliche Willenselement, die Eintragung das Element des Vollzuges mit Publizitätswirkung. Dieser Doppeltatbestand ist das Kernstück des deutschen Grundstücksrechts.

2. Vergleich mit dem Recht der beweglichen Sachen

53 **Auch im Recht der beweglichen Sachen haben wir einen Doppeltatbestand der dinglichen Verfügung**: Nach § 929 BGB sind zur Übertragung des Eigentums an einer beweglichen Sache die Einigung über den Eigentumsübergang und die Übergabe der Sache erforderlich, wobei die Übergabe allerdings durch Begründung eines Besitzmittlungsverhältnisses i.S. des § 868 BGB (z.B. Miete, Pacht, Leihe, § 930 BGB) oder durch Abtretung des Herausgabeanspruchs (§ 931 BGB) als Übergabesurrogat ersetzt werden kann.

Im Grundstücksrecht hat, anders als im Recht der beweglichen Sachen, **der Übergang des Besitzes für den Übergang des Eigentums keine Bedeutung.** An die Stelle der Besitzübergabe bzw. des Übergabesurrogats tritt als Vollzugs- und Publizitätselement die Eintragung im Grundbuch. Die Besitzübergabe des Grundstücks hat nur die Wirkung, daß – vorbehaltlich abweichender Vereinbarung – die Nutzungen und Lasten sowie die Gefahr des zufälligen Untergangs oder der zufälligen Verschlechterung auf den Erwerber übergehen (§ 446 I BGB). Erfolgt die Besitzübergabe ausnahmsweise erst nach dem Eigentumsübergang, so treten diese Wirkungen bereits mit der Eintragung ein (§ 446 II BGB).

3. Der Anwendungsbereich

54 **Die Doppelvoraussetzung des** § 873 I BGB „Einigung und Eintragung" gilt **grundsätzlich für alle auf Rechtsgeschäft beruhenden Rechtsänderungen an Grundstücken**. Im einzelnen sind dies:

- die **Begründung** eines neuen beschränkten dinglichen Rechts, z.B. die Bestellung eines Wohnungsrechts, eines Vorkaufsrechts, einer Grundschuld usw.
- die **Übertragung** eines Rechts, z.B. die Übertragung des Eigentums, einer Grundschuld usw.
- die **Belastung** eines beschränkten dinglichen Rechts mit einem Nießbrauch oder Pfandrecht
- die **Änderung** des Inhalts eines beschränkten dinglichen Rechts, z.B. die Änderung des Zinssatzes einer Hypothek, der Rangrücktritt eines Wohnungsrechts (§§ 873 I, 877, 880 II BGB).

55 **Es gibt jedoch einige Ausnahmen vom Doppeltatbestand des** § 873 I BGB:

- Der Erwerb einer Briefhypothek oder Briefgrundschuld ist erst mit der Übergabe des Briefes vollendet (§ 1117 BGB).
- Die Übertragung einer Briefhypothek oder Briefgrundschuld ist ohne Eintragung möglich (§§ 1154, 1192 I BGB).
- Beschränkte dingliche Rechte für den Eigentümer selbst entstehen aufgrund einseitiger Bewilligung und Eintragung, ohne Einigung mit einem Vertragspartner. **Beispiel:** Eigentümergrundschuld, § 1196 II BGB.
- Zur Aufhebung eines Rechts an einem Grundstück, z.B. zum Verzicht auf den Nießbrauch, ein Wohnungsrecht oder eine Hypothek, genügt anstelle der Einigung die einseitige Erklärung des Berechtigten, daß er das Recht aufgebe, mit anschließender Löschung im Grundbuch (§§ 875, 876 BGB); zur Löschung von Grundpfandrechten ist jedoch außerdem die förmliche Zustimmung des Eigentümers erforderlich (§§ 1183, 1192 BGB; 27, 29 GBO; s. Rz. 66).

II. Die Einigung

1. Dinglicher Vertrag

56 Die nach § 873 I BGB erforderliche Einigung ist ein dinglicher Vertrag, der auf die Änderung des Rechts an einem Grundstück gerichtet ist. M.a.W.: Zwischen den Beteiligten wird eine Willensübereinstimmung darüber hergestellt, daß die dingliche Rechtsänderung eintreten soll. Aus dem Vertragscharakter der Einigung folgt, daß die für das ganze BGB geltenden, „vor die Klammer gezogenen" Vorschriften des Allgemeinen Teils des BGB über Rechtsgeschäfte und Verträge Anwendung finden. Es gelten also z.B. die allgemeinen Bestimmungen über die Rechts- und Geschäftsfähigkeit der Beteiligten, über Willensmängel, die Auslegung von Willenserklärungen, das Zustandekommen des Vertrages, die Vertretung, Einwilligung und Genehmigung, das Selbstkontrahieren usw.

Die dingliche Einigung ist ein selbständiger Vertrag. Sie ist nicht schon im schuldrechtlichen Vertrag (z.B. Kauf, Schenkung, Tausch) der Beteiligten enthalten, sondern stellt gegenüber dem Grundgeschäft ein selbständiges Rechtsgeschäft dar (RGZ 137, 324, 335); sie ist von ihm losgelöst (abstrakt). Da sie – abgesehen von der nachstehend behandelten formalisierten Einigung über den Eigentumsübergang (die Auflassung) – keiner Form bedarf, kann sie aber konkludent zugleich mit dem Kausalgeschäft gegeben sein, so daß sie dann nicht besonders in Erscheinung tritt. **Beispiel:** Im Übergabevertrag über ein Hausgrundstück vereinbaren die Beteiligten die Einräumung eines dinglichen Wohnungsrechts für den Übergeber (Kausalgeschäft) und sind gleichzeitig stillschweigend darüber einig, daß dieses Recht als beschränkte persönliche Dienstbarkeit im Grundbuch eingetragen werden soll (dingliche Einigung). Daneben ist nach dem formellen Konsensprinzip des Grundbuchrechts noch die förmliche Eintragungsbewilligung des Betroffenen gem. §§ 19, 29 GBO erforderlich (s. Rz. 340–355).

2. Das Abstraktionsprinzip

57 **Die dingliche Einigung wirkt abstrakt,** d.h. unabhängig vom Abschluß und der Wirksamkeit des Verpflichtungsgeschäfts. Dieses Abstraktionsprinzip, d.h. die Unterscheidung zwischen dem schuldrechtlichen Verpflichtungsgeschäft (der causa) und dem dinglichen Verfügungsgeschäft, dient in Verbindung mit dem Eintragungszwang der Klarheit der dinglichen Zuordnung und gewährleistet im Zusammenwirken mit dem öffentlichen Glauben des Grundbuchs den Schutz des Rechtsverkehrs. Das Abstraktionsprinzip ist eine Besonderheit des deutschen Rechts. Es geht auf Friedrich Carl von Savigny (1779–1861), den Begründer der sog. Historischen Schule, zurück. Die Zweckmäßigkeit dieses Prinzips ist zwar immer wieder angezweifelt worden, aber es ist aus guten Gründen bis heute geltendes Recht.

a) Keine Geschäftseinheit

58 **Die Trennung von schuldrechtlichem Verpflichtungsgeschäft und dinglichem Verfügungsgeschäft bedeutet, daß insoweit das Prinzip der Geschäftseinheit des § 139 BGB grundsätzlich nicht gilt.** Jedes der beiden Rechtsgeschäfte ist selbständig auf seine Rechtswirksamkeit zu prüfen. **Dadurch wird die dingliche Rechtslage von den etwaigen Mängeln des Kausalgeschäfts abgelöst**: Die dingliche Verfügung ist auch dann wirksam, wenn der kausale schuldrechtliche Vertrag fehlt oder von Anfang an nichtig ist oder später durch Rücktritt oder Anfechtung wegfällt (RGZ 72, 61, 64; 104, 102).

b) Das Verhältnis von Kausalgeschäft und Erfüllung

59 Etwas vereinfachend kann man sagen: **Der Kausalvertrag begründet die Verpflichtung zu einer Leistung** So begründet z.B. der Kreditvertrag mit Sicherungsabrede den Kreditnehmer zur Verschaffung einer Kreditsicherung durch eine Grundschuld, der Kaufvertrag zur Übereignung eines Grundstücks. **Er ist der Rechtsgrund** (die causa) **für die Leistung.** Mit der versprochenen Leistung verwandelt sich der Leistungsanspruch in einen Rechtsgrund (causa) für das Behaltendürfen der Leistung. **Die** (abstrakte) **dingliche Einigung in Verbindung mit der Eintragung bewirkt die Entstehung oder den Übergang des dinglichen Rechts. Aber sie schafft keinen Rechtsgrund für das Behaltendürfen der Leistung.** Fehlt der Rechtsgrund, z.B. wegen Nichtigkeit des Kaufvertrages, oder fällt er später weg, z.B. wegen Anfechtung, so erfolgt die Korrektur durch das Bereicherungsrecht: Der Erwerber muß das ohne rechtlichen Grund Erlangte zurückgeben (sog. Leistungskondiktion, § 812 I 1 1. Fall, 2 BGB). Dieser Rückabwicklungsanspruch führt -notfalls mit gerichtlicher Durchsetzung – zu dem gegenläufigen dinglichen Akt, z.B. zur Aufhebung oder Rückübertragung der Grundschuld, Rückauflassung des Grundstücks usw.

c) Die praktische Auswirkung des Abstraktionsprinzips

60 Am **Beispiel eines Kaufvertrages** sei dieses wichtige Prinzip noch einmal anschaulich gemacht: V verkauft ein Grundstück an K und K wird nach Auflassung als Eigentümer eingetragen. Danach erklärt V rechtswirksam die Anfechtung des Kaufvertrages. Wären das schuldrechtliche Verpflichtungsgeschäft (der Kaufvertrag) und das dingliche Verfügungsgeschäft (die Auflassung) i.S. des § 139 BGB eine Einheit, dann wären sowohl der Kaufvertrag als auch die Übereignung nichtig; V wäre rückwirkend wieder Eigentümer des Grundstücks und hätte gegen K den dinglichen Herausgabeanspruch des Eigentümers nach § 985 BGB sowie

den Anspruch auf Berichtigung des Grundbuchs gemäß § 894 BGB. Da jedoch infolge des Abstraktionsprinzips die Anfechtung nur den Kaufvertrag erfaßt, bleibt die Übereignung gültig und V hat lediglich den Anspruch aus ungerechtfertigter Bereicherung nach § 812 BGB auf Rückauflassung des Eigentums und des Besitzes am Grundstück. Dieser Umstand ist wichtig, wenn K das Grundstück in der Zwischenzeit an einen Dritten weiterübertragen oder für einen Dritten ein Recht an dem Grundstück bestellt hat, denn der Dritte hat das Recht vom Eigentümer erworben. War dagegen aus besonderen Gründen auch die Auflassung nichtig (s. dazu nachstehend Rz. 61), dann war das Grundbuch unrichtig und der Dritte hat von einem Nichtberechtigten erworben, so daß es darauf ankommt, ob er bezüglich des Eigentums des K in gutem Glauben war (§ 892 BGB).

3. Fehleridentität

61 **Auf die dinglichen Rechtsgeschäfte finden die Regeln des Allgemeinen Teils des BGB über Rechtsgeschäfte und Verträge Anwendung.** Dies führt in bestimmten Fällen dazu, daß auch das abstrakte dingliche Geschäft von der Unwirksamkeit erfaßt wird (s. Staudinger/Ertl § 873 Rz. 92). Man spricht hier von **Fehleridentität**, wenn der Umstand, der zur Fehlerhaftigkeit des Grundgeschäfts führt, auch die Wirksamkeit des dinglichen Rechtsgeschäfts beeinträchtigt, d. h. wenn beide Rechtsgeschäfte aus demselben Grunde unwirksam sind. Diese Fälle sind keine Durchbrechung des Abstraktionsprinzips, denn auch hier ist jedes der beiden Rechtsgeschäfte selbständig auf seine Wirksamkeit zu prüfen. **Beispiele:**

- Der Verkäufer ist geschäftsunfähig (§ 105 BGB): dieser Mangel erfaßt sowohl das Verpflichtungsgeschäft als auch die Auflassung.
- Der Kaufvertrag und die Übereignung werden wegen arglistiger Täuschung oder Drohung angefochten (§ 123 **BGB**).
- Sowohl das schuldrechtliche wie das dingliche Rechtsgeschäft verstoßen gegen ein gesetzliches Verbot (§ 134 **BGB**).
- Ein verheirateter Eigentümer, der im gesetzlichen Güterstand lebt, verfügt ohne Zustimmung seines Ehegatten über sein gesamtes Vermögen: § 1365 BGB unterwirft sowohl das Verpflichtungsgeschäft (§ 1365 **I** 1) als auch das Verfügungsgeschäft (§ 1365 I 2 BGB) eines Ehegatten über sein Gesamtvermögen der Zustimmungsbedürftigkeit (s. Rz. 534–544).
- Wieweit die **Sittenwidrigkeit** des Rechtsgeschäfts nach § 138 BGB zur Nichtigkeit auch des dinglichen Verfügungsgeschäfts führt, ist problematisch (vgl. Baur/Stürner § 5 IV 3 a). Grundsätzlich ist zunächst davon auszugehen, daß das Verfügungsgeschäft von der Sittenwidrigkeit des zugrundeliegenden Verpflichtungsgeschäfts nicht tangiert wird

(die Prostituierte wird Eigentümerin des Geldes, BGH NJW 1954, 1292). Das ergibt sich aus einer im Regelfall bestehenden sittlichen Neutralität des Verfügungsgeschäfts (MünchKomm-Meyer-Maly § 138 Rz. 140). Die Rechtsprechung stellt darauf ab, ob gerade im Erfüllungsgeschäft der Sittenverstoß liegt (RGZ 109, 201; 145, 152). Im allgemeinen wird angenommen, daß die Nichtigkeit des Verpflichtungsgeschäfts auch das dingliche Verfügungsgeschäft erfaßt, wenn einer der Tatbestände des § 138 II BGB vorliegt, d. h. wenn sich ein Vertragspartner unter Ausbeutung der Zwangslage, der Unerfahrenheit, des Mangels an Urteilsvermögen oder der erheblichen Willensschwäche des anderen Vermögensvorteile zu verschaffen sucht, die in einem auffälligen Mißverhältnis zu seiner Leistung stehen. Man folgert dies aus den Worten „oder gewähren läßt."

4. Formfreiheit und Eintritt der Bindung

62 **Nach materiellem Recht ist die dingliche Einigung grundsätzlich formfrei**, sie braucht daher nicht ausdrücklich erklärt zu sein. Bestimmte Worte wie „Einigung" müssen nicht gebraucht werden; es genügt, daß sich die Parteien tatsächlich über die Entstehung des dinglichen Rechts einig sind (wegen der Besonderheit bei der Übertragung des Eigentums an Grundstücken s. § 925 BGB und Rz. 123–142). **Beispiele:**

- A erklärt sich gegenüber B damit einverstanden, daß er einen Überweg über sein Grundstück benutzen dürfe und ist mit ihm darüber einig, daß zur dinglichen Sicherung des Wegerechts eine Dienstbarkeit im Grundbuch eingetragen werden soll.
- S schließt mit seiner Bank einen Kreditvertrag und verspricht ihr, die als Sicherheit verlangte Grundschuld zu bestellen.

Eine äußerliche Trennung der Einigung vom Kausalgeschäft ist nicht nötig. Sie kann schlüssig zusammen mit dem Kausalgeschäft erklärt oder in den Grundbucherklärungen enthalten sein. So liegt z. B. eine konkludente Einigung in der Übereinstimmung zwischen der Eintragungsbewilligung des Betroffenen und dem Eintragungsantrag des Erwerbers des Rechts. Verfahrensrechtlich bedarf aber die Eintragungsbewilligung des Betroffenen gemäß § 29 GBO der notariellen Beurkundung oder Beglaubigung.

63 **Widerruflichkeit und Bindung.** Die dingliche Einigung ist nur ein Teil des sachenrechtlichen Verfügungstatbestandes, der erst mit der Eintragung vollendet wird. Um die Vertragspartner vor den Wirkungen einer übereilten Verfügung zu schützen, sieht § 873 II BGB vor, abweichend vom Grundsatz der Bindung an den Antrag (§ 145 BGB), daß die Einigung bis zur Eintragung im Grundbuch frei widerruflich ist. Das gilt selbst dann, wenn der Erwerber einen schuldrechtlichen Anspruch auf die dingliche Einigung hat. Die freie Widerruflichkeit ist nur ausge-

schlossen, wenn einer der besonderen Tatbestände des § 873 II BGB gegeben ist. Danach tritt eine Bindung an die Einigung erst ein, wenn:

- die Einigungserklärung notariell beurkundet ist oder
- die Einigungserklärung zum Grundbuchamt eingereicht ist oder
- der Betroffene dem anderen Teil eine förmliche, d. h. eine beurkundete oder öffentlich beglaubigte Eintragungsbewilligung ausgehändigt hat.

Die in § 873 II BGB noch enthaltene weitere Möglichkeit der Bindung durch Abgabe der sachenrechtlichen Einigungserklärung vor dem GBAmt hat durch die Übertragung der Beurkundungszuständigkeit auf die Notare gemäß § 57 VI, VII BeurkG ihre Bedeutung verloren.

Auch die bindend gewordene Einigung kann jederzeit durch formlosen Vertrag zwischen den Beteiligten wieder aufgehoben werden. Wenn die Einigung ohne Rechtsgrund erklärt ist, kann die Zustimmung des anderen Teils zur Aufhebung der Einigung durch ein rechtskräftiges Urteil ersetzt werden (§§ 812 BGB, 894 ZPO).

64 **Keine Schutzwirkung gegen Verfügungen.** Der Eintritt der Bindung schützt zwar den Erwerber gegen einen einseitigen Widerruf, grundsätzlich aber nicht gegen eine anderweitige Verfügung über das Grundstück, sei es durch eine vertragswidrige Verfügung des Eigentümers, sei es durch Verfügungen Dritter im Wege der Vollstreckung. Erst wenn die Eintragungsbewilligung dem Grundbuchamt vorliegt, erlangt der Erwerber eine gesicherte Rechtsstellung, weil mit Stellung eines ordnungsgemäßen Eintragungsantrages die Eintragung vorgenommen werden muß und der Rang des Rechts durch den Zeitpunkt des Eingangs des Antrages bestimmt wird (§§ 13, 17, 45 GBO, 879 BGB).

5. Fälle zur Wiederholung

65 **a)** Der Einzelhändler A verspricht seinem Großhändler B, zur Sicherung seiner wechselnden Zahlungsverpflichtungen eine Grundschuld zu bestellen (Sicherungsgrundschuld). Am nächsten Tag hat er es sich jedoch anders überlegt. Besteht eine Bindung an die Einigung? Nein, weder ist die Einigung beurkundet noch eine förmliche Eintragungsbewilligung dem Berechtigten ausgehändigt, § 873 II BGB. Aber: B hat aufgrund des formlos wirksamen Sicherungsvertrages einen schuldrechtlichen Anspruch darauf, daß die dingliche Einigung zustande kommt und A eine förmliche Eintragungsbewilligung abgibt.

b) A will von der B-Bank einen Kredit und bestellt für sie schon rein vorsorglich, ohne daß schon eine entsprechende Einigung darüber erfolgt ist, eine Grundschuld. Das Grundbuchamt hat das Vorhandensein einer Einigung nicht nachzuprüfen. Aufgrund der förmlich einwandfreien, einseitigen Eintragungsbewilligung des A wird deshalb die Grundschuld im Grundbuch eingetragen (formelles Konsensprinzip). Die Grundschuld ist aber wegen fehlender Einigung unwirksam, das Grundbuch deshalb unrichtig. Die bisher fehlende Einigung kann allerdings nachgeholt werden durch einen Kreditvertrag mit Sicherungsabrede. Mit der dadurch nachträglich zustandegekommenen Einigung kommt das Recht zur Entstehung, und zwar mit Rang vor danach erfolgten Eintragungen (§ 879 II BGB); das Grundbuch wird richtig.

c) A bestellt aufgrund erfolgter Einigung dem B eine Sicherungshypothek und beantragt die Eintragung im Grundbuch. Dann nimmt er jedoch den Eintragungsantrag wieder zurück (Rücknahme allerdings formbedürftig nach § 31 GBO!) oder der Antrag wird wegen Nichtzahlung der Gebühren zurückgewiesen: B hat gegen A zwar aus dem Sicherungsvertrag einen schuldrechtlichen Anspruch auf Bestellung der Hypothek, aber dieser Anspruch kann durch die Verzögerung wertlos geworden sein, insbesondere kann inzwischen die Rangstelle durch eine andere Eintragung, z.B. durch eine Zwangshypothek, besetzt worden sein. B kann sich allerdings gegen das Risiko der Antragsrücknahme oder Zurückweisung des Antrags wegen Nichtzahlung der Kosten von vorneherein dadurch sichern, daß auch er den Antrag beim Grundbuchamt stellt (§ 13 I 2 GBO). Dies wird auch von vielen Kreditinstituten so gemacht, um sich gegen die Rücknahme oder die Zurückweisung des Antrags zu sichern, zumal dann, wenn der zu sichernde Kredit bereits gewährt ist oder schon vor der Eintragung gewährt werden soll.

6. Rechtsänderungen ohne Einigung

a) Rechtsänderungen durch einseitige Erklärungen

aa) Die rechtsgeschäftliche Aufhebung

66 Eine Einigung ist nicht erforderlich für die rechtsgeschäftliche Aufhebung eines beschränkten dinglichen Rechts an einem Grundstück (§§ 875, 876 BGB). Für sie genügt die einseitige „Erklärung des Berechtigten, daß er das Recht aufgebe“ und die Löschung im Grundbuch (§ 875 I 1 BGB; s. Rz. 82).

bb) Sonderfälle:

Das Eigentum an einem Grundstück ändert sich durch einseitige Erklärung und Grundbucheintragung, ohne daß eine Einigung vorliegt, in zwei Fällen:

- Der Eigentümer eines Grundstücks kann im Wege des Aufgebotsverfahrens mit seinem Recht ausgeschlossen werden. Dann kann derjenige, der das Ausschlußurteil erwirkt hat, die Aneignung erklären (§ 927 I, II BGB).
- Der Eigentümer kann durch Erklärung gegenüber dem Grundbuchamt das Eigentum aufgeben. Dann steht das Recht auf Aneignung

dem Fiskus zu. Verzichtet der Fiskus, kann sich jeder Dritte das herrenlose Grundstück durch Erklärung gegenüber dem Grundbuchamt aneignen (§ 928 BGB).

b) Rechtsänderungen kraft Gesetzes

67 § 873 BGB gilt nur für die Begründung, Übertragung, Belastung und Inhaltsänderung von Grundstücksrechten durch Rechtsgeschäfte. **Eine Einigung ist nicht erforderlich, wenn die Rechtsänderung** nicht auf einem Rechtsgeschäft beruht, sondern **kraft Gesetzes erfolgt:**

- Mit dem Tode einer Person (Erbfall) geht deren Vermögen (Nachlaß) als Ganzes auf eine oder mehrere Personen (Erben) über (§ 1922 I BGB).
- Nichtvererbliche persönliche Rechte erlöschen mit dem Tode des Berechtigten, z.B. ein lebenslängliches Wohnungsrecht oder Nießbrauchsrecht (§§ 1093, 1090, 1061 BGB).
- Das Vermögen des Mannes und das Vermögen der Frau werden durch eine ehevertraglich vereinbarte Gütergemeinschaft -d.h. mit dem Abschluß des Ehevertrages- gemeinschaftliches Vermögen beider Ehegatten (§ 1416 I 1 BGB). Die einzelnen Gegenstände werden ipso iure gemeinschaftlich, ohne daß es einer Übertragung bedarf (§ 1416 II BGB).
- Beim Ausscheiden eines Gesellschafters aus einer Personen-Gesellschaft wächst der Anteil des Ausgeschiedenen den übrigen Gesellschaftern an (sog. Anwachsung, § 738 I 1 BGB); das gleiche gilt entsprechend umgekehrt für den Eintritt eines weiteren Gesellschafters (sog. Abwachsung).
- Durch die Übertragung eines Anteils an einer Personen-Gesellschaft oder eines Erbanteils geht der Anteil am Gesamthandsvermögen auf den Erwerber über.
- Bei Fällen der Umwandlung von Gesellschaften nach dem Umwandlungsgesetz geht das gesamte Vermögen im Wege der Gesamtrechtsnachfolge unter Auflösung ohne Abwicklung auf einen anderen Rechtsträger über. Bei der Verschmelzung handelt es sich entweder um den Übergang auf einen bestehenden Rechtsträger (Verschmelzung durch Aufnahme) oder den Übergang auf einen neugegründeten Rechtsträger (Verschmelzung durch Neugründung (UmwG BGBl. 1994 I 3209; s. §§ 20 I, 36 I, 176 III).

In den Fällen der Rechtsänderung kraft Gesetzes tritt die Rechtsänderung außerhalb des Grundbuches ein. Die §§ 313, 873, 925 BGB finden keine Anwendung. Das Grundbuch wird unrichtig; es erfolgt bloße Grundbuchberichtigung.

68 Ein weiterer Fall ist die **Buchersitzung:** Wer als Eigentümer eines Grundstücks im Grundbuch eingetragen ist, ohne daß er das Eigentum erlangt hat, erwirbt das Eigentum, wenn die Eintragung dreißig Jahre

ohne Widerspruch im Grundbuch bestanden und er während dieser Zeit das Grundstück im Eigenbesitz gehabt hat (§ 900 BGB).

c) Rechtsänderungen durch Hoheitsakt

Eine Einigung nach § 873 BGB ist nicht erforderlich, wenn die Rechtsänderung **durch einen Hoheitsakt erfolgt** (Verwaltungsakt, gerichtliche Entscheidung, Maßnahmegesetz). **Beispiele:** **69**

- **Umlegungsverfahren:** Mit der Rechtskraft des Umlegungsverfahrens bzw. des Flurbereinigungsverfahrens erlöschen die bisherigen Rechtsverhältnisse und neue treten an ihre Stelle (§§ 72 BauGB, 61 FlurbG). Die Berichtigung des Grundbuchs erfolgt aufgrund eines Ersuchens der Umlegungs- bzw. Flurbereinigungsbehörde.
- **Enteignung:** Im Enteignungsverfahren geht das Eigentum mit der Rechtskraft des Verwaltungsakts über (z. B. §§ 85 ff. BauGB).
- **Aneignung durch den Fiskus:** Das Eigentum an einem herrenlosen Grundstück geht durch Aneignung und Eintragung auf den Fiskus über (§ 928 II BGB).
- **Zwangsversteigerung:** Im Zwangsversteigerungsverfahren erwirbt der Ersteher das Eigentum gemäß § 90 ZVG mit der Verkündung des Zuschlags. Die Berichtigung des Grundbuchs erfolgt auf Ersuchen des Versteigerungsgerichts (§ 130 ZVG).
- **Vermögensgesetz:** Mit Rechtskraft des Rückübertragungsbescheides durch das Amt zur Regelung offener Vermögensfragen geht das Eigentum an dem Grundstück auf den Anspruchsberechtigten über (§ 34 VermG).
- **Aufgebotsverfahren:** Der Eigentümer kann im Wege des Aufgebotsverfahrens mit seinem Recht ausgeschlossen werden (§ 927 BGB; das Verfahren dazu richtet sich nach den §§ 946–959, 977–981 und 1024 I ZPO).
- **Zwangshypothek:** Die Eintragung einer Zwangshypothek oder Arresthypothek erfolgt auf Anordnung des Vollstreckungsgerichts; sie entsteht jedoch erst mit der Eintragung im Grundbuch (§§ 866, 867, 932 ZPO).
- **Maßnahmegesetz:** Das Eigentum an einem Grundstück kann durch ein Gesetz übertragen werden, z. B. durch die Übertragung der Schulträgerschaft von der Gemeinde auf den Landkreis.
- **InsolvenzO** (ab 1. 1. 1999)**:** Die im gestaltenden Teil des Insolvenzplans festgelegten Wirkungen treten mit der Rechtskraft der gerichtlichen Bestätigung ein (§ 254 InsO).

Urteil und Vergleich. Keine unmittelbare Eigentumsänderung tritt ein, wenn der Eigentümer eines Grundstücks dazu verurteilt wird, die Auflassung zu erklären. Zwar ersetzt das rechtskräftige Urteil die Erklärung des Eigentümers (§ 894 ZPO), aber es bedarf zusätzlich der Beur- **70**

kundung der Einigungserklärung des Erwerbers (OLG Celle DNotZ 1979, 308). Eine gleichzeitige Anwesenheit des Veräußeres gemäß § 925 BGB ist dazu nicht erforderlich (s. Rz. 130 a. E.).

Wird im Rahmen eines bürgerlichen Rechtsstreits ein gerichtlich protokollierter Vergleich geschlossen, können sowohl die Beurkundung des Grundgeschäfts als auch die Auflassung in das Protokoll aufgenommen werden (§§ 127 a, 925 I 3 BGB).

III. Die Eintragung

1. Die Wirkungen der Eintragung

71 An die Eintragung knüpfen **drei Rechtswirkungen** an:

a) **Die Eintragung im Grundbuch, in Verbindung mit der Einigung, vollendet den Rechtserwerb** (§ 873 I BGB). Mit der Eintragung entsteht das Recht. Auch diese **konstitutive Wirkung der Eintragung** ist eine Besonderheit des deutschen Rechts und das Ergebnis einer langen Rechtsentwicklung über viele Stufen. Zur geschichtlichen Entwicklung von den chronologischen Urkundensammlungen über die Pfandbücher zum Realfolium und von der bloß deklaratorischen Verlautbarung zur rechtsbegründenden Eintragung (s. MünchKomm-Wacke, Vorb. vor § 873 Rz. 10). In den Ländern des romanischen und des anglo-amerikanischen Rechtskreises gilt dagegen das Konsensualprinzip, d. h. die Rechtsänderung tritt regelmäßig bereits aufgrund des Vertrages zwischen den Beteiligten ein. Soweit dort die Eintragung in öffentliche Register vorgenommen wird, hat dies nur Beweisfunktion und dient dem Schutz gegen Dritte. So tritt z. B. im französischen Recht die Rechtsänderung, trotz der vorgeschriebenen Registrierung im Grundstücksregister, bereits durch den Vertrag ein. In Elsaß-Lothringen ist allerdings das deutsche Grundbuchsystem (Livre foncier) nach dem Jahre 1918 beibehalten worden und noch heute gültig.

b) **Die Eintragung bestimmt den Rang des Rechts** (§ 879 BGB; s. Rz. 590–606)

c) **Die Eintragung (und Löschung) begründet die Vermutung der Richtigkeit des Grundbuchs** (§ 891 BGB). An sie schließt sich im Falle der Unrichtigkeit des Grundbuchs die Möglichkeit des gutgläubigen Erwerbs an (s. § 12).

2. Die Reihenfolge von Einigung und Eintragung

72 **Nur die Einigung und die Eintragung zusammen bewirken die materielle Rechtsänderung.** Damit wird erreicht, daß die materielle Rechtslage und das Grundbuch übereinstimmen. Ihre Reihenfolge ist

aber beliebig. In aller Regel geht die Einigung der Eintragung voraus. Sie kann ihr aber auch nachfolgen, muß jedoch noch im inneren Zusammenhang mit der Eintragung stehen (vgl. Palandt/Bassenge § 873 Rz. 1 u. 2). **Beispiel:** S beabsichtigt, von der Bank B einen Kredit in Anspruch zu nehmen und läßt bereits vorher ohne Wissen der Bank für diese eine Grundschuld eintragen. Die Grundschuld ist zunächst mangels Einigung unwirksam. Die Einigung kann aber in dem (hier) nachfolgenden Kreditvertrag formlos nachgeholt werden; dadurch wird das Grundbuch richtig.

3. Die Bezugnahme auf die Eintragungsbewilligung

Literaturhinweis: HSS Rz. 262–280

73 **Um das Grundbuch von zu umfangreichen Eintragungen freizuhalten, kann bei der Eintragung von beschränkten dinglichen Rechten auf die Eintragungsbewilligung Bezug genommen werden** (§ 874 BGB). Dabei genügt die gesetzliche Bezeichnung des Rechts, wenn diese den wesentlichen Inhalt des Rechts kennzeichnet, z. B. Grundschuld, Nießbrauch, Vorkaufsrecht, Erbbaurecht. In anderen Fällen muß der konkrete Inhalt wenigstens schlagwortartig wiedergegeben werden, z. B. Grunddienstbarkeit (Wegerecht), beschränkte persönliche Dienstbarkeit (Wohnungsrecht) usw. (s. Palandt/Bassenge § 874 Rz. 5 m.w.N.). Erfolgt aufgrund einer einstweiligen Verfügung die Eintragung einer Vormerkung oder eines Widerspruchs kann zur näheren Bezeichnung des gesicherten Anspruchs auf die Verfügung Bezug genommen werden (§§ 885 II, 899 BGB).

74 **Eine Bezugnahme ist nicht zulässig, wenn sie kraft besonderer Bestimmung ausgeschlossen ist**; dies gilt z. B. für: abweichende Rangbestimmungen (§ 879 III BGB), den Rangvorbehalt (§ 881 II BGB), bei Hypotheken und Grundschulden die Angabe des Gläubigers, des Geldbetrages sowie der vereinbarten Zinsen und Nebenleistungen (§§ 1115 I, 1192 II BGB); den Briefausschluß bei Grundpfandrechten (§ 1116 II, 1192 I BGB), die dingliche Unterwerfung unter die sofortige Zwangsvollstreckung (§ 800 I 2 ZPO).

75 **Die Bezugnahme nach § 874 BGB kann sich nur auf den näheren Inhalt des Rechts erstrecken.** Die Art des Rechts, die Person des Berechtigten und bei mehreren Berechtigten die Angabe der Anteile oder des Gemeinschaftsverhältnisses gem. § 47 GBO müssen im Eintragungstext selbst enthalten sein. Fehlen diese Angaben oder sind sie in einer nicht behebbaren Weise unklar, so ist die Eintragung unwirksam und damit das Recht nicht entstanden (z. B. OLG Köln DNotZ 1981, 268: „Nutzungsbeschränkung" ist zu allgemein).

Beispiel einer Eintragung mit Bezugnahme: „Beschränkte persönliche Dienstbarkeit (Wohnungs- und Mitbenutzungsrecht) für die Eheleute A als Gesamtberechtigte gem. § 428 BGB. Unter Bezugnahme auf die Eintragungsbewilligung vom 20.8. 1995 eingetragen am 10.9. 1995."

76 **Eine zulässige Bezugnahme steht der Eintragung im Grundbuch gleich.** Der Inhalt des Rechts bestimmt sich dann nach den Einzelheiten der Eintragungsbewilligung. In diesem Umfange wird das Recht auch vom Gutglaubensschutz des Grundbuchs umfaßt. Wer sich also über den genauen Inhalt eines Rechts, z.B. die Lokalisierung eines Wegerechts oder den Umfang eines Wohnungsrechts, informieren will, muß deshalb auch die Grundakten einsehen. Für die Vertragspraxis wichtig ist, daß in der Urkunde die bloß schuldrechtlich wirksamen Bestimmungen deutlich von der Eintragungsbewilligung des dinglichen Rechts getrennt werden, denn anderenfalls wäre der Umfang der Bezugnahme unklar und ein dennoch eingetragenes Recht möglicherweise unwirksam.

4. Die Wiedereintragung eines fehlerhaft gelöschten Rechts

77 **Die rechtsbegründende Wirkung der Eintragung eines beschränkten dinglichen Rechts geht nicht dadurch verloren, daß das Recht vom GBAmt zu Unrecht gelöscht wird.** Das Recht besteht dann als materielles Recht außerhalb des Grundbuchs weiter und ist auf Antrag des Berechtigten im Wege der Grundbuchberichtigung mit dem alten Rang und Inhalt wieder einzutragen (BGH NJW 1969, 93 = DNotZ 1969, 289). Die Wiederherstellung des richtigen Grundbuchstandes erfolgt also nicht durch Löschung des unrichtigen Löschungsvermerks, sondern durch die Wiedereintragung des Rechts. Falls jedoch zwischen der Löschung und der Wiedereintragung ein anderes Recht für einen gutgläubigen Erwerber eingetragen worden ist, erhält das wiedereingetragene Recht den Rang danach.

IV. Das Verhältnis von Einigung und Eintragung

1. Einigung und Eintragung müssen sich inhaltlich decken

78 Einigung und Eintragung sind – wie wir festgestellt haben – ein sachenrechtlicher Doppeltatbestand. Die dingliche Einigung der Beteiligten und der staatliche Akt der Grundbucheintragung müssen zusammenkommen, und sie müssen auch inhaltlich übereinstimmen. Fehlt es an dieser Übereinstimmung, so ist das vereinbarte Recht nicht entstanden. Das Grundbuch ist unrichtig. **Beispiel:** Parzellenverwechselung (s. dazu Rz. 164).

2. Tod oder Geschäftsunfähigkeit eines Beteiligten

79 **Grundsätzlich muß die Einigung auch noch im Zeitpunkt der Eintragung fortbestehen.** Zeitlich fallen jedoch die Einigung und die Eintragung in aller Regel auseinander. **Beispiel:** Am 1.8. wird der Kaufvertrag mit der Auflassung beurkundet, am 10.9. erfolgt die Umschreibung im Grundbuch.

Zwischen der Einigung und der Eintragung kann der Tod eines Beteiligten oder der Verlust seiner Geschäftsfähigkeit eintreten. In diesen Fällen gilt § 130 II BGB: Auf die Wirksamkeit einer Willenserklärung ist es ohne Einfluß, wenn der Erklärende nach der Abgabe stirbt oder geschäftsunfähig wird oder eine Betreuung mit Einwilligungsvorbehalt gem. § 1903 BGB angeordnet wird. Die Erben bzw. der Betreuer sind an die abgegebenen Erklärungen in dem gleichen Umfange wie der Erblasser bzw. der Betreute gebunden.

3. Nachträgliche Verfügungsbeschränkungen und Verfügungsverbote

80 **Grundsätzlich muß der Verfügende im Zeitpunkt der Rechtsänderung,** d.h. der Grundbucheintragung, **verfügungsberechtigt sein.** Es kann jedoch der Fall eintreten, daß der Verfügende in der Zwischenphase zwischen der wirksam erklärten Einigung und der Eintragung in seinem Verfügungsrecht beschränkt wird, z.B. durch:

- die Eröffnung des Konkursverfahrens (§§ 6, 7 KO)
- ein Verfügungsverbot im Vergleichsverfahren (§§ 59, 61 VerglO)
- die Beschlagnahme im Zwangsvollstreckungsverfahren (§§ 20, 23 ZVG)
- ein Veräußerungsverbot aufgrund einstweiliger Verfügung (§ 838 ZPO)
- ein Veräußerungsverbot durch strafrechtliche Beschlagnahme (§ 111c II StPO)
- ab 1.1. 1999: ein vorläufiges Verfügungsverbot und die Eröffnung des Insolvenzverfahrens (§§ 21 II Nr. 2, 80, 81 InsO).

81 **Der Schutz des Erklärungsempfängers.** Dieses Problem, daß der Verfügende nach der dinglichen Einigung in seiner Verfügungsmacht beschränkt wird, regelt § 878 **BGB** durch eine Vorverlegung des maßgeblichen Zeitpunkts: Ist der Erklärende gemäß §§ 873 II, 875 II BGB an seine Erklärung gebunden und der Eintragungsantrag gestellt, so bleibt die abgegebene Erklärung trotz der nachträglich eingetretenen Verfügungsbeschränkung wirksam und führt zum Rechtserwerb des Erklärungsempfängers (dazu ausführlich Rz. 548–553).

V. Der Verlust von beschränkten dinglichen Rechten

82 a) **Aufgabe und Löschung.** Der Verlust von beschränkten dinglichen Rechten an Grundstücken erfolgt in der Regel durch rechtsgeschäftliche Aufhebung. Dazu genügt die einseitige Aufgabeerklärung des Berechtigten und die Löschung des Rechts im Grundbuch (§ 875 I 1 BGB).

Beispiel: Die Mutter erklärt gegenüber ihrer Tochter, in deren Haus sie wohnt, daß sie in ein Altenheim umziehen wolle und deshalb ihr Wohnungsrecht aufgebe (= materielle Aufgabeerklärung), und es wird aufgrund beglaubigter Löschungsbewilligung im Grundbuch gelöscht.

83 **Keine Einigung erforderlich.** Die Aufgabeerklärung ist dem Grundbuchamt oder demjenigen gegenüber abzugeben, zu dessen Gunsten sie erfolgt (§ 875 I 2 BGB). Eine Einigung zwischen dem Berechtigten und dem Eigentümer ist hier deshalb nicht erforderlich, weil in der Regel davon ausgegangen werden kann, daß die Aufhebung der beschränkten dinglichen Belastung für den Eigentümer einen Vorteil bedeutet.

84 **Die formelle Löschungsbewilligung** ist von der materiellrechtlichen Aufgabeerklärung zu unterscheiden. Sie ist die nach dem Grundbuchverfahrensrecht gemäß §§ 19, 29 GBO erforderliche Bewilligung des Berechtigten. In der Regel liegt allerdings in der Abgabe der Löschungsbewilligung konkludent auch die materielle Aufgabeerklärung, so daß sich beide Erklärungen decken.

85 **Eine Sonderregelung gilt jedoch für Grundpfandrechte,** weil hier die Aufhebung auch die „Anwartschaft" des Eigentümers auf den künftigen Erwerb als Eigentümergrundschuld berührt. Zur Aufhebung einer Hypothek oder Grundschuld ist deshalb auch die Zustimmung des Eigentümers erforderlich (§§ 1183, 1192 I BGB). Die Zustimmung ist dem GBAmt durch öffentliche Urkunde nachzuweisen (§§ 27, 29 GBO).

86 **Die Aufgabeerklärung ist der Verzicht auf ein noch bestehendes Recht.** Besteht das Recht nicht mehr, dann ist die erteilte „Löschungsbewilligung" lediglich die formale Erklärung des berechtigt Gewesenen, daß er mit der Berichtigung des Grundbuchs einverstanden ist (Berichtigungsbewilligung).

87 **Ist die Aufgabeerklärung ohne rechtlichen Grund erfolgt,** z.B. weil der schuldrechtliche Kausalvertrag wegen Irrtums wirksam angefochten wurde, so bleibt sie zwar dinglich wirksam, d.h. das im Grundbuch gelöschte Recht ist auch materiellrechtlich erloschen, aber es besteht gemäß § 812 BGB ein Anspruch des bisherigen Berechtigten auf Neubestellung und Wiedereintragung im Grundbuch.

88 b) **Löschung ohne Aufgabe.** Wird ein Recht im Grundbuch gelöscht, obwohl eine Aufgabeerklärung des Berechtigten nicht vorliegt, besteht

das Recht fort und das Grundbuch wird unrichtig (s. Rz. 273). **Beispiel:** Bei der Übertragung eines Grundstücks unterbleibt versehentlich die Mitübertragung der Belastung (§ 46 II GBO). Ein gutgläubig lastenfreier Erwerb führt jedoch zum Erlöschen des Rechts.

c) Weitere Erlöschensgründe für beschränkte dingliche Rechte sind: **89**

- eine auflösende Bedingung (§ 158 II BGB)
- Ablauf der bestimmten Zeit (§ 163 BGB)
- Verjährung einer zu Unrecht gelöschten Grunddienstbarkeit (§ 901 BGB)
- Aufhebung im Flurbereinigungsverfahren (§ 49 FlurbG)
- Aufhebung im Umlegungsverfahren (§ 61 BauGB)
- Zuschlag in der Zwangsversteigerung, wenn die Grunddienstbarkeit nicht im geringsten Gebot steht (§ 91 I ZVG); die Löschung erfolgt in diesem Falle auf Ersuchen des Versteigerungsgerichts (§ 130 ZVG) und anstelle des Rechts tritt der Anspruch auf Ersatz des Wertes durch Zahlung eines Kapitalbetrages, soweit Deckung durch den Erlös gegeben ist (§ 92 I ZVG).

§ 5. Der Erwerb des Eigentums an Grundstücken

Das Eigentum an Grundstücken wird durch Auflassung und Eintragung im Grundbuch erworben. Regelmäßig liegt dem ein schuldrechtliches Kausalgeschäft zugrunde.

I. Das Erfordernis der Beurkundung des schuldrechtlichen Vertrages

Literaturhinweise: Hagen, Entwicklungstendenzen zur Beurkundungspflicht bei Grundstücksverträgen, DNotZ 1984, 267; Korte, Handbuch der Beurkundung von Grundstücksgeschäften, 1990

1. Notarielle Beurkundung

90 **Ein Vertrag, durch den sich der eine Teil verpflichtet, das Eigentum oder einen Miteigentumsanteil an einem Grundstück zu übertragen oder zu erwerben, bedarf der notariellen Beurkundung** (§ 313 Satz 1 BGB). Die Form der notariellen Beurkundung wird durch einen gerichtlich protokollierten Vergleich ersetzt (§§ 127a BGB, 160ff. ZPO). Die Beurkundungspflicht gilt für alle Vertragsgestaltungen, in denen eine solche Verpflichtung übernommen wird. Dies können, da nach dem Prinzip der Vertragsfreiheit im Schuldrecht die Zahl und die inhaltliche Ausgestaltung der schuldrechtlichen Verträge nicht beschränkt sind, sehr unterschiedliche Vertragstypen sein. Die in der Vertragspraxis hauptsächlich vorkommenden, auf die Änderung des Eigentums an Grundstücken gerichteten Verträge sind:

- Kaufverträge (§§ 433ff. BGB)
- Bauträgerverträge (Kaufvertrag mit Werklieferungsvertrag); s. Rz. 192f.
- Tauschverträge (§ 515 BGB)
- Schenkungsverträge (§§ 516ff. BGB)
- Zuwendungen unter Ehegatten
- Erbteilungsverträge (s. § 2042 BGB)
- Übergabeverträge; sie sind ein in der Vertragspraxis häufig vorkommender Vertragstyp sui generis; inhaltlich sind sie meist eine gemischte Schenkung (negotium mixtum cum donatione = Schenkung mit Teilgegenleistung) oder Schenkung unter Auflage
- die Umwandlung von Gesamthandseigentum in Bruchteilseigentum
- die Einbringung von Grundeigentum in eine Gesellschaft
- die Übertragung von Grundeigentum von einer Gesamthandsgemeinschaft auf eine andere
- der Treuhandvertrag bei Baumodellen (BGH DNotZ 1985, 294).

Vorverträge. Das Formgebot des § 313 BGB gilt auch für Verträge, die auf den Abschluß von Veräußerungs- oder Erwerbsverträgen gerichtet sind (BGH DNotZ 1982, 433 m. Anm. Wolfsteiner). Da sie nur bei inhaltlicher Vollständigkeit eine einklagbare Verpflichtung begründen, sind sie in der Regel überflüssig. **91**

Die Beurkundungspflicht bezieht sich nicht nur auf Grundstücke und Miteigentumsanteile an Grundstücken, sondern auch auf einen Vertrag, durch den sich ein Teil verpflichtet: **92**
- Sondereigentum an einer Eigentumswohnung oder an einem Teileigentum nach dem WEG einzuräumen, zu erwerben oder aufzuheben (§ 4 III WEG)
- ein Erbbaurecht zu bestellen oder zu erwerben (§ 11 ErbbauVO)
- Sondereigentum an Gebäuden, die nach dem ZGB oder anderen Bestimmungen der ehemaligen DDR entstanden sind, zu übertragen (Art. 233 § 4 I EGBGB).

Ein ohne Beachtung der vorgeschriebenen Beurkundung geschlossener Vertrag ist nichtig (§ 125 BGB). Aus einem solchen unwirksamen Vertrag können grundsätzlich keine Erfüllungsansprüche entstehen (s. Rz 108).

2. Die Zwecke der Beurkundung

Literaturhinweis: Köbl, Die Bedeutung der Form im heutigen Recht, DNotZ 1983, 207

Für einige Typen von Rechtsgeschäften schreibt das Gesetz die Einhaltung einer bestimmten Form vor (Schriftform, eigenhändige Schrift, öffentliche Beglaubigung der Unterschrift, notarielle Beurkundung). Mit diesem Formgebot werden verschiedene Zwecke verfolgt, wobei der jeweiligen ratio legis entsprechend abgestufte Formvorschriften gelten. Die wichtigsten Zwecke der Beurkundungspflicht nach § 313 BGB sind: **93**
- **Übereilungsschutz** (Warnfunktion) = Schutz des Erklärenden vor übereilter Bindung bei riskanten Geschäften; deshalb ist bereits das Verpflichtungsgeschäft und nicht erst das Erfüllungsgeschäft beurkundungsbedürftig, denn der Schutz käme zu spät, wenn die dem Erfüllungsgeschäft zugrundeliegende Verpflichtung formlos gültig wäre und einen Anspruch auf Übereignung begründen würde
- **Beratung und Belehrung** durch eine sachkundige Stelle (vgl. § 17 BeurkG); dies ist rechtspolitisch eine besondere Form des Verbraucherschutzes
- **Abschlußklarheit** = Abgrenzung des Geschäftsabschlusses von den Vertragsverhandlungen
- **Inhaltsklarheit** = Gewißheit, was die Parteien vereinbart haben

- **Gültigkeitsgewähr** = Gewähr, daß ein wirksames Rechtsgeschäft abgeschlossen wird
- **Beweissicherung** des rechtsgeschäftlich Vereinbarten durch öffentliche Urkunde in amtlicher Verwahrung (Beweisfunktion).

3. Der Umfang der Beurkundungspflicht

94 **Beurkundungsbedürftig ist der ganze Vertrag.** Dies gilt für alle Vereinbarungen, aus denen sich nach dem Willen der Vertragsparteien das schuldrechtliche Veräußerungsgeschäft zusammensetzt (BGH NJW 1975, 536; 1984, 974; st. Rspr.). Zu beurkunden sind daher alle Abreden, ohne die auch nur eine Partei den Vertrag nicht abgeschlossen haben würde (conditio sine qua non); andernfalls ist der ganze Vertrag, nicht nur der nichtbeurkundete Teil unwirksam. Es ist dabei gleichgültig, ob es sich um objektiv wesentliche oder unwesentliche Bestimmungen handelt (RG 97,220). Dem Formzwang unterliegen deshalb auch solche Vereinbarungen, die für sich allein formfrei möglich wären, aber nach dem Willen mindestens eines Vertragspartners so eng mit dem Grundstücksveräußerungsgeschäft zusammenhängen, daß sie nur mit diesem zusammen gelten sollen (BGH NJW 1983, 565 = DNotZ 1983, 231). Dies ist insbesondere der Fall, wenn für die etwaige Abwicklung von Leistungsstörungen, die Geltendmachung von Gewährleistungsansprüchen und die Ausübung von Rücktrittsrechten ein einheitliches Schuldverhältnis gewollt ist (Korte S. 76). Lediglich solche Abreden sind formfrei, von denen anzunehmen ist, daß beide Parteien den Vertrag auch ohne sie abgeschlossen hätten (entsprechende Anwendung des § 139 BGB, RGZ 65, 390, 393; BGH NJW 1981, 222). Die Parteien können deshalb eine formbedürftige Abrede auch nicht dadurch willkürlich dem Formzwang entziehen, daß sie diese einverständlich nicht mitbeurkunden lassen (RGZ 97, 221). **Beispiele:**

- Bei einem Hauskauf verpflichtet sich der Verkäufer, im Falle einer verspäteten Räumung nach dem vereinbarten Übergabetermin eine Nutzungsentschädigung zu zahlen.
- Die Stadt erwirbt zur Straßenverbreiterung einen Streifen vom Vorgarten und verpflichtet sich dabei gegenüber dem Verkäufer, die Mauer auf ihre Kosten zurückzusetzen.
- Verkäufer und Käufer sind darüber einig, daß eine vor Vertragsbeurkundung geleistete Zahlung auf die Kaufpreisforderung anzurechnen ist (BGH NJW 1984, 941 = DNotZ 1984, 236).

Auch solche Nebenvereinbarungen sind beurkundungsbedürftig, wenn sie eine conditio sine qua non für den Vertragsabschluß sind. Unterbleibt die Beurkundung der Nebenabrede, so ist diese unwirksam. Ob dadurch der gesamte Vertrag unwirksam wird, beurteilt sich nach § 139 BGB.

Bei gemischten oder zusammengesetzten Verträgen erstreckt sich der Formzwang auf den gesamten Vertrag, sofern dieser eine rechtliche Einheit bildet. Entscheidend dafür ist, ob die Vereinbarungen nach dem Willen der Beteiligten „miteinander stehen und fallen“ sollen (BGH NJW 1987, 1069). Dabei genügt der Wille eines Beteiligten, wenn der andere ihn erkannt und hingenommen hat (Einzelfälle s. Palandt/Heinrichs § 313 Rz. 32). **95**

Aufteilung in verschiedene Verträge. Wenn ein „Verknüpfungswille“ besteht, kann die Beurkundungspflicht nicht dadurch umgangen werden, daß der Gesamtvertrag in verschiedene Einzelverträge zerlegt wird. **Beispiel:** „Kaufvertrag“ über eine Eigentumswohnung in Verbindung mit einem Bebauungs- und Betreuungsvertrag (BGH NJW 1980, 41 = DNotZ 1980, 344). Werden beide Verträge beurkundet, sind sie nur wirksam, wenn in dem späteren Vertrag auf den anderen verwiesen wird (BGHZ 104, 23). **96**

Formbedürftigkeit von Vollmachten. Der Beurkundung bedarf auch eine Vollmacht zur Veräußerung oder zum Erwerb eines Grundstücks, wenn sie unwiderruflich erteilt wird oder wenn sie aus tatsächlichen Gründen die gleiche Bindung bewirken soll und bewirkt (s. Rz. 242). Eine solche bindende Vorwegnahme liegt aber nicht schon vor, wenn der Bevollmächtigte von dem Verbot des Selbstkontrahierens gemäß § 181 BGB befreit wird. **97**

Formbedürftigkeit bei mittelbarem Zwang. Die Entschließungsfreiheit eines Beteiligten kann auch durch einen mittelbaren Abschlußzwang beeinträchtigt werden. Wieweit Vereinbarungen beurkundungsbedürftig sind, durch die ein wirtschaftlicher Druck zum Abschluß eines Vertrages ausgeübt wird, ist eine Maßfrage. **Beispiel**: Der Kunde verspricht dem Makler die Leistung von Schadensersatz oder einer Vertragsstrafe in Höhe von mehr als 10–15 % der Verkaufsprovision für den Fall, daß er eine ihm nachgewiesene Gelegenheit zum Kauf oder Verkauf eines Grundstücks nicht wahrnimmt. Solche Vereinbarungen sind formbedürftig, da sie einen mittelbaren Zwang zum Erwerb oder zur Veräußerung eines Grundstücks ausüben (BGH DNotz 1981, 23; 1990, 651). **98**

4. Form und Inhalt der Beurkundung

Literaturhinweis: RAB-Reithmann Rz. 67–123

Beurkundung ist die Aufnahme einer Niederschrift über die von den Beteiligten abgegebenen rechtsgeschäftlichen Erklärungen, auch „Protokoll“ genannt (§ 8 BeurkG). Form und Inhalt regeln die §§ 6–35 BeurkG über die „Beurkundung von Willenserklärungen“. Die Niederschrift beginnt mit der Feststellung von Ort und Tag der Verhandlung, der Bezeichnung des Notars und der Beteiligten sowie Feststellungen über die Identität der Beteiligten und gegebenenfalls über Vertretung und Bevollmächtigung. Dann folgen die Erklärungen der Erschienenen. **99**

In dem Schlußvermerk des Notars wird festgestellt, daß die Urkunde in Gegenwart des Notars den Erschienenen vorgelesen, von ihnen genehmigt und eigenhändig unterschrieben wurde (§§ 9–13 BeurkG).

100 **Das verfahrensrechtliche Gebot der vollständigen Beurkundung der abgegebenen Erklärungen erfährt aus praktischen Gründen einige Einschränkungen:**

- **In der Niederschrift kann auf ein privates Schriftstück der Beteiligten verwiesen werden.** Wird dieses Schriftstück mitvorgelesen und sodann der Niederschrift beigefügt, so gelten die in dem Schriftstück enthaltenen Erklärungen als Bestandteil der Niederschrift (§ 9 I 2 BeurkG).
  Beispiel: Baubeschreibung zu einem Bauträgervertrag.
  Dies gilt entsprechend für **Karten, Zeichnungen oder sonstige Abbildungen**, die von den Beteiligten zur Verdeutlichung ihrer Erklärungen, z.B. beim Verkauf noch nicht vermessener Teilflächen, beigefügt werden (§ 9 I 3 BeurkG). Da solche Unterlagen nicht vorgelesen werden können, sind sie zur Durchsicht vorzulegen (§ 13 I 1, 2 BeurkG).
  Vorgelegte Vollmachtsurkunden, Vertretungsbescheinigungen und dergleichen sind nicht Inhalt der abgegebenen Erklärungen, sondern Tatbestandselemente; sie bedürfen deshalb nicht der Vorlesung, sondern werden lediglich in der Niederschrift erwähnt und ihr beigefügt (RAB-Reithmann Rz. 99).

101 – **Verweisungsverfahren.** Eine weitergehende Erleichterung bedeutet die Möglichkeit der Verweisung nach § 13a BeurkG: In der Niederschrift kann auf eine andere notarielle Niederschrift verwiesen werden. Die Bezugsurkunde braucht nicht vorgelesen zu werden, wenn die anwesenden Beteiligten erklären, daß ihnen der Inhalt dieser Urkunde bekannt ist und sie auf das Vorlesen verzichten (§ 13a I BeurkG). Die Bezugsurkunde soll aber in Urschrift, Ausfertigung oder beglaubigter Kopie bei der Beurkundung vorliegen (§ 13a I 3 BeurkG). Sie braucht auch nicht der Niederschrift beigefügt zu werden, wenn die Beteiligten darauf verzichten (§ 13a II BeurkG). Ausführliche Darstellung dazu mit Formulierungsvorschlägen s. Brambring DNotZ 1980, 281.
  Beispiel: Die Teilungserklärung und Gemeinschaftsordnung einer Wohnungseigentümergemeinschaft ist beurkundet, aber noch nicht im Grundbuch eingetragen. Beim Verkauf einer Eigentumswohnung kann auf die Urkunde Bezug genommen werden (s. Rz. 1266).

5. Aufspaltung des Beurkundungsverfahrens in Angebot und Annahme

Literaturhinweis: RAB-Reithmann Rz. 124–134

102 **Die Beurkundung des Vertrages nach** § 313 BGB kann verfahrensmäßig in **Angebot (Vertragsantrag) und Annahme aufgespalten wer-**

den (§§ 145, 151, 128 BGB). In diesem Fall bedürfen sowohl das Angebot als auch die Annahme der notariellen Beurkundung. **Beispiel:** Der Verkäufer macht dem Käufer ein befristetes Angebot zum Abschluß eines Kaufvertrages, der Käufer nimmt innerhalb der Frist das Angebot an. Auch der umgekehrte Weg ist möglich: Das Angebot geht vom Käufer aus und wird vom Verkäufer angenommen.

103 **Der Zweck einer Aufspaltung** besteht meist darin, daß einer der Partner bereits gebunden werden soll, während der andere zunächst noch freie Hand behalten will. **Beispiel:** Der Kaufinteressent will den Eigentümer bereits binden, sich selbst aber erst verpflichten, wenn durch eine Bauvoranfrage geklärt ist, ob die von ihm beabsichtigte Bebauung genehmigt wird. Manchmal richtet sich das Angebot auch nicht an den Angebotsempfänger, sondern an einen von diesem noch zu benennenden Dritten; dies z.B. dann, wenn der Dritte noch nicht feststeht oder wenn er aus taktischen Gründen noch nicht benannt werden soll. Zur Frage der Vormerkbarkeit des Übereignungsanspruchs in diesen Fällen s. Rz. 639.

104 **Vollständigkeit des Angebots.** In jedem Fall muß das Angebot so vollständig und bestimmt sein, daß der Annehmende nur noch zu erklären braucht, er nehme das Angebot an, d.h. es muß bereits den gesamten Inhalt des gewollten schuldrechtlichen Vertrages enthalten. Hinzu kommen, je nach der konkreten Fallgestaltung, verfahrensrechtliche Bestimmungen: Bewilligung der Eigentumsvormerkung, Belastungsvollmacht, Vorbehalt eines Rücktrittsrechts usw.

105 **Erforderlich ist auch die Beurkundung der Auflassung** (§ 925 BGB). Eine Aufspaltung in Angebot und Annahme ist hier nicht möglich (s. Rz. 129). Die Beurkundung kann entweder dadurch geschehen, daß der Anbietende bereits in der Angebotsurkunde auch namens des Angebotsempfängers die Auflassung erklärt und der Annehmende diese vollmachtlose Vertretung mit der Annahme genehmigt (§ 185 II BGB). Ebenso möglich ist aber auch, daß der Anbietende in der Angebotsurkunde dem Angebotsempfänger Vollmacht zur Erklärung der Auflassung erteilt und die Auflassung dann zusammen mit der Annahmeerklärung beurkundet wird.

106 **Die Annahmeerklärung.** Mit der Annahme kommt der Vertrag i.S. des § 313 BGB zustande; ein Zugang der Annahme beim Anbietenden ist nicht erforderlich (§ 152 BGB). Hat der Anbietende jedoch eine Frist für die Annahme gesetzt, was meist der Fall ist, so muß ihm die Annahmeerklärung innerhalb der Frist zugehen (BGH NJW 1989, 199; str.). Häufig wird jedoch auch bei Fristsetzung in der Angebotsurkunde bestimmt, daß die Annahmeerklärung bereits mit ihrer notariellen Beurkundung wirksam werden soll.

107 **Die Unterwerfungserklärung des Käufers** gem. § 794 I Nr. 5 ZPO ist eine einseitige Verfahrenserklärung und kann deshalb nicht in Form von Angebot und Annahme erklärt werden. Möglich ist:

- der Verkäufer erklärt das Angebot mit der Maßgabe, daß es nur angenommen werden kann, wenn sich der Käufer in der Annahmeerklärung der sofortigen Zwangsvollstreckung unterwirft
- der Verkäufer erklärt in der Angebotsurkunde die Unterwerfung als Vertreter ohne Vertretungsmacht namens des Käufers mit der Bestimmung, daß das Angebot nur angenommen werden kann, wenn die Unterwerfungserklärung genehmigt wird.

6. Berufung auf Treu und Glauben gegenüber der Formnichtigkeit des Vertrages?

(Rechtsprechung und Literatur s. Kommentierungen zu § 125 BGB)

108 **Wirksamkeit von formlosen Vereinbarungen.** Nach in der Literatur teilweise bestrittener, aber ständiger höchstrichterlicher Rechtsprechung kann unter ganz besonderen, engen Voraussetzungen ein formunwirksamer Vertrag als wirksam behandelt werden, wenn die Nichtigkeitsfolge mit den Grundsätzen von Treu und Glauben unvereinbar wäre (s. dazu MünchKommFörschler, § 125 Rz. 53 ff.). Das kann der Fall sein, wenn der Berufung auf die Formunwirksamkeit des Vertrages der **Einwand der Arglist wegen besonders schwerer Treuepflichtverletzung** entgegengesetzt werden kann oder wenn sie zur **Existenzgefährdung eines Beteiligten** führen würde (BGH NJW 1983, 2504 = DNotZ 1983, 232). An die Bejahung eines solchen Ausnahmefalles hat die Rechtsprechung allerdings strenge Anforderungen gestellt. Der BGH hat dazu ausgeführt, ein Abweichen von § 125 S. 1 BGB sei nur statthaft, wenn es „nach den Beziehungen der Beteiligten und nach den gesamten Umständen mit Treu und Glauben unvereinbar wäre, vertragliche Vereinbarungen wegen Formmangels unausgeführt zu lassen" (NJW 1969, 1167; 1984, 607; 1987, 1070). Ein hartes Ergebnis genüge nicht, es müsse vielmehr „schlechthin untragbar" sein (bestätigt, wenn auch konkret abgelehnt, BGH DNotZ 1976, 94). In einem solchen Falle ist das Grundgeschäft trotz Fehlens einer Beurkundung als wirksam anzusehen, so daß auf Erfüllung geklagt werden kann. Erforderlich ist aber stets ein hinreichend bestimmter Vertragsinhalt, der mindestens den Anforderungen eines Vorvertrages entsprechen muß. **Beispiele:**

- Eine formlose Vereinbarung über die Hofübergabe kann unter ganz besonderen Umständen (Art, Umfang und Dauer der Beschäftigung des vorgesehenen Hofnachfolgers) als gültig zu behandeln sein (BGH NJW 1957, 787)
- Die Berufung auf den Mangel der Beurkundungsform kann unzulässige Rechtsausübung sein, wenn ein in Grundstückssachen erfahrener Partner den Unerfahrenen dazu veranlaßt, von der Beurkundung abzusehen (BGH NJW 1968, 39 = DNotZ 1968, 344).

7. Schadensersatzansprüche trotz Formnichtigkeit des Vertrages?

109 Wir haben bereits festgestellt, daß aus einem nach § 313 BGB formunwirksamen Vertrag grundsätzlich keine Erfüllungsansprüche entstehen. Eine andere Frage ist jedoch, ob Schadensersatzansprüche gegeben sein können. In Frage kommen dafür Ansprüche:
- aus Verschulden bei Vertragsverhandlungen (culpa in contrahendo)
- wegen sittenwidriger vorsätzlicher Schädigung (§ 826 BGB).

Beispiel: In einem privatschriftlichen Vorvertrag verpflichtet sich V, ein Grundstück an K zu verkaufen. Im Vertrauen darauf, daß die Beurkundung noch erfolgen werde, nimmt K bereits eine Reihe von **Aufwendungen** vor (z.B. Anschaffung von Grundstückszubehör, Beauftragung eines Architekten usw.). Wenn V nunmehr unter Berufung auf die Formunwirksamkeit des Vertrages seine Erfüllung verweigert, kann K einen Anspruch gegen ihn auf Ersatz seiner Aufwendungen aus dem Gesichtspunkt der culpa in contrahendo haben, sofern den V ein Verschulden an dem Nichtzustandekommen eines formwirksamen Kaufvertrages trifft, insbesondere, wenn eine in Wahrheit von Anfang an nicht bestehende Abschlußbereitschaft vorgetäuscht wurde (OLG Hamm NJW-RR 1991, 1042). Zum Verschulden bei Vertragsverhandlungen s. die Kommentierungen zu § 276 BGB.

110 **Das Offenhalten der Entscheidung bis zur Beurkundung des Vertrages und ein Abbruch der Verhandlungen im letzten Augenblick lösen aber noch keine Ersatzansprüche aus,** weil damit ja nur ein Recht wahrgenommen wird, das sich aus der Formbedürftigkeit ergibt. Hinzukommen muß ein besonderes, „das Vertrauen des Partners verletzendes Verhalten", z.B. daß der Vertragspartner über die wahren Absichten im Unklaren gelassen und hingehalten oder -noch weitgehender- bewußt oder fahrlässig über die Bedeutung der Formvorschrift getäuscht wurde (BGH NJW 1967, 2199; 1970, 1840).

8. Heilung der Formnichtigkeit durch Auflassung und Eintragung

111 **Auch ein formungültig geschlossener und deshalb nichtiger Vertrag wird wirksam, wenn die Auflassung erklärt ist und die Eintragung in das Grundbuch erfolgt** (§ 313 Satz 2 BGB). **Beispiel:** Die Parteien geben bei der Beurkundung eines Grundstückskaufs einen falschen Kaufpreis an (sog. Schwarzkauf). Der beurkundete Kaufvertrag ist als Scheingeschäft nichtig (§ 117 BGB) und die wirklich gewollte Vereinbarung ist nicht beurkundet und deshalb formungültig (§§ 125, 313 BGB). Die gleichzeitig erklärte Auflassung ist jedoch aufgrund ihrer abstrakten Natur grundsätzlich gültig. Wenn das Grundstück im Grundbuch auf den Erwerber umgeschrieben wird, ist der Formmangel des Grundgeschäfts geheilt.

112 **Die Heilung tritt nur ein, wenn die Auflassung rechtswirksam ist.** Das ist in der Regel auch der Fall, weil der Eigentumsübergang von den Beteiligten gewollt und die Auflassung infolge ihrer abstrakten Natur von den Mängeln des Grundgeschäfts abgelöst ist. Dazu gehört, daß sie zur Erfüllung des formunwirksamen Vertrages vorgenommen wird und auch eine etwaige Auflassungsvollmacht wirksam ist.

113 **In besonderen Fällen kann jedoch auch die Auflassung unwirksam sein.** Das ist der Fall, wenn die Auflassung selbst unter einem Fehler leidet, z. B. wenn:
- die Beteiligten nicht dasselbe Grundstück gemeint haben
- die Auflassung gegen ein gesetzliches Verfügungsverbot verstößt (s. z. B. §§ 134, 138 II, 1365 BGB)
- die Auflassung unter einer Bedingung oder mit einer Befristung erklärt wird (§ 925 II BGB)
- wenn die Auflassung von der Unwirksamkeit des Kausalgeschäfts erfaßt wird (sog. Fehleridentität, Rz. 61).

114 **Die Heilung eines formnichtigen Vertrages durch wirksame Auflassung und Eintragung erfaßt die Gesamtheit der vertraglichen Vereinbarungen.** Die Heilung tritt ein, wenn die Willensübereinstimmung der Beteiligten bis zur Auflassung fortbesteht, im Zeitpunkt der Eintragung ist sie nicht mehr erforderlich (BGH DNotZ 1980, 222).

Die Heilung bezieht sich aber nur auf Formmängel des Vertrages, nicht auf andere Mängel, z. B. Willensmängel, fehlende Vertretungsmacht, fehlende oder unwirksame behördliche Genehmigung. **Beispiele:**
- Ein wegen Nichtbeurkundung von Nebenabreden unwirksamer Kaufvertrag wird vom Vormundschaftsgericht genehmigt. Da dem Vormundschaftsgericht nicht der ganze Vertrag vorlag, ist die erteilte Genehmigung unwirksam; eine Heilung nach § 313 Satz 2 BGB kann nicht eintreten.
- Ein mit falscher Preisangabe beurkundeter Kaufvertrag (Schwarzkauf) wird von der Landwirtschaftsbehörde gem. §§ 2, 9 GrdstVG genehmigt. Die erteilte Genehmigung ist unwirksam, da sie zu einem tatsächlich nicht geschlossenen Vertrag erteilt ist, und der tatsächlich abgeschlossene Vertrag ist nicht genehmigt (s. § 9 I Nr. 3 GrdstVG). Dieser Mangel erfaßt auch die Auflassung (OGH NJW 1949, 425). Eine Heilung i. V. m. § 313 Satz 2 BGB tritt erst nach Ablauf eines Jahres aufgrund der Sonderbestimmung des § 7 III GrdstVG ein (BGH NJW 1981, 1957).

115 **Die Heilung des Formmangels ersetzt nicht eine aus anderen Gründen fehlende causa für den Erwerb,** d. h. für das Behaltendürfen der Leistung. Fehlt der Rechtsgrund oder fällt er weg, z. B. infolge Anfechtung des Vertrages, so hat der Veräußerer vor der Umschreibung einen Anspruch auf Rückgewähr der Auflassung (s. Rz. 151 ff.) und nach erfolgter Umschreibung einen bereicherungsrechtlichen Anspruch auf

Rückauflassung des Grundstücks; dies gilt allerdings wegen § 814 BGB nicht, wenn er bei Erklärung der Auflassung den Formmangel kannte (RGZ 133, 275).

116 **Die Heilung nach § 313 Satz 2 BGB hat keine Rückwirkung** („wird ..... gültig"); eine vorher für den Erwerber eingetragene Eigentumsvormerkung ist deshalb wegen des Fehlens eines zu sichernden Übereignungsanspruchs (Akzessorietät der Vormerkung, s. Rz. 386) gegenstandslos und gewährt keinen Schutz gegen den gutgläubigen Erwerb eines Dritten (BGH NJW 1970, 1541 = DNotZ 1970, 596).

Einer Umgehung des Beurkundungsgebots durch die Heilungsmöglichkeit wirkt § 925 a BGB entgegen (s. Rz. 136).

9. Änderung und Aufhebung des schuldrechtlichen Vertrages

Literaturhinweis: Möller, Beurkundungsbedürftigkeit der Änderung und Aufhebung von Kaufverträgen über Grundstücke und grundstücksgleiche Rechte, MittRhNotK 1988, 243

a) Änderungen des Vertrages

117 Inhaltsänderungen können Art, Höhe und Umfang der vertraglichen Leistungen zum Gegenstand haben. Vertragsänderungen sind auch die Ergänzung um einen weiteren Regelungsgegenstand, die Verlängerung eines Dauerschuldverhältnisses, die Vereinbarung eines Rücktrittsrechts usw. Dabei wird unterschieden, ob die Änderung vor oder nach Beurkundung der Auflassung vereinbart wird:

aa) Änderungen des Vertrages vor der Auflassung bedürfen der Form des § 313 BGB, wenn sie einen Bestandteil des ursprünglichen Vertrages betreffen (BGH NJW 1974, 271; 1988, 1734). Dies gilt insbesondere, wenn sie die Übereignungspflicht des Verkäufers oder die Erwerbspflicht des Käufers erweitern oder verschärfen, z. B.:

- Erlaß, Herabsetzung oder Erhöhung des Kaufpreises
- Längere Stundung des Kaufpreises (BGH NJW 1982, 434 = DNotZ 1982, 310)
- Vereinbarungen über die Anrechnung oder Aufrechnung von Leistungen (BGH MittBayNot 1986, 9)
- Ersetzung der Barzahlung durch Ablösung von Verbindlichkeiten oder durch sonstige Leistungen an Erfüllungs Statt.

118 **Nebenpunkte.** Auch Nebenabreden bedürfen der Form, wenn sie nach dem Willen der Beteiligten Bestandteil des Hauptvertrages sein sollen. Nicht formbedürftig sollen nach bisheriger Rechtsprechung lediglich solche Änderungen über mitbeurkundete Nebenpunkte sein, die in entsprechender Anwendung von § 139 BGB von dem geschlossenen Vertrag abtrennbar sind oder lediglich der Beseitigung von unvorhergesehenen

Abwicklungsschwierigkeiten dienen und den Inhalt der gegenseitigen **Leistungspflichten nicht verändern** (BGH NJW 1973, 37 = DNotZ 1973, 473; 1974, 271 = DNotZ 1974, 359; NJW-RR 88, 186). Gegen diese Rechtsprechung sind in der Literatur zu Recht die Bedenken geltend gemacht worden, daß die Abgrenzungen nicht praktikabel seien und deshalb zu Rechtsunsicherheit über die Formgültigkeit führen sowie die Schutz- und Warnfunktion der Beurkundung unterlaufen würden (MünchKomm-Kanzleiter § 313 Rz. 47ff.; Staudinger/Wufka § 313 Rz. 153).

119 **bb) Änderungen des Vertrages nach der Auflassung** bedürfen nach bisheriger Rechtsprechung nicht der Beurkundung (BGH NJW 1985, 266). Dies wird damit begründet, daß der Veräußerer mit der Auflassung seine Leistung in vollem Umfang erbracht habe und deshalb der Zweck des § 313 BGB, ihn vor übereilten Entscheidungen zu bewahren, entfalle. Dabei wird aber übersehen, daß der Übereilungsschutz nur einer der mehreren Gründe für die Beurkundungspflicht ist (s. Rz. 93). Außerdem ist die geschuldete Leistung erst mit der Umschreibung im Grundbuch erfüllt, wozu u. U. weitere Handlungen des Veräußerers erforderlich sind, z. B. die Besitzübergabe, die Bestätigung der Kaufpreiszahlung, die Mitwirkung bei der Beseitigung von Eintragungshindernissen usw. Gegen diese Rechtsprechung sind daher mit Recht Bedenken geltend gemacht worden (Dieckmann MittRhNotK 1968, 242, 252; Kanzleiter DNotZ 1985, 285 und MünchKomm § 313 Rz. 48; Staudinger/Wufka § 313 Rz. 157; Hagen DNotZ 1984, 278).

120 **Die Unterscheidung zwischen Vertragsänderungen vor und nach der Auflassung findet im Gesetz keine Stütze; sie schafft eine nicht sachgerechte Zäsur.** Auch nach der Auflassung führen formfreie Änderungen zu Rechtsunsicherheit über den Inhalt der Änderung sowie dem Fehlen rechtskundiger Beratung und Belehrung. Dagegen sprechen auch erhebliche praktische Gründe: Wie erfahren bei formlosen Änderungen, z. B. des Kaufpreises, die Grunderwerbsteuerbehörde, das Vormundschaftsgericht, der Gutachterausschuß, das Grundbuchamt die vereinbarte Änderung?

Unterbleibt die Beurkundung einer formgebundenen Änderung, wird der Mangel der Form durch die Eintragung geheilt (§ 313 Satz 2 BGB). Nach der Eigentumsumschreibung sind Änderungen des Vertrages in jedem Fall formlos möglich.

b) Die Aufhebung des schuldrechtlichen Vertrages

121 Die Aufhebung ist ein Vertrag, durch den die einvernehmliche Rückabwicklung der bisher erbrachten Leistungen, einschließlich der Regelung etwaiger Schadensfragen, vereinbart wird. Die Formbedürftigkeit richtet sich in diesen Fällen nach dem Stand der Vertragsabwicklung (BGH DNotZ 1982, 619; 1984, 319; 1988, 560):

- Bis zur Auflassung bedarf die Aufhebung nicht der Form des § 313 BGB, da sie keine Übereignungspflicht und auch keine Erwerbsverpflichtung begründet. Das gleiche gilt, wenn die Auflassung erklärt, aber noch kein Anwartschaftsrecht entstanden ist, d.h. weder eine Eigentumsvormerkung eingetragen noch eine Umschreibung beantragt wurde (BGH NJW 1982, 1639). Dennoch sprechen die zu Rz. 119f. dargelegten Gründe auch in diesen Fällen für die Form der notariellen Beurkundung.
- Ist bereits ein Anwartschaftsrecht entstanden, so ist die Aufhebung formbedürftig (BGH a.a.O. und NJW-RR 1988, 265). Zwar kann das Formgebot dadurch umgangen werden, daß zunächst die Eigentumsvormerkung gelöscht oder der Umschreibungsantrag zurückgenommen wird. Dies ist aber als nicht sachgerecht abzulehnen (s. Brambring in DNotZ 1991, 150).
- Ist der Vertrag durch Auflassung und Eintragung vollzogen, bedarf die Rückübertragung der Beurkundung eines neuen Verpflichtungsvertrages mit Auflassung (§§ 313, 925 BGB).

122 **Grunderwerbsteuer.** Unter bestimmten Voraussetzungen kann die Nichterhebung oder Erstattung einer bereits gezahlten Grunderwerbsteuer beantragt werden (§ 16 I GrEStG). War das Eigentum bereits auf den Käufer übergegangen, kann nach Maßgabe des § 16 II GrEStG sowohl die Erstattung der bereits für den Erwerb gezahlten, als auch Erlaß der für den Rückerwerb erfallenden Grunderwerbsteuer beantragt werden.

II. Die Auflassung

Die zur Übertragung des Eigentums an einem Grundstück nach § 873 BGB erforderliche Einigung des Veräußerers und des Erwerbers (Auflassung) muß bei gleichzeitiger Anwesenheit beider Teile vor einer zuständigen Stelle erklärt werden (§ 925 I BGB).

1. Form der Auflassung

123 **Notwendigkeit der Erklärung.** Die dingliche Einigung über die Bestellung und Übertragung von Rechten an Grundstücken ist, wie wir bei Rz. 53 gesehen haben, grundsätzlich formfrei (§ 873 I BGB). Eine Ausnahme gilt jedoch für die Einigung über die Übertragung des Eigentums an einem Grundstück. Das Gesetz nennt diese Einigung die „Auflassung". Sie ist die Willensbekundung beider Vertragsteile, daß sie sich über den Übergang des Eigentums vom Veräußerer auf den Erwerber einig sind. Stillschweigende Einigung genügt hier nicht, die Einigung muß

"erklärt" sein. § 925 BGB ist also für die Auflassung eine Sondervorschrift zu § 873 I BGB.

124 **Der Begriff „Auflassung"** kommt aus dem alten deutschen Recht (niederdeutsch „uplatinge = Überlassung"). Er bezeichnete dort ursprünglich die förmliche Übereignung des Grundstücks durch Symbolhandlungen auf dem Grundstück. Später ergab sich eine Bedeutungsverschiebung zur Erklärung der Willenseinigung über die Übereignung (s. Erler/Kaufmann, Handwörterbuch zur Deutschen Rechtsgeschichte, I. Band S. 251, sowie Verf., „Abschied von der Auflassungsvormerkung" DNotZ 1982, 669).

125 **Zuständig für die Entgegennahme der Auflassung sind die deutschen Notare** (§ 925 I 2 BGB). Sie kann auch in einem gerichtlichen Vergleich und – nach dem neugefassten § 925 I 3 BGB – ab dem 1. 1. 1999 in einem rechtskräftig bestätigten Insolvenzplan erklärt werden. Außerdem zuständig sind die deutschen Konsularbeamten im Ausland nach dem Konsulargesetz (§ 12 Nr. 1 KonsularG). In der Praxis kommt die Auflassung durch Gerichte jedoch nur selten vor, weil sie mit dem Verfahren der Grundstücksübertragung zu wenig vertraut sind. Sie beschränken sich deshalb in der Regel darauf, die Verpflichtung zur Abgabe einer Auflassungserklärung zu protokollieren.

126 **Die materiell-rechtlichen Vorschriften der** §§ 873, 925 BGB werden **ergänzt durch die Formvorschriften der Grundbuchordnung**: Während grundsätzlich zur Eintragung eines Rechts an einem Grundstück die einseitige förmliche Erklärung des Betroffenen ausreicht (sog. formelles Konsensprinzip, §§ 19, 29 GBO), bedarf es bei der Auflassung des förmlichen Nachweises, daß beide Teile die Einigungserklärung ausdrücklich abgegeben haben (§§ 20, 29 GBO; s. Rz. 358 ff.).

127 § 20 GBO erweitert also das Prinzip der einseitigen Bewilligung des § 19 **GBO für den besonderen Fall der Eigentumsübertragung in der Weise, daß eine Erklärung von beiden Parteien abzugeben ist.** Der Grund für diese Erweiterung des formellen Konsensprinzips ist: Es besteht ein besonderes öffentliches und privates Interesse an der Übereinstimmung zwischen der Eigentümereintragung und der materiellen Rechtslage. § 20 GBO soll deshalb bei der wichtigen Eigentumsübertragung von Grundstücken durch das Erfordernis einer förmlichen Einigungserklärung nach Möglichkeit eine Unrichtigkeit des Grundbuchs ausschließen: Wenn die Einigung förmlich erklärt wurde, kann in der Regel davon ausgegangen werden, daß sie auch übereinstimmend gewollt ist.

Fall: Am Stammtisch erklären A und B in Gegenwart eines dabeisitzenden Notars, daß sie über den Übergang des Eigentums an dem Grundstück X einig seien. Ist die Auflassung gültig erklärt? Die Einigung wäre zwar materiellrechtlich gültig, vorausgesetzt, daß der Notar zur Entgegennahme bereit war (RGZ 132, 406, 409). Aber auf jeden

Fall fehlt der förmliche Nachweis nach §§ 20, 29 GBO durch Vorlage einer beurkundeten Erklärung. Eine Grundbuchumschreibung kann deshalb nicht erfolgen.

128 Das **Verfahren der Auflassung** richtet sich:
- für die Beurkundung durch Notare oder Konsularbeamte nach dem Beurkundungsgesetz (§§ 6–26 BeurkG; s. Rz. 99f.)
- für den gerichtlichen Vergleich nach §§ 160ff. ZPO.

Zur Frage, ob neben der Auflassung noch eine Eintragungsbewilligung erforderlich ist, s. Rz. 361.

2. Gleichzeitige Anwesenheit der Beteiligten

129 **Die Auflassung muß bei gleichzeitiger Anwesenheit beider Teile erklärt werden.** Getrennte Beurkundung von Angebot und Annahme i.S. des § 128 BGB ist demnach bezüglich der Auflassung nicht möglich, vielmehr sind die Erklärungen beider Parteien gleichzeitig abzugeben. Gleichzeitige Anwesenheit bedeutet aber nicht auch persönliche Anwesenheit, wie dies z.B. beim Erbvertrag und bei der Eheschließung erforderlich ist (s. §§ 2274, 2276 BGB; 13 I EheG).

130 **Vertretung.** Die Beteiligten können bei der Auflassung vertreten werden, sei es durch:
- einen Bevollmächtigten (§§ 164ff. BGB)
- einen Vertreter ohne Vertretungsmacht mit nachträglicher Genehmigung durch den Vertretenen (§ 177 BGB)
- einen gesetzlichen Vertreter.

Zur Vertretung im Grundstücksrecht allgemein s. nachstehend § 7.

Wird bei einer Auflassung die Erklärung des einen Teils durch ein rechtskräftiges Urteil ersetzt (§ 894 ZPO), so muß der andere Teil seine Erklärung unter gleichzeitiger Vorlage einer Ausfertigung des Urteils mit Rechtskraftvermerk vor einem Notar abgeben (OLG Celle DNotZ 1979, 308; BayObLG Rpfleger 1983, 390).

3. Die Auflassung ist bedingungsfeindlich

a) Keine rechtsgeschäftlichen Bedingungen

131 **Die Auflassung kann nicht unter einer Bedingung oder Befristung erklärt werden** (§ 925 II BGB). Unzulässig sind demnach z.B. Vorbehalte wie z.B.: Die Auflassung solle nur gelten:
- wenn der Kaufpreis bezahlt oder die Wohnung geräumt ist
- wenn der Käufer sein Haus in B verkauft hat
- wenn der Stadtrat/Gemeinderat dem vom Bürgermeister abgeschlossenen Vertrag zustimmt
- für den Fall, daß die Ehe der Beteiligten geschieden wird.

132 Für solche Vorbehalte besteht aber häufig ein Bedürfnis. **Die Vertragspraxis löst diese Probleme mit verschiedenen Hilfskonstruktionen,** z.B.:

- Der Notar wird von den Beteiligten angewiesen, die Umschreibung des Eigentums erst dann beim Grundbuchamt zu beantragen, wenn ihm die Zahlung des Kaufpreises nachgewiesen oder wenn die Lastenfreistellung oder die gleichzeitige Eintragung einer Restkaufpreishypothek, eines Nießbrauchsrechts usw. gewährleistet ist; ein solches Hinausschieben des Grundbuchvollzuges macht die Auflassung nicht zu einer bedingten, § 925 II BGB steht nicht entgegen (MünchKomm-Kanzleiter, § 925 Rz. 27).
- Der Kaufpreis wird auf Treuhandkonto des Notars (Anderkonto) hinterlegt mit der Anweisung, erst auszuzahlen, wenn bestimmte Voraussetzungen erfüllt sind, z.B. alle erforderlichen Genehmigungen und die Bescheinigung der Gemeinde über das Nichtbestehen oder die Nichtausübung eines gesetzlichen Vorkaufsrechts vorliegen sowie die Ablösung aller Belastungen gewährleistet ist.
- Die Auflassung wird erst nach Eintritt der Bedingung beurkundet, z.B. nach Rechtskraft der Scheidung, Zustimmung des Gemeinderates zu einem vom Bürgermeister abgeschlossenen Vertrag.

133 **Im gerichtlichen Vergleich** kann wegen der Bedingungsfeindlichkeit eine Auflassung nicht erklärt werden, wenn der Vergleich mit einem Widerrufsvorbehalt verbunden wird (BGH NJW 1988, 415).

b) Rechtsbedingungen sind zulässig

134 **Die Bedingungsfeindlichkeit der Auflassung gilt nur für rechtsgeschäftliche Bedingungen** (d.h. aufschiebende und auflösende Bedingungen, § 158 BGB), nicht für die sog. Rechtsbedingungen. Dabei handelt es sich nicht um echte Bedingungen, sondern um die gesetzlichen Voraussetzungen für die Wirksamkeit des Rechtsgeschäfts. Zulässig ist demnach, daß die Wirksamkeit der Auflassung von einer noch erforderlichen behördlichen oder privaten Genehmigung oder einer anderen Rechtsbedingung abhängig ist (BGH NJW 1952, 1330). **Beispiele** für unschädliche Rechtsbedingungen:

- Ein Beteiligter wurde bei der Beurkundung durch einen Vertreter ohne Vollmacht vertreten und seine Genehmigung vorbehalten (OLG Celle DNotZ 1957, 660).
- Nach §§ 1821, 1822 BGB ist zur Verfügung die Genehmigung durch das Vormundschaftsgericht erforderlich.
- Der Vertrag bedarf der Genehmigung nach dem GrdstVG, dem BauGB, der Grundstücksverkehrsordnung im Beitrittsgebiet oder einer Aufsichtsbehörde.

- Eine neu errichtete, aber noch nicht im Handelsregister eingetragene GmbH erwirbt ein Grundstück im Wege der Sacheinlage. Die GmbH entsteht erst mit der Eintragung im Handelsregister (§ 11 GmbHG). Im Grundbuch wird zunächst die GmbH i.Gr. eingetragen; der endgültige Erwerb tritt aber erst ein, wenn die GmbH durch Eintragung im HR entstanden ist.

c) Bedingungen beim Kausalgeschäft sind zulässig

135 **Nur die Auflassung ist bedingungsfeindlich.** Man beachte deshalb den Unterschied zwischen dem Kausalgeschäft und der Auflassung. Das schuldrechtliche Verpflichtungsgeschäft kann unter einer aufschiebenden oder auflösenden Bedingung vereinbart werden, z.B.:

- Der Vertrag soll nur für den Fall gelten, daß die Ehe geschieden wird (aufschiebende Bedingung)
- Der Kaufvertrag soll unwirksam werden, wenn eine vom Käufer beantragte Baugenehmigung rechtskräftig versagt wird (auflösende Bedingung). Die Verwendung auflösender Bedingungen hat jedoch den Nachteil, daß der Vertrag ggf. unwirksam wird, ohne daß der Vertragspartner dies erfährt; außerdem kann es Beweisunsicherheiten geben. In solchen Fällen ist deshalb ein Rücktrittsvorbehalt die bessere Lösung.

Es ist u.U. **Auslegungsfrage** (§§ 157, 242 BGB), ob lediglich das Kausalgeschäft oder auch die Auflassung bedingt sein sollen; letzteres wäre unwirksam. Im Zweifel ist deshalb nur das Kausalgeschäft als bedingt gewollt. In der Praxis der Vertragsgestaltung empfiehlt es sich aber klarzustellen, daß die Bedingung oder die Zeitbestimmung nur für den schuldrechtlichen Vertrag und nicht auch für die Auflassung gilt.

4. Die Verknüpfung von Kausalgeschäft und Auflassung

136 **Die Beurkundung der Auflassung soll nur erfolgen, wenn gleichzeitig die nach § 313 BGB erforderliche Urkunde über das Verpflichtungsgeschäft errichtet oder vorgelegt wird** (§ 925a BGB). Diese Vorschrift verknüpft verfahrensmäßig das obligatorische Grundgeschäft mit dem abstrakten Erfüllungsgeschäft. Sie wendet sich ausschließlich an die Beurkundungsperson und untersagt ihr die isolierte Beurkundung der Auflassung. Während § 925 BGB nach Möglichkeit Differenzen zwischen der materiellen Rechtslage und dem Grundbuchstand ausschließen soll, verhindert § 925a BGB, daß das Beurkundungsgebot des § 313 Satz 1 BGB auf dem Umweg über § 313 Satz 2 BGB umgangen wird.

137 **Zur Vertragsgestaltung: In der Regel werden Vertrag und Auflassung zusammen beurkundet.** Die Auflassung ist dann kostenrechtlich gegenstandsgleich mit dem Grundgeschäft und deshalb nicht besonders

zu bewerten (§ 44 I KostO). Diese Lösung empfiehlt sich für den **Normalfall**, weil der Notar verpflichtet ist, nicht nur den sichersten, sondern auch den billigsten Weg zu wählen. Bei getrennter Beurkundung fällt für die Auflassung zusätzlich eine halbe Gebühr nach § 38 II 6a KostO an.

138 **Eine getrennte Beurkundung kann jedoch zweckmäßig sein**, z.B. wenn das Verpflichtungsgeschäft nicht zu den Grundakten gelangen soll, wo es der Einsicht gem. § 12 GBO unterläge. Häufig in der Praxis sind die Fälle, in denen das zu veräußernde Grundstück noch nicht vermessen ist, die Beteiligten aber dennoch zwecks gegenseitiger Bindung den Vertrag sofort abschließen wollen (**Kaufvertrag ohne Auflassung**, sog. Messungskauf oder Festhaltungsakt). Die Auflassung wird dann durch die Beteiligten oder durch Bevollmächtigte erst erklärt, wenn der Veränderungsnachweis des Katasteramtes vorliegt.

139 **Die Auflassung kann nach h.M. allerdings auch schon vor der Vermessung zusammen mit dem schuldrechtlichen Vertrag beurkundet werden**, wenn die zu vermessende Fläche hinreichend deutlich beschrieben ist. Dann ist aber nach Vorliegen des Veränderungsnachweises die nach § 28 GBO geforderte Bezeichnung des aufgelassenen Teilstücks „übereinstimmend mit dem Grundbuch" in der Form des § 29 GBO nachzuholen (sog. **Identitätserklärung**). Dazu genügt die Erklärung einer dazu bevollmächtigten Person, z.B. eines Beteiligten. Die Identitätserklärung kann auch vom Notar durch sog. Eigenurkunde abgegeben werden, wenn er dazu in der von ihm beurkundeten Erklärung bevollmächtigt worden ist (HSS Rz.1870; BGH NJW 1981, 125 = DNotZ 1981, 118; BayObLG Rpfleger 1982, 416).

5. Auflassung nur bei Wechsel der Rechtsträgerschaft

140 Eine Auflassung ist, wie wir bei der Behandlung der Einigung gesehen haben, nicht erforderlich, wenn die Rechtsänderung kraft Gesetzes erfolgt. Sie ist aber auch bei Verträgen, die mittelbar Grundstücke betreffen, nur dann erforderlich, wenn ein Wechsel des Rechtsträgers stattfindet.

Auflassung ist demnach nicht erforderlich z.B. in folgenden Fällen:

- **Erbteilsübertragung** nach §§ 2033ff. BGB (die Änderung der Eigentumsverhältnisse an dem zum Nachlaß gehörenden Grundeigentum ist eine ipso iure eintretende Folge der Erbteilsübertragung)
- **Ausscheiden eines Gesellschafters** aus einer BGB-Gesellschaft, OHG oder KG, wenn die Gesellschaft als solche fortbesteht. Der Anteil des Ausscheidenden wächst den übrigen Gesellschaftern an (sog. Anwachsung, §§ 738 I 1 BGB, 105 II, 161 II HGB). Mit diesem Zeitpunkt entfällt das dingliche Recht des Ausscheidenden als Gesamthandseigentümer des Gesellschaftsvermögens. Irgendwelcher Übertragungsakte bedarf es für den Vollzug der Anwachsung nicht, also auch nicht der Beurkundung eines Verpflichtungsvertrages nach § 313

BGB. Bei der BGB-Gesellschaft, bei der ja im Grundbuch die einzelnen Gesellschafter mit ihrem Namen eingetragen sind, ist der ausgeschiedene Gesellschafter verpflichtet, seine Zustimmung zur Berichtigung des Grundbuchs zu geben (§ 894 BGB). Diese bedarf allerdings des Nachweises in der Form des § 29 GBO.
- **Eintritt eines weiteren Gesellschafters** in eine bestehende BGB-Gesellschaft, OHG oder KG. Es vollzieht sich dann, analog § 738 BGB, eine „Abwachsung" von den Anteilen der bisherigen Gesellschafter und eine entsprechende Anwachsung beim neuen Gesellschafter
- **Umwandlung von Gesellschaften** nach dem Umwandlungsgesetz (§§ 20 I, 36 I 2, 176 I UmwG).

Keine Auflassung ist auch erforderlich, wenn bei einer 2-Mann-Personengesellschaft ein Gesellschafter ausscheidet und nur noch 1 Inhaber übrig bleibt, obwohl dadurch die Gesamthänderschaft wegfällt (BGH NJW 1968, 1964 = DNotZ 1969, 161; s. auch die Kommentare zu § 142 HGB).

141 Eine **Änderung der Rechtsträgerschaft** tritt ein und deshalb ist **Auflassung erforderlich** z. B. in folgenden Fällen:
- Übertragung eines vermachten Grundstücks durch den Erben auf den Vermächtnisnehmer; hier ist die Beurkundung eines Vertrages nach § 313 BGB jedoch nicht erforderlich, weil die Verpflichtung zur Übertragung bereits durch die Verfügung von Todes wegen (Testament oder Erbvertrag) begründet worden ist
- Umwandlung einer Erbengemeinschaft in eine Miteigentümergemeinschaft nach Bruchteilen (§§ 1008 ff. BGB) oder in eine aus den gleichen Personen bestehende OHG oder KG
- Einbringung eines Grundstücks in eine BGB-Gesellschaft, Personengesellschaft des Handelsrechts oder Kapitalgesellschaft
- Änderung der Bruchteile von Miteigentümern unter diesen selbst.

6. Die weitere Auflassung durch den Auflassungsempfänger

142 **Der Erwerber kann seinen schuldrechtlichen Anspruch auf Übereignung des Grundstücks an einen Dritten abtreten**, wenn dies nicht ausdrücklich ausgeschlossen wurde (§§ 398, 399 BGB). Ist bereits die Auflassung an den Erwerber erklärt, so liegt darin regelmäßig die **Einwilligung des Noch-Eigentümers zur weiteren Auflassung** (sog. **Kettenauflassung**, § 185 I BGB; HSS Rz. 3317 m.w.N.). Der Erwerber kann daher, obwohl er noch nicht Eigentümer ist, selbst die Auflassung des Grundstücks vom Eigentümer an den Dritten erklären (RGZ 129, 150, 153; MünchKomm-Kanzleiter § 925 Rz. 41). Die Umschreibung kann dann unmittelbar vom Eigentümer A ohne Zwischeneintragung des B auf C erfolgen (KG KGJ 47, 159). Eine Ermächtigung des B zur Weiterübertragung mit Auflassung kann jedoch nur angenommen wer-

den, soweit dadurch die Rechtsstellung des A nicht beeinträchtigt wird; sie ist deshalb in der Regel nicht anzunehmen:
- wenn A die Eigentumsumschreibung von der vorherigen Zahlung des Kaufpreises abhängig gemacht hat
- wenn A sich ein dingliches Recht vorbehalten hat, z.B. ein Nießbrauchsrecht oder eine Restkaufpreishypothek
- zur Eintragung einer Eigentumsvormerkung für C
- zur Eintragung einer Finanzierungsgrundschuld durch C.

In diesen Fällen kann B nur eigenen Namens an C auflassen und C kann erst nach Voreintragung des B eingetragen werden (§ 39 GBO).

7. Das dingliche Anwartschaftsrecht

a) Das Anwartschaftsrecht als Vorstufe zum Eigentum

143 **Die stufenweise Entstehung des Rechts.** Wie wir bereits gesehen haben, festigt sich beim Erwerb des Eigentums die Rechtsposition des Erwerbers stufenweise:
- Das beurkundete Kausalgeschäft verpflichtet den Veräußerer zur Übereignung des Grundstücks (§ 313 BGB).
- Die Beurkundung der Auflassung führt zu einer Bindung an die dingliche Einigung (§§ 873 II, 925 BGB).
- Der Antrag auf Umschreibung des Eigentums im Grundbuch oder auf Eintragung einer Eigentumsvormerkung schützt den Erwerber gegen danach eintretende Verfügungsbeschränkungen des Veräußerers (§§ 17 GBO, 878 BGB; s. Rz. 548 ff.).

144 **Gesicherte Rechtsposition des Erwerbers.** Diese stufenweise Verstärkung der Rechtsposition des Erwerbers hat in der Rechtsprechung zur Anerkennung einer Vorstufe vor der Vollendung des Rechtserwerbs in Form eines mit dinglichen Rechtswirkungen versehenen „Anwartschaftsrechts" geführt. Zur Entstehung von Anwartschaftsrechten hat der BGH (nach H. Westermann) allgemein formuliert, Voraussetzung sei, „daß von dem mehraktigen Entstehungstatbestand eines Rechts schon so viele Erfordernisse erfüllt sind, daß von einer gesicherten Rechtsposition des Erwerbers gesprochen werden kann, die der andere an der Entstehung des Rechts Beteiligte nicht mehr durch eine einseitige Erklärung oder durch das Unterlassen einer Erklärung zu zerstören vermag" (BGH DNotZ 1984, 319; 1992, 292; Literatur: MünchKomm-Kanzleiter § 925 Rz. 32 ff; KEHE-Ertl Einl. M 5 ff.). Diese Voraussetzung ist beim Grundstückserwerb gegeben, **wenn die Auflassung erklärt ist und der Auflassungsempfänger den Umschreibungsantrag beim GBAmt gestellt hat.** Sein Antrag sichert ihm durch die Ordnungsvorschrift des § 17 GBO gegenüber dem GBAmt den öffentlich-rechtli-

chen Anspruch auf Eintragung im Grundbuch in der durch den Zeitpunkt des Antrages gegebenen Rangfolge und damit auch den Schutz des § 878 BGB gegen nachträgliche Verfügungsbeschränkungen des Veräußerers (s. Rz. 354–365, 329–332). Durch die Auflassung i.V.m. seinem Eintragungsantrag erhält der Erwerber somit eine Rechtsposition, die ihm der Veräußerer nicht mehr einseitig entziehen kann. Nach dem o.a. Grundsatz ist eine dingliche Anwartschaft aber auch dann gegeben, wenn der Erwerber zwar noch keinen Umschreibungsantrag gestellt hat, aber die **Auflassung** erklärt sowie die Eintragung einer **Eigentumsvormerkung** bindend bewilligt und ihre Eintragung durch den Erwerber beim GBAmt beantragt ist (OLG Düsseldorf DNotZ 1981, 130; Hagen/Brambring, Der Grundstückskauf, 6. Aufl. Rz. 64).

145 **Dogmatische Bedenken.** In einem Teil der Literatur wird die Notwendigkeit und Zweckmäßigkeit der Rechtsfigur eines Anwartschaftsrechts des Auflassungsempfängers bestritten (zum Meinungsstand s. Medicus DNotZ 1990, 275; MünchKomm-Wacke § 873 Rz. 43 m.w.N.; KEHE-Ertl Einl. M 1 ff.; Weser, MittBayNot 1993, 253). Insbesondere werden folgende Bedenken geltend gemacht:

aa) Die Lehre vom Anwartschaftsrecht begünstige zu einseitig die Interessen des Käufers und seiner Gläubiger; als verfügbares Recht für den Käufer und als Haftungsobjekt für die Gläubiger des Käufers sei ja der durch Vormerkung gesicherte Eigentumsverschaffungsanspruch des Käufers gegeben.

bb) Das „Anwartschaftsrecht" erlösche im Falle einer Zurückweisung des Antrages, z.B. wegen Nichtzahlung des vom GBAmt angeforderten Kostenvorschusses oder wegen anderer Vollzugshindernisse. Auch könne der Rangschutz des Erwerbers dadurch verloren gehen, daß das Grundbuchamt unter Verletzung der Ordnungsvorschrift des § 17 GBO in fehlerhafter Rangfolge eintrage, was lediglich zu einem Schadensersatzanspruch führe. Ein Recht, das durch bloßen Verfahrensakt erlöschen könne, sei kein dingliches Recht (vgl. dazu den Fall BGH NJW 1966, 1019 = DNotZ 1966, 673); der Schutz durch die Buchungsreihenfolge gemäß § 17 GBO sei eben schwächer als der durch §§ 161 I, 455 BGB dem Vorbehaltskäufer einer beweglichen Sache gewährte Schutz.

cc) Das Anwartschaftsrecht des Auflassungsempfängers könne – im Gegensatz zum Anwartschaftsrecht des Vorbehaltskäufers – nicht gutgläubig erworben werden, da es nicht eintragungsfähig sei und es deshalb an der Grundlage des Gutglaubensschutzes, der Grundbucheintragung, fehle.

dd) Im Falle des vormerkungsgeschützten Auflassungsempfängers biete ein Anwartschaftsrecht dem Erwerber keinen größeren Schutz als die Vormerkung, die mit dem Bestand des schuldrechtlichen Anspruchs stehe und falle. Komme es z.B. zum Rücktritt des Verkäufers vom Vertrag, entfalle mit der Unwirksamkeit der Vormerkung auch die gesicherte Anwartschaft.

ee) Der Veräußerer habe in diesem Stadium noch nicht alle Vertragspflichten erfüllt, denn er schulde nicht die Auflassung, sondern die Verschaffung des Eigentums (§ 433 I BGB). Dazu gehöre auch seine Mitwirkung beim Auftreten von Vollzugshindernissen beim GBAmt.

146 **Bewertung.** Trotz dieser gewichtigen dogmatischen Einwände bleibt die Tatsache, daß eine einseitige Zerstörung der Rechtsposition des Erwerbers durch den Veräußerer grundsätzlich nicht mehr möglich ist und deshalb eine dinglich gesicherte Rechtsstellung als selbständig verkehrsfähige Vorstufe zum Grundeigentum entsteht. Für die Praxis ist die Rechtsfigur des Anwartschaftsrechts jedenfalls durch die Rechtsprechung des BGH geltendes Recht.

b) Die Wirkungen des Anwartschaftsrechts

147 **Das Anwartschaftsrecht ist übertragbar.** Der Vertrag, durch den der Ersterwerber B sein Anwartschaftsrecht auf den Zweiterwerber überträgt, bedarf der Beurkundung gem. § 313 BGB. Außerdem ist eine Auflassung von B an C erforderlich; formlose Abtretung gem. §§ 398ff. BGB genügt nicht (HSS Rz. 3106 m.w.N.). C kann daraufhin ohne Zwischeneintragung des B als Eigentümer eingetragen werden, wenn die Auflassungskette dem GBAmt vorgelegt wird (KGJ 47, 158; Soergel/Baur § 873 Rz. 14). Hat aber B bereits die Umschreibung auf sich beantragt und den Antrag nicht zurückgenommen, oder ist im Vollzuge des ersten Vertrages ein Recht für A einzutragen, so ist die Zwischeneintragung des B erforderlich (HSS Rz. 3317f.).

Es ist folgender **Unterschied** zu beachten: Erklärt der Auflassungsempfänger B bereits vor der Entstehung eines Anwartschaftsrechts die Weiterauflassung an C, so bedarf er dazu der (im Regelfalle vermuteten) Zustimmung des Eigentümers (s. Rz. 142). Hat B jedoch bereits ein Anwartschaftsrecht erworben, so kann er es ohne Zustimmung des A übertragen.

148 **Das Anwartschaftsrecht des Auflassungsempfängers kann verpfändet werden** (§§ 1273ff. BGB). Dabei ist die Form des § 925 BGB zu beachten. Die Verpfändung wird im Grundbuch nicht eingetragen, da der Inhaber des Anwartschaftsrechts noch nicht im Grundbuch steht (Grundsatz der Voreintragung, s. Rz. 394). Ist bereits eine Eigentumsvormerkung eingetragen, wird die Verpfändung auf Antrag bei der Vormerkung im Grundbuch vermerkt. Dann entsteht für den Pfandgläubiger mit der Eigentumsumschreibung kraft Gesetzes eine Sicherungshypothek an dem Grundstück, es sei denn, daß er der Umschreibung und dem Verzicht auf die Hypothek zugestimmt hat (§ 1287 S. 2 BGB; zum Verfahren s. HSS Rz. 1557ff. sowie BayObLG DNotZ 1987, 625 m.Anm. Weirich).

149 **Das Anwartschaftsrecht kann auch gepfändet werden** (§ 857 ZPO; HSS Rz. 1599ff.). Auch in diesem Falle entsteht analog § 1287 Satz 2

BGB mit der Umschreibung eine Sicherungshypothek. Im Falle der Pfändung durch die Finanzverwaltung entsteht die Sicherungshypothek gem. § 368 III 3 AO.

150 **Die Wirkung des dinglichen Anwartschaftsrechts zeigt sich für die Praxis besonders bei der Aufhebung eines beurkundeten Übereignungsvertrages.** Nach BGH NJW 1982, 1639 = DNotZ 1982, 619 bedarf der Aufhebungsvertrag der Form des § 313 BGB, wenn nach der Vertragsgestaltung und Abwicklung bereits ein Anwartschaftsrecht des Auflassungsempfängers entstanden und noch gegeben, d.h. nicht durch Rücknahme des Umschreibungsantrages aufgegeben ist. Diese Entscheidung hat zwar Widerspruch gefunden (Reinicke/Tiedtke NJW 1982, 2281 ff.), aber sie ist für die Vertragspraxis maßgebliches Recht und entspricht auch dem praktischen Bedürfnis nach Rechtssicherheit und Klarheit (s. Rz. 121). Erfahrungsgemäß stellen sich gerade bei der Aufhebung von Grundstücksverträgen eine Reihe von regelungsbedürftigen Fragen sowie Abwicklungsprobleme, die der sachkundigen Beratung, eindeutigen und beweiskräftigen Festlegung und verfahrensmäßigen Durchführung bedürfen.

III. Die Auflassung ohne Rechtsgrund

151 **Wenn das Grundgeschäft fehlt, nichtig oder weggefallen ist, so berührt dies die Gültigkeit der Auflassung als selbständiges Rechtsgeschäft grundsätzlich nicht.** Das ergibt sich aus dem Abstraktionsprinzip (Trennung von Verpflichtungsgeschäft und Verfügungsgeschäft; s. Rz. 56 ff.). Dann fehlt jedoch der Rechtsgrund für die Auflassung, und der Veräußerer hat einen bereicherungsrechtlichen Herausgabeanspruch gegen den Erwerber gem. § 812 I Satz 1 1. Fall oder Satz 2 1. Fall BGB.

1. Der Bereicherungsanspruch vor der Eigentumsumschreibung

152 **Ist die Eigentumsumschreibung noch nicht erfolgt, so ist der Erwerber um die Rechtsposition der Auflassung bereichert,** und der Veräußerer kann die Auflassung kondizieren. Das geschieht entweder dadurch, daß die Beteiligten die Aufhebung der Auflassung erklären oder der Erwerber auf die Rechte aus der Auflassung verzichtet. Gibt er eine solche Erklärung nicht ab, kann sie gem. § 894 ZPO durch Urteil ersetzt werden (RGZ 108, 329, 336). Ist die Übertragung des Besitzes bereits erfolgt, kann auch die Besitzrückgabe verlangt werden. Um zu verhindern, daß der Erwerber vor der Erwirkung eines Urteils als Eigentümer eingetragen wird, kann der Veräußerer vorsorglich durch einstweilige Verfü-

gung des Prozeßgerichts gem. § 938 II ZPO ein **Erwerbsverbot** gegen ihn erwirken (vgl. Rz. 523).

2. Der Bereicherungsanspruch nach der Eigentumsumschreibung

153 **Ist die Eigentumsumschreibung bereits erfolgt,** so muß man unterscheiden:

- Ein Formmangel des Grundgeschäfts wird durch die Eintragung geheilt (§ 313 Satz 2 BGB); der Erwerber ist Eigentümer geworden, ein Bereicherungsanspruch des Veräußerers besteht nicht mehr.
- Ist das Grundgeschäft aus anderen Gründen unwirksam, z. B. wegen Willensmängeln, fehlender Vertretungsmacht, fehlender Genehmigung, Verstoß gegen §§ 134, 138 BGB, so wird der Erwerber zwar auch Eigentümer, aber er ist um das erlangte Eigentum ungerechtfertigt bereichert. Dann hat der Veräußerer einen Anspruch auf Rückübertragung des Eigentums gem. § 812 BGB durch Erklärung der Rückauflassung und Wiedereintragung im Grundbuch. Dieser Anspruch kann gem. §§ 883 I, 885 I BGB, 935 ZPO durch eine Vormerkung gesichert werden.
- Ein Anspruch auf Grundbuchberichtigung besteht nur, wenn auch die Auflassung unwirksam ist, z. B. aufgrund Fehleridentität (s. Rz. 61).

3. Der Ausschluß des Bereicherungsanspruchs

Literaturhinweis: Kanzleiter, Der Ausschluß der Rückforderung von Leistungen auf formnichtige Grundstücksgeschäfte, DNotZ 1986, 258

Dem Anspruch auf Rückübertragung des Eigentums können besondere Gründe entgegenstehen:

154 – **Weiterveräußerung.** Hat der Erwerber bereits das Eigentum an einen Dritten veräußert und ist die Umschreibung im Grundbuch erfolgt, so hat dieser rechtswirksam vom Berechtigten erworben. Der Anspruchsgegner ist dann nicht mehr um das Eigentum, sondern lediglich um einen etwaigen Erlös bereichert. War die Weiterveräußerung unentgeltlich, richtet sich der Übereignungsanspruch gegen den Dritterwerber (§ 822 BGB).

155 – **Leistung in Kenntnis der Nichtschuld.** Der Bereicherungsanspruch ist ausgeschlossen, wenn der Leistende gewußt hat, daß der Vertrag nichtig ist und er deshalb zur Leistung nicht verpflichtet war (§ 814 BGB). Der Veräußerer kann in diesem Fall weder den Verzicht des Erwerbers auf die Rechte aus der Auflassung noch die Rückübertragung des bereits umgeschriebenen Eigentums verlangen. Wer in Kenntnis der Nichtigkeit des Kausalgeschäfts die Leistung erbracht hat, würde sich zu seinem eigenen Verhalten in Widerspruch setzen, wenn er sich danach auf das Fehlen des Rechtsgrundes berufen würde. Dieses Ver-

bot des venire contra factum proprium (= Unzulässigkeit widersprüchlichen Verhaltens) ist ein Unterfall der unzulässigen Rechtsausübung.

Umfang der Kenntnis. Der Ausschluß des Bereicherungsanspruchs gilt jedoch nur, wenn der Leistende positive Kenntnis vom Nichtbestehen seiner Leistungspflicht hatte, bloße Kenntnis der Umstände, aus denen sich die Unwirksamkeit der rechtlichen Verpflichtung ergibt (hier: die Formnichtigkeit) oder Zweifel am Bestehen der Verpflichtung genügen nicht. Trotz voller Kenntnis der Umstände und bloßem Rechtsirrtum kann der Leistende in diesem Fall seinen Bereicherungsanspruch, unbeeinträchtigt von § 814 BGB, gemäß § 812 I 1 BGB geltend machen (s. Kanzleiter a.a.O.).

156

- **Verstoß gegen das Gesetz oder die guten Sitten.** Ein Bereicherungsanspruch des Veräußerers ist nicht gegeben, wenn der Zurückfordernde mit der erbrachten Leistung gegen das Gesetz oder gegen die guten Sitten verstoßen hat (§ 817 Satz 2 BGB). **Beispiel:** A hat dem Bürgermeister B ein Grundstück unter Wert verkauft, mit der Abrede, B solle sich dafür einsetzen, daß die übrigen Grundstücke des A in das geplante Baugebiet einbezogen werden. Nachdem B dieses Ziel nicht erreicht hat, verlangt A von ihm Verzicht auf die Auflassung bzw. Rückübertragung des Eigentums. B ist dazu nicht verpflichtet, weil A durch die Bestechung selbst gegen die Rechtsordnung verstoßen hat.

§ 6. Der Grundstückskaufvertrag

Literaturhinweise: Beck'sches Notarhandbuch, Teil A; Hagen/Brambring, Der Grundstückskauf, 6. Aufl. 1994; RAB-Albrecht Rz. 306–557

157 **Der Kaufvertrag ist der wichtigste Vertrag im Grundstücksrecht.** An diesem Vertragstyp kann man fast alle Elemente der Grundstücksveräußerung, insbesondere die Mängel des Kausalgeschäfts und die Leistungsstörungen, am besten und vollständigsten darstellen. Er soll deshalb in einem besonderen Kapitel behandelt werden, wobei die vielfältigen Wechselbeziehungen zwischen dem Schuldrecht und dem Grundstücksrecht deutlich werden. Die für den Kaufvertrag maßgeblichen Regeln gelten, soweit nach dem jeweiligen Vertragstyp zutreffend, auch für die anderen Grundstücksverträge entsprechend.

158 **Zum Erwerb eines Grundstücks aufgrund eines Kaufvertrages sind erforderlich:**

- die Beurkundung des Kaufvertrages (das Kausalgeschäft, § 313 BGB)
- die Beurkundung der dinglichen Einigung (§§ 873 I, 925 BGB; das Verfügungsgeschäft)
- die Umschreibung des Grundstücks im Grundbuch vom Verkäufer auf den Käufer (§ 873 I BGB).

Gegenstand dieses Abschnitts ist der Kaufvertrag als das Kausalgeschäft.

I. Die Mängel des Kausalgeschäfts

Die Beurkundung des Kaufvertrages kann mit Mängeln behaftet sein. Dabei unterscheiden wir folgende **Fallgruppen:**

1. Der Vertrag ist unvollständig beurkundet

159 **Beispiel:** Eine Vertragsvoraussetzung für den Verkäufer war, daß er das verkaufte Haus noch bewohnen darf, bis sein neues Haus bezugsfertig ist. Die Beurkundung dieser Vereinbarung unterblieb jedoch, weil sich der Verkäufer auf die mündliche Zusage des Käufers verließ.

Der nicht beurkundete Teil des Vertrages ist wegen Nichtbeachtung der gesetzlich vorgeschriebenen Form auf jeden Fall nichtig. Im übrigen gilt entsprechend der Regel des § 139 BGB: Der ganze Vertrag ist nichtig, wenn der nicht beurkundete Teil der Vereinbarungen nach dem Willen beider Parteien oder nach dem der anderen Partei erkennbaren Willen einer Partei eine (Mit)voraussetzung für den Abschluß des Vertrages war, d.h. eine Bedingung, ohne die sie den Vertrag nicht abgeschlossen haben würde (conditio sine qua non). Eine Unterscheidung zwischen „wichtigen" und „unwichtigen" Teilen macht das Gesetz dabei nicht. Auch durch beiderseitigen Verzicht auf Beurkundung kann eine Vereinbarung nicht dem Formzwang entzogen werden (RGZ 97, 219; seitdem st. Rspr.).

160 **Wirkung der Nichtigkeit**: Sie ist von Amts wegen zu beachten. Der Käufer hat keinen Erfüllungsanspruch. Da der Vertrag nichtig ist, kann er auch nicht die Grundlage für eine Eigentumsvormerkung sein. Unter Umständen kommt jedoch ein Anspruch auf Ersatz des Vertrauensschadens aus culpa in contrahendo in Betracht (s. Kommentierungen zu § 276 BGB und nachstehend Rz. 194). Nur ganz ausnahmsweise kann, wie bereits bei Rz. 108 ausgeführt, die Berufung auf die Formnichtigkeit dann ausgeschlossen sein, wenn dies nicht nur unbillig, sondern nach den Beziehungen der Parteien und den gesamten Umständen so eklatant gegen die Grundsätze von Treu und Glauben verstoßen würde, daß die Nichtigkeit für die betroffene Partei „schlechthin untragbar" wäre.

161 **Heilung des Formmangels durch Eintragung.** Erfolgt die Eintragung des Eigentumswechsels im Grundbuch, so wird der ganze Vertrag einschließlich der nicht beurkundeten Nebenabreden wirksam (§ 313 Satz 2 BGB). Dies gilt auch, wenn den Beteiligten die Formbedürftigkeit bekannt war, z.B. bei einem Schwarzkauf, vorausgesetzt, daß ein ernsthafter Verpflichtungswille bestand (BGH NJW 1975, 205 = DNotZ 1975, 355; MünchKomm-Kanzleiter § 313 Rz. 63 m.w.N.). Die Heilung hat jedoch keine Rückwirkung; eine vorher eingetragene Eigentumsvormerkung hat daher keine Rangsicherung erzeugt (BGH NJW 1983, 1545).

2. Die Parteien haben den Vertrag bewußt unrichtig beurkunden lassen

162 **Beispiel:** Zwecks Unterbringung von „schwarzem Geld" und/oder Ersparung von Grunderwerbsteuer und Gebühren wird der Kaufpreis niedriger angegeben als tatsächlich vereinbart.

Das Beurkundete (der Unterpreis) **ist nicht tatsächlich vereinbart, der beurkundete Vertrag deshalb als Scheingeschäft nichtig** (§ 117 BGB). **Der wirklich gewollte Vertrag mit dem vereinbarten Kaufpreis ist wegen Formmangels nichtig, weil er nicht gemäß § 313 BGB beurkundet ist** (§ 125 BGB; st. Rspr.; BGH NJW 1970, 1541 = DNotZ 1970, 596). Die Regel „falsa demonstratio non nocet" (s. nachstehend Ziffer 3) gilt wegen der absichtlichen Falschangabe nicht.

Exkurs: Die Angabe eines niedrigeren Kaufpreises bedeutet:
zivilrechtlich: der Vertrag ist unwirksam; jeder Beteiligte kann sich auf die Unwirksamkeit des Vertrages berufen
strafrechtlich: Hinterziehung von Grunderwerbsteuer, Beurkundungsgebühren und Grundbuchgebühren (Steuerhinterziehung, § 370 AO, bzw. Betrug, § 267 StGB, begangen in gemeinschaftlicher Täterschaft).

163 **Die in einem unrichtig beurkundeten Vertrag enthaltene Auflassung ist jedoch in der Regel gültig,** da sie zur Ausführung des verdeckten, mündlich abgeschlossenen Vertrages erklärt, also unabhängig vom beurkundeten Vertrag gewollt und abgegeben ist (Palandt/Heinrichs § 313 Rz. 45; BGH NJW 1979, 1496). **Mit der Eintragung der Auflassung im Grundbuch wird die Formnichtigkeit des Vertrages geheilt** (§ 313 Satz 2 BGB; vgl. vorstehend Rz. 111–116).

3. Die Parteien haben unbewußt etwas Unrichtiges beurkunden lassen

164 **Die Parteien waren zwar über das tatsächlich von ihnen Gewollte einig, sie haben jedoch unbewußt etwas Unrichtiges erklärt** (sog. falsa demonstratio).

Beispiel: Die Parteien waren sich über die Lage des verkauften Grundstücks einig. Gemeint haben sie übereinstimmend das Grundstück Flur 6 Nr. 100, irrtümlich haben sie aber die falsche Parzellennummer 101 angegeben. Dieser Fall der Parzellenverwechslung kommt in der Vertragspraxis ziemlich häufig vor.

Hier liegt eine **unschädliche falsche Bezeichnung vor** (falsa demonstratio non nocet). Eine versehentliche Falschbezeichnung ist unschädlich, wenn das objektiv Erklärte dem Formerfordernis des § 313 BGB genügt (st. Rspr. seit RG 46, 227; BGH NJW 1987, 152). **Beispiele:** Falsche Kataster- oder Grundbuchbezeichnung; falsche Bezeichnung der Grenzlinie mit Verkauf einer versehentlich nicht mitaufgenommenen Parzelle (BGH NJW 1983, 1610). **Der Vertrag und die Auflassung sind nicht mit dem fehlerhaft erklärten, sondern mit dem beiderseits gewollten Inhalt gültig zustande gekommen,** denn es lag ja eine Willensübereinstimmung der Beteiligten vor (RGZ 133, 279, 281). Eine zu dem Vertrag erteilte behördliche, vormundschaftsgerichtliche oder privatrechtliche Genehmigung ist allerdings unwirksam, da sie zwar zu einem beurkundeten, aber nicht gewollten Vertragsinhalt erteilt ist.

Hinweis: Die falsa demonstratio ist kein Fall der Irrtumsanfechtung des § 119 I BGB, sondern ein Fall der Vertragsauslegung (Medicus Rz. 124).

165 **Einschränkung.** Der früher allgemein geltende Grundsatz daß eine „falsa demonstratio“ nicht zur Unwirksamkeit führt, ist durch neuere

BGH-Rechtsprechung für den Fall des Verkaufs einer Teilfläche anstelle des Gesamtgrundstücks dahin eingeschränkt worden, daß der wirkliche Wille der Parteien in dem beurkundeten Vertrag mindestens andeutungsweise zum Ausdruck gekommen sein muß (BGH NJW-RR 88, 265; zur Andeutungstheorie s. Hagen Rz. 67 sowie Brox, Der BGH und die Andeutungstheorie, JA 1984, 549).

166 **Auswirkung auf die Grundbucheintragung.** Wenn das Grundbuchamt, entsprechend dem gestellten Antrag, die Parzelle Nr. 101 auf den Käufer umschreibt, fallen der Inhalt der Einigung über den Eigentumsübergang und die Grundbucheintragung auseinander; das Grundbuch wird unrichtig. Der Verkäufer hat dann nach § 894 BGB einen Anspruch auf Wiederherstellung des ursprünglichen Grundbuchstandes (Grundbuchberichtigung), und der Käufer hat aufgrund des gültigen Vertrages einen schuldrechtlichen Anspruch auf Abgabe einer Erklärung in der Form des § 29 GBO, daß sich die Auflassung auf die Parzelle Nr. 100 bezieht.

4. Der offene Einigungsmangel

167 **Die Parteien haben sich noch nicht vollständig über den Inhalt des Vertrages geeinigt und sind sich dieses Einigungsmangels bewußt.** Hier liegt ein offenbarer Einigungsmangel (= offener Dissens) vor. Der Vertrag ist im Zweifel noch nicht zustandegekommen (§ 154 BGB). Dabei ist es gleichgültig, ob der noch ungeregelte Punkt objektiv wesentlich oder unwesentlich ist. Es genügt, daß eine Partei ausdrücklich oder durch schlüssiges Verhalten erkennbar gemacht hat, daß sie eine Einigung über den betreffenden Punkt für erforderlich halte. § 154 BGB ist jedoch nur eine Auslegungsregel. Der Vertrag gilt deshalb als geschlossen, wenn die Parteien sich trotz der noch offenen Punkte erkennbar vertraglich binden wollten. Dies ist bei einer Beurkundung des Vertrages in der Regel der Fall. Bezüglich der offengebliebenen Punkte gelten dann die dafür gegebenen allgemeinen Regeln. **Beispiel:** Der Termin für die Besitzübergabe oder für die Zahlung des Kaufpreises ist offen geblieben. Es gelten §§ 433 I 1, II, 271 I BGB: Die Leistungen sind sofort fällig.

5. Der versteckte Einigungsmangel

168 **Die Parteien glaubten, sich vollständig geeinigt zu haben, was jedoch tatsächlich nicht zutrifft.** In diesem Falle liegt ein versteckter Einigungsmangel vor (= versteckter Dissens, § 155 BGB). Dies ist z. B. der Fall, wenn die Parteien einen Punkt bei ihren Verhandlungen vergessen oder wenn sie sich gegenseitig mißverstanden haben. Die nach den Grundsätzen der §§ 133, 157 BGB ausgelegten Erklärungen decken sich objektiv nicht. Der Einigungsmangel war ihnen jedoch nicht bewußt.

Dabei kann es sich um einen einseitigen oder um einen beiderseitigen versteckten Dissens handeln, je nachdem, ob nur eine Partei annimmt oder ob beide Parteien annehmen, eine Einigung sei erzielt. In beiden Fällen ist § 155 BGB anzuwenden. **Beispiel:** Der Verkäufer versteht unter „Lastenfreiheit des Grundstücks" die Freiheit von Eintragungen in Abt. II und III, der Käufer auch das Nichtbestehen von fälligen Erschließungsbeiträgen.

169 **Teilnichtigkeit.** Im Falle des versteckten Dissenses gilt entsprechend § 139 BGB das im übrigen Vereinbarte, sofern anzunehmen ist, daß der Vertrag auch ohne eine Bestimmung über diesen Punkt geschlossen sein würde. Die hypothetische Frage lautet in diesem Falle: Hätten die Vertragspartner den Vertrag auch dann geschlossen, wenn ihnen der Dissens beim Vertragsschluß bewußt gewesen wäre? Ist danach der übrige Vertrag gültig, so ist die Lücke nach den Regeln der Vertragsergänzung gem. § 242 BGB auszufüllen. Hat eine Partei den Dissens fahrlässig verursacht und damit zu vertreten, so haftet sie für einen etwaigen Schaden aus sog. Verschulden bei Vertragsschluß (culpa in contrahendo). Sind beide Parteien für den versteckten Einigungsmangel verantwortlich, so erfolgt die Schadensteilung entsprechend § 254 BGB nach dem Verhältnis des Verschuldens.

170 Hinweis zum **Unterschied von Irrtum und Dissens:** Irrtum nach § 119 I BGB bedeutet fehlende Übereinstimmung von Erklärungswille und objektiv abgegebener Erklärung; Dissens bedeutet das Auseinanderfallen der von den Vertragspartnern objektiv abgegebenen Erklärungen. Irrtum ist daher auch bei einseitigen Willenserklärungen möglich, Dissens dagegen nur beim Vertrag (Medicus Rz. 125).

6. Der einseitige Irrtum

Literaturhinweis: Medicus, Allgemeiner Teil des BGB, 6. Aufl. 1994 §§ 48 ff.

171 **Eine Partei hat objektiv etwas anderes erklärt, als sie erklären wollte** (§ 119 I BGB). Die bei der Beurkundung abgegebenen Erklärungen stimmen hier zwar inhaltlich überein, es liegt deshalb kein Einigungsmangel wie bei den Fallgruppen 4 und 5 vor. Der beurkundete Vertrag ist zunächst gültig, aber nach den Vorschriften der §§ 119 ff. BGB **anfechtbar**, weil der Wille des Erklärenden und der objektive Inhalt seiner Erklärung auseinanderfallen.

Hinweis: Man unterscheidet in der allgemeinen Irrtumslehre:

a) den **Irrtum über den Inhalt der Erklärung** (sog. Inhaltsirrtum): das Erklärte bedeutet objektiv etwas anderes, als der Erklärende gemeint hat (§ 119 I 1. Fall BGB)

b) den **Irrtum in der Erklärungshandlung** (sog. Erklärungsirrtum): der Erklärende verspricht sich, verschreibt sich, gibt eine andere Erklärung ab, als gewollt (§ 119 I 2. Fall BGB): **Beispiel:** Der Verkäufer wollte für DM 10.000,– verkaufen, hat aber versehentlich nur DM 1000,– angegeben

c) den **Irrtum über solche Eigenschaften der Person oder Sache, die im Verkehr als wesentlich angesehen werden** (sog. Eigenschaftsirrtum, § 119 II BGB). Hier decken sich zwar der Erklärungswille und die Erklärung (Kongruenz), aber bei der ihnen logisch vorausgehenden Willensbildung ist dem Erklärenden ein Irrtum unterlaufen (s. Medicus Rz. 767). Der Irrtum über wesentliche Eigenschaften einer Person oder Sache ist aber zu unterscheiden vom unbeachtlichen Irrtum im Beweggrund, dem sog. Motivirrtum. **Beispiele:**

- Der Irrtum über die Lage oder Bebaubarkeit eines Grundstücks ist eine nach der Verkehrsauffassung wesentliche Eigenschaft der Sache und deshalb ein beachtlicher Irrtum (Palandt/Heinrichs § 119 Rz. 27).
- Der Irrtum über den Verkehrswert des Grundstücks oder die Zahlungsfähigkeit der Mieter betrifft nicht eine unmittelbare Eigenschaft der Sache, sondern ist ein Irrtum im Beweggrund und damit unbeachtlich (s. dazu Palandt/Heinrichs § 119 Rz. 27, 29).

172 **Achtung:** Beim Kaufvertrag wird vom Zeitpunkt des Gefahrübergangs ab (§ 446 BGB) die Anfechtung wegen eines Irrtums über eine wesentliche Eigenschaft der Sache nach § 119 II BGB durch die **Sonderregelung der Gewährleistung über Sachmängel** nach §§ 459 ff. BGB verdrängt! (BGH NJW 1961, 772; st. Rspr.). Dies gilt aber nur für die Anfechtung nach § 119 II, nicht auch für die Anfechtung nach § 119 I oder wegen Täuschung nach § 123 BGB (s. Rz. 191)!

7. Der beiderseitige Irrtum

173 **Eine Sonderregelung gilt** nach h. M. **beim beiderseitigen Irrtum.** Nach § 122 BGB ist der Anfechtende verpflichtet, dem Anfechtungsgegner den Schaden zu ersetzen, den dieser dadurch erleidet, daß er auf die Gültigkeit der Erklärung vertraut hat (sog. negatives Interesse). Da diese Pflicht denjenigen treffen würde, der zuerst die Anfechtung erklärt, erfolgt in den Fällen des beiderseitigen Irrtums die Abwicklung nach den Regeln über den **Wegfall der Geschäftsgrundlage** (s. Palandt/Heinrichs § 242 Rz. 149–151).

8. Fehlen oder Wegfall der Geschäftsgrundlage

Literaturhinweise: Medicus § 53; Kommentierungen zu § 242 BGB; Hagen/Brambring (Hagen), Der Grundstückskauf, Nrn. 221–229

174 **Störungen des Vertragsverhältnisses können sich auch durch das ursprüngliche Fehlen oder den nachträglichen Wegfall der Geschäftsgrundlage ergeben.** Die Lehre von der Geschäftsgrundlage ist von der Rechtsprechung und Wissenschaft als eine besondere Ausprägung des

Grundsatzes von Treu und Glauben (§ 242 BGB) entwickelt worden. Eine Anwendung kommt deshalb nur in Frage, wenn weder eine vertragliche Gewährleistung oder Garantiehaftung gegeben ist, eine Anfechtung wegen Irrtums ausscheidet und auch die Auslegung des Vertrages nicht zu einem Ergebnis führt. Wegfall oder Änderung der Geschäftsgrundlage kann gegeben sein, wenn Umstände nicht eintreten oder später wegfallen, die nicht ausdrücklich zum Inhalt des Vertrages gemacht worden sind, aber nach den Vorstellungen beider Parteien oder einer Partei, erkennbar für die andere Partei, stillschweigende Grundlage des Geschäftswillens gewesen sind (vgl. BGH NJW 1958, 297).

175 **Anpassung des Vertrages.** Das Fehlen oder der Wegfall der Geschäftsgrundlage führen grundsätzlich nicht zur Auflösung des Vertrages, sondern zur Anpassung seines Inhalts an die veränderten Umstände (Palandt/Heinrichs § 242 Rz. 130ff.). Durch die Anpassung soll ein mit Treu und Glauben zu vereinbarendes Ergebnis erzielt werden. Der Grundsatz, daß das Rechtsgeschäft möglichst aufrecht zu erhalten ist, findet jedoch dort seine Grenze, wo die Fortsetzung des Vertrages für eine Partei unzumutbar ist. Das kann z.B. der Fall sein, wenn der Vertrag bei Kenntnis der Wirklichkeit überhaupt nicht geschlossen worden wäre. Auch dieser Fall führt nicht ipso iure zur Auflösung des Vertrages, aber er gibt der benachteiligten Partei das Recht zum Rücktritt vom Vertrag (Palandt/Heinrichs § 242 Rz. 132).

176 **Bei einem normalen Kaufvertrag fällt die Verwendbarkeit des Grundstücks in den Risikobereich des Käufers.** Beim Kauf von Bauerwartungsland trägt deshalb in der Regel der Käufer das (erkennbare) Risiko künftiger Bebaubarkeit (BGH DNotZ 1980, 620). Ergibt jedoch die ergänzende Vertragsauslegung ausnahmsweise, daß das Risiko künftiger Bebaubarkeit in den Risikobereich des Verkäufers fallen sollte, z.B. wenn der Kaufpreis dem Marktpreis von Bauland entspricht, kann dies dazu führen, daß der Käufer einen Anspruch auf Anpassung des Vertrages durch Herabsetzung des Kaufpreises oder auf Rückabwicklung des Vertrages hat (vgl. BGH NJW 1979, 1818 = DNotZ 1980, 34; DNotZ 1980, 620). Die Grenzen der Anwendbarkeit sind also sehr eng. Das bedeutet für die Vertragsgestaltung, daß die Risikofrage nach Möglichkeit vertraglich geregelt und evtl. dem Käufer für eine bestimmte Zeit das Recht vorbehalten werden sollte, sich durch Rücktritt vom Vertrage zu lösen, wenn das Grundstück nicht in der angenommenen Zeit bebaubar wird.

9. Das Scheitern des Vertrages aus anderen Gründen

177 Als weitere Gründe, aus denen ein Vertrag scheitern kann, seien stichwortartig genannt:

- Rücktritt aufgrund eines vorbehaltenen Rücktrittsrechts (§§ 346ff. BGB); z.B. der Käufer behält sich den Rücktritt für den Fall vor, daß

das verkaufte Haus nicht bis zum vereinbarten Termin geräumt und übergeben ist
- Rücktritt aufgrund eines gesetzlichen Rücktrittsrechts gem. §§ 325, 326 BGB; z.B. die Parteien haben den (nachgiebigen) § 454 BGB ausgeschlossen, und der Verkäufer tritt wegen Zahlungsverzuges des Käufers vom Vertrag zurück
- Fehlende Geschäftsfähigkeit eines Beteiligten
- Fehlende Vertretungsbefugnis eines Beteiligten
- Nichterteilung einer behördlichen oder gerichtlichen oder privatrechtlich erforderlichen Genehmigung, z.B. nach § 1821 oder § 1365 BGB
- Eintritt einer auflösenden oder Nichteintritt einer aufschiebenden Bedingung; z.B. der Bürgermeister schließt den Kaufvertrag ab unter der (aufschiebenden) Bedingung, daß der Gemeinderat seine Zustimmung erteilt; Achtung! die Auflassung kann nur unbedingt erklärt werden, § 925 II BGB, besser hier: Vorbehalt eines befristeten Rücktrittsrechts vom Kaufvertrag
- Sittenwidrigkeit des Kausalgeschäfts und evtl. auch des Erfüllungsgeschäfts (§ 138 BGB; s. Rz. 61).

178 **Zwischen Rücktritt und ungerechtfertigter Bereicherung bestehen folgende Unterschiede**:
- **Die beiden Regelungen unterscheiden sich konstruktiv**: der Rücktritt wandelt das Vertragsverhältnis in ein Rückgewährschuldverhältnis um (§ 346 BGB). Bereicherungsrecht gem. §§ 812ff. BGB ist dagegen anwendbar in folgenden Fällen:
  • das Schuldverhältnis ist von Anfang an unwirksam
  • es fällt rückwirkend durch Anfechtung weg oder
  • es endet für die Zukunft ersatzlos durch den Eintritt einer auflösenden Bedingung.

In diesen Fällen wird also durch die §§ 812ff. BGB nicht ein bestehendes Schuldverhältnis mit verändertem Inhalt fortgeführt wie beim Rücktritt, sondern ein neues, gesetzliches Schuldverhältnis auf Herausgabe der ohne Grund erbrachten Leistung begründet.
- **Die beiden Regelungen unterscheiden sich im Haftungsmaßstab der Rückabwicklung**: Beim Rücktritt haftet der Rückgabepflichtige nach den gleichen Regeln wie der herausgabepflichtige Besitzer nach Rechtshängigkeit (§§ 347, 987, 989 BGB). Bei ungerechtfertigter Bereicherung ist gem. § 818 III, IV BGB bis zur Rechtshängigkeit vom Schuldner grundsätzlich nur das herauszugeben, was er wenigstens dem Werte nach noch hat. Der Haftungsmaßstab beim Rücktritt ist also schärfer als im Bereicherungsrecht.

II. Die Gewährleistungspflichten beim Grundstückskauf

Literaturhinweis: HSS Rz. 1817–1821.

Man unterscheidet zwischen der Gewährleistung des Verkäufers für Mängel im Recht und für Mängel der Sache.

1. Die Haftung für Rechtsmängel

179 **Der Verkäufer ist verpflichtet, dem Käufer das Grundstück frei von Rechten Dritter zu verschaffen** (§ 434 BGB). Rechtsmängel eines Grundstücks sind z. B.:
- alle in Abt. II und III des Grundbuchs eingetragenen Rechte und Verfügungsbeschränkungen
- nicht eingetragene Altdienstbarkeiten aus der Zeit vor der Anlegung des Grundbuchs (s. Art. 187 EGBGB)
- Miet- und Pachtverhältnisse (§§ 71, 581 II BGB)
- Vormerkungen zu Gunsten anderer Personen (§ 883 BGB)
- Bindungen nach dem Wohnungsbindungsgesetz (BGH DNotZ 1984, 689).

Für rückständige öffentliche Abgaben und Lasten, die nicht im Grundbuch eingetragen sind, z. B. für Grundsteuer, Erschließungs- und Ausbaubeiträge, besteht nach dem Gesetz keine Freistellungsverpflichtung des Verkäufers (§ 436 BGB). Diese Bestimmung ist jedoch nachgiebiges Recht. Da sie nicht sachgerecht ist, ist es zweckmäßig und in der Vertragspraxis weitgehend üblich, in die Urkunde eine allgemeine Gewährleistung des Verkäufers aufzunehmen, daß das Grundstück frei ist oder freigestellt wird von fälligen, nicht übernommenen einmaligen und wiederkehrenden öffentlichen Abgaben und Lasten.

180 **Der Verkäufer hat einen Rechtsmangel nicht zu vertreten:**
- wenn der Käufer die Belastung vertraglich übernommen hat; in diesen Fällen werden die übernommenen Belastungen im Vertrag benannt, mit der ausdrücklichen Regelung, ob die Übernahme in Anrechnung oder ohne Anrechnung auf den Kaufpreis erfolgt
- wenn der Käufer den Rechtsmangel bei Abschluß des Vertrages kennt (§ 439 I BGB); Grundpfandrechte sind jedoch auch dann zu beseitigen, wenn sie dem Käufer bekannt sind, es sei denn, daß sie ausdrücklich übernommen wurden (§ 439 II BGB)
- wenn (ausnahmsweise) die Verpflichtung zur Gewährleistung für Rechtsmängel ausgeschlossen wurde, es sei denn, daß der Verkäufer den Mangel arglistig verschwiegen hat (§ 443 BGB).

181 **Hat der Verkäufer einen Rechtsmangel zu vertreten,** so hat der Käufer die Rechte nach den allgemeinen Vorschriften über die Nichter-

füllung oder die nicht vollständige Erfüllung eines Vertrages (wichtige Anspruchskette: §§ 434, 440 I, 320–327 BGB). Er kann danach entweder:
- mit der Einrede des nichterfüllten Vertrages die Gegenleistung (Zahlung des Kaufpreises) verweigern (§ 320 BGB)
- Klage auf Erfüllung des Vertrages durch Beseitigung des Rechtsmangels erheben (§§ 433 I 1, 434 BGB); dieser Anspruch besteht aber nur bis zum Rücktritt oder bis zum Ablauf der gesetzten Nachfrist (§ 326 I 2 BGB)
- Schadensersatz wegen Nichterfüllung des Vertrages verlangen (§§ 325 I, 326 BGB)
- vom Vertrag zurücktreten (§§ 325 I, 326 BGB; der Rücktritt hebt das Rechtsgeschäft nicht auf, sondern verwandelt es in ein Rückgewährschuldverhältnis (§§ 346, 327 BGB): beide Parteien haben einander die empfangenen Leistungen zurückzugewähren.

Wandelung oder Minderung sind dagegen nur bei Sachmängeln möglich (§ 462 BGB).

2. Die Haftung für Sachmängel

a) Haftungsgrund

182 Der Verkäufer haftet dem Käufer dafür, daß das Grundstück frei von Mängeln übergeben wird, "die den Wert oder die Tauglichkeit zu dem gewöhnlichen oder nach dem Vertrage vorausgesetzten Gebrauch aufheben oder – erheblich – mindern" (§ 459 I 1 BGB). Sachmängel sind z. B.:
- Hausschwamm, Funktionsstörungen der Heizung oder der Entwässerungsanlage
- das Fehlen einer Baugenehmigung für ein bereits errichtetes Gebäude (BGH DNotZ 1969, 617) oder einen Dachgeschoßausbau (BGH NJW 1991, 2138)
- baurechtliche Beschränkungen aus öffentlichem Baurecht (BGH NJW 1979, 2200); z. B. Baulasten (BGH DNotZ 1978, 621)
- die Unterschutzstellung des Gebäudes nach dem landesrechtlichen DenkmalschutzG (OLG Celle DNotZ 1988, 702); dies kann allerdings, je nach Sachlage, für den Käufer positiv oder negativ sein
- Kontaminierung des Grundstücks durch Altlasten; kommt dies in Frage, ist eine besonders sorgfältige Regelung der Risikoverteilung erforderlich.

183 **Maßgeblicher Zeitpunkt für die Sachmängelhaftung ist die Übergabe** (§ 446 BGB). Mit dem Übergang des Besitzes ist das Grundstück in den Machtbereich des Käufers und damit die Gefahr einer zufälligen Verschlechterung auf den Käufer übergegangen. Dadurch werden die Rechte des Käufers aus §§ 320, 323 BGB ausgeschlossen, und er hat auch im Falle einer zufälligen Verschlechterung des Grundstücks den

Kaufpreis zu zahlen. Beispiele: Schäden durch Brand, Sturm, Wasser, Frost usw. Der Gefahrenübergang tritt bereits mit der Grundbuchumschreibung ein, wenn sie vor der Besitzübergabe erfolgt (§ 446 II BGB).

Der Verkäufer hat einen Mangel nicht zu vertreten, wenn der Käufer den Mangel bei Abschluß des Kaufvertrages kennt (§ 460 BGB).

b) Die Gewährleistungsansprüche des Käufers

184 Liegt ein Sachmangel vor, kann der Käufer gemäß § 462 BGB entweder geltend machen:

- **die Wandelung** = Rückgängigmachung des Kaufvertrages (§§ 465, 466ff. BGB); die Parteien haben das wechselseitig Empfangene Zug um Zug zurückzugeben oder
- **die Minderung** = Herabsetzung der Vergütung (§§ 465, 472ff. BGB); der Käufer kann eine verhältnismäßige Herabsetzung des Kaufpreises verlangen.

185 **Fehlen einer zugesicherten Eigenschaft.** Als Sachmangel behandelt wird auch das Fehlen einer zugesicherten Eigenschaft. Fehlt dem verkauften Grundstück im Zeitpunkt des Gefahrübergangs eine vertraglich zugesicherte Eigenschaft, kann der Käufer statt der Wandelung oder Minderung Schadensersatz wegen Nichterfüllung verlangen (§§ 459 II, 463 Satz 1 BGB). Ein Verschulden ist dafür nicht erforderlich. In diesem Fall hat also der Käufer die Wahl, ob er die Wandelung oder die Minderung des Kaufpreises oder den Schadensersatz wählt.

Beispiele: Als Fehlen zugesicherter Eigenschaften sind anerkannt:

- zugesicherter Mietertrag des Hausgrundstücks oder Umsatz einer darin betriebenen Gastwirtschaft (BGH DNotZ 1990, 421 = NJW 1990, 902)
- Zusicherung, daß alle angeforderten Anliegerbeiträge bezahlt seien (OLG München NJW 1970, 664); dies ist ein Sachmangel (nicht ein Mangel des Rechts = Mangel des Eigentums)
- Zusicherung, daß der Umbau einer Scheune in ein Wohnhaus, ein Erweiterungsbau oder die Errichtung eines Wochenendhauses baurechtlich genehmigt war; Hinweis für die Vertragsgestaltung: Genehmigung zeigen und aushändigen lassen
- zugesicherte Baureife des Grundstücks (BGH NJW 1979, 2200; Johlen NJW 1979, 1531 m.w.N.);
- zugesicherte Größe des Grundstücks; hier kann der Käufer die Wandelung nur verlangen, wenn die Abweichung so erheblich ist, daß die Vertragserfüllung für ihn kein Interesse hat (§ 468 BGB)
- keine Zusicherung einer Eigenschaft, sondern nur eine reklamemäßige Werbeaussage ist dagegen die Anpreisung des Ortes, in dem das Grundstück oder die Eigentumswohnung liegt, als Badeort (RGZ 148, 286, 294); beachte jedoch die Rechtsprechung zur sog. Prospekthaftung (BGH NJW 1979, 1449).

Schadensberechnung. Entscheidet sich der Käufer für den Schadensersatz wegen Nichterfüllung, stehen ihm zwei Arten der Schadensberechnung offen (BGH DNotZ 1986, 284): 186

- er kann das Eigentum an dem fehlerhaften Grundstück erwerben bzw. behalten und den zur Beseitigung des Mangels erforderlichen Geldbetrag bzw. den Wertunterschied zwischen übergebener und zugesicherter Sache verlangen (sog. **„kleiner" Schadensersatz)** oder
- den Erwerb des Grundstücks ablehnen oder verlangen, daß die bereits erfolgte Übertragung rückgängig gemacht wird und Ersatz des ihm durch die Nichtdurchführung des Vertrages entstandenen Schadens geltend machen (sog. **„großer" Schadensersatz**); diese Möglichkeit soll aber bei lediglich geringfügigen Mängeln wegen § 242 BGB nicht gegeben sein (BGH NJW 1958, 1284). In solchen Fällen ist es unzweckmäßig, den Rücktritt zu erklären, weil dies die Geltendmachung weiterer Schadensersatzansprüche ausschließt.

Hat der Verkäufer einen Mangel arglistig verschwiegen, kann der Käufer in gleicher Weise wie beim Fehlen zugesicherter Eigenschaften anstelle Wandelung oder Minderung Schadensersatz wegen Nichterfüllung verlangen (§§ 459 II, 463 Satz 2 BGB). Er kann danach verlangen, so gestellt zu werden, wie er stehen würde, wenn das Grundstück den verschwiegenen Fehler nicht hätte. Arglistiges Verschweigen ist gegeben bei: 187

- Verschweigen eines wesentlichen Fehlers, wenn nach Treu und Glauben eine Pflicht zur Aufklärung bestand (BGH NJW 1987, 2511); zur Beweislast des Verkäufers, daß der Käufer den Vertrag auch bei Kenntnis des verschwiegenen Mangels abgeschlossen hätte, s. BGH NJW 1990, 42: Verschweigen des Eindringens von Grundwasser in die Kellerräume)
- Vortäuschung der Abwesenheit eines Fehlers
- Vorspiegelung einer nicht vorhandenen Eigenschaft.

Offenbarungspflicht. Das bewußte Verschweigen von Mängeln durch wissentliches Dulden eines Irrtums des Vertragspartners stellt jedoch nur dann eine arglistige Täuschung dar, wenn gegenüber dem Vertragspartner eine Rechtspflicht zur Offenbarung bestand. Eine allgemeine Rechtspflicht, den Vertragspartner über alle Umstände aufzuklären, die auf seine Entschließung Einfluß haben könnten, gibt es nicht. Eine Rechtspflicht zur Aufklärung hat die Rechtsprechung allerdings bejaht, wenn das Verschweigen von Tatsachen gegen den Grundsatz von Treu und Glauben verstoßen würde und der Vertragspartner nach der Verkehrsauffassung unter redlichen Partnern die Mitteilung der verschwiegenen Tatsache erwarten durfte (MünchKomm-Westermann § 463 Rz. 6 ff.). 188

c) Beschränkung der Haftung

189 Beim Verkauf von nicht neu errichteten Häusern und Eigentumswohnungen wird in der Regel die Haftung für Sachmängel weitgehend ausgeschlossen (sog. Freizeichnungsklausel). Der Gewährleistungsausschluß entspricht der allgemeinen Verkehrssitte und stellt deshalb weder eine Überraschungsklausel i.S. von § 3 AGB-Gesetz, noch eine unangemessene Benachteiligung i.S. von § 9 AGB-Gesetz dar. Er ist auch dann zulässig, wenn der Vertrag als sog. „Formularvertrag" der Inhaltskontrolle nach dem AGB-Gesetz unterliegt (BGH NJW 1991, 912). **Formel** z.B.: „Für Größe, Güte und Beschaffenheit wird nicht gehaftet. Der Käufer hat das Vertragsanwesen besichtigt; er übernimmt es in dem derzeitigen Zustand, welcher ihm bekannt ist. Der Verkäufer haftet daher nicht für Mängel des verkauften Objektes, soweit sie nicht arglistig verschwiegen sind."

Ein Haftungsausschluß ist in jedem Fall unwirksam, wenn der Verkäufer den Mangel arglistig verschwiegen hat (§ 476 BGB). Entsprechendes gilt für das Vorspiegeln von bestimmten Eigenschaften.

190 **Längere Gewährleistung bei Neubauten.** Bei Verträgen über noch zu errichtende, noch im Bau befindliche oder neu errichtete Häuser und Eigentumswohnungen richten sich die gesetzlichen Gewährleistungsansprüche für das Gebäude nicht nach Kaufrecht mit der einjährigen Verjährungsfrist des § 477 BGB, sondern nach Werkvertragsrecht mit der fünfjährigen Verjährungsfrist des § 638 I BGB und seinen besonderen Regeln über Nachbesserung, Minderung und Wandelung (§§ 633ff. BGB; BGH DNotZ 1987, 92). Dies gilt sowohl für gewerbliche wie für private Verkäufer. Eine davon abweichende Regelung kann nur durch besonders ausgehandelte Individualvereinbarung begründet werden (BGH NJW 1988, 135); § 11 Nr. 10a – f AGB-Gesetz). Diese Regeln gelten entsprechend beim Verkauf eines Altbaus nach einem Umbau mit erheblichen Eingriffen in die Bausubstanz mit „weitgehender Entkernung" (BGH DNotZ 1987, 681; NJW 1988, 490).

d) Anspruchskonkurrenzen

191 Ab dem Zeitpunkt des Gefahrübergangs gelten die Vorschriften über die Sachmängelhaftung (§§ 459ff. BGB) als abschließende Sonderregelung. Die Regeln über die Mängelgewährleistung verdrängen daher die Irrtumsanfechtung des Käufers nach § 119 II BGB (Irrtum über wesentliche Eigenschaften der Sache), nicht jedoch die Anfechtung nach § 119 I BGB (Inhalts- oder Erklärungsirrtum) oder nach § 123 BGB (arglistige Täuschung); s. Palandt/Heinrichs § 119 Rz. 28. Sie bestimmen und begrenzen – abgesehen von Sachmängelfolgeschäden – die Haftung des Verkäufers für Eigenschaften der Sache. Dies gilt jedoch nur für die

Sachmängelhaftung. Im Falle der Rechtsmängelhaftung bleiben die Anfechtungsgründe wegen Irrtums unberührt (Palandt/Heinrichs a.a.O.; Palandt/Putzo Vorb. vor § 497 Rz. 9).

e) Besonderheiten der Sachmängelhaftung bei Bauträgerverträgen

192 Bauträger ist, wer gewerbsmäßig Bauvorhaben als Bauherr im eigenen Namen für eigene oder fremde Rechnung errichtet und dazu Vermögenswerte von Erwerbern verwendet. Er bedarf zur Ausübung seines Gewerbes einer Erlaubnis (§ 34c I Nr. 2a GewO; BVerwG NJW 1987, 511). Dabei kann der Bauträger Bauleistungen auch von Fremdfirmen erbringen lassen. Zum Schutz des Käufers ist die Makler- und BauträgerVO erlassen worden, die u.a. den Zweck hat, den Käufer vor dem Verlust seiner Anzahlungen zu schützen. Danach darf der Bauträger Zahlungen erst entgegennehmen, wenn bestimmte Voraussetzungen erfüllt sind, insbesondere eine Eigentumsvormerkung für den Käufer eingetragen wurde und ein entsprechender Baufortschritt erreicht ist. Alternativ hat der Bauträger jedoch die Möglichkeit, vom Käufer frühere Zahlungen zu verlangen, wenn er ihm eine Bankbürgschaft stellt, durch die alle Schadensersatz-, Zahlungs- und Rückzahlungsansprüche des Erwerbers gesichert sind (§§ 3, 7 MaBV); s. Basty DNotZ 1991, 18 (26).

193 **Werkvertragsrecht.** Die Gewährleistungspflicht des Bauträgers für das Gebäude bestimmt sich nach den Regeln über den Werkvertrag. Dies bedeutet insbesondere:

- die Gewährleistungsfrist beträgt fünf Jahre (§§ 638 I 1, 651 BGB). Sie darf in Formularverträgen nicht verkürzt werden. Eine Vereinbarung der VOB mit der 2-jährigen Verjährungsfrist ist nicht möglich.
- Der Käufer (Besteller) ist zur Abnahme des Bauwerks verpflichtet (§ 640 I BGB). Teilweise Abnahme ist jedoch möglich (§ 641 I 2 BGB). Mit der beanstandungsfreien Abnahme treten folgende Wirkungen ein:
  - der Kaufpreis wird fällig, soweit er nicht bereits nach Baufortschritt zu zahlen war (§ 641 BGB)
  - die Verjährungsfrist beginnt zu laufen (§ 638 BGB)
  - Gewährleistungsansprüche erlöschen, soweit der Besteller die Mängel kennt und dennoch den Bau vorbehaltslos abnimmt (§ 640 II BGB)
  - die Beweislast für nicht ordnungsgemäße Erfüllung geht auf den Käufer über (§ 363 BGB)
- Ist das Bauwerk mangelhaft hergestellt, kann der Käufer die Abnahme verweigern und einen Anspruch auf mängelfreie Herstellung geltend machen (§ 633 I BGB). Zeigt sich nach der Abnahme ein Mangel, kann der Käufer die Beseitigung verlangen (§ 633 II BGB). Ist der Unternehmer mit der Nachbesserung im Verzug, kann der Käufer den Mangel selbst beseitigen und Ersatz der Aufwendungen verlangen (Ersatzvornahme, § 633 III BGB). Zeigt sich vor, bei oder nach der

Abnahme ein Mangel, kann der Käufer dem Bauträger eine angemessene Frist mit der Erklärung setzen, daß er nach erfolglosem Ablauf der Frist die Wandelung (= Rückgängigmachung des Kaufvertrages) oder Minderung (= Herabsetzung des Kaufpreises) verlangen werde (§§ 634, 651 BGB). Ein Ausschluß der Gewährleistung ist in Formularverträgen unwirksam (§ 11 Nrn. 10 und 11 AGB-Gesetz). Streitig ist dagegen, ob und unter welchen Voraussetzungen ein solcher Ausschluß in individuell ausgehandelten Verträgen vereinbart werden kann (s. HSS Rz. 3174 m. zahlreichen N.).

III. Die Haftung für Verschulden bei Vertragsverhandlungen

Literaturhinweise: v. Bar, Vertragliche Schadensersatzpflichten ohne Vertrag? JuS 1982, 637; Gottwald, Die Haftung für culpa in contrahendo, JuS 1982, 877; Medicus § 30

194 **Wenn es nicht zum Vertragsabschluß kommt,** insbesondere wenn bereits weit fortgeschrittene Vertragsverhandlungen von einem Partner abgebrochen werden und der andere Partner im Vertrauen auf den bevorstehenden Abschluß bereits **Aufwendungen** getätigt hat, taucht häufig die Frage auf, ob der in seiner Erwartung Geschädigte einen Ersatz seines Schadens verlangen kann. **Beispiel:** Der Kaufinteressent hat bereits einen Architekten mit der Planung beauftragt.

Dieser gesetzlich nicht geregelte Fragenbereich wird in der Rechtswissenschaft – nach Rudolf v. Jhering – als **Haftung aus culpa in contrahendo** bezeichnet. Rechtsgrund für diese Haftung ist die aus verschiedenen Einzelvorschriften des BGB durch Rechtsprechung und Lehre im Wege der Rechtsfortbildung entwickelte, auf dem Grundsatz von Treu und Glauben beruhende Pflicht, ein durch angebahnte Vertragsverhandlungen geschaffenes Vertrauen, wie es unter redlichen und loyalen Partnern üblich ist, nicht zu enttäuschen (Palandt/Heinrichs § 276 Rz. 65 ff.).

195 **Die Haftung aus culpa in contrahendo steht in einem Spannungsverhältnis zum Prinzip der Abschlußfreiheit.** Wer in der Hoffnung auf einen Vertragsabschluß bereits wirtschaftliche Dispositionen trifft, handelt grundsätzlich auf eigene Gefahr. Das gilt besonders für den kraft Gesetzes formbedürftigen Grundstückskaufvertrag (BGH NJW 1975, 44; DNotZ 1983, 623; OLG Hamm NJW-RR 1991, 1043). Keinesfalls führt ein etwaiger Schadensersatzanspruch aus culpa in contrahendo zu einem Anspruch auf Abschluß des Vertrages. Der Übereilungsschutz, den die Formvorschrift des § 313 BGB bewirken soll, darf aber auch nicht dadurch ausgehöhlt werden, daß durch drohende Schadensersatzansprüche ein indirekter Zwang zum Abschluß ausgeübt wird. Eine Haftung ist deshalb im Regelfall nicht gegeben. Ein Schadensersatzanspruch

besteht selbst dann nicht, wenn der Vertragsabschluß als sicher hingestellt worden ist. Er kommt vielmehr nur dann in Frage, wenn nach Treu und Glauben gegebene vorvertragliche Verhaltenspflichten schuldhaft verletzt worden sind, z. B., wenn eine Partei durch die Vorverhandlungen einen besonderen Vertrauenstatbestand geschaffen hat, wissend und in Kauf nehmend, daß die andere Partei im Vertrauen auf den zugesagten Vertragsschluß bereits besondere Aufwendungen machen wird (Entscheidungen dazu s. Hagen/Brambring (Hagen), Der Grundstückskauf, Rz. 111). Dann ist der Geschädigte finanziell so zu stellen, wie er ohne das haftungsbegründende Verhalten stehen würde (Ersatz des Vertrauensschadens), d. h. es sind ihm die Aufwendungen zu ersetzen, die nach Lage des Falles vertretbar waren.

IV. Der Zahlungsverzug des Käufers

Literaturhinweise: Brox, Allgemeines Schuldrecht, 21. Aufl. 1993, § 21; Diederichsen, Der Schuldnerverzug, JuS 1985, 825; Tiedtke, Verzugsschaden und Rücktritt vom Vertrag, NJW 1984, 767; Walchshöfer, Voraussetzungen und Folgen des Schuldnerverzuges, JuS 1983, 598

1. Der Eintritt des Verzuges

196 **Der Käufer kommt in Verzug, wenn er nach eingetretener Fälligkeit auf eine Mahnung des Verkäufers nicht zahlt** (Fälligkeit + Mahnung = Verzug, § 284 I BGB). Sie ist eine nicht formgebundene, einseitige und empfangsbedürftige Erklärung und soll den Schuldner vor den Folgen einer weiteren Verzögerung der Leistung warnen. Mit der Mahnung und ihrem Fristablauf wird die fällige Leistung „vollfällig." Der Mahnung steht die Erhebung der Leistungsklage oder die Zustellung eines Mahnbescheids gleich. Wenn jedoch für die Zahlung des Kaufpreises ein **bestimmter Kalendertermin** vereinbart ist -und dies ist beim Grundstückskauf häufig der Fall- dann kommt der Käufer ohne Mahnung in Verzug, wenn er nicht zu dem vereinbarten Termin zahlt (§ 284 II 1 BGB, lat.: dies interpellat pro homine). Wird dagegen die Zahlung auf einen zukünftigen, kalendermäßig noch nicht feststehenden Zeitpunkt abgestellt, z. B. „innerhalb von zwei Wochen nach Fälligkeitsmitteilung durch den Notar", so reicht das für eine Anwendung des § 284 II BGB nicht aus; die Fälligkeit tritt dann erst nach Mahnung ein, weil die Leistungszeit nicht „nach dem Kalender bestimmt" ist (Palandt/Heinrichs § 284 Rz. 22). In der Vertragspraxis wird gelegentlich vereinbart, daß der Käufer auf eine Mahnung zwecks Inverzugsetzung verzichtet. Ein solcher Verzicht ist jedoch in Formularverträgen wegen § 11 Nr. 4 AGB-Ge-

setz unwirksam, es sei denn, daß er (ausnahmsweise) auf einer ausgehandelten Individualvereinbarung beruht (Palandt/Heinrichs § 284 Rz. 25).

2. Der vertragliche Ausschluß des § 454 BGB

197 Nur bei kleineren Kaufverträgen wird der Kaufpreis üblicherweise sofort bei der Beurkundung bar gezahlt oder zwecks Zahlung ein Scheck übergeben. Bei größeren Kaufverträgen, vor allem wenn eine Finanzierung des Kaufpreises erforderlich ist, wird der Kaufpreis in der Regel erst zu einem späteren Termin fällig. Nach der Sondervorschrift des § 454 BGB steht dem Verkäufer, der seine Leistung erbracht und den Kaufpreis gestundet hat, beim Zahlungsverzug des Käufers kein Rücktrittsrecht zu. Allerdings bleiben ihm der Anspruch auf Schadensersatz wegen Nichterfüllung nach § 326 BGB und ein eventuell vertraglich vereinbartes Rücktrittsrecht. Die Vertragspraxis sieht den § 454 BGB als **rechtspolitisch mißglückte gesetzliche Regelung** an und schließt ihn - da er nachgiebiges Recht ist- regelmäßig aus. Dem Verkäufer bleibt dann auch im Falle einer vereinbarten Vorleistungspflicht, d.h. wenn die lastenfreie Auflassung erklärt und die Übergabe erfolgt, der Kaufpreis jedoch gestundet ist, neben dem Schadensersatz wegen Nichterfüllung das allgemeine gesetzliche Rücktrittsrecht nach § 326 BGB. Wenn der § 454 BGB nicht ausgeschlossen wurde, kommt bei Nichtzahlung des Kaufpreises nur noch eine Anfechtung des Kaufvertrages wegen Irrtums oder Täuschung über die Zahlungsfähigkeit des Käufers in Frage.

3. Die Möglichkeiten des Verkäufers

198 **Allgemeine Regelung.** Wenn der Käufer mit der Zahlung in Verzug ist, kann der Verkäufer die Leistung fordern und außerdem Ersatz des Verzögerungsschadens verlangen (§ 286 I BGB), z.B. für den Zinsverlust, die Gebühren für die Inanspruchnahme eines Rechtsanwalts nach dem Eintritt des Verzuges usw. Der gesetzliche Verzugszins beträgt 4%; er kann pauschal ohne den Nachweis eines Schadens geltend gemacht werden (§ 288 I BGB). In den meisten Fällen wird jedoch ein höherer Verzugszins in Betracht kommen, z.B. wenn der Verkäufer durch den Verzug gezwungen war, einen höher verzinslichen Kredit in Anspruch zu nehmen (§ 288 II BGB).

199 **Sonderregelung für Verträge.** Die Bestimmung des § 286 I BGB (Verzögerungsschaden) gilt sowohl für einseitige Schuldverhältnisse wie für Verträge. § 286 II BGB gilt dagegen nur für einseitige Schuldverhältnisse. Hat der Kaufvertrag infolge des Verzuges kein Interesse mehr für den Verkäufer, gilt statt dessen die Sonderregelung des § 326 II BGB, der dem Gläubiger die Befugnis gibt, vom Kaufvertrag zurückzutreten oder Schadensersatz wegen Nichterfüllung zu verlangen.

Fristsetzung mit Ablehnungsandrohung. § 326 BGB gibt dem Verkäufer im Falle des Verzuges des Käufers das Recht, dem Käufer eine angemessene Frist zur Zahlung zu setzen mit der Androhung, daß er die Annahme des Kaufpreises nach dem Ablauf der Frist ablehne (§ 326 I BGB). Die den Verzug begründende Mahnung bedarf keiner bestimmten Form. Sie kann auch durch schlüssiges Handeln erfolgen. Die Mahnung und die Setzung der Nachfrist können in einer einzigen Erklärung miteinander verbunden werden. Die massivste Form der Mahnung ist die Erhebung einer Leistungsklage sowie die Zustellung eines Mahnbescheids (§ 284 I 2 BGB). Nach dem erfolglosen Ablauf der gesetzten Frist kann die Zahlung des Kaufpreises nicht mehr verlangt werden. Ebenso entfällt die Übereignungspflicht des Verkäufers. Das gleiche gilt ohne Setzung einer Nachfrist, wenn der Schuldner die Erfüllung ernsthaft und endgültig verweigert (Palandt/Heinrichs § 326 Rz. 20) oder wenn der Gläubiger infolge des Verzuges an der Erfüllung kein Interesse mehr hat (§ 326 II BGB). 200

Die Folgen des § 326 BGB. Mit der erfolglosen Mahnung und Fristsetzung ist der Anspruch auf Erfüllung untergegangen (§ 326 I 2 a. E.). Der Verkäufer hat nunmehr ein Wahlrecht. Er kann: 201

- **Schadensersatz wegen Nichterfüllung verlangen** (dieser Anspruch geht stets auf Geldersatz) oder
- **vom Vertrage zurücktreten**, vorausgesetzt allerdings, daß § 454 BGB ausgeschlossen wurde; der rechtswirksam erklärte Rücktritt hat gem. §§ 326, 327 Satz 1 i. V. m. §§ 346 ff. BGB **zwei Rechtsfolgen:**
  - die noch nicht erbrachten Leistungen brauchen nicht mehr erbracht zu werden
  - die beiderseits bis dahin erbrachten Leistungen müssen zurückgewährt werden; es kann nicht mehr die Erfüllung des Vertrages und auch kein Schadensersatz wegen Nichterfüllung verlangt werden; etwaige Ansprüche aus Verschulden bei den Vertragsverhandlungen (culpa in contrahendo) oder aus positiver Vertragsverletzung oder wegen eines Verzugsschadens, der über das Erfüllungsinteresse hinausgeht, sind aber noch möglich (Tiedtke NJW 1984, 767).

Der Verkäufer hat demnach beim Verzug des Käufers alternativ drei Möglichkeiten. Er kann geltend machen: 202

- die Forderung auf Erfüllung plus Ersatz des Verzögerungsschadens (§ 286 I BGB)
- anstelle der Leistung Schadensersatz wegen Nichterfüllung (§ 326 I 2 BGB)
- den Rücktritt vom Vertrag (§ 326 I 2 BGB).

Für welche dieser Möglichkeiten sich der Verkäufer entscheidet, ist eine taktische Frage. Er wird zunächst den Weg über § 286 I BGB wählen, wenn er an einem für ihn günstigen Vertrage festhalten möchte und sein Zahlungsanspruch nebst Verzugszins realisierbar erscheint. Einen der beiden Wege über § 326 BGB wird er gehen, wenn er an der nachträglichen Erfüllung des Vertrages nicht mehr interessiert ist und deshalb vom Vertrage loskommen möchte, z.B. weil er den Kaufvertrag für ungünstig oder allenfalls den Anspruch auf Schadensersatz für realisierbar hält. In der Regel wird der Verkäufer den Schadensersatz wegen Nichterfüllung verlangen, weil er beim Rücktritt seine Schadensersatzansprüche verliert. Ein Rücktritt ist deshalb nur anzunehmen, wenn der Rücktrittswille eindeutig zum Ausdruck gekommen ist.

203 **Der Käufer ist grundsätzlich zu Teilleistungen nicht berechtigt** (§ 266 BGB). Ist die Zahlung des Kaufpreises in Teilbeträgen vereinbart oder nimmt der Verkäufer ohne eine entsprechende Vereinbarung Teilleistungen an und kommt der Käufer mit dem Rest des Kaufpreises in Verzug (**Teilverzug**), so bestehen folgende Möglichkeiten:

- Der Verkäufer kann die Zahlung des Restkaufpreises und Ersatz des Verspätungsschadens verlangen (§§ 433 II, 286 I BGB).
- Hat die erbrachte Teilleistung objektiv kein Interesse für den Verkäufer, was im Grundstücksverkehr der Regelfall sein wird, so kann er nach erfolgloser Nachfristsetzung vom ganzen Vertrag zurücktreten oder Schadensersatz wegen Nichterfüllung der ganzen Verbindlichkeit verlangen (§§ 326 I 3, 325 I 2 BGB).
- Besteht ein Interesse des Verkäufers an der erbrachten Teilleistung, z.B. weil sie dem Wert eines von mehreren verkauften Grundstücken entspricht, kann er nach erfolgloser Nachfristsetzung nur wegen der Restleistung vom Vertrag zurücktreten oder insoweit Schadensersatz wegen Nichterfüllung verlangen (§ 326 I 1 und 2 BGB).

Wird ein Anspruch auf Schadensersatz wegen Nichterfüllung geltend gemacht, ist zu unterscheiden:

- Hat der Verkäufer bereits erfüllt oder erfüllt er trotz Zahlungsverzuges des Käufers, so bemißt sich sein Nichterfüllungsschaden nach der noch ausstehenden Leistung des säumigen Käufers.
- Hat der Verkäufer noch nicht erfüllt, kann er die Übereignung des Grundstücks verweigern und den Differenzschaden (= positives Interesse minus Wert des Grundstücks) geltend machen (vgl. Palandt/Heinrichs § 325 Rz. 14ff.).

V. Zur Vertragsgestaltung

1. Die Interessenlage

204 **Die Koordinierung der gegenseitigen Leistungen.** Beim Erwerb eines Grundstücks ist – anders als beim Erwerb von beweglichen Sachen und Rechten – ein Leistungsaustausch Zug-um-Zug (§ 320 BGB) nicht

durchführbar. Dadurch ergibt sich für Verkäufer und Käufer eine unterschiedliche Interessenlage. Der **Verkäufer** will den Kaufpreis, und zwar möglichst schnell. Sein Risiko ist, daß er möglicherweise sein Eigentum am Grundstück verliert, aber den Kaufpreis nicht oder verspätet oder nur unter Schwierigkeiten erhält. Der **Käufer** will das Eigentum und die Nutzung des Grundstücks, frei von eingetragenen und nicht eingetragenen Belastungen, Verfügungsbeschränkungen und Nutzungsrechten anderer, soweit er sie nicht vertraglich übernommen hat. Sein Risiko ist, daß er den Kaufpreis zahlt, aber Besitz und Eigentum am Grundstück nicht vertragsgemäß erhält, insbesondere nicht lastenfrei bzw. mit mehr als den vertraglich übernommenen Belastungen. Aufgabe der notariellen Vertragsgestaltung ist es, hier Sicherheit für beide Seiten auf der Basis eines angemessenen Interessenausgleichs zu schaffen. Der Verkäufer soll nicht das Eigentum vor Zahlung oder Sicherung des Kaufpreises verlieren und der Käufer nicht den Kaufpreis zahlen, bevor sein Eigentum im Grundbuch eingetragen oder mindestens sein Anspruch auf den Erwerb des Eigentums gesichert ist. Die Praxis hat dafür zweckmäßige Gestaltungsformen entwickelt.

2. Die Sicherung des Verkäufers

Im Grundstücksrecht gibt es nicht die beim Verkauf von beweglichen Sachen mögliche und häufig praktizierte Rechtsfigur des Eigentumsvorbehalts (§ 455 BGB). Das Eigentum geht mit der Umschreibung im Grundbuch auf den Käufer über, unabhängig davon, ob der Kaufpreis bezahlt ist oder nicht. Als **Sicherungsmittel** für den Grundstücksverkäufer kommen in Betracht:

a) Vollstreckungsunterwerfung

205 Wenn der Kaufpreis nicht sofort bar bezahlt wird, ist es weitgehend üblich, daß sich der **Käufer wegen der Kaufpreisforderung der sofortigen Zwangsvollstreckung aus der Urkunde in sein gesamtes Vermögen unterwirft** (§ 794 I Nr. 5 ZPO). Dadurch erhält der Verkäufer einen Titel zur sofortigen Durchsetzung seines Anspruchs, erspart sich also gegebenenfalls die sonst erforderlichen gerichtlichen Verfahren zur Erlangung eines vollstreckbaren Titels. Die Unterwerfungsklausel ist allerdings wertlos, wenn der Käufer kein verwertbares Einkommen oder Vermögen hat. (Zum Verfahren s. Beck'sches Notarhandbuch (Brambring) A I Rz. 113 f.).

b) Einreichungssperre

206 Die Beteiligten können den Notar anweisen, die Umschreibung des Eigentums erst zu beantragen, wenn der Verkäufer ihm den Empfang des Kaufpreises bestätigt hat oder wenn ihm die Zahlung in anderer Weise, z.B. durch eine Bankbestätigung, nachgewiesen ist. In diesen Fällen sollte sichergestellt werden, daß vor dieser Bestätigung den Beteiligten keine Ausfertigung oder beglaubigte Abschrift des Vertrages erteilt wird. Statt dessen kann auch eine auszugsweise Ausfertigung oder beglaubigte Abschrift ohne die Auflassung erteilt werden. Auch dem GBAmt sollte vorher zur Eintragung der Eigentumsvormerkung nur eine auszugsweise Ausfertigung oder beglaubigte Abschrift vorgelegt werden, in der die Auflassung nicht enthalten ist (zum Verfahren s. RAB-Albrecht Rz. 351 ff.).

c) Abwicklung über Treuhandkonto

207 Die Stellung des Antrags auf Eigentumsumschreibung durch den Notar kann auch davon abhängig gemacht werden, daß der Kaufpreis auf einem Treuhandkonto (= sog. Anderkonto) des Notars hinterlegt ist und der Auszahlung an den Verkäufer keine Auflagen der Hinterleger entgegenstehen. Dies kommt vor allem in Frage, wenn der Käufer den Kaufpreis ganz oder teilweise fremdfinanziert (s. Rz. 214–221). Die Hinterlegung des Kaufpreises auf dem Anderkonto ist aber in der Regel noch nicht die Erfüllung der Zahlungspflicht, da der Notar nicht die Zahlung für den Verkäufer entgegennimmt, sondern Treuhänder für beide Parteien mit dem Ziel ist, eine Zug-um-Zug-Abwicklung des Vertrages sicherzustellen (BGH NJW 1983, 1605 = DNotZ 1983, 549). Zweckmäßig ist es, dabei klarzustellen, wem die Zinsen des hinterlegten Geldes zustehen. Dies wird in der Regel der Verkäufer sein. Außerdem bedarf es einer Regelung, wer die Kosten der Hinterlegung trägt. Bei voraussichtlich längerer Dauer der Hinterlegung kann zwecks höherer Verzinsung die Anlage auf einem Festgeldkonto erwogen werden.

d) Auflassung erst nach Zahlung

208 Der Verkäufer kann dadurch gesichert werden, daß die Auflassung erst nach Zahlung des Kaufpreises beurkundet wird. Meist wird jedoch, um den Beteiligten ein nochmaliges Erscheinen beim Notar zu ersparen, das Verfahren entsprechend b) – Vorlagesperre – gewählt, dies auch deshalb, weil bei einer getrennten Beurkundung der Auflassung eine besondere Gebühr erfällt (§ 38 II Nr. 6 a KostO).

e) Besitzübergang Zug-um-Zug gegen Kaufpreiszahlung

209 Beim Erwerb von Hausgrundstücken oder Eigentumswohnungen ist der Käufer meist besonders daran interessiert, daß die Übergabe des Besitzes pünktlich zum vereinbarten Termin erfolgt. In diesen Fällen wird vielfach vereinbart, daß die Übergabe Zug-um-Zug gegen Zahlung oder gleichzeitig mit der auflagefreien Hinterlegung des Kaufpreises beim Notar erfolgen soll. Die Tatsache der Übergabe kann und darf der Notar jedoch nicht selbst überprüfen.

f) Restkaufpreishypothek

210 Soll ein Teil des Kaufpreises erst nach der Umschreibung des Eigentums gezahlt werden, kann zur Sicherung des Restkaufpreises eine Hypothek für den Verkäufer bestellt werden. Da diese Hypothek in der Regel nicht verkehrsfähig sein soll, empfiehlt sich eine **Sicherungshypothek** (§ 1184 BGB). Infolge ihrer strengen Akzessorietät ist bei ihr der Schuldner gegen das Risiko eines gutgläubigen Erwerbs durch einen Dritten gesichert (s. Rz. 1079 ff.). Sie wird mit dem Kaufvertrag zusammen beurkundet und gleichzeitig mit der Umschreibung des Eigentums im Grundbuch eingetragen (Antragsverbindung gemäß § 16 II GBO).

3. Die Sicherung des Käufers

a) Die Sicherung bei Zahlung vor Umschreibung

211 **Eigentumsvormerkung und Hinterlegung.** Zwischen der Beurkundung des Kaufvertrages und der Umschreibung des Eigentums besteht für den sofort oder noch vor der Umschreibung zahlenden Käufer eine Risikophase. In der Zwischenzeit kann das Grundstück durch den Verkäufer, der ja noch Eigentümer ist, vertragswidrig belastet oder an einen anderen veräußert werden, es können Zwangshypotheken eingetragen, das Zwangsversteigerungsverfahren angeordnet oder das Konkursverfahren über das Vermögen des Verkäufers eröffnet werden usw. Gegen diese Risiken kann sich der Käufer insbesondere schützen durch die Eintragung einer **Eigentumsvormerkung** an der vorgesehenen Rangstelle oder die **Hinterlegung des Kaufpreises** auf einem Treuhandkonto des Notars bis zur ranggerechten Eintragung einer Eigentumsvormerkung oder der Umschreibung des Eigentums.

b) Verzicht auf Sicherungen

212 Häufig hat der Käufer jedoch volles Vertrauen zum Verkäufer und verzichtet auf solche Sicherungen für seine Vorleistungen. Dann ist, zur Vermeidung von Amtshaftungsansprüchen gegen den Notar wegen unzureichender Belehrung, ein Hinweis in der Urkunde angebracht, daß dem Käufer das Risiko einer sofortigen Kaufpreiszahlung ohne Sicherung durch eine Eigentumsvormerkung oder die Hinterlegung des Kaufpreises bekannt sei, er aber auf solche Sicherungen verzichte. Darüber hinaus empfiehlt sich die vorsorgliche Bewilligung einer Eigentumsvormerkung durch den Verkäufer, z. B. mit folgender **Formel:**

„Dem Käufer ist bekannt, daß das Eigentum erst mit der Umschreibung im Grundbuch übergeht und zur vorläufigen Sicherung des Erwerbs eine Vormerkung im Grundbuch eingetragen werden kann. Auf den besonderen Vertrauenscharakter einer ungesicherten Kaufpreiszahlung hat der Notar hingewiesen. Der Verkäufer bewilligt die Eintragung einer Vormerkung für den Käufer; diese Eintragung soll jedoch nur auf besonderen Antrag des Käufers erfolgen.

Für den Fall, daß eine Vormerkung eingetragen wird, bewilligt und beantragt der Käufer schon heute die Löschung dieser Vormerkung Zug um Zug mit seiner Eintragung als Eigentümer, vorausgesetzt, daß keine Zwischeneintragung ohne seine Zustimmung erfolgt ist." (Zur Zulässigkeit dieses Vorbehalts s. OLG Hamm MittRhNotK 1992, 149).

c) Zahlung erst nach Fälligkeitsmitteilung des Notars

213 Gewöhnlich sind zur Wirksamkeit des Kaufvertrages noch private oder öffentlich-rechtliche Genehmigungen erforderlich. Außerdem bedarf es zur Vorlage beim Grundbuchamt einer Bescheinigung, daß ein gemeindliches Vorkaufsrecht nicht besteht oder nicht ausgeübt wird (s. § 20 BeurkG). Die Beschaffung dieser Genehmigungen und Bescheinigungen wird regelmäßig im Auftrage der Beteiligten vom Notar durchgeführt. Es kann deshalb vereinbart werden, daß die Kaufpreiszahlung erst fällig wird, nachdem der Notar den Beteiligten mitgeteilt hat, daß die Eigentumsvormerkung an der vorgesehenen Rangstelle eingetragen ist und auch die weiteren Vollzugsvoraussetzungen gegeben sind.

4. Die Treuhandabwicklung durch den Notar

a) Die Lastenfreistellung des verkauften Grundstücks

214 **Ist das verkaufte Grundstück oder die Eigentumswohnung mit Grundpfandrechten belastet, so werden sie gewöhnlich aus Mitteln des Kaufpreises abgelöst.** Dies geschieht zweckmäßig durch die Ein-

schaltung des Notars als Treuhänder und eventuell Abwicklung über ein Anderkonto. Der Notar erhält vom Käufer oder dessen Kreditgeber den Kaufpreis auf Anderkonto zu treuen Händen. Im Auftrage des Verkäufers holt er bei den eingetragenen Gläubigern alle zur Lastenfreistellung des Grundstücks erforderlichen Unterlagen, d.h. die Löschungsbewilligungen, Freigabeerklärungen, die Rücknahme eines Zwangsversteigerungsantrages usw. zu treuen Händen ein. Dabei bittet er um Angabe der abzulösenden Forderung (u.U. unter Angabe der Tageszinsen ab einem bestimmten Datum) und versichert gleichzeitig, daß er von den ihm überlassenen Urkunden nur Gebrauch machen werde, wenn die Ablösung der Forderung erfolgt oder sichergestellt sei. Die Ablösung durch den Notar erfolgt, wenn ihm der Kaufpreis auflagenfrei zur Verfügung gestellt oder die Erfüllung der von dem Hinterleger gemachten Auflagen gesichert ist und der verfügbare Betrag zur Ablösung aller Belastungen des verkauften Grundstücks ausreicht. Da die Beschaffung der Löschungsunterlagen zu treuen Händen sowie die Erfüllung etwaiger weiterer Auflagen längere Zeit in Anspruch nehmen kann, empfiehlt es sich, um unnötige Zinsverluste des Käufers zu vermeiden, die Hinterlegung des Kaufpreises auf Treuhandkonto erst dann anzufordern, wenn die Abwicklung kurzfristig möglich erscheint. Die Kosten der Treuhandabwicklung (§ 149 KostO) trägt in diesen Fällen in der Regel der Verkäufer, weil die Freistellung des Grundstücks zu seinen Vertragspflichten gehört.

215 **Alternative.** Anstelle der Abwicklung über Treuhandkonto kann die Lastenfreistellung auch in der Weise erfolgen, daß der Notar nach Vorliegen aller zur Lastenfreistellung erforderlichen Unterlagen den Käufer bzw. dessen Kreditgeber auffordert, die entsprechenden Zahlungen unmittelbar an die abzulösenden Gläubiger bzw. den Verkäufer vorzunehmen, und nach erfolgter Zahlung die treuhänderisch verwahrten Unterlagen dem Grundbuchamt vorlegt. Bei diesem Verfahren kann eine Zinsersparnis für den Käufer eintreten. Eine wesentliche Kostenersparnis ist damit jedoch nicht verbunden, weil auch für diese Treuhandtätigkeit eine Gebühr erfällt (§ 147 II KostO).

b) Die Kaufpreisfinanzierung unter Mitwirkung des Verkäufers

Literaturhinweise: Beck'sches Notarhandbuch (Amann), A I Rz. 118–127; Tröder, Grundfragen der Finanzierungsvollmacht, DNotZ 1984, 350

216 **Vorgezogene Grundschuld.** Bei größeren Kaufobjekten ist es heute weitgehend üblich, daß der Käufer den Kaufpreis ganz oder teilweise fremdfinanziert. Die Kreditinstitute verlangen dafür regelmäßig eine Sicherheit in Form von Grundschulden an dem gekauften Objekt. Die Eintragung kann aber nur durch den Verkäufer als dem (noch) betroffenen Eigentümer bewilligt werden (§§ 19, 29 GBO). Zur Lösung dieses

Problems hat die Praxis eine Konstruktion mit vorgezogener Grundschuld entwickelt.

Das Modell sieht, vereinfacht dargestellt, folgendermaßen aus: Der Verkäufer erklärt sich im Kaufvertrag damit einverstanden, daß zur Finanzierung des Kaufpreises das verkaufte Grundstück bereits vor der Umschreibung des Eigentums auf den Käufer mit Grundpfandrechten belastet wird; dabei kann der Nennbetrag der Grundschuld auch über die Höhe des Kaufpreises hinausgehen, wenn sie auch der Finanzierung der Baukosten oder Renovierungskosten dienen soll.

217 **Die Sicherung des Verkäufers.** Bei dieser Konstruktion bedarf es besonderer Sicherungen für den Verkäufer, insbesondere dagegen, daß er zwar sein Grundstück belastet, um dem Käufer die Finanzierung zu ermöglichen, aber den Kaufpreis nicht erhält. Es werden deshalb zusätzlich im Kaufvertrag folgende Vereinbarungen getroffen:

a) Die Grundschuld darf nur zum Zwecke der Finanzierung des Kaufpreises bestellt werden. Möglich ist jedoch, wegen der nachstehenden Einschränkung der Zweckerklärung, auch die Einbeziehung weiterer Beträge, z.B. für die Baufinanzierung.

b) Der Kreditgeber darf die Grundschuld vor der vollen Bezahlung des Kaufpreises höchstens für den Betrag (ohne Zinsen und andere Nebenleistungen) verwerten, den er nach Maßgabe des Kaufvertrages effektiv an den Verkäufer, an dessen Gläubiger oder auf Treuhandkonto des Notars gezahlt hat.

c) Für den Fall, daß der Vertrag nicht zur Durchführung kommt, muß sichergestellt sein, daß die Rückabwicklung gelingt, insbesondere die zur Finanzierung bestellte Grundschuld wieder gelöscht wird. Die Grundschuld darf deshalb nur mit der weiteren Maßgabe bestellt werden, daß der Gläubiger in diesem Fall verpflichtet ist, die Löschung auflagenfrei zu bewilligen, wenn ihm der ausgezahlte Kreditbetrag – ohne Zinsen und andere Nebenleistungen – zurückgezahlt wird.

d) Die Belastungsvollmacht wird zweckmäßigerweise mit der Einschränkung erteilt, daß die Beurkundung der Grundschuld nur vor dem Notar des Kaufvertrages erfolgen darf, denn nur dann hat der Notar die Möglichkeit, die Sicherungen des Verkäufers zu gewährleisten (überwachbare Vollmacht).

e) Die Kosten dieser Treuhandabwicklung trägt in der Regel der Käufer, weil die Fremdfinanzierung von ihm zu vertreten ist. Wenn jedoch die Konstruktion auch der Ablösung von Belastungen des Verkäufergrundstücks dient, kann auch eine Kostenteilung sachgerecht sein.

218 **Die Bestellung der Grundschuld kann auf zweierlei Weise erfolgen:**

- Der Verkäufer wirkt bei der Bestellung unmittelbar mit.
- Der Verkäufer erteilt im Kaufvertrag dem Käufer Vollmacht zur Bestellung der erforderlichen Grundschulden (Belastungsvollmacht). Diese Gestaltung kommt vor allem in Frage, wenn die Bestellung der

Grundschuld nicht gleichzeitig mit der Beurkundung des Kaufvertrages erfolgt und der Verkäufer keinen Wert auf die persönliche Mitwirkung legt.

219 **Gestaltung der Urkunde.** Bei der Bestellung der Grundschuld werden vom Verkäufer nur die zur Eintragung im Grundbuch erforderlichen dinglichen Erklärungen einschließlich der dinglichen Unterwerfungserklärung abgegeben, während die kreditbezogenen schuldrechtlichen Erklärungen, einschließlich der persönlichen Unterwerfungserklärung, nur vom Käufer abzugeben sind. Um die nur eingeschränkte Verwendbarkeit der Grundschuld sicherzustellen, empfiehlt es sich, die Einschränkungen der Zweckerklärung gemäß Rz. 217 lit. a-c auch in die Bestellungsurkunde aufzunehmen.

220 **Mitteilung.** Nach der Bestellung der Grundschuld übersendet der Notar dem Kreditgeber eine Kopie des Kaufvertrages sowie die vollstreckbare Ausfertigung der Grundschuldbestellungsurkunde unter Hinweis auf die Einschränkung der Zweckerklärung und die bedingte Rückgabeverpflichtung und bittet um Kenntnisnahme und Bestätigung. Mit der Annahme der eingeschränkten Zweckerklärung durch den Kreditgeber, die spätestens in der Valutierung der Grundschuld liegt, wird die getroffene Regelung auch für ihn verbindlich.

c) Die beiderseitige Treuhandabwicklung

221 **Wenn auf der Verkäuferseite Belastungen abzulösen sind und der Käufer den Kaufpreis fremdfinanziert, ergibt sich eine Kombination der beiden vorstehenden Modelle.** Dann werden die Finanzierungsgrundschulden zunächst an bereiter Stelle nach den bestehenden Belastungen eingetragen und die Ablösung erfolgt, wenn dem Notar die Löschungs- oder Freistellungsdokumente für die Altlasten treuhänderisch zur Verfügung stehen und der verfügbare Betrag zur Lastenfreistellung ausreicht. In einfachen Fällen kann die Abwicklung u.U. in der Weise erfolgen, daß das finanzierende Kreditinstitut auf Anweisung des Notars unmittelbar an den abzulösenden Gläubiger zahlt. Sind jedoch mehrere Belastungen abzulösen, oder fließt der Kaufpreis aus mehreren Quellen, ist im Interesse einer sicheren Durchführung des Vertrages die Abwicklung über Treuhandkonto des Notars zweckmäßig. Wenn abzusehen ist, daß sich die Hinterlegung über längere Zeit hinzieht, kann es sich empfehlen, nach Rücksprache mit den Beteiligten, das Geld zwecks besserer Verzinsung auf Festgeldkonto anzulegen. Da bei der beiderseitigen Treuhandabwicklung beide Parteien Veranlasser sind, werden die Hinterlegungskosten in der Regel geteilt.

5. Der Kauf von Bauland

222 **Beim Erwerb eines Grundstücks zum Zwecke der Bebauung spielt die baurechtliche Entwicklungsstufe eine wichtige Rolle.** Im allgemeinen Sprachgebrauch unterscheidet man bezüglich der Bebaubarkeit verschiedene **Stufen**. Dabei handelt es sich jedoch nicht um Begriffe des Bauplanungsrechts, sondern vom Rechtsverkehr gebrauchte und nicht exakt voneinander abgrenzbare, d.h. fließend ineinander übergehende Tatbestände, die jedoch bei der Preisbildung eine wesentliche Rolle spielen (BGH NJW 1966, 497):

223 a) Als **Bauerwartungsland** bezeichnet man Flächen, bei denen in absehbarer Zeit mit einer Bebaubarkeit zu rechnen ist und diese Wertsteigerung auf dem Grundstücksmarkt bereits in der Preisbildung zum Ausdruck kommt. Dies ist insbesondere der Fall, wenn sie in einem Flächennutzungsplan der Gemeinde als Baugebiet vorgesehen sind. Der Flächennutzungsplan ist ein vorbereitender Plan, in dem für das gesamte Gemeindegebiet die längerfristig beabsichtigte Art der Bodennutzung nach den voraussehbaren Bedürfnissen der Gemeinde in den Grundzügen dargestellt wird (§ 5 I BauGB).

224 b) **Rohbauland** sind Flächen, deren Bebauung planungsrechtlich bereits vorgesehen, jedoch wegen der fehlenden Erschließung noch nicht zulässig ist, oder die nach Lage, Form oder Größe des Grundstücks für eine bauliche Nutzung unzureichend gestaltet sind.

225 c) **Bauland** (= baureifes Land) sind Grundstücke, bei denen ein jederzeit durchsetzbarer Anspruch auf Bebauung besteht, d.h. daß eine beantragte Baugenehmigung oder Bebauungsgenehmigung (Vorbescheid) erteilt werden müßte, weil die gesetzlichen Voraussetzungen dafür gegeben sind. Die Ausweisung einer Fläche als Bauland in einem Flächennutzungsplan genügt dazu nicht, wohl aber die Ausweisung in einem Bebauungsplan (zum Begriff „baureife Grundstücke" im Steuerrecht s. § 73 BewG). Je nach der zulässigen Bebauung unterscheidet man u.a. Wohngebiete, Mischgebiete, Gewerbegebiete, Industriegebiete, Sondergebiete usw. (s. §§ 1ff. BaunutzungsVO). Diese Kategorien erhalten eine weitere inhaltliche Ausformung durch das Maß der zulässigen baulichen Nutzung (z.B. der Geschoßzahl, Grundflächenzahl, Geschoßflächenzahl), wie es sich aus dem Bebauungsplan in Verbindung mit der BaunutzungsVO im konkreten Einzelfall ergibt. Käufern von Bauland ist deshalb dringend anzuraten, vor der Beurkundung die Unterlagen beim zuständigen Bauamt einzusehen bzw. die vorgesehene Planung zu erfragen. In Einzelfällen kann es sich empfehlen, sich durch eine Bauvoranfrage zu vergewissern, daß die beabsichtigte Bebauung genehmigt wird.

6. Die Haftung aus Vermögensübernahme

Literaturhinweis: Mayer, Fragen der Haftung bei Vermögensübernahme (§ 419 BGB) in der notariellen Praxis, MittRhNotK 1983, 57.

Vorbemerkung. Die Haftung aus Vermögensübernahme entfällt mit Wirkung vom 1. Januar 1999; § 419 BGB wird ab diesem Zeitpunkt ersatzlos gestrichen (Art. 33 Nr. 1 EGInsO). Damit entfällt zukünftig eine mit unserer heutigen Wirtschaftsstruktur nicht mehr vereinbare Fallgrube der Vertragsgestaltung und auch eine etwaige Belehrungspflicht des Notars. Unberührt davon bleiben die Haftungstatbestände des § 25 HGB, des § 75 AO und die arbeitsrechtlichen Haftungsfolgen einer Betriebsübernahme nach § 613 a BGB. **226**

Der Haftungstatbestand. Der bis zum 31. 12. 1998 noch fortbestehende § 419 BGB bestimmt: „Übernimmt jemand durch Vertrag das Vermögen eines anderen, so können dessen Gläubiger . . . . von dem Abschluß des Vertrages an ihre zu dieser Zeit bestehenden Ansprüche auch gegen den Übernehmer geltend machen." Zwar kommt eine Veräußerung des gesamten Vermögens praktisch nicht vor, jedoch hat die Rechtsprechung den Tatbestand auch beim Erwerb eines einzelnen Gegenstandes angenommen, z. B. eines Hausgrundstücks, wenn er nahezu das gesamte Vermögen des Veräußerers ausmacht. Subjektive Voraussetzung für die Haftung ist in diesem Falle jedoch, daß der Erwerber spätestens bei der Beantragung der EV oder der Eigentumsumschreibung zumindest die Verhältnisse kennt, aus denen sich dies ergibt. Die gesetzliche Haftung hat die Wirkung eines Schuldbeitritts (§ 414 BGB); der Erwerber kann jedoch seine Haftung auf den Bestand des übernommenen freien Vermögens beschränken. Ob und inwieweit eine Haftung nach § 419 BGB in Betracht kommt, ist – wie bei § 1365 BGB – durch einen Wertvergleich zu ermitteln (s. Rz. 538). **227**

§ 7. Die Vertretung im Grundstücksrecht

I. Die rechtsgeschäftliche Vertretung

1. Die Vollmacht

228 **Bei Grundstücksgeschäften ist die persönliche Anwesenheit der Beteiligten nicht erforderlich; es gelten deshalb die allgemeinen Regeln über die Vertretung durch Bevollmächtigte** (§§ 164 ff. BGB). Dies gilt sowohl für die aktive wie die passive Vertretung (§ 164 III BGB). Dabei muß man zwischen dem Innenverhältnis (Auftrag oder Geschäftsbesorgungsvertrag) und dem Außenverhältnis unterscheiden: Die Vollmacht ermächtigt den Vollmachtnehmer zu rechtsgeschäftlichem Handeln im Namen und mit unmittelbarer Wirkung für und gegen den Vertretenen. In ihrer Wirksamkeit ist die Vollmacht von dem Innenverhältnis unabhängig (abstrakt), d.h. das Handeln des Vertreters wirkt auch dann für und gegen den Vertretenen, wenn der Vertreter gegen seine Pflichten im Innenverhältnis verstoßen hat. Rechtliches Können im Außenverhältnis und rechtliches Dürfen, Auftrag und Weisungen im Innenverhältnis, bleiben unabhängig voneinander. Mit der Vollmacht verliert der Vollmachtgeber nicht das Recht, auch selbst zu handeln, denn eine „verdrängende" Vollmacht gibt es nicht.

2. Der Widerruf der Vollmacht

229 **Der Vollmachtgeber kann die erteilte Vollmacht widerrufen** (§ 168 BGB). Ist sie gegenüber einem Dritten, etwa dem Vertragspartner, erteilt worden, so bleibt sie ihm gegenüber in Kraft, bis er ihr Erlöschen kennt oder infolge Fahrlässigkeit nicht kennt (§§ 170, 173 BGB). Hat der Vollmachtgeber über die Vollmacht eine Urkunde erteilt, bleibt die Vertretungsmacht (Außenwirkung) bestehen, bis die Vollmachtsurkunde dem Vollmachtgeber zurückgegeben oder für kraftlos erklärt ist (§ 172 II BGB). Ist die Vollmacht in privatschriftlicher Urkunde oder mit Beglaubigung der Unterschrift des Vollmachtgebers erteilt, hat der Bevollmächtigte die Urschrift der Vollmacht zurückzugeben (§ 175 BGB). War die Vollmacht beurkundet, sind dem Vollmachtgeber – da die Ausfertigung die Urschrift der Vollmacht im Rechtsverkehr ersetzt (§ 47 BeurkG) – alle von der Urkunde erteilten Ausfertigungen zurückzugeben. Eine Berufung auf die in der Urkundensammlung des Notars befindliche Vollmachtsurkunde reicht dann nicht zum Nachweis der Vollmacht aus.

Trotzdem sollte der Widerruf auch dem Notar mitgeteilt werden, der die Vollmacht beurkundet hat und verwahrt.

3. Die Vertretung ohne Vertretungsmacht

230 **Rechtsgeschäftliche Vertretung ist auch möglich durch einen Vertreter ohne Vertretungsmacht mit nachträglicher Genehmigung durch den Vertretenen** (§ 177 I BGB). Bis zur Genehmigung bestehen für den vollmachtlos Vertretenen keine Rechte und Pflichten aus dem Rechtsgeschäft. Wenn der Geschäftsgegner das Fehlen der Vollmacht kannte und der Vertretene die für ihn abgegebene Erklärung nicht genehmigt, haftet auch der Vertreter weder auf Erfüllung noch auf Schadensersatz (§§ 177 I, 179 III 1 BGB). Durch die Abgabe der Erklärung wird er auch nicht zum Gebührenschuldner der notariellen Beurkundung. Zwar ist Kostenschuldner nach der KostO jeder, dessen Erklärung beurkundet ist, aber der offen als vollmachtlos auftretende Vertreter ist nicht „Veranlasser" i. S. des § 2 KostO (OLG Köln DNotZ 1977, 658). Wenn der Vertretene die Genehmigung verweigert, ist deshalb der Vertragsgegner, dessen Erklärung beurkundet ist, gesetzlich der Alleinschuldner der Beurkundungsgebühren. Auch ein interner Ausgleichsanspruch gegen den vollmachtlos aufgetretenen Vertreter scheidet normalerweise aus, da eine Haftung aus culpa in contrahendo die Ausnahme sein wird. In der Vertragspraxis sollte auf jeden Fall das Fehlen der Vertretungsmacht klar zum Ausdruck gebracht werden; Formel z. B.: „X handelnd als Vertreter ohne Vertretungsmacht, die Genehmigung des vertretenen Y ausdrücklich vorbehaltend." Auch ein Hinweis auf die Kostenfolge im Falle der Verweigerung der Genehmigung ist zweckmäßig.

231 **Mit der Genehmigung durch den Vertretenen wird das bis dahin schwebend unwirksame Rechtsgeschäft mit rückwirkender Kraft voll wirksam** (§ 184 I BGB). Verweigert der Vertretene die Genehmigung, so wird das schwebend unwirksame Rechtsgeschäft endgültig unwirksam. Ist die Genehmigung einmal verweigert, kann das Rechtsgeschäft nicht mehr durch einen etwa später ausgesprochenen Widerruf der Verweigerung oder ein sonstiges zustimmendes Verhalten des Vertretenen wirksam werden; es bedarf dann vielmehr einer neuen Vornahme des Rechtsgeschäfts (BGH NJW 1954, 1155 = DNotZ 1954, 407).

232 **Auch wenn der Vertreter mündlich oder nur privatschriftlich bevollmächtigt ist, kann es zu seiner Sicherheit zweckmäßig sein, daß er von der ihm materiellrechtlich gegebenen Vertretungsmacht keinen Gebrauch macht,** sondern als „Vertreter ohne Vertretungsmacht" unter ausdrücklichem Vorbehalt der Genehmigung handelt. Dadurch bleibt er in jedem Falle von einem Haftungsrisiko gegenüber dem Vertragsgegner frei. Dies kann auch dann zweckmäßig sein, wenn zweifel-

haft ist, ob die mündlich oder privatschriftlich erteilte Vollmacht inhaltlich das Rechtsgeschäft voll abdeckt. Das Verfahren mit nachträglicher Genehmigung statt vorheriger Vollmacht wird vielfach auch deshalb gewählt, um einerseits dem Beauftragten einen größeren Verhandlungsspielraum für den Vertragsabschluß einzuräumen und andererseits dem Vertretenen die Möglichkeit einer nachträglichen Prüfung des Vertragsinhalts und die Genehmigung vorzubehalten.

233 **Die Genehmigung des vollmachtlos Vertretenen ist eine empfangsbedürftige Willenserklärung;** sie kann gegenüber dem Vertreter oder gegenüber dem Vertragsgegner erklärt werden (§ 182 I BGB). Der Zugang bedarf als sog. Nebenumstand nicht des förmlichen Nachweises nach § 29 GBO (s. Rz. 381). In der Regel holt der beurkundende Notar die Genehmigung ein. Zur Vereinfachung des Verfahrens wird in der Beurkundungspraxis üblicherweise vereinbart, daß alle erforderlichen behördlichen und privaten Genehmigungen mit ihrem Eingang beim Notar für alle Beteiligten wirksam werden. Aus der Vorlage der Genehmigungserklärung durch den Notar beim GBAmt ergibt sich dann, daß ihm die Urkunde zugegangen und damit wirksam geworden ist.

Gegen Vertretung ohne Vertretungsmacht werden teilweise Bedenken geltend gemacht, mit der Begründung, daß die Belehrung des Vertretenen nicht sichergestellt sei. Es empfiehlt sich deshalb, von dieser Gestaltungsform nur zurückhaltend Gebrauch zu machen, insbesondere wenn der Vertretene der Belehrung bedarf.

4. Das Selbstkontrahieren des Vertreters

234 **Das Gesetz beschränkt die Vertretungsmacht eines Vertreters beim sog. Insichgeschäft** (§ 181 BGB). Zweck der Bestimmung ist die Vermeidung von Interessenkollisionen. Als Ordnungsvorschrift gilt sie aber auch dann, wenn im konkreten Fall ein Interessenkonflikt nicht gegeben ist. Danach ist der Vertreter nicht berechtigt zu einem Rechtsgeschäft:

- im Namen des Vertretenen mit sich selbst (einseitige Vertretung)
- im Namen des Vertretenen mit sich als Vertreter eines Dritten (Vertretung für beide Seiten).

Diese Beschränkungen gelten nicht nur für den Bevollmächtigten i.S. des § 164 BGB, sondern für alle Arten der rechtsgeschäftlichen und gesetzlichen Vertretung, z.B. auch durch Bürgermeister, Geschäftsführer einer GmbH, vertretungsberechtigte Gesellschafter einer OHG oder KG, Prokuristen, Eltern, Pfleger, Vormund, Betreuer, Testamentsvollstrecker, Konkursverwalter, Insolvenzverwalter usw.

235 Das Verbot des Selbstkontrahierens gilt nicht:

- Wenn dem Vertreter die Insich-Vertretung durch den Vollmachtgeber oder gesetzlich **gestattet** ist (§ 181 BGB)

- wenn das Rechtsgeschäft ausschließlich in der **Erfüllung einer Verbindlichkeit** des Vertretenen besteht; **Beispiel:** Erfüllung eines Vermächtnisses (§ 181 BGB).
- wenn das Rechtsgeschäft für den Vertretenen **lediglich einen rechtlichen Vorteil** bedeutet (BGH NJW 1972, 2262 = DNotZ 1973, 86; zum Begriff „lediglich rechtlicher Vorteil" s. die Kommentierungen zu § 107 BGB).

Die Gestattung des Selbstkontrahierens. In der Vertragspraxis stellt sich häufig die Frage der Gestattung des Selbstkontrahierens durch den Vollmachtgeber. **Beispiele:** Ein Miterbe erteilt einem anderen Miterben Vollmacht zur Vertretung in der Erbauseinandersetzung; der Veräußerer bevollmächtigt den Erwerber, das Grundstück an sich selbst aufzulassen. Die Gestattung kann stillschweigend erteilt sein. Nach Möglichkeit sollte sie jedoch in der Vollmacht zum Ausdruck gebracht werden. Formel z.B.: „Der Bevollmächtigte ist von den Beschränkungen des § 181 BGB befreit." Fehlt die Befreiung, so ist das Rechtsgeschäft wegen Überschreitung der Vertretungsmacht zunächst schwebend unwirksam und wird entweder durch die Genehmigung des Vertretenen wirksam oder durch die Verweigerung der Genehmigung endgültig unwirksam. Handelt ein Vertreter ohne Vertretungsmacht unter Verstoß gegen § 181 BGB, so liegt in der Genehmigung der Vertretung zugleich stillschweigend die Befreiung von den Beschränkungen des § 181 BGB. 236

Gleichgerichtete Erklärungen. Selbstkontrahieren liegt nicht vor, wenn der Vertreter mehrere Personen vertritt, deren Erklärungen gleichgerichtet sind. **Beispiel:** Der Bevollmächtigte vertritt mehrere Verkäufer oder mehrere Käufer, soweit nicht darin auch Vereinbarungen zwischen den Beteiligten enthalten sind. In diesen Fällen ist keine Interessenkollision, sondern Interessengleichkeit gegeben. § 181 BGB findet daher keine Anwendung. 237

5. Die Form der Vollmacht

Die Erteilung einer Vollmacht bedarf nach materiellem Recht grundsätzlich nicht der Form, die für das abzuschließende Rechtsgeschäft erforderlich ist (§ 167 II BGB). Dies gilt auch für eine Generalvollmacht. Auch die Befreiung von dem Verbot des Selbstkontrahierens ist formfrei möglich, denn sie bedeutet nur eine Erweiterung der Vertretungsmacht, schließt aber die Widerruflichkeit der Vollmacht nicht aus; s. nachfolgend Rz. 150 (BGH NJW 1979, 2306 = DNotZ 1979, 684; Hagen DNotZ 1984, 272). 238

Nachweis der Vollmacht. Nach den Regeln des Grundbuchrechts ist dem GBAmt das Bestehen der Vollmacht durch öffentliche oder öffentlich beglaubigte Urkunde nachzuweisen (§ 29 GBO). Dies hat nichts mit der materiellen Voraussetzung für die Gültigkeit der Vollmacht zu 239 tun, sondern ist lediglich eine Verfahrensregel. Ihre Nichtbeachtung würde das Grundbuch nicht unrichtig machen; aber auch Sollvorschriften sind für das GBAmt zwingend, d.h. nicht in sein Ermessen gestellt. Daraus ergibt sich: War der Vertreter nur mündlich oder privatschriftlich bevollmächtigt, so ist die Vollmacht in der Form des § 29 GBO nachträglich zu bestätigen. Verweigert der so Vertretene die förmliche Bestätigung der von ihm erteilten Vollmacht, so ist der in seinem Namen geschlossene Vertrag dennoch materiell für und gegen ihn wirksam; er kann deshalb auf Abgabe der Bestätigung in der Form des § 29 GBO verklagt werden (§ 894 ZPO). Hat die angeblich mündlich erteilte Vollmacht tatsächlich aber nicht bestanden, und wird eine Genehmigung auch nicht nachträglich erteilt, wird der Vertretene weder berechtigt noch verpflichtet. Dann haftet der nicht bevollmächtigte Vertreter, der sich als Bevollmächtigter geriert hatte, gem. § 179 I BGB auf Erfüllung oder Schadensersatz.

240 **Die Formvorschrift des § 29 GBO wird sowohl durch Privaturkunde mit Unterschriftsbeglaubigung als auch durch die Form der notariellen Beurkundung erfüllt.** Meist wird die Vollmacht von dem Notar entworfen, der anschließend das Hauptgeschäft beurkundet. Wird die Vollmachterteilung unter Verwendung dieses Entwurfs an einem anderen Ort aus Kostengründen nicht beurkundet, sondern nur mit Unterschriftsbeglaubigung vollzogen, ist für den Vollmachtgeber eine Rechtsbelehrung nicht gesichert. Wird die Vollmacht vor dem Entwurfsnotar erteilt, empfiehlt sich die Form der Beurkundung. Sie verursacht keine Mehrkosten, sichert dem Vollmachtgeber die Belehrung gem. § 17 BeurkG und ermöglicht die Erteilung von Ausfertigungen. Die Ausfertigung ersetzt im Rechtsverkehr die Urkunde (§ 47 BeurkG). Im Falle des Widerrufs der Vollmacht soll der Vollmachtgeber die Möglichkeit haben, alle erteilten Ausfertigungen einzuziehen. Deshalb ist in der Urkunde anzugeben, wieviele Ausfertigungen dem Bevollmächtigten erteilt werden sollen (Hieber DNotZ 1952, 186), und auf der Urkunde durch den Notar zu vermerken, wem eine Ausfertigung erteilt worden ist (§ 49 IV BeurkG).

241 **Bei der Beurkundung des Hauptgeschäfts ist der Nachweis wie folgt zu führen:**

- Ist die Vollmacht beurkundet, ist eine Ausfertigung vorzulegen.
- Ist die Vollmacht nur mit Unterschriftsbeglaubigung erstellt, bedarf es der Vorlage der Originalurkunde.

Zum Nachweis der Vertretungsmacht gegenüber dem Grundbuchamt genügt jedoch in beiden Fällen eine am Beurkundungstag oder danach gefertigte beglaubigte Kopie der vorgelegten Ausfertigung bzw. der Originalurkunde, weil sich daraus ergibt, daß die Vertretungsmacht im Zeitpunkt der Beurkundung des Hauptgeschäfts bestand. Eine früher gefertigte beglaubigte Kopie genügt dagegen nicht, weil sie nicht beweist, daß die Vertretungsmacht beim Abschluß des Rechtsgeschäfts noch bestanden hat (§ 172 BGB).

6. Die bindende Vollmacht

Literaturhinweise: Görgens, Die unwiderrufliche Vollmacht, MittRhNotK 1982, 53; Korte, Bevollmächtigung als Bestandteil des zugrundeliegenden Rechtsverhältnisses, DNotZ 1984, 84

242 **Die Vollmacht bedarf nach materiellem Recht der Beurkundung, wenn sie den Vollmachtgeber zu einem Rechtsgeschäft i.S. des § 313 BGB binden soll.** Dies betrifft nicht die Erteilung der Vertretungsmacht nach außen, sondern das Innenverhältnis zwischen Vollmachtgeber und Vollmachtnehmer, d.h. das der Vollmachterteilung zugrundeliegende Rechtsverhältnis (BGH DNotZ 1989, 84). Dabei handelt es sich in der Regel um Fälle, bei denen der Vollmachtnehmer ein Eigeninteresse an der Vollmacht hat. Die Bindung kann dadurch gegeben sein, daß die Vollmacht als unwiderruflich bezeichnet ist. Aber auch bei formaler Widerruflichkeit kann faktisch eine Bindung dadurch gegeben sein, daß der Widerruf für den Vollmachtgeber mit erheblichen Nachteilen, z.B. Ersatzleistungen an den Vollmachtnehmer, verbunden ist (vgl. BGH NJW 1979, 2306 = DNotZ 1979, 684 m. Anm. Kanzleiter; Korte DNotZ 1984, 3ff., 82ff., 85). **Beispiel:** Vollmacht an den Treuhänder zur Beurkundung des Vertrages im Rahmen eines Bauträgermodells, Bauherrenmodells oder Erwerbermodells als Geschäftsbesorgungsvertrag. In diesen Fällen liegt zwischen Vollmachtgeber und Vollmachtnehmer ein Vertrag vor, der den Vollmachtgeber zu einem Rechtsgeschäft i.S. des § 313 BGB verpflichtet und deshalb der Beurkundung bedarf.

7. Die Altersvorsorge-Vollmacht

243 **Durch das Betreuungsgesetz von 1990 sind für Volljährige die Vormundschaft und die Gebrechlichkeitpflegschaft durch die Rechtsfigur der „Betreuung“ ersetzt worden** (§§ 1896–1908i BGB; s. nachstehend Rz. 246). Durch die Anordnung der Betreuung soll jedoch so wenig wie möglich in die Autonomie des Betreuungsbedürftigen eingegriffen werden. Sie ist deshalb grundsätzlich nachrangig gegenüber den Möglichkeiten der Selbsthilfe. Wer volljährig und geschäftsfähig ist, kann für den Fall seiner späteren Betreuungsbedürftigkeit eine Person seines Vertrauens benennen. Diese Vollmacht bedarf gesetzlich keiner Form, sollte aber aus Gründen der Klarheit und Beweisbarkeit mindestens schriftlich, wegen der fachlichen Beratung noch besser in einer notariellen Erklärung niedergelegt werden. Tritt später eine Betreuungsbedürftigkeit ein, soll das Vormundschaftsgericht dem erklärten Willen

entsprechen, soweit dies nicht erkennbar dem Wohl des zu Betreuenden widersprechen würde.

II. Die gesetzliche Vertretung natürlicher Personen

1. Geschäftsunfähigkeit und beschränkte Geschäftsfähigkeit

244 **Geschäftsfähigkeit** ist die Fähigkeit, Rechtsgeschäfte selbst durch vollwirksame Handlungen vorzunehmen.

Geschäftsunfähigkeit ist gegeben (§ 104 BGB):
- bei Kindern bis zur Vollendung des 7. Lebensjahres
- bei nicht nur vorübergehender krankhafter Störung der Geistestätigkeit.

Eigene Willenserklärungen des Geschäftsunfähigen sind nichtig (§ 105 I BGB); Willenserklärungen mit Wirkung für und gegen ihn können nur durch den gesetzlichen Vertreter abgegeben werden. Ihm gegenüber abgegebene Erklärungen werden erst wirksam, wenn sie dem gesetzlichen Vertreter zugehen (§ 131 I BGB).

245 **Minderjährige von der Vollendung des 7. Lebensjahres bis zur Volljährigkeit sind beschränkt geschäftsfähig** (§§ 2, 106 BGB). Sie können Rechtsgeschäfte, durch die sie lediglich einen rechtlichen Vorteil erlangen, selbst wirksam vornehmen (§ 107 BGB; HSS Rz. 3606–3612). Für andere von ihnen vorgenommene Rechtsgeschäfte gilt:
- Einseitige Rechtsgeschäfte, z. B. Kündigung, Rücktritt, bedürfen der vorherigen Zustimmung (= Einwilligung) des gesetzlichen Vertreters (§§ 107, 183 BGB); Grund: Die Unsicherheit des Schwebezustandes ist dem Erklärungsgegner nicht zuzumuten.
- Verträge sind nur wirksam, wenn sie entweder mit vorheriger Zustimmung (= Einwilligung, §§ 107, 183 BGB) oder mit nachträglicher Zustimmung (= Genehmigung, §§ 108, 184 I BGB) des gesetzlichen Vertreters abgeschlossen werden.

Auch Rechtshandlungen für beschränkt geschäftsfähige Minderjährige werden meist unmittelbar durch den gesetzlichen Vertreter vorgenommen. Je nach Art des Rechtsgeschäfts und dem Entwicklungsstand des Kindes kann es dabei zweckmäßig sein, das Kind mitwirken zu lassen (s. § 1626 II BGB).

246 **Die Vertretung durch Betreuer.** Für Volljährige, die aufgrund einer psychischen Krankheit oder einer körperlichen, geistigen oder seelischen Behinderung ihre Angelegenheiten nicht selbst besorgen können, kann durch das Vormundschaftsgericht ein „Betreuer" bestellt werden (§ 1896 BGB). In seinem Aufgabenkreis vertritt er den Betreuten gerichtlich und außergerichtlich (§ 1902 BGB). In diesem Rahmen hat er die Stellung eines gesetzlichen Vertreters. Eine gegebene Geschäftsfähigkeit des Betreuten wird dadurch jedoch nicht berührt; nur wenn er gem.

§ 104 Nr. 2 BGB geschäftsunfähig ist, sind die von ihm abgegebenen Willenserklärungen nichtig (§ 105 I BGB). Dadurch kann es zu einander widersprechenden Rechtshandlungen von Betreutem und Betreuer kommen. Soweit es zur Abwendung einer erheblichen Gefahr für die Person oder das Vermögen des Betreuten erforderlich ist, kann das Vormundschaftsgericht jedoch anordnen, daß der Betreute zu einer Willenserklärung, die den Aufgabenkreis des Betreuers betrifft, dessen Einwilligung bedarf (sog. **Einwilligungsvorbehalt**, § 1903 BGB). Es sind dann insoweit die Regeln über die beschränkte Geschäftsfähigkeit entsprechend anzuwenden. Das Bedürfnis für die Anordnung einer Betreuung entfällt, wenn der zu Betreuende für diesen Fall eine Vorsorgevollmacht erteilt hat (Rz. 243).

2. Die gesetzlichen Vertreter

247 **Grundmodell der gesetzlichen Vertretung natürlicher Personen sind die Regeln über die Vormundschaft über Minderjährige** (§§ 1773 ff. BGB). Für den Pfleger gelten die Regeln entsprechend (§ 1915 BGB). Das gleiche gilt für den Betreuer (§ 1908 i BGB). Sie sind im Rahmen ihres Wirkungskreises gesetzlicher Vertreter des Mündels. Die Vertretung des Kindes durch die Eltern ergibt sich ebenfalls durch Bezugnahme auf die Regeln für den Vormund, jedoch mit einigen Einschränkungen, die den Eltern ein weitergehendes Vertretungsrecht gewähren (s. §§ 1626, 1629, 1643 BGB). Das Gesetz arbeitet hier mit einer komplizierten Verweisungstechnik. Die nachfolgende Darstellung folgt dieser Systematik.

a) Die gesetzliche Vertretung durch den Vormund/Pfleger/Betreuer

248 **Das allgemeine Verbot des Selbstkontrahierens i. S. des** § 181 BGB gilt **auch für den gesetzlichen Vertreter** (§ 1795 II BGB; s. Rz. 234–237).

249 **Erweitertes Vertretungsverbot.** Das Vertretungsverbot des § 181 BGB wird für den gesetzlichen Vertreter durch § 1795 BGB erweitert. Danach kann ein Vormund den Mündel nicht vertreten, wenn es sich um ein Rechtsgeschäft mit seinem Ehegatten oder einem seiner Verwandten in gerader Linie handelt, es sei denn, daß das Rechtsgeschäft ausschließlich in der Erfüllung einer Verbindlichkeit besteht. Dies gilt entsprechend auch für die Eltern (§ 1629 II BGB). Zum Begriff „Verwandte in gerader Linie" s. § 1589 Satz 1 BGB. In den Fällen des § 1795 BGB steht der gesetzliche Vertreter zwar nicht -wie im Falle des § 181 BGB- auf beiden Seiten des Rechtsgeschäfts, sondern nur auf einer Seite, aber durch seine nahe Verwandtschaft mit dem Vertragskontrahenten des Mündels ist doch abstrakt ein Interessenkonflikt gegeben. In diesen Fällen ist für den Abschluß des Rechtsgeschäfts ein Ergänzungspfleger zu bestellen (§ 1909 BGB; s. nachstehend Rz. 259). **Beispiel:** Die Eltern wollen ein Grundstück eines ihrer minderjährigen Kinder an eines ihrer anderen Kinder übertragen.

250 **Verweisung auf** § 181 BGB. Vertretung ist auch in den Fällen des § 1795 BGB möglich, wenn das Rechtsgeschäft ausschließlich in der Erfüllung einer Verbindlichkeit des Vertretenen oder des gesetzlichen Vertreters besteht (§§ 1795 II, 181 BGB), oder wenn es für den Vertretenen lediglich rechtlich vorteilhaft ist. Zur Problematik bei Grundstücksgeschäften wegen der damit u. U. verbundenen Pflichten s. MünchKomm-Schwab, § 1795 Rz. 20 m.w.N. Eine Gestattung, wie im Falle des § 181 BGB, scheidet hier jedoch aus, weil der Vertretene sie nicht wirksam erklären kann.

251 **Genehmigungsbedürftige Rechtsgeschäfte.** In einer Reihe von Fällen bedarf der gesetzliche Vertreter zu Rechtsgeschäften für den von ihm Vertretenen der Genehmigung des Vormundschaftsgerichts. Die wichtigsten Fälle für die Grundstückspraxis sind im § 1821 BGB enthalten; dies sind insbesondere die Verfügung über ein Grundstück oder ein Recht an einem Grundstück (§ 1821 I Nr. 1 BGB) sowie die Verträge, die auf den entgeltlichen Erwerb eines Grundstücks oder eines Rechts an einem Grundstück gerichtet sind (§ 1821 I Nr. 5 BGB). Rechte i. S. dieser Bestimmung sind jedoch nicht die Grundpfandrechte (§ 1821 II BGB). Da ein wirksames Kausalgeschäft zur Erfüllung verpflichtet, ist auch bereits die Eingehung einer Verpflichtung zu einer der in § 1821 I Nr. 1–3 BGB bezeichneten Verfügungen genehmigungsbedürftig (§ 1821 I Nr. 4 BGB). Hinzu kommen als genehmigungsbedürftige Rechtsgeschäfte für den Vormund/Pfleger/Betreuer (nicht für die Eltern, da in § 1643 BGB nicht genannt!):

- die Fälle des § 1812 BGB (Verfügungen über Forderungen); dies wird im Grundstücksrecht praktisch, wenn die Forderung grundbuchmäßig gesichert ist; z. B.: die Abtretung einer dieser Grundpfandrechte gesicherten Forderung
- die Fälle des § 1822 Nr. 13 BGB: Aufhebung oder Minderung einer für die Forderung des Vertretenen bestehenden Sicherheit; z. B.: der Rangrücktritt mit einer Grundschuld.

252 **Einholung und Wirksamwerden der Genehmigung.** Der gesetzliche Vertreter kann die Genehmigung des Vormundschaftsgerichts bereits vor dem Abschluß des Rechtsgeschäfts einholen (Palandt/Diederichsen § 1829 Rz. 2–4). Bei einseitigen Rechtsgeschäften ist sie vorher einzuholen (§ 1831 BGB). Bei Verträgen wird die Genehmigung üblicherweise erst nach dem Abschluß des Rechtsgeschäfts beantragt und erteilt. In diesem Falle wird sie erst wirksam, wenn sie vom gesetzlichen Vertreter dem Vertragsgegner mitgeteilt wird (§ 1829 I 2 BGB). Durch diese Regelung soll dem gesetzlichen Vertreter noch einmal die Prüfung ermöglicht werden, ob das Rechtsgeschäft für den Mündel günstig ist. Die Mitteilung an den Vertragsgegner kann auch mündlich oder stillschweigend er-

folgen (BGH NJW 1954, 1925 = DNotZ 1955, 83). Mit der Mitteilung wird der bis dahin schwebend unwirksame Vertrag voll wirksam. Diese gesetzliche Konstruktion erweist sich als zu kompliziert und nicht praktikabel; durch das Fehlen einer eindeutigen Erkennbarkeit, ob und wie die Mitteilung an den Vertragsgegner erfolgt ist, bringt sie auch ein Element der Rechtsunsicherheit in die Vertragsabwicklung.

253 **Doppelermächtigung des Notars.** In der Beurkundungspraxis ist es zur Vereinfachung der Vertragsabwicklung üblich, daß die Vertragsbeteiligten dem Notar eine sog. Doppelermächtigung erteilen. **Formel** z.B.: „Die Beteiligten ermächtigen den amtierenden Notar, die vormundschaftsgerichtliche Genehmigung zu erwirken, für den gesetzlichen Vertreter entgegenzunehmen, sie in dessen Auftrag dem anderen Vertragsteil mitzuteilen und die Mitteilung für diesen entgegenzunehmen. Dies alles soll durch einen amtlichen Vermerk auf der Urkunde als geschehen gelten" (andere Formeln s. HSS Rz. 2056).

254 **Empfangsvermerk.** Nach Eingang der vormundschaftsgerichtlichen Genehmigung beim Notar ist das Wirksamwerden aktenkundig zu machen. Dies geschieht durch einen Vermerk des Notars auf der dem GBAmt vorzulegenden Beschlußausfertigung oder auf der für das GBAmt bestimmten Ausfertigung oder beglaubigten Abschrift des Vertrages (OLG Zweibrücken DNotZ 1970, 731). Die Beifügung des Dienstsiegels ist nach h.M. nicht erforderlich (KG DNotZ 1977, 661; w.N.s. HSS Rz. 2056 Anm. 30). Damit wird gegenüber dem GBAmt der Nachweis der Mitteilung gem. §§ 1829 I 2 BGB, 29 I 2 GBO erbracht (Palandt/Diederichsen § 1829 Rz. 7). **Formel** z.B.: „Den vorstehenden Beschluß des Vormundschaftsgerichts habe ich heute aufgrund der mir erteilten Vollmachten für den gesetzlichen Vertreter entgegengenommen, in seinem Namen der anderen Vertragsseite mitgeteilt und für diese zur Kenntnis genommen." Auch bei diesem Verfahren der Doppelermächtigung hat der gesetzliche Vertreter die ihm nach § 1829 I 2 BGB vorbehaltene Möglichkeit, das Wirksamwerden der erteilten Genehmigung noch dadurch zu verhindern, daß er (rechtzeitig) die dem Notar erteilte Vollmacht widerruft.

255 **Mitwirkung des Notars bei einseitigen Willenserklärungen.** Die Bestellung von Grundpfandrechten erfolgt in der Regel durch einseitige Bewilligung des Eigentümers (§§ 19, 29 GBO); der zugrundeliegende Verpflichtungsvertrag und die dingliche Einigung werden nicht beurkundet. In diesen Fällen ist eine Doppelermächtigung des Notars in der Form des § 29 GBO nicht möglich, da das Kreditinstitut an der Beurkundung nicht mitwirkt. Aber auch hier ist die Einschaltung des Notars zweckmäßig und üblich. Das geschieht in der Weise, daß er von dem gesetzlichen Vertreter ermächtigt wird, die Genehmigung des Vormundschaftsgerichts einzuholen, für ihn zur Kenntnis zu nehmen und dem anderen Teil mitzuteilen. Diese Mitteilung ist zwar die Voraussetzung für die materielle Wirksamkeit der Grundschuldbestellung, muß jedoch dem Grundbuchamt nicht nachgewiesen werden. Dies ergibt sich aus dem formellen Konsensprinzip (HSS Rz. 3745 ff.). Die Mitteilung an das Kreditinstitut geschieht zweckmäßigerweise dadurch, daß der Genehmigungsbeschluß mit der Grundschuld ausgefertigt wird. **Formel** z.B.: „Der Notar wird beauftragt, die Genehmigung des Vormundschaftsgerichts zu erwirken, für den gesetzlichen Vertreter entgegenzunehmen und dem Kreditinstitut mitzuteilen. Die Entgegennahme durch den Notar soll durch einen Vermerk auf der Urkunde festgestellt werden."

b) Die gesetzliche Vertretung durch die Eltern

Literaturhinweis: HSS Rz. 3597–3616 a

256 **Gesetzliche Vertreter eines ehelichen Kindes sind dessen Eltern**. Sie vertreten das Kind gemeinschaftlich (§§ 1626 I, 1629 I BGB). Ein Elternteil vertritt das Kind allein, soweit er die elterliche Sorge allein ausübt oder ihm die Entscheidung nach § 1628 I BGB übertragen ist (§ 1629 I 3 BGB). **Das nichteheliche Kind** wird von seiner Mutter vertreten, soweit nicht Amtspflegschaft für das Kind besteht (§§ 1705, 1706 ff. BGB). Auch für die Vertretungsmacht der Eltern bzw. der Mutter gelten die Regeln des Vormundschaftsrechts. Sie sind aber teilweise freier gestellt als der Vormund, insbesondere bedürfen sie für einige der im § 1822 BGB genannten Rechtsgeschäfte sowie in den Fällen des § 1812 BGB keiner vormundschaftsgerichtlichen Genehmigung (§ 1643 I BGB).

257 **Für die Vertretungsmacht der Eltern in Grundstückssachen gelten folgende Regeln:**

- Das allgemeine Verbot des Selbstkontrahierens gilt auch für die Eltern (s. Rz. 234–237).
- Die Erweiterung des Vertretungsverbots für den Vormund gem. § 1795 BGB gilt auch für die Eltern (§ 1629 II 1 BGB).
- Bei Grundstücksgeschäften i. S. des § 1821 BGB können die Eltern zwar das Kind vertreten, bedürfen aber dazu -wie der Vormund/Pfleger/Betreuer- der Genehmigung des Vormundschaftsgerichts (§ 1643 I BGB).

258 **Beispiele** (dazu ausführlich: Meyer-Stolte, Vormundschaftsgerichtliche Genehmigung im Grundstücksverkehr, RpflJb. 1980, 336):

Die Eltern bedürfen der Genehmigung des Vormundschaftsgerichts für: Auflassung an Dritte, Verkauf, Tausch, Erbauseinandersetzung über Grundstücke, entgeltlichen Erwerb eines Grundstücks, Ausübung eines Vorkaufsrechts, Belastungen des Mündelgrundstücks in Abt. II und III.

Die Eltern bedürfen nicht der Genehmigung des Vormundschaftsgerichts für: unentgeltlichen Erwerb eines Grundstücks, Löschung von Lasten und Beschränkungen in Abt. II und III auf dem Mündelgrundstück, Eintragung von Rechten für den Mündel in Abt. II und III auf fremdem Grundstück, Zustimmung des Eigentümers zum Rangrücktritt eines Grundpfandrechts (§ 880 II 2 BGB), Unterwerfung unter die sofortige Zwangsvollstreckung gem. §§ 794 I Nr. 5, 800 ZPO (letzteres str., s. Palandt/Diederichsen § 1821 Rz. 10).

c) Die Ergänzungspflegschaft

Verhinderung des gesetzlichen Vertreters. Liegen bei den Eltern oder beim Vormund die gesetzlichen Voraussetzungen für eine Verhinderung vor, ist bei Bedarf durch das Vormundschaftsgericht von Amts wegen ein Pfleger zu bestellen (§ 1909 BGB). Dies gilt auch, wenn nur bei einem Elternteil die Voraussetzungen gegeben sind, denn dann ist auch der andere Teil an der Vertretung gehindert (§ 1629 II 1 BGB; Palandt/Diederichsen § 1629 Rz. 14). Handelt es sich um den Abschluß eines Rechtsgeschäfts, so wird der Pfleger nur für diesen Zweck bestellt (**Abschlußpflegschaft**). In Fällen dauernder Verhinderung des gesetzlichen Vertreters wird eine **Dauerpflegschaft** bestellt. Erhält das Mündel eine lebzeitige oder letztwillige Zuwendung mit der Maßgabe, daß der gesetzliche Vertreter von der Verwaltung ausgeschlossen ist, wird eine **Zuwendungspflegschaft** bestellt (§ 1909 I 2 BGB). Im Rahmen seines durch die Bestallung bestimmten Wirkungskreises ist der Pfleger der gesetzliche Vertreter des Kindes. **259**

Gleichgerichtete Erklärungen. Sind an einem Rechtsgeschäft mehrere Kinder beteiligt und stehen sie alle auf der gleichen Vertragsseite, d. h. sind ihre Erklärungen gleichgerichtet, so genügt ein Pfleger für alle Kinder. **Beispiel:** Die Eltern übertragen entgeltlich ein Grundstück an mehrere Kinder. Handelt es sich um einen Vertrag (auch) zwischen den Kindern, d. h. stehen sie auf verschiedenen Seiten des Vertrages, so ist für jedes beteiligte Kind ein besonderer Pfleger zu bestellen. **Beispiel:** Auseinandersetzung einer Erbengemeinschaft, an der mehrere Kinder beteiligt sind. **260**

III. Die Vertretung der Gesellschaften und Körperschaften des Privatrechts

Literaturhinweis: HSS Rz. 3621 ff.

Die Vertretungsmacht richtet sich nach der jeweiligen Rechtsform:

Die BGB-Gesellschaft kann Rechtsgeschäfte nur durch alle Gesellschafter vornehmen, es sei denn, daß einem oder einigen von ihnen Spezialvollmacht oder Generalvollmacht erteilt ist (§§ 714, 709 BGB). **261**

Die OHG wird durch ihre Gesellschafter vertreten (§ 125 HGB). Zur Vertretung ist jeder Gesellschafter allein berechtigt, wenn er nicht durch **262**

den Gesellschaftsvertrag von der Vertretung ausgeschlossen ist. Im Gesellschaftsvertrag kann bestimmt werden, daß alle oder mehrere Gesellschafter nur gemeinschaftlich zur Vertretung berechtigt sind (Gesamtvertretung). Ist aus dem Handelsregister nicht ersichtlich, daß ein Gesellschafter von der Vertretung ausgeschlossen ist, oder daß für einige oder für alle Gesamtvertretung besteht, kann der Rechtsverkehr davon ausgehen, daß jeder Gesellschafter allein zur Vertretung berechtigt ist (§ 15 I HGB).

263 **Die KG** wird durch ihre persönlich haftenden Gesellschafter vertreten. Für sie gelten die gleichen Regeln wie für die Gesellschafter der OHG (§§ 161 II, 125 HGB). Kommanditisten sind nicht vertretungsberechtigt, können aber Prokura oder Spezial/Generalvollmacht erhalten (§ 170 HGB).

264 **Die GmbH** wird durch den oder die Geschäftsführer vertreten (§§ 35, 6 GmbHG). Mehrere Geschäftsführer vertreten, wenn nichts anderes bestimmt ist, die Gesellschaft gemeinschaftlich. Meist wird bestimmt, daß je zwei Geschäftsführer gemeinschaftlich oder ein Geschäftsführer in Gemeinschaft mit einem Prokuristen zur Vertretung berechtigt sind. In der Satzung kann bestimmt werden, daß jeder Geschäftsführer zur Einzelvertretung berechtigt ist oder daß ihm durch Beschluß der Gesellschafterversammlung Einzelvertretungsmacht erteilt werden kann. Zur Passivvertretung ist kraft Gesetzes jeder Geschäftsführer einzeln berechtigt (§ 35 II 3 GmbHG).

265 **Die GmbH & Co KG** ist eine Sonderform der KG. Persönlich haftender Gesellschafter der KG ist in der Regel nur eine GmbH, die übrigen Gesellschafter sind Kommanditisten. Die KG wird vertreten durch die GmbH, die durch ihre Geschäftsführer handelt.

266 **Die Genossenschaft** wird durch ihren Vorstand vertreten. Er besteht aus mindestens zwei Mitgliedern, die in der Regel nur gesamtvertretungsberechtigt sind (§§ 24, 25 GenG).

267 **Prokura ist eine handelsrechtliche Sonderform der Vollmacht mit gesetzlich umschriebener Vertretungsmacht**. Sie berechtigt dazu, das Unternehmen, d.h. den Inhaber der Einzelfirma bzw. die Gesellschaft oder Genossenschaft, bei allen Rechtsgeschäften zu vertreten, „die der Betrieb eines Handelsgewerbes mit sich bringt“ (§ 49 I HGB). Zur Veräußerung und Belastung von Grundstücken seines Geschäftsherrn ist der Prokurist grundsätzlich nicht ermächtigt (§ 49 II HGB). Die Prokura kann als Einzelprokura oder als Gesamtprokura erteilt werden. Eine Beschränkung des Umfanges der Vertretungsmacht ist im Innenverhältnis möglich, Dritten gegenüber jedoch unwirksam (§ 50 I HGB). Das bedeutet für den Grundstücksverkehr:

Der Prokurist ist nicht berechtigt:

- ein Grundstück seines Geschäftsherrn zu veräußern
- eine Belastung eines Grundstücks seines Geschäftsherrn in Abt. II oder III zu bewilligen

Der Prokurist ist berechtigt:
- ein Grundstück für seinen Geschäftsherrn zu erwerben
- über ein dingliches Recht seines Geschäftsherrn an einem fremden Grundstück zu verfügen
- der Löschung eines Grundpfandrechts an einem Grundstück seines Geschäftsherrn gem. § 27 GBO zuzustimmen
- beim Erwerb eines Grundstücks für das Restkaufgeld eine Hypothek zu bestellen (Canaris, Handelsrecht, 22. Aufl. 1995 § 14 III 2)
- ein Grundstück seines Geschäftsherrn zu verpachten oder zu vermieten.

268 **Immobiliarklausel.** Der Prokurist kann zur Vornahme aller Grundstücksgeschäfte ermächtigt werden (§ 49 II HGB). Dann hat er im Grundstücksverkehr die gleichen Rechte wie der Inhaber bzw. wie vertretungsberechtigte Gesellschafter oder Geschäftsführer des Handelsgeschäfts oder das Vorstandsmitglied der Genossenschaft. Die Immobiliarklausel ist auf Anmeldung im Handelsregister einzutragen (BayObLG NJW 1971, 810 = DNotZ 1971, 243 = Rpfleger 1971, 152).

269 **Unechte Gesamtvertretung.** Häufig wird im Gesellschaftsvertrag bzw. der Satzung vorgesehen, daß jeder Gesellschafter bzw. Geschäftsführer berechtigt ist, anstelle eines Mitgesellschafter oder Mitgeschäftsführers auch in Gemeinschaft mit einem Prokuristen die Gesellschaft zu vertreten. Die Vertretungsmacht der beiden Personen ist dann die gleiche wie beim gemeinschaftlichen Handeln von Gesellschaftern/Geschäftsführern/Vorstandsmitgliedern.

270 **Der rechtsfähige Verein** wird durch seinen Vorstand vertreten (§ 26 BGB). Dieser besteht in der Regel aus mehreren Mitgliedern. Wenn in der Satzung nichts anderes bestimmt ist, besteht Gesamtvertretung; meist sind jedoch Sonderregelungen getroffen, z. B. Vertretung durch den 1. und 2. Vorsitzenden oder einen von ihnen in Gemeinschaft mit einem weiteren Vorstandsmitglied (z. B. Kassenwart oder Schriftführer). Häufig besteht nach der Satzung ein größerer Gesamtvorstand. Vorstand i. S. des § 26 BGB sind jedoch nur die zur Vertretung berechtigten Mitglieder.

271 **Die rechtsfähige Stiftung** wird durch den Vorstand oder besondere Vertreter gemäß der von der Stiftungsaufsichtsbehörde genehmigten Stiftungssatzung vertreten (§§ 86, 26, 30 BGB).

Zum **Nachweis der Vertretungsberechtigung** s. Rz. 221 und Weirich, Freiwillige Gerichtsbarkeit, § 14 V 2.

IV. Die Vertretung der Körperschaften des öffentlichen Rechts

Literaturhinweise: Freudling, Zur Vertretung des Bundes und der Länder bei Rechtsgeschäften, BayVBl. 1969, 11; HSS Rz. 3656–3678 a; Römer, Formen und Vertretungsmacht bei Privatrechtsgeschäften der öffentlichen Hand, DNotZ 1956, 359; Schürner, Die Vertretung der kommunalen Körperschaften und Anstalten, MittRhNotK 1970, 443

272 **Körperschaften des öffentlichen Rechts handeln durch ihre Organe.** Hat eine Körperschaft mehrere Organe, ergibt sich die Vertretungsmacht aus dem durch Gesetz oder Organisationsordnung zugewiesenen Aufgabenbereich. Notar und GBAmt dürfen sich in der Regel darauf verlassen, daß die Zuständigkeitsregeln beachtet sind.

273 **Die Bundesrepublik Deutschland** wird im privaten Rechtsverkehr durch die Obersten Bundesbehörden bzw. die Länder vertreten. Diese können die Vertretung auf ihnen nachgeordnete Behörden übertragen.

274 **Die Vertretung der Länder** richtet sich nach den Landesverfassungen und den gesetzlich oder durch Organisationsordnung geregelten Aufgabenbereichen der Landesorgane.

275 **Die Vertretung der Kreise** ist in den jeweiligen Landkreisordnungen der Länder geregelt. Vertretungsberechtigt sind neben dem Landrat in der Regel sein allgemeiner Vertreter (Kreisdeputierter) und für bestimmte Geschäftsbereiche die dafür bestellten Dezernenten.

276 **Die Vertretung der Städte und Gemeinden** ist in den jeweiligen Gemeindeordnungen der Länder geregelt (Rechtsquellen s. HSS Rz. 4075). Meist wird unterschieden zwischen der Vertretung durch den Bürgermeister, den 1. Beigeordneten als allgemeiner Vertreter bei Verhinderung des Bürgermeisters sowie den Beigeordneten als ständige Vertreter für den ihnen zugewiesenen Geschäftsbereich. Ob eine solche Zuständigkeit des Dezernenten vorliegt, ist vom Notar und Grundbuchamt nicht zu prüfen. Verpflichtungserklärungen der Gemeinde bedürfen in der Regel der Unterschrift des Vertretungsberechtigten mit Beifügung seiner Amtsbezeichnung und des Dienstsiegels. Wird die Verpflichtungserklärung beurkundet, ist die Beifügung der Amtsbezeichnung und des Dienstsiegels nicht erforderlich. In den Ländern der ehem. britischen Zone bedürfen Erklärungen, durch welche die Gemeinde verpflichtet werden soll, der Schriftform. Sie sind vom Gemeindedirektor oder seinem Stellvertreter und einem vertretungsberechtigten Beamten oder Angestellten zu unterzeichnen, soweit nicht das Gesetz etwas anderes bestimmt (vgl. § 56 I und IV NWGO).

277 **Teilnehmergemeinschaften der Flurbereinigung** werden durch ihren Vorsitzenden vertreten (§ 26 III FlurbG).

278 **Wasser- und Bodenverbände** werden durch ihren Vorstand vertreten (§ 55 I Wasserverbandsgesetz, BGBl. 1991 I 405).

279 **Die Vertretung evangelischer Kirchengemeinden** richtet sich nach der jeweiligen Landeskirchenordnung. Zuständig sind meist der Vorsitzende (in der Regel der Pfarrer) und ein weiteres zeichnungsberechtigtes Mitglied des Kirchenvorstandes. Die Einhaltung der Zuständigkeit wird durch die zu Grundstücksgeschäften erforderliche Genehmigung der Landeskirchenverwaltung gewährleistet.

280 **Die katholischen Kirchengemeinden** werden gemäß den Kirchenverwaltungsgesetzen der Diözesen durch den Pfarrer als „geborener Vorsitzender“ und ein weiteres Mitglied des Verwaltungsrates der Kirchengemeinde vertreten. Die Einhaltung der Zuständigkeit wird durch die erforderliche Genehmigung des Grundstücksgeschäfts durch das bischöfliche Ordinariat gewährleistet.

§ 8. Das Grundbuch

Literaturhinweise: Bengel/Simmerding, Grundbuch, Grundstück, Grenze; 4. Aufl. 1995; Eickmann, Grundbuchverfahrensrecht; Haegele/Schöner/Stöber (HSS), Grundbuchrecht; Kollhosser, Das Grundbuch – Funktion, Aufbau, Inhalt, JA 1984, 558

I. Die geschichtliche Entwicklung

281 **Das älteste schriftliche Zeugnis des abendländisch-morgenländischen Kulturkreises über den Vorgang eines Grundstückskaufs und seine urkundliche Sicherung findet sich im Alten Testament in Jeremia 32.** Darin finden sich bereits wesentliche Elemente unseres modernen Systems der beweiskräftigen Sicherung des Vertragsinhalts durch förmliche Gestaltung des Vorgangs, urkundliche Festlegung und Aufbewahrung der Urkunde. Die Schilderung ist auch von tiefer Symbolik. Als in den Jahren 589–587 v. Chr. der babylonische Großkönig Nebukadnezar seinen 3. Straffeldzug gegen das aus der Vasallenschaft abgefallene Juda führte und seine Truppen bereits die Festungsstadt Jerusalem belagerten, sitzt der Prophet Jeremia, der immer den unabwendbaren Untergang des judaischen Volkes verkündet hatte, des Landesverrats beschuldigt als Gefangener im Königshof. In dieser höchst verzweifelten Lage, kurz vor der Erstürmung der Stadt durch den Feind, kauft Jeremia einen Acker. Er setzt damit ein prophetisches Zeichen als tröstlichen Ausblick auf die künftige Wiederherstellung friedlicher und glücklicher Zustände: Nach der Heimsuchung und der Rückbesinnung auf den einzigen Gott Jahwe werden wieder Weisheit, Recht und Gerechtigkeit herrschen. Im Kapitel 32 beschreibt Jeremia die Formalitäten des Ackerkaufs, die schon fast alle Grundelemente unseres heutigen Grundstückserwerbs enthalten, wie folgt: „Und ich schrieb einen Kaufbrief und versiegelte ihn und nahm Zeugen dazu und wog das Geld dar auf der Waage nach Recht und Gewohnheit. Und ich nahm den versiegelten Kaufbrief und die offene Abschrift und gab beides Baruch, dem Sohn Nerias, des Sohnes Machsejas, in Gegenwart Hanmels, meines Vetters, und der Zeugen, die unter dem Kaufbrief geschrieben standen, und aller Judäer, die im Wachthof sich aufhielten, und befahl Baruch vor ihren Augen: So spricht der Herr Zebaoth, der Gott Israels: Nimm diese Briefe, den versiegelten Kaufbrief samt dieser offenen Abschrift, und lege sie in

ein irdenes Gefäß, daß sie lange erhalten bleiben" (Weirich, Ein Grundstückskauf vor 2567 Jahren, DNotZ 1980, 340).

282 **Auch im antiken Griechenland gab es bereits öffentliche Protokolle über die Begründung dinglicher Rechte an Immobilien** (vgl. die attischen Pfandbücher nach Theophrast 327–287 v. Chr.), des bedeutendsten Schülers von Aristoteles (Schönbauer, Beiträge zur Geschichte des Liegenschaftsrechts im Altertum, 1924, S. 113 ff.).

283 **Im römischen Recht machte man grundsätzlich keinen Unterschied zwischen beweglichen und unbeweglichen Sachen.** Die Übertragung von Grundbesitz erfolgte deshalb wie bei beweglichen Sachen durch formlosen Kauf (oder einen gleichstehenden obligatorischen Rechtsakt) = traditio und Übergabe. Der Besitz war das einzige äußere Kennzeichen des Grundeigentums. Die hypothekarische Belastung erfolgte durch formlosen Vertrag, so daß eine äußere Erkennbarkeit vollständig fehlte (Sohm/Mitteis/Wenger, Institutionen des römischen Rechts, 17. Aufl. 1949 S. 256 ff.).

284 **Im germanisch-deutschen Recht hat die politisch-soziale Bindung des Grundbesitzes immer eine größere Rolle gespielt.** In älterer Zeit wurden Rechtsgeschäfte über Grundstücke vor versammelter Gemeinde durch symbolische Handlungen vorgenommen. Schon damals war der Vorgang zweiteilig: Er bestand aus der Erklärung des Übereignungswillens (sale) und der Übergabe (gewere, investura).

285 **In späterer Zeit, als sich die Schreibkunst mehr und mehr ausbreitete, wurde die Erkennbarkeit dadurch gewährleistet, daß eine schriftliche Niederlegung des Vorgangs gefordert und diese Urkunden gesammelt wurden.** Im einzelnen verlief die Entwicklung von den ersten urkundlichen Festlegungen und der Sammlung dieser Urkunden bis zur heutigen notariellen Beurkundung und Eintragung im Grundbuch in sehr unterschiedlichen Entwicklungslinien. In vielen Gebieten, namentlich in den verkehrsreichen Städten, entstanden öffentliche Bücher, die über die Rechtsverhältnisse des Grundbesitzes Auskunft geben konnten. In Bayern gab es schon etwa ab dem Jahre 1000 die sog. Traditionsbücher, in welche die Rechtsakte eingetragen wurden, allerdings nur mit Beweisfunktion, noch ohne konstitutive Rechtswirkung. Sie verdrängten die Einzelurkunde (notitia oder carta). Besonders bekannt sind die Kölner „Schreinsbücher" (ab 1135), so genannt, weil die Urkunden in Schreinen, d. h. truheähnlichen Behältern aufbewahrt wurden, die man in den Kirchen verwahrte. In norddeutschen Städten gab es die sog. „Stadtbücher" (Hübner, Grundzüge des deutschen Privatrechts, 5. Aufl. 1930, Das Grundbuchwesen im mittelalterlichen Recht, S. 235 ff.; Mitteis/Lieberich, Deutsche Rechtsgeschichte, 18. Aufl. 1988, Kap. 37 III 2).

286 **In diese Rechtsentwicklung griff die Rezeption des römischen Rechts störend ein,** das den rechtsgeschäftlichen Verkehr mit Grundstücken und beweglichen Sachen im wesentlichen nach den gleichen

Grundsätzen behandelt und deshalb keine öffentlichen Bücher über die Grundstücksgeschäfte gekannt hat. Allerdings stammt aus der römischen Zeit die sog. „notitia", eine Beweisurkunde über den Rechtsvorgang, aus der sich im Mittelalter die Dingprotokolle und später die Grundbücher entwickelten.

287 **Eine besondere Entwicklungslinie stellen die sog. Hypothekenbücher dar.** Zur Sicherung des Realkredits wurde im Jahre 1783 in Preußen das Hypothekenbuch geschaffen, in das allerdings nur diejenigen Grundstücke einzutragen waren, die mit Pfandrechten belastet wurden, während das Eigentum nach dem Allgemeinen Preußischen Landrecht von 1794 noch durch Vertrag und Übergabe ohne Bucheintragung erworben wurde. Auch Bayern führte im Jahre 1822 Hypothekenbücher ein. Durch das Notariatsgesetz von 1861 wurde dann in Bayern erstmalig die Form der notariellen Beurkundung für Grundstücksverträge verbindlich eingeführt, so daß sich der Eigentumsübergang durch notarielle Beurkundung und Besitzübergabe vollzog (Brunner, Die Geschichte des Grundbuchs in Bayern).

288 **Der nächste Schritt in der Entwicklung war, daß Preußen im Jahre 1872 vom Hypothekenbuch zum Grundbuchsystem überging** und damit wegweisend für die spätere reichsrechtliche Entwicklung wurde. Alle Rechte an Grundstücken, der Erwerb des Eigentums ebenso wie die Begründung beschränkter dinglicher Rechte, bedurften zu ihrer Wirksamkeit der Eintragung im Grundbuch. Damit war der **Übergang von der bloßen Beweisfunktion zum konstitutiven System** vollzogen.

289 **Als die großen Kodifikationen des Deutschen Reichs** (BGB, ZPO, FGG, ZVG usw.) **entstanden, hat man auch das Grundbuchrecht vereinheitlicht und neu geregelt.** Man schuf die **Grundbuchordnung** vom 24.3.1897. Sie beruht im wesentlichen auf deutsch-rechtlicher Grundlage. Das deutsche Grundbuchsystem mit seinem hohen Maß an Rechtsklarheit und Rechtssicherheit ist eine der großen Leistungen der deutschen Rechtswissenschaft und Gesetzgebung.

II. Das Grundbuchsystem

Rechtsgrundlage: Grundbuchordnung (GBO) i.d.F. vom 26.05. 1994 (BGBl. I 1114)

1. Der Zweck des Grundbuchs

290 **Das Grundstücksrecht unterscheidet sich in einem wesentlichen Punkt von dem Recht der beweglichen Sachen.** Bei einer beweglichen Sache knüpft die Legitimation des Berechtigten an den Besitz an

(§§ 1006, 929 BGB). Das Eigentum an Grundstücken und der Besitz daran fallen jedoch vielfach auseinander; der Mieter oder Pächter ist zwar Besitzer, aber nicht Eigentümer. Zudem sind die Besitzverhältnisse an Grundstücken häufig nicht erkennbar. Für das Eigentum und die beschränkten dinglichen Rechte an Grundstücken bedarf es deshalb einer anderen Art des Berechtigungsnachweises. Darüber hinaus erfordern die große Bedeutung des Grundeigentums als Vermögenssubstanz und als Grundlage für den Immobiliarkredit sowie seine öffentlich-rechtlichen Bindungen (Besteuerung, öffentlich-rechtliche Verfahren der Bodenordnung, Verkehrssicherungspflicht usw.) eine eindeutige **Erkennbarkeit der Rechtsverhältnisse** und eine **sichere Grundlage für den Rechtsverkehr.** Dieser Aufgabe dient das Grundbuch. Es ist ein **staatliches Register,** das dazu dient, die dinglichen Rechtsverhältnisse an Grundstücken auszuweisen (Rechtsregister). Es gibt Auskunft über den Bestand der Grundstücke, das Eigentum und seine Rechtsgrundlage sowie über die dinglichen Belastungen und deren Rangverhältnisse. Eingetragen werden außerdem Verfügungsbeschränkungen, soweit es gesetzlich vorgeschrieben ist (s. Rz 514ff.), und Verfügungsverbote, die dem Schutz bestimmter Personen dienen (sog. relative Verfügungsverbote, s. Rz 533ff.). Über das Grundstück betreffende schuldrechtliche Verhältnisse, wie Miete und Pacht, gibt das Grundbuch keine Auskunft. Lediglich in Gestalt der Vormerkung werden Ansprüche auf Einräumung dinglicher Rechte erkennbar gemacht.

2. Das Grundbuchamt

291 **Die Grundbücher werden von den Grundbuchämtern geführt**; dies sind Abteilungen der Amtsgerichte, d.h. der Gerichte erster Instanz (§ 1 GBO). Trotz der etwas irreführenden Bezeichnung „Amt" sind sie Gerichte i.S. des Gerichtsverfassungsgesetzes. Diese Zuordnung des Grundbuchs zur Justiz ist eine rechtspolitische Grundsatzentscheidung: Das Grundbuch soll von den rechtskundigen und unabhängigen Gerichten geführt werden.

292 **Besonderheiten bestehen im Land Baden-Württemberg** (Rechtsgrundlage: Landesgesetz über die Freiwillige Gerichtsbarkeit vom 11.2. 1975 – GBl. Ba-Wü S.116 – LFGG; im übrigen s. HSS Rz.33). Danach besteht in jeder Gemeinde ein Grundbuchamt (§ 26 LFGG). Grundbuchbeamte sind die „Notare im Landesdienst" (§§ 17 I, 29 LFGG). Dies sind im früheren Landesteil Württemberg Beamte des höheren Dienstes mit einer besonderen Fachausbildung und im früheren Landesteil Baden Beamte mit der Befähigung zum Richteramt. In jeder Gemeinde werden Ratsschreiber bestellt. Sie sollen die Befähigung zum gehobenen Justizdienst haben (§ 31 LFGG). Sie vertreten den Notar als Grundbuchbeamten für den Bezirk der Gemeinde und sind auch zuständig für die öffentliche Beglaubigung von Unterschriften und die Beurkundung einfacher Angelegeneheiten (§ 32 LFGG).

3. Die Organe des Grundbuchamts

a) Der Grundbuchrichter

293 **Durch das Rechtspflegergesetz von 1969 sind die richterlichen Aufgaben des Grundbuchbeamten auf die Rechtspfleger übertragen worden** (§ 3 Nr. 1 h RpflG). Es besteht jedoch gemäß § 5 RpflG eine **Vorlagepflicht an den Richter:**

Nr. 1: Wenn der Rechtspfleger von einer ihm bekannten Stellungnahme des Richters abweichen will
Nr. 2: Wenn sich rechtliche Schwierigkeiten ergeben
Nr. 3: Bei Anwendung ausländischen Rechts
Nr. 4: Bei Sachzusammenhang mit einer Richtersache.

Darüber hinaus ist der Grundbuchrichter nur noch zuständig für:
- eine Erinnerung gegen die Entscheidung des Rechtspflegers (§ 11 RpflG)
- die Entscheidung über Anträge, die auf die Änderung einer Entscheidung des Urkundsbeamten der Geschäftsstelle gerichtet sind (§ 4 II Nr. 3 RpflG).

b) Der Rechtspfleger

294 **Rechtspfleger sind Beamte des gehobenen Dienstes** (Inspektorenlaufbahn: Inspektor-Oberinspektor-Amtmann-Amtsrat-Oberamtsrat). Sie haben eine dreijährige Ausbildung in der Praxis und an einer Fachhochschule erhalten und eine Rechtspflegerprüfung abgelegt (§ 2 RpflG).

Der Rechtspfleger ist bei seinen Entscheidungen sachlich unabhängig. Er entscheidet selbständig, soweit sich nicht aus dem Rechtspflegergesetz etwas anderes ergibt, d.h. er ist bei seinen Entscheidungen nicht an Weisungen gebunden, sondern nur dem Gesetz unterworfen (§ 9 RpflG). Er hat jedoch nicht auch die persönliche Unabhängigkeit wie der Richter nach § 25 DRiG, z.B. kann ihm der Auftrag zur Wahrnehmung anderer Dienstgeschäfte erteilt (§§ 25, 27 RpflG) und er kann versetzt werden.

c) Der Urkundsbeamte der Geschäftsstelle (UdG)

295 **Die Geschäftsstellen der Gerichte sind mit der erforderlichen Zahl von Urkundsbeamten zu besetzen** (§ 153 GVG). Ihre Aufgaben beim Grundbuchamt ergeben sich aus den §§ 12 c, 13 III, 44 I und 56 II GBO, insbesondere die Ausführung der vom Richter oder Rechtspfleger

verfügten Eintragungen (= Vollzug und Mitunterzeichnung der Eintragungen), die Entscheidung über Einsichten in das Grundbuch und die Erteilung von Abschriften sowie die Vornahme einiger kleinerer Eintragungen, die keine Rechtsänderung bewirken. Das **Berufsbild des UdG** ist durch das „Gesetz zur Neuregelung des Rechts des Urkundsbeamten der Geschäftsstelle" bundeseinheitlich geregelt (BGBl. I 1979, 2306).

Die Funktion des UdG wird in der Regel Beamten des mittleren Dienstes (Justizassistent-Justizsekretär-Justizobersekretär-Justizhauptsekretär-Amtsinspektor) übertragen. In bestimmten Fällen können aber auch Justizangestellte mit konkret umrissenen Aufgaben des UdG betraut werden (§ 153 GVG). „Urkundsbeamter der Geschäftsstelle" ist demnach eine Funktionsbezeichnung.

d) Der Präsentatsbeamte

296 Für die **Entgegennahme von Eintragungsanträgen und Eintragungsersuchen** zuständig sind der Rechtspfleger oder ein vom Behördenvorstand dafür ausdrücklich bestellter Beamter oder Angestellter (§ 13 III GBO). Dies geschieht durch das Aufdrücken eines **Eingangsstempels** mit Tag, Stunde und Minute des Eingangs (Präsentation) und **Unterzeichnung** durch die entgegennehmende Person (§ 13 II GBO sowie § 19 I, II AV GeschBeh.). Nach diesem so festgestellten Zeitpunkt des Eingangs richtet sich die Reihenfolge der Erledigung der Anträge und Ersuchen und damit letztenendes der Rang des eingetragenen Rechts (§§ 17, 45 GBO, 879 BGB; s. Rz. 353–360). Meist ist der Präsentatsbeamte zugleich der Registrator des Grundbuchamts, der die Akten zusammenstellt und dem Rechtspfleger zur Bearbeitung vorlegt (§ 20 AV GeschBeh.).

III. Buchungszwang und Buchungsfreiheit

1. Das Grundbuchblatt als Grundbuch

297 Das Grundbuch als öffentliches Register über die dinglichen Rechtsverhältnisse an Grundstücken kann seine Aufgabe nur erfüllen, wenn alle Grundstücke erfaßt werden. Jedes Grundstück erhält im Grundbuch eine besondere Stelle (Grundbuchblatt, § 3 I 1 GBO). Dieses System nennt man **Realfolium**, weil hier das Grundstück (lat.: res) das Blatt bestimmt. Entsprechendes gilt für das Wohnungseigentum, das Erbbaurecht, das Bergwerkseigentum und verschiedene landesrechtliche Grundstücksgerechtigkeiten. Über mehrere Grundstücke desselben Eigentümers, deren Grundbücher von demselben Amtsgericht geführt werden, kann jedoch ein gemeinschaftliches Grundbuchblatt geführt

werden (Zusammenschreibung, § 4 I GBO), was in der Praxis auch zweckmäßig ist und weitgehend geschieht. Man bezeichnet ein solches Blatt als **Personalfolium**, weil es durch die Person des Eigentümers (lat.: persona) bestimmt wird.

298 **Besonderheit bei Miteigentumsanteilen.** Wenn ein Grundstück mehreren Anliegern als Miteigentümer zusteht, z. B. eine gemeinsame Hofraumparzelle oder eine Zuwegung, können die Miteigentumsanteile in den Grundbuchblättern der anliegenden Grundstücke verbucht werden (§ 3 III GBO). Dies ist auch zweckmäßig, damit bei einer Verfügung über das Hauptgrundstück der Miteigentumsanteil nicht vergessen wird.

Die Grundbücher wurden früher in festen Bänden geführt, an deren Stelle heute jedoch bereits weitgehend das handlichere **Loseblattgrundbuch** mit Einlegebogen getreten ist (§ 2 GBVfg.). Das Blatt ist für das gebuchte Grundstück das Grundbuch i. S. des BGB (§ 3 I 2 GBO). Nur Eintragungen auf diesem Blatt sind Eintragungen i. S. der §§ 873, 875 BGB und haben die Wirkungen der §§ 891, 892 BGB.

2. Ausnahmen vom Buchungszwang

299 Bestimmte Kategorien von Grundstücken sind von dem Buchungszwang ausgenommen, weil sie nicht oder nur selten am Grundstücksverkehr teilnehmen (§ 3 II GBO). Dabei handelt es sich um die Grundstücke der Bundesrepublik, der Länder, der Gemeinden und anderer Kommunalverbände, der Kirchen, Klöster und Schulen, die Wasserläufe, die öffentlichen Wege sowie die zu öffentlichen Eisenbahnen gehörenden Grundstücke. Aber auch diese Grundstücke können auf Antrag des Eigentümers eingetragen werden, was heute auch weitgehend, insbesondere bei den Gemeinden, geschieht. Soll ein noch nicht gebuchtes Grundstück veräußert oder belastet werden, so muß es zuvor im Grundbuch eingetragen werden.

3. Keine Eintragung öffentlich-rechtlicher Lasten und Verfügungsbeschränkungen

300 **Die öffentlichen Lasten der Grundstücke werden nicht eingetragen**, es sei denn, daß ihre Eintragung gesetzlich besonders zugelassen oder angeordnet ist (§ 54 GBO). „Öffentliche Last" bedeutet, daß das Grundstück für eine im öffentlichen Recht begründete Abgabepflicht haftet (BGH Rpfleger 1981, 349). Dies können sowohl einmalige als auch wiederkehrende Lasten sein, z. B.:

- Erschließungsbeiträge nach §§ 127 ff. BauGB
- Ausbaubeiträge nach den Kommunalabgabegesetzen der Länder
- Fällige Grundsteuerbeträge (§ 9 GrStG)

- Fällige Kanalgebühren gemäß den Kommunalabgabegesetzen der Länder
- Schornsteinfegergebühren (§ 25 IV SchornsteinfG).

Die Nichteintragung bedeutet: Die öffentliche Last entsteht kraft Gesetzes, ohne Eintragung im Grundbuch (Durchbrechung des § 873 I BGB). Sie wirkt gegen jeden Erwerber des Grundstücks, ohne Rücksicht darauf, daß er nicht der persönliche Schuldner der bei der Übereignung bereits fällig gewesenen Abgabelast ist. **Ein gutgläubiger Erwerber wird nicht geschützt.** Zwar bleibt der bisherige Abgabeschuldner zur Zahlung verpflichtet, aber wenn er nicht zahlt, haftet der Erwerber mit dem Grundstück. In der Zwangsversteigerung des Grundstücks haben angemeldete Rückstände auf eine öffentliche Last die Rangklasse 3 und damit den Vorrang vor den Ansprüchen privater Gläubiger der folgenden Rangklassen (vgl. Rz. 571 f.).

301 **Von der Eintragung im Grundbuch ausgeschlossen sind grundsätzlich auch die auf öffentlichem Recht beruhenden Verfügungsbeschränkungen,** z. B. die Vorkaufsrechte der Gemeinden (s. Rz. 850–858), die Baulasten (s. Rz. 750–754) und die Beschränkungen nach dem Wohnungsbindungsgesetz (§§ 6–8 WoBindG). In einigen Fällen ist jedoch die Eintragung eines Vermerks im Grundbuch gesetzlich vorgesehen (s. Rz. 528–530).

Diese Durchbrechungen des Publizitätsprinzips des Grundbuchs und des darauf beruhenden Prinzips des gutgläubigen Erwerbs entwerten die Funktion des Grundbuchs und sind deshalb sehr zu bedauern (vgl. Rz. 17 f.).

IV. Die 5 Teile des Grundbuchs

Jedes Grundbuchblatt besteht aus fünf Teilen (§ 4 GBV):

1. Die Aufschrift

302 In der Aufschrift sind das Amtsgericht, der Grundbuchbezirk, die Nummer des Bandes und des Blattes angegeben (§ 5 GBV). Außerdem werden u. a. noch vermerkt:

- der Umschreibungsvermerk bei Umschreibung eines Blattes (§ 30 I b GBV)
- der Schließungsvermerk (§ 36 lit. b GBV)
- der Wiederbenutzungsvermerk (§§ 37 II c GBV).
- der Hofvermerk (§ 6 HöfeVfO; § 7 LVO Höferolle Rh-Pf.).

Ist das Blatt für ein Wohnungseigentumsrecht, ein Teileigentumsrecht oder ein Erbbaurecht angelegt, so erhält es den Klammerzusatz „Wohnungsgrundbuch“, „Teileigentumsgrundbuch“ bzw. „Erbbaugrundbuch“.

2. Das Bestandsverzeichnis

a) Die Eintragung der Grundstücke

303 **Amtsgericht** MAINZ **Grundbuch von** Mainz **Blatt** 4731 **Bestandsverzeichnis**

Laufende Nummer der Grundstücke	Bisherige laufende Nummer d. Grundstücke	Bezeichnung der Grundstücke und der mit dem Eigentum verbundenen Rechte: Gemarkung (Vermessungsbezirk) a	Karte: Flur b	Karte: Flurstück b	Liegenschaftsbuch c/d	Wirtschaftsart und Lage e	Größe: ha	a	m²
1	2	3					4		
1		Mainz-Neustadt	10	2937/8		Gebäude- und Freifläche, Hindenburgstr. 2	0	08	08
2		Mainz-Neustadt	10	2937/12		Gartenfläche, Hindenburgstraße	0	00	80
3	2	Mainz-Neustadt	10	2937/13		Erholungsfläche, Hindenburgstraße	0	00	76
4	2	Mainz-Neustadt	10	2937/14		Verkehrsfläche, Hindenburgstraße	0	00	04

Bestand und Zuschreibungen: Zur lfd. Nr. d. Grundstücke	Bestand und Zuschreibungen	Abschreibungen: Zur lfd. Nr. d. Grundstücke	Abschreibungen
5	6	7	8
1,2	von Blatt 2739 hierher übertragen am 27. März 1994	4	nach Blatt 2000 übertragen am 20. August 1995
3,4	aus lfd. Nr. 2 fortgeschrieben gemäß Veränderungsnachweis Nr. 18/95 am 19. Mai 1995		

Das Bestandsverzeichnis weist den Grundstücksbestand und seine Veränderungen aus (§ 6 GBV). Jedes Grundstück im Rechtssinne erhält eine laufende Nummer (Spalte 1). Auf diese laufende Nummer wird bei allen Eintragungen verwiesen. Die Spalte 2 dient der Aufnahme der früheren laufenden Nummer, wenn Grundstücke geteilt, vereinigt oder zugeschrieben werden. Die Spalten 3a – e enthalten die Bezeichnung des Grundstücks gemäß dem amtlichen Verzeichnis i. S. des § 2 II GBO (Liegenschaftskataster) mit Angabe der Gemarkung, der Nummer der Flur und des Flurstücks (Parzelle), die Nummern des Katasterbuchs (Liegenschafts- und Gebäudebuch) sowie die Bezeichnung von Wirtschaftsart und Lage. In der Spalte 4 wird die Größe des Grundstücks angegeben nach ha, ar und qm. Die Spalten 5 und 6 weisen den Bestand bei Anlegung des Grundbuchs und die späteren Zuschreibungen auf, und die Spalten 7 und 8 schließlich sind bestimmt für die Abschreibungen, wenn das Grundstück aus dem Grundbuchblatt ausscheidet.

b) Der Vermerk subjektiv-dinglicher Rechte

304 **Im Bestandsverzeichnis werden auch die subjektiv-dinglichen Rechte vermerkt,** die mit dem Eigentum an einem der eingetragenen Grundstücke verbunden sind (sog. Aktivvermerk; §§ 9 GBO, 7 GBV). Sie gelten als rechtliche Bestandteile des herrschenden Grundstücks (§ 96 BGB). **Beispiele:**
– Vermerk einer Grunddienstbarkeit (§§ 1018 ff. BGB; s. Rz. 436)

- Vermerk eines subjektiv-dinglichen Vorkaufsrechts (§ 1094 II BGB; s. Rz. 502)
- Vermerk einer subjektiv-dinglichen Reallast (§ 1105 II BGB; s. Rz. 554).

305 **Der Aktivvermerk bei dem herrschenden Grundstück wird nicht von Amts wegen, sondern nur auf Antrag eingetragen.** Er hat keine rechtsbegründende Wirkung; das subjektiv-dingliche Recht entsteht durch die Einigung und Eintragung beim dienenden Grundstück (§ 873 I BGB). Dennoch ist es aus folgenden Gründen zweckmäßig, die Eintragung auch beim herrschenden Grundstück zu vermerken:

- Nur der Aktivvermerk gibt die volle Information über den Rechtsbestand des herrschenden Grundstücks
- Ein subjektiv-dingliches Recht kann materiellrechtlich nur mit Zustimmung derjenigen aufgehoben werden, die ein Recht (z. B. ein Nießbrauchsrecht, ein Grundpfandrecht) an dem herrschenden Grundstück haben (§ 876 Satz 2 BGB); das GBAmt verlangt diese Zustimmung aber nur, wenn das subjektiv-dingliche Recht bei dem herrschenden Grundstück vermerkt ist (§ 21 GBO), der Aktivvermerk verhindert damit ein eventuelles Unrichtigwerden des Grundbuchs durch das Fehlen einer sachenrechtlich erforderlichen Zustimmung.

3. Die Abteilung I (Eigentümerverzeichnis)

306

Amtsgericht MAINZ **Grundbuch von** Mainz **Blatt** 4731 **Erste Abteilung**

Laufende Nummer der Eintragungen	Eigentümer	Laufende Nummer der Grundstücke im Bestandsverzeichnis	Grundlage der Eintragung
1	2	3	4
1 a	Manfred Müller geb. Schmitt, geb. am 15. Mai 1959, Orchestermusiker in Mainz,	1,2	aufgelassen am 29. Dezember 1993 eingetragen am 27. März 1994
b	Edeltraud Müller, geb. am 29. September 1957, Krankengymnastin in Mainz,		
	1 a,b als Miteigentümer je zur Hälfte		

In der Abteilung I werden der oder **die Eigentümer des Grundstücks** bzw. des Wohnungseigentums bzw. der oder die Inhaber des Erbbaurechts sowie der **Rechtsgrund ihres Eigentumserwerbs** ausgewiesen (§ 9 GBV), z. B. Auflassung, Erbfolge, Ehevertrag, Zuschlagsbeschluß, Ersuchen einer Behörde usw.

a) Die Eintragung von natürlichen Personen, juristischen Personen und Handelsgesellschaften

307 Bei **natürlichen Personen** sind anzugeben der Name (Vorname und Familienname, Rufname genügt) und der Wohnort sowie Beruf oder Geburtsdatum. Das Geburtsdatum ist stets anzugeben, wenn es sich aus den

Eintragungsunterlagen ergibt; ist dies der Fall, bedarf es nicht der Angabe des Berufes, vgl. § 15 GBV.

Ein **Einzelkaufmann** wird nicht unter seiner Firma (mit der er im Rechtsverkehr zeichnen kann), sondern mit seinem persönlichen Namen eingetragen (BayObLG Rpfleger 1981, 192).

Juristische Personen und Handelsgesellschaften sind mit ihrem Namen bzw. mit Firma und Sitz einzutragen. Gemäß ausdrücklicher gesetzlicher Bestimmung sind auch die OHG und die KG eintragungsfähig (§§ 124 I, 161 II HGB). Der Name einer Handelsfirma muß genau mit der Eintragung im Handelsregister übereinstimmen. Bei Körperschaften des öffentlichen Rechts (Bund, Land, Gemeinde, Kirchengemeinden oder sonstigen Körperschaften des öffentlichen Rechts) kann die Zugehörigkeit des Grundstücks zu einem Sondervermögen oder die Zweckbestimmung des Grundstücks durch einen Klammerzusatz bezeichnet werden, § 15 II GBV.

b) Die Eintragung von Personenmehrheiten

308 Wenn ein Recht mehreren Personen gemeinschaftlich zusteht, so hängt die Verfügungsbefugnis des einzelnen Berechtigten von der Art des Gemeinschaftsverhältnisses ab. Wird im Grundbuch ein Recht für mehrere Personen als Gemeinschaft eingetragen, ist deshalb nach § 47 **GBO** auch die **Art des Gemeinschaftsverhältnisses** anzugeben. Gemeinschaftlich ist ein Recht, wenn es mehreren Personen entweder in Bruchteilsgemeinschaft oder in einer Gesamthandsgemeinschaft oder als Gesamtberechtigten gemäß § 428 BGB zusteht. Dies gilt nicht nur für die Eintragung des Eigentums, sondern auch für die Eintragungen in Abt. II und III. Im einzelnen gilt folgendes:

- **Miteigentümer (= Bruchteilseigentümer)** gemäß § 1008 BGB werden mit ihrem Namen und der Angabe der Bruchteile eingetragen (z.B. Eheleute „zu je 1/2“) Hinweis: Nach §§ 1114, 1192 I BGB können nur eingetragene Miteigentumsbruchteile, nicht dagegen auch andere Formen der Mitberechtigung mit einer Hypothek oder Grundschuld belastet werden, also nicht z.B. der Anteil eines BGB-Gesellschafters oder eines Miterben!
- **Gesellschafter des bürgerlichen Rechts** werden mit ihrem Namen eingetragen mit dem Zusatz „als Gesellschafter des bürgerlichen Rechts“; dabei kann auch ein Name der BGB-Gesellschaft beigefügt werden, z.B. „Hof Sonnenalpe“.
- **Eheleute in Gütergemeinschaft** werden mit ihren Namen eingetragen mit dem Zusatz „in Gütergemeinschaft“.
- **Erbengemeinschaften** werden mit den Namen aller Miterben mit dem Zusatz „in Erbengemeinschaft“ eingetragen. Die Erbanteile der Miterben werden dabei nicht angegeben; sie können nur aus den in den Grundakten befindlichen Eintragungsunterlagen entnommen werden (s. Rz. 215).

- **Mitglieder eines nicht rechtsfähigen Vereins** werden mit ihrem Namen und einem Zusatz eingetragen, z. B.: „als Mitglieder zur gesamten Hand des nicht rechtsfähigen Vereins X" (HSS Rz. 246). Der nicht rechtsfähige Verein selbst ist, obwohl er im allgemeinen Rechtsverkehr zunehmend dem rechtsfähigen Verein gleichgestellt wird, nicht eintragungsfähig (Karsten Schmidt, Die Partei- und Grundbuchunfähigkeit nicht rechtsfähiger Vereine, NJW 1984, 2249). Bei jedem Mitgliederwechsel muß das Grundbuch berichtigt werden. Um den ständigen Namenswechsel bei größeren Vereinen zu vermeiden, besteht die Möglichkeit, das Grundstück einem Treuhänder (etwa einem Vorstandsmitglied) zu übereignen.
- **Gesamtberechtigte** eines beschränkten dinglichen Rechts gem. § 428 BGB werden mit ihrem Namen und dem Zusatz „als Gesamtberechtigte gem. § 428 BGB" eingetragen.

c) Grundlage der Eintragung

309 **Die Spalte 3** enthält die laufende Nummer der Grundstücke, auf die sich die in der nachfolgenden Spalte 4 gemachten Eintragungen beziehen.

In der Spalte 4 wird angegeben, auf welcher Rechtsgrundlage die Eintragung des Eigentums erfolgt ist und der Tag der Eintragung. Rechtsgrundlage können insbesondere sein: Auflassung, Testament, Erbvertrag (Gütergemeinschaft gem. § 1416 BGB), Ersuchen einer zuständigen Behörde (z. B. Umlegungsbehörde, Flurbereinigungsbehörde), Zuschlagsbeschluß des Versteigerungsgerichts gem. § 90 ZVG, Berichtigung gem. § 894 BGB, Aneignung nach Aufgebot gemäß § 927 BGB. **Beispiele:**
- Aufgelassen am ...... eingetragen am ......
- Aufgrund Erbscheins des Amtsgerichts Dortmund vom ... Az. ... eingetragen am ...

Beim Wechsel des Eigentümers sind die Vermerke in den Spalten 1–4, die sich auf den bisherigen Eigentümer beziehen, rot zu unterstreichen (§ 16 GBV).

4. Die Abteilung II

310

Amtsgericht MAINZ **Grundbuch von** Mainz **Blatt** 4731 **Zweite Abteilung**

Laufende Nummer der Eintragungen	Lfd. Nummer der betroffenen Grundstücke im Bestandsverzeichnis	Lasten und Beschränkungen
1	2	3
1	1	Beschränkte persönliche Dienstbarkeit (Stromleitungsrecht) für die Stadtwerke Mainz AG in Mainz, unter Bezugnahme auf die Bewilligung vom 10. Dezember 1985 eingetragen in Blatt 2739 am 15. Januar 1986 und hierher übertragen am 27. März 1994
2	2	Eigentumsvormerkung bezüglich einer Teilfläche für die Stadt Mainz, Mainz. Aufgrund Bewilligung vom 15. Mai 1994 (URNr. 801/1995, Notar Dr. Landmann, Mainz) eingetragen am 23. September 1994

Veränderungen		Löschungen	
Laufende Nummer d. Spalte 1		Laufende Nummer d. Spalte 1	
4	5	6	7
		2	gelöscht am 20. August 1995

Die Abteilung II des Grundbuchs hat 7 Spalten. In ihr werden eingetragen (§ 10 GBV):
- alle Lasten und Beschränkungen des Eigentums, mit Ausnahme der Grundpfandrechte: z.B. Grunddienstbarkeiten, Nießbrauchsrechte, beschränkte persönliche Dienstbarkeiten, Vorkaufsrechte, Reallasten, Erbbaurechte
- die Beschränkungen des Verfügungsrechts des Eigentümers, z.B. Zwangsversteigerungs- und Zwangsverwaltungsvermerk (§§ 19 I, 146 I ZVG), allgemeines Veräußerungsverbot und Konkursvermerk (§ 113 KO), Insolvenzvermerk (§§ 21 II Nr. 2, 23 III, 32 InsO), Nacherbenvermerk (§ 51 GBO), Testamentsvollstreckervermerk (§ 52 GBO), Umlegungsvermerk (§ 54 I BauGB), Sanierungsvermerk (§ 143 IV BauGB); ausführliche Aufzählungen s. Kommentierungen zu § 38 GBO
- die das Eigentum betreffenden Vormerkungen und Widersprüche (§ 12 I a, II GBV)
- Verwaltungs- und Benutzungsregelungen sowie der Ausschluß der Auseinandersetzung bei einer Miteigentümergemeinschaft gem. § 1010 BGB
- Vormerkungen und Widersprüche, die ein in Abt. II eingetragenes oder einzutragendes Recht betreffen (§ 12 I b, c, II GBV)
- Pfändungsvermerke, soweit das eingetragene Recht pfändbar ist
- Vermerke über die Veränderung der vorstehend genannten Eintragungen
- die Löschungsvermerke betr. die in Abt. II eingetragenen Rechte; beachte: die Löschung aller in Abt. II oder III eingetragenen Rechte und Verfügungsbeschränkungen erfolgt entweder durch Eintragung eines Löschungsvermerks und Rötung = Rotunterstreichung der gelöschten Eintragung (§§ 46 I GBO, 17 II GBV) oder dadurch, daß bei der Übertragung des Grundstücks auf ein anderes Grundbuchblatt das Recht nicht mitübertragen wird (§ 46 II GBO).

5. Die Abteilung III

Amtsgericht MAINZ **Grundbuch von** Mainz **Blatt** 4731 **Dritte Abteilung**

311

Laufende Nummer der Eintragungen	Laufende Nummer der belasteten Grundstücke im Bestandsverzeichnis	Betrag	Hypotheken, Grundschulden, Rentenschulden
1	2	3	4
1	1	37.500,-- DM	Vormerkung zur Sicherung des Anspruchs auf Einräumung einer Sicherungshypothek über siebenunddreißigtausendfünfhundert Deutsche Mark nebst acht v.H. Zinsen für die Meier Bau GmbH in Mainz, gemäß einstweiliger Verfügung des Amtsgerichts Mainz vom 13. Januar 1995 -7 C 9/95- eingetragen am 03. März 1995 Umgeschrieben in eine Sicherungshypothek über siebenunddreißigtausendfünfhundert Deutsche Mark nebst acht v.H. Zinsen für die Meier Bau GmbH, Mainz. Unter Bezugnahme auf das rechtskräftige Urteil des Amtsgerichts Mainz vom 29. November 1995 -7 C 9/95- eingetragen am 23. Februar 1996
2	1,3	240.000,-- DM	Grundschuld über zweihundertvierzigtausend Deutsche Mark für die Bau-Kredit-Bank Mainz AG in Mainz, fünfzehn v.H. Zinsen, fünf v.H. einmalige Nebenleistung, vollstreckbar nach § 800 ZPO, gemäß Bewilligung vom 14. Januar 1995 (URNr. 535/1995, Notar Volkard Betz, Mainz) eingetragen am 06. März 1995

Veränderungen			Löschungen		
Laufende Nummer d. Spalte 1	Betrag		Laufende Nummer d. Spalte 1	Betrag	
5	6	7	8	9	10
1	37.500,-- DM	Abgetreten nebst Zinsen ab 05. Januar 1995 an die Südbank AG Fil. Mainz in Mainz, gemäß Bewilligung vom 15. Dezember 1995 (URNr. 305/1995, Notar Bernd Sonnenschein, Mainz) eingetragen am 23. Februar 1996			

In der Abt. III des Grundbuchs werden die Grundpfandrechte (Hypotheken, Grundschulden und Rentenschulden) und die sich auf diese Rechte beziehenden Vormerkungen, Widersprüche, Veränderungen und Löschungen, sowie Vermerke über die Pfändung oder Verpfändung von Grundpfandrechten eingetragen (§§ 11 I, 12 I b, c, II GBV).

V. Die Grundakten

1. Die Führung der Grundakten

312 **Für jedes Grundbuchblatt werden besondere Grundakten geführt.** Darin werden alle Urkunden aufbewahrt, auf die sich eine Eintragung gründet oder Bezug nimmt (§§ 10 I GBO, 24 GBV). Diese Urkunden gelten als Grundbuchinhalt, soweit in der Grundbucheintragung zulässigerweise auf sie Bezug genommen wird (vgl. §§ 874, 877, 885 II, 1115 I BGB, 49 GBO). Dadurch wird eine Überladung des Grundbuchs mit

den Einzelheiten der einzutragenden Rechte vermieden. Andererseits ist es deshalb immer erforderlich, auch die Grundakten einzusehen, wenn der genaue Inhalt des eingetragenen Rechts, z. B. der genaue Umfang eines Wohnungsrechts oder eines Wegerechts, festgestellt werden soll!

Außerdem kommen in die Grundakten alle schriftlichen Eingänge, Protokolle, Verfügungen, Kostenberechnungen usw. Dabei erhält jeder selbständige Vorgang in der Reihenfolge seines Eingangs eine Ordnungsnummer.

2. Das Handblatt

313 **Bei den Grundakten wird auch ein Handblatt geführt** (auch Hilfsblatt oder Tabelle genannt, § 24 IV GBV). Es entspricht genau dem Vordruck des Grundbuchblatts und enthält eine **wörtliche Wiedergabe** des gesamten Inhalts des Grundbuchblatts. Beim Loseblatt-Grundbuch wird es im Durchschreibeverfahren, im modernen automationsunterstützten Eintragungsverfahren als identischer Computerausdruck, hergestellt. Der Zweck des Handblatts ist, die Bearbeitung der Grundbuchsachen zu erleichtern, indem es den Grundbuchbeamten der Notwendigkeit enthebt, in jedem Falle das Grundbuch selbst einzusehen. Gutglaubensschutz genießt das Handblatt nicht. Wenn die Eintragungen nicht mit dem Grundbuch übereinstimmen, sind nur die Eintragungen im Grundbuch maßgeblich. Praktisch wird dies jedoch kaum vorkommen, weil die Identität durch das technische Verfahren sichergestellt ist.

VI. Die Grundbucheinsicht

Literaturhinweise: Böhringer, Der Einfluß des informationellen Selbstbestimmungsrechts auf das Grundbuchverfahrensrecht, Rpfleger 1989, 309; Grziwotz, Grundbucheinsicht, Allgemeines Persönlichkeitsrecht und rechtliches Gehör, MittBayNot 1995, 97; Schreiner, Das Recht auf Einsicht in das Grundbuch, Rpfleger 1980, 51 m.w.N.; HSS Rz. 524–538

314 **Öffentliche Register dienen der Einsicht**. Das Einsichtsrecht ist aber, je nach der unterschiedlichen Interessenlage, vom Gesetz verschieden gestaltet. Zum Vergleich:

- Einsicht in das Handelsregister und das Vereinsregister ist jedem ohne Einschränkung gestattet (§§ 9 HGB, 79 BGB)
- Einsicht in das Grundbuch ist jedem gestattet, der ein „berechtigtes Interesse" an der Einsicht „darlegt" (§ 12 I GBO)
- Einsicht in Akten der Freiwilligen Gerichtsbarkeit, z. B. in Vormundschafts- oder Pflegschaftsakten, kann jedem insoweit gestattet werden, als er ein „berechtigtes Interesse glaubhaft macht" (§ 34 FGG)

– Einsicht in ein eröffnetes Testament darf nur nehmen, wer „ein rechtliches Interesse glaubhaft macht“ (§ 2264 BGB).

Das „berechtigte Interesse“. Der für die Grundbucheinsicht maßgebliche Begriff „berechtigtes Interesse“ verlangt weniger als ein „rechtliches Interesse“; erforderlich ist demnach nicht, daß sich das Interesse auf ein bereits vorhandenes Recht stützt. Dazu kann auch ein wirtschaftliches oder familiäres, wissenschaftliches, u. U. auch ein öffentliches Interesse genügen (OLG Hamm NJW 1988, 2482: Einsichtsrecht eines Journalisten). Es muß regelmäßig nicht bewiesen und auch nicht glaubhaft gemacht, sondern nur „dargelegt“ werden. Bloße Behauptungen genügen jedoch nicht, vielmehr müssen Tatsachen vorgetragen werden, die dem Grundbuchamt die Überzeugung vermitteln, daß die Einsicht nicht zu mißbräuchlichen Zwecken oder aus Neugier gewünscht wird (LG Heilbronn Rpfleger 1982, 414). Die Einsicht soll auf die Teile des Grundbuchs beschränkt werden, für die das „berechtigte Interesse“ gilt, z. B. ohne Einsicht in die Abt. III und die Grundakten (LG Mannheim: Einsichtsrecht für Mieter, NJW 1992, 2492). Bei der Abwägung ist immer das vom BVerfG entwickelte informationelle Selbstbestimmungsrecht zu beachten (s. Pardey NJW 1989, 1647). 315

Ein „berechtigtes Interesse“ an der Grundbucheinsicht hat z. B.:

– wer mit dem Eigentümer in konkreten Kaufverhandlungen oder Kreditverhandlungen steht (BayObLG Rpfleger 1975, 361); nicht jedoch ein möglicher Kaufinteressent, der durch die Einsicht erst den Namen des Eigentümers eines Grundstücks erfahren will (BayObLG Rpfleger 1984, 351)
– ein Gläubiger, der die Zwangsversteigerung in das Grundstück betreiben will (OLG Zweibrücken NJW 1989, 531)
– Organe der Presse, wenn ein besonderer, das Datenschutzinteresse des Betroffenen überwiegendes öffentliches Interesse gegeben ist (s. Demharter § 12 Rz. 10 m.w.N.).

Beauftragte inländischer Behörden sowie Notare und ihre Bevollmächtigten sind von der Darlegung eines berechtigten Interesses befreit (§ 43 GBV). Für Kreditinstitute gelten jedoch die allgemeinen Regeln des § 12 GBO. Dies gilt auch für die öffentlich-rechtlich organisierten Sparkasen (BVerfG Rpfleger 1983, 388).

Über die Einsicht entscheidet der UdG, in der Regel mündlich (§ 12 c I Nr. 1 und 2 GBO). Lehnt er die Einsichtgewährung ab, so entscheidet auf Antrag der Grundbuchrichter (§§ 12 c IV GBO, 4 II Nr. 3 RPflG). Lehnt auch der Richter die Einsicht ab, ist die Beschwerde nach § 71 I GBO beim Landgericht zulässig. Ein Beschwerderecht des Eigentümers gegen die Einsichtgewährung an Dritte soll nach Ansicht des BGH nicht bestehen, da der Eingetragene an dem Verfahren nach § 12 GBO nicht beteiligt sei und deshalb auch nicht angehört werden müsse (BGH NJW 1981, 1563 = DNotZ 1982, 240 = Rpfleger 1981, 287; zweifelnd BayObLG NJW 1993, 1142). Nach der Sachlage muß man wohl unterscheiden: 316

- Ist das Grundbuch bereits eingesehen, so fehlt für eine Beschwerde des Eigentümers das Rechtsschutzinteresse; dem Betroffenen bleiben dann nur die Dienstaufsichtsbeschwerde (s. Rz. 460) und – im Falle eines Schadens – der Anspruch aus Amtshaftung.
- Ist die Einsicht noch nicht erfolgt, muß ein Beschwerderecht gegeben sein, weil sonst nicht überprüft werden kann, ob das „dargelegte Interesse" als „berechtigt" anzuerkennen ist. Ich halte die Auffassung des BGH für bedenklich, insbesondere seit das BVerfG das Recht auf informationelle Selbstbestimmung als grundrechtsähnliches Recht anerkannt hat. Durch die Ausschließung einer Abwehrmöglichkeit des Betroffenen kann allzuleicht die Sperre des „berechtigten Interesses" gegen Grundbucheinsichten aus Neugier oder anderen gesetzlich nicht ausreichenden Motiven überspielt werden. In allen Zweifelsfällen sollte der Betroffene vom GBAmt vorher gehört werden. Es ist jedoch nicht zu verkennen, daß ein allgemeines Anhörungsrecht zu großen praktischen Schwierigkeiten führen würde (s. dazu Grziwotz a. a. O.).

317 **Die Einsicht ist kostenlos** (§ 74 KostO). Sie umfaßt auch das Recht auf Einsicht in die **Grundakten** und in vorliegende, noch nicht erledigte **Anträge** sowie das Recht, gegen Schreibgebühren einfache oder beglaubigte **Abschriften** aus dem Grundbuch oder den Grundakten zu verlangen (§§ 12 II GBO, 46 GBV). Zur Erteilung von Auskünften an Private ist das Grundbuchamt grundsätzlich nicht verpflichtet. Gegenüber Behörden besteht jedoch eine Auskunftspflicht im engen Rahmen der Rechts- und Amtshilfe (HSS Rz. 538).

318 Das Recht auf Grundbucheinsicht nennt man auch das **Prinzip der formellen Publizität.** Es ist die Grundlage für die materielle Publizität, d. h. für die Gutglaubenswirkung des Grundbuchs: Wer an die Richtigkeit des Grundbuchs glaubt, wird im Interesse der Sicherheit des Rechtsverkehrs geschützt (§§ 892, 893 BGB; s. auch § 12).

VII. Das EDV-Grundbuch

Literaturhinweise: Frenz, Ein Jahrhundertgesetz für die Freiwillige Gerichtsbarkeit, DNotZ 1994, 153; Göttlinger, Pilotprojekt Elektronisches Grundbuch: Einsatz in Sachsen, DNotZ 1995, 370; Schmidt/Frölig, Das maschinelle Grundbuch, 1995

319 **Seit seiner Einführung in Deutschland wird das Grundbuch in Papierform geführt,** d. h. Grundbuch ist das Grundbuchblatt nebst den Eintragungsunterlagen in den Grundakten. Die Bestrebungen zur Modernisierung dieses Systems haben zunächst dazu geführt, daß in einzelnen Ländern der Bundesrepublik dazu übergegangen wurde, automa-

tionsunterstützte Eintragungsverfahren zu entwickeln. Bei diesen Verfahren wird zwar noch ein Grundbuchblatt beschrieben, es bleibt also noch beim Papiergrundbuch, aber die Eingabe in das Grundbuch und der Ausdruck der Eintragungsnachrichten erfolgen in einem Verfahren über Bildschirmgeräte und Drucker.

320 **Die neue Rechtslage.** Durch das Registerverfahrensbeschleunigungsgesetz (BGBl. 1993, 2182) hat der Gesetzgeber den Weg für die Einführung eines EDV-Grundbuchs freigemacht. Gesetzliche Grundlage sind der neu in die GBO eingeführte 7. Abschnitt (§§ 126–134 GBO) sowie der in die Grundbuchverfügung eingefügte Abschnitt XIII (§§ 61–93 GBV). Danach sind die Länder ermächtigt zu bestimmen, daß und in welchem Umfang das Grundbuch sowie die Verzeichnisse der Eigentümer und der Grundstücke in maschineller Form als automatisierte Datei geführt werden (§ 126 GBO). Das maschinell geführte Grundbuch tritt an die Stelle des bisherigen Blatt-Grundbuchs (§ 128 GBO). Grundbuch ist dann nicht mehr das beschriebene Blatt, sondern der Inhalt einer zentralen Speicheranlage, in der die Texte und Daten des Grundbuchs auf elektronischen Datenträgern gespeichert und mittels technischer Hilfsmittel wieder lesbar gemacht werden und ausgedruckt werden können. Die Grundakten werden jedoch in der bisherigen Form beibehalten (§ 73 GBV).

321 **Eintragungen** werden wirksam, wenn sie in den Datenspeicher aufgenommen und auf Dauer unverändert in lesbarer Form wiedergabefähig sind (§ 129 I 1 GBO). Die Unterschriften werden durch das Code-Zeichen der eingabeberechtigten Person ersetzt (§ 75 GBV). Zwischen den Grundbuchämtern und den Katasterämtern wird eine wechselseitige Vernetzung angestrebt (§ 126 II 2 GBO).

322 **Sicherungen.** Ein derart vernetztes elektronisches System bedarf umfangreicher informationeller und technischer Sicherungen. Dem dienen zahlreiche Bestimmungen, insbesondere:

- zum Datenschutz (s. die Anlage zu § 126 GBO)
- gegen unbefugtes Eindringen in das System, sog. Hacking (§ 62 II GBV)
- zur Zugangssicherung, technischen Sicherung und Verfälschungssicherung (§ 64 II GBV)
- zur Bestandssicherung durch besonders aufzubewahrende und tagesaktuell zu haltende Sicherungskopien (§ 66 GBV).

323 **Die Einsicht in das Grundbuch** erfolgt über angeschlossene Terminals mit Bildschirm (§ 79 I GBVerfg.). Anstelle einer Wiedergabe über Bildschirm ist auch die Einsicht über einen Ausdruck möglich (§ 79 II GBV). Darüber hinaus kann die Landesjustizverwaltung Gerichten, Behörden, Notaren, öffentlich bestellten Vermessungsingenieuren und bestimmten anderen Stellen unter Zuteilung eines Codes den On-Line-Zugriff über angeschlossene Terminals mit Bildschirm gestatten (§ 133 GBO).

§ 9. Das Grundbuchverfahren

Literaturhinweise: Ertl, Antrag, Bewilligung und Einigung im Grundstücks- und Grundbuchrecht, Rpfleger 1980, 41; Nieder, Entwicklungstendenzen und Probleme des Grundbuchverfahrensrechts, NJW 1984, 329; Rademacher, Die Bedeutung des Antrags und der Bewilligung im Grundbuchverfahren, MittRhNotK 1983, 81 und 105; Weser, Die Erklärung der Auflassung unter Aussetzung der Bewilligung der Eigentumsumschreibung, MittBayNot 1994, 253

I. Die Rechtsgrundlagen und Verfahrensgrundsätze

324 **Das Grundbuchrecht gehört zu dem großen Bereich der Freiwilligen Gerichtsbarkeit. Innerhalb dieses Bereichs bildet es jedoch eine eigenständige Materie.** Die wesentlichen Rechtsgrundlagen für das formelle Grundbuchrecht sind die Grundbuchordnung (GBO) und die Grundbuchverfügung (GBV). Vereinzelt finden sich jedoch auch im BGB, im WEG und in der ErbbauVO Verfahrensvorschriften des Grundbuchrechts. Die Regeln des FGG und die allgemeine Grundsätze des Rechts der Freiwilligen Gerichtsbarkeit gelten für das Grundbuchverfahren nur subsidiär, soweit die GBO keine Sonderregelung trifft und die Regelungen der Freiwilligen Gerichtsbarkeit mit dem besonderen Charakter des Grundbuchverfahrens vereinbar sind (vgl. § 1 FGG; Eickmann, GBVerfR Rz. 12). Anwendbar sind z. B. die Vorschriften über die Beteiligtenfähigkeit, die Verfahrensfähigkeit, das rechtliche Gehör, die Form von Bekanntmachungen, die Ablehnung und Ausschließung von Gerichtspersonen, die Zwangsmittel usw.

325 **Das Grundbuchverfahren wird von einigen durch Gesetz und Rechtsprechung festgelegten Grundsätzen bestimmt.** Sie sind nicht immer gegenständlich scharf voneinander abgrenzbar, sondern teilweise ineinander übergehend. Zahl, Ordnung und Benennung dieser Grundsätze werden in der Literatur nicht einheitlich dargestellt. Als die drei Hauptgrundsätze werden meist genannt:
- der Antragsgrundsatz
- der Bewilligungsgrundsatz und
- der Grundsatz der Voreintragung.

Richtiger dürfte es sein, den Rahmen weiter zu ziehen, wie es sich aus der nachstehenden Darstellung ergibt. Die häufig auch als Verfahrensgrundsätze genannten Prinzipien „Einigungsgrundsatz“ und „Eintragungsgrundsatz“ gehören jedoch dem materiellen Recht an und sind deshalb in den Abschnitten „Einigung und Eintragung“ (Rz. 52–72) behandelt.

II. Der Antrag

1. Der Antrag als Verfahrenshandlung

326 **Das Grundbuchamt (GBAmt) wird regelmäßig nicht von Amts wegen, sondern nur auf Antrag tätig** (Antragsverfahren, § 13 I 1 GBO; Ausnahmen s. Rz. 416–425). Der Antrag setzt die Tätigkeit des GBAmts in Gang. Er verpflichtet das GBAmt als Rechtspflegeorgan tätig zu werden und den Antrag in angemessener Zeit zu bearbeiten. Der Antrag bestimmt zugleich den Umfang des Verfahrens: Nur was beantragt ist, kann eingetragen werden; das GBAmt darf inhaltlich weder hinter dem Umfang des Antrags zurückbleiben, noch über ihn hinausgehen. Kann der Antrag aus formalrechtlichen oder materiellrechtlichen Gründen nicht ausgeführt werden, so ist er entweder durch Zwischenverfügung zu beanstanden oder zurückzuweisen (§ 18 I GBO). Bei der Fassung der Eintragung ist das GBAmt jedoch an die Vorschläge der Beteiligten nicht gebunden.

327 **Der Antrag ist reine Verfahrenshandlung**, nicht rechtsgeschäftliche Willenserklärung und nicht Voraussetzung der Rechtsänderung. Ist überhaupt kein Antrag gestellt oder fehlt dem Antragsteller die Antragsberechtigung oder ist der Antrag zurückgenommen, so tritt dennoch die eingetragene Rechtsänderung ein, wenn die materiellen Voraussetzungen erfüllt sind. Obwohl Verfahrenshandlung, hat der Antrag doch materiellrechtliche Folgewirkungen (vgl. §§ 17 GBO, 878, 892 II, 893 BGB).

Als Verfahrenshandlung ist der Antrag nicht nach materiellen Rechtsgrundsätzen, sondern grundsätzlich **nach Grundbuchrecht zu beurteilen**. Die Regeln über die Geschäftsfähigkeit und die Vertretung sind jedoch insoweit anwendbar, als sich aus ihnen die Verfahrensfähigkeit ergibt. Da keine rechtsgeschäftliche Willenserklärung, kann der Antrag auch nicht angefochten werden; dafür besteht auch kein Bedürfnis, da er bis zur Eintragung jederzeit zurückgenommen werden kann.

2. Das Antragsrecht

328 **Der Antrag kann von jedem Beteiligten gestellt werden**, d. h. von jedem, dessen dingliche Rechtsstellung durch die Eintragung einen Gewinn erfährt oder einen Verlust erleidet (§ 13 I 2 GBO). **Beispiel:** Die Eintragung einer Grundschuld kann sowohl der Eigentümer als Betrof-

fener als auch der Gläubiger als Begünstigter beantragen. Hat auch der Gläubiger neben dem Eigentümer den Antrag gestellt (was in der Praxis der Kreditinstitute häufig geschieht), so besteht sein Antrag auch dann weiter, wenn der Eigentümer seinen Antrag zurücknimmt. Durch einen eigenen Antrag kann sich der Gläubiger auch gegen das Risiko schützen, daß der Antrag des Eigentümers evtl. deshalb zurückgewiesen wird, weil der Grundschuldbesteller den Kostenvorschuß nicht bezahlt. In diesem Fall muß das GBAmt vor einer Zurückweisung des Antrages auch dem weiteren Kostenschuldner Gelegenheit geben, den Kostenvorschuß zu zahlen (BGH DNotZ 1982, 238). Ist die dingliche Einigung nicht beurkundet, sondern formlos erklärt oder nur beglaubigt, ist der Gläubiger gegen einen Widerruf der Einigung durch den Schuldner aber nur geschützt, wenn ihm die Eintragungsbewilligung in Urschrift, Ausfertigung oder beglaubigter Abschrift ausgehändigt ist (§ 873 II BGB).

329 **Antragsrecht des Notars.** Neben den Beteiligten sind auch die Notare zur Antragstellung berechtigt. Ist eine zur Eintragung unmittelbar erforderliche Erklärung von einem Notar beurkundet oder beglaubigt, so gilt jeder Notar, der dabei als Urkundsorgan mitgewirkt hat, als ermächtigt, im Namen eines jeden der Beteiligten die Eintragung zu beantragen. Nicht ausreichend dazu ist die Beurkundung oder Beglaubigung anderer Erklärungen, z. B. einer Vollmacht. Es handelt sich dabei um eine gesetzlich vermutete Vollmacht; der sonst erforderliche Vollmachtsnachweis ist daher entbehrlich. Der Notar kann dann alle Antragsberechtigten vertreten, d. h. auch die Beteiligten, deren Erklärungen er nicht beurkundet oder beglaubigt hat, z. B. den Gläubiger des Grundpfandrechts. Wenn der Notar dabei nicht angibt, für welche Beteiligten er den Antrag stellt, wird angenommen, daß er für alle Antragsberechtigten handelt (HSS Rz. 182).

330 **Umfang der Ermächtigung.** Die gesetzliche Ermächtigung des Notars berechtigt nur zur Stellung des Antrags, nicht auch dazu, fehlende Eintragungsunterlagen zu ersetzen oder den Inhalt der Erklärungen zu ändern oder zu ergänzen. So ist der Notar z. B. nicht berechtigt, die fehlende Angabe des Beteiligungsverhältnisses gemäß § 47 GBO zu ersetzen oder eine Rangbestimmung gemäß § 45 GBO zu treffen. Wenn die Erklärungen der Beteiligten keine Rangbestimmungen enthalten, kann der Notar jedoch die gewünschte Rangfolge mehrerer Rechte durch die Reihenfolge der von ihm vorgelegten Anträge bestimmen (s. §§ 17, 45 GBO, 879 BGB). Offenbare Schreibversehen kann er jedoch berichtigen und mehrdeutige Erklärungen klarstellen (BayObLG DNotZ 1956, 209). Der Notar handelt nicht als Antragsteller, sondern als Bote, wenn er die Urkunde nur unter Hinweis auf die darin enthaltenen Anträge der Beteiligten vorlegt.

331 **Stellt der Notar den Antrag, so hat dies folgende Wirkungen:**

– Die auf den Antrag ergehende Entscheidung ist auch dem Notar bekanntzumachen (§ 55 GBO).

- Der Notar kann, ohne eine Vollmacht vorlegen zu müssen, im Namen eines Antragsberechtigten Beschwerde und weitere Beschwerde einlegen.
- Der Notar kann den gestellten Antrag zurücknehmen. Die Rücknahmeerklärung muß von ihm unterschrieben und mit seinem Dienstsiegel oder Stempel versehen sein; einer Beglaubigung seiner Unterschrift bedarf es nicht (§ 24 III BNotO).
- Der Notar wird durch die Stellung des Antrags nicht zum „Veranlasser" der Tätigkeit des GBAmts i.S. des § 2 Nr. 1 KostO; kostenpflichtig bleibt derjenige, für den der Notar den Antrag gestellt hat (OLG Hamm DNotZ 1952, 86).

3. Der Antrag auf Grundbuchberichtigung durch Vollstreckungsgläubiger

Erweiterung des Antragsrechts. Nach § 39 GBO soll eine Eintragung nur erfolgen, wenn der Betroffene, d.h. der verlierende Teil, als der Berechtigte eingetragen ist (Grundsatz der Voreintragung; s. Rz. 394). Deshalb könnte sich ein nichteingetragener Berechtigter dem zwangsweisen Zugriff auf sein dingliches Recht dadurch entziehen, daß er keinen Antrag auf Grundbuchberichtigung stellt. § 14 GBO gibt deshalb auch einem Gläubiger, der aufgrund eines vollstreckbaren Titels gegen den Berechtigten eine Eintragung in das Grundbuch verlangen kann, das Recht, die Berichtigung des Grundbuchs zu beantragen. § 14 GBO erweitert aber nur den Kreis der Antragsberechtigten. Daneben bleibt natürlich, daß die zur Berichtigung erforderlichen Nachweise vorgelegt werden müssen. **Beispiel:** Der Schuldner ist Erbe eines Grundstücks, unterläßt aber die Grundbuchberichtigung. Der titulierte Gläubiger will eine Zwangshypothek eintragen lassen (§§ 866, 867 ZPO, 1184 BGB). Nach dem Grundsatz der Voreintragung des § 39 GBO kann dies aber nur geschehen, wenn vorher der Schuldner als Eigentümer eingetragen wird. Dies kann der Gläubiger nach § 14 GBO beantragen. Damit er dem GBAmt die Erbfolge nachweisen kann (§ 35 I GBO), gibt ihm § 792 ZPO auch das Recht, die Erteilung des Erbscheins zu beantragen. Das gleiche gilt für denjenigen, der gegen den noch nicht eingetragenen Erben ein rechtskräftiges oder vorläufig vollstreckbares Urteil erstritten hat, das eine Eintragungsbewilligung des Erben auf Abgabe einer Eintragungsbewilligung ersetzt, z.B. die Bewilligung einer Vormerkung (§§ 894–896 ZPO). **332**

4. Der Inhalt des Antrages

Der Antrag muß erkennen lassen: **333**

- wer Antragsteller ist, damit die Antragsberechtigung geprüft werden kann

– welche Eintragung begehrt wird; dabei kann auf die vorgelegte Eintragungsbewilligung Bezug genommen werden.

334 **Als Verfahrenshandlung kann der Antrag grundsätzlich nicht unter einer Bedingung oder mit einer Befristung gestellt werden** (§ 16 I GBO). Eine wichtige Ausnahme davon macht jedoch § 16 II GBO. Danach kann der Antrag mit dem **Vorbehalt** verbunden werden, daß mehrere beantragte Eintragungen nur zusammen vorgenommen werden sollen. **Beispiele:** Umschreibung des Eigentums nur gleichzeitig mit der vom Käufer bestellten Restkaufpreishypothek, Pfandfreigabe nur gleichzeitig mit der Nachverpfändung. In diesen Fällen darf das GBAmt die verbundenen Anträge nur zusammen vollziehen.

Möglich und in manchen Fällen auch zweckmäßig sind jedoch Anträge unter Bedingungen, die das GBAmt ohne weitere Mühe und mit Sicherheit feststellen kann, z.B. anhand des Grundbuchs oder der Grundakten (Demharter § 16 Rz. 3). **Beispiel:** Antrag auf Eintragung einer Vormerkung unter der Voraussetzung, daß sie die erste oder eine andere bestimmte Rangstelle erhält (OLG Hamm Rpfleger 1992, 474). In diesen Fällen darf das Grundbuchamt, wenn die verlangte Rangstelle nicht offen ist, die Eintragung nicht vornehmen, sondern muß den Antrag durch Zwischenverfügung beanstanden.

5. Die Form des Antrages

335 **Für den Antrag ist an sich keine Form vorgeschrieben**. Aus dem Umstand, daß er gemäß § 13 II GBO i.V.m. § 19 AV GeschBeh. mit dem Eingangsvermerk zu versehen ist, ergibt sich jedoch, daß er in einem **Schriftstück** enthalten sein muß. Er braucht aber weder eine Orts- noch Zeitangabe zu enthalten, noch eigenhändig unterzeichnet zu sein; auch mechanisch hergestellte Unterschrift ist ausreichend, telegrafische Antragstellung zulässig (Demharter § 30 Rz. 5). Ein mündlich gestellter Antrag genügt nur, wenn eine Niederschrift darüber aufgenommen wird (§ 13 I GBO).

336 **Gemischte Anträge.** Neben reinen Anträgen gibt es auch Anträge, die zugleich eine für die Eintragung erforderliche Erklärung enthalten (s. Rz. 343). Hauptfall hierfür ist der Antrag des Eigentümers auf Löschung eines Grundpfandrechts; er enthält auch seine formelle Zustimmung nach § 27 GBO, durch die er auf die entstandene Eigentümergrundschuld oder das Anwartschaftsrecht darauf verzichtet (weitere Fälle s. Demharter § 30 Rz. 6). In diesen Fällen bedarf der Antrag der Beglaubigung oder der Beurkundung gemäß §§ 30, 29 GBO.

6. Die materiellrechtlichen Wirkungen des Antrages

337 Der Antrag ist zwar nur nach verfahrensrechtlichen Grundsätzen zu beurteilen, hat aber einige materiellrechtliche Wirkungen:
- Zusammen mit der bindenden Einigung schützt er den Antragsteller gegen spätere Verfügungsbeschränkungen des Betroffenen (§§ 873 II, 878 BGB).
- Beim Erwerb vom Nichtberechtigten kommt es für die Gutgläubigkeit des Erwerbers auf den Zeitpunkt des Antrages an (§ 892 II BGB).
- Sind mehrere Anträge gestellt, die dasselbe Recht betreffen, so darf die später beantragte Eintragung nicht vor der Erledigung des früher gestellten Antrags erfolgen (§ 17 GBO). Die Reihenfolge der Erledigung bestimmt den Rang des Rechts (§§ 45 GBO, 890 BGB).
- Durch den Antrag des Erwerbers eines aufgelassenen Grundstücks entsteht ein dingliches Anwartschaftsrecht (s. Rz. 143–150).

7. Die Rücknahme des Antrages

338 **Der Antragsteller kann den von ihm oder vom Notar für ihn gestellten Antrag bis zur Eintragung zurücknehmen**. Die von ihm eingereichten Urkunden, z.B. die Eintragungsbewilligung, sind ihm zurückzugeben (BGH NJW 1982, 2817 = DNotZ 1983, 309). Die Rücknahmeerklärung muß öffentlich beurkundet oder beglaubigt sein (§§ 31, 29 GBO). Nimmt der Notar einen von ihm im Namen der Beteiligten gestellten Antrag zurück, hat dies gem. § 24 III BNotO mit Unterschrift und Dienstsiegel zu geschehen. Die Rücknahme ist auch dann wirksam, wenn der Betreffende dadurch gegen Vertragspflichten verstößt. Ein eigener Antrag des anderen Teils bleibt jedoch davon unberührt.

8. Das Ersuchen einer Behörde

339 **Ein nach dem Gesetz zulässiges Eintragungsersuchen einer Behörde steht dem Antrag gleich** (§ 38 GBO). Für die Reihenfolge der Erledigung gilt auch hier der § 17 GBO. Das Ersuchen ersetzt zugleich auch die nach § 19 GBO sonst erforderliche Bewilligung bzw. den nach § 22 GBO erforderlichen Unrichtigkeitsnachweis (s. Rz. 209). **Beispiele:**
- Das **Vollstreckungsgericht** ersucht das GBAmt um Eintragung des Versteigerungsvermerks (§ 19 ZVG), Löschung des Versteigerungsvermerks (§ 34 ZVG), Eintragung des Erstehers (§ 130 ZVG).
- Die **Umlegungsbehörde** ersucht um Eintragung des Umlegungsvermerks (§ 54 BauGB), Grundbuchberichtigung nach Rechtskraft des Umlegungsplans (§ 74 BauGB).

- Aufgrund der Rechtskraft des Rückübertragungsbescheids ersucht das „Amt zur Regelung offener Vermögensfragen“ das GBAmt um Berichtigung des Grundbuchs (§ 34 VermG).
- Das **Prozeßgericht** ersucht um die Vornahme einer Eintragung gemäß § 941 ZPO, z.B. einer Vormerkung, eines Widerspruchs oder eines Veräußerungsverbots; hier wird die Bewilligung durch die erlassene einstweilige Verfügung ersetzt.
- Das **Finanzamt** ersucht um Eintragung einer Zwangshypothek (§ 322 AO).
- Das **Konkursgericht** ersucht um Eintragung oder Löschung eines allgemeinen Veräußerungsverbots sowie des Vermerks über die Eröffnung des Konkursverfahrens (§§ 113, 114, 163, 190, 205 KO).
- Das **Insolvenzgericht** ersucht um Eintragung oder Löschung eines allgemeinen Verfügungsverbotes sowie des Vermerks über die Eröffnung des Insolvenzverfahrens (§§ 21 II Nr. 2, 23 III, 32 InsO).

III. Die Eintragungsbewilligung

1. Die Bewilligung des Betroffenen

340 **Zur Eintragung einer Rechtsänderung im Grundbuch ist die Bewilligung des Betroffenen erforderlich (§ 19 GBO).** Sie ist die einseitige Erklärung, daß er mit der beantragten Eintragung, Berichtigung oder Löschung einverstanden ist.

341 **Betroffener** ist derjenige, dessen Buchposition durch die Eintragung „betroffen“, d.h. im Rechtssinne beeinträchtigt wird, also der verlierende Teil; der gewinnende Teil ist lediglich antragsberechtigt. Betroffen ist insbesondere der Eigentümer, Gläubiger oder sonstig Berechtigter, dessen Recht übertragen, inhaltlich verändert, belastet oder aufgehoben wird. **Beispiele:** Die Eintragung einer Grundschuld beeinträchtigt das Eigentum, die Eintragung der Abtretung einer Grundschuld den Zedenten. Für die Frage, wer der materiell Betroffene ist, gilt für das GBAmt die Vermutung des § 891 BGB, d.h. die Eintragung im Grundbuch.

342 **Ist der Betroffene in der Verfügungsmacht beschränkt,** so bedarf es der Bewilligung durch den an seiner Stelle zur Verfügung Berechtigten: Eltern, Vormund, Pfleger, Betreuer, Konkursverwalter, Testamentsvollstrecker.

343 **Im Falle der Löschung eines Grundpfandrechts bedarf es außer der Löschungsbewilligung des Gläubigers auch der Zustimmung des Eigentümers** (§§ 1183 BGB, 27, 30 GBO). Diese Regelung trägt dem Umstand Rechnung, daß hinter jedem Grundpfandrecht potentiell ein Eigentümergrundpfandrecht steht, das durch seine rangwahrende Wir-

kung einen wirtschaftlichen Wert für den Eigentümer hat (vgl. §§ 1163, 1177 BGB).

344 **Eintragung aufgrund von Urteilen.** Hat der Erwerber ein rechtskräftiges Urteil gegen den GB-Berechtigten auf Abgabe einer Eintragungsbewilligung erwirkt, so gilt sie als erklärt (§ 894 ZPO). Dem GBAmt muß dazu eine Urteilsausfertigung mit Rechtskraftzeugnis (§ 706 ZPO) vorgelegt werden. Vollstreckungsklausel und Zustellungsnachweis sind entbehrlich (MIR § 19 Rz. 46). Zur Wirkung von § 894 ZPO im Falle der Verurteilung zur Abgabe einer Auflassungserklärung s. vorstehend Rz. 82. Handelt es sich um ein nur vorläufig vollstreckbares Urteil, so gilt – zwecks vorläufiger Rangwahrung – die Eintragung einer Vormerkung bzw. eines Widerspruchs als bewilligt (§ 895 ZPO).

2. Das Prinzip der formellen Bewilligung

Literaturhinweis: Wolfsteiner, Bewilligungsprinzip pp. DNotZ 1987, 67

345 Um den Zweck und die Rechtsnatur der Eintragungsbewilligung (EB) zu verstehen, muß man sich klarmachen, daß unser Grundstücksrecht **vier Stufen bis zum Erwerb, zur Änderung oder Aufhebung eines Rechts** kennt:

- **Das schuldrechtliche Grundgeschäft**; es begründet die Verpflichtung zu der Leistung und ist der Rechtsgrund für die erbrachte Leistung (s. Rz. 50)
- **Die zur Rechtsänderung erforderlichen materiellrechtlichen Erklärungen**; dies sind, je nach der Art des Rechtsgeschäft:
  - **die Einigung:** §§ 873 I, 877, 880 II 1, 1116 II, III, 1180 I BGB, 4 I WEG
  - **die einseitige Erklärung des Berechtigten:** §§ 875 I, 928 I, 1109 II, 1132 II, 1168 II, 1188 I, 1196 II BGB, 8 I WEG, 794 I Nr. 5, 800 ZPO
  - **die Zustimmungserklärung:** §§ 876, 880 II 2, III, 1180 II 1, 1183 BGB, 5, 26 ErbbauVO
- Die **förmliche Eintragungsbewilligung des Betroffenen** (§§ 19, 29 GBO), im Falle der Auflassung der förmliche Nachweis, daß die Einigung erklärt ist (§§ 20, 29 GBO); diese Erklärungen sind die abstrakte Grundlage für das Eintragungsverfahren
- **Die Eintragung im Grundbuch**; sie vollendet den Rechtserwerb.

346 **Zum Verhältnis von Eintragungsbewilligung und Einigung:**

- Die Bewilligung als einseitige Erklärung ersetzt nicht eine etwa fehlende dingliche Einigung nach § 873 I BGB. Fehlt sie oder ist sie weggefallen, z. B. durch Anfechtung, wird das Grundbuch durch die Eintragung unrichtig.
- Für die Wirksamkeit des dinglichen Rechtsgeschäfts kommt es nur auf die Erfüllung der materiellen Voraussetzungen (Einigung und Eintra-

gung) an; die EB ist lediglich eine verfahrensmäßige Voraussetzung für die Eintragung.

347 **Beschränkte Prüfung durch das GBAmt.** Das GBVerfahren ist ein Massenverfahren; es soll einfach, schnell und billig sein. Diese Rationalisierung wird dadurch erreicht, daß nur die EB als Grundlage für die Eintragung dient. Das GBAmt prüft deshalb weder die Gültigkeit des Kausalgeschäfts, noch ob die nach § 873 I BGB für den Rechtsübergang erforderliche Einigung der Beteiligten gegeben ist, sondern nur den formellen Konsens (= die Zustimmung) des von der Eintragung Betroffenen. Man nennt dies deshalb auch das **„formelle Konsensprinzip"**. Das materielle Recht spielt für das GBAmt nur insoweit eine Rolle, als es die Eintragungsfähigkeit des dinglichen Rechts und seinen gesetzlich zulässigen Inhalt betrifft. Im übrigen ist die Eintragung grundsätzlich ohne Prüfung der materiellrechtlichen Voraussetzungen vorzunehmen. Dabei geht der Gesetzgeber von der Lebenserfahrung aus, daß derjenige, der sein Recht im Grundbuch übertragen, belasten, ändern oder löschen läßt, sich auch mit dem Vertragspartner über die Änderung der materiellen Rechtslage geeinigt hat. Das kann natürlich in seltenen Fällen zur Unrichtigkeit des Grundbuchs führen; die Regelung dieser Problemfälle ist dann aber nicht Sache des GBVerfahrens, sondern des Prozeßverfahrens nach der ZPO. Nur wenn das GBAmt positiv weiß, daß durch die bewilligte und beantragte Eintragung das Grundbuch unrichtig würde, darf (und muß) es die Eintragung ablehnen. Eine Eintragung kann jedoch nicht schon deshalb abgelehnt werden, weil sie möglicherweise zur Unrichtigkeit des Grundbuchs führt; in diesem Fall kommt auch eine Zwischenverfügung nicht in Betracht (Demharter, Anhang zu § 13 Rz. 30).

3. Die Rechtsnatur der Eintragungsbewilligung

a) Doppelnatur oder reine Verfahrenserklärung?

348 **In der Frage nach der Rechtsnatur der EB standen sich früher zwei Meinungen gegenüber.** Die früher herrschende und von der Rechtsprechung vertretene Auffassung sah in der EB nicht nur eine verfahrensrechtliche Erklärung, sondern auch eine materiell-rechtliche Verfügung (Lehre von der Doppelnatur der EB). Nach nunmehr herrschender Meinung ist die EB lediglich eine verfahrensrechtliche Erklärung, d.h. eine von dem Betroffenen abgegebene Erklärung, die dem GBAmt gestattet, die Eintragung vorzunehmen und die vollzogene Eintragung rechtfertigt (BayObLG Rpfleger 1993, 189 sowie HSS Rz. 98 mit zahlreichen Nachweisen). Zwar kann im Einzelfall in der dem Wortlaut nach als Verfahrenserklärung abgefaßten Bewilligung dem Sinn nach zugleich eine materiell-rechtliche Willenserklärung liegen, z.B. die dingliche Einigung oder

das Kausalgeschäft (Auslegungsfrage). Für das Grundbuchverfahren kommt dem aber keine Bedeutung zu.

Die heute herrschende rein verfahrensrechtliche Auffassung wird wie folgt begründet: 349

- Rechtsgrundlage der Eintragung ist § 19 GBO, der dem Verfahrensrecht angehört.
- Im Zivilprozeßrecht ist die Trennung von Rechtsgeschäft und Prozeßhandlung allgemein anerkannt; die Bewilligung ist ebenso eine reine Verfahrenshandlung wie der Klageverzicht (§ 306 ZPO), das Anerkenntnis (§ 307 ZPO), die Vollstreckungsunterwerfung (§ 794 I Nr. 5 ZPO) usw.
- Die Bewilligung ändert in Verbindung mit der Eintragung nur die Buchposition des Betroffenen, nicht auch sein materielles Recht. Fehlt die materielle Einigung nach § 873 BGB oder ist sie durch Anfechtung weggefallen, so wird das Grundbuch durch die Eintragung unrichtig; eine materielle Rechtsänderung tritt durch die Eintragung nicht ein.
- Die Bewilligung ist kein Teil der Einigung; das zeigt sich daran, daß die beiden sich nicht notwendigerweise decken, und daß es auch Eintragungsbewilligungen gibt, zu denen eine Einigung nicht erforderlich ist (z. B. §§ 875 I 1, 885 I 1 BGB, 794 I Nr. 5, 800 ZPO).

b) Die praktischen Auswirkungen

Da die EB reine Verfahrenshandlung ist, kann sie nur nach den Verfahrensregeln des Grundbuchrechts beurteilt werden. Willensmängel usw. kommen nicht in Betracht (zum Prozeßrecht s. Baumbach/Lauterbach/Albers/Hartmann, ZPO, 53. Aufl. 1995, Rz. 56 vor § 128). In einer Teilfrage hat sich auch der BGH für die verfahrensrechtliche Theorie entschieden, im übrigen aber die Grundsatzfrage offengelassen (NJW 1982, 2817 = DNotZ 1983, 309 = Rpfleger 1982, 414 m. Anm. Ertl S. 407). 350

Nach der Verfahrenstheorie gelten zur Frage der Wirksamkeit und Widerruflichkeit der EB folgende Grundsätze (s. Ertl Rpfleger 1982, 407; Nieder NJW 1984, 329, 331; Eickmann Rz. 184): 351

- Die EB wird wirksam, wenn sie vom Betroffenen oder mit seinem Einverständnis dem GBAmt zur Eintragung vorgelegt oder wenn sie dem Begünstigten in Urschrift oder Ausfertigung ausgehändigt wird.
- Der Widerruf einer EB bedeutet nur, daß sie im anhängigen Verfahren zurückgenommen ist, nicht jedoch ihre inhaltliche Aufhebung. In einem neuen Verfahren kann sie mit Zustimmung des Bewilligenden wieder verwendet werden.
- Mit der Eintragung hat die EB ihren Zweck erfüllt.

c) Die Unterschiede zwischen Einigung und Eintragungsbewilligung

352 Zur Verdeutlichung der formalen Rechtsnatur der EB diene eine Gegenüberstellung der wichtigsten Unterschiede zwischen Einigung und EB (s. KEHE-Ertl § 20 Rz. 5 ff.).

Die Einigung ist:
- im BGB geregelt
- materielle Voraussetzung der dinglichen Rechtsänderung
- gerichtet auf die materielle Rechtsänderung
- Empfänger ist „der andere Teil" (§ 873 BGB)
- die Einigung kann der Eintragung nachfolgen
- die Einigung ist in der Regel formlos, nur bei der Auflassung beurkundungsbedürftig (§§ 873, 929 BGB)
- fehlt die Einigung, so ist das Grundbuch (zunächst) unrichtig.

Die Eintragungsbewilligung ist:
- in der GBO geregelt (§ 19 GBO)
- formelle Voraussetzung der Grundbucheintragung
- gestattet dem GBAmt die Vornahme der beantragten Eintragung
- Adressat ist das GBAmt
- die EB muß der Eintragung vorausgehen
- die EB ist formgebunden (§ 29 GBO)
- fehlt die Bewilligung oder weicht sie von der Einigung ab, so ist das Grundbuch dennoch richtig, vorausgesetzt, daß Einigung und Eintragung übereinstimmen.

4. Der Inhalt der Eintragungsbewilligung

353 **„Bei der Auslegung einer Willenserklärung ist der wirkliche Wille zu erforschen und nicht an dem buchstäblichen Sinne des Ausdrucks zu haften" (§ 133 BGB).** Dieser Grundsatz gilt auch für Verfahrenserklärungen und damit für die Auslegung einer EB. Den Möglichkeiten einer Auslegung werden jedoch durch den **Bestimmtheitsgrundsatz** enge Grenzen gesetzt. Dieser das ganze Sachenrecht beherrschende Grundsatz soll gewährleisten, daß die Rechtsverhältnisse klar und erkennbar sind. Das gilt auch und besonders für das Grundbuchsystem. **Der Zweck des Grundbuchs**, auf sicherer Grundlage bestimmte und sichere Rechtsverhältnisse für die Grundstücke und die grundstücksgleichen Rechte zu schaffen und zu erhalten, erfordert klare und eindeutige Eintragungen (RG 145, 343, 354). Daraus ergibt sich z. B.:
- **Das betroffene Grundstück ist in der Bewilligung übereinstimmend mit dem Grundbuch zu bezeichnen** (§ 28 GBO). Steht auf dem Grundbuchblatt nur ein Grundstück, oder sind alle Grundstücke eines Blattes betroffen, genügt die Angabe der Blattnummer; anderenfalls sind die betroffenen Grundstücke entweder durch ihre lfd. Nummer

des Bestandsverzeichnisses oder durch Angabe von Gemarkung, Flur und Flurstücksnummer zu bezeichnen. Zum Zwecke einer Teilung kann auf einen vorliegenden Veränderungsnachweis der Vermessungsbehörde Bezug genommen werden (BGH NJW 1984, 1959).

- **Der Berechtigte muß** so **genau bezeichnet werden**, daß – soweit möglich – jeder Zweifel über seine Person und jede Verwechslung ausgeschlossen sind (§ 15 GBV). Dies geschieht durch die Angabe von Vorname, Familienname, Wohnort, Beruf und/oder Geburtsdatum.
- **Der Inhalt einer Belastung muß** so **bestimmt angegeben sein**, daß nachrangige Berechtigte eindeutig feststellen können, welche Rechte (und mit welchem Umfange) ihnen in einer Zwangsversteigerung des Grundstücks äußerstenfalles vorgehen. So können z.B. wegen mangelnder Bestimmtheit nicht eingetragen werden:
  - eine Grundschuld mit Zinsen in Höhe von 2% über dem jeweiligen Diskontsatz der Bundesbank (erforderlich ist hier die Angabe eines Höchstzinssatzes)
  - ein Wohnungsrecht an Räumen des Hauses nach der Wahl des Berechtigten (erforderlich hier die genaue Angabe der Räume).

354 **Die EB darf nicht an eine Bedingung oder Zeitbestimmung geknüpft werden**, die das GBAmt mit den ihm zur Verfügung stehenden Mitteln nicht mit Sicherheit nachprüfen kann (s. KEHE § 19 Rz. 32). Unzulässig wäre deshalb z.B. eine Löschungsbewilligung mit dem Zusatz: „... vorausgesetzt, daß der Schuldner die Zahlung geleistet hat". In der notariellen Praxis werden die dadurch für die geschäftliche Abwicklung gegebenen Schwierigkeiten durch Treuhandauflagen gelöst. **Beispiel:** Der Gläubiger übergibt dem Notar die Löschungsbewilligung mit der Auflage, sie erst dann dem GBAmt einzureichen, wenn ihm die Zahlung der durch das Grundpfandrecht gesicherten Forderung nachgewiesen oder die Zahlung gewährleistet ist.

355 **Das Verbot der Bedingung und Befristung bezieht sich nur auf die EB.** Der Inhalt des einzutragenden Rechts kann im Rahmen der gesetzlichen Möglichkeiten bedingt oder befristet sein. **Beispiele:**

- Dem Sohn wird für den Fall einer Verheiratung (oder bis zur Vollendung seines 30. Lebensjahres) ein Wohnungsrecht eingeräumt.
- Der Eigentümer räumt seiner Lebensgefährtin für den Fall seines vorherigen Ablebens ein auf sein Ableben aufschiebend bedingtes Nießbrauchsrecht unter der weiteren Bedingung ein, daß beide in diesem Zeitpunkt noch zusammen wohnten.

5. Behördliche Genehmigungen und Bescheinigungen

356 **Im Rahmen der Prüfung der Verfügungsbefugnis des Bewilligenden hat das GBAmt auch zu prüfen, ob zur Eintragung behördliche Genehmigungen erforderlich sind,** z.B.:

- der Landwirtschaftsbehörde nach § 2 GrdstVG
- der Gemeinde nach §§ 19, 51, 144 BauGB
- des Vormundschaftsgerichts nach §§ 1821, 1643 I, 1915 BGB
- der zuständigen Behörde nach § 2 der Grundstücksverkehrsordnung.

In bestimmten Fällen darf eine Eintragung nur erfolgen, wenn eine gesetzlich vorgeschriebene **behördliche Bescheinigung** vorgelegt wird, z. B.
- die Unbedenklichkeitsbescheinigung der Grunderwerbsteuerbehörde (§ 22 GrEStG)
- das Negativattest der Gemeinde bezüglich der Ausübung gesetzlicher Vorkaufsrechte (§§ 24ff. BauGB und § 3 BauGB-MaßnG).

6. Das Ersuchen einer Behörde

357 **Ein behördliches Ersuchen gemäß § 38 GBO ersetzt die nach § 19 GBO sonst erforderliche Bewilligung** (vgl. vorstehend Rz. 199). Das Ersuchen muß durch eine zur Vertretung der ersuchenden Behörde berechtigte Person unterschrieben und mit dem Siegel oder Stempel der Behörde versehen sein (§ 29 III GBO). Dabei hat das GBAmt zu prüfen, ob die Behörde zur Ausstellung der Urkunde sachlich zuständig und die Zustimmung anderer Organe, z. B. einer Aufsichtsbehörde, erforderlich ist. Weitere Nachweise, vor allem den Nachweis der Vertretungsbefugnis des Unterzeichners, kann das GBAmt nur bei einem auf Tatsachen gestützten Zweifel verlangen (BayObLG Rpfleger 1975, 315). Ob die rechtlichen und tatsächlichen Voraussetzungen für das Ersuchen vorliegen, hat das GBAmt nicht zu prüfen. Inhaltlich muß das Ersuchen den gleichen Anforderungen entsprechen wie eine EB.

IV. Der Nachweis der Auflassung

358 **Vorlage der Einigungserklärung.** Während grundsätzlich zur Eintragung eines Rechts die einseitige förmliche Bewilligung des Betroffenen ausreicht (= formelles Konsensprinzip), darf im Falle der Auflassung eines Grundstücks die Eintragung des Eigentumswechsels nur erfolgen, wenn die nach § 873 BGB erforderliche Einigung des Veräußerers und des Erwerbers „erklärt" ist (§ 20 GBO). Grund: Es besteht ein besonderes öffentliches und privates Interesse an der Übereinstimmung zwischen der Eigentümereintragung und der materiellen Rechtslage. Bei der privatrechtlich und öffentlich-rechtlich besonders wichtigen Eigentumsübertragung von Grundstücken soll durch die Formalisierung der Einigung nach Möglichkeit eine Unrichtigkeit des Grundbuchs wegen fehlender Einigung ausgeschlossen werden: Wenn die Einigung „erklärt"

ist, kann im Regelfall davon ausgegangen werden, daß sie auch materiellrechtlich zustandegekommen ist.

359 **§ 20 GBO erweitert also für den besonderen Fall der Eigentumsübertragung das formelle Konsensprinzip des § 19 GBO.** Entsprechendes gilt für die Bestellung, Inhaltsänderung oder Übertragung eines Erbbaurechts (§ 20 GBO). Häufig wird dies als „materielles Konsensprinzip" bezeichnet. Diese Bezeichnung ist aber irreführend, da das GBAmt ja nicht die materiellrechtliche Wirksamkeit der Einigung prüft, auch nicht nachprüfen kann, sondern lediglich den formellen Nachweis verlangt, daß die Einigung von beiden Parteien „erklärt" ist.

360 **Form der Auflassung.** Wie die Auflassung zu erklären ist, bestimmt § 925 BGB: Bei gleichzeitiger Anwesenheit vor einem Notar oder in einem gerichtlichen Vergleich. Der Anwaltsvergleich nach § 1044 b ZPO genügt dafür nicht. Daß die Auflassung erklärt ist, muß in der Form des § 29 GBO nachgewiesen werden.

361 **Streitig ist, ob die Auflassungserklärung die Eintragungsbewilligung enthält.** Zwar ist die Erklärung der Auflassung Teil des materiellen Rechts, die erforderliche Vorlage beim GBAmt jedoch auch eine Voraussetzung des Verfahrensrechts, die dem GBAmt erlaubt, die beantragte Eintragung vorzunehmen. Man kann deshalb die Auffassung vertreten, daß das major das minus enthalte. Andererseits wird darauf hingewiesen, daß es Fälle gäbe, in denen zwar die Auflassung erklärt, die Eintragung aber noch nicht gewollt sei (Weser a. a. O.). Aber auch die Vertreter der Trennungstheorie räumen ein, daß in der Regel die Auslegung ergebe, daß die sachenrechtliche Einigung auch die Bewilligung der Eintragung enthalte und ein entgegengesetzter Wille ausdrücklich erklärt oder zumindest aus den Umständen erkennbar sein müsse (BayObLG DNotZ 1975, 685). Solange diese Streitfrage nicht eindeutig entschieden ist, empfiehlt sich für die Praxis, neben der Auflassung auch die EB zu erklären oder – im Ausnahmefall – festzustellen, daß die EB vorbehalten werde.

V. Die Grundbuchberichtigung

362 **Das Grundbuch ist unrichtig** i. S. der Definition des § 894 BGB, **wenn sein Inhalt** in Ansehung eines Rechts an dem Grundstück, eines Rechts an einem solchen oder einer relativen Verfügungsbeschränkung **mit der materiellen Rechtslage nicht übereinstimmt** (im einzelnen s. Rz. 461 ff.). Diese dingliche Unrichtigkeit ist klar zu unterscheiden von einem bloß schuldrechtlichen Anspruch auf Änderung des eingetragenen Rechts, wie er z. B. nach einem Rücktritt vom Vertrag oder einer Anfechtung des Grundgeschäfts gegeben ist. Die Unrichtigkeit des Grund-

buchs kann von Anfang an bestehen oder erst nachträglich eintreten. **Beispiele dazu** und zur Bedeutung dieser Frage für die Beschwerde s. Rz. 441–443.

1. Die Berichtigungsbewilligung

363 **Ist das Grundbuch unrichtig, kann es aufgrund einer Bewilligung des formal Betroffenen berichtigt werden.** Betroffen ist in diesen Fällen derjenige, zu dessen Gunsten das Grundbuch eine unrichtige Eintragung enthält. **Beispiel:** Ein Gesellschafter einer eingetragenen BGB-Gesellschaft ist aus der Gesellschaft ausgeschieden (s. §§ 723 ff. BGB). In diesem Fall ist er verpflichtet, die Berichtigung des Grundbuchs zu bewilligen. Den Antrag auf Berichtigung kann jeder der Beteiligten stellen.

364 **Die Berichtigungsbewilligung ist eine Unterart der EB;** für sie gelten deshalb grundsätzlich die gleichen Regeln. In ihr muß schlüssig dargetan werden, daß das Grundbuch unrichtig ist und durch die Eintragung berichtigt wird. Hat das GBAmt Zweifel an der dargelegten Unrichtigkeit des Grundbuchs, so muß es die Berichtigung aufgrund der Bewilligung ablehnen und den Nachweis der Unrichtigkeit verlangen (KEHE-Ertl § 22 Rz. 67). An die schlüssige Darlegung der Unrichtigkeit des Grundbuchs sind erhöhte Anforderungen zu stellen, wenn durch einseitige Berichtigungsbewilligung das Eigentum umgeschrieben werden soll. Dagegen ist die Darlegung der Unrichtigkeit nicht erforderlich, wenn die Löschung eines Rechts bewilligt wird, da es im Ergebnis dahinstehen kann, ob ein noch nicht erloschenes Recht durch Löschungsbewilligung konstitutiv oder ein bereits erloschenes aufgrund Berichtigungsbewilligung im Wege der Berichtigung gelöscht wird.

2. Der Nachweis der Unrichtigkeit

a) Allgemeines

365 **Einer EB bedarf es nicht, wenn die Unrichtigkeit des Grundbuches durch öffentliche oder öffentlich beglaubigte Urkunde nachgewiesen wird** (§§ 22 I, 29 GBO). Dies ist, im Interesse der Erleichterung des Grundbuchverkehrs, eine Abschwächung des sonst das GB-Verfahren beherrschenden formellen Konsensprinzips.

366 **Der Nachweis der Unrichtigkeit muß in der Form des** § 29 GBO geführt **werden,** z. B.:

- Das Bestehen einer Gütergemeinschaft durch Vorlage des Ehevertrages oder Bezugnahme auf das Güterrechtsregister
- Das Erlöschen eines Wohnungsrechts infolge des Todes des Berechtigten durch Vorlage einer Sterbeurkunde.

367 **Nicht unter § 22 GBO fällt die Berichtigung von Angaben rein tatsächlicher Art,** die die Rechtslage nicht verändern (z.B. bei Änderung der Größe oder Nutzungsart des Grundstücks, Namensänderung des Rechtsinhabers) sowie die Berichtigung von ungenauen Eintragungsfassungen und Schreibfehlern. In diesen Fällen ist das GBAmt zur freien Beweiswürdigung befugt und nicht an die Form des § 29 GBO gebunden. Allerdings ist bei der Berichtigung von Schreibfehlern besondere Vorsicht geboten, weil Inhaltsänderungen nur im förmlichen Verfahren möglich sind und die Abgrenzung zwischen beiden nicht immer eindeutig ist.

b) Die Grundbuchberichtigung aufgrund Erbfolge

368 **Für den Nachweis der Erbfolge enthält § 35 GBO besondere Bestimmungen: Grundsätzlich ist der Nachweis der Erbfolge durch einen Erbschein zu führen** (§ 35 I 1 GBO). Sind das GBAmt und das Nachlaßgericht Abteilungen desselben Amtsgerichts, so genügt die Bezugnahme auf die Erbscheinsakten. Gehören sie zu verschiedenen Gerichten, ist dem GBAmt die Ausfertigung des Erbscheins vorzulegen. Eine beglaubigte Abschrift des Erbscheins ist selbst dann nicht ausreichend, wenn nur eine Grundbuchberichtigung beantragt wird, weil nur der Besitz der Ausfertigung nachweist, daß der Erbschein nicht gemäß § 2361 BGB als unrichtig eingezogen ist (BGH NJW 1982, 170 = DNotZ 1982, 159). Insoweit ist § 35 GBO gegenüber § 29 GBO die speziellere Vorschrift.

369 **Wenn sich die Erbfolge aus einer beurkundeten Verfügung von Todes wegen ergibt** (notarielles Testament oder Erbvertrag), kann der Nachweis der Erbfolge auch durch Bezugnahme auf die bei demselben Amtsgericht geführten Nachlaßakten, anderenfalls durch Vorlage einer beglaubigten Kopie der Verfügung von Todes wegen und des Eröffnungsprotokolls geführt werden. Voraussetzung für die Bezugnahme ist jedoch, daß in der beurkundeten Verfügung von Todes wegen die Erbfolge so eindeutig bestimmt ist, daß Zweifel ausgeschlossen sind. Fehlt zur Feststellung der Erbfolge noch der Nachweis einer negativen Tatsache z.B. daß keine weiteren Kinder geboren wurden, genügt – wie beim Erbscheinsantrag – eine eidesstattliche Versicherung gegenüber dem GBAmt (Demharter § 35 Rz. 40). Wird in diesen Fällen gemäß § 40 GBO ein Erwerber unmittelbar, d.h. ohne Zwischeneintragung des Erben, als Eigentümer eingetragen, ist jedoch für ihn kein Schutz des öffentlichen Glaubens gegeben, der sich gemäß § 2366 BGB aus dem Vorliegen eines Erbscheins oder gemäß § 892 BGB aus der Voreintragung seines Vertragspartners im Grundbuch ergeben würde (s. Vollhardt, MittBayNot 1986, 114). Zum Grundbuchberichtigungszwang s. Rz. 417.

c) Die Löschung auf Lebenszeit bestellter Rechte

Literaturhinweis: Böttcher, Der Löschungserleichterungsvermerk, MittRhNotK 1987, 219

370 **Für die Löschung auf Lebenszeit bestellter Rechte, besteht eine Sonderregelung.** Leider ist die sprachliche Fassung dieser Bestimmung so mißglückt, daß sie sich dem Verständnis erst nach mehrmaligem Lesen erschließt. Dabei wird unterschieden zwischen rückstandsfreien und rückstandsfähigen Rechten. **Beispiele:**

- Ein **Wohnungsrecht** erlischt mit dem Ableben des Berechtigten; Rückstände sind insoweit nicht möglich (§§ 1090 II, 1093, 1061 BGB); ist aber ausnahmsweise als dinglicher Inhalt des Wohnungsrechts vereinbart, daß die Wohnung durch den Eigentümer in einem gut bewohnbaren und beheizbaren Zustand zu erhalten ist, so sind Rückstände in Form von Schadensersatzansprüchen wegen Nichterfüllung denkbar (BayObLG Rpfleger 1980, 20).
- Ein **Vorkaufsrecht** erlischt mit dem Ableben des Berechtigten, sofern es nicht vererblich bestellt ist (§§ 1098, 514 BGB); Rückstände sind nicht möglich (str., vgl. Deimann, Löschung eines auf Lebenszeit des Berechtigten beschränkten Vorkaufsrechts, Rpfleger 1977, 91).
- Bei einer **Reallast** (§ 1105 BGB), die wiederkehrende Leistungen sichert, z.B. eine Leibrente (Rentenreallast), kann es sein, daß beim Ableben des Berechtigten der Rentenschuldner mit Leistungen im Verzug ist.
- Ein **Nießbrauchsrecht** erlischt zwar mit dem Ableben des Berechtigten (§ 1061 BGB); Rückstände sind jedoch möglich, z.B. noch ausstehende Mieten.

371 **Ausgangspunkt für das Verständnis ist der Grundsatz des vorangehenden § 22 GBO.** Danach ist eine Bewilligung gemäß § 19 GBO nicht erforderlich, wenn die Unrichtigkeit des Grundbuchs durch öffentliche oder öffentlich beglaubigte Urkunden nachgewiesen wird. Dies gilt grundsätzlich auch für Rechte, die auf die Lebenszeit des Berechtigten bestellt sind. Für die Löschung genügt grundsätzlich die Vorlage einer Sterbeurkunde. Von diesem Grundsatz macht § 23 GBO jedoch eine Einschränkung für solche lebenslänglichen Rechte, bei denen Rückstände von Leistungen möglich sind.

372 aa) Rückstandsfreie Rechte

Sind nach der Art des Rechts Rückstände ausgeschlossen, gilt auch für die auf Lebenszeit des Berechtigten bestellten Rechte der Grundsatz des § 22 GBO: Danach ist für die Löschung eine Bewilligung gemäß § 19 GBO nicht erforderlich; es genügt die Vorlage einer Sterbeurkunde.

bb) Rückstandsfähige Rechte

373

Sperrjahr. Sind nach der Art des Rechts Rückstände möglich, so müßten zur Löschung nach der Regel des § 22 GBO vorgelegt werden entweder:
- die Löschungsbewilligung des Rechtsnachfolgers mit Erbnachweis oder
- die Sterbeurkunde und der Nachweis, daß Rückstände nicht bestehen (s. Demharter § 23 Rz. 14).

Zur Vereinfachung des Verfahrens erlaubt § 23 I GBO die Löschung aufgrund lediglich der Sterbeurkunde nach dem Ablauf eines Sperrjahres. Vor dem Ablauf des Sperrjahres ist hingegen nach § 23 GBO eine Löschungsbewilligung des Erben mit Erbnachweis erforderlich. Das gleiche gilt auch nach Ablauf des Sperrjahres, wenn der Erbe des Berechtigten der Löschung beim GBAmt widersprochen hat.

374 **Löschungsklausel.** Eine noch weitergehende Vereinfachung des Löschungsverfahrens erlaubt der Vermerk nach § 23 II GBO (auch: Vorlöschungsklausel oder Löschungserleichterungsvermerk genannt): Die Löschung ist auch schon vor dem Ablauf des Sperrjahres nach dem Ableben des Berechtigten auf bloßen Todesnachweis ohne Löschungsbewilligung des Erben zulässig, wenn im Grundbuch eingetragen ist, daß zur Löschung des Rechts der Nachweis des Ablebens des Berechtigten genügen soll. Von dieser Möglichkeit der vereinfachten Löschung wird in der notariellen Praxis in großem Umfang Gebrauch gemacht.

375 **Inhaltlich ist dieser Vermerk eine Art vorweggenommene Löschungsbewilligung des Berechtigten.** Seine Eintragung erfordert deshalb, wenn sie nach der Eintragung des Rechts vorgenommen wird, eine Bewilligung des Berechtigten. Soll jedoch – wie dies in aller Regel geschieht – die Eintragung des Vermerks gleichzeitig mit der Eintragung des Rechts erfolgen, so ist sie eine Inhaltsbestimmung und es genügt, daß sie allein von dem Besteller (Eigentümer) erklärt wird (BGH NJW 1976, 962 = DNotZ 1976, 490). Bei gleichzeitiger Eintragung des Vermerks mit dem Recht ist die Eintragung gebührenfreies Nebengeschäft (§ 67 KostO).

376 Die Regelung des § 23 GBO ist entsprechend anzuwenden, wenn das Recht befristet oder auflösend bedingt ist (§ 24 GBO). **Beispiel:** Ein dem überlebenden Ehegatten letztwillig zugewendetes Nießbrauchsrecht soll im Falle seiner Wiederverheiratung erlöschen. Erforderlich ist die Vorlage einer Heiratsurkunde. Da Rückstände möglich sind, erfolgt die Löschung aber erst nach Ablauf des Sperrjahres, es sei denn, daß eine Löschungsklausel eingetragen ist.

VI. Der formelle Nachweis der Eintragungsvoraussetzungen

Literaturhinweis: Böttcher, Die Beweislehre im Grundbuchverfahren, MittBayNot 1986, 1

1. Die Beibringung der Unterlagen

377 In den Verfahren der Freiwilligen Gerichtsbarkeit gilt allgemein der Grundsatz, und zwar sowohl in den Amtsverfahren wie in den Antragsverfahren, daß das Gericht sich durch eigene Ermittlungen die Entscheidungsgrundlagen zu beschaffen hat (§ 12 FGG). Im Grundbuchverfahren gilt jedoch der sogenannte **Beibringungsgrundsatz**: In Antragssachen hat der Antragsteller die zur Eintragung erforderlichen Unterlagen zu beschaffen und vorzulegen, soweit er nicht auf Akten desselben Gerichts, z.B. Vormundschaftsakten, Nachlaßakten, Handelsregister usw. Bezug nehmen kann. Das GBAmt ist zur Anstellung von eigenen Ermittlungen bzw. der Beschaffung von Eintragungsunterlagen weder berechtigt noch verpflichtet.

2. Der Nachweis durch Urkunden

378 **Das Grundbuch erfordert sichere Eintragungsunterlagen. Sie müssen deshalb in förmlicher Weise nachgewiesen werden** (§ 29 GBO). Dabei werden zwei Gruppen von Eintragungsvoraussetzungen unterschieden: die zur Eintragung erforderlichen „Erklärungen" und „andere Voraussetzungen" der Eintragung:

a) Die EB und andere zur Eintragung erforderliche „Erklärungen" sind in öffentlicher Urkunde oder mit öffentlich beglaubigter Unterschrift vorzulegen (§§ 29 I 1 GBO, 39, 40 BeurkG, 415 ZPO, 129 BGB).

b) „Andere Voraussetzungen der Eintragung", d.h. solche, die nicht in Erklärungen bestehen, z.B. Erbfolge, Lebensalter, Verehelichung, Scheidung, Tod, handelsrechtliche Vertretungsberechtigung, Verwaltung fremden Vermögens als Testamentsvollstrecker, Konkursverwalter usw., sind, soweit sie nicht beim GBAmt offenkundig sind, durch öffentliche Urkunden nachzuweisen (§§ 415 ZPO, 29 I 2 GBO). Verweisung auf Akten desselben Gerichts genügt. **Beispiele:**

- Die eingetretene Erbfolge ist durch einen **Erbschein** oder durch öffentliches Testament bzw. Erbvertrag in Verbindung mit dem Eröffnungsprotokoll nachzuweisen (§ 35 I GBO).
- Die Befugnis eines Testamentsvollstreckers ist nachzuweisen durch ein **Testamentsvollstreckerzeugnis** oder durch ein öffentliches Testament

oder einen Erbvertrag, in dem die Einsetzung enthalten ist, in Verbindung mit dem Eröffnungsprotokoll (§ 35 II GBO).
- Geburt, Heirat oder Tod einer Person wird durch Vorlage einer **Standesamtsurkunde** nachgewiesen.

379 c) **Nachweis der Vertretungsberechtigung der Organe von Handelsgesellschaften.** Auch dieser Nachweis ist durch öffentliche Urkunden zu führen. Wenn sich das Handelsregister der vertretenen Gesellschaft bei dem gleichen Amtsgericht befindet wie das GBAmt, genügt die Bezugnahme auf das Handelsregister (§ 34 GBO). Das GBAmt hat sich dann selbst durch Einsicht in das Handelsregister von der Richtigkeit der Vertretung zu überzeugen. Entsprechendes gilt für Genossenschaften und Vereine. Wird dagegen das Handelsregister, Genossenschaftsregister oder Vereinsregister bei einem anderen Amtsgericht geführt, so ist die Vertretungsberechtigung durch Urkunden nachzuweisen. Dazu bestehen folgende Möglichkeiten:
- **Vorlage eines Zeugnisses des Registergerichts**, in dem bescheinigt wird, daß gem. Eintragung im Register bestimmte Personen als Vorstandsmitglieder, Gesellschafter, Geschäftsführer, Liquidatoren oder Prokuristen zur Vertretung der Gesellschaft, der Genossenschaft oder des Vereins berechtigt sind (§§ 32 GBO, 9 III HGB, 26 II GenG, 69 BGB). Das Zeugnis beweist das Bestehen der Gesellschaft, der Genossenschaft bzw. des Vereins und die Vertretungsbefugnis zum Zeitpunkt der Ausstellung, obwohl die Eintragungen regelmäßig keine rechtsbegründende Kraft haben und die genannten Register nur eingeschränkten öffentlichen Glauben genießen.
- **Vorlage einer beglaubigten Abschrift (Kopie) der Registereintragung**, bei Handelsgesellschaften auch ein **beglaubigter Auszug aus dem Handelsregister** mit einer Bescheinigung, daß weitere die Vertretungsbefugnis betreffende Eintragungen nicht vorhanden sind (§ 9 II, IV HGB).
- **Vorlage einer notariellen Vertretungsbescheinigung** (§ 21 BNotO). Dies ist in der Praxis die häufigste Form; hier bescheinigt der Notar aufgrund vorgenommener Einsicht in das Register, daß die handelnden Personen zur Vertretung der Gesellschaft, Genossenschaft bzw. des Vereins berechtigt sind. Der Tag der Einsichtnahme ist in der Bescheinigung anzugeben (§ 21 II 2 BNotO).

Der Umfang der Vertretungsmacht des Organs ergibt sich aus dem jeweiligen Gesetz, unabhängig von eventuell im Innenverhältnis der Gesellschaft gegebenen Einschränkungen (s. Rz. 160, 161).

380 **Aktualität des Nachweises.** Vielfach erfolgt die Abgabe der Grundbucherklärung erst einige Zeit nach der Erstellung des Vertretungsnachweises. Er sollte jedoch möglichst aus neuester Zeit stammen, da in der Zwischenzeit die Vertretungsbefugnis weggefallen sein oder sich geändert haben kann. Aber auch ältere Nachweise sind nicht grundsätzlich

zu beanstanden, es sei denn, daß die Zwischenzeit unangemessen lang ist oder Anhaltspunkte für eine nachträgliche Änderung gegeben sind; feste Regeln bestehen dafür nicht (Demharter § 32 Rz. 12; HSS Rz. 3637; OLG Hamm Rpfleger 1990, 85).

381 **Offenkundigkeit und Erfahrungssätze.** Keines Nachweises bedürfen Tatsachen, die offenkundig, d. h. dem GBAmt amtlich oder außeramtlich zweifelsfrei bekannt sind (BayObLG DNotZ 1957, 311) oder sich aus anderen Gerichtsakten ergeben. Sie sind durch einen Vermerk in der Eintragungsverfügung aktenkundig zu machen (§ 24 III AV GeschBeh.).

382 **Einschränkung der Nachweispflicht bei Nebenumständen.** Darüber hinaus wird § 29 I 2 GBO in ständiger Rechtsprechung einschränkend ausgelegt. Keines urkundlichen Nachweises bedürfen Nebenumstände, wenn sie nach allgemeinen Erfahrungssätzen gegeben sind, oder wenn der Zwang, auch entfernte Möglichkeiten auszuschließen, den Geschäftsverkehr mit unnötigem Formalismus erschweren würde (HSS Rz. 159; KG DNotZ 1954, 471). **Beispiele:**

- Wenn ein Bevollmächtigter eine Vollmachtsurkunde vorlegt, spricht die Erfahrung dafür, daß sie ihm durch den Vollmachtgeber ausgehändigt worden ist und fortbesteht (KG DNotZ 1972, 18).
- Verkauft der befreite Vorerbe das Grundstück an einen Fremden, so wird die Angemessenheit des Kaufpreises und damit die volle Entgeltlichkeit des Vertrages vermutet (§§ 2113 II, 2136 BGB; KG Rpfleger 1968, 224); bei engen Beziehungen zwischen dem Vorerben und dem Vertragspartner sind jedoch Zweifel geboten (OLG Frankfurt Rpfleger 1977, 170).
- Das gleiche gilt, wenn der Testamentsvollstrecker ein Grundstück durch entgeltlichen Vertrag an einen Fremden veräußert (§ 2205 Satz 3 BGB; HSS Rz. 3441; BayObLG MittBayNot 1983, 228).
- Die formelle Rechtskraft einer behördlichen Genehmigung bedarf keines besonderen Nachweises (Ausnahme: § 7 I GrdstVG).

3. Die öffentliche Beglaubigung

383 **Beweiskraft.** Die öffentliche Beglaubigung einer Unterschrift ist in § 129 BGB geregelt. Sie erbringt den Beweis, daß die Unterschrift unter der Erklärung echt ist, d. h. von demjenigen herrührt, der in dem Beglaubigungsvermerk als Unterzeichner angegeben ist. Nur dieser Beglaubigungsvermerk ist die öffentliche Urkunde. Die unterschriebene Erklärung des Beteiligten selbst bleibt eine Privaturkunde. Ihr Inhalt unterliegt deshalb grundsätzlich nicht der Prüfung durch die beglaubigende Amtsperson.

384 **Zuständig für die öffentliche Beglaubigung sind grundsätzlich nur die Notare**, im Ausland die deutschen Konsularbeamten. Daneben gibt es in einzelnen Ländern der Bundesrepublik Sonderregelungen auf der

Grundlage des § 63 BeurkG, durch die bestimmten Stellen eine Zuständigkeit für die Beglaubigung von Unterschriften eingeräumt worden ist.

385 Zu unterscheiden von der öffentlichen Beglaubigung ist die sog. **„amtliche Beglaubigung"** einer Unterschrift durch eine Verwaltungsbehörde zum Zwecke der Verwendung in Verwaltungsverfahren oder für sonstige Zwecke, für die eine öffentliche Beglaubigung nicht vorgeschrieben ist (vgl. § 65 BeurkG). Diese behördlichen Beglaubigungen sind jedoch keine öffentlichen Beglaubigungen i.S. des BGB, des HGB und der GBO. Für das Grundbuchverfahren sind sie deshalb nicht ausreichend.

386 **Für das Verfahren der öffentlichen Beglaubigung gelten die §§ 39, 40 BeurkG.** Dabei ist zu unterscheiden zwischen zwingenden Vorschriften und Sollvorschriften. **Beispiel:** Fehlt im Beglaubigungsvermerk die Angabe der Person, welche die Unterschrift vollzogen hat, so ist die Beglaubigung unwirksam (§ 40 III 1 BeurkG). Fehlt dagegen die Angabe, ob die Unterschrift vor dem Notar als eigenhändig vollzogen oder anerkannt wurde, so berührt die Verletzung dieser Ordnungsvorschrift die Wirksamkeit der Beglaubigung nicht (§ 40 III 2 BeurkG).

4. Die öffentliche Urkunde

387 **Generalklausel.** Öffentliche Urkunden sind die von einer öffentlichen Behörde innerhalb der Grenzen ihrer Amtsbefugnisse oder von einer mit öffentlichem Glauben versehenen Person innerhalb des ihr zugewiesenen Geschäftskreises in der vorgeschriebenen Form aufgenommenen Urkunden (§ 415 ZPO). Sie begründen vollen Beweis der darin bezeugten Tatsachen (§ 418 ZPO).

388 **Die Beurkundung von Willenserklärungen.** Für die Beurkundung von Erklärungen gelten die Vorschriften des Beurkundungsgesetzes. Dafür sind die Notare zuständig (§§ 20 BNotO, 6ff. BeurkG). Der Begriff „Beurkundung" wird im Gesetz nicht näher erläutert, sondern vorausgesetzt. Er bedeutet, daß die Erklärung des oder der Beteiligten in Form einer Niederschrift (Protokoll) geschrieben, vorgelesen und von dem Erklärenden sowie dem Notar unterschrieben wird (§§ 8ff. BeurkG). Bezeugt wird dadurch nicht nur die Unterschrift der Beteiligten, sondern auch, daß sie inhaltlich diese Erklärungen abgegeben haben, nicht jedoch die objektive Richtigkeit oder materielle Wirksamkeit ihrer Erklärungen. Dabei soll der Notar sich nicht darauf beschränken, die abgegebene Willenserklärung so getreu wie möglich wiederzugeben, sondern darauf hinwirken, daß eine Erklärung abgegeben wird, die den beabsichtigten Rechtserfolg herbeiführt. Das wird durch besondere Amtspflichten gesichert, die sich insbesondere auf die Erforschung des Willens, die Aufklärung des Sachverhalts und die rechtliche Beratung der Beteiligten beziehen (vgl. §§ 24 I 1 BNotO und 17ff. BeurkG).

Die Urschrift der Urkunde verbleibt in der Verwahrung des beurkundenden Notars. Für den Rechtsverkehr, insbesondere zur Vorlage beim GBAmt, erteilt er davon Ausfertigungen und beglaubigte Abschriften.

5. Urkunden im zwischenstaatlichen Verkehr

389 **Auch im Ausland errichtete Urkunden fallen unter § 29 GBO.** Ist eine nach deutschem Recht in öffentlicher Urkunde abzugebende Erklärung im Ausland zu leisten, z.B. eine Vollmacht, Genehmigung oder Eintragungsbewilligung in Grundbuchsachen, so kann dies vor einer deutschen Auslandsvertretung (Botschaft oder Konsulat) geschehen. Die deutschen Konsuln im Ausland sind nach dem Konsulargesetz zur Beurkundung von Willenserklärungen und der Beglaubigung von Unterschriften ermächtigt (§§ 16ff. KonsularG). Für das Verfahren gelten die Vorschriften des BeurkG entsprechend. Häufig ist jedoch die nächste deutsche Auslandsvertretung schwer erreichbar. Dann kann die Beglaubigung einer Unterschrift auch durch eine dafür zuständige Stelle des Errichtungslandes erfolgen. Dies ist z.B. im romanischen Rechtskreis und in den davon beeinflußten Rechtsordnungen in der Regel ein Notar, im anglo-amerikanischen Rechtskreis ein notary public. In diesem Falle kann aber das GBAmt zusätzlich eine Legalisation durch die örtlich zuständige deutsche Auslandsvertretung verlangen, es sei denn, daß nach den besonderen Umständen des Einzelfalles der Echtheitsbeweis auch ohne Legalisation als erbracht angesehen werden kann (BayObLG Rpfleger 1993, 192).

390 **Legalisation** ist die Bestätigung einer Auslandsvertretung des Verwendungsstaates, daß die beglaubigende Amtsperson des Errichtungsstaates für diese Amtshandlung zuständig und die Urkunde in der gesetzlichen Form des Landes erstellt ist (vgl. § 2 des Reichsgesetzes vom 1.5.1878, RGBl. S.89; Bülow, DNotZ 1955, 40). Hierzu fordert die Auslandsvertretung je nach Gesetzeslage oder Übung die vorherige Überbeglaubigung durch andere Behörden des Errichtungsstaates.

391 **Zwischenbeglaubigung.** Bei deutschen Notariatsurkunden, die zur Verwendung im Ausland bestimmt sind, verlangt die ausländische diplomatische Vertretung vielfach vor der Legalisation eine Bescheinigung, durch die bestätigt wird, daß der Notar zu der Amtshandlung befugt war und daß die Unterschrift sowie das beigefügte Siegel bzw. der Stempel echt sind. Zuständig dafür ist der Landgerichtspräsident. Einige Staaten verlangen darüber hinaus eine „Endbeglaubigung". Zuständig dafür ist das Bundesverwaltungsamt in Köln.

392 **Apostille.** Im Rechtsverkehr zwischen den Staaten, die dem „Haager Übereinkommen vom 5. Oktober 1961 zur Befreiung ausländischer öffentlicher Urkunden von der Legalisation" beigetreten sind, wird das etwas umständliche Verfahren der Legalisation durch eine vereinfachte

Form der Echtheitsbestätigung, die sog. Apostille, ersetzt. In diesen Fällen genügt eine innerstaatliche Bescheinigung einer Behörde des Errichtungsstaates, in der bestätigt wird, daß die Urkundsperson für die Amtshandlung zuständig war und daß ihre Unterschrift sowie das beigefügte Siegel bzw. der Stempel echt sind (Art. 3 des Übereinkommens; BGBl. II 1965, 876; 1966, 101). Zuständig für die Erteilung in der Bundesrepublik Deutschland ist der Landgerichtspräsident. Der Mitwirkung einer Auslandsvertretung des Empfängerstaates bedarf es bei der Apostille nicht.

393 **Befreiung.** Weder eine Legalisation noch die Beifügung einer Apostille ist erforderlich, wenn die Urkunde in einem Staat errichtet ist, mit dem die Bundesrepublik Deutschland einen besonderen Staatsvertrag über die Befreiung von dem Erfordernis der Legalisation geschlossen hat. Eine Aufzählung der bisher geschlossenen Staatsverträge s. bei Demharter § 29 Rz. 52.

VII. Der Grundsatz der Voreintragung

394 **Eine Eintragung soll nur erfolgen, wenn die Person, deren Recht durch sie betroffen wird, als der Berechtigte eingetragen ist** (§ 39 I GBO). Dadurch sollen der Rechtsbestand des Grundbuchs und seine Änderungen nicht nur im Endzustand, sondern in allen Entwicklungsstufen klar und richtig wiedergegeben werden (BGH NJW 1955, 342). Die Voreintragung des Betroffenen erfolgt nur auf Antrag. Zum Antragsrecht eines Gläubigers s. Rz. 332. Eine unrichtig gewordene Bezeichnung, z. B. bei Änderung des Namens oder der Firma, braucht nicht richtiggestellt zu werden.

395 **Ausnahmen.** Von dem Grundsatz der Voreintragung gibt es jedoch aus praktischen Gründen einige Ausnahmen. Die wichtigsten sind:

- **Der Erbe des eingetragenen Berechtigten** kann das Recht übertragen, ohne daß vorher eine Grundbuchberichtigung auf ihn erfolgt ist (§ 40 GBO); dies gilt nicht, wenn der Erbe das Grundstück belasten will, weil er ja dann Eigentümer bleibt, z. B. bei der Eintragung einer Finanzierungsgrundschuld für den Käufer (s. Rz. 216, 1141). Auch ohne vorherige Grundbuchberichtigung kann jedoch eine Vormerkung für den Käufer eingetragen werden.
- **Der Inhaber eines Briefgrundpfandrechts**, der sich im Besitz des Briefes befindet, kann sein Gläubigerrecht gemäß § 1155 BGB durch eine lückenlose, auf einen eingetragenen Gläubiger zurückführenden Kette öffentlich beglaubigter Abtretungserklärungen nachweisen und sich ohne Voreintragung der Zwischenerwerber als Gläubiger im Grundbuch eintragen lassen (§ 39 II GBO).

– Der Eigentümer kann eine durch Tilgung zur **Eigentümer-Grundschuld gewordene Hypothek** abtreten und auf den neuen Gläubiger umschreiben lassen, ohne selbst zuvor als Berechtigter eingetragen zu werden. Begründung: Bei Grundpfandrechten ist der Grundstückseigentümer stets als „latent" eingetragen anzusehen (KG Rpfleger 1975, 136).

Keine Ausnahme ist dagegen die sog. **Kettenauflassung**, weil der Letzterwerber das Eigentum unmittelbar vom Erstveräußerer erwirbt (s. Rz. 142).

VIII. Der Verfahrensablauf

1. Der Antragseingang

396 **Der schriftlich eingereichte oder zur Niederschrift des GBAmts erklärte Antrag wird mit einem Eingangsvermerk versehen.** Dabei sind der Zeitpunkt des Eingangs nach Tag, Stunde und Minute sowie die Zahl der Anlagen anzugeben. Mehrere gleichzeitig vorgelegte Anträge erhalten den gleichen Eingangsvermerk. Der Eingangsvermerk ist von dem entgegennehmenden Beamten zu unterzeichnen (§ 19 AV GeschBeh.). Auf Verlangen ist eine Empfangsbestätigung zu erteilen. Sodann ist das den Antrag oder das Ersuchen enthaltende Schriftstück unverzüglich an den **Registrator** abzugeben. Dieser gibt dem Schriftstück eine Ordnungsnummer, prüft, ob noch andere, dasselbe Grundstück betreffende Anträge oder Ersuchen eingegangen sind, und stellt dies in einem von ihm zu unterschreibenden Vermerk fest. **Formel** z. B.: „Weitere das Grundstück betreffende Anträge oder Ersuchen liegen nicht vor. Vorgelegt am . . ." Sodann legt er die Anträge und Ersuchen mit den Grundakten und dem Handblatt dem zuständigen **Rechtspfleger** zur Erledigung vor (§ 20 AV GeschBeh.).

2. Das Prüfungsverfahren

397 **Das GBAmt darf einem Antrag nur stattgeben, wenn alle Vorschriften des formellen Grundstücksrechts** (im weitesten Sinne) **gewahrt sind.** Richtschnur dafür ist folgendes **Schema**:

a) **Zuständigkeit** des GBAmts:
   - sachlich (§ 1 I 1 GBO)
   - örtlich (§ 1 I 2 GBO)
   - funktionell (§ 3 Nr. 1 h RPflG)

b) **Reihenfolge** des Eingangs (Prioritätsprinzip, § 17 GBO)

c) **Antrag:**
   - Vorliegen eines Antrages
   - Antragsberechtigung des Antragstellers (§§ 13 I 2, 14, 15 GBO)

- Rechtsfähigkeit und Geschäftsfähigkeit des Antragstellers
- ordnungsmäßige Vertretung nachgewiesen ?
- erforderlicher und zulässiger Inhalt des Antrages
- Form des Antrages oder Ersuchens (§§ 30, 38 GBO)

d) **Eintragungsfähigkeit** des Rechts, einschließlich seiner inhaltlichen Ausgestaltung im Einzelfall

e) **Rechtfertigung des Antrages durch die Eintragungsunterlagen**
- **bei Bewilligung:**
  - Bewilligung durch den Betroffenen (§ 19 GBO)
  - Rechts- und Geschäftsfähigkeit
  - Erwerbsfähigkeit des Erwerbers
  - Nachweis der ordnungsmäßigen Vertretung
  - erforderlicher und zulässiger Inhalt
  - Deckungsgleichheit mit dem Antrag
  - Angabe des Beteiligungsverhältnisses (§ 47 GBO)
  - Form (§ 29 GBO)
- **bei Auflassung:** Statt einseitiger Bewilligung der Nachweis der erklärten Auflassung (§§ 925 BGB, 20 GBO); im übrigen wie bei Bewilligung
- **bei Grundbuchberichtigung:**
  - Nachweis der Unrichtigkeit oder Berichtigungsbewilligung (§ 22 GBO)
  - gegebenenfalls die Zustimmung des Eigentümers gemäß § 22 II GBO
  - Sonderfall des § 23 GBO
  - Form (§ 29 GB0)
- **Privatrechtliche Zustimmungen,** z.B. §§ 27 GBO, 1365 BGB, 2113 BGB, 12 WEG
- **Behördliche Genehmigungen und Bescheinigungen,** z.B. vormundschaftsgerichtliche Genehmigung, Genehmigung nach GrdstVG und BauGB, Negativattest Vorkaufsrecht BauGB, Unbedenklichkeitsbescheinigung der Grunderwerbsteuerbehörde usw.
- **Briefvorlage** bei Grundpfandrechten (§ 41 GBO).
- **bei behördlichen Ersuchen:**
  - abstrakte Befugnis der Behörde (§ 38 GBO)
  - zulässiger Inhalt des Ersuchens
  - Form (§ 29 III GBO)
  - erforderliche Anlagen (z.B. § 158 II ZVG)

f) **Voreintragung des Betroffenen** (§§ 39, 40 GBO)

g) **Kein entgegenstehendes Erwerbsverbot** (s. Rz. 523)

h) nach h.M. **keine Kenntnis des GBAmts** davon, daß der Erwerb lediglich aufgrund des Gutglaubensschutzes eintreten würde (vgl. Rz. 511).

i) Wird ein **Kostenvorschuß** verlangt (§ 8 KostO)?

3. Das Legalitätsprinzip

a) Die Prüfung der Eintragungsvoraussetzungen

398 **Sachprüfung.** Eintragungen im Grundbuch dürfen nur vorgenommen werden, wenn sie durch Rechtsnormen vorgeschrieben oder zugelassen sind. Man nennt dies den Grundsatz der Sachprüfung oder das Legalitätsprinzip. Wenn die gesetzlichen Voraussetzungen vorliegen, ist dem gestellten Antrag zu entsprechen. Dem GBAmt steht kein Ermessen darüber zu, ob es eine beantragte Eintragung vornehmen will oder nicht.

399 **Rechtliche Wertung.** Die Prüfung der Eintragungsunterlagen schließt vielfach auch eine rechtliche Wertung der vorgelegten Unterlagen ein, z.B.:
- Deckt die Vollmacht inhaltlich das Rechtsgeschäft ?
- Ist die Erbfolge durch die beurkundete Verfügung von Todes wegen eindeutig nachgewiesen? (§ 35 I 2 GBO)
- Sind die rechtlichen Folgen des Geschäfts für den Minderjährigen lediglich vorteilhaft i.S. des § 107 BGB? (BayObLG Rpfleger 1968, 18)
- Hat der Testamentsvollstrecker entgeltlich über den Nachlaßgegenstand verfügt? (§ 2205 Satz 2 BGB)
- Hat der befreite Vorerbe entgeltlich über das Grundstück verfügt? (§§ 2113 II, 2136 BGB)
- Hat die beantragte Dienstbarkeit oder das Nießbrauchsrecht einen sachenrechtlich möglichen Inhalt ? (Zum Typenzwang vgl. Rz. 723 ff. und 786–790).

400 **Beschränktes materielles Prüfungsrecht.** Aus den §§ 19, 20, 29 GBO ergibt sich, daß das GBAmt nur die vorgelegten Eintragungsunterlagen zu prüfen hat, nicht jedoch die Wirksamkeit des schuldrechtlichen Grundgeschäfts. Es darf deshalb eine Eintragung selbst dann nicht ablehnen, wenn es das Grundrechtsgeschäft für ungültig halten sollte (OLG Frankfurt NJW 1981, 876). Auch bei Zweifeln an der Wirksamkeit der dinglichen Einigung nach § 873 I BGB hat das GBAmt den Antrag zu vollziehen. Das kann im Einzelfall zu einer Unrichtigkeit des Grundbuchs führen. Die Einfachheit, Schnelligkeit und Leichtigkeit des Verfahrens haben jedoch gesetzlich den Vorrang vor der durchgängigen Richtigkeit des Grundbuchs. Wer im Grundbuchrecht den Vorrang der materiellen Richtigkeit in jedem Einzelfall fordert, gefährdet die für den sicheren und zügigen Rechtsverkehr erforderliche Rechtsklarheit und Vorhersehbarkeit der zu erwartenden Entscheidungen. Dies gilt insbesondere auch deshalb, weil heute wegen des häufig zeitaufwendigen Grundbuchverfahrens die mit den Rechtsgeschäften verbundenen finanziellen Transaktionen (Kaufpreiszahlung, Vornahme von Ablösungen, Grundschuldvalutierungen usw.) vielfach nicht vom Grundbuchvollzug, sondern bereits von seiner Sicherstellung durch Einreichung der Eintra-

gungsunterlagen abhängig gemacht werden. Dies wäre nicht mehr möglich, wenn durch ein ausgedehntes „materielles Prüfungsrecht" des GBAmts eine Entscheidung über den Eintragungsantrag zum Roulettespiel würde (Nieder NJW 1984, 329, 338). Nur wenn das GBAmt aufgrund feststehender Tatsachen zu der sicheren Kenntnis oder der Überzeugung kommt, daß durch die beantragte Eintragung das Grundbuch unrichtig würde, darf und soll es den Antrag beanstanden oder zurückweisen; bloße Zweifel an der wirksamen Rechtsbegründung genügen nicht (BayObLG NJW 1981, 1519). Ein eigenes Ermittlungsrecht von Amts wegen entsprechend § 12 FGG steht dem GBAmt grundsätzlich nicht zu (Ausnahme s. Rz. 416).

b) Problemfälle

401 **Die Ehegattenzustimmung nach § 1365 BGB.** Wer verheiratet ist und im gesetzlichen Güterstand der Zugewinngemeinschaft lebt, kann nur mit Zustimmung seines Ehegatten über sein Vermögen im Ganzen verfügen (§ 1365 BGB; vgl. nachstehend Rz. 307–312). Diese Bestimmung bereitet in der Vertragspraxis erhebliche Schwierigkeiten, weil sie von der Rechtsprechung auch dann angewendet wird, wenn nur über einzelne Gegenstände des Vermögens verfügt wird, die jedoch nahezu das ganze Vermögen ausmachen, und der Vertragspartner dies positiv weiß oder zumindest die Verhältnisse kennt, aus denen es sich ergibt (vgl. Palandt/Diederichsen § 1365 Rz. 9 m.w.N.). § 1365 BGB gilt als **absolute Verfügungsbeschränkung** (s. Rz. 514). Fehlt die im konkreten Fall erforderliche Zustimmung des Ehegatten, ist die Verfügung gegenüber jedermann unwirksam. Das GBAmt ist jedoch nur dann zur Beanstandung durch Zwischenverfügung berechtigt, wenn es konkrete Anhaltspunkte dafür hat, daß die Voraussetzungen des § 1365 BGB gegeben sind (Palandt/Diederichsen Rz. 28).

402 **Prüfung nach dem AGB-Gesetz.** Ist das GBAmt berechtigt und eventuell verpflichtet, die materielle Gültigkeit des Rechtsgeschäfts nach den Maßstäben des „Gesetzes zur Regelung des Rechts der Allgemeinen Geschäftsbedingungen" zu prüfen? Diese Frage war in der Anfangszeit nach dem Erlaß des AGB-Gesetzes sehr umstritten. Inzwischen haben sich jedoch folgende Grundsätze herausgebildet (s. dazu ausführlich HSS Rz. 211–218 mit zahlreichen Nachweisen):

Das AGB-Gesetz ist materielles Recht und hat an dem formellen Grundbuchrecht nichts geändert, insbesondere die Prüfungskompetenz des GBAmts nicht verändert oder erweitert. Die Schwierigkeit beginnt damit, daß das GBAmt aus den Eintragungsunterlagen nicht ohne weiteres ersehen kann, ob eine Bedingungen „gestellt" oder einzeln ausgehandelt ist (§ 1 AGB-Gesetz). Darüber hinaus hängen die Klauselverbote nach § 9 (Generalklausel) und § 10 (Klauselverbote mit

Wertungsmöglichkeit) von **Wertungen ab, die nur aus einer Gesamtwürdigung des Rechtsgeschäfts**, nicht jedoch aus den Eintragungsunterlagen allein **gewonnen werden können**. Dies zeigt sich insbesondere auch daran, daß der Antragsteller sich auf die Vorlage der reinen Auflassung bzw. Eintragungsbewilligung beschränken und damit dem GBAmt in beliebiger Weise die Möglichkeit zur Prüfung des Grundgeschäfts entziehen kann (BayObLG DNotZ 1981, 570). Andererseits darf das GBAmt – wie dargestellt – nicht wissentlich dazu mitwirken, das Grundbuch unrichtig zu machen. Das GBAmt darf deshalb einen Antrag nur zurückweisen, wenn die beabsichtigte Eintragung **offensichtlich zur Unrichtigkeit führen** würde. Dies dürfte nur dann in Frage kommen, wenn die dingliche Einigung eindeutig gegen eines der strikten Klauselverbote ohne Wertungsmöglichkeit des § 11 AGB-Gesetz verstößt. Aber auch 11 AGB-Gesetz enthält teilweise unbestimmte Rechtsbegriffe, wie „wesentlich" (Nr. 5 b) und „unverhältnismäßig" (Nr. 10 d) und damit Wertungskriterien einer Gesamtbeurteilung. Nur wenn sich die Verbotswidrigkeit des dinglichen Rechtsgeschäfts, ohne Wertungsmöglichkeit, unmittelbar aus dem Gesetz ergibt, darf und muß das GBAmt – wie bisher schon in den Fällen des § 134 BGB – den Antrag zurückweisen.

4. Die Eintragung

403 Sind die Voraussetzungen der Eintragung gegeben, so verfügt der Rechtspfleger den genauen Text der Eintragung, die Bekanntmachung an die Beteiligten (§ 55 GBO), ggf. die Fertigung und Versendung der Grundpfandbriefe und die Sollstellung der Eintragungskosten. Der Text des Eintragungsvermerks wird sodann ins Grundbuch geschrieben, datiert und vom Rechtspfleger sowie einer weiteren zuständigen Person unterschrieben (§ 44 GBO). Mit der Unterzeichnung entsteht das eingetragene Recht.

5. Die Behandlung fehlerhafter Anträge

Literaturhinweise: Böttcher, Zurückweisung und Zwischenverfügung im Grundbuchverfahren, MittBayNot 1987, 9; Meyer-Stolte, Die Zwischenverfügung des Rechtspflegers, RpflJb. 1979, 309

404 **Leidet der Antrag an einem Mangel, hat das GBAmt entweder den Antrag zurückzuweisen oder dem Antragsteller mit Zwischenverfügung unter Angabe der Mängel eine Frist zur Behebung des Hindernisses zu setzen** (§ 18 I GBO). Wegen des mit einer Zurückweisung des Antrags verbundenen Prioritätsverlustes im Erledigungsverfahren und damit der Gefahr des materiellen Rangsverlusts ist das GBAmt jedoch in der Wahl zwischen diesen beiden Möglichkeiten nicht frei. Die Zwi-

chenverfügung ist die Regel, die Zurückweisung die Ausnahme (dazu ausführlich HSS Rz. 427–469).

a) Die Zwischenverfügung

405 **Kann der Mangel behoben werden, ist der Antrag durch eine Zwischenverfügung zu beanstanden.** Sie kann z. B. gerichtet sein auf: Klarstellung des Antrags, Einschränkung oder Erweiterung eines Antrags, Beibringung fehlender Unterlagen, Beseitigung von Formmängeln der Eintragungsunterlagen, Ausräumung von Zweifeln, Sicherstellung der Kosten (§ 8 KostO). Die Zwischenverfügung ergeht gebührenfrei. Sie sollte in der Regel begründet und nicht zu kurz befristet sein (HSS Rz. 452 f.).

406 **Inhalt und Zustellung.** Die Zwischenverfügung muß sämtliche Hindernisse bezeichnen, die der beantragten Eintragung entgegenstehen; eine stufenweise Beanstandung ist nicht zulässig. Ferner sind sämtliche Mittel zu erwähnen, die zur Beseitigung des Hindernisses führen können. Die Zwischenverfügung muß dem Antragsteller durch förmliche Zustellung mitgeteilt werden, weil dadurch die vom GBAmt zur Behebung der Eintragungshindernisse gesetzte Frist beginnt (§§ 208–213 ZPO, 16 II 1 FGG). Die Zwischenverfügung kann jederzeit, z. B. auf Gegenvorstellung, aufgehoben und die beantragte Eintragung vorgenommen werden. Verlängerung der Frist ist möglich und sollte auf Antrag großzügig gewährt werden.

407 **Rechtsmittel.** Gegen die Zwischenverfügung ist das Rechtsmittel der Beschwerde gegeben (§ 71 I GBO). Ihr ist jedoch in der Regel das Verfahren der „Erinnerung" vorgeschaltet (s. Rz. 446 ff.).

408 **Erhaltung der Ranganwartschaft.** Die Zwischenverfügung wahrt für den Antragsteller alle verfahrensrechtlichen und materiellrechtlichen Wirkungen des Antrages (RGZ 110, 203, 207):

- die Rangfolge für das Eintragungsverfahren gemäß §§ 17, 45 GBO, 879 BGB
- die Rangwahrung gegen nachträgliche Verfügungsbeschränkungen gem. § 878 BGB
- den Schutz des gutgläubigen Erwerbers gem. §§ 892 II, 893 BGB.

409 **Amtsvormerkung.** Geht inzwischen ein anderer, beanstandungsfreier Antrag beim GBAmt ein, der dasselbe Recht betrifft, so ist vor dessen Vollzug zur Rangwahrung des ersten Antrages von Amts wegen eine Vormerkung einzutragen (§ 18 II 1 GBO). Wird danach der Mangel des ersten Antrages fristgerecht behoben, so wird die Vormerkung in die endgültige Eintragung umgeschrieben und – soweit sie ihre Bedeutung verliert – gemäß § 19 II GBV gerötet = rot unterstrichen. Das Recht erhält dadurch den Rang der Vormerkung, d. h. vor der später beantragten Eintragung (**Platzhalterfunktion der Vormerkung**). **Beispiele:**

- Beantragt ist die Umschreibung des Eigentums von V auf K. Wegen Fehlens einer Eintragungsvoraussetzung ist jedoch eine Beanstandung durch Zwischenverfügung ergangen. Danach geht ein beanstandungsfreier Antrag auf Eintragung einer Grundschuld für G ein, worauf eine Amtsvormerkung für K und danach die Grundschuld für G eingetragen wird: Erfolgt nach Behebung der Beanstandung die Umschreibung des Eigentums auf K, wird die Grundschuld unwirksam, da sie im Falle der sofortigen Eigentumsumschreibung nicht mehr hätte eingetragen werden dürfen. Sie ist deswegen von Amts wegen zu löschen, und die Eintragung der Vormerkung in Abt. II wird gerötet.
- Vorgemerkt ist die Eintragung einer Grundschuld, danach wurde eine Zwangshypothek eingetragen: Wird die Grundschuld nach Behebung des Eintragungshindernisses eingetragen, erhält sie ipso iure den Vorrang vor der Zwangshypothek.

410 **Widerspruch.** Hat der fehlerhafte Antrag nicht eine rechtsändernde, sondern eine berichtigende Eintragung zum Ziel, wird von Amts wegen ein Widerspruch eingetragen; das Verfahren ist entsprechend.

411 **Fristablauf.** Erst nach einem erfolglosem Ablauf der durch die Zwischenverfügung gesetzten Frist und evtl. gewährter Nachfristen **ist der Antrag zurückzuweisen** (§ 18 I 2 GBO), eine evtl. eingetragene Amtsvormerkung oder ein Amtswiderspruch zu löschen.

b) Die Zurückweisung eines Antrages

412 **Der Zurückweisungsbeschluß.** Ist die beantragte Eintragung unzulässig, sei es, daß der Antragsteller nicht antragsberechtigt oder der Antrag inhaltlich überhaupt nicht vollziehbar ist, d.h. auch nicht mit rückwirkender Kraft geheilt werden kann, hat das GBAmt den fehlerhaften Antrag sofort durch Beschluß mit Begründung zurückzuweisen (§ 18 I 1 GBO). Die Zurückweisung ist kostenpflichtig (§ 130 KostO). **Beispiele:**

- Es wird die Eintragung eines überhaupt nicht eintragungsfähigen Rechts, z.B. eines Miet- oder Pachtrechts, beantragt.
- Der Miterbe E1 beantragt, „zu Lasten seines Erbanteils an dem Nachlaßgrundstück" die Eintragung einer Grundschuld. Diese Eintragung ist unzulässig gem. §§ 1114, 2033 II BGB. Eine Eintragung zu Lasten eines „Erbanteils an dem Grundstück" könnte selbst dann nicht erfolgen, wenn alle Miterben zustimmen würden (§ 1114 BGB); sie könnte vielmehr nur auf Bewilligung aller Miterben zu Lasten des ganzen Grundstücks geschehen.

413 **Die Wirkung der Zurückweisung.** Mit der Zurückweisung ist der Antrag i.S. des § 17 GBO erledigt (tempus-Prinzip). Damit gehen die Anwartschaft auf den Rang und die materiellen Wirkungen des Antrags verloren. Wird der Zurückweisungsbeschluß im Beschwerdeverfahren aufgehoben, lebt zwar der ursprüngliche Antrag wieder auf, etwaige zwi-

schen der Zurückweisung und ihrer Aufhebung vorgenommene Eintragungen bleiben jedoch bei Bestand, und zwar auch hinsichtlich ihres Ranges (s. Demharter, § 18 Rz. 17 m.w.N.). Das materielle Rechtsverhältnis zwischen den Beteiligten bleibt jedoch von der Zurückweisung unberührt, insbesondere auch eine nach §§ 873 II, 875 II BGB eingetretene Bindung an die Einigung (s. auch Rz. 451).

414 **Keine Rechtskraft.** Die Zurückweisung eines Antrages erwächst weder in formelle noch in materielle Rechtskraft. Das GBAmt kann seine Entscheidung ändern, z. B. eine Zurückweisung aufheben, solange es nicht durch eine Beschwerdeentscheidung gebunden ist. Allerdings ist dazu ein **neuer Antrag erforderlich**, da der alte Antrag durch die Zurückweisung verbraucht ist. Ein etwa durch unbegründete Zurückweisung eingetretener Nachteil für den Antragsteller, z. B. infolge Rangverlust oder Kreditverzögerung, kann nur noch im Wege des Amtshaftungsanspruchs ausgeglichen werden.

415 **Erinnerung und Beschwerde.** Auch die Einlegung einer Erinnerung bzw. Beschwerde gegen die Zurückweisung beseitigt nicht als solche die Tatsache der Erledigung des Antrags. Wird aber der zurückweisende Beschluß vom Rechtspfleger, Grundbuchrichter oder Beschwerdegericht aufgehoben, lebt der ursprüngliche Antrag mit der Wirkung des § 17 GBO gegenüber später gestellten, aber noch nicht erledigten Anträgen wieder auf. Der Bestand und der Rang von inzwischen eventuell eingetragenen anderen Rechten wird davon aber nicht berührt (RG 135, 378, 385; BGH DNotZ 1966, 673). Hatte die Beschwerde jedoch Erfolg nur aufgrund neuer Tatsachen und Beweise (§ 74 GBO), dann ist die Beschwerdeeinlegung als neuer Antrag anzusehen, d. h. alle vor diesem Zeitpunkt beantragten Eintragungen werden vorher erledigt (Demharter § 74 Rz. 13; BayObLG Rpfleger 1983, 101; KEHE-Kuntze § 74 Rz. 9). Es empfiehlt sich deshalb für das GBAmt, das Mittel der Zurückweisung mit Vorsicht zu handhaben. In der Praxis wird es in der Regel naheliegen, dem Antragsteller unter Hinweis auf die Notwendigkeit der Zurückweisung die Rücknahme des nicht ausführbaren Antrages zu empfehlen, zumal die Rücknahme für ihn kostengünstiger ist als die Zurückweisung: Rücknahme = 1/4 Gebühr (§ 130 II KostO), Zurückweisung = 1/2 Gebühr (§ 130 I KostO). Die Empfehlung der Antragsrücknahme ist keine rechtsmittelfähige Zwischenverfügung (BGH NJW 1980, 2521). Ein Vorbescheid, wie im Erbscheinsverfahren anerkannt, gilt im GB-Verfahren als unzulässig (BGH a. a. O.; vgl. Rz. 430).

6. Das Amtsverfahren im Grundbuchrecht

a) Verfahrensgrundsätze

416 **Ausnahmen vom Antragsverfahren.** Das GBVerfahren ist grundsätzlich ein Antragsverfahren. Das GBAmt wird deshalb nur in besonderen Fällen ohne einen vorliegenden Antrag, d.h. von Amts wegen tätig. Dabei handelt es sich um Verfahren und Handlungen, die der Richtighaltung des Grundbuchs und der Sicherung seiner Funktionsfähigkeit dienen (s. §§ 51–53 GBO). Soweit in solchen Verfahren ein Antrag gestellt wird, kommt ihm deshalb nur die Bedeutung einer Anregung zu. Für die Durchführung der Amtsverfahren gilt – im Gegensatz zu den Antragsverfahren – der Ermittlungsgrundsatz des § 12 FGG: Das Gericht hat sich die Entscheidungsgrundlagen durch eigene Ermittlungen zu beschaffen und den Sachverhalt festzustellen. Soweit eine Mitwirkung der Beteiligten erforderlich ist, kann es jedoch von ihnen die Beibringung der Unterlagen, z.B. den Nachweis der Erbfolge, verlangen.

b) Der Grundbuchberichtigungszwang

417 **Hauptfall: Erbfolge.** Eine Grundbuchberichtigung von Amts wegen sieht die GBO grundsätzlich nicht vor. Das GBAmt soll jedoch, wenn die Eigentümereintragung durch Rechtsübergang außerhalb des Grundbuchs unrichtig geworden ist (Hauptfall: Erbfolge), den Eigentümer (Erben) oder den Testamentsvollstrecker zum Antrag auf Berichtigung des Grundbuchs und Vorlage der dazu erforderlichen Urkunden auffordern (beschränkter Grundbuchberichtigungszwang, § 82 GBO) und bei Nichtbefolgen Zwangsgeld gem. § 33 FGG festsetzen. Die Kenntnis von der Unrichtigkeit der Eigentümereintragung kann das GBAmt auf verschiedene Weise erhalten. Meist erhält es die Kenntnis durch eine Mitteilung des Nachlaßgerichts, dem bei einem Erbscheinsverfahren oder der Eröffnung einer Verfügung von Todes wegen bekannt geworden ist, daß zu dem Nachlaß auch Grundeigentum gehört (§ 83 GBO). Ist das Erzwingungsverfahren undurchführbar oder aussichtslos (z.B. der Antragsverpflichtete lebt im Ausland), kann das GBAmt von Amts wegen berichtigen. Dazu kann es auch das Nachlaßgericht um Ermittlung des Erben ersuchen (§ 82a GBO).

418 **Gebühren.** Die Eintragung des Erben im Grundbuch ist gebührenfrei, wenn der Antrag auf Berichtigung binnen zwei Jahren nach dem Erbfall beim GBAmt eingeht. Für später beantragte Eintragungen erfällt eine Gebühr nach § 60 KostO.

419 **Von einer Grundbuchberichtigung kann abgesehen werden, wenn der Grundbesitz alsbald veräußert werden soll**, wenn also z.B. der Verkauf des Grundstücks oder die Teilung des Nachlasses durch die Er-

bengemeinschaft beabsichtigt ist. In diesen Fällen wäre eine vorherige Grundbuchberichtigung nicht sinnvoll, weil ohnehin demnächst ein neuer Eigentümer eingetragen wird (Demharter § 39 Rz. 4). Dies ist eine Ausnahme von dem sonst das Grundbuchrecht beherrschenden Grundsatz der Voreintragung.

c) Widerspruch und Löschung von Amts wegen

Amtswiderspruch gegen die Unrichtigkeit. Ist das Grundbuch unrichtig, sei es aufgrund einer fehlerhaften Eintragung oder der fehlerhaften Löschung eines Rechts, besteht die Gefahr des Rechtsverlustes des wahren Berechtigten durch den gutgläubigen Erwerb eines Dritten und in Verbindung damit eines Schadensersatzanspruchs gegen den Staat. Zur Sicherung dagegen besteht die Möglichkeit der Eintragung eines Widerspruchs. Ergibt sich, daß das GBAmt unter Verletzung materieller oder formeller gesetzlicher Vorschriften eine Eintragung vorgenommen hat, durch die das Grundbuch unrichtig geworden ist, so ist von Amts wegen ein Widerspruch gegen die Richtigkeit einzutragen (§ 53 I 1 GBO; vgl. Rz. 437, 481). Voraussetzung für die Eintragung ist, daß beide Tatbestandselemente gegeben sind; dabei muß die Gesetzesverletzung feststehen, die Unrichtigkeit des Grundbuchs muß glaubhaft sein (BayObLG DNotZ 1982, 254). Eine Grundbuchberichtigung von Amts wegen ist nicht zugelassen, weil dadurch in die Rechtsstellung des Berechtigten eingegriffen würde. 420

Einschränkung. Aus dem Zweck der Vorschrift, einen gutgläubigen Erwerb zu verhindern, ergibt sich, daß ein Amtswiderspruch nur eingetragen wird, wenn sich an die fehlerhafte Eintragung ein gutgläubiger Erwerb anschließen kann; kein Amtswiderspruch deshalb z. B. gegen die Eintragung eines Wohnungsrechts, eines Nacherben- oder TV-Vermerks (BGH NJW 1957, 1229; HSS Rz. 404). 421

Löschung unzulässiger Eintragungen. Erweist sich eine Eintragung inhaltlich als unzulässig, so ist sie – da ein nicht eintragungsfähiges Recht nicht gutgläubig erworben werden kann – von Amts wegen zu löschen (§ 53 I 2 GBO; vgl. Rz. 439, 486). Dabei kann es sich handeln um: 422
- ein nicht eintragungsfähiges Recht
- ein eintragungsfähiges Recht ohne den gesetzlich gebotenen Inhalt
- ein eintragungsfähiges Recht mit einem gesetzlich nicht erlaubten Inhalt
- eine Eintragung, die so unklar ist, daß ihr Inhalt auch bei zulässiger Auslegung nicht erkennbar ist.

d) Die Löschung gegenstandsloser Eintragungen

Eintragungen, die aus rechtlichen oder tatsächlichen Gründen gegenstandslos sind, kann das GBAmt von Amts wegen löschen (§§ 84–89 GBO). **Beispiele:** 423

- Eintritt eines Endtermins eines befristeten Rechts oder einer auflösenden Bedingung, z.B. Nachweis der Verheiratung des Berechtigten; jedoch ist immer § 23 GBO zu beachten
- Tod des Vorkaufsberechtigten, wenn das Vorkaufsrecht nicht vererblich ist (§§ 514, 1098 I BGB)
- Tatsächliche dauernde Unmöglichkeit der Ausübung eines Rechts, z.B. Wegfall eines Wegerechts durch Veränderung der Grundstücke (HSS Rz. 358).

424 **Ermessen.** Das Löschungsverfahren soll jedoch nur eingeleitet werden, wenn besondere Umstände dazu Anlaß geben (§ 85 I GBO). Darüber entscheidet das GBAmt nach freiem Ermessen (§ 85 II GBO); der „Antrag" eines Beteiligten hat nur die Bedeutung einer Anregung. Die Durchführung des Löschungsverfahrens geschieht im Amtsverfahren, es gilt demnach die Ermittlungspflicht gem. § 12 FGG. Das Grundbuchamt soll dem Betroffenen die vorgesehene Amtslöschung ankündigen (§ 87 GBO; LG Memmingen Rpfleger 1990, 251). Kosten des Verfahrens s. § 70 KostO.

e) Sonstige Eintragungen von Amts wegen

Hierbei handelt es sich um grundbuchtechnische Vorgänge, z.B.:

425
- Eintragungen zur Herstellung der Übereinstimmung von Grundbuch und Kataster (§§ 2 II, 12c II Nr. 2 GBO)
- Umschreibung unübersichtlicher Grundbuchblätter (§§ 23, 28 GBVfg.)
- Eintragung von Rangvermerken (§ 45 GBO)
- Mitübertragung eines Rechts bei Übertragung eines Grundstücks auf ein anderes Grundbuchblatt (Umkehrschluß zu § 46 II GBO)
- Eintragung eines Nacherbenvermerks bei Umschreibung auf den Vorerben (§ 51 GBO)
- Eintragung eines Testamentsvollstreckervermerks bei Eintragung des Erben (§ 52 GBO).

§ 10. Die Rechtsbehelfe und Rechtsmittel in Grundbuchsachen

Literaturhinweise: Blohmeyer, Die Beschwerde gegen die Zwischenverfügung, DNotZ 1971, 329; Eickmann 10. Kapitel; Furtner, Die Beschwerdeberechtigung in Grundbuchsachen, DNotZ 1961, 453; Habscheid § 43; Jansen, Die Beschwerde gegen die Zwischenverfügung, DNotZ 1971, 531; Kleist, Durchgriffserinnerung und Beschwerde bei Zurückweisung eines Eintragungsantrags bzw. Zwischenverfügung gemäß § 18 GBO, MittRhNotK 1985, 133; Riedel, Der Antrag im Abhilfe- und Beschwerdeverfahren in Grundbuchsachen, Rpfleger 1969, 149; Weiss, Beschränkte Erinnerung gegen Eintragungen im Grundbuch, DNotZ 1985, 524

426 **Sonderregelung.** In Grundbuchsachen gelten für Rechtsbehelfe und sonstige Rechtsmittel nicht die allgemeinen Regeln des FGG, sondern die besonderen **Bestimmungen der GBO**, die das Verfahren als lex spezialis abschließend regelt (Ausnahmen: §§ 105 II und 110 GBO). Dies ergibt sich historisch daraus, daß die GBO vor dem FGG entstanden ist.

I. Die Zulässigkeit der Beschwerde

1. Das allgemeine Beschwerderecht

427 **§ 71 I GBO enthält den allgemeinen Grundsatz, daß gegen die Entscheidungen des GBAmts die Beschwerde gegeben ist.** Es handelt sich um die einfache = unbefristete Beschwerde. Ausnahmen: befristete Beschwerde nach § 89 GBO; in den Fällen der §§ 105 II und 110 GBO sofortige Beschwerde nach den Regeln des FGG.

428 **Beschwerdefähig sind nur Sachentscheidungen des GBAmts,** d.h. Zwischenverfügungen nach § 18 I GBO und endgültige Entscheidungen, insbesondere die Zurückweisung eines Antrages und (eingeschränkt) die Vornahme einer Eintragung. Nicht beschwerdefähig sind dagegen vorläufige Meinungsäußerungen wie die Wiedergabe einer Rechtsansicht oder die Empfehlung, einen Antrag zu ändern oder zurückzunehmen, grundbuchinterne Vorgänge in Form von vorbereitenden oder verfahrensleitenden Handlungen, die einer Bekanntmachung nicht bedürfen, sowie rein buchungstechnische Maßnahmen.

429 **Kostenbeschwerde.** Richtet sich die Beschwerde gegen den Kostenansatz des Gerichts, gelten die Bestimmungen des § 14 II und III der KostO.

430 **Nach h.M. ist ein beschwerdefähiger Vorbescheid in Grundbuchsachen nicht zulässig** (KEHE-Kuntze § 71 Rz.60; BGH NJW 1980, 2521). Der Grund für die Zulässigkeit des Vorbescheids im Erbscheinsverfahren ist die mit dem gutgläubigen Erwerb verbundene Gefahr eines Rechtsverlustes für den wahren Berechtigten (BGH NJW 1956, 987 = DNotZ 1957, 545). Diese Gefahr besteht zwar auch im Grundbuchverkehr. Das spricht dafür, auch im Grundbuchverfahren den Vorbescheid zuzulassen (so Eickmann S.284). Andererseits könnten dadurch längere Schwebezustände entstehen, was mit dem Gebot der zügigen Antragserledigung nicht vereinbar ist.

431 **Über die Beschwerdeberechtigung schweigt die GBO.** § 20 FGG ist in Grundbuchsachen nicht anwendbar. Nach der Rechtsprechung steht die Beschwerde jedem zu, dessen Rechtsstellung beeinträchtigt würde, wenn die angegriffene Entscheidung in dem von ihm behaupteten Sinne unrichtig wäre (s. Furtner DNotZ 1961, 453; BayObLG Rpfleger 1982, 470 m.w.N.). In den Antragsverfahren deckt sich die Beschwerdeberechtigung mit dem Antragsrecht des § 13 GBO. Bei Erlaß einer Zwischenverfügung oder Zurückweisung eines Eintragungsantrages kann deshalb jeder Antragsberechtigte Beschwerde einlegen, auch wenn er den Antrag nicht gestellt hat (BayObLGZ 1980, 37, 40). Entsprechend seinem Antragsrecht gemäß § 15 GBO gilt der Notar als ermächtigt, die Beschwerde für die Beteiligten einzulegen, wenn er die zur Eintragung erforderliche Erklärung beurkundet oder beglaubigt und den Antrag im Namen eines Antragsberechtigten gestellt hat (vgl. Rz.193). Ein formeller Nachweis der Vollmacht ist nicht erforderlich. Hat er dagegen bei der Einreichung nur als Bote gehandelt, so kann er die Beschwerde nur aufgrund besonderer Vollmacht einlegen.

2. Keine Beschwerde gegen eine Eintragung

432 **Von der allgemeinen Gewährung des Beschwerderechts macht § 71 II 1 GBO eine wichtige Ausnahme: Nicht zulässig ist die Beschwerde gegen eine vorgenommene Eintragung oder Löschung.** Der Grund für diese Regelung ist der öffentliche Glaube des Grundbuchs: Es ist nicht auszuschließen, daß aufgrund der unrichtigen Eintragung bereits ein Dritter im Vertrauen auf die Richtigkeit der Eintragung eine Rechtsposition erworben hat, was weder das GBAmt noch das Beschwerdegericht mit Sicherheit feststellen kann. Wer im Vertrauen auf die Grundbucheintragung ein Recht erworben hat, soll nicht damit rechnen müssen, daß dieser Erwerb nachträglich wieder zerstört werden könnte. **Beispiel:** Das GBAmt hat versehentlich ein Recht in Abt. II oder III gelöscht. Der Erwerber des Grundstücks oder eines Rechts an dem Grundstück, der auf die Lastenfreiheit des Grundstücks vertraut, wird in seinem guten Glauben geschützt. Das gelöschte, aber materiell nicht erloschene Recht ist

ihm gegenüber unwirksam. Die fehlerhafte Löschung soll deshalb nicht durch eine erfolgreiche Beschwerde rückwirkend wieder aufgehoben werden können.

433 **Umkehrschluß.** Aus dem Gesetzeszweck des § 71 II 1 GBO folgt jedoch, daß – entgegen dem Wortlaut – eine Beschwerde mit dem Ziel der Änderung oder Beseitigung einer Eintragung zulässig ist, wenn sich an sie kein gutgläubiger Erwerb anschließen kann (BGH NJW 1957, 1229).

Beispiele:

434 **Die Beschwerde ist zulässig:**

- gegen eine Zwischenverfügung oder die Zurückweisung eines Antrags oder Ersuchens nach § 18 I GBO
- gegen die Eintragung von Verfügungsbeschränkungen wie: Nacherbenvermerk, TV-Vermerk, Zwangsversteigerungsvermerk sowie gegen Widersprüche
- wegen unrichtiger tatsächlicher Angaben zur Person oder zum Grundstück
- gegen eine ungenaue Fassung des Eintragungsvermerks (sog. Fassungsbeschwerde)
- gegen die Eintragung eines nicht übertragbaren Rechts, z.B. eines Wohnungsrechts.

435 **Die Beschwerde ist nicht zulässig gegen:**

- die Eintragung eines Eigentümers
- die Eintragung eines Grundpfandrechts
- die Löschung von Rechten wie: Grundpfandrecht, Nießbrauch usw.
- eine noch nicht ausgeführte Eintragungsverfügung (zur Frage des Vorbescheids s. Rz. 430).

436 Streitig ist dagegen die Zulässigkeit der Beschwerde gegen die Eintragung einer **Vormerkung** (s. Demharter § 71 Rz. 39 m.w.N.). Soweit eine Vormerkung gutgläubig erworben werden kann (s. Rz. 695 ff.), ist jedoch entsprechend der ratio legis von § 71 II 1 GBO das Beschwerderecht ausgeschlossen (BGH NJW 1957, 1229).

3. Die eingeschränkte Beschwerde nach § 71 II 2 GBO

Von der Regel des § 71 II 1 GBO, daß die Beschwerde gegen eine Eintragung unzulässig ist, macht § 71 II 2 GBO zwei Ausnahmen:

437 **a) Ziel: Eintragung eines Amtswiderspruchs**

Gegen eine Eintragung, die unter dem Schutz des guten Glaubens steht, ist die Beschwerde zulässig, wenn sie nicht auf die Beseitigung der Eintragung gerichtet ist, sondern das GBAmt angewiesen werden soll, nach § 53 GBO von Amts wegen einen Widerspruch gegen die Richtigkeit des Grundbuchs einzutragen (KG DNotZ 1965, 683; Jansen NJW 1965, 619). Zum Amtswiderspruch s. Rz. 279. Eine nach § 71 II 1

GBO unzulässige Beschwerde ist nicht ohne weiteres zu verwerfen. Das Beschwerdegericht hat vielmehr zu prüfen, ob sie mit dem beschränkten Ziel des § 71 II 2 GBO gewollt ist. Regelmäßig ist anzunehmen, daß der Beschwerdeführer das Rechtsmittel mit dem zulässigen Inhalt einlegen will.

438 **§ 71 II 2 GBO verweist auf die engen Voraussetzungen des § 53 I GBO.** Danach ist von Amts wegen ein Widerspruch gegen die Richtigkeit des Grundbuchs einzutragen, wenn das Grundbuchamt unter Verletzung gesetzlicher Vorschriften eine Eintragung vorgenommen hat, durch die das Grundbuch unrichtig geworden ist (§ 53 I 1 GBO). Dieser Widerspruch ist ein vorläufiges Sicherungsmittel für den Benachteiligten, durch das ein gutgläubiger Erwerb ausgeschlossen wird (§ 892 I 1 BGB). Verletzung gesetzlicher Vorschriften ist jede objektive Verletzung des vom GBAmt zu beachtenden materiellen oder formellen Rechts. **Beispiele:** Das GBAmt hat:

- trotz Fehlens einer erforderlichen behördlichen Genehmigung eine Eintragung vorgenommen
- die Eintragung des Nacherbenvermerks unterlassen (§ 51 GBO)
- bei einer Gesamtgrundschuld das falsche Grundstück aus der Mithaft abgeschrieben
- ein Recht dadurch gelöscht, daß es versehentlich nicht mit dem Grundstück auf ein anderes Blatt mitübertragen worden ist (§ 46 II GBO).

Dagegen hat das GBAmt nicht „unter Verletzung gesetzlicher Vorschriften" gehandelt, wenn es aufgrund ordnungsgemäßer Eintragungsbewilligung ein Recht eingetragen hat, obwohl die materiellrechtlich nach § 873 I BGB erforderliche Einigung fehlt. Das Grundbuch ist zwar unrichtig, aber das GBAmt hatte nach dem formellen Konsensprinzip nur die Eintragungsbewilligung zu prüfen.

439 **b) Ziel: Löschung einer unzulässigen Eintragung**

Mit der Beschwerde kann verlangt werden, daß das GBAmt angewiesen wird, eine inhaltlich unzulässige Eintragung von Amts wegen zu löschen (§ 53 I 2 GBO). Dieser Fall ist gegeben, wenn das GBAmt einem Antrag (Anregung) auf Löschung nicht entsprochen hat. Zur Amtslöschung s. Rz. 486. Hier erfolgt Löschung statt Widerspruch, weil sich an eine inhaltlich unzulässige Eintragung kein gutgläubiger Erwerb anschließen kann. **Beispiele:**

- Eintragung eines Ankaufsrechts, eines Mietrechts oder eines Vorkaufsrechts zu festem Preis; unzulässig, weil kein eintragungsfähiges Recht
- Eintragung einer Hypothek auf dem ungeteilten Anteil eines Miterben an einem Nachlaßgrundstück (§ 2033 BGB); unzulässig wegen § 1114 BGB, da der Nachlaß Gesamthandsvermögen ist
- Eintragung eines Grundpfandrechts ohne Angabe des Gläubigers; unzulässig gem. § 1115 I BGB.

4. Sonderfall: Die Zurückweisung eines Berichtigungsantrages

Bei einem Antrag auf Berichtigung des Grundbuchs muß man zunächst unterscheiden:

a) Die bewilligte Berichtigung

Ist die Berichtigung von allen Betroffenen gem. §§ 19, 29 GBO bewilligt, hat das GBAmt die beantragte Berichtigung vorzunehmen (vgl. Rz. 363). Lehnt es die Berichtigung ab, so ist dagegen die allgemeine Beschwerde gem. § 71 I GBO gegeben, denn die Berichtigungsbewilligung ist ein Unterfall der EB. Die Beschwerde ist ebenso zu behandeln, wie im Falle der Zurückweisung eines Antrages, der aufgrund einer EB des Betroffenen auf die Eintragung einer Rechtsänderung gerichtet ist (Demharter § 71 Rz. 27; HSS Rz. 484 m.w.N.). 440

b) Die nachgewiesene Unrichtigkeit

Grundsatz. Hat der Antragsteller die Berichtigung gem. §§ 22, 29 GBO aufgrund Nachweises der Unrichtigkeit begehrt, so hängt die Zulässigkeit der Beschwerde gegen eine ablehnende Entscheidung davon ab, ob die Eintragung, deren Berichtigung begehrt wird, unter dem Schutz des guten Glaubens steht. Ist dies nicht der Fall, so ist die Beschwerde gem. § 71 I GBO unbeschränkt zulässig und die Berichtigung ist vorzunehmen, falls die Beschwerde auch begründet ist. Steht die zu berichtigende Eintragung unter dem Schutz des guten Glaubens, so muß man nach h. M. unterscheiden, ob die Berichtigung begehrt wird, weil die Eintragung von Anfang an unrichtig gewesen oder nachträglich unrichtig geworden sei. 441

Nachträgliche Unrichtigkeit. Hier handelt es sich um die Fälle, in denen die Eintragung ursprünglich richtig war und erst durch eine spätere, außerhalb des Grundbuchs eingetretene Rechtsänderung unrichtig geworden ist. **Beispiele:** Erbfolge, Abtretung des Rechts, Anfechtung des dinglichen Vertrages. Lehnt das GBAmt die beantragte Berichtigung trotz des Nachweises gem. §§ 22, 29 GBO ab, so ist dagegen die unbeschränkte Beschwerde gem. § 71 I GBO zulässig, denn die Beschwerde zielt nicht auf die rückwirkende Beseitigung einer Eintragung, sondern richtet sich gegen die Ablehnung des Antrages, die Grundbucheintragung ex nunc der veränderten Rechtslage anzupassen (HSS Rz. 483 m.w.N.). Ein inzwischen eingetretener gutgläubiger Erwerb bliebe also unberührt. 442

Ursprüngliche Unrichtigkeit. Dies sind die seltenen Fälle, in denen bereits die Eintragung fehlerhaft war. Die Unrichtigkeit kann darauf beruhen, daß das GBAmt die vorgelegten Urkunden falsch beurteilt hat, 443 oder sich aus erst nachträglich dem GBAmt bekanntgewordenen Tatsachen oder Urkunden ergibt. **Beispiele:**

- unzutreffende Auslegung eines notariellen Testaments gem. § 35 I 2 GBO durch das GBAmt
- der Erbschein, der die Grundlage der Eintragung bildete, wird vom Nachlaßgericht als unrichtig eingezogen.

Auch hier ist das GBAmt zwar verpflichtet, die beantragte Berichtigung vorzunehmen. Lehnt es aber den Antrag ab, so ist dagegen nach h.M. keine allgemeine Beschwerde nach § 71 I GBO gegeben, weil sich der Antrag nicht auf die Vornahme einer neuen Eintragung, sondern auf die Beseitigung einer bestehenden Eintragung richte; die Beschwerde gegen die Zurückweisung des Berichtigungsantrages sei eine Beschwerde gegen eine vorgenommene Eintragung und deshalb nach § 71 II 1 GBO unzulässig (KG DNotZ 1965, 683 = Rpfleger 1965, 232 mit Anm. Haegele; OLG Frankfurt Rpfleger 1979, 418). Diese Einschränkung des Beschwerderechts könne nicht dadurch umgangen werden, daß ein Beteiligter zunächst die Berichtigung des Grundstücks beantrage und anschließend gegen die ablehnende Entscheidung Beschwerde einlege (OLG Düsseldorf Rpfleger 1963, 287). Dem Antragsteller bleibe im Grundbuchverfahren nur die Beschwerde unter den engen Voraussetzungen des § 71 II 2 GBO mit dem beschränkten Ziel, einen Amtswiderspruch oder eine Löschung wegen inhaltlicher Unzulässigkeit gem. § 53 GBO zu erreichen (HSS Rz. 482 m.w.N.). Im übrigen sei er darauf verwiesen, vor dem ordentlichen Gericht gegen den Buchberechtigten gem. § 899 BGB eine einstweilige Verfügung auf Eintragung eines Widerspruchs gegen die Richtigkeit des Grundbuchs zu erwirken und seinen Anspruch auf Grundbuchberichtigung gem. § 894 BGB im Klagewege geltend zu machen (Jansen NJW 1965, 619).

444 **Kritik.** Dieses Ergebnis, daß das GBAmt zwar verpflichtet ist, gem. §§ 22, 29 GBO zu berichtigen, daß eine dies ablehnende Entscheidung aber nicht der Prüfung durch das Beschwerdegericht unterliegt, ist unbefriedigend, soll sich aber zwingend aus dem Gesetz ergeben (s. auch Güthe-Triebel, GBO, 6. Aufl. 1937, § 71 Anm. 8; anderer Ansicht m.E. zu Recht: Lüke, Fälle zum Zivilverfahrensrecht, Bd. II, 1982, S. 129: Bei Ablehnung eines Grundbuchberichtigungsanspruchs nach § 22 GBO sei die unbeschränkte Beschwerde gegeben; da die Berichtigung nicht zurückwirke, werde ein bereits eingetretener gutgläubiger Erwerb nicht gefährdet).

II. Das Verfahren

1. Der Antrag auf Änderung einer Entscheidung des UdG

445 Neben dem Rechtspfleger und dem Richter ist in bestimmten Fällen der **Urkundsbeamte der Geschäftsstelle** (UdG) zum selbständigen Erlaß von Entscheidungen befugt. In seine Zuständigkeit fallen z.B. die Einsichtgewährung in das Grundbuch und die Erteilung von Abschriften (s. Rz. 171). Gegen die Entscheidung des UdG ist ein **besonderer Rechtsbehelf** vorgesehen: der Antrag auf Änderung der Entscheidung des UdG. Dieser Antrag wird häufig als Erinnerung bezeichnet, führt aber zu einem anderen Verfahren als die Erinnerung nach § 11 RPflG. Das Verfahren richtet sich nach §§ 12c IV GBO, 4 II Nr. 3 RPflG. Danach entscheidet, wenn der UdG nicht selbst abhilft, der **Grundbuchrichter** mit Begründung. Lehnt der Richter eine Änderung der Entscheidung ab, so erfolgt im Unterschied zur „Rechtspflegererinnerung" keine Vorlage von Amts wegen an das Beschwerdegericht; gegen die Entscheidung des Richters kann die Beschwerde nach § 71 I GBO eingelegt werden. Soweit der UdG darüberhinaus auch zu einfachen Eintragungen in das Grundbuch berechtigt ist (§ 12c II Nrn. 2–4 GBO), findet dagegen unmittelbar die Beschwerde im Rahmen des § 71 GBO statt.

2. Die Erinnerung gegen eine Entscheidung des Rechtspflegers

446 Die GBO geht noch von der Zuständigkeit des Richters als Grundbuchbeamter aus. Durch § 3 Nr. 1h RPflG sind jedoch die **Grundbuchsachen grundsätzlich dem Rechtspfleger übertragen,** so daß eine Entscheidung des Richters nur in den relativ seltenen Fällen des § 5 RPflG in Betracht kommt.

447 **Richtet sich die Beschwerde gegen die Entscheidung des Rechtspflegers, so ist ihr das Verfahren der „Erinnerung" vorgeschaltet** (§ 11 I RPflG). Sie ist schriftlich oder zur Niederschrift des GBAmts einzulegen (§§ 73 II GBO, 11 IV RPflG). Die Erinnerung ist grundsätzlich **unbefristet** (§ 11 I 1 RPflG). **Der Rechtspfleger kann der Erinnerung abhelfen,** d.h. seine Entscheidung i.S. der Erinnerung ändern (§ 11 V RPflG). Hilft der Rechtspfleger der Erinnerung nicht ab, hat er seine Entscheidung zu begründen und zu unterzeichnen. Entgegen dem Wortlaut „kann" ist er zur Überprüfung und – falls er die Erinnerung für zulässig und begründet erachtet – zur Abhilfe verpflichtet. Da die Erinnerung das Verfahren zur Entscheidung in derselben Instanz beläßt, wird sie als **Rechtsbehelf** bezeichnet.

448 **Das Recht auf Einlegung einer „Erinnerung“** entspricht dem vorstehend dargestellten Beschwerderecht. Richtet sich die Erinnerung gegen eine bestehende Eintragung, kommt es darauf an, ob das eingetragene Recht unter dem Schutz des guten Glaubens steht. Die Erinnerung ist daher nur zulässig, wenn sich an die Eintragung ein gutgläubiger Erwerb nicht anschließen kann, anderenfalls ist – wie dargestellt – nur die eingeschränkte Beschwerde nach §§ 71 II 2, 53 GBO mit dem Ziel der Eintragung eines Widerspruchs gegen die Richtigkeit des Grundbuchs oder der Löschung einer unzulässigen Eintragung zulässig. Streitig ist aber, ob auch in diesen Fällen dem Beschwerdeverfahren zwingend das Verfahren der Erinnerung vorgeschaltet ist. Dies wird von der h.M. unter Berufung auf § 11 V 1 RPflG verneint (KEHE/Kuntze § 71 Rz. 8; Demharter § 71 Rz. 8). Es ist jedoch zu bedenken, daß die Widersprüche und Löschungen nach § 53 GBO vom Rechtspfleger vorzunehmen sind. Es ist deshalb verfahrensökonomisch sinnvoll – entgegen dem Wortlaut des § 71 II 1 GBO – auch der eingeschränkten Beschwerde nach § 71 II 2 GBO die eingeschränkte Erinnerung an den Rechtspfleger vorzuschalten (so auch Lüke, Fälle zum Zivilverfahrensrecht, Bd. II S. 125; Weiß, DNotZ 1985, 524). Auf jeden Fall aber kann der Rechtspfleger diese „Erinnerung“ als Anregung verstehen, einen Amtswiderspruch einzutragen.

3. Die Beschwerde

a) Die Prüfung durch den Grundbuchrichter

449 **Wenn der Rechtspfleger der Erinnerung nicht abhilft, legt er sie dem Grundbuchrichter zur Entscheidung vor** (§ 11 II 2 RPflG). Hält der Richter die Erinnerung für zulässig und begründet, so hat er ihr abzuhelfen (§ 75 GBO). Ist er dagegen der Auffassung, sie sei unzulässig oder unbegründet, so muß er sie mit einer zu begründenden Nichtabhilfe-Entscheidung dem Beschwerdegericht vorlegen (§§ 11 II 3 und 4 RPflG, 72 GBO). Die Erinnerung gilt dann als Beschwerde gegen die Entscheidung des Rechtspflegers (sog. **Durchgriffserinnerung**), § 11 II 5 RPflG. Da die Beschwerde das Verfahren in eine höhere Instanz bringt (sog. Devolutiveffekt), wird sie als Rechtsmittel bezeichnet.

450 **Sonderfall: Unmittelbare Beschwerde.** Wurde die Entscheidung ausnahmsweise nicht vom Rechtspfleger, sondern vom Grundbuchrichter getroffen (s. § 5 I RPflG) ist unmittelbar die Beschwerde an den Richter gegeben. Sie ist durch Einreichung einer Beschwerdeschrift oder durch Erklärung zur Niederschrift des GBAmts oder der Geschäftsstelle des Beschwerdegerichts einzulegen (§ 73 GBO). Wird sie beim Beschwerdegericht eingelegt, so ist sie zunächst dem Grundbuchrichter zur Überprüfung seiner Entscheidung zurückzugeben. Erachtet der Grundbuch-

richter die Beschwerde für begründet, so hat er ihr abzuhelfen (§ 75 GBO); anderenfalls legt er sie dem Landgericht zur Entscheidung vor.

451 **Erinnerung und Beschwerde haben keine aufschiebende Wirkung** (§ 76 III GBO). Es tritt keine Sperre des Grundbuchs ein. **Beispiel:** Das GBAmt hat den Antrag auf Eintragung eines Wohnungsrechts für die Eheleute A mit der im konkreten Fall unzutreffenden Begründung zurückgewiesen, die von dem Wohnungsrecht betroffenen Räume seien nicht genau genug bezeichnet. Trotz der dagegen eingelegten Beschwerde bleibt der Antrag zurückgewiesen; er ist damit i. S. des § 17 GBO erledigt und ein danach eingehender beanstandungsfreier Antrag auf Eintragung eines anderen Rechts ist sofort ohne Amtsvormerkung für das früher beantragte Recht zu vollziehen. Wird der Zurückweisungsbeschluß des GBAmts durch das Beschwerdegericht aufgehoben und daraufhin das Wohnungsrecht eingetragen, so erhält es den Rang nach dem später beantragten Recht (s. Rz. 413).

b) Die Entscheidung des Beschwerdegerichts

452 **Beschwerdegericht ist das Landgericht** (Beschwerdekammer). **Es ist volle Tatsachen- und Rechtsinstanz.** Auch neu vorgetragene Tatsachen sind zu berücksichtigen. Wenn es sich um ein Antragsverfahren handelt, ist das Landgericht allerdings an die sich durch den Parteiantrag ergebenden Grenzen gebunden; das Prinzip der Amtsermittlung des § 12 FGG gilt in Grundbuchsachen nur für die Amtsverfahren, z. B. nach den §§ 53, 84, 90 GBO.

453 **Das Beschwerdegericht kann zur Vermeidung von Nachteilen für den Beschwerdeführer einstweilige Anordnungen erlassen,** z. B. dem GBAmt aufgeben, eine Vormerkung oder einen Widerspruch einzutragen oder die Vollziehung auszusetzen (§ 76 I GBO). Dies kommt jedoch nur bei der Zurückweisung eines Antrages in Frage, da in den Fällen der Zwischenverfügung bereits die gem. § 18 II GBO von Amts wegen einzutragende Vormerkung den Antragsteller vor der Gefahr des Rangverlustes schützt.

454 Erachtet das Gericht die Beschwerde als **unzulässig**, so wird sie „verworfen". Ist die Beschwerde sachlich **unbegründet**, so wird sie „zurückgewiesen".

455 **Erweist sich die Beschwerde als begründet, ist die Entscheidung des GBAmts aufzuheben.** Der Inhalt der Entscheidung ist verschieden: Handelt es sich um die Anfechtung einer **Zwischenverfügung**, so wird das GBAmt angewiesen, von den erhobenen Bedenken abzusehen und über den Antrag neu zu entscheiden; eine unmittelbare Entscheidung des Landgerichts ist in diesem Falle nicht möglich. Wird die **Zurückweisung eines Antrags** aufgehoben, kann das Landgericht je nach Sachlage entweder eine Zwischenverfügung erlassen oder das

GBAmt zur Vornahme der beantragten Eintragung anweisen (Demharter § 77 Rz. 23 ff.). Meist wird das Beschwerdegericht jedoch die Sache zur anderweitigen Entscheidung an das GBAmt zurückverweisen (HSS Rz. 508). Eine Schlechterstellung des Beschwerdeführers (reformatio in peius) ist nicht zulässig. Richtet sich die Beschwerde gegen eine zu kurze Bemessung der Frist in einer Zwischenverfügung, kann eine positive Beschwerdeentscheidung nur in der Gewährung einer längeren Frist bestehen. Hat das GBAmt die sachlichen Gründe nicht hinreichend geprüft oder in einem Amtsverfahren keine ausreichenden Ermittlungen angestellt, kommt auch eine Zurückverweisung an das GBAmt zur erneuten selbständigen Prüfung in Betracht (Demharter a. a. O.).

4. Die weitere Beschwerde

456 **Gegen die Entscheidung des Beschwerdegerichts ist die „weitere Beschwerde" gegeben** (§ 78 GBO). Sie kann nur darauf gestützt werden, die Entscheidung des Beschwerdegerichts beruhe auf einer Verletzung des Gesetzes. **Die dritte Instanz ist reine Rechtsinstanz**; eine Nachprüfung des vom Beschwerdegericht festgestellten Sachverhalts ist ausgeschlossen. Das Gesetz ist entsprechend § 550 ZPO verletzt, wenn eine Rechtsnorm nicht oder nicht richtig angewendet worden ist. Gesetzesverletzung ist der Verstoß gegen materiell-rechtliche oder verfahrensrechtliche Normen sowie gegen gesetzliche Auslegungsregeln, Denkgesetze und anerkannte Erfahrungssätze.

457 **Zuständig für die weitere Beschwerde ist das Oberlandesgericht** (§ 79 I GBO), in Bayern zentral das Bayerische Oberste Landesgericht und in Rheinland-Pfalz das OLG Zweibrücken (s. § 199 I FGG). Will das OLG von einer Entscheidung eines anderen OLG oder des BGH abweichen, hat es die Sache zwecks Wahrung der einheitlichen Rechtsprechung dem BGH vorzulegen (Vorlagebeschluß, § 79 II GBO).

5. Die Kosten des Verfahrens

458 **Das Verfahren der Erinnerung ist gerichtsgebührenfrei** (§ 11 VI RPflG). Für das **Beschwerdeverfahren** erfallen folgende Gebühren:

- wenn die Beschwerde als unzulässig verworfen oder als unbegründet zurückgewiesen wird, die halbe Gebühr (§ 131 I Nr. 1 KostO)
- wenn die Beschwerde vor der Entscheidung zurückgenommen wird, eine viertel Gebühr (§ 131 I Nr. 2 KostO).

Der **Wert** wird nach den gegebenen tatsächlichen Anhaltspunkten geschätzt (§§ 131 II, 30 I KostO); sind keine genügenden Anhaltspunkte vorhanden, wird er gem. § 30 II KostO festgesetzt.

Wird der Beschwerde stattgegeben, entsteht keine Gerichtsgebühr.

Die Regelung des § 131 KostO gilt auch für das Verfahren der weiteren Beschwerde. Wird dabei die Entscheidung des Beschwerdegerichts aufgehoben, so ist je nach dem Ausgang des Verfahrens entweder das ganze Verfahren gebührenfrei, oder es fallen die Gebühren für beide Instanzen an.

Trotz der geringen Gebühren im Grundbuchbeschwerdeverfahren unterbleibt in den meisten strittigen Fällen die Einlegung der Beschwerde, weil die Beteiligten an einer raschen Erledigung ihrer Angelegenheit interessiert sind, und sich deshalb lieber der Rechtsauffassung des GBAmts beugen, als eine Zeitverzögerung durch das Beschwerdeverfahren in Kauf zu nehmen.

III. Sonstige Möglichkeiten bei unrichtiger Eintragung

459 Auch wenn eine unrichtige Eintragung wegen § 71 II 1 GBO nicht mit der Beschwerde angreifbar ist und auch die Voraussetzungen für die eingeschränkte Beschwerde nach § 53 GBO nicht gegeben sind, kann der Betroffene die Berichtigung auf folgenden Wegen erreichen:

- durch **Berichtigungsbewilligung,** d.h. die freiwillige Bewilligungserklärung des Buchberechtigten (§§ 19, 29 GBO)
- durch **Klage** gegen den Buchberechtigten aufgrund Berichtigungsanspruch nach § 894 BGB und die vorläufige Sicherung des Berichtigungsanspruchs durch Erwirkung eines Widerspruchs gegen die Richtigkeit des Grundbuchs gemäß § 899 BGB; das rechtskräftige Urteil ersetzt die Bewilligung des Betroffenen (§ 894 ZPO); zum Rechtsschutzbedürfnis s. nachstehend Rz. 275
- durch **Nachweis der Unrichtigkeit des Grundbuchs mittels öffentlicher Urkunden** gemäß § 22 GBO, z.B. durch einen neuen Erbschein nach Einziehung des unrichtigen Erbscheins, Nachweis der Gütergemeinschaft durch Vorlage einer Ausfertigung des Ehevertrages, rechtskräftiges Urteil über die Nichtigkeit einer Auflassung, beglaubigten Handelsregisterauszug über die Umwandlung der Gesellschaftsform.

Im Falle eines Schadens bleibt dem Benachteiligten evtl. noch als letzte Möglichkeit der **Schadensersatzanspruch gegen den Staat** aus Amtspflichtverletzung (§ 839 BGB i.V.m. Art. 34 GG).

IV. Die Dienstaufsichtsbeschwerde

460 Neben dem Rechtsmittel der Beschwerde gibt es auch in Grundbuchsachen, wie allgemein im Verwaltungsrecht, die sog. Dienstaufsichtsbeschwerde. Sie ist im Gesetz nicht geregelt. **Die Dienstaufsichtsbeschwerde richtet sich nicht gegen den Inhalt einer Entscheidung, sondern gegen ein Verhalten des Gerichts**, z. B. Verschleppung der Angelegenheit, Verweigerung der Auskunft über den Stand der Sache oder unangemessene persönliche Behandlung durch das Gericht. Sie richtet sich nicht an das Gericht, sondern ist eine formlose Anregung an den Dienstvorgesetzten eines Richters, Beamten oder Angestellten, dessen dienstliches Verhalten zu überprüfen und ggf. Maßnahmen der Dienstaufsicht einzuleiten. Bei Dienstaufsichtsbeschwerden gegen Richter ist § 26 DRiG zu beachten. Da Dienstaufsichtsbeschwerden häufig nur geringe Wirkung haben, werden sie gelegentlich von Spöttern auch die Beschwerden mit den drei F genannt: formlos, fristlos und fruchtlos.

§ 11. Das unrichtige Grundbuch

Literaturhinweise: Baur/Stürner § 18; Köbler, Der Grundbuchberichtigungsanspruch, JuS 1982, 181

I. Der Begriff der Unrichtigkeit

Sachenrechtliche Unrichtigkeit. Das Grundbuch ist unrichtig, wenn sein Inhalt nicht mit der materiellen Rechtslage übereinstimmt. § 894 BGB sagt genauer, was gemeint ist, und gibt zugleich eine Anspruchsgrundlage: Unrichtigkeit des Grundbuchs ist gegeben, wenn sein Inhalt in Ansehung eines Rechts an dem Grundstück, eines Rechts an einem solchen Recht oder einer Verfügungsbeschränkung der in § 892 I BGB bezeichneten Art mit der wirklichen Rechtslage nicht übereinstimmt. Dabei kann es sich um eine ursprüngliche, d.h. durch die Eintragung (oder Löschung) entstandene, oder eine nachträgliche, d.h. durch eine außerhalb des Grundbuchs eingetretene Rechtsänderung verursachte Unrichtigkeit handeln. Ist das Grundbuch unrichtig, hat der dadurch in seinem Recht Beeinträchtigte einen dinglichen Anspruch auf Berichtigung des Grundbuchs (s. Rz. 420). **461**

Begriffliche Abgrenzungen. Wenn lediglich das Kausalgeschäft fehlt, die Eintragung jedoch auf einem wirksamen dinglichen Erfüllungsgeschäft beruht, liegt keine Unrichtigkeit des Grundbuchs vor und kann deshalb keine „Berichtigung“ verlangt werden, da ja das Grundbuch mit der materiellen Rechtslage übereinstimmt (klare Begriffe verwenden!). In diesen Fällen ist kein Berichtigungsanspruch aus § 894 BGB gegeben, sondern nur ein **schuldrechtlicher Anspruch auf Änderung der dinglichen Rechtslage**, entweder aus § 812 BGB wegen ungerechtfertigter Bereicherung oder bei Rücktritt aus § 346 BGB, d.h. ein Anspruch auf Übertragung bzw. Rückübertragung des dinglichen Rechts auf den schuldrechtlich Anspruchsberechtigten. **Beispiel:** Nach Auflassung und Eintragung hat der Verkäufer V den Kaufvertrag wegen Irrtums wirksam angefochten. Der Vertrag ist dadurch nichtig, die gleichzeitig erklärte Auflassung bleibt jedoch in der Regel gültig (s. Rz. 56ff.). Da Einigung und Eintragung sich decken, ist das Grundbuch richtig. Der Verkäufer hat jedoch den Anspruch aus § 812 BGB auf Rückübertragung des Eigentums. **462**

Nicht unter den Rechtsbegriff der Unrichtigkeit des Grundbuchs fällt die bloß tatsächliche Unrichtigkeit von Angaben, die nicht am öffentlichen Glauben des Grundbuchs teilnehmen, wie z.B. falsche Anschrift, falsche Schreibweise eines Namens usw. Sie sind Richtigstellungen und werden vom GBAmt von Amts wegen vorgenommen.

II. Die Ursachen der Unrichtigkeit

463 Rechte an Grundstücken entstehen durch Einigung und Eintragung (§ 873 I BGB). Sie können aber auch außerhalb des Grundbuchs entstehen, übergehen oder erlöschen. Außerdem können Rechte im Grundbuch eingetragen oder gelöscht werden, ohne daß materiellrechtlich eine Rechtsänderung eingetreten ist. Die Unrichtigkeit des Grundbuchs kann also **viele Ursachen** haben.

1. Rechtsänderungen außerhalb des Grundbuchs

464 Rechtsänderungen, die als gesetzliche Folge eines Rechtsvorgangs eintreten, werden wirksam ohne Eintragung im Grundbuch. Damit wird das Grundbuch unrichtig (nachträgliche Unrichtigkeit). Dies ist die wichtigste Gruppe.

Beispiele:

- Mit dem Erbfall geht das Vermögen des Erblassers als Ganzes auf den Erben über, das Grundbuch wird unrichtig (§ 1922 BGB); desgleichen beim Eintritt des Nacherbfalls (§§ 2100ff. BGB).
- Nichtvererbliche persönliche Rechte erlöschen mit dem Tode des Berechtigten, z.B. ein lebenslängliches Nießbrauchsrecht (§ 1061 BGB).
- Eine Hypothek wird mit Tilgung der gesicherten Forderung durch den persönlich zur Zahlung verpflichteten Eigentümer zur Eigentümergrundschuld (§§ 1163 I 2, 1177 I BGB).
- Durch Begründung der ehelichen Gütergemeinschaft, d.h. mit der Beurkundung des Ehevertrages, werden die Vermögensgegenstände beider Ehegatten gesamthänderisches Gemeinschaftsvermögen (§ 1416 I, II BGB).
- Mit der Eröffnung des Konkursverfahrens verliert der Gemeinschuldner das Verfügungsrecht über die zur Konkursmasse gehörenden Gegenstände (§§ 6, 7 KO); allerdings wird erst durch die Eintragung des Konkursvermerks gemäß § 113 KO die Möglichkeit eines gutgläubigen Erwerbs ausgeschlossen.
- Scheidet aus einer BGB-Gesellschaft ein Gesellschafter aus oder tritt ein weiterer Gesellschafter ein, so erfolgt gemäß § 738 BGB eine Anwachsung bzw. Abwachsung, und das Grundbuch wird insoweit unrichtig.
- Besteht an einem Grundstück eine Grunddienstbarkeit (z.B. ein Wegerecht) und wird das Grundstück geteilt, so erlischt die Grund-

dienstbarkeit an den nicht betroffenen neuen Parzellen (§ 1025 Satz 2 BGB).
- In der Flurbereinigung und im Bauland-Umlegungsverfahren tritt mit der Rechtskraft des Plans eine Rechtsänderung ein.
- Mit dem Zuschlag in der Zwangsversteigerung geht das Eigentum auf den Ersteher über (§ 90 ZVG).
- Mit der Umwandlung von Gesellschaften nach dem Umwandlungsgesetz geht im Wege der Gesamtrechtsnachfolge das Vermögen auf den übernehmenden oder neuen Rechtsträger über (§§ 20 I Nr. 1, 36 I 2, 176 I UmwG)
- Mit der Rechtskraft des Insolvenzplans nach der InsO treten die darin festgelegten Rechtsänderungen ein (ab 1. 1. 1999).
- Mit der Rechtskraft des Rückübertragungsbescheides durch das „Amt für offene Vermögensfragen" geht das Eigentum am Grundstück auf den Anspruchsberechtigten über (§ 34 VermG).

2. Fehlen einer Genehmigung

465 **Fehlt zu der dinglichen Einigung eine gesetzlich vorgeschriebene Genehmigung,** so ist das Rechtsgeschäft zunächst schwebend unwirksam. **Beispiele:**
- Fehlende Genehmigung des Ehegatten gem. § 1365 BGB
- Fehlen einer gesetzlich vorgeschriebenen behördlichen Genehmigung.

Wird dennoch fehlerhaft die Eintragung vorgenommen, so wird das Grundbuch zunächst unrichtig. Nachträgliche Genehmigung macht das Grundbuch richtig, ihre Verweigerung führt zur endgültigen Unrichtigkeit.

3. Fehlen der dinglichen Einigung

466 **Die Unrichtigkeit des Grundbuchs kann sich aus dem formellen Konsensprinzip ergeben.** Zur Eintragung im Grundbuch genügt die Bewilligung des Betroffenen (§§ 19, 29 GBO). Das GBAmt hat weder das Recht noch die Möglichkeit, nachzuprüfen, ob die zur Entstehung des Rechts gemäß § 873 I BGB erforderliche dingliche Einigung gegeben ist (s. Rz. 231). Fehlt sie oder fällt sie später weg, z. B. durch Anfechtung, so ist bzw. wird das Grundbuch unrichtig. In dem Sonderfall „Übertragung des Eigentums" ist zwar nachzuweisen, daß die Einigung „erklärt" ist (§§ 925 BGB, 20, 29 GBO), aber auch hier wird die materielle Wirksamkeit der dinglichen Einigung durch das GBAmt nicht geprüft (s. Rz. 358).

4. Divergenz von Einigung und Eintragung

467 **Zur Entstehung eines Rechts an einem Grundstück ist erforderlich, daß sich die Einigung und die Eintragung inhaltlich decken.** Ist dies nicht der Fall, so tritt materiell keine Rechtsänderung ein, das Grundbuch wird mit der Eintragung unrichtig. Eine solche Divergenz von Einigung und Eintragung kann entstehen:

a) durch Fehler des GBAmts, z. B.:

- eine Hypothek ist auf den Parzellen A, B und C eingetragen (Gesamthypothek, § 1132 BGB); der Gläubiger gibt die Parzelle A frei (Pfandfreigabe); das GBAmt löscht jedoch versehentlich auf der Parzelle B
- das GBAmt schreibt versehentlich die falsche Parzelle auf den Erwerber um

b) durch das Auseinanderfallen von Wille und Erklärung.

Beispiel: V und K wollen einen Kaufvertrag über die Parzelle A abschließen. Versehentlich wird jedoch aufgrund eines gemeinschaftlichen Irrtums im Kaufvertrag und in der Auflassung die Parzelle B genannt.

Zwar sind hier der schuldrechtliche Kaufvertrag und die dingliche Einigung (Auflassung) wirksam: Vertrag und Auflassung sind nicht mit dem fehlerhaft erklärten, sondern mit dem beiderseits gewollten Inhalt zustandegekommen, denn es lag ja eine Willensübereinstimmung zwischen den Beteiligten vor (falsa demonstratio non nocet, vgl. Rz. 164). Die Eintragung des K als Eigentümer der Parzelle B ist jedoch unrichtig: Eigentümer der Parzelle A ist er nicht geworden, weil dies nicht eingetragen worden ist, und Eigentümer der Parzelle B ist er nicht geworden, weil die Einigung sich nicht auf diese Parzelle bezogen hat.

5. Fehlerhafte Löschung

468 **Die Unrichtigkeit des Grundbuchs kann sich auch daraus ergeben, daß eine Eintragung zu Unrecht gelöscht wurde. Beispiele:**

- Bei der Übertragung eines Grundstücks auf ein anderes Grundbuchblatt wird eine Belastung versehentlich nicht mitübertragen und dadurch zu Unrecht gelöscht (§ 46 II GBO)
- Eine Grunddienstbarkeit, die nicht als Aktivvermerk beim herrschenden Grundstück vermerkt ist, wird ohne Zustimmung des am herrschenden Grundstück dinglich Berechtigten gelöscht (s. Rz. 304).

Eine fehlerhafte Löschung berührt den materiellen Fortbestand des Rechts nicht. Es kann jedoch durch einen danach eintretenden gutgläubig lastenfreien Erwerb untergehen oder durch nachfolgende Aufgabeerklärung des Berechtigten erlöschen.

III. Der Berichtigungsanspruch

1. Der Inhalt des Anspruchs

469 **Ist das Grundbuch unrichtig, bestehen Gefahren für den wahren Berechtigten**; er kann sein Recht nicht mit der Vermutung des § 891 BGB beweisen, das Recht kann sogar durch den gutgläubigen Erwerb eines Dritten belastet werden oder ganz verloren gehen (§§ 891, 892, 893 BGB; s. nachstehend § 12). Das Gesetz gibt ihm deshalb gegen den Buchberechtigten einen **dinglichen Anspruch auf Zustimmung zur Berichtigung des Grundbuchs (§ 894 BGB)**. Diese Zustimmung zur Berichtigung (Berichtigungsbewilligung) ist in grundbuchmäßiger Form gem. §§ 19, 29 GBO zu erklären. Der Anspruch kann sowohl auf die richtige Eintragung eines Rechts als auch auf die Löschung einer unrichtigen Eintragung gerichtet sein. Dies gilt auch für zu Unrecht eingetragene oder nicht eingetragene Verfügungsbeschränkungen sowie für Vormerkungen und Widersprüche. **Beispiel:** Zugunsten des Käufers ist eine Eigentumsvormerkung eingetragen. Später stellt sich heraus, daß der Kaufvertrag nichtig ist. Damit ist auch die Vormerkung infolge ihrer Akzessorietät mit dem gesicherten Anspruch unwirksam, das Grundbuch insoweit unrichtig.

470 **Untrennbarkeit.** Der Anspruch aus § 894 BGB ist untrennbar mit dem zugehörigen dinglichen Recht verbunden; er kann deshalb nicht selbständig abgetreten oder verpfändet werden und er unterliegt nicht der Verjährung (§ 898 BGB). Für die Pfändbarkeit gilt die Einschränkung der §§ 851, 857 III ZPO.

471 **Zur Berichtigung sind erforderlich entweder:**
- Die vom Betroffenen freiwillig abgegebene förmliche **Berichtigungsbewilligung,** §§ 19, 29 GBO, oder
- **rechtskräftiges Urteil**: Für den Fall, daß der Buchberechtigte nicht zur Abgabe der Berichtigungsbewilligung bereit und ein urkundlicher Nachweis der Unrichtigkeit gem. § 22 GBO nicht möglich ist, gibt § 894 BGB einen im Klageweg durchsetzbaren Anspruch. Mit der Rechtskraft des Urteils gilt die Berichtigungsbewilligung als abgegeben (§ 894 ZPO). Die Form des § 29 GBO ist durch das Urteil erfüllt.

472 **Vorläufige Sicherung.** Bis zur Eintragung der Berichtigung bleibt das Recht des wahren Berechtigten durch den gutgläubigen Erwerb eines Dritten gefährdet. Zur vorläufigen Sicherung seines Rechts kann er deshalb durch einstweilige Verfügung die Eintragung eines Widerspruchs gegen die Richtigkeit des Grundbuchs erwirken (§ 899 BGB; s. Rz. 278).

Fall: Aufgrund eines Testaments des Erblassers aus dem Jahre 1990 hat S einen Erbschein erwirkt, der ihn als Alleinerben ausweist, und sich im

Grundbuch als Eigentümer eintragen lassen. Danach wird ein Testament des Erblassers aus dem Jahre 1992 gefunden, in dem E zum Erben eingesetzt ist. Der Erbschein wird von Amts wegen eingezogen und dem wahren Erben E auf Antrag ein neuer Erbschein erteilt. Kann E gegen den Scheinerben S aus § 894 BGB klagen?

E kann die Unrichtigkeit des Grundbuchs durch öffentliche Urkunde nachweisen und deshalb die Berichtigung des Grundbuchs auf dem verfahrensmäßig einfacheren Wege gem. § 22 GBO erwirken. Dennoch kann für eine Berichtigungsklage nach § 894 BGB ein Rechtsschutzbedürfnis bestehen, weil nur dadurch eine rechtskräftige Entscheidung zwischen E und S herbeigeführt wird (MünchKomm-Wacke § 894 Rz. 3; str.).

473 Zur Berichtigung des Grundbuchs aufgrund Nachweis der Unrichtigkeit durch öffentliche Urkunde gem. § 22 GBO s. Rz. 365–367.

2. Anspruchskonkurrenzen

474 **Der Grundbuchberichtigungsanspruch des § 894 BGB ist ein Anspruch eigener Art**, der sich aus dem Grundbuchsystem ergibt. Er verdrängt deshalb als Sondervorschrift den Beseitigungsanspruch gegen den Eigentumsstörer nach § 1004 BGB (BGH NJW 1952, 622; h.M.). Der Anspruch richtet sich aber nur gegen eine unrichtige Grundbuchposition; für andere Besitzstörungen gilt § 1004 BGB.

Wenn das Grundgeschäft und auch das Erfüllungsgeschäft (z.B. der Kaufvertrag und die Auflassung) nichtig sind, dann bestehen der schuldrechtliche Anspruch aus § 812 BGB (Herausgabe der Buchposition) und der dingliche Anspruch aus § 894 BGB (Anspruch auf Zustimmung zur Berichtigung des Grundbuchs) nebeneinander (Soergel/Baur § 894 Rz. 25).

475 **Beispiele zur Verdeutlichung und Wiederholung:**

- V hat an K verkauft, die Umschreibung ist erfolgt. V hat jedoch den Kaufvertrag wegen Irrtums angefochten: Da die Übereigung nicht von der Anfechtung erfaßt wird, hat V nur aus § 812 BGB einen schuldrechtlichen Anspruch auf Rückauflassung (§§ 873, 925 BGB).
- A hat durch Übergabevertrag sein Haus an seinen Sohn B übertragen. Die Umschreibung ist erfolgt. Wegen Schlechterfüllung der von B übernommenen Pflegeverpflichtung erklärt A rechtswirksam den Rücktritt vom Vertrag (aufgrund eines vertraglich vorbehaltenen Rücktrittsrechts oder gemäß § 326 BGB): A hat hier keinen Berichtigungsanspruch, da B Eigentum erworben hat; A kann jedoch die Rückübertragung des Eigentums verlangen, hier aus § 346 BGB.
- V hat an K verkauft. Die Umschreibung ist erfolgt. V war jedoch bei Kaufvertrag und Auflassung geschäftsunfähig (Fehleridentität). Der Besitz ist auf K übergegangen: Kaufvertrag und Auflassung (= Grundgeschäft und Erfüllungsgeschäft) sind nichtig. Das Grundbuch ist unrichtig: V hat deshalb nebeneinander die Ansprüche auf Berichtigung

des Grundbuchs aus §§ 894, 812 BGB und auf Herausgabe des Besitzes gem. §§ 985, 812 BGB.

3. Einwendungen gegen den Berichtigungsanspruch

476 **Dem Berichtigungsanspruch können Einwendungen und Einreden aus dem schuldrechtlichen Grundgeschäft oder aus dem dinglichen Rechtsverhältnis entgegengesetzt werden. Beispiele:**

- V hat an K durch gültigen Kaufvertrag verkauft. Die später erklärte Auflassung war jedoch wegen fehlender dinglicher Einigung nach § 873 I BGB nichtig. Dennoch ist die Umschreibung im Grundbuch erfolgt: Dem Berichtigungsanspruch des V kann K entgegenhalten, V sei aus dem Kaufvertrag zur Nachholung einer wirksamen Auflassung verpflichtet.
- K hat nach nichtigem Kaufvertrag und nichtiger Auflassung erhebliche notwendige Verwendungen auf das Grundstück gemacht (z.B. Dachreparatur). K macht gegenüber dem Berichtigungsanspruch des V ein Zurückhaltungsrecht bis zur Rückzahlung des Kaufpreises (§ 273 I BGB) sowie Erstattung der Verwendungen nach den Regeln über das Eigentümer-Besitzer-Verhältnis geltend (§§ 273 II, 1000, 994ff. BGB, vgl. BGH NJW 1964, 811).

4. Der Widerspruch gegen die Richtigkeit des Grundbuchs

477 **Vorläufige Sicherung.** Wegen der Gefahr eines Rechtsverlusts durch gutgläubigen Erwerb eines Dritten muß der durch einen unrichtigen Grundbuchstand Benachteiligte schon vor der endgültigen Durchsetzung seines Berichtigungsanspruchs die Möglichkeit einer vorläufigen Sicherung seines Rechts haben. Dies geschieht durch die Eintragung eines Widerspruchs gegen die Richtigkeit des Grundbuchs (§ 899 I BGB). Er weist darauf hin, daß das Grundbuch möglicherweise unrichtig ist (Warnfunktion). Der Wortlaut der Eintragung muß angeben, für wen der Widerspruch eingetragen wird und gegen welche Eintragung er sich richtet.

478 **Der Widerspruch wird eingetragen:**

- aufgrund einer einstweiligen Verfügung, §§ 899 II 1 BGB, 935 ZPO (Hauptfall); dazu ist lediglich der Verfügungsanspruch (Anspruch auf Berichtigung gemäß § 894 BGB) glaubhaft zu machen, ein Verfügungsgrund (Gefährdung des Anspruchs) braucht hier, entgegen § 935 ZPO, nicht glaubhaft gemacht zu werden, weil sich die Gefährdung aus der Möglichkeit des gutgläubigen Erwerbs ergibt (§ 899 II 2 BGB)
- aufgrund einer Bewilligung des Betroffenen (§ 899 II 1 BGB)
- aufgrund eines vorläufig vollstreckbaren Urteils, das die Abgabe der Berichtigungsbewilligung ersetzt (§ 895 ZPO).

479 **Der eingetragene Widerspruch bewirkt keine Grundbuchsperre.** Der Buchberechtigte kann weiterhin über das Recht verfügen, aber der redliche Erwerb zum Nachteil des wahren Berechtigten ist ausgeschlossen (§ 892 I 1 BGB). Diese Wirkung hat der Widerspruch natürlich nur, wenn der geltend gemachte Berichtigungsanspruch auch wirklich besteht und durch Eintragung im Grundbuch realisiert wird.

480 **Ist der Widerspruch unbegründet,** hat der Betroffene in analoger Anwendung von § 894 BGB einen **Anspruch auf Löschung.** Sie erfolgt:
- aufgrund Bewilligung desjenigen, zu dessen Gunsten der Widerspruch eingetragen ist (§§ 19, 29 GBO)
- nach Aufhebung der einstweiligen Verfügung oder des vorläufig vollstreckbaren Urteils (§ 25 GBO).

5. Der Amtswiderspruch

481 **„Ergibt sich, daß das GBAmt unter Verletzung gesetzlicher Vorschriften eine Eintragung vorgenommen hat, durch die das Grundbuch unrichtig geworden ist“**, so ist – zur Vermeidung eines gutgläubigen Erwerbs und etwaiger Amtshaftungsansprüche – von Amts wegen ein Widerspruch gegen die Richtigkeit des Grundbuchs einzutragen (§ 53 I 1 GBO). Seinem Zweck nach kommt ein Amtswiderspruch nur in Frage gegen Eintragungen, an die sich ein gutgläubiger Erwerb anschließen kann (s. Rz. 432). Kein Amtswiderspruch deshalb gegen andere Eintragungen, bei denen Regreßansprüche nicht entstehen können, z. B. gegen die Eintragung von Verfügungsbeschränkungen und von nicht übertragbaren Rechten, anders jedoch gegen die fehlerhafte Löschung solcher Eintragungen (s. Demharter § 53 Rz. 8 m.w.N.).

482 **Der Amtswiderspruch hat also eine doppelte Voraussetzung:**

a) **Erforderlich ist eine Gesetzesverletzung durch das GBAmt.** Maßgebend ist grundsätzlich die dem GBAmt zur Zeit der Eintragung unterbreitete Sachlage; deshalb kein Amtswiderspruch, wenn sich erst aus nachträglich zu den Akten gereichten Unterlagen oder bekanntgewordenen Umständen ergibt, daß die der Eintragung zugrunde gelegten Unterlagen rechtlich fehlerhaft waren. **Beispiele:**
   - Das GBAmt hat ein beurkundetes Testament unrichtig ausgelegt und den falschen Erben eingetragen (Fehler i. S. des § 53 I 1 GBO).
   - Das GBAmt hat aufgrund eines Erbscheins eingetragen; danach wird der Erbschein gem. § 2361 BGB als unrichtig eingezogen und ein neuer Erbschein mit anderem Inhalt erteilt (kein Fehler i. S. des § 53 I 1 GBO).
   - Weitere Einzelbeispiele s. HSS Rz. 401 ff.

b) **Durch die fehlerhafte Eintragung ist das Grundbuch unrichtig i. S. des § 894 BGB geworden.** Die Unrichtigkeit muß zur Zeit der Eintragung des Widerspruchs noch bestehen.

Die Gesetzesverletzung muß feststehen, die Unrichtigkeit des Grundbuchs dagegen nur glaubhaft sein (Demharter a. a. O.). Auch gegen eine Vormerkung ist die Eintragung eines Amtswiderspruchs zulässig, soweit die Möglichkeit eines gutgläubigen Erwerbs besteht (s. Rz 695 ff.). **483**

Widerspruch gegen Löschungen. Zwar spricht § 53 I 1 GBO nur von „Eintragungen", durch die das Grundbuch unrichtig geworden ist. Ein Amtswiderspruch ist aber auch dann einzutragen, wenn die Unrichtigkeit dadurch entstanden ist, daß das GBAmt fehlerhaft eine Löschung vorgenommen, z. B. bei der Übertragung eines Grundstücks auf ein anderes Grundbuchblatt versäumt hat, eine Belastung mitzuübertragen (s. § 46 II GBO). **484**

Wirkung. Der eingetragene Widerspruch hindert den gutgläubigen Erwerb eines Dritten (§§ 892, 893 BGB) und die Verjährung des geschützten Anspruchs (§ 902 II BGB). Er sperrt das Grundbuch aber nicht gegen weitere Verfügungen des Buchberechtigten, die jedoch dem wahren Berechtigten gegenüber unwirksam sind (analog § 899 BGB). **485**

6. Die Löschung von Amts wegen

Ihrem Inhalt nach unzulässige Eintragungen sind unwirksam. Sie bringen weder das Recht zum Entstehen, noch wahren sie die Rangstelle, noch kann sich an sie ein gutgläubiger Erwerb anschließen. Das Gesetz schreibt deshalb ihre Löschung von Amts wegen vor (§ 53 I 2 GBO). Die Unzulässigkeit muß sich aus dem Eintragungsvermerk selbst und der zulässigerweise in Bezug genommenen Eintragungsbewilligung ergeben. In Frage kommen dafür: **486**

- Eintragungen, die ein nicht eintragungsfähiges Recht verlautbaren, z. B. ein Mietrecht, ein schuldrechtliches Vorkaufsrecht zu festem Preis
- Eintragungen, die ein eintragungsfähiges Recht nicht mit dem gesetzlich gebotenen oder möglichen Inhalt verlautbaren, z. B. Eintragung eines Rechts ohne Angabe des Berechtigten, eines Wohnungsrechts ohne bestimmte Bezeichnung der für die ausschließliche Benutzung in Betracht kommenden Gebäudeteile
- Eintragungen, die ein eintragungsfähiges Recht mit einem gesetzlich nicht erlaubten Inhalt verlautbaren, z. B. ein Erbbaurecht an nicht ausschließlich erster Rangstelle (§ 10 I ErbbauVO), eine Zwangshypothek unter dem gesetzlichen Mindestbetrag von mehr als DM 500,– (§ 866 III ZPO), eine Dienstbarkeit an einem ideellen Anteil eines Grundstücks (§§ 1018, 1090, 1093 BGB)
- Eintragungen, die in einem wesentlichen Punkt so unklar sind, daß ihr Inhalt auch bei zulässiger Auslegung nicht erkennbar ist (RGZ 113, 223, 229).

Gegenstandslose Eintragungen können von Amts wegen gelöscht werden (§§ 84 ff. GBO).

§ 12. Der öffentliche Glaube an die Richtigkeit des Grundbuchs

Literaturhinweise: Baur/Stürner § 23; HSS Rz. 336 ff.; MünchKomm-Wacke Erl. zu §§ 891–893 BGB; Wiegand, Der öffentliche Glaube des Grundbuchs, JuS 1975, 205; ders., Rechtsableitung vom Nichtberechtigten, JuS 1978, 145

Das Grundbuch ist die Grundlage für den Rechtsverkehr in Grundstückssachen. Der Gesetzgeber hat ihm deshalb eine **Richtigkeitsvermutung und eine Gutglaubenswirkung** beigelegt. Sie sind von Bedeutung, wenn das Grundbuch nicht mit der materiellen Rechtslage übereinstimmt.

I. Die gesetzliche Vermutung der Richtigkeit

1. Der Grundbuchstand begründet die Vermutung der Richtigkeit

487 Rechtsgeschäftlich ist zur Entstehung und zur Änderung von Rechten an Grundstücken die Eintragung im Grundbuch erforderlich. Deshalb spricht eine große Wahrscheinlichkeit dafür, daß das Grundbuch mit der materiellen Rechtslage übereinstimmt. In Ausnahmefällen kann es aber – wie wir gesehen haben – unrichtig sein. Der Rechtsverkehr soll jedoch von der Richtigkeit der Eintragungen ausgehen können. **§ 891 BGB begründet** deshalb **die gesetzliche Vermutung, daß das Grundbuch die Grundstücksrechte richtig und vollständig wiedergibt**. Die Bestimmung ist dem § 1006 BGB verwandt: Die Eintragung im Grundbuch hat für die Begründung, Übertragung und Aufhebung von Grundstücksrechten eine ähnliche Wirkung wie die Besitzübertragung bei beweglichen Sachen, sie geht aber über die Eigentumsvermutung hinaus und erfaßt auch das Bestehen oder Nichtbestehen der beschränkten dinglichen Rechte am Grundstück. Ein weiterer Unterschied besteht darin, daß die Vermutung sowohl für als auch gegen den Eingetragenen gilt (s. Rz. 489 f.).

488 **§ 891 BGB ist eine Beweislastregel:** Wer behauptet, der Inhalt des Grundbuchs sei unrichtig, hat dafür die Beweislast. Die andere Partei braucht sich jeweils nur auf das Grundbuch zu berufen. Im einzelnen bedeutet dies:

2. Die positive Vermutung

489 **Ist ein Recht eingetragen, so wird vermutet, daß das Recht besteht und daß es dem Eingetragenen zusteht.** Wer das Bestehen des Rechts oder die Inhaberschaft des Eingetragenen bestreitet, hat deshalb den vollen Beweis des Gegenteils zu erbringen (§ 891 I BGB, sog. positive Vermutung). Jeder, für den das eingetragene Recht von Bedeutung ist, kann sich auf die gesetzliche Vermutung berufen (BGH DNotZ 1970, 411 = Rpfleger 1970, 201). Sie wirkt deshalb auch zu Lasten des Eingetragenen, z. B. wenn gegen eine als Eigentümer eingetragene Person dingliche Rechte oder persönliche Ansprüche geltend gemacht werden. Für den als Gläubiger eines Briefgrundpfandrechts Eingetragenen spricht die Vermutung des § 891 I BGB nur, wenn er den Brief in Besitz hat (BayObLG DNotZ 1974, 93 = Rpfleger 1973, 429). Bei Abtretung eines Briefgrundpfandrechts außerhalb des Grundbuchs gilt nach § 1155 BGB die Vermutung des § 891 I BGB, d. h. der Zessionar wird in seinem guten Glauben geschützt, wenn er sein Recht durch den Besitz des Briefes und eine auf den eingetragenen Gläubiger zurückführende lückenlose Kette öffentlich beglaubigter Abtretungserklärungen belegt (KG NJW 1973, 56 = DNotZ 1973, 301).

3. Die negative Vermutung

490 **Ist ein eingetragenes Recht gelöscht, so wird vermutet, daß es für die Zeit nach der Löschung nicht mehr besteht** (BGH NJW 1969, 2139; s. Rz. 294). Wer dagegen den Fortbestand eines gelöschten Rechts behauptet, muß beweisen, daß es zu Unrecht gelöscht worden ist (§ 891 II BGB, sog. negative Vermutung). Die Löschung kann entweder durch Eintragung eines Löschungsvermerks oder dadurch erfolgt sein, daß das Recht bei der Übertragung des Grundstücks auf ein anderes Grundbuchblatt nicht mitübertragen wurde (§ 46 GBO).

4. Die Verfahrenswirkung

491 **Die Beweislastregel des § 891 BGB gilt für alle Verfahren des privaten und öffentlichen Rechts**, insbesondere natürlich für das Grundbuchverfahren. Das GBAmt hat den Eingetragenen als Berechtigten zu behandeln, es sei denn, daß die Unrichtigkeit offensichtlich ist, sich z. B. aus dem Inhalt der Grundakten oder anderen Gerichtsakten (z. B. Zuschlag in der Zwangsversteigerung) oder anderen öffentlichen Urkunden ergibt (KG NJW 1973, 56 = DNotZ 1973, 301).

5. Der Umfang der Vermutung

492 **Die Richtigkeitsvermutung des § 891 BGB bezieht sich nur auf eintragungsfähige Rechte,** d.h. auf das Eigentum und die in Abt. II und III eingetragenen beschränkten dinglichen Rechte, einschließlich des Rangs dieser Rechte. Sie gilt nicht:

- für Verfügungsbeschränkungen, da sie keine dinglichen „Rechte" sind; zur Frage des gutgläubigen Erwerbs trotz bestehender Verfügungsbeschränkungen s. Rz 515 ff.
- für Widersprüche, auch sie begründen keine dinglichen Rechte; durch die Eintragung eines Widerspruchs wird die Richtigkeitsvermutung nicht erschüttert; er hat nur die Funktion, einen gutgläubigen Erwerb zu verhindern (s. Rz. 498)
- für die Angaben über die tatsächlichen Eigenschaften und Verhältnisse des Grundstücks, z.B. Größe, Lage, Bebauung und Art der Bewirtschaftung.

Voraussetzung für die Anwendung des § 891 BGB auf die Vormerkung ist, daß der zu sichernde Anspruch wirklich besteht. Der Vorgemerkte kann sich deshalb auf die Vormerkung nur berufen, wenn er nachweist, daß der gesicherte Anspruch entstanden ist und noch besteht (str.; Soergel/Baur § 871 Rz. 7; s. zum gutgläubigen Erwerb nachstehend Rz. 695 ff.).

II. Der gutgläubige Erwerb vom Nichtberechtigten

1. Der Vertrauensschutz

493 **Ein allgemeiner Rechtssatz im Schuldrecht lautet: Niemand kann mehr Rechte übertragen, als er selbst hat** – lat.: nemo plus iuris transferre potest quam ipse habet –. Demnach gibt es im Schuldrecht im allgemeinen keinen Forderungserwerb aufgrund guten Glaubens (vgl. §§ 404 ff. BGB). **Im Sachenrecht wird dieser Grundsatz zum Schutze des Rechtsverkehrs durch die Möglichkeiten des gutgläubigen Erwerbs durchbrochen.** Der Erwerber einer beweglichen Sache wird grundsätzlich geschützt, es sei denn, daß sie abhanden gekommen ist, oder daß dem Erwerber bekannt oder infolge grober Fahrlässigkeit nicht bekannt ist, daß die Sache nicht dem Veräußerer gehört (§§ 932 II, 935 BGB). Ihm schadet positive Kenntnis oder grob fahrlässige Unkenntnis. Der Schutz des Erwerbers eines Grundstücks oder eines Rechts an einem Grundstück geht noch einen Schritt weiter: Er wird in seinem guten Glauben geschützt, es sei denn, er weiß positiv, daß der eingetragene Berechtigte nicht der wahre Rechtsinhaber ist oder daß er in seiner Verfügungsbefugnis beschränkt ist (**§ 892 I BGB). Grob fahrlässige Unkennt-**

nis schadet also **im Grundstücksrecht nicht**. Der Rechtsschein ersetzt das Recht.

494 **Für den gutgläubigen Erwerb im Grundstücksrecht kann auch der Gutglaubensschutz des Erbscheins eine Rolle spielen.** Die §§ 892, 893 BGB schützen den guten Glauben an die Richtigkeit des Grundbuchs, die §§ 2366, 2367 BGB den guten Glauben an die Richtigkeit des Erbscheins. Ist der Erbe bereits im Grundbuch eingetragen, richtet sich der Gutglaubensschutz ausschließlich nach Grundstücksrecht. Ist noch der Erblasser eingetragen, kommen ineinandergreifend beide Schutzwirkungen in Betracht:

- Der Erbschein begründet den Schutz des guten Glaubens an die Erbenstellung des Verfügenden.
- Der Erbschein begründet jedoch keine Vermutung dafür, daß der Gegenstand, über den der Erbscheinsinhaber verfügt, zum Nachlaß gehört. Hier greift jedoch § 892 BGB ein: Nach § 891 BGB wird vermutet, daß die Eintragung des Erblassers als Eigentümer richtig ist. Diese Vermutung wirkt auch über den Tod des Eingetragenen hinaus. Dadurch wird der Erwerber auch in seinem guten Glauben daran geschützt, daß das Grundstück zum Nachlaß gehört.

Beispiel: Der eingetragene Scheineigentümer S ist verstorben, eine Berichtigung des Grundbuchs ist noch nicht erfolgt. Der dem E erteilte Erbschein ist unrichtig. E verkauft das Grundstück an K, der sowohl auf die Richtigkeit des Grundbuchs, wie des Erbscheins vertraut. K wird als Eigentümer im Grundbuch eingetragen. Danach wird der unrichtige Erbschein eingezogen: K hat rechtswirksam das Eigentum erworben.

495 **Das Risiko eines gutgläubigen Erwerbs vom Nichtberechtigten zwingt das GBAmt und die Beteiligten zu großer Sorgfalt.** Unrichtigkeiten müssen nach Möglichkeit vermieden und eingetretene Unrichtigkeiten sobald wie möglich beseitigt werden. Die Fälle eines gutgläubigen Erwerbs sind jedoch in der Praxis sehr selten. Aber die Regeln über den gutgläubigen Erwerb gewährleisten einen hohen Wahrscheinlichkeitsgrad der inhaltlichen Richtigkeit und sind damit einer der tragenden Pfeiler unseres deutschen Grundbuchsystems.

2. Die Voraussetzungen für den gutgläubigen Erwerb

496 **a) Das Grundbuch ist unrichtig i.S. des § 894 BGB. Beispiele:**

- Der eingetragene Veräußerer ist nicht der wahre Eigentümer.
- Ein beschränktes dingliches Recht ist zwar eingetragen worden, aber nach materiellem Recht nicht entstanden oder wieder erloschen, z.B.: E hat für G eine Grundschuld bestellt, dann aber die dingliche Einigung wegen Täuschung wirksam angefochten. G tritt dennoch die Grundschuld an den gutgläubigen Z ab.

- Eine bestehende Verfügungsbeschränkung des Eigentümers ist nicht eingetragen, z.B. die Verfügungsbeschränkung durch Nacherbschaft oder Testamentsvollstreckung (§§ 51, 52 GBO).
- Eine Belastung ist zu Unrecht gelöscht, so daß sie materiellrechtlich noch besteht, z.B.: das GBAmt hat versehentlich im Rahmen einer Teilfreigabe des belasteten Grundeigentums die Grundschuld auch an einer Mithaftstelle gelöscht, ohne daß insoweit eine Löschungsbewilligung vorliegt.

497 **b) Über das Eigentum oder ein eingetragenes dingliches Recht ist durch (wirksames) Rechtsgeschäft verfügt worden.** Dagegen können Rechtsänderungen, die kraft Gesetzes eintreten oder auf einem Verwaltungsakt beruhen, nicht zu einem gutgläubigen Erwerb führen. Dazu folgende **Fälle:**

- Der eingetragene Scheineigentümer S ist verstorben und von E beerbt worden: Kein Erwerb des E, weil Erbfolge kein rechtsgeschäftlicher Erwerb (§ 1922 BGB).
- Der Scheineigentümer M vereinbart mit seiner Ehefrau F durch Ehevertrag Gütergemeinschaft: Kein Erwerb der F, weil er eine gesetzliche Folgewirkung des Ehevertrages ist (§ 1416 BGB).
- An dem Grundstück des Scheineigentümers S erwirbt der Gläubiger G im Wege der Zwangsvollstreckung eine Sicherungshypothek und betreibt sodann aus der Hypothek die Zwangsversteigerung. K erhält den Zuschlag (§ 81 ZVG): Die Hypothek war unwirksam, da Gutglaubensschutz nur bei rechtsgeschäftlichem Erwerb gegeben ist. K wird jedoch nach § 90 ZVG Eigentümer, da es sich beim Zuschlag im Zwangsversteigerungsverfahren um einen konstitutiven Erwerb handelt. G muß allerdings den auf seine Zwangshypothek entfallenden Erlösanteil an den wahren Eigentümer herausgeben, da er das Geld ohne rechtlichen Grund erlangt hat (§ 812 BGB).
- Der Scheineigentümer S verstirbt und sein Erbe E wird aufgrund Erbschein als Rechtsnachfolger eingetragen. Sodann verkauft E das Grundstück an K: E ist nicht Eigentümer geworden, da er nicht durch Rechtsgeschäft, sondern kraft Erbfolge erworben hat (§ 1922 BGB). K hat jedoch Eigentum erworben, wenn er bezüglich der Grundbucheintragung des E gutgläubig war.

498 **c) Es ist kein Widerspruch gegen die Richtigkeit des Grundbuchs eingetragen** (§ 892: BGB: „... es sei denn, daß ein Widerspruch ..."). Der Widerspruch kann eingetragen sein:

- aufgrund einstweiliger Verfügung oder Bewilligung des Betroffenen (§ 899 BGB)
- aufgrund eines vorläufig vollstreckbaren Urteils auf Abgabe einer Willenserklärung (§ 895 BGB)
- von Amts wegen gemäß § 18 II GBO, wenn ein früher gestellter, noch nicht erledigungsfähiger Antrag auf eine berichtigende Eintragung ge-

richtet ist; richtet sich der vorgehende Antrag auf eine Rechtsänderung, wird eine Amtsvormerkung eingetragen (s. Rz. 409)
- von Amts wegen gemäß § 53 I 1 GBO, wenn das GBAmt unter Verletzung gesetzlicher Vorschriften eine Eintragung vorgenommen hat, durch die das Grundbuch unrichtig geworden ist (s. Rz. 478).

499 **d) Die rechtsgeschäftliche Verfügung hat den Charakter eines Verkehrsgeschäfts,** d.h. eines echten Vermögenstransports in die Hand einer anderen Person. Das Institut des Gutglaubensschutzes soll den Rechtsverkehr mit Grundstücken schützen und damit erleichtern. Der Erwerber eines Rechts an einem Grundstück hat in der Regel neben dem Grundbuch keine zuverlässige Möglichkeit, sich über die Rechtsverhältnisse zu informieren. Geschützt werden soll durch die §§ 891ff. BGB aber nur, wer von einem anderen erwirbt. Es gibt deshalb keinen Gutglaubensschutz bei persönlicher oder wirtschaftlicher Identität. Auch wer dem Veräußerer so nahe stand, daß er dessen Verhältnisse hätte kennen müssen, bedarf keines Schutzes. Dabei sagt der Begriff „Verkehrsgeschäft" nichts über den wirtschaftlichen Hintergrund der Verfügung; auch der unentgeltliche Erwerb wird geschützt, wenn ein Verkehrsgeschäft gegeben ist. **Beispiele:**
- Der gutgläubige Scheineigentümer überträgt das Grundstück aus seinem Privatvermögen auf eine GmbH, deren alleiniger Inhaber und Geschäftsführer er ist. Hier ist zwar juristisch ein neuer Rechtsträger gegeben, aber wirtschaftlich liegt eine vollständige Identität zwischen Veräußerer und Erwerber vor; die GmbH kann deshalb nicht gutgläubig erwerben.
- Der gutgläubige Scheineigentümer bestellt für sich selbst eine Grundschuld (Eigentümergrundschuld, § 1196 BGB); die Eigentümergrundschuld entsteht nicht; hier liegt sogar persönliche Identität vor.
- Der Scheineigentümer überträgt das Grundstück im Wege der vorweggenommenen Erbfolge auf seinen Sohn; wegen der persönlichen Nähe und der Vergleichbarkeit mit der Erbfolge kein gutgläubiger Erwerb (RGZ 123, 52, 56f.).

500 **e) Der Erwerber hat im guten Glauben an die Richtigkeit des Grundbuchs erworben.** Der gute Glaube ist nur ausgeschlossen bei positiver Kenntnis der Unrichtigkeit (§ 892 I 1 BGB: „... Unrichtigkeit bekannt ist ..."). Zweifel an der Unrichtigkeit oder grobfahrlässige Unkenntnis genügen dafür nicht. Auch ein Rechtsirrtum kann Kenntnis hindern: Wer die Tatsachen kennt, aber dennoch das Grundbuch für richtig hält, ist gutgläubig (RGZ 98, 215, 220). Der Erwerber ist nicht verpflichtet, sich zu erkundigen. Kenntnis ist aber gegeben, wenn er über die Unrichtigkeit so aufgeklärt worden ist, daß sich ein redlich Denkender der Überzeugung nicht verschließen würde (Palandt/Bassenge § 892 Rz. 24). Beweispflichtig für die Bösgläubigkeit des Erwerbers ist, wer sich darauf beruft (§ 892 I 1 BGB: „... es sei denn ...").

501 **f) Die Gutgläubigkeit besteht bis zur Stellung des Eintragungsantrages fort;** spätere Kenntnis der Unrichtigkeit schadet nicht. Der kritische Zeitpunkt wird also vorverlegt vor die Vollendung des Rechtsgeschäfts, weil die Beteiligten nach der Antragstellung kaum mehr Einfluß auf die Abwicklung des Rechtsgeschäfts haben (§ 892 II 1. Fall). Wenn (ausnahmsweise) die Einigung der Antragstellung nachfolgt, gilt der Zeitpunkt der Einigung (§ 892 II 2. Fall). **Beispiel:** In einem Kauf- oder Tauschvertrag ist die Parzellennummer verwechselt worden. Der Erwerber S bestellt eine Grundschuld ohne die nach § 873 BGB erforderliche Einigung mit dem Gläubiger und beantragt die Eintragung. Bevor die Einigung dann nachgeholt wird, erfährt der Gläubiger die Verwechslung: S ist nicht Eigentümer geworden; zwar ist der Kaufvertrag wirksam (falsa demonstratio non nocet), aber die Auflassung und die Eintragung decken sich nicht (s. Rz. 43 und 272). Der Gläubiger kann die Grundschuld – trotz nachgeholter Einigung mit S – nicht mehr erwerben, da sein guter Glaube im Zeitpunkt der Einigung bereits nicht mehr gegeben ist.

502 **Wirkung der Vormerkung.** Wird zur Sicherung des Erwerbers eine Vormerkung bestellt, so genügt es zum Erwerb des Rechts, wenn der gute Glaube bis zur Beantragung der Vormerkung besteht. Nachfolgende Kenntnis von der Unrichtigkeit des Grundbuchs oder Eintragung eines Widerspruchs oder Grundbuchberichtigung können den Erwerb des vorgemerkten Rechts nicht mehr hindern (MünchKomm Wacke § 893 Rz. 11 m.w.N.). Zur Rangwirkung und zum gutgläubigen Erwerb einer Vormerkung s. Rz. 669–672 und 695–707.

3. Wirkungen und Grenzen des Schutzes

503 **a) Zugunsten des gutgläubigen Erwerbers „gilt“ das Grundbuch als richtig.** Das bedeutet:

- **Eingetragene Rechte gelten als bestehend** (= positiver Vertrauensschutz), z.B.: Der eingetragene Scheineigentümer S gilt als Eigentümer; Eintragung und guter Glaube des Erwerbers ersetzen das fehlende Eigentum des Veräußerers; der Erwerber wird Eigentümer, das Grundbuch mit seiner Eintragung richtig.
- **Nicht eingetragene Rechte gelten als nicht bestehend** (= negativer Vertrauensschutz); Beispiel: Eine Hypothek ist zu Unrecht gelöscht (z.B. durch versehentliche Nichtmitübertragung gemäß § 46 II GBO): Das Grundstück gilt zu Gunsten des Erwerbers des Eigentums oder eines beschränkten dinglichen Rechts als unbelastet.

Der Gutglaubensschutz erstreckt sich auch auf die Bestandsangaben des Grundbuchs, soweit sie das Grundstück örtlich festlegen (Gemarkung, Flur, Flurstück), nicht jedoch auf die bloß beschreibenden Angaben wie Größe, Lage, Wirtschaftsart und Bebauung des Grundstücks.

504 b) **Verfügungsbeschränkungen bewirken die absolute, d.h. gegen jedermann wirkende Unwirksamkeit der Verfügung.** Sie können in der Regel nicht im Grundbuch eingetragen werden. Gegen sie gibt es keinen Schutz des guten Glaubens; Umkehrschluß – argumentum e contrario – aus § 892 I 2 BGB, es sei denn, daß die Regeln über den gutgläubigen Erwerb durch spezielle Vorschrift für anwendbar erklärt sind (s. Rz. 305). Geschützt wird aber ein Zweiterwerber, der sein Recht von dem unrichtig eingetragenen Ersterwerber ableitet, wenn er den Mangel des Rechts beim Ersterwerber nicht kannte (RGZ 156, 89, 93). **Beispiel:** Der geschäftsunfähige A überträgt an B. Dieser überträgt sodann an den gutgläubigen C: B ist nicht Eigentümer geworden, da die Geschäftsunfähigkeit eine Verfügungsbeschränkung darstellt, aber C wird Eigentümer gem. § 892 BGB. Weiterführung des Falles: C überträgt an D, der die Geschäftsunfähigkeit des A kannte: Die Frage der Gutgläubigkeit spielt jetzt keine Rolle mehr, da D von dem berechtigten C erwirbt.

505 c) **Der Gutglaubensschutz versagt auch gegenüber den nicht eintragbaren und den nicht eintragungsbedürftigen Rechten**, z.B. gegenüber den öffentlich-rechtlichen Beschränkungen und Belastungen (gesetzliche Vorkaufsrechte, Erschließungs- und Ausbaubeitragslasten, Baulasten, Beschränkungen nach dem Wohnungsbindungsgesetz, dingliche Haftung für rückständige Grundsteuerbeträge, Kanalgebühren usw.), auch gegenüber den privatrechtlichen Überbau- und Notwegrenten (§§ 914 II 1, 917 II BGB) sowie den fortbestehenden Altdienstbarkeiten aus der Zeit vor der Anlegung des Grundbuchs (Art. 187 EGBGB). Diese Einschränkungen des Gutglaubensschutzes bedeuten eine bedauerliche Aushöhlung des Grundbuchsystems! Keinen Schutz des gutgläubigen Erwerbers gibt es auch in bezug auf die schuldrechtlichen Verhältnisse des Grundstücks, z.B. einen Miet- oder Pachtvertrag: diesen muß der Erwerber gegen sich gelten lassen (§§ 571, 581 II BGB).

Zur befristeten Einschränkung des Gutglaubensschutzes im Beitrittsgebiet s. Art. 233 § 4 II EGBGB.

506 d) **Relative Verfügungsverbote dienen nur dem Schutz bestimmter Personen**. Entgegenstehende Verfügungen sind deshalb nicht absolut, sondern nur dem Geschützten gegenüber unwirksam (s. Rz. 514). Ein Erwerber wird jedoch geschützt, es sei denn, daß ihm das Verfügungsverbot bei der Antragstellung bekannt war, § 892 II BGB, oder daß es im Zeitpunkt der Eintragung seines Rechts aus dem Grundbuch ersichtlich ist, § 892 I 2 BGB (s. nachstehend Rz. 557).

507 e) **Kein Identitätsschutz:** Der Gutglaubensschutz erstreckt sich nicht darauf, daß der Vertragspartner tatsächlich der eingetragene Berechtigte ist. **Beispiel:** Im Grundbuch ist als Eigentümer ein Hans Müller eingetragen. Ein anderer Mann gleichen Namens verkauft das Grundstück an K: kein gutgläubiger Erwerb.

508 **f) Schutz von Verfügungen anderer Art.** § 892 BGB schützt den Erwerber eines Rechts am Grundstück. § 893 BGB erweitert diesen Gutglaubensschutz um 2 Tatbestände: Geschützt wird auch:

- **wer an den Buchberechtigten etwas leistet**, z. B. Zins und Tilgung an den zu Unrecht eingetragenen Gläubiger einer Buchhypothek; der Schuldner wird dadurch von seiner Leistungspflicht befreit; bei einer Briefhypothek/Briefgrundschuld kann allerdings an den Eingetragenen nur dann mit befreiender Wirkung geleistet werden, wenn er auch im Besitz des Briefes ist (Palandt/Bassenge § 893 Anm. 1)
- **wer mit dem Buchberechtigten eine sonstige Vereinbarung über ein eingetragenes Recht trifft,** die nicht unter § 892 BGB fällt, weil sie nicht auf den Erwerb des Rechts gerichtet ist. **Beispiele:** Aufhebung eines eingetragenen Rechts (§ 875 I BGB), Inhaltsänderung eines Rechts (§ 878 BGB), Rangänderung (§ 880 BGB), Aufrechnung gegenüber dem Hypothekar (§ 1142 II BGB).

509 **§ 893 BGB gilt nur für dingliche Verfügungen,** nicht für einen schuldrechtlichen Vertrag, den der Scheinberechtigte abschließt. **Beispiel:** Der Scheinerbe S wird als Rechtsnachfolger des E eingetragen. Er vermietet das Hausgrundstück auf 20 Jahre. Danach wird die wahre Erbfolge festgestellt und das Grundbuch berichtigt: Der wahre Erbe kann von dem Mieter die Herausgabe des Hauses verlangen (§ 985 BGB). Der Mieter hat demgegenüber kein schuldrechtliches Recht zum Besitz i. S. des § 986 BGB, sondern lediglich Ansprüche aus § 541 BGB gegen den Vermieter wegen eines Rechtsmangels der vermieteten Sache; § 571 BGB findet hier keine Anwendung.

4. Die Ansprüche des Geschädigten

510 **Durch den gutgläubigen Erwerb des Dritten verliert der Berechtigte sein dingliches Recht. Als Ersatz stehen ihm nur schuldrechtliche Bereicherungsansprüche zu.** Gegen wen und worauf sich der Anspruch des Geschädigten (A) richtet, hängt von der Fallgestaltung ab. Hat der Scheinberechtigte B zu Gunsten des C verfügt, so richtet sich der Anspruch des A:

- im Falle einer **entgeltlichen Verfügung** des B auf die Herausgabe des Erlöses (§ 816 I 1 BGB)
- bei **unentgeltlicher Verfügung** des B gegen den C auf Herausgabe des Erlangten (= Anspruch auf Rückübertragung des dinglichen Rechts, § 816 I 2 BGB). Wenn in diesem Falle C das dingliche Recht bereits an D weiterübertragen hat, so ist folgende Anspruchslage gegeben:
  - Hat C entgeltlich verfügt, steht dem A kein Anspruch gegen D zu, da dieser von dem dinglich Berechtigten erworben hat; C muß dem A jedoch den von D erhaltenen Erlös herausgeben (§§ 816 I 2, 818 II BGB)

- Hat C unentgeltlich verfügt, kann A von D die Rückübertragung des dinglichen Rechts verlangen, weil C nicht mehr bereichert ist und das Gesetz den unentgeltlich erwerbenden D nicht schützt (§§ 822, 818 III BGB; BGH NJW 1969, 602).

Wird an einen Nichtberechtigten geleistet (z.B. an einen Scheinhypothekar), so kann der wahre Berechtigte von diesem die Herausgabe der erhaltenen Leistung verlangen (§ 816 II BGB).

5. Verhinderung des gutgläubigen Erwerbs durch das Grundbuchamt?

511

Streitig ist, ob das GBAmt bei Kenntnis der Unrichtigkeit des Grundbuchs berechtigt und verpflichtet ist, den gutgläubigen Erwerb zu verhindern. Erkennt das GBAmt, daß das Grundbuch unrichtig ist, z.B. weil ein Recht fehlerhaft eingetragen oder gelöscht ist, oder daß ein relatives Verfügungsverbot oder eine sonstige eintragungsfähige Verfügungsbeschränkung noch nicht eingetragen ist, so sollte es nach früher herrschend gewesener Meinung verpflichtet sein, den Eintragungsantrag zurückzuweisen und damit den gutgläubigen Erwerb zu verhindern (KG NJW 1973, 56, 58 = DNotZ 1973, 301, 304). Das GBAmt dürfe eine Eintragung nicht vornehmen, wenn feststehe, daß sich der Rechtserwerb nur kraft guten Glaubens des Erwerbers vollziehen könne (BayObLG DNotI-Report 24/1994).

In diesem Zielkonflikt ist zwischen dem Schutz des materiell Berechtigten und dem vom Gesetz ebenso geschützten Interesse des gutgläubigen Erwerbers abzuwägen. Die früher überwiegend gewesene Meinung verstößt gegen das Erledigungsgebot der §§ 17, 45 GBO und die gesetzliche Entscheidung, daß ein gutgläubiger Erwerber geschützt wird. Nach einer in der Rechtsliteratur inzwischen herrschend gewordenen Meinung muß der Verkehrsschutz den Ausschlag geben; Verunsicherungen schaden der Funktionalität des Grundbuchs, das seine Aufgabe nur erfüllen kann, wenn man sich auf seine Richtigkeit verlassen darf. Der Erwerber muß gefahrlos seine Gegenleistungen erbringen können. Der gutgläubige Erwerb ist kein Erwerb minderen Rechts, sondern eine im Gesetz vorgesehene vollgültige Erwerbsform. Das GBAmt muß deshalb eine ordnungsgemäß beantragte Eintragung auch dann vornehmen, wenn es feststellt, daß zu dem nach § 892 BGB rechtmäßigen gutgläubigen Erwerb nur noch die Grundbucheintragung fehlt (Böttcher, Rpfleger 1983, 187; Eickmann, GBVerfR Rz. 155–157; Ertl, Rpfleger 80, 44; HSS Rz. 352 m.w.N.; MünchKomm-Wacke § 892 Rz. 70).

§ 13. Öffentlich-rechtliche und privatrechtliche Verfügungsbeschränkungen

I. Systematischer Überblick

512 **Bedeutung für die Vertragsgestaltung.** Das Grundstücksrecht enthält eine Vielzahl von Beschränkungen des Rechtsverkehrs. Sie können auf öffentlichem Recht oder auf Privatrecht beruhen. Die sich aus dem öffentlichen Recht ergebenden Beschränkungen sind vielfach nicht eintragungsfähig und bedeuten deshalb eine bedauerliche Durchbrechung des Offenkundigkeitsprinzips unseres Grundstücksrechts.

Die Berücksichtigung bestehender Beschränkungen ist mitentscheidend für die Wirksamkeit des Rechtsgeschäfts. Sie sind deshalb bei der Vertragsgestaltung wie beim Vollzug der Verträge sorgfältig zu beachten. Soweit dazu gerichtliche oder behördliche Genehmigungen oder Bescheinigungen erforderlich sind, soll der Notar die Beteiligten darauf hinweisen und dies in der Urkunde vermerken (§ 18 BeurkG). In der Regel wird der Notar von den Beteiligten beauftragt, die Genehmigungen und Bescheinigungen einzuholen und für sie in Empfang zu nehmen.

513 **Terminologie.** Die in den verschiedenen Gesetzen verwendete Terminologie ist vielschichtig und unsystematisch. **Beispiele:** „ist unzulässig" – „kann nicht" – „darf nicht" – „soll nicht" – „ist nicht übertragbar". Aus ihr allein kann die Rechtsfolge nicht entnommen werden. In der Literatur wird teilweise unterschieden zwischen „Verfügungsbeschränkungen" sowie „absoluten" und „relativen" Verfügungsverboten (s. Palandt/Heinrichs § 136 Rz. 1 und 2). Allen gemeinsam ist jedoch, daß der Inhaber des Rechts nicht oder nur mit Zustimmung eines Gerichts, einer Behörde oder einer anderen Person zur Verfügung berechtigt ist. Deshalb wird hier der Oberbegriff „Verfügungsbeschränkungen" gewählt (anders noch 1. Aufl.; wie hier auch MünchKomm-Wacke § 878 Rz. 19). Dabei ist für die Praxis entscheidend, welche Rechtsfolge sich aus der beschränkenden Bestimmung ergibt. Es erscheint deshalb zweckmäßig, die verschiedenen Bestimmungen nach ihrer Rechtsquelle und ihrer jeweiligen Rechtsfolge zu unterscheiden.

514 **Absolute und relative Verfügungsbeschränkungen.** Durch Verfügungsbeschränkungen wird die Befugnis des Rechtsinhabers, über sein Recht zu verfügen, eingeschränkt oder ausgeschlossen:

- **Absolute Verfügungsbeschränkungen** führen zur Unwirksamkeit der Verfügung gegenüber jedermann, d.h. auch ein Unbeteiligter kann sich auf sie berufen (§ 134 BGB). Hierzu gehören die zahlreichen Vorschriften, die aus Gründen des öffentlichen Rechts die Wirksamkeit der Verfügung von einer behördlichen oder gerichtlichen Genehmigung abhängig machen. Bis zur Erteilung oder Verweigerung der Genehmigung ist die Verfügung schwebend unwirksam. Mit der Erteilung erlangt sie volle Wirksamkeit. Mit der rechtskräftigen Verweigerung tritt endgültige Unwirksamkeit ein.

- **Relative Verfügungsbeschränkungen** dienen nur dem Schutz bestimmter Personen. Nur ihnen gegenüber ist die Verfügung unwirksam; im Verhältnis zu anderen Personen ist sie hingegen voll wirksam (§§ 135, 136 BGB). Das schuldrechtliche Verpflichtungsgeschäft ist jedoch grundsätzlich gültig, wenn nicht das Gesetz im Einzelfall etwas anderes bestimmt (z.B. § 1365 I 1 BGB; s. Rz. 533ff.).

Gutgläubiger Erwerb. Für den Rechtsverkehr wesentlich ist im Einzelfall, ob die Verfügungsbeschränkung durch guten Glauben des Erwerbers überwunden werden kann. In einigen Fällen sind die Verfügungsbeschränkungen kraft besonderer Anordnung im Grundbuch einzutragen. Dann wird ein gutgläubiger Erwerber geschützt, wenn die Vorschriften über den gutgläubigen Erwerb ausdrücklich für anwendbar erklärt sind (z.B. §§ 2113 III, 2211 BGB, 7 I 1 KO). Dazu ausführlich Rz. 548–553. Zum formellen Rang eintragungsfähiger Verfügungsbeschränkungen s. Rz. 602–605. **515**

II. Gerichtliche Verfügungsverbote

Eine besondere Gruppe der Verfügungsbeschränkungen bilden die durch eine gerichtliche Anordnung begründeten oder sich aus solchen Anordnungen ergebenden Verfügungsverbote:

a) Durch **einstweilige Verfügung** eines Gerichts gemäß §§ 935, 938 II ZPO kann einem Eigentümer verboten werden, das Grundstück zu veräußern oder zu belasten (vgl. Rz. 312). Dieses Verfügungsverbot wirkt nur zugunsten des Verfügungsklägers. Es wird im Grundbuch eingetragen (s. HSS Rz. 737ff.). Ein gutgläubiger Erwerber wird geschützt (§ 892 I 2 BGB). **516**

b) Die Beschlagnahme im Verfahren der Zwangsversteigerung oder Zwangsverwaltung hat die Wirkung eines Veräußerungsverbots zugunsten des betreibenden Gläubigers (§§ 23 I, 20 I, 146 I ZVG). Das Versteigerungsgericht ersucht das GBAmt um Eintragung des Versteigerungsvermerks (§ 19 I ZVG). Solange der Vermerk noch nicht eingetragen ist, wird ein gutgläubiger Erwerber geschützt (§§ 135 II, 23 II ZVG). **517**

c) **Konkursverfahren.** Vor Eröffnung des Konkursverfahrens kann das Gericht durch einstweilige Verfügung zur Sicherung der Masse **ein** **518**

allgemeines Veräußerungsverbot an den Schuldner erlassen (§ 106 I 3 KO). Das Verbot ist im Grundbuch einzutragen (§ 113 KO). Es wirkt nur relativ zugunsten der späteren Konkursgläubiger (Kuhn/Uhlenbruck, KO, 10. Aufl. 1986, § 106 Rz. 4; str.). Ein gutgläubiger Erwerber wird geschützt (§ 892 I 2 BGB).

Mit der Eröffnung des Konkursverfahrens verliert der Gemeinschuldner die Befugnis, über sein Vermögen zu verfügen (§§ 6, 7, KO). Die rechtliche Qualifizierung der Konkurseröffnung ist umstritten (vgl. MünchKomm-Mayer-Maly § 135 Rz. 29 m.w.N.). Da der Gemeinschuldner mit Wirkung gegenüber jedermann die Fähigkeit verliert, über seine zur Masse gehörenden Vermögensgegenstände zu verfügen, wird hier von einer absoluten Verfügungsbeschränkung ausgegangen. Die Beschränkung ist gem. §§ 113 KO, 38 GBO in das Grundbuch einzutragen. Der Konkursvermerk bewirkt eine **Grundbuchsperre**. Vor der Eintragung des Vermerks erwirbt ein gutgläubiger Erwerber konkursfrei (§§ 7 I 2. Halbsatz, 15 Satz 2 KO).

519 **d) Im Vergleichsverfahren** kann das Gericht dem Vergleichsschuldner Verfügungsverbote auferlegen, insbesondere ein allgemeines Veräußerungsverbot oder ein Verbot der Verfügung über einzelne Gegenstände (§ 59 Satz 1 1. und 2. Halbsatz VerglO). Das Verfügungsverbot ist gem. §§ 61 I, II, 63 II VerglO im Grundbuch einzutragen. Es wirkt nur zugunsten der Vergleichsgläubiger (§§ 62 I 2, 63 III 1 VerglO). Der gute Glaube eines Erwerbers wird geschützt (§§ 62 III, 63 III 2 VerglO).

520 **e) Insolvenzverfahren.** Durch die Insolvenzordnung (InsO) vom 05. Oktober 1994 sind mit Wirkung vom 01. Januar 1999 die Konkursordnung und die Vergleichsordnung aufgehoben und ersetzt. Die für die Verfügungsmacht des Eigentümers wichtigsten Bestimmungen sind:

- Das Gericht kann bereits vor der Eröffnung des Insolvenzverfahrens dem Schuldner ein allgemeines Verfügungsverbot auferlegen oder anordnen, daß Verfügungen des Schuldners nur mit Zustimmung des vorläufigen Insolvenzverwalters wirksam sind (§§ 21 II 2, 24 I, 81 I 1 InsO).
- Die Eröffnung des Insolvenzverfahrens ist auf Ersuchen des Insolvenzgerichts in das Grundbuch einzutragen (§ 32 InsO).
- Durch die Eröffnung des Insolvenzverfahrens geht das Recht des Schuldners, das zur Insolvenzmasse gehörende Vermögen zu verwalten und darüber zu verfügen, auf den Insolvenzverwalter über (§ 80 InsO).
- Hat der Schuldner nach der Eröffnung des Verfahrens über einen Gegenstand der Insolvenzmasse verfügt, so ist diese Verfügung unwirksam. Unberührt bleiben jedoch die §§ 892, 893 BGB (§ 81 InsO) .
- Eine grundstücksrechtliche Verfügung des Schuldners gilt als in dem Zeitpunkt vorgenommen, in dem das Rechtsgeschäft für ihn bindend geworden und der Antrag auf Rechtsänderung beim Grundbuchamt

gestellt ist. Wird eine Vormerkung beantragt, so gilt der Zeitpunkt dieses Antrags (§ 140 InsO).

f) Gemäß §§ 111b II, 111c StPO kann die Beschlagnahme eines Grundstücks angeordnet werden. Sie wird dadurch bewirkt, daß auf Ersuchen des Gerichts oder der Staatsanwaltschaft ein Vermerk über die Beschlagnahme in das Grundbuch eingetragen wird (§§ 111c II, 111f II 1 StPO). Die Beschlagnahme hat die Wirkung eines **relativen Verfügungsverbots** i.S. des § 136 BGB zugunsten des Staates (§ 111c V StPO). Das Veräußerungsverbot gilt auch zugunsten von Verletzten, die während der Dauer der Beschlagnahme die Zwangsvollstreckung in den beschlagnahmten Gegenstand betreiben oder den Arrest vollziehen (§ 111g III StPO). 521

g) Mit der Anordnung der Nachlaßverwaltung verliert der Erbe die Befugnis, über den Nachlaß zu verfügen (§ 1984 I 1 BGB). Eine Eintragung dieser Verfügungsbeschränkung im Grundbuch ist nicht ausdrücklich angeordnet, aber zweckmäßig, da sonst ein gutgläubiger Erwerber geschützt wird (§ 1984 I 2 BGB; § 7 KO). Das Nachlaßgericht hat dafür zu sorgen, daß der Sperrvermerk eingetragen wird. Es kann dies selbst durch Ersuchen veranlassen oder den Nachlaßverwalter dazu anhalten (Firsching/Graf, Nachlaßrecht, 7. Aufl. 1994, Rz. 4811). 522

III. Das gerichtliche Erwerbsverbot

Zweck. Gerichtliche Erwerbsverbote haben eine ähnliche Wirkung wie Veräußerungsverbote. Ist ein Grundstücksveräußerungsvertrag unwirksam, kann der Veräußerer vom Erwerber gem. § 812 BGB den Verzicht auf die Rechte aus der Auflassung oder die Mitwirkung bei der Aufhebung der Auflassung verlangen (vgl. vorstehend Rz. 151 ff.). Vor der Durchsetzung dieses Anspruchs kann jedoch der Erwerber bereits seine Eintragung im Grundbuch bewirkt haben. Diese würde im Falle einer Formunwirksamkeit des Vertrages zur Heilung nach § 313 Satz 2 BGB führen, bei Unwirksamkeit aus anderen Gründen bestünde die Gefahr des gutgläubigen Erwerbs durch Dritte. **Zur Sicherung des Veräußerers hat deshalb die Rechtsprechung die** vom Gesetz nicht vorgesehene **Rechtsfigur des Erwerbsverbots entwickelt.** Durch ein Erwerbsverbot wird dem Adressaten verboten, ein bestimmtes Recht zu erwerben. Der Veräußerer kann das Erwerbsverbot **durch einstweilige Verfügung des Prozeßgerichts gem.** § 938 II ZPO erwirken (RGZ 117, 287; 120, 118; OLG Hamm DNotZ 1970, 661; Palandt/Bassenge § 888 Rz. 11; HSS Rz. 740 m.w.N.). **Beispiel:** V hat an K verkauft und aufgelassen, und K hat bereits den Antrag auf Eintragung im Grundbuch gestellt. Der Kaufvertrag ist jedoch wegen falscher Preisangabe unwirk- 523 sam. Mit der Eintragung würde der Formmangel des Kausalgeschäfts geheilt (§ 313 Satz 2 BGB). V, den der Kaufvertrag reut, kann dies jedoch noch dadurch verhindern, daß er durch einstweilige Verfügung ein Erwerbsverbot gegen K erwirkt.

524 **Wirkung.** Das Erwerbsverbot wird mit Zustellung an den Erwerber wirksam (§ 929 II ZPO; Palandt/Bassenge a.a.O.). Dadurch wird ihm der Erwerb des Grundstücks verboten. Dies hat nicht nur vollstreckungsrechtliche Bedeutung, sondern enthält einen sachlich-rechtlichen Eingriff in die durch die Auflassung angebahnte Befugnis des Erwerbers, sich das Eigentum zu verschaffen. **Eine Eintragung des Erwerbsverbots im Grundbuch ist** zwar **nicht möglich**, weil es sich gegen eine noch nicht eingetragene Person richtet (Prinzip der Voreintragung, s. Rz. 394). Es ist aber ein **Eintragungshindernis i.S. des § 18 GBO** und vom GBAmt auch dann zu beachten, wenn der Umschreibungsantrag bereits gestellt ist (so im Ergebnis auch KG Rpfleger 1962, 177 = DNotZ 1962, 400; OLG Hamm DNotZ 1970, 661; a.A. Böttcher BWNotZ 1993, 25: § 878 BGB geht vor).

525 **Die Behandlung durch das Grundbuchamt.** Nach h.M. bedeutet das gerichtliche Erwerbsverbot, daß dem Verfügungsgegner verboten wird, einen Umschreibungsantrag zu stellen, bzw. geboten, einen bereits gestellten Antrag zurückzunehmen. Das GBAmt habe deshalb einen trotzdem gestellten und aufrechterhaltenen Antrag zurückzuweisen. Diese Auffassung verstößt gegen den Grundsatz, daß durch einstweilige Verfügungen keine endgültigen Tatsachen geschaffen werden sollen. Mit der Zurückweisung des Antrags würde aber der Erledigungsrang des § 17 GBO verlorengehen, wodurch dem Verfügungsgegner ein irreparabler Schaden entstehen kann. Deshalb muß, wenn die einstweilige Verfügung später evtl. wieder aufgehoben wird, der Erledigungsrang i.S. des § 17 GBO noch gegeben sein. **Die h.M.**, das GBAmt habe einen gestellten Antrag des Verfügungsgegners zurückzuweisen, **ist** deshalb **abzulehnen** (so auch MünchKomm-Wacke § 888 Rz. 23 m. Fn. 37). **Statt dessen hat das GBAmt durch Zwischenverfügung die Eintragung von der Aufhebung des Erwerbsverbots abhängig zu machen** und bei Folgeanträgen eine Amtsvormerkung gem. § 18 GBO einzutragen. Welcher Ansicht man auch folgt, immer bewirkt das Erwerbsverbot, daß K nicht eingetragen werden darf. Wird K entgegen dem Erwerbsverbot doch als Eigentümer eingetragen, etwa weil das Verbot dem GBAmt noch nicht bekannt war, so ist der Eigentumserwerb dem Veräußerer V gegenüber unwirksam (Palandt/Bassenge § 888 Rz. 11). Wie die relativen Verfügungsverbote führen demnach auch Erwerbsverbote nur zu einer **relativen Unwirksamkeit** verbotswidriger Verfügungen.

IV. Verfügungsbeschränkungen mit öffentlich-rechtlichem Genehmigungsvorbehalt

526 Aus Gründen des öffentlichen Interesses enthält eine Reihe von Gesetzen eine Beschränkung der Verfügungsmacht durch den Vorbehalt, daß die Wirksamkeit des Rechtsgeschäfts von der Erteilung einer öffentlich-rechtlichen Genehmigung abhängt. Die Genehmigungsbedürftigkeit kann i. d. R. nicht im Grundbuch eingetragen werden. Ein gutgläubiger Erwerb ist ausgeschlossen. Die wichtigsten sind:

1. Grundstücksverkehrsgesetz

527 Die Veräußerung eines land- oder forstwirtschaftlich genutzten Grundstücks sowie die Bestellung eines Nießbrauchsrechts an einem solchen Grundstück bedarf der **Genehmigung der Landwirtschaftsbehörde** (§§ 2, 8 GrdstVG). Die Genehmigung kann unter Auflagen oder Bedingungen erteilt werden (§§ 10, 11 GrdstVG). Ist die Genehmigung nicht erforderlich, wird auf Antrag ein Negativattest erteilt (§ 5 GrdstVG). Die Genehmigungspraxis der Landwirtschaftsbehörden und Landwirtschaftsgerichte ist im Laufe der Jahre immer liberaler geworden, weil die Erkenntnis Boden gewonnen hat, daß neben den landwirtschaftlichen Vollerwerbsbetrieben auch die nebenberuflich betriebene Landwirtschaft aus agrarpolitischen und anderen volkswirtschaftlichen und soziologischen Gründen erhaltungswürdig ist. In Ausführungsgesetzen der Länder ist zum Teil bestimmt, daß die Veräußerung von Grundstücken bis zu einer bestimmten Größe keiner Genehmigung bedarf (vgl. § 2 III Nr. 2 GrdstVG).

Zum Genehmigungsvorbehalt nach der Grundstücksverkehrsordnung im Beitrittsgebiet s. § 2 GVO und Rz. 1383.

2.) Baugesetzbuch

528 **Umlegungsverfahren.** Zur Verwirklichung eines Bebauungsplans ist häufig eine Neuordnung der Grundstücke erforderlich. Dies geschieht im Wege eines Umlegungsverfahrens (§§ 45 ff. BauGB). Die Einleitung des Verfahrens erfolgt durch einen Umlegungsbeschluß der Gemeinde (§ 47 BauGB). Er bewirkt eine Verfügungs- und Veränderungssperre mit Erlaubnisvorbehalt. Danach bedürfen die Übertragung des Eigentums und seine Belastung der Genehmigung der Umlegungsbehörde (§ 51 BauGB). Die Einleitung des Verfahrens wird auf Ersuchen der Umlegungsbehörde in Abt. II des Grundbuchs vermerkt (§ 54 BauGB); die Sperrwirkung ist jedoch davon nicht abhängig, ein gutgläubiger Erwerber wird nicht geschützt.

529 **Sanierungsverfahren.** Die Gemeinden können zur Behebung städtebaulicher Mißstände bestimmte Flächen des Gemeindegebiets zu Sanierungsgebieten erklären (§§ 136ff. BauGB). Die Festlegung des Gebietes erfolgt durch eine Sanierungssatzung (§ 142 BauGB). Mit der Rechtskraft des Beschlusses tritt eine Veränderungs- und Verfügungssperre ein; danach bedürfen die Errichtung oder Änderung von baulichen Anlagen sowie die Veräußerung und Belastung von Grundstücken der Genehmigung der Gemeinde; das gleiche gilt für mehr als einjährige Nutzungsvereinbarungen (§§ 144, 14, 29 BauGB). Auf Ersuchen der Sanierungsbehörde wird in Abt. II des Grundbuchs ein Sanierungsvermerk eingetragen (§ 143 BauGB); die Sperrwirkung ist jedoch davon nicht abhängig, ein gutgläubiger Erwerber wird nicht geschützt.

3. Flurbereinigungsgesetz

530 Im Flurbereinigungsverfahren zur landwirtschaftlichen Bodenordnung besteht zwar keine allgemeine Verfügungsbeschränkung. Soll jedoch ein Teilnehmer in Geld abgefunden werden, so gilt ab Unwiderruflichkeit seiner Zustimmung dazu ein relatives Verfügungsverbot zugunsten der Teilnehmergemeinschaft oder eines Dritten. Das Verfügungsverbot ist im Grundbuch einzutragen; die Vorschriften über den gutgläubigen Erwerb finden Anwendung (§§ 52f. FlurbG).

4. Veräußerung von Gemeindegrundstücken

531 **Gemeinden bedürfen je nach Landesrecht zur Veräußerung von Grundstücken der Genehmigung ihrer Aufsichtsbehörde.** Die Einzelheiten ergeben sich aus den Gemeindeordnungen der Länder. In der Regel gibt es dabei Freigrenzen, die nach der Einwohnerzahl der Gemeinden gestaffelt sind. Ist danach eine Genehmigung nicht erforderlich, soll der Vertreter der Gemeinde eine Erklärung beifügen, daß und warum die Veräußerung genehmigungsfrei ist.

5. Verfügungsbeschränkungen nach Kirchenrecht

532 **Kirchengemeinden** bedürfen zum Erwerb sowie zu Veräußerungen und Belastungen von Grundstücken in der Regel der Genehmigung der kirchlichen Aufsichtsbehörden. Maßgeblich dafür ist das Landeskirchenrecht. Diese Genehmigung ist echte Voraussetzung für das Wirksamwerden kirchlicher Rechtsgeschäfte auch nach weltlichem Recht (HSS Rz. 2175; vgl. vorstehende Rz. 279f.).

V. Verfügungsbeschränkungen des Privatrechts

1. Die Verfügungsbeschränkungen für gesetzliche Vertreter

Als gesetzliche Vertreter für Personen, die nicht oder nur eingeschränkt verfügungsberechtigt sind, kommen je nach Sachlage Eltern, Vormund, Pfleger und Betreuer in Betracht. In Grundstückssachen ist ihre Vertretungsmacht in unterschiedlichem Grade in der Weise beschränkt, daß in bestimmten Fällen zur rechtswirksamen Vertretung die Genehmigung des Vormundschaftsgerichts erforderlich ist. Siehe dazu ausführlich Rz. 244 ff. **533**

2. Die Ehegattenzustimmung

Zugewinngemeinschaft. Ehegatten leben im gesetzlichen Güterstand der Zugewinngemeinschaft, wenn und soweit sie nicht durch Ehevertrag etwas anderes vereinbart haben (§ 1363 I BGB). Dadurch werden jedoch das Vermögen des Mannes und das Vermögen der Frau nicht gemeinschaftliches Vermögen (§ 1363 II BGB). Jeder verwaltet auch sein Vermögen selbständig und ist grundsätzlich allein darüber verfügungsberechtigt (§ 1364 BGB). Der Begriff „Zugewinngemeinschaft“ ist insoweit etwas irreführend. **534**

Grundsatz und Zweck. Wenn die Ehegatten im gesetzlichen Güterstand leben, bedarf jeder von ihnen zu einem Rechtsgeschäft, durch das er sich verpflichtet, über sein Vermögen im Ganzen zu verfügen, der Zustimmung des anderen Ehegatten (§ 1365 I 1 BGB). Diese dem Prinzip des getrennten Vermögens und der selbständigen Vermögensverwaltung jedes Ehegatten widersprechende Regelung hat einen doppelten Zweck: Sie soll die wirtschaftliche Grundlage der Familie sichern, und sie soll den anderen Ehegatten davor schützen, daß bei Auflösung der Ehe – sei es durch den Tod eines Ehegatten oder durch Scheidung – sein etwaiger Anspruch auf Ausgleich des Zugewinns ausgehöhlt ist (§§ 1371, 1372 BGB). **535**

Begriff des Gesamtvermögens. Vermögen i. S. des § 1365 BGB ist nur das reale Vermögen. Nicht dazu gehören künftiges Arbeitseinkommen aus einem sicheren Arbeitsverhältnis, das Stammrecht aus einer bereits laufenden Rente oder ein noch nicht fälliger Rentenanspruch (Palandt/Diederichsen § 1365 Rz. 5 m.w.N.). Unberücksichtigt bleibt, da es nur auf die Verfügung ankommt, was eventuell an die Stelle des veräußerten Vermögens tritt; ein etwaiger Kaufpreis, auch wenn er wirtschaftlich äquivalent ist, bleibt deshalb außer Betracht (BGH NJW 1961, 1301; vgl. auch Rz. 142 zu § 419 BGB). Ebenso ist § 1365 BGB auch nicht an- **536**

wendbar bei Verfügungen im Wege der Zwangsvollstreckung in das Vermögen des Ehegatten.

537 **Anwendung auf Einzelverfügung.** Rechtsgeschäftliche Verfügungen über das Gesamtvermögen i.S. des § 311 BGB kommen praktisch nicht vor. Sachenrechtlich bedürfen sie ja auch der Einzelübertragung (Ausnahme: die Verfügung von Todes wegen, die in § 1365 BGB aber gerade nicht gemeint ist). Nach der Rechtsprechung ist deshalb die Verfügungsbeschränkung des § 1365 auch gegeben, wenn das Rechtsgeschäft nur einzelne Gegenstände oder eine Mehrheit von Einzelgegenständen betrifft, wenn sie nahezu das gesamte Vermögen ausmachen (sog. Einzeltheorie, BGH NJW 1984, 609). Maßgebend für die Feststellung, ob eine Verfügung über das nahezu gesamte Vermögen vorliegt, ist nach wirtschaftlicher Betrachtungsweise nur das frei verfügbare Vermögen. Bei der Veräußerung von Grundvermögen sind deshalb darauf ruhende Belastungen abzuziehen, d.h. § 1365 BGB bezieht sich nur auf den Teilwert, der den effektiven Wert der Belastungen übersteigt. Nur dieser Teilwert ist der frei verfügbare Vermögenswert (BGH NJW 1980, 2350 = DNotZ 1981, 43).

538 **Ermittlung durch Vergleichsrechnung.** Für die Beurteilung, ob eine Zustimmung des Ehegatten erforderlich ist, kommt es auf das Verhältnis des Nettowerts der Verfügung zum gesamten Nettovermögen des Verfügenden an, d.h. zu seinem Gesamtvermögen, abzüglich aller dinglich gesicherten Schulden. Aus dem Gesetz ergeben sich für die Frage, wann eine Gesamtverfügung vorliegt, keine bestimmten Prozentsätze. Nach der Rechtsprechung ist bei kleineren Vermögen eine Zustimmungsbedürftigkeit nicht gegeben, wenn das verbleibende freie Restvermögen noch ca. 15% ausmacht, bei größeren Vermögen genügen ca. 10% (BGH NJW 1991, 1739).

539 **Einschränkung.** Bei Einzelfällen greift § 1365 BGB nur ein, wenn der Vertragspartner wußte, daß es sich um das gesamte oder nahezu gesamte Vermögen handelt, oder wenn er zumindest die Verhältnisse kannte, aus denen sich dies ergibt (subjektive Theorie; BGH NJW 1965, 909; DNotZ 1981, 43). Maßgeblicher Zeitpunkt für die Kenntnis ist der Abschluß des Verpflichtungsgeschäfts (BGH NJW 1989, 1609). Nicht geschützt wird der Erwerber dagegen, wenn er lediglich die Bestimmung des § 1365 BGB nicht kennt oder nicht weiß, daß der Erwerber verheiratet ist.

540 **Zustimmung.** Die Zustimmung des Ehegatten bedarf materiell-rechtlich keiner Form. Für den Grundbuchvollzug ist jedoch der formale Nachweis gem. § 29 GBO erforderlich. Bis zur Erteilung der Zustimmung sind sowohl das Verpflichtungsgeschäft als auch die Auflassung schwebend unwirksam. Wird die Zustimmung verweigert, so ist der Vertrag unwirksam (§ 1366 IV BGB). Wegen der Schwierigkeit der Feststellung, ob eine Zustimmung des nichtverfügenden Ehegatten erforderlich ist, wird sie in der Vertragspraxis vielfach vorsorglich mitbeurkundet, auch wenn sie nach materiellem Recht eigentlich nicht notwendig wäre.

Ersetzung der Zustimmung. Die Verweigerung der Zustimmung kann unvernünftig sein. Das Gesetz sieht deshalb ein **Verfahren zur Ersetzung der Zustimmung** des anderen Ehegatten vor (§ 1365 II BGB). Wenn das Rechtsgeschäft den Grundsätzen einer ordnungsmäßigen Verwaltung entspricht, und der andere Ehegatte die Zustimmung ohne ausreichenden Grund verweigert oder an der Abgabe der Erklärung gehindert ist, kann sie auf Antrag des verfügenden Ehegatten durch das Vormundschaftsgericht ersetzt werden (§ 45 FGG). Ist die Genehmigung nach Sachlage nicht erforderlich, erteilt das Vormundschaftsgericht ein Negativattest (Palandt/Diederichsen § 1365 Rz. 26). 541

Folgen der Unwirksamkeit. Wird die Zustimmung verweigert und auch nicht gerichtlich ersetzt, so ist das Rechtsgeschäft absolut unwirksam, d.h. die Unwirksamkeit gilt gegenüber jedermann (BGH NJW 1964, 347), also z.B. auch zu Gunsten eines Gläubigers des Veräußerers. Wird das Grundstück ohne die erforderliche Zustimmung im Grundbuch umgeschrieben, tritt keine Heilung nach § 313 Satz 2 BGB ein. Der übergangene Ehegatte kann im eigenen Namen die Berichtigung des Grundbuchs und vom Käufer die Zustimmung zur Wiedereintragung des Veräußerers verlangen (§ 1368 BGB). 542

Die Sicherung des übergangenen Ehegatten. Die Möglichkeiten der Sicherung des anderen Ehegatten seien an folgendem Fall dargestellt: Die Ehegatten M und F leben getrennt. M ist Eigentümer eines Hausgrundstücks, das praktisch sein gesamtes Vermögen darstellt. Er verkauft das Grundstück ohne Wissen seiner Ehefrau an K, der die Vermögensverhältnisse der Eheleute M/F kennt. 543

Da sowohl der Kaufvertrag wie die Auflassung an K schwebend unwirksam sind, wird das Grundbuch im Falle der Eintragung des K unrichtig. Die Unrichtigkeit könnte von M selbst gem. § 894 BGB durch **einstweilige Verfügung auf Eintragung eines Widerspruchs** (§§ 899 BGB, 935 ZPO) und durch **Klage auf Zustimmung zur Berichtigung** (§§ 894 BGB, 894 ZPO) geltend gemacht werden. Aber auch die übergangene F wird geschützt. Sie kann die sich aus der Unwirksamkeit der Verfügung ergebenden Rechte gegen K im eigenen Namen geltend machen, und zwar auch noch nach der Scheidung (§ 1368 BGB): Sie könnte von K die Zustimmung dazu verlangen, daß M wieder als Eigentümer im Grundbuch eingetragen wird, und die dazu gem. § 22 II GBO erforderliche Zustimmung des Eigentümers anstelle des M selbst erklären. Dies ist ein Fall einer **gesetzlichen Prozeßstandschaft**.

Gerichtliches Veräußerungsverbot. Wenn der fehlerhaft eingetragene Erwerber K das Grundstück schon vor der Eintragung eines Widerspruchs weiterveräußern oder belasten würde, bestünde die **Gefahr des gutgläubigen Erwerbs durch einen Dritten.** Im Interesse eines effektiven, rechtzeitigen Schutzes muß dem übergangenen Ehegatten deshalb auch schon vor der Überschreibung an K die Möglichkeit gegeben sein, 544 vom anderen Ehegatten die Unterlassung der beeinträchtigenden Verfügung zu verlangen. Dementsprechend wird § 1365 I BGB als Schutzgesetz i.S. des § 823 II BGB angesehen und dem übergangenen Ehegatten analog § 1004 BGB ein **Unterlassungsanspruch** zuerkannt (OLG Celle NJW 1970, 1882). Aufgrund dieses Unterlassungsanspruchs kann F ein gerichtliches Veräußerungsverbot gem. §§ 135, 136 BGB, 935 ZPO erwirken (OLG Celle a.a.O.). Da dies ein nur relativ wirkendes Veräußerungsverbot ist, kann es im Grundbuch eingetragen werden. Wegen der möglichen Überwindung durch den gutgläubigen Erwerb eines Dritten nach §§ 135 II, 136, 892 I 2 BGB ist dies auch anzuraten (RGZ 135, 378, 384). Erforderlich ist dazu der **Erlaß einer einstweiligen Verfügung** und deren Zustellung an den betroffenen Ehegatten (§§ 936, 928, 750 ZPO). Die Eintragung des Veräußerungsverbots im Grundbuch erfolgt dann entweder auf Antrag des nicht zustimmenden Ehegatten oder auf Ersuchen des Gerichts (§ 941 ZPO). Statt des Veräußerungsverbots gegen den Ehegatten kann aber auch ein **Erwerbsverbot** gegen den Erwerber durch einstweilige Verfügung erwirkt werden (RGZ 117, 287, 290; 120, 118; OLG Hamm DNotZ 1970, 661; s. vorstehend Rz. 513ff.).

3. Die Beschränkung durch Nacherbschaft

545 **Der Vorerbe unterliegt zugunsten des Nacherben gewissen Verfügungsbeschränkungen.** Verfügt er ohne dessen Zustimmung über ein zur Erbschaft gehörendes Grundstück oder ein Recht an einem Grundstück, so ist die Verfügung im Falle des Eintritts der Nacherbfolge insoweit unwirksam, als sie das Recht des Nacherben vereiteln oder beeinträchtigen würde (§ 2113 I BGB; Palandt/Edenhofer § 2113 Rz. 8). **Der befreite Vorerbe hat eine größere Verfügungsmacht.** Er ist zu entgeltlichen Verfügungen berechtigt, bei denen ein entsprechender Gegenwert in den Nachlaß fließt; unentgeltliche Verfügungen, die das Recht des Nacherben beeinträchtigen, sind jedoch im Nacherbfall ebenfalls unwirksam (§§ 2136, 2113 II BGB). Auf die mit dem Nacherbfall eintretende Unwirksamkeit kann sich nicht nur der Nacherbe, sondern jedermann berufen. Es handelt sich hier deshalb um eine absolut wirkende Verfügungsbeschränkung (MünchKomm-Mayer-Maly § 135 Rz. 25).

546 **Zum Schutze des Nacherben wird bei der Eintragung des Vorerben von Amts wegen zugleich ein Nacherbenvermerk im Grundbuch eingetragen** (§ 51 GBO). Ist die Eintragung unterblieben, wird ein gutgläubiger Erwerber kraft ausdrücklicher gesetzlicher Anordnung geschützt (§ 2113 III BGB). Der Nacherbenvermerk bewirkt keine Sperre des Grundbuchs. Das GBAmt hat deshalb auch solche Eintragungen vorzunehmen, die im Nacherbfall unwirksam werden, denn ein gutgläubiger Erwerb ist durch den Nacherbenvermerk ausgeschlossen. Verfügt der befreite Vorerbe entgeltlich, d.h. gegen angemessene Gegenleistung, so

wird der Nacherbenvermerk gegenstandslos. Die Grundbuchberichtigung durch Löschung des Nacherbenvermerks setzt aber voraus, daß das GBAmt nach der vorgelegten Urkunde und den gegebenen Umständen davon ausgehen kann, daß die Entgeltlichkeit gegeben ist (BayObLG NJW 1956, 992 = DNotZ 1956, 304; KG Rpfleger 1968, 224; OLG Hamm Rpfleger 1969, 349; DNotZ 1971, 422; DNotZ 1972, 96).

4. Die Beschränkung durch Testamentsvollstreckung

547 **Über einen der Verwaltung des Testamentsvollstreckers unterliegenden Nachlaßgegenstand kann der Erbe nicht verfügen** (§ 2211 I BGB; RGZ 87, 432). Verfügungen des Erben über Nachlaßgegenstände sind daher unwirksam. Zur Sicherung dieser Verfügungsbeschränkung wird bei der Eintragung des Erben von Amts wegen ein TV-Vermerk in das Grundbuch eingetragen (§ 52 GBO). Er bewirkt eine **Grundbuchsperre** für Verfügungen des Erben. Eine Verfügung des Erben kann jedoch wirksam werden, wenn der TV sie genehmigt oder wenn die Testamentsvollstreckung wegfällt (§ 185 II BGB). Ist die Eintragung des TV-Vermerks im Grundbuch unterblieben, wird ein Erwerber geschützt, der das Bestehen der TV nicht kannte oder gutgläubig annahm, daß der Gegenstand nicht der Verwaltung des TV unterliege (§ 2211 II BGB).

VI. Der Schutz des Erwerbers gegen nachträgliche Verfügungsbeschränkungen

548 **Der Schutzgedanke.** Grundsätzlich muß der Verfügende im Zeitpunkt der Rechtsänderung noch zur Verfügung befugt sein. Fällt die Verfügungsbefugnis erst nach dem Antrag, aber noch vor der Eintragung der Rechtsänderung im Grundbuch fort, so ist folgendes zu bedenken: Mit Abgabe der bindenden Erklärung und Antragstellung beim GBAmt haben die Beteiligten bereits alles erforderliche getan. Den Zeitpunkt der eintretenden Rechtsänderung können sie nicht bestimmen, denn er hängt davon ab, welche Zeitspanne das GBAmt für das Eintragungsverfahren benötigt. Je länger das GBVerfahren dauert, desto größer wäre das **Risiko eines Rechtsnachteils für die erwerbende Partei**. Das wäre aber unbillig, weil von ihr nicht zu vertreten. Deshalb schützt **§ 878 BGB** unter bestimmten Voraussetzungen den Erwerber des Rechts vor nachträglich eintretenden Verfügungsbeschränkungen, d.h. vor der Gefahr, daß der Verfügende zwischen der Abgabe seiner Erklärung und der Eintragung der Rechtsänderung in seiner Verfügungsmacht beschränkt wird.

549 **Unschädlich sind gem. § 878 BGB nachträgliche Verfügungsbeschränkungen unter der doppelten Voraussetzung, daß:**
- die von dem Verfügenden abgegebene Erklärung für ihn gem. §§ 873 II, 875 II, 877 BGB bindend geworden ist (vgl. Rz. 63)
- der Antrag auf Eintragung im Grundbuch gestellt ist.

550 **Der Anwendungsbereich.** Der Erwerberschutz des § 878 BGB gilt für alle außerhalb des Grundbuchs eingetretenen Verfügungsbeschränkungen, gleichviel ob sie absoluter oder relativer Natur sind. **Beispiele:** Eintritt der Geschäftsunfähigkeit (§ 105 BGB), Beschlagnahme im Zwangsversteigerungsverfahren (§§ 23, 146 ZVG), Eröffnung des Konkursverfahrens (§ 6 KO), ab 01.01. 1999 Übergang des Verwaltungs- und Verfügungsrechts nach § 80 InsO, ein Veräußerungsverbot durch Einstweilige Verfügung (§§ 935, 938 ZPO). § 878 BGB dient dem **Schutz des Rechtsverkehrs**; er gilt deshalb nur für rechtsgeschäftliche Verfügungen, nicht dagegen für Verfügungen im Wege der Zwangsvollstreckung (vgl. BGHZ 9, 250). Er gilt auch nicht für solche Verfügungsbeschränkungen, die erst durch Eintragung entstehen, weil in diesen Fällen der Schutz des Erwerbers durch den Erledigungsvorrang nach § 17 GBO gegeben ist (Palandt/Bassenge § 878 Rz. 10). Nach h. M. gewährt § 878 BGB auch keinen Schutz gegen ein nachträgliches Erwerbsverbot (s. Rz. 524 f.).

551 **Wegfall der Vertretungsmacht.** Handelt es sich um die Verfügung eines Vertreters ist zu unterscheiden:

Das Erlöschen einer rechtsgeschäftlich erteilten Vertretungsmacht läßt die Wirksamkeit einer abgegebenen Willenserklärung des Vertreters unberührt, da die einmal mit Vertretungsmacht abgegebene Erklärung als solche des Vertretenen weiter gilt (arg. § 164 I 1 BGB).

Im Falle gesetzlicher Verfügungsmacht kraft Amtes (Konkursverwalter, Testamentsvollstrecker, Nachlaßverwalter) muß grundsätzlich die Verfügungsbefugnis bis zur Antragstellung vorliegen. Fällt sie vorher weg, z. B. durch Erlöschen des Amtes, so gilt nach heute überwiegender Meinung § 878 BGB entsprechend (Palandt/Bassenge § 878 Rz. 11 m.N.). Dies ist auch angemessen, da es für den Schutz des Erwerbers keinen Unterschied machen kann, ob es sich um die Verfügungsberechtigung eines Rechtsinhabers oder die Verfügungsmacht eines Verwalters kraft Amtes handelt (so auch Klaus Müller, Sachenrecht, Rz 1019; ausführlich dazu: Böhringer BWNotZ 1984, 137).

552 **Die Schutzwirkung des § 878 BGB gilt auch für eine bewilligte Vormerkung** (BGH NJW 1958, 2013 = DNotZ 1959, 36), da sie die dingliche Sicherung eines schuldrechtlichen Anspruchs auf den Erwerb eines dinglichen Rechts gem. § 873 I BGB bezweckt. Anderenfalls wäre ihr Sicherungszweck nur unvollkommen erfüllt. Gebunden i. S. von § 878 BGB ist der Betroffene im Falle der Bewilligung einer Vormerkung (der keine Einigung zugrundezuliegen braucht) mit dem Zugang seiner Ein-

tragungsbewilligung beim GBAmt. Dies ergibt sich aus einer analogen Anwendung des § 875 II 1. Fall BGB (MünchKomm-Wacke § 878 Rz. 16; Eickmann S. 109). Der gesicherte Anspruch muß zwar noch nicht entstanden, aber seine Entstehung vom Willen des Verfügenden unabhängig sein (MünchKomm-Wacke a. a. O.). Dem Vorgemerkten gegenüber ist die nachträglich eintretende Verfügungsbeschränkung unwirksam (§ 883 II BGB), er erwirbt das Recht mit der Eintragung der Rechtsänderung (s. Rz. 674).

Fälle zur Wiederholung: 553

a) E verkauft formgerecht sein Grundstück an K und erklärt die Auflassung (§§ 313, 925 BGB). Der Notar stellt unter Vorlage der formgerechten Auflassung (§§ 20, 29 GBO) den Antrag auf Umschreibung beim GBAmt. Dann fällt E in Konkurs. Das GBAmt wird gemäß § 113 II KO vom Konkursgericht um die Eintragung des Konkursvermerks ersucht. Muß das GBAmt das Grundstück auf K umschreiben?

E ist Eigentümer, d. h. er hat als Berechtigter verfügt. Die Einigung ist wirksam beurkundet. Im Zeitpunkt der Antragstellung beim GBAmt war er noch verfügungsberechtigt. Danach hat er zwar die Verfügungsbefugnis nach § 6 KO verloren. § 15 KO erklärt jedoch § 878 BGB für anwendbar, d. h. die Einigung bleibt wirksam.

b) Der 17-jährige E hat von seinen Großeltern ein Grundstück geerbt. Er kauft sich – mit Zustimmung seiner Eltern (§ 107 BGB) – einen „Feuerstuhl" für DM 12.000,–. Bevor das Motorrad bezahlt ist, verkauft E mit Zustimmung seiner Eltern das Grundstück. Kaufvertrag und Auflassung werden ordnungsgemäß beurkundet und die Umschreibung beantragt.

Der Verkauf bedarf der vormundschaftsgerichtlichen Genehmigung: §§ 1821 I 1, 1643 I, 1829 BGB. Diese wird beantragt. Bevor sie erteilt ist, wird das Grundstück durch den Motorradhändler, der sich über einen Mahnbescheid (§§ 688 ff., 692 ZPO) rasch einen vollstreckbaren Titel besorgt hat, beschlagnahmt.

Dazu zunächst ein **Exkurs über Verfahrensfragen des Versteigerungsrechts:** 554

§ 15 ZVG: Die Anordnung der Zwangsversteigerung erfolgt auf Antrag eines Gläubigers

§ 19 ZVG: Das Versteigerungsgericht ersucht das GBAmt um Eintragung des Zwangsversteigerungsvermerks

§§ 20, 22, 23 ZVG: Die Anordnung der Zwangsversteigerung gilt als Beschlagnahme des Grundstücks. Sie hat die Wirkung eines relativen Veräußerungsverbots zugunsten des Beschlagnahmegläubigers i. S. des § 135 BGB. Mit der Eintragung des Sperrvermerks tritt die Wirkung im Grundbuchverkehr ein (§ 892 I 2 BGB).

Frage: Bleibt die erklärte Auflassung trotz der Beschlagnahme gem. § 878 BGB wirksam? Die Erklärung des Minderjährigen war wegen Fehlens der vormundschaftsgerichtlichen Zustimmung zunächst schwe- 555

bend unwirksam. Die nachträgliche Genehmigung des Vormundschaftsgerichts wirkt gemäß § 184 I BGB zurück (MünchKomm-Zagst § 1829 Rz. 5), so daß eigentlich § 878 BGB anwendbar wäre, da die Verfügung als zur Zeit der Antragstellung beim GBAmt wirksam anzusehen ist und die Beschlagnahme erst später in Kraft trat. Die Rückwirkung der Genehmigung gilt aber nicht gegenüber einer zwischenzeitlich eingetretenen Beschlagnahme im Vollstreckungsverfahren (§ 184 II 2. Halbsatz BGB).

556 **Merke:** Bei den Fällen des § 878 BGB handelt es sich um den Erwerb vom Berechtigten, nicht um Fälle des gutgläubigen Erwerbs von einem Nichtberechtigten.

VII. Der Gutglaubensschutz gegen Verfügungsbeschränkungen

557 **Wegfall der Verfügungsmacht vor der Antragstellung.** War die Verfügungsbefugnis bereits zum Zeitpunkt des Antrags auf Eintragung der Rechtsänderung nicht mehr gegeben und war auch keine Vormerkung eingetragen oder beantragt, so ist § 878 BGB nicht anwendbar und die Einigung wird unwirksam. Das gleiche gilt, wenn die Verfügungsbefugnis nach Antragstellung wegfällt, die Einigung aber noch nicht i. S. des § 873 II BGB bindend geworden war. In diesen Fällen kommt nur noch ein gutgläubiger Erwerb in Frage. Hier ist zu unterscheiden:

558 **Geht zunächst das behördliche Ersuchen bzw. der Antrag auf Eintragung der Verfügungsbeschränkung beim GBAmt ein und erst danach der Antrag auf Eintragung der Rechtsänderung,** so verfährt das GBAmt nach § 17 GBO: Es trägt zunächst die Beschränkung bzw. das Verbot ein und erledigt danach den Antrag auf Eintragung der Rechtsänderung entweder:

- durch **Zurückweisung** (in den Fällen, in denen eine Verfügungsbeschränkung zu einer Grundbuchsperre führt; z. B. § 2211 I BGB) oder
- durch **Eintragung** (wenn die Beschränkung keine Sperre des Grundbuchs bewirkt oder wenn es sich um ein relatives Verfügungsverbot handelt). Dann steht die Eintragung jedoch im Range nach der Beschränkung bzw. dem Verbot (vgl. Rz. 363). In diesem Falle **ist ein gutgläubiger Erwerb ausgeschlossen,** da es gem. § 892 I 2 BGB darauf ankommt, ob die Beschränkung bzw. das Verbot **im Zeitpunkt der Eintragung** der Rechtsänderung im Grundbuch stand. § 892 II BGB verlegt nur den für die Kenntnis maßgeblichen Zeitpunkt auf die Antragstellung vor.

559 **Antrag in der Zwischenphase.** Geht ein Antrag auf Eintragung einer Rechtsänderung zu einem Zeitpunkt beim GBAmt ein, in dem eine Verfügungsbeschränkung zwar schon wirksam ist, aber dem GBAmt das

Eintragungsersuchen bzw. der Antrag noch nicht vorliegt, so ist an sich nach § 892 BGB ein gutgläubiger Erwerb möglich. Es ist jedoch streitig, ob das GBAmt auch dann verpflichtet ist, die Eintragung vorzunehmen, wenn ihm die Unrichtigkeit der Eintragung oder eine noch nicht eingetragene Verfügungsbeschränkung bekannt ist. Die früher h.M. vertrat die Auffassung, das GBAmt sei verpflichtet, einen bereits gestellten Antrag zurückzuweisen, wenn es nach Antragstellung Kenntnis von dem Eintritt eines noch nicht eingetragenen relativen Verfügungsverbots oder einer sonstigen eintragungsfähigen, aber noch nicht eingetragenen Verfügungsbeschränkung erhalte (BayObLG NJW 1954, 1120 = DNotZ 1954, 394; KG NJW 1973, 56 = DNotZ 1973, 301, 304; OLG Düsseldorf MittBayNot 1975, 224). In der Literatur überwiegen jedoch inzwischen die Gegenstimmen mit der Auffassung, das GBAmt sei nicht befugt, den gutgläubigen Erwerb durch Verstoß gegen § 892 BGB und § 17 GBO zu verhindern (MünchKomm-Wacke § 892 Rz. 70; HSS Rz. 128, 352 m. zahlreichen N.). **Beispiel:** Über das Vermögen des E wird das Konkursverfahren eröffnet. Danach wird beim GBAmt die Eintragung einer Grundschuld beantragt. Nunmehr geht das gerichtliche Ersuchen auf Eintragung des Konkursvermerks beim GBAmt ein. Nach h.M. muß das GBAmt den Eintragungsantrag zurückweisen und den Konkursvermerk eintragen. Diese Auffassung verletzt jedoch das formale Erledigungsgebot der §§ 17, 45 GBO, das ein wesentliches Element des Grundbuchsystems bildet, und sie steht im Widerspruch zu der gesetzlichen Grundentscheidung, daß ein gutgläubiger Erwerber Schutz verdient (s. Rz. 511).

VIII. Vertraglich begründete Verfügungsbeschränkungen

1. Das vertragliche Veräußerungs- und Belastungsverbot

560 **Der Grundstückseigentümer kann sich verpflichten, das Grundstück nicht oder nur mit Zustimmung eines Dritten zu veräußern oder zu belasten.** Diese Verpflichtung hat jedoch nur schuldrechtliche Wirkung. Verbotswidrige Verfügungen sind deshalb dinglich voll wirksam (§ 137 BGB). Die Verletzung der schuldrechtlichen Verpflichtung kann jedoch Schadensersatzansprüche begründen. Nur in dem Sonderfall des § 1136 BGB ist ein Veräußerungs- und Belastungsverbot auch schuldrechtlich nichtig, um dem Eigentümer seine wirtschaftliche Bewegungsfreiheit gegenüber dem Hypotheken- und Grundschuldgläubiger zu erhalten.

561 **Vertragskonstruktion.** In der Vertragspraxis besteht häufig ein Bedürfnis für die Vereinbarung eines Veräußerungs- und Belastungsverbots und seine grundbuchmäßige Sicherung. **Beispiel:** In einem Übergabever-

trag wird vereinbart, daß der Übernehmer zu Lebzeiten der Eltern nicht berechtigt ist, das übertragene Hausgrundstück ohne Zustimmung der Eltern zu veräußern oder zu belasten. Die **dingliche Sicherung** dieses Verbots erfolgt mit Hilfe einer Erfindung der Kautelarjurisprudenz: Die Übergeber behalten sich für den Fall eines Verstoßes gegen das Veräußerungs- und Belastungsverbot den Rücktritt vom Übergabevertrag vor. Der im Falle eines Rücktritts sich nach § 346 BGB ergebende Übereignungsanspruch kann gemäß § 883 I 2 BGB durch eine Vormerkung im Grundbuch gesichert werden (s. Rz. 665).

562 **Bei Grundpfandrechten** kann die Abtretung durch Vereinbarung der Beteiligten ausgeschlossen werden (§§ 399, 413 BGB). Dabei handelt es sich jedoch nicht um eine vertragliche Verfügungsbeschränkung i. S. des § 137 BGB, sondern um eine Inhaltsbestimmung des Rechts, die durch die Eintragung dingliche Wirkung erhält (OLG Hamm NJW 1968, 1289 = DNotZ 1968, 631).

2. Wohnungseigentum

563 Als Inhalt des Sondereigentums kann in der Gemeinschaftsordnung festgelegt werden, daß ein Wohnungseigentümer zur Veräußerung seines Wohnungseigentums der **Zustimmung** anderer Wohnungseigentümer oder eines Dritten bedarf (§ 12 I WEG). Dies geschieht bei größeren Wohnanlagen häufig in der Weise, daß die Zustimmung des Verwalters erforderlich ist (s. Rz. 1267).

3. Erbbaurecht

564 Als Inhalt eines Erbbaurechts kann vereinbart werden, daß der Erbbauberechtigte zur Veräußerung oder zur Belastung des Erbbaurechts mit Grundpfandrechten oder einer Reallast der **Zustimmung des Grundstückseigentümers** bedarf (§ 5 ErbbauVO). Dies gibt dem Grundstückseigentümer die Möglichkeit, eine unerwünschte Veräußerung oder beim Heimfall bestehenbleibende Belastungen zu verhindern (vgl. § 33 ErbbauVO sowie Rz. 1310, 1331 f.).

§ 14. Der Rang im Grundbuch

I. Die Bedeutung des Ranges

1. Mehrere Rechte stehen in einem Rangverhältnis zueinander

565 Rechte an Grundstücken werden erworben durch Einigung und Eintragung (§ 873 I BGB). Die Einigung zwischen den Beteiligten ist ein Element des materiellen Rechts, die Eintragung im Grundbuch ein Vorgang des Verfahrensrechts. **Die enge Verflechtung zwischen dem materiellen Grundstücksrecht und dem Grundbuchverfahrensrecht zeigt sich besonders beim Rangproblem.** Bestehen mehrere beschränkte dingliche Rechte an einem Grundstück, so stehen sie in einem Rangverhältnis zueinander. Welchen Rang ein Recht im Verhältnis zu anderen Rechten erhält, bestimmt sich nach den Regeln des Grundbuchrechts, der dadurch geschaffene Rang ist dagegen eine Eigenschaft des materiellen Rechts.

566 Der Rang eines Rechts ist nur von geringer praktischer Bedeutung „solange alles gut geht". Er wird jedoch von entscheidender **Bedeutung in der „Stunde der Wahrheit"**, wenn das Recht in Konkurrenz zu anderen Rechten tritt, d.h. in der Zwangsversteigerung oder Zwangsverwaltung. Dann erweist sich, welchen Wert die Verdinglichung tatsächlich hat, denn **der Rang entscheidet über das weitere Schicksal des Rechts.**

Machen wir uns die Bedeutung des Ranges von mehreren Rechten an einem Grundstück zunächst an einem alltäglichen **Beispiel** klar: Die Eltern A haben ihrer Tochter B das Hausgrundstück übertragen mit dem Vorbehalt eines Nießbrauchsrechts für sich als Gesamtberechtigte gemäß § 428 BGB. Die Eheleute B wollen nunmehr das Haus umbauen und benötigen dazu ein Darlehen. Das Kreditinstitut verlangt zur Sicherung die Eintragung einer Grundschuld mit Rang in Abt. II und III an erster Stelle im Grundbuch. Dazu ist der Rangrücktritt der Eheleute A mit ihrem Nießbrauchsrecht erforderlich. Die Eheleute A fragen, welche Folgen es für sie haben könne, wenn sie die gewünschte Rangrücktrittserklärung abgeben.

Die (zunächst noch etwas grob geschnitzte) Antwort darauf lautet, daß der Rangrücktritt ohne praktische Bedeutung bleibt, wenn und solange die Grundstückseigentümer ihren Zahlungsverpflichtungen aus dem erstrangig gesicherten Kredit nachkommen, daß das Nießbrauchsrecht jedoch erlöschen würde, wenn es zu einer Zwangsversteigerung aus der erstrangigen Grundschuld käme.

567 **Der Ausübungsrang.** Der Rang von Nutzungsrechten und Erwerbsrechten (Dienstbarkeiten, Nießbrauch, Vorkaufsrechte) hat Bedeutung nicht nur in der Zwangsversteigerung des Grundstücks. Sind mehrere solcher Rechte mit gleichem Inhalt eingetragen, verdrängt das rangbessere Recht das nachrangige in der Ausübung.

2. Der Rang in der Zwangsversteigerung

Literaturhinweise: Eickmann, Zwangsversteigerungs- und Zwangsverwaltungsrecht, 1991; Stöber, Zwangsvollstreckung in das unbewegliche Vermögen, 6. Aufl. 1992; Storz, Praxis des Zwangsversteigerungsverfahrens, 6. Aufl. 1991; Zeller/Stöber, Zwangsversteigerungsgesetz, 14. Aufl. 1993 (zu § 10 ZVG)

a) Allgemeines

568 Einleitend haben wir bereits gesagt: Der Rang eines Rechts entscheidet über sein Schicksal in der Zwangsversteigerung. Aus diesem Grunde ist das Rangproblem nur von der Zwangsversteigerung her zu verstehen. Es ist deshalb zweckmäßig, sich zunächst die wichtigsten **Begriffe des Zwangsversteigerungsverfahrens** in Grundzügen zu vergegenwärtigen.

Dingliche Rechte der Abteilungen II und III des Grundbuchs, die dem betreibenden Gläubiger im Range vorgehen, bleiben beim Zuschlag bestehen und sind von dem Ersteher zu übernehmen (§§ 52 I 1, 44 I ZVG). Betreiben mehrere Gläubiger das Verfahren, so bleiben nur die Rechte bestehen, die dem aus der besten Rangstelle betreibenden Gläubiger vorgehen. **Die Rechte der Abteilungen II und III, die dem bestrangig betreibenden Gläubiger gleichstehen oder nachgehen, erlöschen mit dem Zuschlag** (§§ 52 I 2, 91 I ZVG).

569 Ob und gegebenenfalls inwieweit ein erlöschendes Recht ersatzweise am Erlös beteiligt wird oder ausfällt, hängt wiederum von seinem Rang ab. Nach der Erteilung des Zuschlags bestimmt das Versteigerungsgericht einen Termin zur **Verteilung des Versteigerungserlöses** (Verteilungstermin, § 105 I ZVG). Dazu stellt das Gericht einen **Teilungsplan** auf, in den die erlöschenden Rechte ranggemäß nach dem Inhalt des Grundbuchs aufgenommen werden. Im Verteilungstermin hat der Ersteher die von ihm zu erbringende **Barzahlung** (das Bargebot) zu leisten. Der Betrag wird sodann nach Maßgabe der Rangfolge an die Berechtigten ausgezahlt (§ 117 ZVG). Das rangbessere Recht wird vor dem rangschlechteren Recht befriedigt. Dabei bestimmt sich die Rangfolge der Rechte nach den **Rangklassen** des § 10 ZVG. Auch in der Zwangsverwaltung, die zur Befriedigung von Gläubigern nicht aus der Substanz, sondern aus den Erträgen des Grundstücks dient, werden die erzielten Überschüsse nach dem Rang der Ansprüche verteilt (§§ 146 ff., 155 ZVG).

b) Die Rangklassen

570 Jede nachfolgende Rangklasse hat Rang nach der vorausgehenden. § 10 ZVG bestimmt dafür folgende **Reihenfolge:**

Rangklasse 1: die Kosten einer Zwangsverwaltung, soweit sie die Erträge übersteigen

Rangklasse 2: die Litlohnansprüche = Lohnansprüche der landwirtschaftlichen Arbeitnehmer (diese Rangklasse hat heute nur noch geringe Bedeutung); alle Ansprüche in dieser Rangklasse sind unter sich gleichberechtigt

571 **Rangklasse 3: die angemeldeten öffentlichen Lasten des Grundstücks.** Eine öffentliche Grundstückslast ist eine auf öffentlichem Recht (Gesetz oder Satzung) beruhende Abgabeverpflichtung, die in Geld durch wiederkehrende oder einmalige Leistungen zu erfüllen ist und bei der neben der persönlichen Zahlungsverpflichtung des Schuldners eine dingliche Haftung des Grundstücks besteht. Öffentliche Lasten entstehen zwar aus öffentlichem Recht, ihr weiteres Schicksal richtet sich aber nach Privatrecht. **Beispiele** für öffentliche Lasten: fällige Grundsteuerbeträge (§ 11 II GrStG), angeforderte Erschließungs- und Ausbaubeiträge (§§ 127–135 BauGB), Umlegungsbeiträge und Ausgleichsbeträge (§§ 59 II, 153 BauGB), Flurbereinigungsgebühren nach § 20 FlurbG, Kehrgebühren nach § 25 IV SchornsteinfG usw. (vgl. die Aufzählung bei Zeller/Stöber § 10 Rz. 7). Alle öffentlichen Lasten, die in die Rangklasse 3 fallen, sind untereinander im Range gleich (§ 10 I Nr. 3 Satz 2 ZVG).

In der Rangklasse 3 sind zu befriedigen:

- **einmalige Lasten** (= Hauptsache-Beträge), soweit sie aus den letzten 4 Jahren rückständig sind
- **wiederkehrende Leistungen** mit den laufenden Beträgen und den Rückständen aus den letzten 2 Jahren.

Ältere Rückstände fallen in die Rangklasse 7. Solange eine öffentliche Last die Rangklasse 3 hat, kann für sie eine Sicherungshypothek nur aufschiebend bedingt für den Fall eingetragen werden, daß sie durch Zeitablauf den Vorrang der Rangklasse 3 verliert.

572 **Ansprüche aus den Rangklassen 1–3 werden im Zwangsversteigerungsverfahren nur berücksichtigt, wenn sie angemeldet sind;** die Anmeldung ist erforderlich, weil sie nicht aus dem Grundbuch ersichtlich sind (§§ 37 Nr. 4, 45 I, 114 I ZVG). Für die öffentlichen Lasten ergibt sich dies aus § 54 GBO. Unterbleibt die Anmeldung öffentlicher Lasten, so erlischt mit dem Zuschlag die dingliche Haftung des Grundstücks für die bis zum Zuschlag fällig gewordenen Einzelleistungen, es sei denn, daß spezialgesetzlich ausdrücklich etwas anderes bestimmt ist (BVerwG NJW 1985, 756). Das Stammrecht der öffentlichen Last bleibt jedoch be-

stehen, so daß die nach dem Zuschlag fällig werdenden Einzelleistungen den Ersteher treffen.

573 **Rangklasse 4: Dingliche Rechte am Grundstück;** hierunter fallen alle in Abt. II und III des Grundbuchs vor der Beschlagnahme eingetragenen Rechte, soweit sie nicht in die Rangklassen 6 oder 8 fallen, also Rechte am Grundstück, die das Eigentum beschränken oder belasten und unmittelbar aus ihm zu befriedigen sind oder Wertersatz nach § 92 ZVG erhalten (z.B. Nießbrauchsrechte, Dienstbarkeiten, Vorkaufsrechte, Reallasten, Hypotheken und Grundschulen, einschließlich der Vormerkungen und Widersprüche). Für sie untereinander gilt – anders als in der Rangklasse 3 – gemäß § 11 I ZVG das Rangverhältnis, das sich nach dem **Grundbuchrang** (§§ 879–881, 883 BGB) ergibt, d.h. – wenn kein abweichender Rangvermerk eingetragen ist – in der gleichen Grundbuchabteilung nach der Reihenfolge der Eintragung, in verschiedenen Abteilungen nach dem Eintragungstag; am gleichen Tage in verschiedenen Abteilungen eingetragene Rechte haben gleichen Rang. Außerdem stehen in der Rangklasse 4 auch einige nicht eingetragene bzw. nicht eintragbare Rechte, z.B. Überbaurenten (§ 912 BGB) und Notwegrenten (§ 917 BGB), beide mit Vorrang (§§ 914, 917 II BGB) sowie etwa noch bestehende, inzwischen aber selten gewordene altrechtliche Dienstbarkeiten (s. Art. 187 EGBGB).

574 **Reihenfolge der Befriedigung.** Für die Befriedigung aus dem Erlös gilt nach dem allgemeinen Grundsatz des § 367 I BGB die **Reihenfolge:** Kosten, wiederkehrende Leistungen, Hauptanspruch. An der dinglichen Rangstelle werden deshalb (in dieser Reihenfolge) berücksichtigt (§ 12 ZVG):

- die notwendigen Kosten der dinglichen Rechtsverfolgung, soweit sie angemeldet und glaubhaft gemacht sind, z.B. die Anwaltskosten für eine dingliche Klage
- die Ansprüche auf wiederkehrende Leistungen (Zinsen) und andere Nebenleistungen (z.B. Verwaltungskostenbeiträge, Vorfälligkeitsentschädigungen usw.); Ansprüche auf wiederkehrende Leistungen genießen das Vorrecht der Rangklasse 4 jedoch nur mit den laufenden und den aus den beiden vorangegangenen Jahren rückständigen Beträgen, ältere Rückstände fallen in die schlechtere Rangklasse 8
- die Hauptansprüche, und zwar – anders als in der Rangklasse 3 – die ganzen Hauptansprüche ohne zeitliche Beschränkung, also auch, wenn sie mehr als 4 Jahre rückständig sind, z.B. die seit 5 Jahren fällige Hypothekenschuld in voller Höhe („Zinsen altern, Tilgungsbeiträge nicht").

575 **Rangklasse 5: Die ungesicherten Vollstreckungsgläubiger;** in dieser Rangklasse stehen die Ansprüche der betreibenden Gläubiger, soweit sie nicht in einer der vorhergehenden Rangklassen zu berücksichtigen sind. Dies können sowohl der antragstellende Erstbetreiber als auch die evtl. später dem Verfahren beigetretenen Gläubiger (Beitrittsgläubiger) sein.

Betreibt ein Gläubiger zugleich aus einer der vorgehenden Rangklassen 1–4, z. B. aus einer Grundschuld in der Rangklasse 4, und außerdem wegen der dadurch gesicherten Kreditforderung in der Rangklasse 5, so steht er gleichzeitig an zwei Rangstellen, einen Erlösanteil erhält er aber natürlich nur einmal, und zwar an seiner besseren Rangstelle der Rangklasse 4. Mit den mehr als 2 Jahren alten Rückständen kann er dagegen nur in der Rangklasse 5 zum Zuge kommen.

Die Rangklasse 5 ist deshalb praktisch die Rangklasse der Gläubiger, die nur wegen eines schuldrechtlichen, d. h. nicht durch Hypothek, Grundschuld, Rentenschuld oder Reallast gesicherten Anspruchs die Zwangsversteigerung des Grundstücks betreiben. Sie stehen bei der Verteilung hinter allen im Zeitpunkt der Beschlagnahme bereits eingetragenen dinglichen Rechten.

Während in der Rangklasse 4 der Grundbuchrang gilt, richtet sich in der Rangklasse 5 der Rang mehrerer betreibender Gläubiger untereinander nach dem jeweiligen Zeitpunkt der Beschlagnahme, d. h. der Zustellung des Anordnungs- bzw. Beitrittsbeschlusses an den Schuldner (§§ 11 II, 22 I, 27 I ZVG). Bei drohender Überschuldung kann deshalb Eile für den Gläubiger geboten sein.

576 **Rangklasse 6: Dingliche Rechte nach der Beschlagnahme.** In diese Rangklasse fallen die Ansprüche aus dinglichen Rechten, die zwar an sich in die Rangklasse 4 gehören würden, aber erst nach der Beschlagnahme eingetragen wurden und deshalb dem Beschlagnahmegläubiger gegenüber unwirksam sind (§ 23 ZVG). Wird das Verfahren von mehreren Gläubigern betrieben, richtet sich ihre Einordnung in die Rangklasse 4 oder 6 nach dem Termin der jeweils für sie erfolgten Beschlagnahme.

577 **Rangklassen 7 und 8: Ältere Rückstände.** In diesen Rangklassen stehen die Rückstände der Rangklassen 3 und 4, die nicht mehr in die dort bestehenden Zeitschranken fallen.

Bezüglich seiner Ansprüche aus den Rangklassen 6–8 kann der Gläubiger seinen Rang dadurch verbessern, daß er insoweit die Zwangsversteigerung aus einem allgemeinen Schuldtitel betreibt und damit in die Rangklasse 5 aufrückt.

c) Das geringste Gebot

578 **Das Versteigerungsgericht ermittelt das sog. „geringste Gebot“.** Ein darunterliegendes Gebot wird im Bietungstermin nicht zugelassen (§ 44 I ZVG, Deckungsprinzip). **Gebildet wird das geringste Gebot durch:**

- die Kosten des Verfahrens (§ 109 ZVG)
- die Rechte der Abt. II und III des Grundbuchs, die dem Anspruch des aus bester Rangstelle betreibenden Gläubigers vorgehen. Welche Rechte vorgehen, hängt davon ab, aus welcher Rangklasse und aus welcher Rangstelle innerhalb seiner Rangklasse der Gläubiger die

Zangsversteigerung betreibt. Vorgehende Rechte aus den Rangklassen 1–3 werden nur berücksichtigt, soweit sie angemeldet sind (s. Rz. 572).

579 **Beispiele:**

- Die Gemeinde betreibt wegen rückständiger Grundsteuerbeträge = Rangklasse 3.
  In das geringste Gebot kommen:
  - die Verfahrenskosten
  - etwaige angemeldete Ansprüche aus den Rangklassen 1 und 2.
- Ein an dritter Rangstelle in Abt. III des Grundbuchs stehender Grundschuldgläubiger G 3 betreibt die Zwangsversteigerung aus einem dinglichen Titel wegen der ihm zustehenden Darlehensforderung: G 3 steht in der Rangklasse 4.
  Das geringste Gebot besteht in diesem Falle aus:
  - den Verfahrenskosten
  - den etwaigen angemeldeten Ansprüchen aus den Rangklassen 1–3
  - den Ansprüchen aus den beiden vorgehenden Grundpfandrechten von G 1 und G 2 sowie etwaigen vorrangigen Rechten der Abt. II des Grundbuchs.
- Es betreibt ein Gläubiger aus persönlichem Anspruch ohne dinglichen Titel (Rangklasse 5); in diesem Falle kommen in das geringste Gebot:
  - die Verfahrenskosten
  - die angemeldeten Ansprüche aus den Rangklassen 1–3 sowie die Ansprüche der Rangklasse 4, d. h. aus den dinglichen Rechten, soweit sie vor der Beschlagnahme eingetragen worden sind.

580 **Die Zweiteilung des geringsten Gebots.** Das geringste Gebot wird gem. § 49 ZVG gebildet durch:

- **einen bar zu entrichtenden Teil,** bestehend aus:
  - den gesetzlichen Verfahrenskosten (§ 44 ZVG)
  - den angemeldeten Ansprüchen der Rangklassen 1–3
  - den Kosten der dinglichen Rechtsverfolgung sowie den Ansprüchen auf wiederkehrende Leistungen und andere Nebenleistungen (§ 45 ff. ZVG)
- **die bestehenbleibenden dinglichen Rechte;** die dem bestrangig betreibenden Gläubiger vorgehenden Rechte der Abt. II und III des Grundbuchs bleiben beim Zuschlag bestehen und gehen als Belastungen des Grundstücks mit dem Eigentum auf den Ersteher über (§ 52 I ZVG). Ihr Wert wird dem Ersteigerer auf die zu leistende Zahlung angerechnet.

581 **Erlöschende Rechte.** Die dem bestrangig betreibenden Gläubiger gleichstehenden oder nachgehenden und deshalb nicht in das geringste Gebot aufgenommenen Rechte der Abt. II und III des Grundbuchs erlöschen mit dem Zuschlag (§§ 52 I 2, 91 I ZVG). Sie setzen sich als Recht auf Befriedigung am Versteigerungserlös fort (Surrogationsgrundsatz;

BGH NJW 1973, 846). Die Reihenfolge ihrer Befriedigung richtet sich dabei wieder nach der Rangordnung der §§ 10, 11 und 12 ZVG. Auf sie entfällt deshalb ein Geldersatz nur, wenn und soweit sie durch den Versteigerungserlös gedeckt sind; im übrigen fallen sie aus. Durch den Zuschlag erlischt aber nur das dingliche Recht, d.h. es kann keine Befriedigung aus dem Grundstück mehr verlangt werden. Eine durch das erloschene dingliche Recht gesicherte persönliche Forderung wird davon nicht berührt; sie erlischt erst – soweit in anderer Weise realisierbar – mit der Befriedigung. **Beispiel:** Die im Rang nach dem betreibenden Gläubiger stehende Zwangshypothek erlischt, die dadurch gesicherte Forderung bleibt jedoch als Anspruch gegen den Schuldner bestehen.

d) Das Meistangebot (§ 81 ZVG)

Meistgebot ist das höchste in der Ausbietung wirksam abgegebene Gebot. Es setzt sich zusammen aus: 582
1. dem Wert der bestehenbleibenden Rechte, d.h. der vom Ersteher zu übernehmenden Belastungen und
2. dem darüber hinaus bar zu entrichtenden Teil des Meistgebots.

Der Zuschlag ist, soweit kein gesetzlicher Versagungsgrund vorliegt, dem Meistbietenden zu erteilen (§ 81 I ZVG). Hat er seine Rechte aus dem Meistgebot abgetreten, so erhält den Zuschlag der Zessionar (§ 81 II ZVG). Hat der Meistbietende als verdeckter Stellvertreter für einen anderen gehandelt (was in der Praxis aus taktischen Gründen nicht selten gemacht wird), und danach seine Vertretungsberechtigung nachgewiesen, so wird der Zuschlag dem Vertretenen erteilt (§ 81 III ZVG).

Versagung bei zu geringem Meistgebot. Wenn das abgegebene Meistgebot die Hälfte des festgesetzten Verkehrswertes nicht erreicht, ist von Amts wegen der Zuschlag zu versagen (§ 85a ZVG). Liegt das Meistgebot unter $^{7}/_{10}$ des Verkehrswertes (Mindestgebot), so kann auf Antrag eines dadurch ausfallenden Gläubigers der Zuschlag versagt werden (§ 74a, b ZVG). Diese Vorschriften sind in einem neuen Versteigerungstermin, der von Amts wegen bestimmt wird, nicht mehr anzuwenden (§§ 74a IV, 84a II 2 ZVG). 583

e) Das Bargebot (§ 49 ZVG)

Bargebot ist der Teil des Meistgebots, der vom Ersteher im Verteilungstermin bar zu zahlen ist. Er umfaßt: 584
1. die Verfahrenskosten (§ 44 I ZVG)
2. die angemeldeten Ansprüche der Rangklassen 1–3
3. die Kosten der dinglichen Rechtsverfolgung sowie die wiederkehrenden Leistungen und anderen Nebenleistungen aus bestehenbleibenden Rechten (§§ 12 Nrn. 1 und 2, 49 I ZVG)

4. den das geringste Gebot übersteigenden Teil des Meistgebots (sog. Mehrgebot).

Bargebot ist demnach das Meistgebot, abzüglich des Wertes der bestehenbleibenden Belastungen.

Wenn und soweit ein in das geringste Gebot aufgenommenes Grundpfandrecht nicht valutiert ist und gelöscht wird, erhöht sich das zu zahlende Bargebot entsprechend (§ 50 ZVG).

f) Die praktische Bedeutung des Rangverhältnisses

585 Ziehen wir jetzt die Folgerungen aus unserem kurzen Streifzug durch das Zwangversteigerungsrecht: **Die bessere Rangstelle gibt in der Zwangsversteigerung das bessere Recht** (lat.: prior tempore, potior iure; deutsches Sprichwort: Wer zuerst kommt, mahlt zuerst). Deshalb gibt es manchmal ein Rennen zum Grundbuchamt, um den früheren Präsentationsstempel vor einem Konkurrenten zu kommen, bzw. ein Wettrennen zwischen dinglich nicht gesicherten Gläubigern um den früheren Anordnungs- oder Beitrittsbeschluß.

Unsere Antwort auf die Frage der Eheleute A nach dem **Risiko ihres Rangrücktritts** (vgl. Rz. 338) lautet jetzt genauer:

- Solange das Nießbrauchsrecht im Grundbuch an erster Rangstelle steht, ist es kaum gefährdet, da ihm in einer Zwangsversteigerung nur Ansprüche aus den Rangklassen 1–3 vorgehen können.
- Wenn das Nießbrauchsrecht nicht die erste Rangstelle innehat, kommt es darauf an, wer die Zwangsversteigerung betreibt:
  - Betreibt der Gläubiger der vorrangigen Grundschuld die Zwangsversteigerung, so erlischt das Nießbrauchsrecht mit dem Zuschlag. Ob und inwieweit die Eheleute A dann einen Erlösanteil anstelle des erlöschenden Rechts erhalten, hängt davon ab, wie hoch der Erlös ist bzw. was nach der Befriedigung der vorrangigen Berechtigten für sie übrig bleibt.
  - Betreibt dagegen ein dinglicher Gläubiger, der zwar in der gleichen Rangklasse 4, aber im Range hinter dem Nießbrauchsrecht steht, so kommt das Nießbrauchsrecht in das geringste Gebot und bleibt beim Zuschlag bestehen. Dasselbe gilt, wenn die Zwangsversteigerung von einem nicht dinglich gesicherten persönlichen Gläubiger, d.h. aus der Rangklasse 5 betrieben wird; es sei denn, daß die Beschlagnahme für ihn vor der Eintragung des Nießbrauchs erfolgt ist.

586 **Ein einfaches Zahlenbeispiel** (ohne Berücksichtigung von rückständigen Zinsen und Tilgungen) mag dies noch verdeutlichen:

Die Eltern A sind mit ihrem Nießbrauchsrecht hinter die von ihrer Tochter B bestellte Grundschuld von DM 30000,– zurückgetreten. Die Eheleute B haben außer dem Umbaudarlehen noch größere Teilzahlungs-

kredite aufgenommen. Als sie ihren Verpflichtungen gegenüber der Teilzahlungsbank T nicht nachkommen, läßt diese eine Zwangshypothek über DM 12000,– eintragen und betreibt daraus die Zwangsversteigerung.
Es ergibt sich folgendes Bild:
1. Rang: die Grundschuld Abt. III Nr. 1 DM 30000,– für die B-Bank
2. Rang: das Nießbrauchsrecht der Eheleute A Abt. II Nr. 1; der Ersatz für Rechte auf wiederkehrende Leistungen (Nießbrauch, beschränkte persönliche Dienstbarkeit und Reallast) von bestimmter Dauer ist durch Zahlung einer Geldrente zu leisten (§ 92 II ZVG). In den Teilungsplan ist ein Betrag aufzunehmen, welcher der Summe aller künftigen Leistungen – berechnet nach der statistischen Lebenserwartung – gleichkommt, höchstens jedoch der 25fache Betrag der Jahresleistung (§ 121 I ZVG). Angenommener kapitalisierter Wert des Nießbrauchsrechts DM 24000,–.

3. Rang: die Zwangshypothek Abt. III Nr. 2 DM 12000,– für die Teilzahlungsbank T.

587 **Ergebnis.** Da die Zwangsversteigerung hier aus der 3. Rangstelle betrieben wird, fallen die Rechte 1 und 2 in das geringste Gebot und bleiben bestehen. Das Recht 3 erlischt mit dem Zuschlag (§ 52 I 2 ZVG) und wird, soweit möglich, aus dem Bargebot befriedigt.

Bei einem angenommenen Meistgebot von DM 60000,– ergibt sich dann folgende Verteilung:

1. Verfahrenskosten (§ 109 ZVG)	DM 2000,–	1–4 = geringstes Gebot: DM 59000,–
2. angemeldete Ansprüche aus den Rangklassen 1–3	DM 3000,–	
3. Grundschuld III/1	DM 30000,–	
4. Nießbrauchsrecht II/1	DM 24000,–	
5. Zwangshypothek III/2		DM 1000,–
		DM 60000,–.

Hierauf sind bar zu entrichten (Bargebot):

1. die Verfahrenskosten	DM 2000,–
2. an die Gläubiger der Rangklassen 1–3	DM 3000,–
3. an die Teilzahlungsbank T	DM 1000,–
	DM 6000,–.

II. Die bewegliche Rangordnung des BGB

588 **Im BGB gilt grundsätzlich die bewegliche Rangordnung, d.h. bei Erlöschen eines vorrangigen Rechts rückt der nachrangige auf. Zwei Besonderheiten** sind jedoch zu beachten:

- Wenn sich das Eigentum am Grundstück mit einem beschränkten dinglichen Recht vereinigt, geht das beschränkte dingliche Recht nicht unter, sondern bleibt bestehen; es tritt **keine Konsolidierung** ein (§ 889 BGB). **Beispiel:** der Nießbrauchsberechtigte erwirbt durch Erbfolge das nießbrauchsbelastete Grundstück; das (nicht übertragbare) Nießbrauchsrecht bleibt bestehen, eine nachfolgende Hypothek rückt nicht auf.
- Wenn und soweit die durch eine Hypothek gesicherte Forderung durch den Eigentümer getilgt wird, erlischt die Hypothek nicht, sondern steht dem Eigentümer als **Eigentümergrundschuld zu** (§§ 1163 I, 1177 BGB). Das gleiche gilt, wenn der Eigentümer „auf die Grundschuld zahlt" (s. Rz. 1160ff.). Ein nachfolgendes Recht rückt nicht automatisch auf.

589 **Gesetzlicher Löschungsanspruch.** Zugunsten der Gläubiger von nachrangigen Grundpfandrechten hat der Gesetzgeber allerdings mit § 1179a BGB einen besonderen Anspruch geschaffen. Danach hat der Gläubiger eines solchen Grundpfandrechts gegenüber dem Eigentümer einen schuldrechtlichen Anspruch auf Löschung (richtig: Aufhebung) der vorrangigen Grundpfandrechte, wenn und soweit sie mit dem Eigentum in einer Person vereinigt sind oder eine solche Vereinigung später eintritt. Dies bedeutet praktisch eine gewisse Entwertung der Eigentümergrundschuld und damit eine Wiederannäherung an das Prinzip der beweglichen Rangordnung (s. Rz. 1015ff.). Sonderregelungen bestehen jedoch für vorläufige Eigentümergrundschulden gem. § 1163 BGB und ursprüngliche Eigentümergrundschulden gem. § 1196 III BGB (s. Rz. 1017 und 1202).

III. Die Bestimmung des Ranges

1. Das Zusammenspiel von formellem und materiellem Recht

590 **Die in den Abt. II und III des Grundbuchs eingetragenen Rechte haben im Verhältnis zueinander ein bestimmtes Rangverhältnis.** Dieser Rang ergibt sich aus einem Zusammenspiel von Regeln des formellen und materiellen Rechts. Die GBO schreibt vor, in welcher Reihenfolge die Rechte einzutragen sind, und im Anschluß daran bestimmt das BGB, welchen Rang sie aufgrund ihrer Eintragung erhalten haben:

§ 17 GBO: Das Grundbuchamt hat die Anträge in der Reihenfolge des Eingangs zu erledigen. Besteht bei einem Antrag ein behebbarer Mangel, ist gem. § 18 II GBO zur Sicherung seines Ranges von Amts wegen eine Vormerkung einzutragen (s. Rz. 409).

§ 45 GBO: Die Reihenfolge der Erledigung ist im Grundbuch durch entsprechende räumliche Anordnung und Numerierung nacheinander,

Datierung oder erforderlichenfalls durch Rangvermerke zum Ausdruck zu bringen.

§ 879 BGB: Die räumliche und zeitliche Reihenfolge der Eintragungen im Grundbuch und die etwaigen Rangvermerke bestimmen den materiellen Rang der Rechte.

Dies sei nachstehend näher ausgeführt:

2. Das formelle Verfahren

a) Die gesetzliche Rangbestimmung

591 Jeder beim GBAmt eingehende Antrag und jedes Eintragungsersuchen erhält sofort einen **Eingangsvermerk** mit Tag, Stunde und Minute (Präsentationsstempel, § 13 II 1 GBO; Einzelheiten in §§ 18ff. der AV-GeschBeh.). Bei mehreren Anträgen, die dasselbe Recht betreffen, richtet sich die Erledigung nach der Reihenfolge des Eingangs (§ 17 GBO).

Sind in einer Abteilung des Grundbuchs mehrere Eintragungen zu bewirken (z.B. mehrere Grundpfandrechte einzutragen), so werden sie in der Reihenfolge ihres Eingangs mit fortlaufenden Nummern eingetragen. Sind die Anträge gleichzeitig gestellt, so ist im Grundbuch zu vermerken, daß sie gleichen Rang haben (Gleichrangvermerk; § 45 I GBO). **Bei Eintragungen in verschiedenen Abteilungen** ergibt sich das Rangverhältnis aus dem Eintragungsdatum. Werden am gleichen Tage Eintragungen in verschiedenen Abteilungen vorgenommen, die nicht gleichzeitig beantragt worden sind, wird das Rangverhältnis durch einen Rangfolgevermerk zum Ausdruck gebracht (§ 45 II GBO).

b) Die abweichende Rangbestimmung

592 **Die Antragsteller können das Rangverhältnis abweichend von der Zeitfolge der Vorlage beim GBAmt bestimmen** (§ 45 III GBO). Diese Rangbestimmung wird normalerweise in die Eintragungsbewilligung aufgenommen. Sie kann auch im Antrag enthalten sein, bedarf dann aber wegen § 30 GBO der Form des § 29 I 1 GBO. Bewilligung und Antrag dürfen sich jedoch nicht widersprechen.

Streitig ist, ob der Notar in einem von ihm aufgrund der Ermächtigung des § 15 GBO im Namen der Beteiligten gestellten Antrag eine solche Rangbestimmung vornehmen kann. Dies wird von der h.M. verneint, es sei denn, daß er von den Beteiligten ermächtigt wurde, die zum Vollzug erforderlichen Anträge zu stellen, zu ändern oder zurückzunehmen (HSS Rz.184 m.w.N.; a.A. KEHE-Herrmann § 15 Rz.28). Für die notarielle Praxis bedeutet dies: Sind mehrere Eintragungen zu beantragen, z.B. bei Mischfinanzierungen, wie sie heute bei Baufinanzierungen häufig sind, und ist in den Urkunden keine Vollzugsermächtigung enthalten, ist es (zur Vermeidung von „Rangsalat") notwendig, daß entweder in den Bewilligungen klare und widerspruchsfreie Rangbestimmungen enthalten sind oder daß die Anträge in der richtigen Reihenfolge nacheinander vorgelegt werden.

3. Der materiellrechtliche Rang

a) Die Eintragung schafft das Rangverhältnis

593 **Das Rangverhältnis von Rechten in derselben Abteilung bestimmt sich nach der Reihenfolge der Eintragung** = räumliche Aufeinanderfolge (prior loco, potior iure, § 879 I 1 BGB).

594 **Bei Eintragung von Rechten in verschiedenen Abteilungen entscheidet die Angabe des Eintragungstages** = zeitliche Reihenfolge (Datumsprinzip: prior tempore, potior iure, § 879 I 2 BGB). Eine abweichende Bestimmung des Rangverhältnisses wird im Grundbuch eingetragen (§ 879 III BGB). **Beispiel:** Es werden gleichzeitig am 20. September 1994 zur Eintragung beantragt und am 1. Oktober 1994 deshalb auch gleichzeitig eingetragen:

- eine Grundschuld über DM 30 000,– für die Sparkasse S, die den ersten Rang erhalten soll
- ein Altenteilsrecht für die Eheleute A, das den zweiten Rang erhalten soll
- eine Grundschuld über DM 24 000,– für die Bausparkasse B, die den dritten Rang erhalten soll.

Das nachstehende **Beispiel** zeigt, vereinfacht, wie das Rangverhältnis im Grundbuch zum Ausdruck kommt:

Abt. II:

Nr. 1 Altenteilsrecht für Eheleute A, eingetragen am 1. 10. 1994 mit Rang nach Abt. III Nr. 1 und vor Abt. III Nr. 2

Abt. III:

Nr. 1 DM 30 000,– Grundschuld für die Sparkasse S, eingetragen am 1. 10. 1994 mit Rang vor Abt. II Nr. 1

Nr. 2 DM 24 000,– Grundschuld für die Bausparkasse B, eingetragen am 1. 10. 1994 mit Rang nach Abt. II Nr. 1.

595 **§ 879 BGB enthält also die materiellrechtliche Folgerung aus der Eintragungsfolge des Grundbuchs.** Die Eintragung schafft das materielle Rangverhältnis. Bei einer Verletzung des formellen Prioritätsgrundsatzes des § 17 GBO durch das Grundbuchamt wird deshalb des Grundbuch nicht unrichtig (anders beim falschen Rangvermerk s. Rz. 598). Der benachteiligte Gläubiger hat keinen Grundbuchberichtigungsanspruch nach § 894 BGB und keinen Anspruch auf Eintragung eines Widerspruchs nach § 899 BGB. Eine Beschwerde gegen die fehlerhaft vorgenommene Eintragung ist nicht zulässig (§ 71 II 1 GBO). Auch eine Be-

schwerde nach §§ 71 II 2, 53 I 1 GBO wäre nicht begründet; zwar hat das GBAmt gesetzliche Vorschriften verletzt, aber das Grundbuch ist durch die Eintragung nicht unrichtig geworden. Es bleibt nur der Weg der Rangänderung aufgrund einer Bewilligung des zu Unrecht Begünstigten (§ 880 BGB) bzw. eines gerichtlichen Urteils (§ 894 ZPO) oder der Amtshaftungsanspruch. Für den letzteren ist allerdings vor einem effektiven Ausfall in der Zwangsversteigerung nur die Feststellungsklage möglich.

596 **Folgen einer fehlerhaften Rangeintragung.** Gegen den durch einen Verfahrensfehler des Grundbuchamts begünstigten Gläubiger haben der Eigentümer und der benachteiligte Gläubiger keinen Bereicherungsanspruch, weil der Rechtsgrund für den besseren Rang die gesetzliche Bestimmung des § 879 BGB ist (so BGH NJW 1956, 1314; 1957, 177 = DNotZ 1956, 480; sehr bestr., s. MünchKomm-Wacke § 879 Rz. 34). Haben aber die beteiligten Gläubiger eine schuldrechtliche Vereinbarung über den Rang getroffen, so hat der benachteiligte Gläubiger einen schuldrechtlichen Anspruch auf Rangrücktritt gegen den begünstigten Gläubiger. Bestand eine solche Vereinbarung nur zwischen dem Eigentümer und dem begünstigten Gläubiger, so steht dieser Anspruch dem Eigentümer zu; er muß diesen aber an den benachteiligten Gläubiger abtreten (MünchKomm-Wacke § 879 Rz. 34).

597 **Nachfolgende Einigung.** Die Eintragung bestimmt im Interesse der Rechtssicherheit auch dann die Rangfolge, wenn die Einigung erst nach der Eintragung erfolgt (§ 879 II BGB).

Fall: A bestellt für die B-Bank, von der er sich einen Kredit erhofft, schon rein vorsorglich eine Grundschuld, ohne daß bereits ein Kreditvertrag mit Sicherungsabrede abgeschlossen ist. Danach wird eine Zwangshypothek für C eingetragen. Erst dann wird der Kreditvertrag zwischen A und der B-Bank abgeschlossen, in dem auch die Bestellung einer Grundschuld vereinbart wird. Zwar fehlte zunächst die dingliche Einigung. Dennoch erhält die Grundschuld der B-Bank aufgrund der späteren Einigung den Vorrang vor der Hypothek des C.

598 **Deckung von Einigung und Eintragung.** Voraussetzung für die Entstehung eines Rechts an einem Grundstück ist, daß sich Einigung und Eintragung decken. Dies gilt auch für das Rangverhältnis. Haben sich die Beteiligten über ein bestimmtes Rangverhältnis geeinigt und weicht der sich aus der Grundbucheintragung ergebende Rang davon ab, so gilt folgendes:

- Wenn die Abweichung auf einem unrichtigen Rangvermerk beruht und dessen Löschung zum richtigen Rangverhältnis führen würde, ist der Rangvermerk unwirksam (Palandt/Bassenge § 879 Rz. 17); zu seiner Löschung bedarf es jedoch einer Berichtigungsbewilligung.
- Führt die Löschung des unrichtigen Rangvermerks nicht zum richtigen Rangverhältnis oder sind die Rechte ohne Rangvermerk mit einem

von der Einigung abweichenden Rangverhältnis eingetragen, dann richtet sich die Gültigkeit der eingetragenen Rechte nach den Regeln des § 139 BGB (vgl. Palandt/Bassenge a.a.O.). Ist das Recht mit dem eingetragenen Rang als gewollt anzusehen, z.B. weil das gesicherte Darlehen bereits ausgezahlt ist, so bleibt es bei der Eintragung. Anderenfalls sind die Rechte nicht entstanden. Das gewollte Rangverhältnis kann dann nur durch Löschung und Neueintragung erreicht werden.

b) Der Rang von Vormerkungen

599 **Vormerkungen sind Platzhalter für noch einzutragende Rechte.** Kommt es zur Eintragung des vorgemerkten Rechts, so erhält es den Rang, den die Vormerkung eingenommen hatte (s. Rz. 669–672).

600 Ein **Widerspruch** hat keinen Rang im materiellen Sinne. Er protestiert gegen eine bestehende Eintragung zugunsten eines behaupteten wahren Rechts und verhindert dadurch einen gutgläubigen Erwerb (s. Rz. 477 ff.).

4. Rang und öffentlicher Glaube

601 **Der öffentliche Glaube an die Richtigkeit des Grundbuchs bezieht sich auch auf den Rang eines Rechts** (vgl. MünchKomm-Wacke § 892 Rz. 10 m.w.N.). **Beispiel:** M bewilligt den Rangrücktritt ihres Wohnungsrechts hinter die Grundschuld des G und der Rangrücktritt wird sodann im Grundbuch eingetragen. Danach erklärt M die Anfechtung der materiell-rechtlichen Einigung. Dadurch wird das Grundbuch unrichtig. Sodann tritt G die Grundschuld an den gutgläubigen Z ab. Z erwirbt die Grundschuld mit Rang vor dem Wohnungsrecht; die Rangeintragung im Grundbuch wird richtig.

5. Von der Rangordnung des Grundbuchs abweichende Rangverhältnisse

a) Verfügungsbeschränkungen haben keinen materiellen Rang

602 § 879 BGB gilt nicht für Verfügungsbeschränkungen, wie z.B. eine eingetretene Geschäftsunfähigkeit, den Konkursvermerk (§§ 6, 7, 113 KO), den Nacherbenvermerk (§ 51 GBO), die Beschlagnahme in der Zwangsversteigerung (§§ 20, 22 I, 23, 146 ZVG) usw. Sie sind keine „Rechte" an einem Grundstück i.S. des § 879 BGB, denn sie belasten nicht das Grundstück, sondern beschränken das Verfügungsrecht des Eigentümers (RGZ 135, 378, 384; OLG Hamburg DNotZ 1967, 373, 376 m.w.N.; MünchKomm-Wacke § 879 Rz. 6 m.w.N.). Es entfällt auf sie kein Erlösanteil in der Zwangsversteigerung und sie haben deshalb keinen Rang im materiellen Sinne (Palandt/Bassenge § 879 Rz. 6).

b) Der formelle Rang von Verfügungsbeschränkungen

603 Verfügungsbeschränkungen mit relativer Wirkung werden zur Verhinderung eines gutgläubigen Erwerbs im Grundbuch eingetragen. Das gleiche gilt für diejenigen absolut wirkenden Verfügungsbeschränkungen, die durch gutgläubigen Erwerb überwunden werden können (s. § 13). Die Eintragung gibt ihnen zwar keinen Rang im materiellen Sinne, aber dennoch ist der **Zeitpunkt ihrer Eintragung von Bedeutung.** Für das Verhältnis zwischen einer Verfügungsbeschränkung und einem Recht an dem Grundstück kommt es darauf an, ob sich die Beschränkung auf die Entstehung des Rechts auswirken kann. **Beispiele:**

- Die Beschlagnahme im Zwangsversteigerungsverfahren hat die Wirkung eines relativen Veräußerungsverbots zum Schutze des Beschlagnahmegläubigers (§ 23 ZVG). Aber bis zur Eintragung des Versteigerungsvermerks im Grundbuch ist noch ein gutgläubiger Erwerb möglich (§§ 136, 135 II, 892 BGB).
- E wird im Grundbuch als Erbe eingetragen. Er läßt zu Gunsten seines Gläubigers G eine Grundschuld eintragen. Danach wird festgestellt, daß E tatsächlich nicht unbeschränkter Vollerbe, sondern nur Vorerbe ist (§§ 2100 ff. BGB) und es wird deshalb ein Nacherbenvermerk im Grundbuch eingetragen (§ 51 GBO). Verfügungen des Vorerben über ein zum Nachlaß gehörendes Grundstück sind im Falle des Eintritts der Nacherbfolge unwirksam, wenn sie das Recht des Nacherben vereiteln oder beeinträchtigen würden (§ 2113 I BGB). Wenn G jedoch in Bezug auf die Vollerbschaft des E gutgläubig war, bleibt die Grundschuld auch bei Eintritt des Nacherbfalls wirksam (§§ 2113 III, 892 BGB).

604 Die Beispiele zeigen, daß bei relativen Verfügungsbeschränkungen erst die Eintragung im Grundbuch die Möglichkeit eines gutgläubigen Erwerbs ausschließt. Das gleiche gilt für die absolut wirkenden Verfügungsbeschränkungen, bei denen kraft gesetzlicher Anordnung ein gutgläubiger Erwerb sonst möglich wäre. In diesem formellen Sinne gibt es deshalb auch Rangverhältnisse zwischen Verfügungsbeschränkungen und Rechten am Grundstück.

c) § 879 BGB gilt auch nicht für öffentliche Lasten

605 **Öffentliche Lasten des Grundstücks** (z. B. Erschließungsbeiträge, Ausbaubeiträge, fällige Grundsteuerbeträge usw.) **entstehen kraft Gesetzes ohne Eintragung im Grundbuch** (§ 54 GBO); sie werden nur ganz ausnahmsweise dann im Grundbuch eingetragen, wenn ihre Eintragung gesetzlich vorgeschrieben oder zugelassen ist (z. B. in § 64 VI BauGB für die im Umlegungsverfahren festgesetzten Geldleistungen).

Die §§ 17, 45 GBO, 879 BGB finden deshalb auf öffentliche Lasten keine Anwendung.

d) Überbau- und Notwegrenten

606 Auch die Überbau- und Notwegrenten (§§ 912 II, 913, 914, 917 II BGB) werden nicht im Grundbuch eingetragen. Das Gesetz räumt ihnen, unabhängig vom Zeitpunkt ihrer Entstehung, den **Vorrang vor allen anderen Grundstücksrechten,** also auch vor den älteren, an dem belasteten Grundstück ein.

IV. Die Rangänderung

1. Das Rangverhältnis kann nachträglich geändert werden

607 **Häufig ergibt sich nachträglich die Notwendigkeit oder Zweckmäßigkeit, den Rang eingetragener Rechte zu ändern,** z. B.:

- Die Eheleute A haben ihr Hausgrundstück an ihre verheiratete Tochter B übertragen und sich gleichzeitig ein Altenteilsrecht eintragen lassen. Danach wollen die Eheleute B das Haus umbauen und dafür ein Darlehen aufnehmen. Zur Sicherung des Darlehens verlangt das Kreditinstitut eine Grundschuld mit Rang vor dem Altenteilsrecht. Dazu ist ein Rangrücktritt der Altenteiler erforderlich.
- An erster Stelle steht eine Kapitalmarkt-Grundschuld für die Sparkasse S, an zweiter Rangstelle ist eine Grundschuld für die Bausparkasse B eingetragen. Da eine Nachfinanzierung erforderlich wird, soll der Kredit der Sparkasse aufgestockt werden. Für die zusätzliche Grundschuld verlangt die Sparkasse den Rang vor der Bausparkasse, wozu eine Rangrücktrittserklärung der Bausparkasse erforderlich ist.

608 **Die Rechtsgrundlage für eine nachträgliche Rangänderung gibt § 880 BGB.** Danach kann der Inhaber eines vorrangigen Rechts dadurch auf seine bessere Rangstelle verzichten, daß er hinter ein ihm bisher nachgehendes Recht zurücktritt. In gleicher Weise ist auch die Einräumung eines Gleichrangs möglich (z. B. Gleichrang von zwei Bausparkassen-Grundschulden). Eine solche Rangänderung ist bei allen Rechten der Abt. II und III des Grundbuchs möglich, soweit nicht gesetzliche Vorschriften entgegenstehen oder die Zulässigkeit mit dem Wesen der Rangänderung nicht vereinbar ist. So kann z. B. ein Erbbaurecht – zum Schutze des Erbbauberechtigten und derjenigen, die ein Recht an dem Erbbaurecht haben – nur an erster Rangstelle in Abt. II und III eingetragen werden (§ 10 ErbbauVO); ein Widerspruch gegen die Richtigkeit des Grundbuchs oder eine Verfügungsbeschrän-

kung können ihrem Wesen nach nicht Gegenstand einer Rangänderung sein.

Nach § 880 BGB sind zur Rangänderung erforderlich: 609

- die Einigung zwischen dem vortretenden und dem zurücktretenden Berechtigten (§ 880 II BGB, entsprechend § 873 BGB)
- die Eintragung der Rechtsänderung (§ 880 II BGB, entsprechend § 873 BGB); zur Wirksamkeit der Rangänderung ist ein Rangänderungsvermerk bei dem zurücktretenden Recht erforderlich; sie soll jedoch auch bei dem vortretenden Recht vermerkt werden (Demharter § 45 Rz. 17; § 18 GBVfg.)
- zum Rangrücktritt eines Grundpfandrechts außerdem die Zustimmung des Eigentümers (§ 880 II 2 BGB); Grund: das zurücktretende betroffene Grundpfandrecht kann ganz oder teilweise Eigentümergrundschuld sein oder werden
- wenn das zurücktretende Recht mit dem Recht eines Dritten belastet ist (z. B. eine Hypothek ist gepfändet oder verpfändet), auch die Zustimmung des Dritten (§ 880 III BGB).

2. Die Fälle des Rangtauschs

a) Der einfache Rangtausch ohne Zwischenrechte

Dieser Rangtausch bietet keine besonderen Probleme. In den vorgenannten beiden Beispielen vollzieht sich folgendes: 610

Fall 1: Eingetragen sind an:

1. Rangstelle das Altenteilsrecht
2. Rangstelle die Grundschuld der Bausparkasse.

Durch den Rangrücktritt der Eheleute A erhält die Grundschuld den Rang vor dem Altenteilsrecht.

Fall 2: Die Sparkasse erhält auch mit der zur Aufstockung des Kredits bestellten zweiten Grundschuld den Rang vor der Bausparkasse.

b) Der Rangtausch bei Bestehen von Zwischenrechten

Bestehen Zwischenrechte, so dürfen sie durch den Rangtausch zwischen einem vorgehenden und einem nachgehenden Recht weder Vorteile erlangen noch Nachteile erleiden (§ 880 V BGB; RGZ 141, 235, 238). Daraus ergeben sich einige Probleme, die an den folgenden Beispielen dargestellt sein mögen: 611

Fall 1: Es besteht ein Zwischenrecht, die rangtauschenden Rechte sind nach Betrag, Zinssatz und Nebenleistungen gleichwertig; Beispiel: 612

1. DM 30 000,– Grundschuld der Bank B
2. Wohnungsrecht für die Eheleute Senior
3. DM 30 000,– Grundschuld für die Sparkasse S

Die Sparkasse S und die Bank B einigen sich (mit Zustimmung des Eigentümers) über einen Rangtausch. Das Zwischenrecht (Wohnungsrecht) wird durch die Rangänderung nicht berührt (§ 880 V BGB). Es erfährt durch den Rangtausch keinen Vorteil und keinen Nachteil. Es ergibt sich demnach die neue Rangfolge:
1. DM 30000,– Grundschuld für die Sparkasse S
2. Wohnungsrecht für die Eheleute Senior
3. DM 30000,– Grundschuld für die Bank B

613 **Fall 2: Es besteht ein Zwischenrecht, das vortretende Recht ist größer als das zurücktretende**

Auch in diesem Fall darf das Zwischenrecht weder Vorteile erlangen noch Nachteile erleiden; **Beispiel:**
1. DM 30000,– Hypothek für A
2. Wohnungsrecht für die Eheleute Senior
3. DM 50000,– Grundschuld für C.

A und C tauschen den Rang. Dabei darf sich der Rang des Zwischenrechts nicht verschlechtern. Ist das vortretende Recht größer als das zurücktretende, so tritt es deshalb nur mit einem Teilbetrag vor das Zwischenrecht, und zwar nur in Höhe des Betrages des zurücktretenden Rechts. Dadurch ergibt sich folgendes Rangverhältnis:
1. DM 30000,– Grundschuld für C
2. Wohnungsrecht für die Eheleute Senior
3. DM 20000,– Grundschuld für C
4. DM 30000,– Hypothek für A

614 **Fall 3: Das zurücktretende Recht ist größer als das vortretende**

Da sich der Rang des Zwischenrechts nicht verändern, also auch nicht verbessern darf, ergibt sich die Folge: das zurücktretende Recht tritt zwar in voller Höhe hinter das vortretende Recht zurück; gegenüber dem Zwischenrecht tritt es aber nur in Höhe des vortretenden Rechts zurück: **Beispiel:**
1. DM 50000,– Grundschuld für A
2. Wohnungsrecht für die Eheleute Senior
3. DM 30000,– Hypothek für C

A und C tauschen den Rang. Es ergibt sich folgendes Rangverhältnis:
1. DM 30000,– Hypothek für C
2. DM 20000,– Grundschuld für A
3. Wohnungsrecht für die Eheleute Senior
4. DM 30000,– Grundschuld für A.

V. Der Rangvorbehalt

1. Zweck und Inhalt

Offenhaltung einer Rangstelle. Der Eigentümer kann sich bei einer Belastung seines Grundstücks die Befugnis vorbehalten, mit Vorrang vor diesem Recht später noch ein anderes Recht eintragen zu lassen (§ 881 I BGB). Die Eintragung des Vorbehalts erfolgt ohne besondere Nummer bei dem Recht, dem der Vorbehalt beigefügt wird. In gleicher Weise kann auch die spätere Eintragung eines anderen Rechts im Gleichrang mit dem vorbehaltbelasteten Recht vorbehalten werden (Gleichrangsvorbehalt); dies ist zwar im Gesetz nicht erwähnt, ergibt sich aber aus dem allgemeinen Grundsatz, daß das weitergehende Recht das geringere umfaßt (lat.: in maiore minus continetur). **615**

Rechtsnatur. Das Recht auf Ausübung des Rangvorbehalts ist eine mit dem Eigentum verbundene, einen Teil des Eigentumsrechts bildende Befugnis. Es ist deshalb nicht isoliert übertragbar oder pfändbar (BGH NJW 1954, 954 = DNotZ 1954, 378). Auch für eine Zwangs- oder Arresthypothek kann es nach überwiegender Ansicht nicht ausgeübt werden (HSS Rz. 2142; Palandt/Bassenge § 881 Rz. 9). Der Rangvorbehalt stellt jedoch seiner Natur nach nur ein Stück wertmäßig reservierten Eigentums dar. Der Ausschluß der Pfändbarkeit dürfte deshalb nur für solche Fälle gelten, in denen der Vorbehalt mit einer konkreten Zweckbestimmung verbunden ist. Fehlt eine solche Zweckbestimmung, so ist (wie bei der Eigentümergrundschuld) kein Grund für einen Ausschluß der zwangsweisen Ausnutzung des Vorbehalts ersichtlich (so MünchKomm-Wacke § 881 Rz. 14; Staudinger/Kutter § 881 Rz. 18). **616**

2. Der Rangvorbehalt in der Vertragsgestaltung

Für die Eintragung eines Rangvorbehalts besteht häufig ein praktisches Bedürfnis. Dafür folgende **Beispiele:** **617**

a) Übergabevertrag mit Altenteilsrecht

Die Eheleute Junior wollen aufstocken und benötigen dazu auch Fremdmittel. Sie haben einen Bausparvertrag, aus dem sie ein Bauspardarlehen von DM 30 000,– erhalten werden, der Bewilligungsbescheid steht aber noch aus. Die Eheleute Senior sind mit dem Vorrang der Bausparkasse (oder Bank, Sparkasse, Versicherung usw.) vor ihrem Altenteilsrecht einverstanden und räumen deshalb schon im Übergabevertrag einen Rangvorbehalt ein.

b) Bauplatzkauf mit Restkaufpreishypothek

V verkauft an K einen Bauplatz. Der Kaufpreis wird teils bar bezahlt und teils gestundet mit Sicherung durch Restkaufpreishypothek. Der Verkäufer ist damit einverstanden, daß seiner Restkaufpreishypothek die zur Finanzierung des Bauvorhabens erforderlichen Grundpfandrechte vorgehen.

c) Stufenweise Finanzierung

Der Bewilligungsbescheid der für die 2. Rangstelle vorgesehenen Bausparkasse ist bereits erteilt, der Bewilligungsbescheid für die erststellige Kapitalmarkthypothek steht aber noch aus. Dennoch soll das Grundpfandrecht für die Bausparkasse bereits eingetragen werden.

3. Das Risiko bei Rangrücktritt und Rangvorbehalt

618 Rangrücktritt und Rangvorbehalt werden häufig benötigt bei der Finanzierung von Investitionen, z. B. bei der Mischfinanzierung von Bauvorhaben. Für den nachrangig werdenden Rechtsinhaber ist es dabei wichtig, daß das vortretende Grundpfandrecht auch tatsächlich zur Finanzierung der Investitionen und damit zur Wertsteigerung des Grundstücks verwendet wird. In der Praxis geschieht diese Sicherung dadurch, daß kein Rangvorbehalt bewilligt, sondern nur ein Rangrücktritt unter der Bedingung zugesagt wird, daß sich der vortretende Gläubiger verpflichtet, den Kredit nur entsprechend dem Baufortschritt auszuzahlen.

4. Gestaltungsformen des Rangvorbehalts

a) Der Umfang des Rangvorbehalts

619 **Ein Rangvorbehalt kann bei allen durch Rechtsgeschäft bestellten dinglichen Rechten am Grundstück und auch bei Vormerkungen eingetragen werden. Dabei muß der maximale Umfang des vorbehaltenen Rechts genau bestimmt sein,** so z. B. beim Rangvorbehalt für ein Grundpfandrecht der Höchstbetrag und der Höchstzinssatz sowie der Höchstbetrag etwaiger Nebenleistungen, einschließlich des Anfangszeitraums für Zinsen und etwaige laufende Nebenleistungen (HSS Rz. 2136, 1957). Die **Formel** dafür lautet z. B.: „Vorbehalten ist der Vorrang für Hypotheken oder Grundschulden bis zu DM 100 000,– nebst bis zu 15 % Zinsen jährlich ab heute und bis zu 10 % Nebenleistungen einmalig." Das später eingetragene Vorbehaltsrecht erhält dann z. B. folgenden Rangvermerk: „Unter Ausnutzung des Vorbehalts mit dem Vorrange vor Abt. III Nr. 1 eingetragen am ...".

620 Eine **stufenweise Ausübung** des Rangvorbehalts ist zulässig; er kann also durch mehrere Teilbelastungen nacheinander oder nebeneinander ausgübt werden, bis er dem Umfange nach ausgeschöpft ist. **Beispiel:**

<table>
<tr><td rowspan="2">Rangvorbehalt:
DM 50 000,–</td><td>III/2</td><td>DM 20 000,– Hypothek H 2 unter teilweiser Ausnutzung des Rangvorbehalts bei Abt. III Nr. 1</td></tr>
<tr><td>III/3</td><td>DM 30 000,– Hypothek H 3 unter Ausnutzung des restlichen Rangvorbehalts bei Abt. III Nr. 1</td></tr>
<tr><td colspan="2">III/1 DM 60 000,–</td><td>Hypothek H 1 mit Rangvorbehalt für DM 50 000,–</td></tr>
</table>

621 **Das Rangverhältnis zwischen den vorrangigen Teilbelastungen** richtet sich grundsätzlich nach der Reihenfolge der Eintragung. Ein den Rangvorbehalt nur teilweise ausnutzendes Recht kann jedoch wiederum selbst mit einem Rangvorbehalt versehen werden, wenn das später einzutragende Recht den Rang vor ihm erhalten soll. **Beispiel:**

<table>
<tr><td rowspan="2">gesamter Rangvorbehalt:
DM 50 000,–</td><td>Rangvorbehalt:
DM 20 000,–</td><td>III/3</td><td>DM 20 000,– Hypothek H 3 unter Ausnutzung des restlichen Rangvorbehalts bei Abt. III Nr. 1 und Ausnutzung des Rangvorbehalts bei Abt. III Nr. 2</td></tr>
<tr><td>III/2</td><td colspan="2">DM 30 000,– Hypothek H 2 unter teilweiser Ausnutzung des Rangvorbehalts bei Abt. III Nr. 1 mit Rangvorbehalt für DM 20 000,–</td></tr>
<tr><td colspan="2">III/1 DM 60 000,–</td><td colspan="2">Hypothek H 1 mit Rangvorbehalt für DM 50 000,–</td></tr>
</table>

b) Einmalige oder wiederholbare Ausnutzung

622 Der Rangvorbehalt kann nach h. M. mehrfach ausgenutzt werden, es sei denn, daß er ausdrücklich auf eine nur einmalige Ausübung beschränkt ist (HSS Rz. 2134). Da keine gesetzliche Regelung besteht, ist es zweckmäßig, in der Eintragungsbewilligung klarzustellen, ob nur einmalige oder wiederholte Ausnutzung gestattet wird. Auch kann der Rangvorbehalt auf einen bestimmten Gläubiger beschränkt werden (HSS a. a. O.).

5. Absolute und relative Rangverhältnisse

623 Das Rangverhältnis zwischen dem vorbehaltbelasteten und dem später den Vorbehalt ausübenden Recht richtet sich grundsätzlich nach § 880 BGB (wie Rangänderung). Dies ist ein absolutes Rangverhältnis. Etwas anderes gilt jedoch nach § 881 IV BGB, wenn zwischen der Eintragung des mit dem Vorbehalt belasteten Rechts und der Ausübung des Vorbehalts **Zwischenrechte ohne Rangvorbehalt** eingetragen werden. Dann entstehen sehr schwierige relative Rangverhältnisse. Für Freunde juristischer Rechenkunststücke folgendes **Beispiel:**

A	DM 80000,–	Grundschuld, mit einem Rangvorbehalt von DM 40000,–
B	DM 60000,–	Zwangssicherungshypothek
C	DM 40000,–	Grundschuld, eingetragen unter Ausnutzung des Rangvorbehalts bei A.

A ist eingetragen mit DM 80000,– und einem Rangvorbehalt von DM 40000,–. Sodann wurde im Wege der Zwangsvollstreckung die Sicherungshypothek B eingetragen mit DM 60000,–; sie ist – da nicht vom Eigentümer bewilligt, sondern zwangsweise eingetragen – ohne Rangvorbehalt. Erst danach wurde, unter voller Ausnutzung des Rangvorbehaltes bei A, die Grundschuld C in Höhe von DM 40000,– eingetragen.

624 Dazu folgende **Leitsätze** (vgl. Zeller/Stöber § 114 Anm. 29): Das ohne Rangvorbehalt eingetragene Zwischenrecht B darf infolge der nachträglichen Ausnutzung des Rangvorbehalts bei A durch die Eintragung von C weder einen Vorteil noch einen Nachteil haben. Ihm geht nur der Nominalbetrag des Rechts von A vor (DM 80000,–). Das mit dem Vorbehalt belastete Recht A wiederum braucht sich nur den Betrag des vorbehaltenen Rechts vorgehen zu lassen (DM 40000,–). Dadurch entsteht eine relative Rangfolge. Der auf die Grundpfandrechte entfallende Betrag ist folgendermaßen zu verteilen:

1. A erhält den Erlös, der über den Rangvorbehalt von DM 40000,– hinausgeht, höchstens jedoch DM 80000,–
2. B erhält den Erlös, der über DM 80000,– (Nominalbetrag von A) hinausgeht, höchstens jedoch DM 60000,–
3. C erhält den Rest, höchstens DM 40000,–.

625 **Hierzu ein Rechenbeispiel mit unterschiedlichen Erlösen:**

Erlös	A	B	C
30000,–	–	–	30000,–
40000,–	–	–	40000,–
60000,–	20000,–	–	40000,–
80000,–	40000,–	–	40000,–
90000,–	50000,–	10000,–	30000,–
100000,–	60000,–	20000,–	20000,–

Erlös	A	B	C
110000,–	70000,–	30000,–	10000,–
120000,–	80000,–	40000,–	–
130000,–	80000,–	50000,–	–
140000,–	80000,–	60000,–	–
150000,–	80000,–	60000,–	10000,–
160000,–	80000,–	60000,–	20000,–
180000,–	80000,–	60000,–	40000,–.

Ergebnis in der Verteilung. Wie diese Beispiele zeigen, ist die Situation des Gläubigers C, der den Vorbehalt ausgenutzt hat, sehr kurios: Solange der Erlös geringer ist als das mit dem Vorbehalt belastete Recht A, steigt seine Zuteilung bis zur vollen Befriedigung an. Nach dem Überschreiten dieser Grenze (Betrag A) sinkt sie bis auf Null ab, um bei vollständiger Befriedigung von A und B wieder bis zur vollen Befriedigung anzusteigen. Die Rechtsgestaltung durch Ausnutzung eines Rangvorbehalts ist daher ein etwas problematisches Instrument, dessen mögliche Auswirkungen sorgfältig zu beachten sind. Kreditinstitute lehnen deshalb in der Regel die Ausnutzung von Rangvorbehalten ab und bevorzugen die Ranggestaltung durch Rangänderung. **626**

6. Unterschiede zwischen Rangänderung und Rangvorbehalt

a) Bei der Rangänderung tritt sofortige Wirkung ein, beim Rangvorbehalt muß erst eine weitere Erklärung des Eigentümers, nämlich die Bestellung des vorbehaltenen Rechts, hinzukommen. **627**

b) Die Zwischenrechte werden verschieden behandelt: Beim Rangvorbehalt können relative Rangverhältnisse entstehen, bei der Rangänderung nicht. Häufig sind deshalb Kreditinstitute nicht bereit, Rangvorbehalte einzuräumen und erklären stattdessen ihre Bereitschaft, zum gegebenen Zeitpunkt im Range zurückzutreten.

7. Rangvorbehalt oder Eigentümergrundschuld?

Die gleiche Wirkung, nämlich den Vorbehalt des Ranges für ein erst später einzutragendes Recht, kann der Eigentümer auch dadurch erreichen, daß er eine Eigentümergrundschuld eintragen läßt und sie später durch Abtretung in eine Fremdgrundschuld oder Hypothek umwandelt (s. Rz. 1189ff.). Eine solche später abzutretende Eigentümergrundschuld ist in manchen Fällen zweckmäßiger als der Rangvorbehalt. Nicht immer aber ist der spätere Gläubiger mit der Abtretung einer Eigentümergrundschuld einverstanden, weil er die Bestellung des Grundpfandrechts nach seinem Hausformular wünscht. **628**

§ 15. Die Vormerkung

Literaturhinweise: HSS Rz. 1475–1554; Knöpfle, Die Vormerkung, JuS 1981, 157; Schneider, Rangfähigkeit und Rechtsnatur der Vormerkung, DNotZ 1982, 523; Tiedtke, Die Auflassungsvormerkung, Jura 1981, 354

Die Vormerkung spielt in der Vertragsgestaltung eine große Rolle. Aus diesem Grund und wegen ihrer besonderen Stellung in der Dogmatik des Grundstücksrechts bedarf sie einer etwas breiteren Darstellung.

I. Der Sicherungszweck der Vormerkung

1. Die Risikophase zwischen Verpflichtungsgeschäft und Eintragung

629 **In Grundstückssachen ist wegen der Zweiaktigkeit des Rechtserwerbs eine Zug-um-Zug-Leistung im allgemeinen nicht möglich.** Wir erinnern uns: Das Verpflichtungsgeschäft schafft den Rechtsgrund für die Entstehung des dinglichen Rechts. Aber erst die dingliche Einigung der Beteiligten und die anschließende Eintragung im Grundbuch führen zum Rechtserwerb mit dinglicher Wirkung. Das Verpflichtungsgeschäft und die Eintragung fallen jedoch in aller Regel zeitlich mehr oder weniger auseinander, weil zu dem Rechtsgeschäft vor der Antragstellung beim Grundbuchamt noch die gesetzlich erforderlichen Genehmigungen und Bescheinigungen zu beschaffen sind, z.B. die Genehmigung nach dem GrdstVG (§§ 2, 8), die Unbedenklichkeitsbescheinigung der Grunderwerbsteuerbehörde (§ 22 GrEStG), die Vorkaufsrechtserklärung der Gemeinde usw. Zwischen dem Verpflichtungsgeschäft und der Eintragung können deshalb Wochen, Monate, ja sogar Jahre liegen. **Beispiel:** V verkauft an das Land (Straßenverwaltung) für die Anlegung oder Verbreiterung der Straße eine noch zu vermessende Teilfläche seines Grundstücks. Der Käufer zahlt bereits einen Teil des Kaufpreises. Die Auflassung und Eintragung erfolgen jedoch u.U. erst Jahre danach, wenn die Vermessung der Straßentrasse durchgeführt ist.

630 **Diese Zwischenphase zwischen Verpflichtungsgeschäft und Eintragung bedeutet ein Risiko für den Erwerber.** Zwar hat er einen vertraglichen Anspruch auf Übertragung des Rechts, aber das schließt dingliche Verfügungen des Noch-Eigentümers oder Zwangsverfügungen Dritter in das Grundstück nicht aus. Es **besteht weder eine Verfügungsbeschränkung noch eine Grundbuchsperre**; der vertragliche Anspruch kann des-

halb noch durch vielerlei Umstände vereitelt werden, z. B. durch die Veräußerung des Grundstücks an einen Dritten, durch eine vom Eigentümer bewilligte oder eine zwangsweise eingetragene Belastung oder durch eine eintretende Verfügungsbeschränkung des Eigentümers. Ein besonderes Schutzbedürfnis besteht für den Erwerber, wenn er bereits die Gegenleistung (Kaufpreiszahlung) oder einen Teil der Gegenleistung erbracht oder im Vertrauen auf den Erwerb besondere Aufwendungen getätigt hat. **Beispiele:** V hat ein Grundstück an K verkauft und K hat den Kaufpreis bezahlt. Bevor K als Eigentümer eingetragen wird, kann z. B. folgendes geschehen:

- V fällt in Konkurs, das Grundstück wird Teil der Konkursmasse (§ 1 I KO) – ab 01.01. 1999: Allgemeines Verfügungsverbot (§ 21 InsO)
- V verkauft (vertragswidrig) das Grundstück noch einmal an einen Dritten, der ihm einen höheren Preis zahlt, und das Grundstück wird an den Dritten aufgelassen und auf ihn umgeschrieben
- V belastet (vertragswidrig) das Grundstück mit einer Grundschuld für einen Gläubiger
- das Grundstück wird durch einen Gläubiger des V (Finanzamt, Lieferant, Teilzahlungsbank usw.) mit einer Zwangshypothek belastet (§ 867 ZPO)
- das Grundstück wird aufgrund eines vollstreckbaren Titels eines persönlichen Gläubigers des V im Zwangsversteigerungsverfahren beschlagnahmt (§§ 15–23 ZVG).

631 **Schutz durch Vormerkung.** Zwar ist V, wenn die Vertragserfüllung aus einem von ihm zu vertretenden Grunde nicht möglich ist, dem K zum Schadensersatz verpflichtet, z. B. nach §§ 440 I, 325 I 1, 275 II BGB, weil ihm die geschuldete Leistung wegen eines von ihm zu vertretenden Rechtsmangels unmöglich geworden ist (Unvermögen). Aber dieser Anspruch auf Schadensersatz ist auf Geld gerichtet (§ 251 I BGB). Die zugunsten des Dritten eingetretene dingliche Rechtslage ist irreparabel und der Schadensersatzanspruch oder Bereicherungsanspruch kann wertlos sein, z. B. wenn der Schuldner zwischenzeitlich zahlungsunfähig geworden oder im Vollstreckungsverfahren nicht erreichbar ist. Zur Überbrückung dieser Risikophase stellt die Rechtsordnung als vorläufiges Sicherungsmittel die Vormerkung zur Verfügung (§§ 883–888 BGB).

2. Die sicherungsfähigen Rechte

632 **Jedes eintragungsfähige dingliche Recht kann vorgemerkt werden.** Die Vormerkung beschränkter dinglicher Rechte kommt jedoch in der Praxis relativ selten vor, weil bei ihnen in der Regel sofort das endgültige Recht eingetragen werden kann, so daß die Überbrückung einer Risikophase, wie sie zwischen dem Veräußerungsvertrag und der Eintragung des Erwerbers gegeben ist, durch eine rangwahrende Vormerkung nicht erforderlich ist.

633 **Die Eigentumsvormerkung.** Der bei weitem wichtigste Hauptfall der Vormerkung in der Rechtspraxis ist die Vormerkung zur Sicherung des Anspruchs auf Erwerb des Eigentums (§ 883 I BGB). Sie ist in vielen Fällen das Mittel der Vertragsgestaltung zur Sicherung von Leistung und Gegenleistung. In der Vergangenheit wurde sie in der Regel als „Auflassungsvormerkung" bezeichnet. Diese Begriffsbildung ist jedoch unlogisch, denn die Vormerkung des Eigentums hat mit der Auflassung nichts zu tun; sie kann sowohl vor als auch nach der Auflassung eingetragen werden. Sie sichert weder den Anspruch auf Abgabe einer Auflassungserklärung noch einen Anspruch aus einer abgegebenen Auflassungserklärung, sondern den Anspruch des Vorgemerkten auf den Erwerb des Eigentums an der vorgemerkten Rangstelle (§ 883 II BGB). Wenn das vorgemerkte Eigentum eingetragen wird, sind alle Rechte, die nach der Vormerkung eingetragen wurden, dem vorgemerkt Gewesenen gegenüber unwirksamkeit (§ 888 I BGB; s. Rz. 411).

Der irreführende Teilbegriff „Auflassung" sollte deshalb aus dem zusammengesetzen Begriff ausgeschieden werden. Aus dieser Erkenntnis heraus wird in der Praxis der Grundbuchämter inzwischen teilweise die Bezeichnung „Eigentumsübertragungsvormerkung" verwendet (so jetzt auch in der Anlage zu § 69 IV GBV, BGBl. 1994, 3592). Auch diese Begriffsbildung befriedigt jedoch nicht. Sie stellt nicht nur ein schwerfälliges Wortungetüm dar, sondern verdeckt auch die eigentliche Wirkung der Vormerkung, die nicht auf die Vornahme der Übertragung gerichtet ist, sondern das zukünftige Eigentum sichert. Der Anspruch auf die Vornahme der beantragten Übertragung ist ein öffentlich-rechtlicher Anspruch gegen das Grundbuchamt und ergibt sich aus § 17 GBO. Als Bezeichnung sollte deshalb zukünftig allgemein der Begriff „Eigentumsvormerkung" (EV) verwendet werden. Er ist kürzer, verständlicher und sachgerechter als die Begriffe „Auflassungsvormerkung" und „Eigentumsübertragungsvormerkung" (vgl. Weirich, „Abschied von der Auflassungsvormerkung", DNotZ 1982, 669; ders. „Von der Auflassungsvormerkung zur Eigentumsvormerkung" NJW 1989, 1979). In der Fachliteratur verwenden inzwischen fast alle namhaften Autoren den Begriff „Eigentumsvormerkung". So ist zu hoffen, daß er sich auch in der Diktion der Rechtsprechung und in der Praxis der Grundbuchämter durchsetzt.

634 **Neben dieser allgemeinen Vormerkung nach § 883 BGB gibt es noch eine Sonderform der Vormerkung, die sog. Löschungsvormerkung nach § 1179 BGB** (LöV). Der Unterschied zwischen diesen beiden Vormerkungen besteht darin:

- die allgemeine Vormerkung sichert den Anspruch auf den zukünftigen Erwerb (bzw. die Aufhebung oder Änderung) eines Rechts

– die LöV sichert den Anspruch eines nachrangigen Berechtigten der Abteilung II des Grundbuchs auf Löschung eines vorgehenden Grundpfandrechts für den Fall, daß es sich mit dem Eigentum vereinigt; dies ist ein bedingter Anspruch auf Rangverbesserung und richtet sich gegen den Eigentümer als zukünftigen Inhaber des Grundpfandrechts.

Beispiel: Der Inhaber eines erstrangig eingetragenen Nießbrauchsrechts tritt zugunsten einer Hypothek zurück, läßt sich jedoch gleichzeitig den Anspruch auf ein späteres Wiederaufrücken durch eine Löschungsvormerkung bei der Hypothek sichern. Beachte: Für den Gläubiger eines nachrangigen Grundpfandrechts kann eine LöV nicht eingetragen werden, weil er einen gesetzlichen Löschungsanspruch gemäß § 1179a BGB hat (s. dazu Rz. 1015 ff.).

In diesem Abschnitt soll nur die allgemeine Vormerkung, und zwar im wesentlichen in ihrer weitaus wichtigsten Form, der EV, behandelt werden. Die LöV wird im Anschluß an die Behandlung der Grundpfandrechte dargestellt (s. Rz. 716).

II. Die Entstehung der Vormerkung

1. Die materiellen Voraussetzungen

a) Die Vormerkung sichert einen schuldrechtlichen Anspruch auf eine dingliche Rechtsänderung

635 Vormerkbar sind alle schuldrechtlichen Ansprüche auf Einräumung, Aufhebung, Inhalts- oder Rangänderung eines dinglichen Rechts, z. B. auf Übertragung des Eigentums, auf Erhöhung einer Reallast zur Sicherung des Erbbauzinses. Der gesicherte Anspruch ist die materiellrechtliche Voraussetzung für die Entstehung und das Fortbestehen einer Vormerkung.

b) Der zu sichernde Anspruch muß auf die Eintragung eines nach der geschlossenen Typologie der Grundstücksrechte eintragungsfähigen Rechts gerichtet sein

636 Nicht eintragungsfähig ist deshalb z. B. eine Vormerkung zur Sicherung des Anspruchs auf den Abschluß eines Miet- oder Pachtvertrages.

c) Der gesicherte Anspruch muß bestimmt oder bestimmbar sein (Auswirkung des Bestimmtheitsgrundsatzes)

637 **Beispiel:** V verkauft an K aus seinem Grundstück eine noch zu vermessende Teilfläche. Die Auflassung soll erklärt werden, wenn die Vermes-

sung erfolgt ist. Die Teilfläche muß in dem Kaufvertrag durch Beschreibung oder Lageskizze genau bezeichnet sein (vgl. BayObLG DNotZ 1985, 44). Es genügt allerdings auch, wenn die aufzulassende Fläche später von einer Vertragspartei oder von einem Dritten gemäß §§ 315, 317 BGB zu bestimmen ist.

d) Auch der Vormerkungsberechtigte muß bestimmt oder bestimmbar sein

638 Der Bestimmtheitsgrundsatz gilt auch für die Person des Berechtigten. Eine Vormerkung kann deshalb nur für eine von vorneherein bestimmte oder nach objektiven Kriterien bestimmbare natürliche oder juristische Person eingetragen werden, z.B. Vormerkung auf Rückübertragung „für den Längstlebenden der Veräußerer" (LG Köln MittRhNotK 1981, 237). Zulässig ist auch **eine Vormerkung für Gesamtberechtigte** nach § 428 BGB, wenn der Anspruch von jedem der Berechtigten in vollem Umfang geltend gemacht werden kann.

e) Der Vorgemerkte muß auch der Gläubiger des gesicherten Anspruchs sein

639 Das ergibt sich aus der Akzessorietät der Vormerkung. Problematisch sind deshalb die Fälle, bei denen der Erwerber erst später benannt werden soll. **Beispiel:** Ein Makler oder Bauträger, der seine Käufer noch suchen muß, aber den Verkäufer bereits binden will, läßt sich von diesem ein Angebot auf Verkauf des Grundstücks an einen von ihm noch zu benennenden Dritten machen.

In diesen Fällen erfolgt die Vertragsgestaltung meist durch die Aufteilung der Beurkundung in Angebot und Annahme: Der Eigentümer A erklärt gegenüber dem Bauträger B ein Vertragsangebot in der Weise, daß B berechtigt ist, den Käufer C zu benennen. Für C kann – wegen des Bestimmtheitsgrundsatzes – eine EV erst eingetragen werden, wenn er durch B bestimmt ist (BGH DNotz 1983, 486 m.w.N.). Regelmäßig handelt es sich jedoch um das Angebot eines echten Vertrages zugunsten Dritter, bei dem die Übertragung an C sowohl der Versprechensempfänger B als auch – nach seiner Benennung – der Dritte C verlangen können (§§ 328 I, 335 BGB). Der durch die Annahme entstehende künftige Anspruch des B auf Übereignung an den – noch nicht benannten – C kann durch EV für den Versprechensempfänger B gesichert werden (BGH NJW 1983, 1543). Nach seiner Benennung erlangt auch C einen eigenen vormerkungsfähigen Anspruch (§ 328 I BGB). Zum Schutz gegen Zwischeneintragungen kann aber B seinen bereits vorgemerkten Anspruch auf Übereignung und damit gem. § 401 BGB auch die Vormerkung an C abtreten, wodurch der Vormerkungsschutz des B auf C übergeht (HSS Rz. 1494, 1497 m.w.N.).

f) Der Anspruch kann auf Vertrag, auf einer Verfügung von Todes wegen oder auf dem Gesetz beruhen. Beispiele:

- V und K schließen einen Kaufvertrag über das Grundstück. V bewilligt und K beantragt zur Sicherung des Anspruchs auf den Erwerb des Eigentums die Eintragung einer Vormerkung. **640**
- Nach dem Eintritt des Erbfalls kann der Anspruch des Vermächtnisnehmers gegen den Erben auf Übertragung des ihm vermachten Grundstücks (§ 2174 BGB) durch Vormerkung gesichert werden (BGH NJW 1954, 633 = DNotZ 1954, 264); vor dem Erbfall kann eine Vormerkung nicht eingetragen werden, denn bis dahin hat der künftige Vermächtnisnehmer noch keinen Anspruch, noch nicht einmal eine sicherbare Anwartschaft! (s. Rz. 642; vgl. jedoch Rz. 665 ff.).
- V hat gegen K aus ungerechtfertigter Bereicherung einen Anspruch auf Rückübertragung des Grundstücks, z. B. infolge wirksamer Anfechtung des Kaufvertrages. Auch dieser Anspruch kann bis zu seiner Durchsetzung durch eine Vormerkung gesichert werden (§§ 885 BGB, 935 ZPO).

g) Der Anspruch muß gültig entstanden sein und noch bestehen (Akzessorietät der Vormerkung)

641 Als lediglich vorbereitendes Sicherungsmittel steht und fällt die Vormerkung mit der Gültigkeit oder Ungültigkeit des vorgemerkten Anspruchs. **Beispiele:**

- V veräußert durch Kaufvertrag mit Auflassung ein Grundstück an K. Sie geben bei der Beurkundung einen falschen Kaufpreis an. Zur Sicherung des K wird eine EV eingetragen.
  Der beurkundete Kaufvertrag ist als Scheingeschäft nichtig (§ 117 BGB) und der wirklich gewollte Kaufvertrag ist nicht beurkundet und damit wegen Formmangels nichtig (§ 313 BGB). Es besteht deshalb kein Übereignungsanspruch des K. Die trotzdem eingetragene EV ist unwirksam (s. Rz. 162).
- Beispiel wie vorstehend. Trotz der Unwirksamkeit des Kaufvertrages kommt es zur Eintragung des K als Eigentümer. Dadurch wird der Mangel der Form geheilt (§ 313 Satz 2 BGB). Zwischen der Eintragung der EV für K und seiner Eintragung als Eigentümer ist jedoch eine Zwangshypothek für G eingetragen worden. Die Hypothek wirkt auch gegenüber dem K, denn der Mangel der Beurkundungsform wird erst im Zeitpunkt der Eintragung ex nunc geheilt (s. Rz. 111–116). Zur Zeit der Eintragung der Zwangshypothek bestand jedoch kein Übertragungsanspruch und deshalb kein Vormerkungsschutz für K.
- Erfährt der Inhalt des gesicherten Anspruchs eine wesentliche Änderung, bedarf dies zur weiteren Wirksamkeit der Vormerkung der Ein-

tragung im Grundbuch (OLG Frankfurt, MittBayNot 1994, 133: Verlängerung der Annahmefrist für ein Verkaufsangebot).
- Wird zu einem Schwarzkauf vor Grundbuchvollzug ein Nachtrag mit richtiger Kaufpreisangabe beurkundet, so soll dadurch die bereits eingetragene EV ohne Löschung und Neueintragung wirksam werden, allerdings ohne Rückwirkung (OLG Frankfurt DNotZ 1995, 539; Wakke, Vorgemerkter Schwarzkauf und Bestätigung oder Novation, DNotZ 1995, 507).

h) Auch künftige oder bedingte Ansprüche können durch Vormerkung gesichert werden (§ 883 I 2 BGB)

642 Auch sie müssen aber nach Inhalt und Gegenstand bestimmt oder mindestens bestimmbar sein. **Beispiele:**
- V bietet dem K durch notariell beurkundete Erklärung den Kauf des Grundstücks an – auch Einräumung einer „Option" genannt – (zu Kaufangebot und Annahme s. §§ 313, 128, 152 BGB; BGH NJW 1981, 446 = DNotZ 1981, 179
- Die Stadt S verkauft verbilligte Baugrundstücke an bauwillige Käufer. Da die Stadt eine Spekulation mit dem Grundstück oder ein unbebautes Liegenlassen des Grundstücks ausschließen will, wird im Vertrag vereinbart: „Für den Fall, daß das Grundstück nicht innerhalb von 3 Jahren von den Käufern mit einem Wohnhaus im Rahmen des Bebauungsplans bebaut wird oder die Erwerber das Grundstück innerhalb von drei Jahren veräußern, ist es gegen Erstattung des Kaufpreises und der bis dahin bezahlten Erschließungsbeiträge kosten- und lastenfrei an die Stadt zurückzuübertragen."
- Im Übergabevertrag über ein Hausgrundstück behalten sich die Eltern für den Fall, daß die übernehmende Tochter die vereinbarten Pflegeleistungen nicht erbringt oder vertragswidrig über das Grundstück verfügt, das Rücktrittsrecht von dem Vertrag und daraus folgend den Anspruch auf Rückübertragung des Grundstücks vor (OLG Zweibrücken Rpfleger 1981, 189).
- Der Verkäufer behält sich für den Fall, daß der Käufer seine Zahlungsverpflichtung nicht erfüllt, den Rücktritt vom Kaufvertrag vor.

643 **Der aufschiebend bedingte Rückübertragungsanspruch kann durch eine Vormerkung gesichert werden** (Vormerkung auf Rückübereignung). In der Vertragspraxis ergibt sich dabei allerdings ein **Rangproblem**, wenn der Grundstückseigentümer das Grundstück beleihen will, weil dann die eingetragene Vormerkung der erstrangigen bzw. ranggerechten Sicherung von Krediten (Bau- und Umbaukredite) im Wege steht. Im zweiten Beispielsfall wird deshalb die Stadt von Fall zu Fall jedem Grundpfandrecht, das der Finanzierung des Bauvorhabens dient, durch Rangrücktritt den Vorrang vor ihrer Vormerkung einräumen. Nach Erstellung des Hauses und dem Ablauf der Bindungsfrist wird die Vormerkung gegenstandslos, und die Stadt muß die Löschung bewilligen.

i) Nicht notwendig ist, daß die Entstehung des künftigen Anspruchs nur von dem Willen des Vormerkungsberechtigten abhängt (BGH LM § 883 Nr.13 = MDR 1974, 919)

644 **Beispiel:** E hat für den Fall, daß er sein Grundstück verkauft, seinem Nachbarn N vertraglich das Recht eingeräumt, die Übertragung des Grundstücks zu einem bestimmten Preis zu verlangen. Hier handelt es sich nicht um ein dingliches Vorkaufsrecht, sondern um ein nicht eintragungsfähiges schuldrechtliches Vorkaufsrecht (s. Rz. 810). Zur Sicherung des bedingten Übertragungsanspruchs ist eine EV eingetragen worden. E verkauft nunmehr das Grundstück an K. Die Entstehung eines Übereignungsanspruchs des N hängt hier davon ab, daß E verkauft und daß N das ihm dadurch zustehende Vorkaufsrecht ausübt.

j) Ein Sonderproblem ist die Vormerkung schwebend unwirksamer Ansprüche

645 Bedarf das Rechtsgeschäft, aus dem sich der Anspruch ergibt, noch einer Genehmigung, so ist der Anspruch zunächst schwebend unwirksam. Mit der Genehmigung endet der Schwebezustand und das Rechtsgeschäft wird voll wirksam (§ 184 BGB). Eine rechtswirksame Verweigerung der Genehmigung macht dagegen das bis dahin schwebend unwirksame Rechtsgeschäft endgültig unwirksam. Mit dem Erlöschen des Anspruchs erlischt auch die Wirkung der eingetragenen Vormerkung; das Grundbuch wird insoweit unrichtig und der Eigentümer hat gegen den Vorgemerkten den Anspruch auf Grundbuchberichtigung (§ 894 BGB). Eine einmal rechtswirksam erklärte Verweigerung der Genehmigung ist unwiderruflich (BGH NJW 1954, 1155 = DNotZ 1954, 407). Für eine Neubegründung des Anspruchs müßte das Rechtsgeschäft erneut abgeschlossen und damit ein neuer genehmigungsfähiger Tatbestand geschaffen werden. Der darauf begründete neue Übereignungsanspruch kann auch nicht durch die alte verbrauchte Vormerkung, sondern nur durch eine neue Vormerkung gesichert werden.

k) Gebundenheit des Bewilligenden

646 Eine Vormerkung für künftige und bedingte Ansprüche kann nur eingetragen werden, wenn der Rechtsboden für die Entstehung des Anspruchs soweit vorbereitet ist, daß die Bindung nicht mehr einseitig durch den Schuldner beseitigt werden kann (Palandt/Bassenge § 883 Rz. 15–18; BayObLG NJW 1978, 166 m.w.N.). Daraus ergibt sich für die Praxis:

- **Wird der Erwerber durch einen Vertreter ohne Vertretungsmacht vertreten**, so kann die EV sofort bewilligt und eingetragen werden (KG NJW 1971, 1319).
- **Wird der Veräußerer durch einen Vertreter ohne Vertretungsmacht vertreten**, so ist die Eintragung einer EV erst zulässig, wenn der Vertretene genehmigt hat und dadurch die Bindung eingetreten ist (BayObLGZ 1972, 397; BayObLG Rpfleger 1977, 361 s. Rz. 648).
- **Bedarf das Rechtsgeschäft noch einer behördlichen Genehmigung** (z.B. nach dem GrdstVG oder dem BauGB), so kann in der Regel eine Vormerkung eingetragen werden (RGZ 108, 91). Dies ist jedoch nicht möglich, wenn für eine Veräußerung durch eine Zivilgemeinde, Kirchengemeinde oder Stiftung noch die Genehmigung einer Aufsichtsbehörde aussteht, weil erst mit der Genehmigung eine Bindung der Veräußererseite eintritt.

l) **Sonderfall vormundschaftsgerichtliche Genehmigung:**

647 – **Ist zur Verfügung auf der Veräußererseite die Genehmigung des Vormundschaftsgerichts erforderlich,** kann nach bisher h.M. eine Vormerkung erst eingetragen werden, wenn die Genehmigung erteilt, gem. § 1829 BGB dem Vertragspartner vom gesetzlichen Vertreter mitgeteilt und dadurch wirksam geworden ist, weil erst mit dieser Mitteilung die Bindung des Minderjährigen eintritt (HSS Rz. 1492; OLG Oldenburg DNotZ 1971, 484; OLG Celle DNotz 1980, 554; a.A. MünchKomm-Wacke § 885 Rz. 23 sowie neuerdings BayObLG DNotZ 1994, 182). Gegen die bisher h.M. sprechen folgende Gründe: Die Eintragung der EV zwingt weder das Vormundschaftsgericht zur Erteilung der Genehmigung noch den gesetzlichen Vertreter zur Mitteilung der erteilten Genehmigung an den Vertragspartner. Das vertretene Mündel wird durch die Vormerkung nicht gefährdet, denn ihre Wirkung entfällt und es besteht ein Anspruch auf Grundbuchberichtigung, wenn die zu der Verfügung über das Grundstück erforderliche Genehmigung verweigert oder dem Vertragsgegner nicht mitgeteilt wird. Demgegenüber gibt es Fälle, in denen ein legitimes Schutzbedürfnis des Erwerbers besteht.
- **Bedarf der Vertrag auf der Erwerberseite einer Genehmigung des Vormundschaftsgerichts,** so kann eine EV schon vorher eingetragen werden, da der Veräußerer bereits gebunden ist (BayObLG DNotZ 1994, 182).

Zu der in der Praxis üblichen „Doppelermächtigung“ s. Rz. 253 f.

648 **Keine EV bei Vertretung des Veräußerers ohne Vertretungsmacht.** Es sind Fälle denkbar, in denen die Eintragung einer EV bereits vor einer vollen Bindung auf der Veräußererseite zwar zweckmäßig wäre, aber nicht möglich ist. **Beispiel:** Eine Erbengemeinschaft veräußert ein Grund-

stück. Einer der Miterben wird bei der Beurkundung von einem Vertreter ohne Vertretungsmacht vertreten. Ein anderer Miterbe ist verschuldet und es besteht die Gefahr, daß Gläubiger Zugriff auf seinen Erbteil und damit auf das Grundstück nehmen. Hier haben alle Beteiligten ein berechtigtes Interesse, daß die Durchführung des Vertrages durch die schnelle Eintragung einer EV abgesichert wird. Dies ist jedoch vor der Genehmigung durch den vertretenen Miterben nicht möglich.

649 **Zusammenfassung: Die Vormerkung ist ein akzessorisches Sicherungsmittel.** Dies zeigt sich:
- **bei der Entstehung:** Voraussetzung ist ein gültiger, wenn auch eventuell nur bedingter oder künftiger Anspruch
- **beim Untergang:** die Vormerkung verliert ihre Wirkung mit dem Untergang des gesicherten Anspruchs, z.B. mit der Errichtung des Hauses bzw. dem Ablauf der Bindungsfrist wird der bedingte Rückübertragungsanspruch der Stadt gegenstandslos
- **bei der Übertragung:** die Vormerkung ist an den Anspruch gebunden. Eine selbständige Übertragung ist nicht möglich. Mit der Übertragung des Anspruchs (§ 398 BGB) geht die Vormerkung als Annex in entsprechender Anwendung von § 401 BGB auf den Zessionar über, ohne daß es dazu einer besonderen Übertragung bedürfte (BayObLG DNotZ 1972, 233 = Rpfleger 1972, 16). Das gleiche gilt, wenn der Anspruch kraft Gesetzes übergeht (§ 412 BGB). Dadurch wird das Grundbuch unrichtig. Die Umschreibung der Vormerkung auf den Zessionar ist nur Grundbuchberichtigung.

2. Die formellen Eintragungsvoraussetzungen

a) Keine Einigung erforderlich

650 Zum Erwerb von Rechten an einem Grundstück sind Einigung und Eintragung erforderlich (§ 873 BGB). Dies gilt nicht für die Vormerkung, da sie kein Recht „am Grundstück" ist. § 885 BGB gibt deshalb eine Sondervorschrift für die Begründung einer Vormerkung. Danach erfolgt die Eintragung aufgrund einer einseitigen **Bewilligung des Betroffenen** (dies ist in der Grundbuchpraxis der Hauptfall) **oder aufgrund einstweiliger Verfügung.** Eine materiellrechtliche Einigung beider Teile nach der Regel des § 873 BGB ist nicht erforderlich (BGH NJW-RR 1989, 198).

b) Die bewilligte Vormerkung

651 **Die Bewilligung der Eintragung durch den Betroffenen ist eine einseitige empfangsbedürftige Willenserklärung.** Sie ist nicht schon in der dinglichen Einigung über die Rechtsänderung oder in der formellen Eintragungsbewilligung für die endgültige Rechtsänderung, auch nicht in einer Auflassungsvollmacht enthalten (BayObLG DNotZ 1979, 426). **Bei-**

spiel: V und K schließen einen Kaufvertrag und erklären die Auflassung. Darin ist die Bestellung einer EV für K noch nicht enthalten; sie bedarf der besonderen Bewilligung durch V.

652 **Die Vormerkung für mehrere Berechtigte.** Soll die Vormerkung für mehrere Berechtigte eingetragen werden, muß die Bewilligung auch die Angabe des Gemeinschaftsverhältnisses enthalten (§ 47 GBO) z.B.:
- Eheleute als Miteigentümer zu je 1/2
- Eheleute in Gütergemeinschaft (§§ 1415 ff. BGB)
- Eheleute als Gesamtberechtigte gem. § 428 BGB; in diesem Fall kann jeder der Gesamtberechtigten die Leistung verlangen und der Schuldner an jeden von ihnen leisten
- A, B und C als Gesellschafter zur gesamten Hand.

653 **Die Abgabe der Erklärung erfolgt gegenüber dem Gläubiger oder dem Grundbuchamt.** Sie ist eine -an sich formlose- materiellrechtliche Willenserklärung. Begrifflich davon zu unterscheiden ist die grundbuchrechtliche Bewilligung, die gemäß §§ 19, 29 GBO in öffentlicher oder öffentlich beglaubigter Urkunde vorzulegen ist. In der Praxis wird jedoch in aller Regel von dem Betroffenen nur eine Erklärung abgegeben, die dann sowohl die materiellrechtliche Einräumung als auch die formalrechtliche Eintragungsbewilligung bildet.

654 **Die Bewilligung kann auch durch Urteil ersetzt werden.** Mit der Rechtskraft des Urteils, mit dem der Schuldner zur Abgabe der Eintragungsbewilligung für die Vormerkung verurteilt wird, gilt diese als abgegeben (§ 894 ZPO).

c) Die Vormerkung aufgrund einstweiliger Verfügung

655 **Eine Vormerkung kann auch aufgrund einstweiliger Verfügung eingetragen werden** (§ 885 I 1 BGB). Dies ist von Bedeutung, wenn der Betroffene nicht bereit ist, die verlangte Eintragungsbewilligung abzugeben. Die einstweilige Verfügung ersetzt die Bewilligung des Betroffenen. Zuständig dafür ist nicht das Grundbuchamt, sondern das Prozeßgericht, und zwar entweder das Gericht der Hauptsache (§ 937 ZPO) oder in Eilfällen das Amtsgericht der belegenen Sache (§ 942 ZPO). Die Eintragung im Grundbuch erfolgt dann entweder aufgrund eines Ersuchens durch das Prozeßgericht (freies Ermessen des Gerichts §§ 941 ZPO, 38 GBO) oder auf Eintragungsantrag des Gläubigers. Dabei sind die Fristen der §§ 929, 932, 936 ZPO zu beachten.

656 **Allgemeine Voraussetzungen.** Nach § 935 ZPO sind „einstweilige Verfügungen" in Bezug auf den Streitgegenstand zulässig, wenn zu besorgen ist, daß durch eine Veränderung des bestehenden Zustandes die Verwirklichung des Rechts einer Partei vereitelt oder wesentlich erschwert werden könnte. Grundsätzlich müssen also in einem einstweiligen Verfügungsverfahren glaubhaft gemacht werden:

- ein Anspruch (der Verfügungsanspruch) und
- die Gefährdung dieses Anspruchs (der Verfügungsgrund).

Besonderheit im Grundstücksrecht: Für den Erlaß einer einstweiligen Verfügung auf Eintragung einer Vormerkung genügt es, daß lediglich der zu sichernde Anspruch glaubhaft gemacht wird. Eine Gefährdung des Anspruchs braucht hier -anders als im Recht der beweglichen Sachen- nicht glaubhaft gemacht zu werden (§ 885 I 2 BGB). Die Gefährdung ergibt sich daraus, daß bis zur Eintragung der Rechtsänderung noch anspruchsvereitelnde oder -erschwerende Verfügungen über das Grundstück oder Beschränkungen der Verfügungsbefugnis des Eigentümers möglich sind und dies wegen des Vermögenswerts des Grundstücks u.U. für den Anspruchsberechtigten eine erhebliche Schädigung zur Folge haben kann. Erforderlich ist aber -zur Vermeidung der Kostenfolge aus § 93 ZPO-, daß der Grundstückseigentümer vorher vergeblich zur Abgabe einer Bewilligungserklärung aufgefordert worden ist. **657**

Keine Verzichtserklärung. Ein vom Gläubiger im Verpflichtungsgeschäft erklärter „Verzicht" auf eine Vormerkung ist im Zweifel nur als Erklärung zu verstehen, gegenwärtig keine Vormerkung zu wünschen, so daß der Gläubiger sie später doch durch einstweilige Verfügung erwirken kann (Friese DNotZ 1955, 243; OLG Frankfurt NJW 1958, 1924). **658**

d) Die Vormerkung aufgrund vorläufig vollstreckbaren Urteils

Eine Vormerkung ist auf Antrag auch einzutragen, wenn der Gläubiger ein vorläufig vollstreckbares Urteil vorlegt, durch das der Schuldner zur Abgabe einer Willenserklärung verurteilt wird, aufgrund deren die Eintragung des endgültigen Rechts im Grundbuch erfolgen soll (Eintragungs- oder Löschungsbewilligung, Auflassungserklärung), § 895 ZPO. Dem Grundbuchamt ist hierzu eine Ausfertigung des vorläufig vollstreckbaren Urteils vorzulegen; Vollstreckungsklausel und Zustellungsnachweis sind nicht erforderlich (BGH Rpfleger 1969, 425). **659**

3. Die Eintragung im Grundbuch

Zur Eintragung der Vormerkung im Grundbuch sind erforderlich: **660**

- Eintragungsbewilligung des Betroffenen, rechtskräftiges oder vorläufig vollstreckbares Urteil oder einstweilige Verfügung (§§ 885 I BGB, 894, 895 ZPO)
- ein Antrag des Betroffenen oder des Begünstigten (§ 13 GBO)
- die Voreintragung des Betroffenen (§ 39 GBO); Ausnahme § 40 GBO (s. Rz. 394).

Der Antrag sollte grundsätzlich durch den Begünstigten gestellt werden, damit er nicht ohne dessen Mitwirkung zurückgenommen oder zurückgewiesen werden kann. Stellt der Notar den Antrag ausdrücklich unter Bezugnahme auf § 15 GBO ohne anzugeben, in wessen Namen er handelt, wird vermutet, daß er dies im Namen aller Beteiligten, also auch des Begünstigten tut (HSS Rz. 174ff.).

661 **Eintragungsstelle.** Die Eintragung einer Eigentumsvormerkung erfolgt in der Abteilung II des Grundbuchs, und zwar ganzspaltig, die spätere Eintragung des vorgemerkten Eigentümers in Abteilung I. Die Eintragung anderer Vormerkungen erfolgt in der Abteilung, in der später das vorgemerkte Recht eingetragen wird, z. B. die Vormerkung zur Sicherung des Anspruchs auf Erhöhung einer Reallast in Abteilung II, die Vormerkung für eine Hypothek in Abteilung III (§ 12 GBV). Die spätere Eintragung des dinglichen Rechts kommt daneben in die rechte Hälfte, weil sich der Rang innerhalb derselben Abteilung nach der Reihenfolge der Eintragungen richtet (§§ 879 I 1 BGB, 19 I GBV).

662 **Der zu sichernde Anspruch muß dem GBAmt nicht nachgewiesen werden;** es ist deshalb nicht erforderlich, den schuldrechtlichen Vertrag vorzulegen. Anzugeben ist jedoch der Rechtsgrund des Anspruchs, z. B. „Kaufvertrag UR.-Nr. ...“ Das GBAmt ist grundsätzlich nicht befugt zu prüfen, ob der schuldrechtliche Anspruch wirklich besteht. Nur wenn es positiv weiß, daß der zu sichernde Anspruch nicht besteht oder nicht vormerkbar ist oder bei bedingten Ansprüchen keine feste Rechtsgrundlage gegeben ist und das Grundbuch durch die Eintragung unrichtig würde, hat es die Eintragung abzulehnen oder durch Zwischenverfügung zu beanstanden.

III. Zur Vertragsgestaltung

1. Die Interessenlage bei Grundstücksveräußerungen

663 Die Eintragung einer Vormerkung gibt dem Erwerber eine **Sicherheit gegen vormerkungswidrige Verfügungen** über das Grundstück. Andererseits **belastet sie den Veräußerer,** wenn das Geschäft scheitert, weil er dann gegen den Erwerber die Löschung der EV betreiben muß und solange die **Verkehrsfähigkeit des Grundstücks eingeschränkt** ist. Dieses Problem kann sich insbesondere stellen, wenn der Vertrag dadurch scheitert, daß:

- der Angebotsempfänger die Annahme nicht erklärt
- der ohne Vertretungsmacht vertretene Erwerber nicht genehmigt
- der Kaufpreis nicht bezahlt wird
- der Vertrag durch Rücktritt aufgelöst wird.

Wenn mit einer solchen Komplikation gerechnet werden muß, kommen in Betracht:

- Eintragung der EV erst nach:
  - Rechtswirksamkeit des Vertrages
  - Vorlage einer Finanzierungsbestätigung
  - Hinterlegung eines Kaufpreisteilbetrages auf Notaranderkonto zur Absicherung etwaiger Schadensersatzansprüche des Verkäufers
- die Abgabe einer vorweggenommenen Löschungsbewilligung (sog. Schubladenbewilligung) durch den Vorgemerkten (s. dazu Beck'sches Notarhandbuch (Amann) A I Rz. 173 und RAB-Albrecht Rz. 385).

2. Die Kostenfrage

664 **Ob der Erwerber eines Grundstücks die vorläufige Sicherung seines Erwerbsanspruchs durch eine EV beantragt, ist für ihn meist eine Kostenfrage.** Für die Bewilligung der EV in der notariellen Urkunde über das Verpflichtungsgeschäft (Kaufvertrag usw.) erfällt zwar keine Gebühr, da sie kostenrechtlich als Sicherungserklärung mit der Begründung des Übereignungsanspruchs gegenstandsgleich ist (§ 44 I KostO). Für die Eintragung der EV im Grundbuch erfällt jedoch eine 1/2 Gebühr, gerechnet vom Kaufpreis bzw. Wert des Grundstücks (§ 66 KostO). Für die Löschung der EV bei Umschreibung des Eigentums wird vom GBAmt eine weitere 1/4 Gebühr erhoben (§§ 66, 68 KostO).

In der Vertragspraxis hat dies zur Folge: Besteht zwischen den Parteien ein Vertrauensverhältnis, wird vom Erwerber vielfach auf die Eintragung einer EV aus Kostengründen verzichtet. Sie sollte aber in der Regel dennoch vom Veräußerer bewilligt werden, so daß der Erwerber noch jederzeit nachträglich den Antrag auf Eintragung stellen kann. In allen Fällen, in denen mit einer längeren Abwicklungszeit gerechnet werden muß, z. B. bei Messungskäufen sowie bei erheblichen Vorleistungen des Käufers, empfiehlt sich jedoch, eine EV einzutragen.

3. Veräußerungs- und Belastungsverbote und ihre Sicherung durch Vormerkung

665 **Häufig besteht in der Vertragspraxis das Bedürfnis, auch in solchen Fällen eine Sicherung zu schaffen, in denen kein vormerkungsfähiger Anspruch gegeben ist.** Dies kann durch die Zwischenschaltung eines vertraglichen Veräußerungs- und Belastungsverbots geschehen. Die Problematik und konstruktive Lösung sei an folgendem **Beispiel** demonstriert: Der Grundstückseigentümer E vermacht im Rahmen einer Vermögensauseinandersetzung anläßlich seiner Wiederverheiratung in einem Erbvertrag seinem Sohn S das Hausgrundstück. Eine ähnliche Interessenlage ist gegeben, wenn der zukünftige Vermächtnisnehmer im Vertrauen auf die versprochene Zuwendung im Betrieb des Erblassers mitarbeitet, Pflegeleistungen für ihn erbringt, Investitionen in das Grundstück vornimmt

oder bereits Abfindungen an weichende Geschwister leistet. S fragt, ob und wie er gesichert sei, daß er das Grundstück nach dem Tode des Vaters auch tatsächlich erhalte.

666 **Keine unmittelbare Sicherung.** Nach § 883 I 2 BGB können nicht nur gegenwärtige, sondern auch zukünftige oder bedingte Ansprüche durch eine Vormerkung gesichert werden. Es fragt sich deshalb, ob auch der zukünftige Übereignungsanspruch des Vermächtnisnehmers aus § 2174 BGB gegen den oder die Erben ein vormerkungsfähiger Anspruch ist. Dies ist nicht der Fall. Zwar bewirkt der Erbvertrag (hier: Vermächtnisvertrag) eine erbrechtliche Bindung des Erblassers (§ 2289 I 2 BGB). Eine spätere Verfügung von Todes wegen wäre unwirksam, soweit sie die erbvertragliche Verfügung beeinträchtigen würde. Es entsteht jedoch **nur eine erbrechtliche Bindung.** Durch den Erbvertrag wird das Recht des Erblassers, über sein Vermögen durch Rechtsgeschäfte unter Lebenden zu verfügen, nicht beeinträchtigt (§ 2286 BGB). Er könnte also auch noch nach dem Vermächtnisvertrag das Hausgrundstück veräußern oder belasten. Der Vertragserbe ist lediglich im Rahmen der erbrechtlichen Bindungen des Erblassers gem. §§ 2287, 2288 BGB geschützt. Die Entstehung des Vermächtnisanspruchs könnte also von E selbst noch rechtsgeschäftlich vereitelt werden. Hinzu kommt, daß die Rechte eines Vertragserben oder eines erbvertraglichen Vermächtnisnehmers davon abhängen, daß er den Erbfall erlebt (§ 1923 I BGB), und deshalb erst mit dem Erbfall entstehen. Der Erbvertrag begründet daher für S keinen künftigen „Anspruch", sondern bis zum Erbfall lediglich eine tatsächliche Aussicht auf den künftigen Erwerb. **Da kein Anspruch besteht, ist eine unmittelbare Sicherung durch eine EV nicht möglich** (BGH NJW 1954, 633 = DNotZ 1954, 264).

667 **Mittelbare Sicherung durch Veräußerungs- und Belastungsverbot.** Eine Sicherung des S kann jedoch in folgender Weise erreicht werden: E verpflichtet sich gegenüber dem S, das Grundstück nicht ohne dessen Zustimmung zu veräußern oder zu belasten (Verfügungsunterlassungsvertrag). Diese Vereinbarung kann in der Erbvertragsurkunde enthalten sein, ist aber auch dann keine erbvertragliche, sondern eine rechtsgeschäftliche Vereinbarung. Ein solches Veräußerungs- und Belastungsverbot wirkt nur schuldrechtlich, d.h. lediglich im Verhältnis zwischen den Beteiligten, nicht jedoch gegenüber Dritten (§ 137 BGB). Deshalb wird weiter vereinbart, daß S die Übertragung des Grundstücks auf sich verlangen kann, falls E entgegen der eingegangenen Verpflichtung das Grundstück veräußert oder belastet, eventuell unter gleichzeitiger Eintragung eines Nießbrauchsrechts für E. Dieser bedingte Übertragungsanspruch des S kann gem. § 883 I 2 BGB durch eine EV im Grundbuch gesichert werden (BayObLG NJW 1978, 700 = DNotZ 1979, 27; OLG Zweibrücken Rpfleger 1981, 189).

IV. Die Wirkungen der Vormerkung

1. Keine Verfügungsbeschränkung und keine Grundbuchsperre

668 **Durch den Abschluß eines Verpflichtungsgeschäfts wird der Eigentümer nicht in seiner Verfügungsmacht beschränkt**; er bleibt so lange über sein Eigentum verfügungsberechtigt, bis der Erwerber eingetragen wird. Auch die zur Sicherung des Anspruchs aus dem Verpflichtungsgeschäft bestellte Vormerkung schränkt die Verfügungsmacht des Eigentümers nicht ein.

Die Vormerkung bewirkt auch keine Grundbuchsperre; eine solche Sperre würde den Rechtsverkehr im Grundstücksrecht in unangemessener Weise einschränken. Das Grundbuchamt muß, trotz eingetragener Vormerkung, auch einen (ordnungsgemäß vorgelegten) vormerkungswidrigen Antrag ausführen. **Beispiel:** Für K ist eine EV eingetragen. Das Finanzamt ersucht wegen Steuerschulden des Noch-Eigentümers gemäß §§ 322 AO, 38 GBO das GBAmt um die Eintragung einer Zwangshypothek. Das GBAmt muß dem Ersuchen entsprechen.

2. Die Rangwirkung der Vormerkung

a) Die Rangfolge von Rechten an Grundstücken richtet sich nach der Reihenfolge der Eintragungen (§ 879 BGB)

669 Die Vormerkung ist zwar kein dingliches Recht am Grundstück, aber sie hat eine rangwahrende Wirkung (§ 883 III BGB). **Wird das vorgemerkte Recht eingetragen, so richtet sich sein Rang nicht nach dem Zeitpunkt seiner Eintragung, sondern nach dem früher liegenden Zeitpunkt, in dem die Vormerkung eingetragen wurde**; es rückt – entgegen § 890 BGB – an die Rangstelle, die es eingenommen hätte, wenn es anstelle der Vormerkung sofort eingetragen worden wäre. Die Vormerkung hat also eine **Platzhalterfunktion**. Da die Vormerkung in diesem Sinne einen Rang hat, kann sie auch zugunsten anderer Rechte im Rang zurücktreten und es kann -bei bewilligter Vormerkung, nicht auch bei einer aufgrund einstweiliger Verfügung eingetragenen Vormerkung- auch ein Rangvorbehalt eingetragen werden.

670 **Die Vormerkung wirkt auch gegen den Erben** (§ 884 BGB). Stirbt der Schuldner des gesicherten Anspruchs, so hat der Erbe den Anspruch nach den allgemeinen Vorschriften des Erbrechts zu erfüllen. Gegenüber dem Vorgemerkten haftet er unbeschränkt, unbeschränkbar und ohne aufschiebende Einreden (§§ 1975ff., 2016 BGB).

b) Die Rangwirkung der Vormerkung zeigt sich auch beim gutgläubigen Erwerb

671 Erwirbt der Vormerkungsberechtigte von einem Nichtberechtigten, so genügt es, daß sein guter Glaube an die Richtigkeit des Grundbuchs bis zu dem Zeitpunkt besteht, in dem die Eintragung der Vormerkung beantragt wird (BGH NJW 1972, 434 = DNotZ 1972, 365). Wird nach der Vormerkung ein Widerspruch gegen die Richtigkeit des Grundbuchs eingetragen oder das Grundbuch berichtigt, so wird dadurch der gutgläubige Erwerb nicht mehr verhindert (s. Rz. 706).

c) Die Vormerkung hat auch eine Rangwirkung für die Haftung des Übernehmers bei der Vermögensübernahme (§ 419 BGB):

672 Wenn das veräußerte Grundstück das (nahezu) gesamte Vermögen des Veräußerers ausmacht und der Erwerber dies weiß, haftet er als Vermögensübernehmer für die bis zum Antrag auf Eigentumsumschreibung begründeten Verbindlichkeiten des Veräußerers (s. Rz. 142). Wird jedoch für den Erwerber eine EV eingetragen, so haftet er nur für die bis zur Stellung des Antrags auf Eintragung der EV entstandenen Verbindlichkeiten (BGH NJW 1960, 1757 = DNotZ 1960, 655). Dieser Zeitpunkt ist auch maßgeblich für die haftungsbegründende Kenntnis des Erwerbers, daß das Grundstück das (nahezu) ganze Vermögen des Veräußerers ausmacht (BGH NJW 1971, 505 = DNotZ 1971, 240). **Hinweis:** Der § 419 BGB fällt mit Wirkung vom 01. Januar 1999 ersatzlos weg (Art. 33 Nr. 1 EGInsO).

3. Die relative Unwirksamkeit vormerkungswidriger Verfügungen

a) Eine vormerkungswidrige Verfügung des Eigentümers ist dem Vormerkungsberechtigten gegenüber unwirksam, wenn das vorgemerkte Recht zur Entstehung kommt (§ 883 II BGB)

673 Nur der Vorgemerkte wird geschützt, nicht dagegen jeder Dritte. Man nennt dies deshalb eine relative Unwirksamkeit. Die Vormerkung ist also ihrer Rechtsnatur nach kein dingliches Recht (gegen jeden wirksam), aber zugunsten des Vorgemerkten hat sie doch eine aufschiebend bedingte sachenrechtliche Wirkung.

b) Relativ unwirksam ist eine „Verfügung", die nach der Eintragung der Vormerkung erfolgt und den gesicherten Anspruch beeinträchtigt

674 Der Begriff „Verfügung" ist hier jedoch nicht auf die rechtsgeschäftlichen Verfügungen beschränkt. Die Vormerkung wirkt auch gegen Verfügungen, die im Wege der Zwangsvollstreckung oder der Arrestvollziehung oder durch den Konkursverwalter bzw. zukünftig den Insolvenz-

verwalter erfolgen (§ 883 II 2 BGB; s. Rz. 680–687). Ebenso wirkt sie gegen angeordnete Verfügungsbeschränkungen und Verfügungsverbote, die der Vormerkung nachgehen, z.B. gegen ein nach der Vormerkung eingetragenes Veräußerungsverbot (BGH DNotZ 1967, 33).

675 **Die lediglich relative Unwirksamkeit der vormerkungswidrigen Verfügung bedeutet, daß nur der Vormerkungsberechtigte sie geltend machen kann,** nicht dagegen auch der Schuldner des gesicherten Anspruchs oder ein Dritter. Das Grundbuch wird deshalb durch die Eintragung einer vormerkungswidrigen Verfügung nicht unrichtig. Dies zeigt sich anschaulich daran, daß im Falle der Aufhebung oder der Nichtigkeit des durch die Vormerkung gesicherten Anspruchs ein später eingetragenes Recht voll zum Tragen kommt. **Beispiel:** V verkauft ein Grundstück an K. Für K wird eine EV eingetragen. Danach wird das Grundstück mit einer Zwangshypothek für das Finanzamt belastet. Dem K gegenüber ist die Hypothek unwirksam. Wenn jedoch V und K den Kaufvertrag aufheben, erstarkt die Hypothek zu einem unbestreitbaren Recht.

c) Auf die Bewilligung einer Vormerkung ist § 878 BGB analog anzuwenden (BGH NJW 1958, 2013 = DNotZ 1959, 36; MünchKomm-Wacke § 878 Rz 16)

676 Zwar ist die Vormerkung kein dingliches Recht i.S. des § 873 BGB, sie verleiht jedoch dem durch sie geschützten schuldrechtlichen Anspruch in gewissem Umfange eine dingliche Wirkung. Die analoge Anwendung bedeutet: Ist die Eintragungsbewilligung einer Vormerkung für den Verfügenden durch Eingang der Erklärung beim GBAmt entsprechend § 875 II 1. Fall BGB bindend geworden (s. Rz. 329–331) und der Eintragungsantrag gestellt, dann ist eine nachträglich eintretende Beschränkung der Verfügungsmacht des Verfügenden dem Vorgemerkten gegenüber unwirksam.

677 **Beispiele:**

- V verkauft ein Grundstück an K. In der Kaufvertragsurkunde bewilligt V für K eine EV; der Antrag auf Eintragung der EV beim GBAmt ist gestellt. Danach, aber noch vor der Eintragung der EV für K, wird durch einen Gläubiger des V die Beschlagnahme des Grundstücks erwirkt (§§ 20, 23 ZVG). Obwohl die Vormerkung noch nicht eingetragen, sondern erst beantragt ist, wirkt sie aufgrund der Schutzwirkung des § 878 BGB wie eine bereits eingetragene Vormerkung.
- Wenige Stunden nach Eröffnung des Konkursverfahrens wird die Eintragung einer EV beantragt. Danach geht das Ersuchen des Konkursgerichts auf Eintragung des Konkursvermerks beim GBAmt ein: Bereits mit der Eröffnung des Konkursverfahrens ist die Beschränkung der Verfügungsbefugnis des Gemeinschuldners eingetreten (§ 6 KO). Deshalb kommt § 878 BGB nicht zur Anwendung. K kann jedoch

die Vormerkung gutgläubig konkursfrei erwerben, wenn das GBAmt gemäß § 17 GBO die EV vor dem Konkursvermerk einträgt, weil dann im Zeitpunkt seines Rechtserwerbs die Verfügungsbeschränkung nicht aus dem Grundbuch ersichtlich war (§§ 892 I 2, 893 BGB). Nach früher h.M. sollte das GBAmt, dem die Konkurseröffnung durch das nachträgliche Ersuchen bekannt wird, verpflichtet sein, den gutgläubigen Erwerb durch Ablehnung des Antrages zu verhindern. In der Literatur ist zwar inzwischen die Gegenmeinung herrschend geworden, wonach das GBAmt verpflichtet ist, die Anträge gemäß § 17 GBO zu vollziehen (s. Rz. 511). Solange dies jedoch noch nicht durch die Rechtsprechung bestätigt ist, ergibt sich für die Vertragspraxis: Wird bei der Vorlage des Antrags auf Eintragung einer EV die Feststellung getroffen, daß dem GBAmt keine vorgehenden Anträge oder Ersuchen vorliegen, so gibt dies dem Erwerber noch keine völlige Sicherheit. Außerdem muß noch mit der Möglichkeit einer Konkursanfechtung nach § 30 Nr. 2 KO gerechnet werden. In problematischen Fällen empfiehlt es sich deshalb, die Zahlung des Kaufpreises erst nach Eintragung der EV fällig zu stellen.

4. Die Durchsetzung des Anspruchs aus der Vormerkung

678 Nach § 883 II BGB sind vormerkungswidrige Verfügungen dem Vormerkungsberechtigten gegenüber unwirksam. Zur Löschung des nach der Vormerkung eingetragenen Rechts bedarf es jedoch aufgrund des formellen Konsensprinzips gem. § 19 GBO der Zustimmung des Betroffenen. § 888 I BGB gibt deshalb dem Vorgemerkten zur Durchsetzung seines – sich aus der relativen Unwirksamkeit ergebenden – materiellen Berichtigungsanspruchs einen **Hilfsanspruch auf Abgabe der Zustimmungserklärung** zu der von ihm beantragten Löschung des vormerkungswidrigen Rechts. Da das Grundbuch sachenrechtlich nicht unrichtig ist, scheidet ein Grundbuchberichtigungsanspruch nach § 894 BGB hier aus.

Beispiel: V hat an die Stadt K eine noch zu vermessende Teilfläche seines Grundstücks verkauft (z.B. Vorgartengelände zur Verbreiterung der Straße). Für die Stadt K ist eine EV eingetragen worden. Vor der Auflassung und Umschreibung des Eigentums an der neuzubildenden Parzelle auf die Stadt K überträgt V jedoch durch einen Schenkungsvertrag oder Übergabevertrag das ganze Hausgrundstück an seinen Sohn S. Das Eigentum wird auf S umgeschrieben. S weigert sich nun, der Stadt die inzwischen vermessene Straßenparzelle abzugeben.

679 **Welche Ansprüche hat die Stadt?**

– Von dem früheren Eigentümer V kann die Stadt aufgrund des Kaufvertrages die Auflassung der neugebildeten Parzelle verlangen, denn gemäß § 433 BGB ist der Verkäufer verpflichtet, dem Käufer „das Eigentum zu verschaffen". Dazu ist die Auflassung erforderlich. V kann sich wegen §§ 883 I, 888 I BGB nicht auf Unmöglichkeit berufen.

- Im Verhältnis zu jedem Dritten ist S Eigentümer geworden, nicht jedoch der Stadt K gegenüber. Die Stadt kann deshalb von S gemäß § 888 I BGB die Zustimmung zu ihrer Eintragung als Eigentümer verlangen. Wenn S sich weiterhin weigert, kann seine Zustimmung gemäß § 894 ZPO durch gerichtliches Urteil ersetzt werden. Da S als derzeitiger Eigentümer der dinglich Verfügungsbefugte ist, kann auch er gemäß § 267 I BGB selbst die Auflassung erklären (BGH BB 1958, 1225), ist dazu jedoch nicht verpflichtet, da zwischen ihm und der Stadt keine Vertragsbeziehungen bestehen.

5. Die Vormerkung in der Zwangsversteigerung

Literaturhinweise: Blomeyer, Die Auflassungsvormerkung in der Zwangsversteigerung, DNotZ 1979, 515; Weirich, Der Verkauf eines Grundstücks in der Zwangsversteigerung, DNotZ 1989, 143

680 **Die Vormerkung erfüllt ihre Sicherungsfunktion auch in der Zwangsversteigerung des Grundstücks.** Häufig wird versucht, die Zwangsversteigerung durch einen Verkauf des Grundstücks abzuwenden. In diesem Fall ist es zweckmäßig, so schnell wie möglich eine EV für den Käufer einzutragen. Zwar hindert die Vormerkung nicht die Anordnung oder die weitere Durchführung des Verfahrens. Sie ist kein die Versteigerung hinderndes Recht, denn der Vorgemerkte ist noch nicht Eigentümer (§§ 771 ZPO, 28 ZVG), aber sie führt zugunsten des Vorgemerkten zu einer relativen Sperrwirkung gegen weitere Belastungen. Im übrigen ist für die Gestaltung und Abwicklung des Kaufvertrages entscheidend, in welchem Rangverhältnis die EV zu den betreibenden und nicht betreibenden Gläubigern steht. Zum Rang in der Zwangsversteigerung s. Rz. 568ff.

681 **Umschreibung vor Zuschlag.** Der vorgemerkte Käufer kann trotz des laufenden Zwangsversteigerungsverfahrens seine Eintragung als Eigentümer betreiben. Dies führt jedoch nicht zur Einstellung des Verfahrens, vielmehr kann ein vorrangig betreibender Gläubiger das Verfahren weiter betreiben, solange der neue Eigentümer nicht dessen Antragsrücknahme gemäß § 29 ZVG oder die Bewilligung der einstweiligen Einstellung gemäß § 30 ZVG erlangt.

682 **Kommt es zum Zuschlag, bevor der Käufer seine Eintragung erreichen kann,** wird der durch die EV gesicherte Anspruch wie ein eingetragenes Recht behandelt (§ 48 ZVG). Dann muß man unterscheiden:

- **Geht die EV dem betreibenden Gläubiger nach,** so fällt sie nicht in das geringste Gebot und erlischt mit dem Zuschlag (§§ 52 I 2, 91 ZVG): Der Ersteher erwirbt das Eigentum. An die Stelle der erlöschenden EV tritt gem. § 92 ZVG „der Anspruch auf Wertersatz aus dem Versteigerungserlös," d.h. der Vorgemerkte wird am Erlös an der Rangstelle der erlöschenden Vormerkung beteiligt. Er erhält also, soweit der bar zu entrichtende Teil des Meistgebots nach Befriedigung etwa vorgehender erlöschender Rechte dazu ausreicht, eine Abfindung in Höhe des Grundstückswertes, abzüglich einer ihm noch obliegenden Gegenleistung. Dieser Erlösanteil wird im Versteigerungsverfahren bedingt zugeteilt und hinterlegt; die Auszahlung erfolgt erst nach endgültiger Feststellung des vorgemerkten Anspruchs.

- **Geht die EV (ausnahmsweise) dem bestrangig betreibenden Gläubiger vor,** fällt sie in das geringste Gebot und bleibt beim Zuschlag bestehen (§§ 48, 52 ZVG). Bei der Feststellung des geringsten Gebots ist für den Fall, daß der vorgemerkte Anspruch nicht entsteht oder nicht mehr besteht, ein Ersatzbetrag zu bestimmen, den der Ersteher dann zusätzlich zum Bargebot zu zahlen hat (§§ 50, 51 ZVG).

683 **Der Rang von Beitrittsgläubigern.** Das Rangverhältnis zu einem der Zwangsversteigerung später beigetretenen Gläubiger bestimmt sich danach, wann der Beitrittsbeschluß dem Schuldner zugestellt wurde (§ 27 ZVG):

- Geschah dies vor der Beantragung der EV, so geht die EV auch dem Beitrittsgläubiger nach.
- War die EV bei Zustellung des Beitrittsbeschlusses schon beantragt, so geht sie gemäß §§ 878, 883 BGB dem Beitrittsgläubiger vor, es sei denn, er betreibt aus einem vorrangigen Grundpfandrecht. Können alle vorrangig betreibenden Gläubiger (z.B. aus dem Kaufpreis) abgelöst werden und nehmen sie darauf ihre Versteigerungsanträge zurück, so fällt die EV, falls ein nachrangiger Beitrittsgläubiger die Zwangsversteigerung fortsetzt, in das geringste Gebot und bleibt bestehen.

6. Die Vormerkung in den Masseverfahren

Die Vormerkung erfüllt ihre Sicherungsfunktion auch in den Verfahren, die zur Befriedigung aller Gläubiger eines Schuldners durch Verwertung seines Gesamtvermögens durchgeführt werden.

a) Konkursverfahren

684 Ist bei der Eröffnung des Konkursverfahrens die Vormerkung bereits eingetragen oder sind -bei bewilligter Vormerkung- die Voraussetzungen des § 878 BGB erfüllt oder hat der Berechtigte die Vormerkung gutgläubig konkursfrei erworben, muß der Konkursverwalter den durch die Vormerkung gesicherten Anspruch erfüllen (§ 24 KO). Ein Wahlrecht gemäß § 17 KO steht ihm nicht zu. Der Vormerkungsberechtigte kann nach § 24 KO, der eine Ausnahmevorschrift zu § 17 KO bildet, von dem Konkursverwalter die Erfüllung seines Anspruchs, z.B. die Auflas-

sung und Eintragung, verlangen. Im Konkurs geht also die Sicherungswirkung der Vormerkung weiter als sonst; sie schützt nicht nur den Vorgemerkten gegen verbotswidrige Verfügungen des Eigentümers, sondern wirkt gegenüber dem Konkursverwalter wie ein dingliches Vollrecht. **Die Eintragung des Eigentums führt zur Aussonderung des Grundstücks aus der Konkursmasse** (§ 43 KO), **die Eintragung eines Grundpfandrechts zur abgesonderten Befriedigung aus dem Grundstück** (§ 47 KO). Gegen vormerkungswidrige Verfügungen des Konkursverwalters schützt § 883 II 1 BGB.

685 **Konkursfestigkeit der Vormerkung.** Nach dem 1977 eingefügten § 24 S. 2 KO wirkt die Vormerkung auch dann, wenn der Gemeinschuldner dem Vormerkungsberechtigten gegenüber außer der Verpflichtung zur Übereignung des Grundstücks weitere Verpflichtungen übernommen hat, z. B. die Verpflichtung zur Errichtung eines Gebäudes, und diese noch nicht oder noch nicht vollständig erfüllt sind. Erst durch diese Ergänzung ist die Vormerkung auch im Konkurs eines Bauträgers konkursfest geworden.

b) Vergleichsverfahren

686 Im gerichtlichen Vergleichsverfahren sind Gläubiger, deren Anspruch durch eine Vormerkung gesichert ist, nicht Vergleichsgläubiger (§ 26 I VerglO). Ihre Rechte werden durch den Vergleich nicht berührt (§ 82 II VerglO). Für den Zwangsvergleich gilt § 193 KO.

c) Auch im Insolvenzverfahren, das ab 01.01. 1999 an die Stelle von Konkurs- und Vergleichsverfahren tritt, erfüllt die Vormerkung ihre Sicherungsfunktion

687 Bereits der Antrag auf Eintragung der EV wahrt den Rang und der vorgemerkte Gläubiger kann für seinen Anspruch Befriedigung aus der Insolvenzmasse verlangen (§§ 140, 106 InsO). Der durch die Vormerkung gesicherte Anspruch ist voll aus der Insolvenzmasse zu erfüllen, auch wenn der Schuldner dem Gläubiger gegenüber weitere Verpflichtungen übernommen und diese nicht oder nicht vollständig erfüllt hat, z. B. Bauleistungen im Bauträgervertrag (s. o. zu § 24 Satz 2 KO).

7. Der Unterschied zwischen Vormerkung und Amtsvormerkung nach § 18 GBO

688 Die beiden Vormerkungen unterscheiden sich in ihrem Wesen. Die Vormerkung sichert einen schuldrechtlichen Anspruch gegen den eingetragenen Berechtigten; sie wird aufgrund Bewilligung des Betroffenen oder aufgrund einstweiliger Verfügung eingetragen. Die Eintragung einer Amtsvormerkung erfolgt von Amts wegen, wenn ein vorliegender Antrag noch nicht vollzugsreif ist und ein weiterer, bereits vollzugsreifer Antrag eingeht. Sie ist reine Verfahrenshandlung und sichert den sich aus dem Grundbuchverfahrensrecht ergebenden öffentlich-rechtlichen Anspruch des Antragstellers, daß die von ihm beantragte Eintragung den ihr nach dem Prioritätsgrundsatz zukommenden Rang erhält (s. Rz. 409).

8. Der Unterschied zwischen Vormerkung und Widerspruch

689 **Der Vormerkung und dem Widerspruch gemeinsam ist der Sicherungszweck.** Beiden gemeinsam ist auch, daß sie weder dem davon Betroffenen die Verfügungsmacht nehmen noch eine Sperre des Grundbuchs bewirken. Aber sie unterscheiden sich im Ausgangspunkt und in der Zielrichtung: Die Vormerkung sichert den schuldrechtlichen Anspruch auf eine künftige Rechtsänderung, sie merkt ein Recht vor (Platzhalterfunktion). Der Widerspruch dagegen sichert ein bestehendes dingliches, aber nicht eingetragenes Recht gegen die Gefahr eines Untergangs durch gutgläubigen Erwerb eines Dritten. Er schützt -bei sachenrechtlicher Unrichtigkeit des Grundbuchs- den wahren dinglich Berechtigten, indem er den öffentlichen Glauben des Grundbuchs als Grundlage für einen gutgläubigen Erwerb ausschließt und damit den Erwerb eines Dritten vom Nichtberechtigten verhindert. Merkspruch: **Die Vormerkung sichert eine künftige Rechtsänderung, der Widerspruch protestiert gegen eine bestehende, angeblich unrichtige Eintragung im Grundbuch oder gegen eine angeblich zu Unrecht erfolgte Löschung** („Die Vormerkung prophezeit, der Widerspruch protestiert", Martin Wolff).

V. Das Erlöschen der Vormerkung

1. Das Erlöschen des gesicherten Anspruchs

690 **Da die Vormerkung akzessorisch ist,** d.h. den Anspruch auf eine dingliche Rechtsänderung sichert, **geht sie mit dem gesicherten Anspruch unter.** Das Grundbuch wird dann unrichtig und der Eigentümer (bzw. der durch die Vormerkung Beeinträchtigte) kann analog § 894 BGB von dem Vorgemerkten die Löschung verlangen. Wenn die Unrichtigkeit durch öffentliche Urkunde nachgewiesen werden kann (z.B. durch Urteil), erfolgt die Löschung nach § 22 GBO.

Dazu vier einfache **Fälle:**

– V verkauft ein Grundstück an K, für den eine EV eingetragen wird. Die zu dem Vertrag erforderliche Genehmigung nach dem GrdstVG wird jedoch rechtskräftig versagt. Daraufhin übereignet V das Grundstück mit Genehmigung der Landwirtschaftsbehörde an seinen Sohn

S. Mit der rechtskräftigen Versagung der Genehmigung wird der Kaufvertrag unwirksam. S kann von K die Löschungsbewilligung verlangen.

- V verkauft ein Grundstück an K, für den eine EV eingetragen wird. Wie in der Vertragspraxis üblich, war § 454 BGB ausgeschlossen. Als K seinen Zahlungspflichten nicht nachkommt, erklärt V den Rücktritt vom Vertrag gemäß § 326 BGB: Mit dem Rücktritt verwandelt sich der Kaufvertrag in ein schuldrechtliches Rückabwicklungsverhältnis (§ 346 BGB). K verliert den Anspruch auf Übereignung des Grundstücks. V kann deshalb von ihm die Löschungsbewilligung über die EV verlangen (vgl. BGH NJW 1985, 266).
- V verkauft ein Grundstück an die Eheleute K1 und K2 zu je 1/2 Miteigentum. Zur Sicherung der Eheleute K wird eine EV zu je 1/2 eingetragen. Danach wird der Kaufvertrag dahingehend geändert, daß nur K1 als Alleineigentümer erwerben soll. Bezüglich des Miteigentumsanteils, den die K2 erwerben sollte, ist die EV damit gegenstandslos geworden und zu löschen. Zur Sicherung des K1 für diesen Miteigentumsanteil bedarf es der weiteren Bewilligung einer Vormerkung.
- V erklärt den Rücktritt vom Vertrag. K bestreitet jedoch die Gültigkeit des Rücktritts und ist deshalb nicht bereit, die Löschung der EV zu bewilligen. V ist deshalb genötigt, Klage auf Erteilung der Löschungsbewilligung zu erheben (§§ 894 BGB, 894 ZPO). Die Durchsetzung der Löschung läßt sich deshalb nicht immer kurzfristig erreichen.

2. Die Aufhebung der Vormerkung

691 **Die Vormerkung erlischt, wenn der Vorgemerkte die Aufgabe der Vormerkung erklärt und die Löschung im Grundbuch erfolgt.** §§ 875, 876 BGB sind entsprechend anwendbar (BGH NJW 1973, 323 = DNotZ 1973, 367). Die Löschungsbewilligung bedarf der Form des § 29 GBO. Eine Zustimmung des Eigentümers dazu ist nicht erforderlich. Die Aufgabeerklärung ist eine materiellrechtliche Willenserklärung. Wenn sie fehlt und trotzdem die Löschung erfolgt, geht die Vormerkung materiellrechtlich nicht unter; der Vorgemerkte hat einen Anspruch auf Berichtigung des Grundbuchs durch Wiedereintragung der Vormerkung. Bis zur Wiedereintragung besteht allerdings die Gefahr eines Rechtsverlustes aufgrund eines gutgläubigen Erwerbs durch einen Dritten. In der Rechtspraxis enthält jedoch die erteilte formelle Löschungsbewilligung in aller Regel stillschweigend auch die materiellrechtliche Aufgabeerklärung.

692 **Einreden gegen die Vormerkung.** Trotz noch bestehenden Anspruchs des Vorgemerkten kann der Eigentümer (bzw. der Beeinträchtigte) von dem Vorgemerkten die Aufgabe der Vormerkung verlangen, wenn ihm gegen den vorgemerkten Anspruch eine Einrede zusteht, durch welche

dessen Geltendmachung dauernd ausgeschlossen wird (§ 886 BGB), z.B. die Einrede der Verjährung (§ 222 I BGB), der ungerechtfertigten Bereicherung (§ 821 BGB) oder der Arglist (§ 853 BGB).

3. Das Erlöschen der gerichtlich verfügten Vormerkung

693 **Ist die Vormerkung aufgrund einer einstweiligen Verfügung eingetragen worden** (§§ 885 BGB, 941 ZPO), **so erlischt sie, wenn die einstweilige Verfügung durch eine vollstreckbare Entscheidung aufgehoben wird** (§ 25 GBO). Die Löschung ist dann bloße Grundbuchberichtigung (BGH NJW 1963, 813). Das gleiche gilt, wenn es sich um einen Widerspruch gegen die Richtigkeit des Grundbuchs handelt.

4. Die Löschung der Vormerkung nach der Erfüllung des Anspruchs

694 **Mit der Erfüllung des gesicherten Anspruchs wird die Vormerkung gegenstandslos. Beispiel:** Das Grundstück wird lastenfrei auf den durch EV vorgemerkten Käufer umgeschrieben.

Das GBAmt kann von Amts wegen prüfen, ob die Vormerkung infolge voller Erfüllung des gesicherten Anspruchs erloschen und gemäß § 84 BGB von Amts wegen -kostenfrei- zu löschen ist. In der Regel wird das Grundbuchamt dies aber nicht tun, denn eine Vormerkung verliert ihre Bedeutung ja dann nicht, wenn zwischen ihrer Eintragung und der Eintragung des vorgemerkten Rechts ein anderes Recht oder eine Verfügungsbeschränkung eingetragen worden ist. Die Vormerkung sollte deshalb immer nur dann gelöscht werden, wenn sichergestellt ist, daß keine Zwischeneintragungen zwischen der Eintragung der Vormerkung und der Eintragung des vorgemerkten Rechts erfolgt sind. Aber auch wenn dies nicht der Fall ist, kann die Vormerkung noch Bedeutung haben, z.B. wenn zwischen ihrer Eintragung und der Eintragung des endgültigen Rechts die Verfügungsbefugnis weggefallen ist (s. § 878 BGB) oder der Erwerber die Gutgläubigkeit verliert (§ 892 BGB; zu §§ 419, 1365 BGB s. Rz. 226 und Rz. 534 ff.). In der Praxis wird -meist schon bei der Bestellung der EV- vom Erwerber die Löschung beantragt. **Formel** z.B.: „Der Erwerber beantragt schon jetzt die Löschung der Vormerkung gleichzeitig mit der Umschreibung des Eigentums, unter der Voraussetzung, daß keine Zwischeneintragung ohne seine Mitwirkung erfolgt ist" (s. dazu BayObLG DNotZ 1976, 160).

VI. Der gutgläubige Erwerb einer Vormerkung

Literaturhinweise: Gursky, Fälle und Lösungen, BGB-Sachenrecht, 8. Aufl., 1994, Fälle 3 und 4; Kupisch, Auflassungsvormerkung und guter Glaube, JZ 1977, 486; MünchKomm-Wacke § 883 Rz. 64ff.; Reinicke, Der Schutz des guten Glaubens beim Erwerb einer Vormerkung, NJW 1964, 2373

Die Rechtsnatur der Vormerkung ist bis heute zweifelhaft und umstritten. Die Palette der Meinungen reicht von „dinglichem Recht" über „ius ad rem", „Anwartschaft auf die dingliche Rechtsstellung", „dingliches Sicherungsmittel eigener Art" bis zum „Grundbuchvermerk ohne Rechtscharakter" (vgl. Gursky, a. a. O., Fall 4 Fn. 8–16). Aus dieser Unsicherheit über die Rechtsnatur ergibt sich auch eine Unsicherheit über Umfang und Wirkungen des Gutglaubensschutzes beim Erwerb einer Vormerkung. Es erscheint daher sinnvoll, bei der Problemlösung in erster Linie an die **Interessenlage der Beteiligten** und weniger an die ungeklärte dogmatische Einordnung der Vormerkung anzuknüpfen (Palandt/Bassenge § 883 Rz. 2). Dabei unterscheidet man gewöhnlich zwischen dem sog. Ersterwerb und dem sog. Zweiterwerb. In allen Fällen ergibt sich aus der Akzessorietät der Vormerkung, daß ein gutgläubiger Erwerb nur in Betracht kommt, wenn ein zu sichernder Anspruch besteht, sei es auch nur als künftiger bedingter Anspruch. Dieser besonders schwierige Fragenbereich wird nachstehend an dem Beispiel der Eigentumsvormerkung als dem Hauptanwendungsfall dargestellt. 695

1. Der gutgläubige Ersterwerb

Hier handelt es sich um die Frage, ob der Ersterwerber die Schutzwirkungen der §§ 892, 893 BGB genießt.

a) Kein gutgläubiger Erwerb bei Fehlen eines Anspruchs

Die §§ 892, 893 BGB schützen nur den guten Glauben an die Richtigkeit des Grundbuchs, nicht aber an das Bestehen einer Forderung. Wegen der Akzessorietät der Vormerkung scheidet ein gutgläubiger Erwerb einer Vormerkung deshalb von vorneherein aus, wenn der zu sichernde Anspruch nicht besteht. **Beispiel:** Bei einem Grundstückskaufvertrag geben die Beteiligten einen zu niedrigen Kaufpreis an. Der beurkundete Vertrag ist als Scheingeschäft (§ 117 I BGB) und der mündlich geschlossene Vertrag zum höheren Kaufpreis wegen Mangels der Beurkundungsform nichtig (§§ 313 Satz 1, 125 Satz 1 BGB). Da eine Heilung nach § 313 Satz 2 BGB nicht zurückwirkt, besteht zu keinem Zeitpunkt ein 696

Übereignungsanspruch. Trotz formgerechter Bewilligung und Eintragung kann der Käufer die EV nicht erwerben, da ein vormerkungsfähiger Anspruch fehlt.

b) Die vom Scheineigentümer bestellte Eigentumsvormerkung

697 In Frage kommen kann ein gutgläubiger Ersterwerb nur, wenn zwar ein Übereignungsanspruch besteht, die Vormerkung aber von einem Nichtberechtigten bewilligt wird und der Begünstigte mindestens bis zum Zeitpunkt des Antrages auf Eintragung der EV im guten Glauben an die Richtigkeit der Eigentümereintragung ist (vgl. Rz. 501). **Beispiel:** Der Scheineigentümer A verkauft das Grundstück an den gutgläubigen B und bewilligt für ihn eine EV, die auch eingetragen wird. Hat B die EV erworben, obwohl sie von einem Nichtberechtigten bestellt worden ist?

698 **Der zu sichernde Anspruch besteht:** Zwar ist A nicht Eigentümer des Grundstücks, aber dennoch hat B gegen ihn aus dem Kaufvertrag gem. § 433 I BGB einen schuldrechtlichen Anspruch auf Verschaffung des Eigentums am Grundstück. Der Kaufvertrag ist nicht auf eine unmögliche Leistung gerichtet und deshalb nicht gem. § 306 BGB nichtig. Es liegt nur ein ursprüngliches subjektives Unvermögen des Verkäufers vor, der Übereignungsanspruch ist entstanden (Umkehrschluß aus § 275 II BGB). Die zur Sicherung dieses Anspruchs bestellte EV ist jedoch von einem materiell Nichtberechtigten und damit nicht von dem Betroffenen i. S. des § 885 I BGB bestellt worden. Dieser Mangel kann nur durch einen gutgläubigen Erwerb nach §§ 892, 893 BGB überwunden werden. § 892 BGB kann unmittelbar keine Anwendung finden, weil die Vormerkung kein „Recht an einem Grundstück" ist. § 892 BGB ist aber über § 893 BGB 2. Fall entsprechend anwendbar, da es sich bei der Bestellung der Vormerkung um ein Rechtsgeschäft handelt, das zu einer relativen dinglichen Gebundenheit des Grundstücks führt und damit eine „Verfügung über das Recht enthält" (MünchKomm-Wacke § 893 Rz. 11 m.w.N.). Die Voraussetzungen des analog anwendbaren § 892 BGB sind erfüllt:
- der Besteller der EV war durch seine Eintragung als Eigentümer formell legitimiert
- der Erwerber der EV war bei Stellung des Antrags auf Eintragung der EV gutgläubig (§ 892 II BGB)
- es war bis zur Eintragung der EV kein Widerspruch gegen die Richtigkeit des Grundbuchs eingetragen.

699 **Ergebnis: Die vom Scheineigentümer bestellte EV kann gutgläubig erworben werden, wenn ein zu sichernder Anspruch besteht.** Dieses Ergebnis ist, trotz vereinzelter Kritik, gefestigte Rechtsprechung (vgl. BGH NJW 1957, 1229; NJW 1972, 434 = DNotZ 1972, 365 -gutgläubiger Erwerb mittels einer EV aufgrund eines Erbscheins-; BGH NJW 1981, 446 = DNotZ 1981, 179). Diese Lösung ist interessengerecht,

denn der Erwerber eines Grundstücks erbringt, da bis zur Eigentumsumschreibung häufig viel Zeit vergeht, seine Gegenleistung in der Regel schon nach Eintragung einer EV. Der Gutglaubensschutz muß daher schon ab diesem Zeitpunkt bestehen. Häufig wird die Gegenleistung schon erbracht, wenn die EV beantragt, aber noch nicht eingetragen ist. Auch dann wird der Erwerber in seinem guten Glauben geschützt, es sei denn, daß bereits ein anderer Antrag vorliegt oder ein späterer Antrag vom GBAmt unter Verletzung der Ordnungsvorschrift des § 17 GBO vorgezogen wird.

Hat der Vorgemerkte die Vormerkung gutgläubig erworben und tritt er seinen Anspruch nebst Vormerkung an einen Dritten ab, so kommt es auf dessen Gutgläubigkeit nicht an, weil er vom Berechtigten erwirbt.

c) Der gutgläubig lastenfreie Erwerb

700 **Die Vormerkung schützt auch den guten Glauben an die Lastenfreiheit des Grundstücks.** Bestellt der wahre Eigentümer eine EV, so sind dem Begünstigten gegenüber gem. §§ 892, 893 BGB solche eintragungsfähigen Grundstücksbelastungen und relativen Verfügungsbeschränkungen unwirksam, die ihm bei Antragstellung nicht bekannt und bis zur Eintragung der Vormerkung im Grundbuch nicht vermerkt waren. Das gleiche gilt für die eintragungsfähigen absoluten Verfügungsbeschränkungen, soweit die §§ 892, 893 BGB für anwendbar erklärt sind (s. Rz. 305). **Beispiel:** Bei der Übertragung des Grundstücks auf ein anderes Grundbuchblatt ist die Mitübertragung einer Grundschuld versehentlich unterblieben. Sie gilt dadurch als gelöscht, bleibt aber materiell bestehen (§ 46 II GBO). Danach wird eine EV eingetragen. Der Vormerkungsberechtigte war bezüglich der Lastenfreiheit gutgläubig. Wird später die Grundschuld im Wege der Berichtigung wieder eingetragen, steht sie im Range hinter der EV.

2. Der gutgläubige Zweiterwerb

701 Wird eine durch Vormerkung gesicherte Forderung abgetreten, so geht gem. § 401 BGB die Vormerkung als Annex auf den Zessionar über (s. Rz. 649). Es stellt sich die Frage, ob der Zessionar eine im Grundbuch zwar eingetragene, tatsächlich jedoch nicht wirksam entstandene Vormerkung gutgläubig erwerben kann.

a) Kein gutgläubiger Erwerb bei fehlendem Anspruch

702 Besteht der vorgemerkte Anspruch nicht, so scheidet wegen der Akzessorietät auch ein gutgläubiger Zweiterwerb der Vormerkung aus. §§ 892, 893 BGB schützen nicht den guten Glauben an das Bestehen einer Forderung, § 1138 BGB ist auf die Vormerkung nicht entsprechend anwendbar (Gursky a. a. O., Fall 3 S. 19).

b) Gutgläubiger Erwerb einer aus anderen Gründen unwirksamen Vormerkung?

703 Hier ist folgende Sachlage gegeben: **Der abgetretene Anspruch besteht, aber die zur Sicherung eingetragene Vormerkung ist unwirksam. Beispiele:**

- Die Parteien vereinbaren ein Vorkaufsrecht zu festem Preis und beantragen die Eintragung im Grundbuch. Da ein solches Vorkaufsrecht nicht dinglich bestellt werden kann (s. Rz. 498), deutet das GBAmt die Erklärungen um in die Bewilligung einer EV zur Sicherung eines schuldrechtlichen Vorkaufsrechts und trägt die EV ein. Die EB war jedoch eindeutig auf die Eintragung eines dinglichen Vorkaufsrechts gerichtet. Das GBAmt hätte deshalb keine Umdeutung vornehmen dürfen (Gursky a.a.O., Fall 3 S. 11). Der Eintragung liegt somit keine wirksame Bewilligung zugrunde (a.A. Palandt/Bassenge, § 1098 Rz. 2: Umdeutung nach Zwischenverfügung möglich).
- Die Vormerkung ist durch den Scheineigentümer bestellt, hat aber nicht zu einem gutgläubigen Erwerb durch den ersten Vormerkungsinhaber geführt, weil er die Nichtberechtigung des Bestellers kannte (vgl. dazu den Fall bei Rz. 697 f.).

704 **Über die Frage, ob ein Zessionar eine solche, d.h. zur Sicherung eines bestehenden Anspruchs bestellte, aber aus anderen Gründen unwirksame Vormerkung gutgläubig erwerben kann, herrscht lebhafter Meinungsstreit** (s. MünchKomm-Wacke § 883 Rz. 66 m. zahlreichen Nachweisen). Mit dem BGH ist aus Gründen des Verkehrsschutzes die Möglichkeit des gutgläubigen Zweiterwerbs zu bejahen (BGH NJW 1957, 1229). Das Vertrauen des Zessionars auf die Richtigkeit der eingetragenen EV ist nicht weniger schutzbedürftig als das des gutgläubigen Ersterwerbers vom Nichtberechtigten. Anderenfalls müßte z.B. bei Kettenverträgen mit jeweiliger Abtretung des Übertragungsanspruchs für jeden Zessionar zu seiner Sicherung eine neue EV von dem noch als Eigentümer eingetragenen Erstveräußerer bestellt werden.

Wie beim Ersterwerb kommt auch ein gutgläubig lastenfreier Zweiterwerb in Frage (s. Rz. 700).

3. Die Schutzwirkung der gutgläubig erworbenen Vormerkung

a) Der Schutz gegen Verfügungen des Scheineigentümers

705 **Beispiel:** Der Scheineigentümer A verkauft sein Grundstück an den gutgläubigen B, zu dessen Gunsten eine Vormerkung eingetragen wird. Danach bestellt A dem gutgläubigen G eine Grundschuld. Gemäß § 883 II BGB sind Verfügungen, die nach der Eintragung der Vormerkung über das Grundstück getroffen werden, dem Vormerkungsberechtigten

gegenüber insoweit unwirksam, als sie dessen Anspruch vereiteln oder beeinträchtigen würden. Die Belastung des Grundstücks ist demnach gegenüber dem B unwirksam. Er kann gem. § 888 I BGB von G die Löschung der Belastung verlangen.

Auch eine nachträglich eingetragene Verfügungsbeschränkung schadet dem Vorgemerkten nicht (s. zur nachträglichen Eintragung eines Nacherbenvermerks BGH NJW 1981, 446 = DNotZ 1981, 179).

b) Die Wirkung gegenüber dem wahren Eigentümer

706 **Beispiel:** Nach Eintragung der EV für den gutgläubigen B erwirkt der wahre Eigentümer E durch einstweilige Verfügung nach §§ 894, 899 BGB, 935 ZPO die Eintragung eines Widerspruchs gegen die Eintragung des B als Eigentümer. Danach wird B aufgrund einer Auflassung des Buchberechtigten A als Eigentümer eingetragen. Hat B wirksam Eigentum erworben?

Ein im Zeitpunkt der Eigentumsumschreibung im Grundbuch eingetragener Widerspruch schließt grundsätzlich den Gutglaubensschutz aus (§ 892 I BGB). Nach § 883 II BGB hätte die Eintragung des Widerspruchs gegenüber B keine Wirkung, da sie erst nach der Eintragung der Vormerkung erfolgt ist. Es stellt sich aber die Frage, ob auch eine nur gutgläubig erworbene Vormerkung stärker ist als ein später eingetragener Widerspruch des wahren Eigentümers. Man könnte die Meinung vertreten, die vom Nichtberechtigten gutgläubig erworbene EV schütze nur gegen anderweitige Verfügungen des Nichtberechtigten, d.h. gegen das Risiko einer Veräußerung oder Belastung des Grundstücks zugunsten gutgläubiger Dritter. Die Schutzfunktion des § 883 II BGB könne aber nicht so weit gehen, bestehende Rechte (hier das Eigentum des wahren Berechtigten E) zu vernichten. Demgegenüber steht die h.M. zutreffend auf dem Standpunkt, die gutgläubig erworbene Vormerkung sei für den Erwerber praktisch wertlos, wenn sie nicht auch gegenüber dem späteren Widerspruch des wahren Eigentümers durchsetzbar wäre (RGZ 118, 230, 234; BGH NJW 1972, 434 = DNotZ 1972, 365; NJW 1981, 446 = DNotZ 1981, 179; Gursky, a.a.O., Fall 4 S.28 mit zahlreichen Nachweisen). **Ergebnis: Die gutgläubig erworbene EV schaltet die Wirkung des Widerspruchs aus.** B wird mit seiner Eintragung materiell Eigentümer des Grundstücks. E verliert damit sein Eigentum und muß auf Verlangen des B analog § 888 I BGB die Löschung des Widerspruchs bewilligen. Selbst wenn es E gelingen sollte, vorher seine Eintragung als Eigentümer zu erwirken, muß er gem. § 888 I BGB die Zustimmung zur Eigentümereintragung des B erteilen.

707 **Bewertung.** Dieses Ergebnis ist, wenn auch vielleicht dogmatisch nicht zweifelsfrei, aus Gründen der Rechtssicherheit zu begrüßen. Die

EV hat in der modernen Rechtsentwicklung eine so große praktische Bedeutung erlangt, daß eine Differenzierung der Schutzwirkung ihre Funktionsfähigkeit erheblich beeinträchtigen würde. In der Interessenabwägung zwischen dem Schutz des Erwerbers, der sich auf die Sicherungswirkung der Vormerkung verläßt (z.B. bereits den Kaufpreis zahlt), und dem Schutz des wahren Eigentümers gegen die Risiken des unrichtigen Grundbuchs verdient deshalb der Schutz des Rechtsverkehrs den Vorzug.

§ 16. Die Dienstbarkeiten

Literaturhinweise: Amann, Leistungspflichten und Leistungsansprüche aus Dienstbarkeiten, DNotZ 1989, 531; Beck'sches Notarhandbuch (Amann), Abschnitt A VII; HSS Rz. 1113–1284; Walter/Maier, Die Sicherung von Bezugs- und Abnahmeverpflichtungen durch Dienstbarkeiten, NJW 1988, 387; Wehrens, Zum Recht der Dienstbarkeiten, DNotZ 1963, 24

I. Allgemeines

1. Begriff

708 **Dienstbarkeiten sind auf Dulden oder Unterlassen gerichtete beschränkte dingliche Rechte an einer Sache oder einem Recht.** Sie bedeuten also Abspaltungen vom Vollrecht des Eigentums bzw. der vollen Rechtsinhaberschaft. Die Verwendung und Ausgestaltung der Dienstbarkeiten ist entsprechend den Grundsätzen des Sachenrechts durch numerische Typenbeschränkung und inhaltlichen Typenzwang begrenzt. Sie können nur mit den Rechtsinstituten und mit den Inhalten bestellt werden, die das Gesetz zuläßt (s. Rz. 14ff.).

2. Arten

709 **Im Sachenrecht, 5. Abschnitt, normiert das BGB unter dem Titel „Dienstbarkeiten" drei Rechtsinstitute:**
- **die Grunddienstbarkeit** (§§ 1018–1029 BGB); sie gewährt beschränkte dingliche Rechte an dem belasteten Grundstück zugunsten des jeweiligen Eigentümers eines anderen Grundstücks
- **das Nießbrauchsrecht** (§§ 1030–1089 BGB); es gewährt das Recht auf die gesamten Nutzungen eines Gegenstandes
- **die beschränkte persönliche Dienstbarkeit** (§§ 1090–1093 BGB); sie gewährt beschränkte dingliche Rechte an dem belasteten Grundstück zugunsten einer individuell bestimmten natürlichen oder juristischen Person.

Während Grunddienstbarkeiten und beschränkte persönliche Dienstbarkeiten nur an Grundstücken möglich sind, gibt es beim Nießbrauch:
- den Nießbrauch an Sachen, d.h. an beweglichen Sachen und an Grundstücken (§§ 1030ff. BGB)

- den Nießbrauch an Rechten (§§ 1068ff. BGB)
- den Nießbrauch an einem Vermögen (§§ 1085ff. BGB).

Der Nießbrauch unterscheidet sich also typologisch sehr deutlich von den beiden anderen Dienstbarkeiten. Auch werden in der Vertragspraxis mit dem Nießbrauch in der Regel andere rechtliche oder wirtschaftliche Zwecke verfolgt. Er wird deshalb nachstehend in § 17 besonders behandelt.

3. Die Begründung

Wie bei allen Rechten an Grundstücken ist auch bei der Begründung von Dienstbarkeiten zu unterscheiden zwischen dem obligatorischen Grundgeschäft, der dinglichen Einigung, der Eintragungsbewilligung und der Eintragung.

a) Der Bestellung einer Dienstbarkeit liegt in der Regel ein schuldrechtlicher Vertrag zugrunde, durch den sich der Eigentümer des Grundstücks zur Einräumung der Dienstbarkeit verpflichtet (causa)

710 Eine solche Verpflichtung bedarf keiner Form, sie kann deshalb auch stillschweigend eingegangen werden. Der Verpflichtungsvertrag kann auch weitere Elemente enthalten, z.B. Vereinbarungen über eine Gegenleistung für die Bestellung, die Unentgeltlichkeit oder Entgeltlichkeit der Ausübung, Unterhaltungspflichten, Kündigung usw. Die Verpflichtung zur Bestellung einer Dienstbarkeit kann auch auf einem Vermächtnis beruhen (§§ 1939, 2147 BGB).

b) Die Dienstbarkeit entsteht durch dingliche Einigung und Eintragung (§ 873 I BGB)

711 Die Einigung ist der übereinstimmende Wille der Beteiligten, daß eine Dienstbarkeit im Grundbuch eingetragen werden soll. Sie bedarf ebenfalls keiner Form.

712 **Die Begründung und der Fortbestand der Dienstbarkeit sind unabhängig von dem zugrundeliegenden Verpflichtungsvertrag.** Fehlt jedoch das Grundgeschäft, ist es unwirksam oder fällt es später weg, dann ist der Berechtigte um die Dienstbarkeit ungerechtfertigt bereichert. Erfüllt der Inhaber der Dienstbarkeit seine Vertragspflichten nicht, kann der Besteller gemäß den §§ 280ff., 323ff. BGB vorgehen und gegebenenfalls gemäß §§ 325, 326, 346 BGB die Aufhebung der Dienstbarkeit verlangen.

Eigentümerdienstbarkeit entfällt logischerweise, wenn der Eigentümer selbst zugleich als Verpflichteter und als Berechtigter handelt. Solche Eigentümerdienstbarkeiten sind zulässig, wenn dafür ein eigenes oder fremdes schutzwürdiges Interesse gegeben ist, das nicht vermögenswerter Art zu sein braucht; zulässig sind sie jedenfalls dann, wenn die Bestellung mit Rücksicht auf eine beabsichtigte Veräußerung geschieht (BGH NJW 1964, 1226 = DNotZ 1964, 493). **Beispiele:**

- Bei der Parzellierung von Baugelände bestellt der Eigentümer wechselseitige Grunddienstbarkeiten, um die Einhaltung der architektonischen Einheitlichkeit der geplanten Wohnanlage durch die zukünftigen Eigentümer zu sichern; zur Sicherung planungsrechtlicher Zweckbindungen durch Dienstbarkeiten s. Quack Rpfleger 1979, 281 = DNotZ 1980, 605.
- Der Eigentümer überträgt ein Hausgrundstück mit mehreren Wohnungen an seine Tochter T und behält sich das Nießbrauchsrecht vor, unter gleichzeitiger Bestellung eines vorrangigen Eigentümerwohnungsrechts für die T an der Erdgeschoßwohnung (beschr. pers. Eigentümerdienstbarkeit); der Grundbuchrang wirkt sich auch auf das Verhältnis mehrerer zusammentreffender Nutzungsrechte aus (§ 1024 BGB).

c) Zur Eintragung im Grundbuch bedarf es nach den allgemeinen Verfahrensgrundsätzen des Grundbuchrechts einer Eintragungsbewilligung des Eigentümers in Form der Beurkundung oder öffentlichen Beglaubigung (§§ 19, 29 GBO)

Sie muß sich auf den sachenrechtlich möglichen Inhalt der Dienstbarkeit beschränken. Darüber hinausgehende schuldrechtliche Vereinbarungen der Berechtigten sind deshalb in der Urkunde sorgfältig von der Eintragungsbewilligung zu trennen. **Beispiel:** Die Vereinbarung der Entgeltlichkeit oder Unentgeltlichkeit kann nicht Bestandteil des dinglichen Rechts sein. Nicht eintragungsfähig ist deshalb eine Dienstbarkeit, die in der Eintragungsbewilligung als entgeltlich oder unentgeltlich bezeichnet wird. **713**

Soll sich die Ausübungsstelle der Dienstbarkeit nach dem Inhalt der Belastung auf einen realen Teil des Grundstücks beschränken (z.B. bei einem Wegerecht), so ist entweder in der Eintragungsbewilligung die Fläche eindeutig zu beschreiben oder es ist ein Lageplan mit Einzeichnung der betroffenen Fläche mit der Urkunde zu verbinden und in der Erklärung darauf Bezug zu nehmen (§ 13 I 1 BeurkG). Die Festlegung des Ausübungsbereichs kann aber auch der tatsächlichen Ausübung überlassen werden (BGH NJW 1981, 1781 = DNotZ 1982, 228; NJW 1984, 2210 = DNotZ 1985, 38). **714**

d) Dienstbarkeiten werden beim dienenden Grundstück in der Abt. II des Grundbuchs eingetragen

Um das Grundbuch übersichtlich zu halten, soll der Eintragungstext möglichst knapp und klar gefaßt sein. Dabei muß aber das Recht in seinem **Wesenskern wenigstens schlagwortartig vermerkt werden** (BGH **715**

NJW 1961, 2157 = DNotZ 1963, 42). So hat die Rechtsprechung z.B. folgende typisierende Kurzbezeichnungen als zulässig anerkannt: „Wegerecht“, „Tankstellendienstbarkeit“, „Hochspannungsleitungsrecht“, „Wohnungs- und Mitbenutzungsrecht“, „Baubeschränkung“; nicht genügend bestimmt dagegen z.B. „Nutzungsrecht“ (OLG Köln DNotZ 1981, 268 m.w.N.) oder „Nutzungsbeschränkung“ (BayObLG MittBayNot 1994, 431). Notwendig ist stets die Bezeichnung des Berechtigten; dies ist bei der beschränkten persönlichen Dienstbarkeit eine natürliche oder juristische Person und bei der Grunddienstbarkeit der jeweilige Eigentümer eines genau zu bezeichnenden Grundstücks. Im übrigen kann gemäß § 874 BGB zur näheren Individualisierung des Rechts auf die Eintragungsbewilligung Bezug genommen werden; sie wird damit zum Inhalt der Eintragung. Besonders bei Dienstbarkeiten ist es deshalb häufig notwendig und zu empfehlen, zur genaueren Kenntnis des Rechts die Grundakten einzusehen.

716 **Der Eintragungsgrundsatz des § 873 BGB gilt nicht für die sog. altrechtlichen Dienstbarkeiten**, die bereits in der Zeit vor der Anlegung des Grundbuchs entstanden sind, aber nicht eingetragen wurden (vgl. Art. 187 EGBGB). Sie bestehen auch ohne Eintragung im Grundbuch fort und wirken auch gegen einen gutgläubigen Erwerber (s. HSS Rz. 1171–1175).

II. Die Grunddienstbarkeit

1. Herrschendes und dienendes Grundstück

717 **Die Grunddienstbarkeit steht dem Berechtigten nicht als Person, sondern als Eigentümer des berechtigten Grundstücks zu.** Da sie nicht nur dem gegenwärtigen, sondern dem jeweiligen Eigentümer des Grundstücks zusteht, nennt man sie ein subjektiv-dingliches Recht, zum Unterschied von den subjektiv-persönlichen Rechten, die einer individuell bestimmten Person zustehen, wie die beschränkte persönliche Dienstbarkeit und der Nießbrauch.

Daraus ergibt sich, daß sich bei der Grunddienstbarkeit zwei Grundstücke gegenüberstehen: das herrschende Grundstück und das dienende Grundstück. Der jeweilige Eigentümer des herrschenden Grundstücks erhält einzelne, aus dem Eigentum am dienenden Grundstück abgespaltene Teilbefugnisse.

718 **Die Grunddienstbarkeit gilt gemäß § 96 BGB als rechtlicher Bestandteil des herrschenden Grundstücks.** Sie kann deshalb auch im Bestandsverzeichnis des herrschenden Grundstücks vermerkt werden (sog. Aktivvermerk, § 9 I GBO; s. Rz. 304 und HSS Rz. 1150f.). Dies sollte man zweckmäßigerweise auch in aller Regel tun, denn:

- Nur durch den Aktivvermerk ist für einen Erwerber des herrschenden Grundstücks die vollständige Information durch das Grundbuch gegeben
- Die Aufhebung oder Änderung der Grunddienstbarkeit bedarf der Zustimmung derjenigen Personen, die ein Recht an dem herrschenden Grundstück haben (§ 876 Satz 2 BGB); der Aktivvermerk sichert, daß dies nicht übersehen wird (§ 21 GBO). **Beispiel:** Zu Lasten des Grundstücks A besteht ein Wegerecht zugunsten des jeweiligen Eigentümers des Grundstücks B. Das herrschende Grundstück B ist mit einem Nießbrauch oder einer Grundschuld für C belastet. Zur Aufhebung der Grunddienstbarkeit bedürfte es dann außer der Bewilligung des Eigentümers von B auch der Zustimmung des C. Wird – weil ein Aktivvermerk fehlt – die Zustimmung des C nicht eingeholt, besteht die Grunddienstbarkeit trotz Löschung fort; das Grundbuch wird unrichtig.
- Veränderungen des herrschenden Grundstücks werden beim Belastungsvermerk in Abt. II des dienenden Grundstücks in der Regel nicht vermerkt. Der Aktivvermerk erleichtert in diesen Fällen die Ermittlung des aktuell herrschenden Grundstücks.

2. Typologie der Grunddienstbarkeiten

Grunddienstbarkeiten dienen meist der Gestaltung nachbarlicher Verhältnisse, zur Durchsetzung bauplanerischer Interessen sowie in neuerer Zeit verstärkt auch der Sicherung gegen Wettbewerb. Sie haben ein Dulden oder Unterlassen zum Gegenstand. Nach § 1018 BGB unterscheidet man **drei Fallgruppen:** 719

a) Nutzungsdienstbarkeiten

Der jeweilige Eigentümer eines (herrschenden) Grundstücks darf ein anderes (das dienende) Grundstück „in einzelnen Beziehungen benutzen" (1. Fallgruppe). **Beispiele:** Wegerecht (Zugang und Zufahrt); Wasserleitung durch das Grundstück. Ein umfassendes Nutzungsrecht, das den Eigentümer von der Nutzung völlig ausschließt, kann nicht Inhalt einer Dienstbarkeit sein. Der Ausschluß des Eigentümers von jeglicher Nutzung ist jedoch zulässig, wenn sich die Ausübung der Dienstbarkeit auf einen Teil des Grundstücks beschränkt (BGH NJW 1992, 1101). 720

b) Unterlassungsdienstbarkeiten

Der Eigentümer des dienenden Grundstücks darf auf seinem Grundstück gewisse tatsächliche Handlungen nicht vornehmen, die er an sich nach § 903 BGB vornehmen dürfte (2. Fallgruppe). **Beispiele:** 721

- Das Grundstück darf nicht oder nur in bestimmter Weise bebaut werden.

– Es müssen bestimmte – über das Nachbarrecht hinausgehende – Grenzabstände eingehalten werden.
– Bestimmte Gewerbe dürfen auf dem Grundstück nicht ausgeübt werden.

Die Unterlassungspflichten dürfen aber nicht so weit gehen, daß dem Eigentümer nur noch eine erlaubte Nutzungsmöglichkeit bleibt. (Zu dieser Problematik s. nachstehend Rz. 733 ff.).

c) Duldungsdienstbarkeiten

722 **Der Eigentümer des dienenden Grundstücks darf gegenüber dem herrschenden Grundstück gewisse, sich aus seinem Eigentum ergebende Abwehrrechte nicht geltend machen,** die ihm an sich nach §§ 903 ff. BGB in Verbindung mit § 1004 BGB zustünden (3. Fallgruppe); hier handelt es sich also um die Einschränkung oder den Ausschluß nachbarrechtlicher Befugnisse, z. B. der Rechte aus §§ 906, 907, 910 BGB. **Beispiele:**
– Duldung einer geringeren Abstandsfläche von Gebäuden auf dem Nachbargrundstück
– Duldung von Immissionen (Lärm, Staub, Erschütterung, Gerüche) von einem Nachbargrundstück. Der Berechtigte ist jedoch zu einer möglichst schonenden Ausübung der Dienstbarkeit verpflichtet (§ 1020 BGB).

3. Inhaltliche Grenzen

Für alle drei Fallgruppen gilt:

a) Die Dienstbarkeit muß in der Hauptsache auf ein Dulden oder Unterlassen gerichtet sein

723 Leistungspflichten können niemals den Hauptinhalt einer Grunddienstbarkeit bilden; sie sind nur als sekundäre Nebenverpflichtung zulässig (s. Amann DNotZ 1989, 531, 560). Ausgeschlossen sind daher zum Beispiel die Sicherung von Bezugsverpflichtungen des Eigentümers, etwa zur Abnahme von Bier, Wärme oder Treibstoff (MünchKomm-Jost § 1090 Rz. 32 m.w.N.).

Besteht die Grunddienstbarkeit in einem Recht, auf dem belasteten Grundstück eine **Anlage** zu halten (z. B. ein Leitungsrohr, einen befestigten Weg), so trifft den Berechtigten die gesetzliche (und deshalb nicht eintragungsfähige) Unterhaltungspflicht (§ 1020 Satz 2 BGB); abweichend davon kann jedoch als Inhalt der Dienstbarkeit vereinbart werden, daß der Eigentümer des belasteten Grundstücks die Anlage zu unterhalten hat (§ 1021 I Satz 1 BGB). Steht dem Eigentümer des belasteten Grundstücks die Mitbenutzung zu, hat jeder die Anlage insoweit zu unterhalten, als dies seinem eigenen Interesse entspricht, es sei denn, daß die alleinige Unterhaltspflicht eines Beteiligten vereinbart ist (§ 1021 I Sätze 1, 2 BGB).

Über diese gesetzlich möglichen Gestaltungen hinausgehende Rechte und Pflichten der Beteiligten können nicht als Inhalt der Dienstbarkeit, sondern nur mit schuldrechtlicher Wirkung oder als gesondertes dingliches Recht, z.B. als Reallast, vereinbart werden.

b) Die Grunddienstbarkeit muß für das herrschende Grundstück einen Vorteil bedeuten, nicht nur für den einzelnen Eigentümer persönlich (§ 1019 Satz 1 BGB)

724 Dies wird meist ein wirtschaftlicher, kann aber auch ein ideeller, hygienischer oder ästhetischer Vorteil sein (z.B. Verbot eines Konkurrenzgewerbes, Sicherung der Harmonie des Baustils).

c) Eine Einschränkung der rechtlichen Verfügungsfreiheit des Eigentümers ist unzulässig (BGH NJW 1959, 670 = DNotZ 1959, 191)

725 Dies ist z.B. problematisch bei Dienstbarkeiten, die der Beschränkung des Wettbewerbs dienen (s. dazu die Ausführungen und Beispiele unter Rz. 734)

d) Bei einer Beeinträchtigung seiner Rechte aus der Grunddienstbarkeit hat der Berechtigte einen Beseitigungs- und Unterlassungsanspruch (actio negatoria) wie der Eigentümer (§§ 1027, 1004 BGB)

726 **Beispiel:** Der Mieter des dienenden Grundstücks verstellt dem Eigentümer des herrschenden Grundstücks die Durchfahrt. Der Eigentümer des herrschenden Grundstücks kann hier unmittelbar vom Mieter die Unterlassung verlangen; er kann sie auch vom Eigentümer des dienenden Grundstücks verlangen, wenn dieser die Störung duldet.

4. Das Erlöschen

727 **Die Grunddienstbarkeit erlischt**, wie jedes andere beschränkte dingliche Recht an Grundstücken, **durch rechtsgeschäftliche Aufgabeerklärung und Löschung im Grundbuch** (§§ 875 I, 876 BGB; s. Rz. 66). Sie erlischt auch, wenn ihre Ausübung aus tatsächlichen oder rechtlichen Gründen dauernd unmöglich wird, weil damit der für das herrschende Grundstück gewährte Vorteil für dauernd entfällt (§ 1019 Satz 1 BGB; vgl. BGH NJW 1980, 179; 1984, 2157). Damit wird das Grundbuch unrichtig. Die Löschung erfolgt dann entweder aufgrund Löschungsbewilligung des Eigentümers des bisher herrschenden Grundstücks oder gemäß § 22 GBO aufgrund Nachweis des Erlöschens durch öffentliche

Urkunde (OLG Köln MittRhNotK 1980, 227). Das GBAmt kann die Löschung der gegenstandslosen Eintragung auch im Amtsverfahren vornehmen (§§ 84ff. GBO).

Eine Grunddienstbarkeit erlischt kraft Gesetzes:
- bei Teilung des herrschenden Grundstücks bezüglich der vorteilslosen neuen Teilparzellen (§ 1025 Satz 2 BGB)
- bei Teilung des dienenden Grundstücks bezüglich der real nicht betroffenen neuen Teilparzellen (§ 1026 BGB)
- soweit der Anspruch auf Beseitigung einer beeinträchtigenden Anlage verjährt (§ 1028 BGB).

III. Die beschränkte persönliche Dienstbarkeit

1. Begriff und Inhalt

728 **Bezüglich des Inhalts der beschr. pers. Dienstbarkeit verweist das Gesetz auf die Grunddienstbarkeit** (§§ 1090, 1018 BGB). Die möglichen Inhalte der beschr. pers. Dienstbarkeit entsprechen deshalb im wesentlichen den drei Fallgruppen der Grunddienstbarkeit:
- der Berechtigte aus der Dienstbarkeit darf das belastete Grundstück in genau bestimmten **einzelnen Beziehungen benutzen** (1. Fallgruppe)
- der Grundstückseigentümer darf auf seinem Grundstück **gewisse Handlungen nicht vornehmen** (2. Fallgruppe)
- der Grundstückseigentümer hat Duldungspflichten, d.h. er darf gegenüber dem Dienstbarkeitsberechtigten gewisse, sich aus dem Eigentum an seinem Grundstück ergebende **Abwehrrechte nicht ausüben** (3. Fallgruppe).

Diese drei Möglichkeiten kommen natürlich nicht nur alternativ, sondern auch in unterschiedlichen Kombinationen vor.

729 **Der entscheidende Unterschied zur Grunddienstbarkeit besteht darin, daß die beschr. pers. Dienstbarkeit nicht dem jeweiligen Eigentümer eines anderen Grundstücks, sondern einer bestimmten natürlichen oder juristischen Person zusteht.** Aus diesem Unterschied ergeben sich einige Besonderheiten und Erweiterungen:
- Es ist nicht erforderlich, daß die beschr. pers. Dienstbarkeit dem Eigentümer eines Grundstücks einen Vorteil bietet (kein Erfordernis des sog. „Grundstücksvorteils"); § 1019 BGB ist nicht anwendbar (vgl. § 1090 II BGB)
- Der Umfang der Dienstbarkeit bestimmt sich im Zweifel nach den persönlichen Bedürfnissen des Berechtigten (§ 1091 BGB). Es ist aber nicht erforderlich, daß die Dienstbarkeit einem persönlichen Interesse

des Berechtigten dienen muß; es genügt vielmehr jedes eigene oder fremde schutzwürdige Interesse, das nicht vermögenswerter Art zu sein braucht (BGH NJW 1964, 1226 = DNotZ 1964, 493)
- Die Dienstbarkeit ist an die Person des Berechtigten gebunden; sie ist nicht vererblich und nicht übertragbar. Ihre Ausübung kann jedoch einem anderen überlassen werden, sofern dies vom Eigentümer gestattet ist (§ 1092 I BGB). Einem späteren Grundstückseigentümer gegenüber ist die Gestattung nur wirksam, wenn sie im Grundbuch eingetragen ist (RGZ 159, 193, 204). Die Dienstbarkeit für eine juristische Person ist jedoch unter bestimmten Voraussetzungen übertragbar (§§ 1092 II, 1059a – 1059d BGB)
- Die Dienstbarkeit kann auch für mehrere Personen (z.B. Eheleute) als Gesamtberechtigte gemäß § 428 BGB bestellt werden (BGH NJW 1967, 627 = DNotZ 1967, 183). Dies bedeutet, daß auch der Längstlebende das Recht ungeschmälert behält.

Die beschränkte persönliche Dienstbarkeit erlischt: 730
- durch den Tod des Berechtigten; zur Löschung genügt der Nachweis des Ablebens durch Sterbeurkunde; da keine Rückstände möglich sind, kommt eine Löschungsklausel für den Todesfall nach § 23 II GBO nicht in Betracht (Ausnahme: Löschungsklausel möglich, wenn Unterhaltungspflichten nach § 1021 BGB bestanden; s. Rz. 370–376)
- durch Aufgabe und Löschung (§ 875 BGB)
- durch Teilung des dienenden Grundstücks bezüglich der real nicht betroffenen Teilparzellen (§§ 1026, 1090 II BGB)
- durch Eintritt einer der bei Rz. 82–89 genannten weiteren Erlöschensgründe.

2. Anwendungsbereiche

731 Die beschr. pers. Dienstbarkeit ist im BGB mit nur 4 Paragraphen geregelt (§§ 1090–1093 BGB). Auch in der Literatur wird sie meist etwas beiläufig behandelt. Dies täuscht aber über den tatsächlichen Umfang und die **Bedeutung dieses Rechtsinstituts im praktischen Rechtsleben**; insbesondere ist die beschr. pers. Dienstbarkeit sehr häufig in der Form eines **Wohnungs- und Mitbenutzungsrechts**. Als **weitere Beispiele für die vielfältigen Verwendungsmöglichkeiten** seien genannt:
- das einer bestimmten natürlichen oder juristischen Person zustehende Recht auf Ausbeute von Bodenbestandteilen, z.B. Entnahme von Lehm, Kies, Schiefer usw.
- das Recht auf Benutzung eines Gebäudes oder Gebäudeteiles zu geschäftlichen Zwecken, z.B. in Verbindung mit einem Geschäftsmietvertrag; dabei ist aber zu beachten, daß der schuldrechtliche Mietvertrag und das dingliche Nutzungsrecht zwei verschiedene, voneinander

unabhängige Rechtsinstitute sind, und daß das Mietverhältnis als solches nicht im Grundbuch eingetragen werden kann. Zulässig ist jedoch, durch eine besondere Sicherungsvereinbarung das Schicksal von Mietvertrag und Wohnungsrecht dadurch zu verbinden, daß die Beendigung des Mietvertrages als auflösende Bedingung für das dingliche Recht gilt oder einen schuldrechtlichen Löschungsanspruch begründet (s. HSS Rz. 1274–1278).

- das Verbot, die Wohnung anderen Personen zu überlassen, als den vom Berechtigten benannten, z. B. den Bediensteten einer bestimmten Behörde oder Firma (sog. Wohnungsbesetzungsrecht; s. HSS Rz. 1205)
- die Sicherung von in der Erde verlegten oder mit Masten geführten Fernleitungen für Öl, Gas, Elektrizität, Fernwärme usw. für den Betreiber (Bundeswehr, Eisenbahn, Energieversorgungsunternehmen, Fernheizwerke usw.)
- die Sicherung von Aufwuchsbeschränkungen, z. B. an Eisenbahnstrekken
- Bebauungsbeschränkungen, z. B. bei der Parzellierung von Baugelände können beschr. pers. Dienstbarkeiten (ebenso auch Grunddienstbarkeiten) zur Regelung der Bauhöhe, Bauform, Dachneigung, Duldung der Gemeinschaftsantenne usw. große praktische Bedeutung haben
- die Sicherung von Wettbewerbsbeschränkungen, z. B. durch die Eintragung von Tankstellendienstbarkeiten und Brauereidienstbarkeiten. **Beispiel:** Verbot, auf dem Grundstück Treibstoff bzw. Bier ohne Zustimmung des Berechtigten zu vertreiben, wobei der Berechtigte die Genehmigung nur für seine Produkte erteilt. Ausgeschlossen ist dagegen die dingliche Sicherung von Abnahme- und Bezugsverpflichtungen (s. Rz. 723).

732 **Beispiel** für die Eintragung einer beschr. pers. Dienstbarkeit im Zusammenhang mit der siedlungsmäßigen Erschließung eines Baugeländes:

„Beschr. pers. Dienstbarkeit für die Stadt Mainz des Inhalts:

- Leitungen und Anlagen des Fernheizwerks, der Großgemeinschaftsantenne und des Fernmeldewesens zu dulden
- auf die Dauer von 15 Jahren keine Veränderungen der Wohnanlage ohne Zustimmung der Stadt Mainz vorzunehmen oder das einheitliche Erscheinungsbild zu verändern
- ohne Zustimmung der Stadt Mainz auf dem Grundstück kein Gewerbe zu betreiben

unter Bezugnahme auf die Eintragungsbewilligung vom ... eingetragen am ...“

3. Das Trilemma der Vertragsgestaltung

Bei der Vertragsgestaltung sind drei konkurrierende Gesichtspunkte zu berücksichtigen: 733

- Leistungspflichten können niemals den Hauptinhalt einer Dienstbarkeit sein (s. Rz. 723)
- Die dem Eigentümer auferlegten Duldungs- und Unterlassungspflichten müssen auf eine Beschränkung im tatsächlichen Gebrauch gerichtet sein; dabei dürfen nicht alle Nutzungsmöglichkeiten des Eigentümers ausgeschlossen werden (Unterschied zum Nießbrauch)
- Die Dienstbarkeit darf nicht auf die Beschränkung der rechtsgeschäftlichen Verfügungs- und Verpflichtungsmacht des Eigentümers gerichtet sein (MünchKomm-Falckenberg § 1018 Rz. 40; MünchKomm-Joost, § 1090 Rz. 5).

Die Rechtsprechung und Literatur zu diesem Fragenbereich sind sehr kasuistisch und nicht immer überzeugend.

734 **Wettbewerbs- und Verkaufsbeschränkungen.** Die vorstehend dargestellte Problematik zeigt sich am deutlichsten bei den Dienstbarkeiten (meist sind es beschr. persönliche Dienstbarkeiten), die zur Sicherung von gewerblichen Beschränkungen bestimmt sind (Literatur s. HSS vor Rz. 1115; zahlreiche Beispiele s. HSS Rz. 1221–1226). Am häufigsten sind sie im Bereich des Brauerei-, Filmverleih-, Gastwirtschafts-, Kraftfahrzeug- und Tankstellengewerbes. Ihr Zweck ist zu verhindern, daß auf dem Grundstück ein dem Betrieb des Berechtigten gleichartiges oder ähnliches Gewerbe betrieben wird (Wettbewerbsverbot) oder Konkurrenzerzeugnisse verkauft oder sonstwie vertrieben werden (Verkaufsbeschränkung).

735 **Beispiele:**

Nichtzulässig sind Verbote, auf dem Grundstück andere Waren als die eines bestimmten Herstellers oder Lieferanten zu vertreiben, z. B. Bierlieferungsverträge mit einer Getränkebezugsverpflichtung, Tankstellendienstbarkeiten mit ausschließlicher Bezugsverpflichtung (s. dazu BGH NJW 1959, 670 = DNotZ 1959, 191; DNotZ 1972, 350).

Zulässig sind dagegen Dienstbarkeiten, die dem Eigentümer verbieten, auf dem Grundstück Bier und sonstige Getränke auszuschenken oder zu vertreiben (BGH NJW 1981, 343), eine Gastwirtschaft zu betreiben (OLG Karlsruhe NJW 1986, 3212) oder Mineralprodukte zu verkaufen (BayObLG DNotZ 1972, 350). Daneben schließen der Grundstückseigentümer und das Lieferunternehmen einen schuldrechtlichen Bezugsvertrag, der dem Eigentümer gestattet, die Erzeugnisse des Unternehmens zu vertreiben (s. HSS Rz. 1223 Fn. 10 m.w.N.). Entsprechendes gilt für den Bezug von Fernwärme (BGH MittBayNot 1984, 126).

Dabei ist zu unterscheiden zwischen der Dienstbarkeit als Grundstücksbelastung, dem schuldrechtlichen Bezugsvertrag und (wie bei der

Sicherungsgrundschuld) dem schuldrechtlichen Sicherungsvertrag (s. BGH DNotZ 1988, 572 m. zust. Anm. Amann NJW 1988, 2364; DNotZ 1992, 665). Dadurch kann zwischen der Dienstbarkeit und dem Bezugsvertrag eine Verbindung in der Weise hergestellt werden, daß der Ablauf des befristeten Bezugsvertrages die Verpflichtung zur Löschung der Dienstbarkeit auslöst.

4. Das dingliche Wohnungsrecht

a) Ausschließlichkeit der Nutzung

736 **Die weitaus häufigste Form der beschr. pers. Dienstbarkeit ist das Wohnungsrecht nach § 1093 BGB.** Es ist das Recht, ein Gebäude oder einen Teil eines Gebäudes unter Ausschluß des Eigentümers als Wohnung zu benutzen. Diese Sonderform der beschr. pers. Dienstbarkeit unterscheidet sich von der allgemeinen beschr. pers. Dienstbarkeit dadurch, daß dem Berechtigten das ausschließliche Wohnungsrecht zusteht und der Eigentümer insoweit von einer Mitbenutzung ausgeschlossen ist. Wenn dagegen eine Mitbenutzung neben dem Eigentümer gegeben ist, handelt es sich um eine allgemeine beschr. pers. Dienstbarkeit nach § 1090 BGB, und man spricht dann nicht von einem „Wohnungsrecht", sondern von einem „Wohnrecht."

737 Der **Bestimmtheitsgrundsatz des Grundbuchrechts** verlangt, daß die Räume, die Gegenstand des ausschließlichen Wohnungsrechts sein sollen, so genau beschrieben werden, daß jeder Dritte ohne weiteres feststellen kann, welche Räume gemeint sind (OLG Hamm DNotZ 1970, 417; BayObLG Rpfleger 1981, 353). Die Auswahl der Räume kann deshalb auch nicht dem Berechtigten vorbehalten bleiben (BayObLG DNotZ 1965, 166).

b) Mitbenutzungsrechte

738 **Ist das Wohnungsrecht auf einen Teil des Gebäudes beschränkt, so kann der Berechtigte kraft Gesetzes die zum gemeinschaftlichen Gebrauch der Bewohner dienenden Gebäudeteile, Anlagen und Einrichtungen mitbenutzen,** je nach den räumlichen Verhältnissen und den Lebensgewohnheiten der Beteiligten z. B. Hof, Eingang, Treppenhaus, WC, Küche, Badezimmer, Waschküche, Keller usw. (§ 1093 III BGB). Einer besonderen Eintragungsbewilligung bedarf es dazu nicht. Soweit darüber hinaus Mitbenutzungsrechte eingeräumt werden, z. B. die Mitbenutzung des Gartens, bedarf es der ausdrücklichen Eintragungsbewilligung. Dann handelt es sich um eine nach §§ 1093 und 1090 BGB zusammengesetzte beschr. pers. Dienstbarkeit, die als Wohnungs- und Mitbenutzungsrecht eingetragen wird. In der Vertragsgestaltung ist es zur Vermeidung von Unklarheiten zwischen den Beteiligten zweckmäßig, den Umfang der Mitbenutzungsrechte möglichst genau zu vereinbaren (OLG Frankfurt Rpfleger 1982, 465).

c) Die Begründung

Das Wohnungsrecht als beschränkte persönliche Dienstbarkeit kann als dingliches Recht nur nach den dafür geltenden sachenrechtlichen Grundsätzen begründet werden. Bei der Bestellung des Wohnungsrechts sind deshalb die schuldrechtlichen Vereinbarungen klar von der sachenrechtlichen Eintragungsbewilligung zu trennen. Dies bedeutet z. B.: Es gibt kein „entgeltliches" oder „unentgeltliches" Wohnungsrecht (s. jedoch Rz. 731). 739

Wohnungsrechte werden häufig in Übergabeverträgen bestellt. Dabei sind sie meist mit anderen Verpflichtungen des Übernehmers verbunden, die durch eine Reallast gesichert werden können (z. B. einer Pflegeverpflichtung und/oder Leibrente). Dann ist eine Zusammenfassung der beschr. pers. Dienstbarkeit und der Reallasten zu einem einheitlichen dinglichen Recht in der Form eines Altenteilsrechts möglich und üblich (§ 49 GBO; s. § 20). In diesen Fällen ist besonders zu beachten, daß in der EB als Belastungsgegenstand für das Wohnungsrecht nur das Grundstück genannt werden darf, auf dem sich das Wohngebäude befindet (BayObLG DNotZ 1976, 227 = Rpfleger 1975, 357 m.w.N.). Das Altenteilsrecht als zusammenfassendes Recht wird jedoch auf allen mit den Teilrechten belasteten Grundstücken eingetragen. 740

Die Zuwendung eines Wohnungsrechts kann auch auf einer Verfügung von Todes wegen (Vermächtnis) beruhen. Der mit dem Vermächtnis Belastete hat dann nach dem Tode des Erblassers die Verpflichtung, das vermachte Wohnungsrecht einzuräumen. Zur Klarstellung sollte ausdrücklich vermerkt werden, daß das Wohnungsrecht durch Eintragung im Grundbuch gesichert werden soll (s. OLG Bamberg MittBayNot 1994, 545). Das Grundgeschäft ist durch das Vermächtnis ersetzt. Erforderlich sind deshalb nur noch die (formfreie) dingliche Einigung, die förmliche Eintragungsbewilligung und die Eintragung im Grundbuch (§§ 873 BGB, 19, 29 GBO). Zur Vereinfachung des Verfahrens kann dem Vermächtnisnehmer in einer beurkundeten Verfügung von Todes wegen eine postmortale Vollmacht unter Befreiung von der Beschränkung des § 181 BGB erteilt werden, sich das Wohnungsrecht selbst zu bestellen. 741

d) Andere Möglichkeiten der Sicherung

Neben der beschr. pers. Dienstbarkeit kommen zur Sicherung eines Anspruchs auf Wohnungsnutzung noch in Betracht: 742

- eine Wohnungsreallast gem. § 1105 BGB, wenn eine Wohnung, auch außerhalb des belasteten Grundstücks, zur Verfügung zu stellen ist oder wenn neben der Überlassung der Wohnung auch positive Leistungen zu gewähren sind, z. B. Schönheitsreparaturen, Reinigung der

Wohnung, kostenlose Lieferung von Heizung, Wasser, Warmwasser, Gas, Strom usw.
- ein Dauerwohnrecht gem. § 31 WEG (s. Rz. 1274 f.)
- ein Nießbrauchsrecht, wenn ein ganzes Gebäude zur Nutzung überlassen wird (s. Rz. 745 f. und 774 ff.).

e) Der Umfang des Nutzungsrechts

Literaturhinweis: Schöner, Zur Abgrenzung von Dienstbarkeit und Nießbrauch, DNotZ 1982, 416

743 **Persönliche Ausübung.** Für das Wohnungsrecht nach § 1093 BGB gelten weitgehend die Vorschriften über den Nießbrauch (§ 1093 I Satz 2 BGB). Ein wesentlicher Unterschied besteht aber darin, daß das Wohnungsrecht nur ein Recht zum eigenen Wohnen gibt, nicht dagegen auch das Recht zur entgeltlichen oder unentgeltlichen Überlassung an andere Personen. Für die Zeit, in der der Berechtigte sein Wohnungsrecht nicht ausübt, kann er grundsätzlich keine Entschädigung verlangen.

744 **Mitbenutzung durch Familie und andere Personen.** Nach § 1093 II BGB darf der Wohnungsberechtigte nur die zu seiner Familie gehörenden sowie die zur standesmäßigen Bedienung und Pflege erforderlichen Personen in die Wohnung aufnehmen. Dies gilt auch für den Partner einer nichtehelichen Lebensgemeinschaft, wenn beide unverheiratet sind und das Verhältnis auf Dauer angelegt ist (BGH NJW 1982, 1868). Die Überlassung der Wohnung an andere Personen bedarf einer besonderen Gestattung nach § 1092 I 2 BGB. Es kann deshalb mit dinglicher Wirkung vereinbart werden, daß der Wohnungsberechtigte die Ausübung des Rechts einem Dritten überlassen, insbesondere die Wohnung auf die Dauer des Wohnungsrechts vermieten darf. Bei Beendigung des Wohnungsrechts tritt aber der Eigentümer nicht kraft Gesetzes in den Mietvertrag ein (auf § 1056 BGB ist nicht verwiesen).

f) Die Lastenverteilung

745 **Die Bestellung eines Wohnungsrechts begründet für den Grundstückseigentümer lediglich die Pflicht, die Ausübung des Wohnungsrechts zu dulden.** Das bedeutet für die dingliche Lastenverteilung:
- **Die Lasten des Grundstücks bzw. des Gebäudes hat der Eigentümer zu tragen.** Das ergibt sich daraus, daß in § 1093 BGB nicht auf § 1047 BGB verwiesen ist. Er trägt also die auf dem Grundstück ruhenden privaten und öffentlichen Lasten, und zwar auch bezüglich der Räume, die Gegenstand des Wohnungsrechts sind, z. B. die Zins- und Tilgungsleistungen auf Grundpfandrechte, Erschließungs- und Ausbaubeiträge, Grundsteuer, Brandversicherung, wohl auch die Schornsteinfegergebühren.

- **Die gewöhnliche Unterhaltung der Wohnung muß der Wohnungsberechtigte auf eigene Kosten tragen;** Ausbesserungen und Erneuerungen obliegen ihm aber nur, soweit sie zur gewöhnlichen Instandhaltung der Räume erforderlich sind. Umgestaltung oder wesentliche Veränderungen der Räume sind ihm nicht gestattet (§ 1093 I 2 i.V.m. §§ 1037 I, 1041 BGB).
- **Die benutzungs- und verbrauchsabhängigen Kosten obliegen dem Wohnungsberechtigten,** z.B. die Kosten für den Verbrauch von Heizenergie, Kalt- und Warmwasser, Strom, Gas und Abwasser, Telefon sowie die Müllabfuhr.

Die gesetzliche Lastenverteilung kann durch Vereinbarung der Beteiligten, d.h. mit schuldrechtlicher Wirkung, geändert werden, z.B. in der Weise, daß der Eigentümer auch die verbrauchsabhängigen Kosten ganz oder teilweise trägt. Dies ergibt sich aus dem Prinzip der Vertragsfreiheit (§§ 305, 241 BGB). Die Aufnahme klarer Vereinbarungen über die Lastenverteilung in den Vertrag trägt in dem besonders sensiblen Beziehungsbereich des nahen Zusammenlebens dazu bei, Unsicherheit und Streit zu vermeiden. Fraglich ist jedoch, ob und inwieweit die Lastenverteilung auch mit dinglicher Wirkung geändert werden kann. Nach überwiegender Meinung ist es zulässig, vom gesetzlichen Typ der beschr. pers. Dienstbarkeit abweichende Vereinbarungen über weitergehende Leistungspflichten des Eigentümers auch zum Inhalt des dinglichen Rechts zu machen, z.B. die Übernahme der Schönheitsreparaturen, die Verpflichtung, die Wohnung zu reinigen sowie den Wohnungsberechtigten kostenfrei mit Heizung, Kalt- und Warmwasser, Strom und Gas zu versorgen (BayObLG DNotZ 1981, 124; Amann DNotZ 1982, 396; OLG Köln MittRhNotK 1986, 264; OLG Schleswig DNotZ 1994, 895; a.A. HSS Rz. 1251–1253 mit der Begründung, daß dafür keine ausreichende Grundlage im Gesetz gegeben sei). Auf jeden Fall aber können Leistungspflichten des Eigentümers, die über die Gewährung des Wohnungsrechts hinausgehen, durch die Bestellung einer Reallast dinglich gesichert werden (s. Rz. 886). 746

g) Die einkommensteuerliche Behandlung

Für die einkommensteuerliche Behandlung des dinglichen Wohnungsrechts gelten die für den Nießbrauch geltenden Regeln entsprechend (s. Rz. 793 ff. und den dort zitierten Nießbrauchserlaß Tz. 52). Dies bedeutet für den in der Praxis typischen Fall der Eigentumsübertragung unter Vorbehalt eines Wohnungsrechts: Der Eigentümer hat keine Einnahmen aus der Wohnung. Er kann deshalb weder die auf den belasteten Gebäudeteil entfallende AfA noch andere Wohnungskosten geltend machen (Erlaß Tz. 52 a). Etwa mit der Wohnungsüberlassung verbundene Sachleistungen an den Wohnungsberechtigten, z.B. die vertraglich übernom- 747 menen Kosten für Heizung, Strom und Wasser, kann er jedoch als „Dauernde Last" geltend machen (BMF-Rundschreiben BStBl. I 1988, 528).

h) Die Eintragung für mehrere Personen

748 **Das Wohnungsrecht kann auch für mehrere Personen eingetragen werden. Dabei ist gemäß § 47 GBO das für die Gemeinschaft maßgebende Rechtsverhältnis anzugeben.** Der häufigste Fall ist das Wohnungsrecht für Eheleute als Gesamtberechtigte gemäß § 428 BGB (BGH NJW 1967, 627 = DNotZ 1967, 183). Nach dem Tode eines Ehegatten steht dann das Recht in vollem Umfang dem noch lebenden Ehegatten allein zu. Möglich ist aber auch die Bestimmung, daß dann eine räumliche Einschränkung eintreten soll.

Ist beim vorbehaltenen Wohnungsrecht nur einer der Ehegatten der Übergeber, so kann es aus steuerlichen Gründen zweckmäßiger sein, das Wohnungsrecht zunächst nur für ihn zu bestellen und dem anderen Ehegatten lediglich ein bedingtes Wohnungsrecht für den Fall seines Längerlebens einzuräumen (vgl. Rz. 794).

i) Das Erlöschen

749 **Das Wohnungsrecht erlischt durch Aufhebung (§ 875 BGB) oder durch den Tod des Berechtigten.** Ein Vermerk nach § 23 II GBO, daß zur Löschung des Rechts der Nachweis des Ablebens des Berechtigten genügen soll, ist -da keine Rückstände möglich sind- überflüssig und deshalb unzulässig (Ausnahme: s. Rz. 216). Das Wohnungsrecht kann aber auch bedingt oder befristet bestellt werden, z. B. bis zu einer etwaigen Verheiratung oder bis zu einem bestimmten Lebensalter des Berechtigten. Es erlischt dann mit dem Eintritt des Ereignisses oder mit dem Ablauf der Frist.

Im Fall der Zerstörung des Gebäudes erlischt das Wohnungsrecht, soweit nicht das Landesrecht für Altenteilsverträge etwas anderes bestimmt (HSS Rz. 1272).

Erlischt das Wohnungsrecht durch Zuschlag in der Zwangsversteigerung (§ 91 I ZVG), so hat der Berechtigte Anspruch auf Wertersatz durch Zahlung einer Geldrente, für die aus dem Erlös -soweit dafür ausreichend- ein Deckungskapital zu bilden ist (§§ 92 II, 121 ZVG).

IV. Die Baulast

Literaturhinweise: Beck'sches Notarhandbuch (Brambring) A I Rz. 22; Lohre, Fehler und Fehlerfolgen bei der Baulasteintragung, NJW 1987, 877; Meendermann/Lassek, Rechtsfortbildung der Baulast, NJW 1993,

424; Sachse, Das Spannungsverhältnis zwischen Baulastenverzeichnis und Grundbuch, NJW 1979, 195; Schwarz, Baulasten im öffentlichen Recht und im Privatrecht, 1995

1. Begriff und Zweck

750 Im Zusammenhang mit den Dienstbarkeiten des Privatrechts muß noch ein in den Wirkungen rechtsähnliches **öffentlich-rechtliches Gegenstück** dazu erwähnt werden. Alle Länder der Bundesrepublik, mit Ausnahme von Bayern und Brandenburg, haben -im wesentlichen übereinstimmend- in ihren Landesbauordnungen das Rechtsinstitut der „Baulast" eingeführt. In den neuen Bundesländern kann sie aufgrund § 80 der BauO vom 20.07. 1990 eingeführt werden. Die Baulast ist eine baurechtliche, d.h. **öffentlich-rechtliche Verpflichtung des Grundstückseigentümers gegenüber der Baubehörde zu einem auf ein Grundstück bezogenen -über die bestehenden baurechtlichen Vorschriften hinausgehenden- Tun, Dulden oder Unterlassen** (vgl. §§ 99 BauO NW, 120 LandesbauO Rh.-Pf.). Häufig wird die Erteilung einer Baugenehmigung von der Bestellung einer Baulast durch den Antragsteller abhängig gemacht.

Vom Zweck her ist die Baulast ein bauordnungsrechtliches Instrument; sie ermöglicht der Baubehörde, Ausnahmen und Befreiungen von bauordnungsrechtlichen (u.U. auch bauplanungsrechtlichen) Vorschriften zu gestatten und damit eine größere Variabilität in der Grundstücksausnutzung zu erreichen. Mittelbar Begünstigter ist meist der Eigentümer des Nachbargrundstücks. **Beispiele:**
- Verzicht auf die Einhaltung des vorgeschriebenen Bauwichs (Grenzabstand) auf einem zu schmalen Nachbargrundstück, damit es bebaubar wird
- Gestattung einer gemeinsamen Brandmauer auf oder an einer Nachbargrenze
- Regelung des Zugangs zu einem Grundstück
- Sicherung von Stellplätzen und Garagen auf dem Nachbargrundstück.

751 **Die Baulast begründet nur öffentlich-rechtliche Verpflichtungen des Eigentümers des belasteten Grundstücks gegenüber der Gemeinde,** nicht auch privatrechtliche Verpflichtungen gegenüber dem Eigentümer des begünstigten Grundstücks. Es ist deshalb zweckmäßig, neben der Baulast eine entsprechende Grunddienstbarkeit zu vereinbaren, die das Recht des Begünstigten privatrechtlich absichert. Durch die tatsächliche Begünstigung des Nachbarn entsteht jedoch eine **Reflexwirkung**: Zwar schließt die Baulast grundsätzlich die öffentlich-rechtliche Nachbarklage des Betroffenen gegen die Baumaßnahme des Begünstigten nicht aus; sie ist jedoch rechtsmißbräuchlich, wenn sie gegen eine Maßnahme des

Nachbarn gerichtet ist, zu deren Duldung sich der Besteller der Baulast verpflichtet hat (BGH NJW 1981, 980). Umgekehrt kann sich auch aus der schuldrechtlichen Verpflichtung zur Bestellung einer Dienstbarkeit im Wege der ergänzenden Auslegung die Verpflichtung zur Bestellung einer inhaltsgleichen Baulast ergeben, wenn diese für die Baugenehmigung erforderlich ist (BGH DNotZ 1994, 885 = MittRhNotK 1994, 216 = DNotI-Report 14/1994, S. 5).

2. Begründung und Rechtswirkung

752 **Die Baulast entsteht durch Abgabe einer entsprechenden Erklärung des Grundstückseigentümers gegenüber der Baubehörde** (in Niedersachsen in notariell beurkundeter Form). Trotz der damit u. U. verbundenen Wertminderung des Grundstücks soll eine Zustimmung der Grundpfandgläubiger nicht erforderlich sein. Die Baulast ist in das beim Bauamt geführte **Baulastenverzeichnis** einzutragen. Nach den meisten Landesgesetzen entsteht die Baulast erst durch die Eintragung, in einigen bereits mit der Abgabe der Erklärung. Das Baulastenverzeichnis genießt deshalb keinen Gutglaubensschutz: Man kann sich weder auf die Richtigkeit noch auf das Schweigen des Baulastenverzeichnisses verlassen (Sachse NJW 1979, 195). Da es sich bei der Baulast um eine öffentliche Last handelt, wird sie auch nicht in das Grundbuch eingetragen (§ 54 GBO); sie wirkt gegen jeden Rechtsnachfolger und bleibt von einer Zwangsversteigerung unberührt.

3. Die Baulast in der Vertragsgestaltung

753 **Die Baulast ist als öffentlich-rechtliche Baubeschränkung kein Recht eines Dritten i. S. des § 434 BGB** (BGH NJW 1978, 1429 = DNotZ 1978, 621; DNotZ 1984, 176). Dies bedeutet, daß für den Käufer insoweit keine Gewährleistungsansprüche bestehen, es sei denn, daß der Verkäufer das Nichtbestehen einer Baulast zugesichert hat (§ 463 BGB).

Aus der Sicht der Vertragsgestaltung bedeutet die Art und Ausgestaltung der Baulast eine Fehlentwicklung. Sie entwertet die **Warn- und Schutzfunktion des Grundbuchs** und ist damit ein Element der Rechtsunsicherheit. Außerdem bestehen verfassungsrechtliche Bedenken gem. Art. 72 I, 74 Nr. 1 GG wegen Durchbrechung des bundesrechtlichen numerus clausus der Sachenrechte (vgl. dazu HSS a. a. O. und MünchKomm-Falkenberg Rz. 15 f. vor § 1018 BGB; anders jedoch BVerwG NJW 1991, 713). Die Baulast ist auch ein überflüssiges Rechtsinstitut, weil ihre Zwecke ebenso gut und rechtspolitisch unbedenklicher durch Grunddienstbarkeiten oder beschränkte persönliche Dienstbarkeiten für die Gebietskörperschaft (Gemeinde) erreicht würden (so im Freistaat Bayern). De lege ferenda ist zumindest anzustreben, daß auf Ersuchen der Baubehörde ein Baulastenvermerk im Grundbuch einzutragen ist, ähnlich der Regelung in § 54 I BauGB (Umlegungsvermerk).

754 **Der Notar** soll sich vor einer Beurkundung über den Grundbuchinhalt unterrichten (§ 21 BeurkG); er ist jedoch nicht verpflichtet, das Baulastenverzeichnis einzusehen (OLG Schleswig DNotZ 1991, 339; HSS Rz. 3196 m.w.N.). Zum Schutz des Erwerbers kann es jedoch zweckmäßig sein, den Veräußerer eine Erklärung darüber abgeben zu lassen, ob eine Baulast auf dem Grundstück ruht und in Zweifelsfällen dem Erwerber zu empfehlen, das Baulastenverzeichnis einzusehen, insbesondere wenn erkennbar ist, daß der Käufer das Grundstück zum Zwecke der Bebauung erwirbt. Nach Eintragung einer EV für den Käufer ist die Bestellung einer Baulast ohne seine Zustimmung ihm gegenüber unwirksam (§ 883 II BGB; VGH Mannheim NJW 1993, 678).

§ 17. Der Nießbrauch an Grundstücken

Literaturhinweise: Faber, Nießbrauch in sachen- und grundbuchrechtlicher Sicht, BWNotZ 1978, 151; HSS Rz. 1356–1393; Langenfeld, Grundstückszuwendungen im Zivil- und Steuerrecht, 3. Aufl. 1991; Spiegelberger, Vermögensnachfolge, 1994; Staudinger/Promberger, Vorbem. zu §§ 1030 ff.; Wegmann, Grundstücksüberlassung, Zivil- und Steuerrecht, 1994

I. Der Nießbrauch in der Vertragspraxis

755 Der Nießbrauch steht zwar im BGB im Abschnitt „Dienstbarkeiten". In der Vertragspraxis bildet er jedoch ein eigenständiges Rechtsinstitut. Es gibt den Nießbrauch an Sachen (beweglichen Sachen und Grundstükken), an Rechten und an einem Vermögen. **Hauptanwendungsfall ist der Nießbrauch an Grundstücken**. Er spielt – entgegen mancher Lehrbuchmeinung – in der Praxis eine wichtige Rolle bei der rechtsgeschäftlichen und erbrechtlichen Gestaltung von (meist familiären) Rechtsverhältnissen; insbesondere stellt er ein klassisches Instrument der vorweggenommenen Erbfolge, der Altersvorsorge und der Nachlaßregelung dar. Dabei zeichnen sich drei Hauptgruppen ab: der Vorbehaltsnießbrauch, der Zuwendungsnießbrauch und der Vermächtnisnießbrauch.

1. Der Vorbehaltsnießbrauch

Literaturhinweis: Petzoldt, Grundstücksübertragung unter Nießbrauchsvorbehalt, 4. Aufl. 1987

a) Das Grundschema: Übertragung unter Nießbrauchsvorbehalt

756 Der Vorbehaltsnießbrauch, auch Versorgungsnießbrauch genannt, hat eine alte deutschrechtliche Tradition, insbesondere bei der Hofübergabe. In Schenkungs- und Übergabeverträgen, insbesondere bei den Gestaltungsformen der vorweggenommenen Erbfolge, behält sich häufig der Schenker bzw. Übergeber das Nießbrauchsrecht an dem übertragenen Grundstückseigentum oder an einzelnen Grundstücken vor. Er will zwar bereits jetzt das Eigentum – d. h. die Vermögenssubstanz – übertragen, möchte aber weiterhin die Nutzungen behalten, z. B. das übertragene Haus selbst bewohnen, die Mieten des Mietwohnhauses einnehmen,

einzelne Felder oder Weinberge des übergebenen Betriebs selbst bewirtschaften oder verpachten. Der Schenker bzw. Übergeber überträgt in diesen Fällen das Grundstück mit der Auflage, daß ihm gleichzeitig durch den Erwerber ein Nießbrauchsrecht bestellt wird. Damit können **Gesichtspunkte der Versorgung und der Betriebskontinuität** in idealer Weise verbunden werden. Mit dem Ableben des Nießbrauchers erlöschen alle vorbehaltenen Rechte (§ 1061 BGB). Bezüglich der zu Lebzeiten übertragenen Grundstücke wird **keine Erbauseinandersetzung** mehr erforderlich. Dies gilt insbesondere dann, wenn bereits in Verbindung mit der Grundstücksübertragung die etwaigen Probleme geregelt werden, die sich aus der Pflicht zur Ausgleichung von Vorempfängen (§ 2050 BGB) und der Geltendmachung von Pflichtteilsergänzungsansprüchen (§ 2325 BGB) durch weichende Geschwister ergeben können (s. Weirich, Erben und Vererben, 3. Aufl. 1991, § 25).

b) Die Schenkung an Minderjährige

757 Häufig erfolgt die Schenkung des Grundstücks an einen beschränkt geschäftsfähigen Minderjährigen unter Vorbehalt des Nießbrauchs für den Schenker. Dies bedeutet nach h. M. im Regelfall für den Minderjährigen **lediglich einen rechtlichen Vorteil** (§§ 106, 107 BGB). Die Bestellung eines Ergänzungspflegers ist daher zivilrechtlich grundsätzlich nicht erforderlich (s. jedoch Rz. 490). Anders soll die Sache jedoch bei besonderen Fallgestaltungen liegen, z. B. wenn eine Eigentumswohnung übertragen wird und in der Gemeinschaftsordnung Pflichten des Wohnungseigentümers festgelegt sind, die wesentlich über die gesetzlichen Pflichten hinausgehen (BGH NJW 1981, 109 = DNotZ 1981, 111).

c) Erbrechtliche Auswirkungen

758 Hat der Erblasser eine Schenkung gemacht, kann beim Erbfall der Pflichtteilsberechtigte verlangen, so gestellt zu werden, als wenn die Schenkung nicht erfolgt wäre (§ 2325 I BGB). Die Schenkung bleibt jedoch unberücksichtigt, wenn sie beim Erbfall bereits mehr als 10 Jahre zurückliegt (§ 2325 III BGB). Bei Schenkungen an den Ehegatten beginnt die Frist erst mit Auflösung der Ehe durch Tod oder Scheidung. Für die Berechnung der 10-Jahres-Frist kommt es auf die endgültige, auch wirtschaftliche Ausgliederung aus dem Vermögen des Erblassers an. Hat sich der Erblasser bei der Schenkung eines Grundstücks die uneingeschränkte Nutzung, z. B. durch ein Nießbrauchsrecht, vorbehalten, fehlt es an der wirtschaftlichen Ausgliederung, so daß die 10-Jahres-Frist nicht zu laufen beginnt (BGH NJW 1994, 1791). Bei der Bewertung des Vorempfangs für den Pflichtteilsergänzungsanspruch ist jedoch der kapitalisierte Wert des Nießbrauchs abzuziehen (BGH NJW 1994, 1791 = DNotZ 1994, 784 m. Anm. Siegmann).

d) Schenkungsteuer

759 Wird ein Grundstück mit Nießbrauchsvorbehalt für den Schenker und/oder seinen Ehegatten übertragen, handelt es sich schenkungsteuerlich um eine Schenkung mit Duldungsauflage. In diesem Fall wird die Schenkung ohne Berücksichtigung des Nießbrauchs besteuert, jedoch der auf den Kapitalwert des Nießbrauchs entfallende Teil der Steuer bis zum Erlöschen des Nießbrauchs gestundet (§ 25 I 1 EStG). Der gestundete Betrag kann auf Antrag jederzeit abgelöst werden (§ 25 I 3 EStG).

2. Der Zuwendungsnießbrauch

a) Zweck: Übertragung einer Einkunftsquelle

760 **Unter Zuwendungsnießbrauch versteht man die Einräumung eines Nießbrauchs, ohne daß damit gleichzeitig eine Grundstücksübertragung verbunden ist**; der Nießbrauch wird „zugewendet". Er bezweckt in der Regel die zeitlich befristete Übertragung einer Einkunftsquelle. Diese Vertragsgestaltung hat meist **steuerliche Gründe**: Wegen der scharfen Progression der Einkommensteuer überträgt der Eigentümer die Nutzungen eines Grundstücks, z.B. eines Mietwohnhauses, einem anderen, z.B. den eigenen Kindern, die noch kein eigenes oder nur ein geringeres Einkommen haben. An die steuerliche Anerkennung solcher Vertragsgestaltungen legt die Finanzverwaltung sehr strenge Maßstäbe an. Insbesondere wird verlangt, daß ein zivilrechtlich wirksamer Vertrag zugrundeliegt und daß die Beteiligten das Vereinbarte auch tatsächlich durchführen (BFH BStBl. 1981 II 297).

b) Die Nießbrauchszuwendung an Kinder

761 Wenn Eltern den Nießbrauch ihren minderjährigen Kindern zuwenden wollen, stellt sich das **Problem der Vertretung** (vgl. Rz. 157–159). Grundsätzlich werden Kinder vor der Volljährigkeit von ihren Eltern als gesetzliche Vertreter rechtsgeschäftlich vertreten (§ 1629 I BGB). Wenn die Eltern von der Vertretung ausgeschlossen sind, weil Vertragspartner des Kindes die Eltern selbst oder Verwandte in gerader Linie sind (§§ 181, 1795 I Nr. 1, 1629 I 2 BGB), ist jedoch die Bestellung eines Ergänzungspflegers nötig. Dies gilt nur dann nicht, wenn das Rechtsgeschäft für das Kind lediglich einen rechtlichen Vorteil bringt (§§ 1629 II 1, 1795 II, 181 BGB; vgl. Palandt/Heinrichs § 181 Rz. 9). Unter dieser Voraussetzung kann ein Minderjähriger, der das 7. Lebensjahr vollendet hat, selbst rechtsgeschäftlich handeln (§ 107 BGB).

762 **Ob die Bestellung eines Nießbrauchsrechts für das Kind lediglich einen rechtlichen Vorteil bedeutet, ist streitig.** Überwiegend wird dies in der zivilrechtlichen Literatur wegen der Pflichten aus §§ 1041, 1045 und 1047

BGB verneint (vgl. Palandt/Heinrichs § 107 Rz. 4; MünchKomm-Petzoldt Rz. 26 vor § 1030; dies soll nach Petzoldt a. a. O. sogar für den Brutto-Nießbrauch gelten, obwohl dabei die Erträge voll dem minderjährigen Nießbraucher verbleiben (OLG Saarbrücken DNotZ 1980, 113). Leider fehlt bis heute eine höchstrichterliche Entscheidung dieser Frage. Hinzu kommt, daß die Finanzverwaltung nach der Rechtsprechung des BFH die **steuerliche Anerkennung** in der Regel von der Mitwirkung eines Pflegers und Eintragung des Nießbrauchsrechts im Grundbuch abhängig macht (BFH BStBl. 1992 II 506). Für die Beurkundungspraxis empfiehlt sich deshalb, den sichereren Weg mit Einschaltung eines Pflegers zu gehen. Die Anordnung einer Dauerpflegschaft für die Laufzeit des Nießbrauchs ist jedoch nicht erforderlich (BFH BStBl. 1981 II 295).

3. Der Vermächtnisnießbrauch

a) Zuwendung durch Verfügung von Todes wegen

763 **Ein Nießbrauchsrecht kann durch Verfügung von Todes wegen** (Testament, gemeinschaftliches Testament oder Erbvertrag) **als Vermächtnis zugewendet werden.** Diese Gestaltungsform kommt immer dann in Frage, wenn die begünstigte Person zwar eine Versorgung durch wiederkehrende Leistungen oder Nutzungsrechte erhalten, die Substanz des Vermögens jedoch einem anderen zugewendet werden soll. **Beispiel:** Die Kinder werden als Erben eingesetzt, der überlebende Ehegatte erhält ein lebenslängliches Nießbrauchsrecht an dem Hausgrundstück. Diese Lösung ist vielfach der Alternative Vorerbschaft-Nacherbschaft vorzuziehen.

b) Die erbschaftsteuerliche Wirkung

764 **Erbschaftsteuerlich kann die Aussetzung eines Nießbrauchsvermächtnisses eine Entlastung bringen**, denn der Erbe hat grundsätzlich nur die durch die Erbschaft erlangte Bereicherung zu versteuern, soweit sie nicht aus sachlichen oder persönlichen Gründen steuerfrei ist (§ 10 I, V Nr. 2 ErbStG). Das Vermächtnis mindert daher den steuerpflichtigen Erwerb des Erben. Beim Vermächtnisnehmer ist es als Erwerb von Todes wegen nach dem gemäß §§ 13 ff. BewG errechneten Kapitalwert selbständig zu versteuern (§§ 10 I, 12 I, 23 I ErbStG). Eine (rechtspolitisch bedenkliche) **Sonderregelung** gilt jedoch, wenn das Nießbrauchsrecht für den Ehegatten bestellt wird. In diesem Falle darf es gemäß § 25 EStG nicht als Belastung von dem Vermögensanfall des Erben abgezogen werden. Die Steuer, die auf den Kapitalwert dieser Belastung entfällt, wird jedoch bis zu deren Erlöschen gestundet. Zur rechtlichen Problematik und dem Wahlrecht des Erben s. Weirich, Erben und Vererben, 3. Aufl. Rz. 748.

c) Die Erfüllung des Vermächtnisses

765 **Das Vermächtnis begründet einen Anspruch des Vermächtnisnehmers gegen den Erben auf Einräumung des Nießbrauchsrechts** (§ 2174 BGB). Dieser Anspruch entsteht erst mit dem Anfall, d.h. in der Regel mit dem Erbfall (§§ 2176, 2177 BGB). Er ist die schuldrechtliche causa für das dingliche Recht und verpflichtet den Erben zur Bestellung des Nießbrauchs und Eintragung des Rechts im Grundbuch. Erst damit entsteht der Nießbrauch als dingliches Recht.

Ein Nießbrauch kann auch an einem Nachlaß vermacht werden. Dabei handelt es sich um den Nießbrauch an einem Vermögen, d.h. an einem Inbegriff von Sachen und Rechten (§§ 1085, 1089 BGB). Gehört zum Nachlaß auch Grundeigentum, so bedarf es zur Entstehung des Nießbrauchs als dingliches Recht an den Grundstücken der rechtsgeschäftlichen Bestellung durch den bzw. die Erben nach den Regeln des Sachenrechts (§§ 873 I BGB, 19, 29 GBO).

Als aufklärender Hinweis für Erben und Vermächtnisnehmer ist es deshalb zweckmäßig, bei der Vermächtnisanordnung ausdrücklich zu erwähnen, daß der Nießbrauch im Grundbuch einzutragen ist, und evtl. auch dem Vermächtnisnehmer Vollmacht zur Bestellung des Nießbrauchs für sich selbst zu erteilen.

4. Der Sicherungsnießbrauch

766 Eine vierte, aber heute relativ seltene Gestaltungsform ist der Sicherungsnießbrauch. Man versteht darunter ein Nießbrauchsrecht, das den Zweck hat, einem persönlichen oder dinglichen Gläubiger des Eigentümers zwecks Befriedigung seiner Forderung ein unmittelbares Anrecht auf die Nutzungen des Grundstücks, insbesondere auf die Mieterträgnisse einzuräumen. Diese Konstruktion bietet dem Gläubiger die Möglichkeit der Befriedigung aus den Erträgen des Grundstücks, ohne den Weg über die Zwangsversteigerung oder Zwangsverwaltung gehen zu müssen. Nach dem Wegfall des Sicherungszwecks hat der Eigentümer einen schuldrechtlichen Anspruch gegen den Nießbraucher auf Aufhebung des Nießbrauchsrechts (BGH WPM 1966, 653).

II. Begründung und Erlöschen des Nießbrauchs

1. Die Begründung

767 **Die rechtsgeschäftliche Bestellung eines Nießbrauchs erfolgt durch dingliche Einigung und Eintragung im Grundbuch** (§ 873 I BGB). Die Einräumung des Besitzes an dem Grundstück ist dazu nicht erforderlich

(BGH DNotZ 1954, 399); sie ist aber die vom Eigentümer geschuldete und regelmäßige Folge (§ 1036 I BGB).

Der Einigung geht in der Regel das an keine Form gebundene obligatorische **Grundgeschäft** voraus, durch das sich der Eigentümer zur Einräumung des Nießbrauchs verpflichtet; diese Verpflichtung kann auch stillschweigend eingegangen werden. Sie ist der Rechtsgrund für den Erwerb und Bestand des dinglichen Rechts. Im Falle des vermachten Nießbrauchs ist der Rechtsgrund durch das Vermächtnis in der Verfügung von Todes wegen gesetzt.

768 **Die Nießbrauchsbestellung bedarf der behördlichen Genehmigung:**
- bei landwirtschaftlichen Grundstücken (§ 2 II Nr. 3 GrdstVG)
- bei Grundstücken, die sich in der Baulandumlegung (§ 51 I Nr. 1 BauGB) oder im Sanierungsverfahren befinden (§ 144 I Nr. 3 BauGB).

2. Der Berechtigte

769 **Berechtigter kann eine bestimmte natürliche oder juristische Person sein.** Häufig wird der Nießbrauch für mehrere Personen bestellt. Dies kann geschehen:
- für mehrere Personen, z. B. für Eheleute als Gesamtberechtigte i. S. von § 428 BGB; stirbt einer der Ehegatten, so bleibt das Nießbrauchsrecht für den anderen Ehegatten ungeschmälert bestehen; diese Gestaltung kann jedoch steuerlich ungünstig sein (s. Rz. 486); als nicht zulässig gilt die Gestaltung als Alternativ- oder Sukzessivberechtigung (s. HSS Rz. 261 a-c)
- für eine Gemeinschaft zur gesamten Hand (OHG, KG, BGB-Gesellschaft, Eheleute in Gütergemeinschaft)
- für mehrere Personen nach Bruchteilen. Beispiel: Der Eigentümer E bestellt für seine 3 Kinder Nießbrauchsrechte zu je 1/3. Zwischen den Kindern entsteht dadurch eine Nutzungs- und Verwaltungsgemeinschaft gemäß §§ 741 ff. BGB. Fällt einer der Mitberechtigten weg, so erlischt der auf ihn entfallende Nießbrauchsanteil.

3. Aufhebung und Erlöschen

770 Der Nießbrauch kann, wie jedes beschränkte dingliche Recht an Grundstücken, rechtsgeschäftlich durch **Aufhebungserklärung** des Berechtigten und **Löschung** im Grundbuch aufgehoben werden (§ 875 BGB).

Der Nießbrauch ist an die Person des Berechtigten gebunden und deshalb **nicht übertragbar und nicht vererblich** (§§ 1059, 1061 BGB; wegen der Sonderregelung für das Nießbrauchsrecht einer juristischen Person s. § 1059 a – e BGB). Er erlischt im Falle einer Befristung mit dem Zeitablauf (z. B. nach 10 Jahren), bei auflösender Bedingung mit dem Eintritt des Ereignisses (z.B. der Wiederverheiratung des Berechtigten) sowie den sonstigen in Rz. 66 genannten Fällen. Bei der (meist üblichen) Bestellung auf Lebenszeit erlischt das Recht mit dem Tod des Berechtigten. Für die Löschung im Grundbuch gelten dann die §§ 22, 23, 24 GBO; da Rückstände möglich sind, kann eine Löschungsklausel für den Todesfall gem. § 23 II GBO eingetragen werden, um die Bewilligung des Erben und das etwa dazu erforderliche Erbscheinsverfahren entbehrlich zu machen bzw. das Sperrjahr gemäß § 23 I GBO zu vermeiden (s. Rz. 370).

4. Der Nießbrauch in der Zwangsvollstreckung

a) Zwangsversteigerung

771 **Geht das Nießbrauchsrecht dem bestrangig betreibenden Gläubiger im Range vor,** kommt es in das geringste Gebot und bleibt beim Zuschlag bestehen (§§ 44 I, 52 I 1 ZVG).

Betreibt ein vor- oder gleichrangiger Gläubiger das Verfahren, so erlischt das Nießbrauchsrecht (§§ 52 I 2, 91 I ZVG), es sei denn, daß eine Liegenbelassungsvereinbarung getroffen wird (§ 91 II ZVG). An die Stelle des erlöschenden Nießbrauchsrechts tritt der Anspruch auf Zahlung einer Geldrente, soweit er durch Kapital aus dem Erlös gedeckt ist (§§ 44 I, 53, 92 II, 121 ZVG). Ist der Nießbrauch auf Lebenszeit des Berechtigten bestellt, so richtet sich die Laufzeit der Rente nach der statistischen Lebenserwartung (Haegele DNotZ 1976, 5), höchstens jedoch wird der 25-fache Jahreswert angesetzt. Die nachrangige Eintragung des Nießbrauchs gibt daher dem Berechtigten nur eine fragwürdige Sicherung seines Rechts.

b) Zwangsverwaltung

772 **Geht der Nießbrauch dem betreibenden Gläubiger im Range nach,** so kann und muß dieser einen Duldungstitel gegen den Nießbraucher erwirken, damit der Zwangsverwalter das Grundstück in Besitz nehmen und verwalten kann.

Geht der Nießbrauch dem betreibenden Gläubiger im Range vor, so ist zwar die Zwangsverwaltung anzuordnen; sie muß aber auf Erinnerung des Nießbrauchers gegen die Art und Weise der Zwangsvollstreckung gem. § 766 ZPO darauf beschränkt werden, daß dem Zwangsverwalter nur der mittelbare Besitz und die damit verbundenen Rechte des Eigentümers zustehen (sog. beschränkte Zwangsverwaltung). Dem Nießbraucher verbleiben der unmittelbare Besitz und die Erträge des Grundstücks (OLG Köln NJW 1957, 1769).

c) Masseverfahren

773 Im **Konkurs** des Grundstückseigentümers bzw. im künftigen **Insolvenzverfahren** hat der Nießbraucher ein Aussonderungsrecht (§ 43 KO bzw. § 47 InsO). Bei Konkurs bzw. Insolvenz des Nießbrauchers fallen nur die rückständigen sowie die während der Dauer des Verfahrens anfallenden Nutzungen in die Masse (§§ 1059 BGB, 857 III ZPO, 1 IV KO bzw. 36 I InsO).

III. Der gesetzliche Inhalt des Nießbrauchs

1. Gegenstand des Nießbrauchs

774 **Gegenstand des Nießbrauchsrechts sind in der Regel Grundstücke oder Eigentumswohnungen.** In Frage kommen aber auch **Erbbaurechte,** Dauerwohn- und Nutzungsrechte, Erbteile und Grundpfandrechte. Die darüber hinaus möglichen Nießbrauchsrechte an beweglichen Sachen, an Rechten und am Vermögen bleiben hier außer Betracht. Bei der Bestellung an mehreren Grundstücken handelt es sich nicht um ein einheitliches Recht, sondern um eine Mehrheit von selbständigen Rechten, auch wenn auf dem Grundbuchblatt nur ein zusammenfassender Vermerk (sog. Sammelbuchung) eingetragen wird, denn Gesamtrechte gibt es nur bei Grundpfandrechten gem. § 1132 BGB (KGJ 43, 347).

Der Nießbrauch erstreckt sich auf die wesentlichen Bestandteile (§ 93ff. BGB) und im Zweifel auch auf das Zubehör des Grundstücks (§§ 1031, 926 BGB).

775 **Quotennießbrauch.** Eine dem § 1114 BGB entsprechende Vorschrift besteht für den Nießbrauch nicht. Das Nießbrauchsrecht kann deshalb nicht nur an dem Anteil eines Miteigentümers (§ 1066 BGB), sondern auch an Eigentumsbruchteilen des Alleineigentümers bestellt werden (KG DNotZ 1936, 817). **Beispiel:** Der Alleineigentümer E bestellt für seine Ehefrau einen Nießbrauch an einer ideellen Hälfte des Grundstücks.

2. Die Rechte des Nießbrauchers

776 **Der Nießbrauch gewährt dem Berechtigten die Befugnis, das Grundstück in Besitz zu nehmen und sämtliche Nutzungen daraus zu ziehen** (§§ 1030 I, 1036 I, 100 BGB). Dadurch unterscheidet er sich von der Dienstbarkeit, bei der nur die Abspaltung einzelner Nutzungen vom Eigentum in Frage kommt. Das bedeutet: Der Nießbraucher ist zur persönlichen tatsächlichen Benutzung des Grundstücks berechtigt, z.B. zum Bewohnen des Hauses, und es stehen ihm die Sachfrüchte und die Rechtsfrüchte zu, z.B. der Ertrag an Obst, Wein und Gemüse, sowie

das Recht, das Grundstück zu vermieten oder zu verpachten und die daraus fließenden Miet- oder Pachterträge einzunehmen (Stichworte: **Besitz, Ertrag, Verwaltung**).

777 **Der Nießbraucher kann die Ausübung des Nießbrauchs im Ganzen oder bezüglich einzelner Nutzungen einem Dritten überlassen** (§ 1059 Satz 2 BGB). Dies bedarf nicht der Zustimmung des Eigentümers. Dadurch werden aber lediglich schuldrechtliche Beziehungen zwischen dem Nießbraucher und dem Dritten begründet, das Nießbrauchsrecht als dingliches Recht bleibt davon unberührt; eine Eintragung der Überlassung im Grundbuch ist deshalb nicht möglich.

778 **Pfändung und Verpfändung.** Aus der Möglichkeit, die Ausübung einem anderen zu überlassen, ergibt sich: Der Nießbrauch kann – obwohl nicht übertragbar – gepfändet werden (§ 857 III ZPO), und es kann auch das Recht auf die Ausübung durch Rechtsgeschäft ganz oder teilweise verpfändet werden, z.B. durch Abtretung des Anspruchs auf die Mieten des nießbrauchbelasteten Hausgrundstücks (MünchKomm-Damrau § 1274 Rz. 12).

779 **Fruchtziehung.** Soweit das Grundstück Früchte abwirft (§ 99 BGB), z.B. Obst, Wein, Spargel usw., fallen diese dem Nießbraucher zu (§ 954 BGB). Für Übermaßfrüchte, die über das Maß einer ordnungsgemäßen Wirtschaft hinaus gezogen wurden, hat er dem Eigentümer Ersatz zu leisten (§ 1039 BGB).

780 Der **Schutz des Nießbrauchers gegen Eingriffe und Störungen** richtet sich kraft Verweisung nach den Vorschriften über den Eigentumsschutz (§§ 1065, 985 ff., 1004 BGB). Das gilt auch gegenüber dem Eigentümer. Daneben sind die Vorschriften über den Besitzschutz unmittelbar anwendbar (§§ 858 ff. BGB).

3. Die Pflichten des Nießbrauchers

Aus dem gesetzlichen Schuldverhältnis zwischen Eigentümer und Nießbraucher ergeben sich auch die Pflichten des Nießbrauchers. Sie bestehen nur gegenüber dem Eigentümer, nicht auch im Verhältnis zu Dritten. Die wichtigsten sind:

781 – **Der Nießbraucher ist verpflichtet, das Grundstück ordnungsgemäß zu bewirtschaften und den gewöhnlichen Erhaltungsaufwand zu tragen** (§§ 1036–1041 BGB); er hat demnach insbesondere die gewöhnlichen Ausbesserungen und Erneuerungen vorzunehmen (§ 1041 Satz 2 BGB), auch soweit das Reparaturbedürfnis durch die ordnungsmäßige Ausübung des Nießbrauchs eingetreten ist, z.B. von Zeit zu Zeit das Haus zu tünchen. Er ist aber nicht gehalten, das Grundstück am Ende des Nießbrauchs im ursprünglichen Zustand zurückzugeben (§ 1050 BGB); die normale Abnutzung durch Alterung muß der Eigentümer hinnehmen.

- **Versicherungspflicht.** Aus der Pflicht zur Erhaltung der Sache ergibt sich auch die Verpflichtung, den Gegenstand des Nießbrauchs gegen Brand und andere Unfälle zu versichern (Sachversicherungen; § 1045 BGB); zum Abschluß zu Personen- und Haftpflichtversicherungen ist der Nießbraucher nicht verpflichtet. 782
- **Der Nießbraucher hat die auf dem Grundstück ruhenden wiederkehrenden Lasten zu tragen** (§ 1047 BGB). Dadurch unterscheidet sich der Nießbrauch wesentlich von dem dinglichen Wohnungsrecht des § 1093 BGB. Dies bedeutet z. B.: 783
  - Der Nießbraucher trägt die **öffentlichen Lasten**, soweit sie nicht den Stammwert des Grundstücks betreffen (z. B. Grundsteuer und Kanalgebühren: ja, Erschließungs- und Ausbaubeiträge nach dem BauGB und den Kommunalabgabegesetzen der Länder, Flurbereinigungsbeiträge: nein); der Nießbraucher hat jedoch die nach dem kapitalisierten Wert des Nießbrauchs ermittelte Vermögensteuer selbst zu tragen (s. Rz. 491).
  - Zu den **privatrechtlichen Lasten** des Grundstücks (durch Grundpfandrechte gesicherte Forderungen), die schon im Zeitpunkt der Bestellung des Nießbrauchs bestanden, trägt der Nießbraucher die Zinsen und der Eigentümer die Tilgungsleistungen; bei den heute fast allgemein üblichen Tilgungsdarlehen (gleichbleibende Annuitäten: Tilgung unter Zuwachs der ersparten Zinsen) ist dies wegen der ständigen Verschiebung der Anteile zwischen Zins und Tilgung jedoch kaum praktikabel und zweckmäßigerweise zwischen den Beteiligten vertraglich anders zu regeln.

Beim Nießbrauch an einer Eigentumswohnung besteht eine besondere Lastenverteilung. Der Eigentümer trägt die Kosten der Verwaltung und der Instandhaltung des gemeinschaftlichen Eigentums, der Nießbraucher – im Innenverhältnis zum Eigentümer – die laufenden Betriebskosten; hier ist eine klare Absprache und eventuell andere Lastenverteilung zwischen den Beteiligten besonders zu empfehlen. 784

4. Die Rechte und Pflichten des Eigentümers

Der Eigentümer hat ein Interesse an der Erhaltung der Vermögenssubstanz. Er kann deshalb verlangen: 785
- die Feststellung des Zustandes der Sache durch Sachverständige (§ 1034 Satz 2 BGB)
- die Beachtung der Regeln einer ordnungsgemäßen Wirtschaft (§ 1036 I BGB)
- die Beibehaltung des gegebenen Zustandes (§ 1037 I BGB)
- Ersatz für gezogene Übermaßfrüchte (§ 1039 BGB)
- Erhaltung des wirtschaftlichen Bestandes (§ 1041 BGB)

- Sicherheitsleistung, wenn durch das Verhalten des Nießbrauchers die Besorgnis einer erheblichen Verletzung der Erhaltungspflicht begründet ist (§ 1051 BGB), bei unbefugtem Gebrauch kann er auf Unterlassung klagen (§ 1053 BGB) und bei schuldhafter Verschlechterung Schadensersatz verlangen (§ 823 I BGB).

786 **Pflichten.** Der Eigentümer ist verpflichtet, dem Nießbraucher den Besitz zu verschaffen (§ 1036 BGB). Gemäß § 1047 BGB trägt er die auf dem Grundstück ruhenden **außerordentlichen Lasten**, soweit sie als auf den Stammwert gelegt anzusehen sind, z. B.:
- Umlegungsbeiträge nach dem BauGB (§ 64 III i. V. m. 57–60 BauGB)
- Erschließungsbeiträge nach §§ 127 ff. BauGB
- Ausgleichsbeiträge nach § 154 BauGB
- Ausbaubeiträge nach den Kommunalabgabegesetzen der Länder
- im Flurbereinigungsverfahren den Anteil gem. Sonderregelung des § 69 FlurbG.

IV. Zivilrechtliche und steuerliche Gestaltungsfragen

1. Typenzwang und Vertragsfreiheit

787 **Allgemeines.** Das Grundstücksrecht wird durch das Prinzip der geschlossenen Zahl und den inhaltlichen Typenzwang der Rechte beherrscht: die Arten und der wesentliche Inhalt der Rechtsinstitute sind durch zwingende Normen festgelegt. Zugleich regelt das Gesetz auch die sich aus dem dinglichen Recht ergebenden Rechtsfolgen (s. Rz. 15). Dem sachenrechtlichen Typenzwang unterliegen aber nur diejenigen Rechtssätze, die zum Begriff des dinglichen Rechts gehören, insbesondere die Vorschriften über die Entstehung des Rechts und seine Wirkung gegen Dritte. Darüber hinaus bleibt ein Freiraum für die vertragliche Gestaltung durch die Beteiligten, der bei den verschiedenen Rechtsinstituten des Sachenrechts unterschiedlich weit gespannt ist.

788 **Grenzen der dinglichen Inhaltsgestaltung.** Beim Nießbrauchsrecht bereitet die Frage, welche Bestimmungen durch Parteivereinbarung mit dinglicher Wirkung geändert werden können, besondere Schwierigkeiten. Zulässig sind sie nur, soweit sie nicht gegen das Wesen des Nießbrauchs verstoßen. Als zwingendes Recht sind beim Grundstücksnießbrauch insbesondere anzusehen: § 1030 I (Nutzungsrecht), § 1036 (Besitzrecht und Pflicht der ordnungsgemäßen Bewirtschaftung), § 1039 I (Verbot der übermäßigen Fruchtziehung), § 1041 Satz 1 (Erhaltung der Sache in ihrem wirtschaftlichen Bestand), § 1053 (Unterlassungsklage bei unbefugtem Gebrauch), § 1059 (Unübertragbarkeit), § 1061 (Erlöschen bei Tod).

789 **Möglichkeiten der Vertragsgestaltung** bestehen im Bereich des durch den Nießbrauch begründeten gesetzlichen Schuldverhältnisses zwischen

dem Eigentümer und dem Nießbraucher. § 1030 II sieht ausdrücklich vor, daß einzelne Nutzungen ausgeschlossen werden können. Dies geht aber nicht in der Weise, daß sich der Eigentümer die Nutzung einer bestimmten Wohnung vorbehält (BayObLG Rpfleger 1980, 17 = MittBayNot 1979, 230); dazu wäre die vorrangige Eintragung eines Wohnungsrechts als beschränkte persönliche Eigentümerdienstbarkeit erforderlich. Es könnte aber z.B. vereinbart werden, daß die im Hause vorhandene Gastwirtschaft nicht als Diskothek betrieben werden darf. Als abänderbar können weiter insbesondere angesehen werden: § 1034 (Feststellung des Zustandes durch Sachverständige), § 1041 Satz 2 (Pflicht zur Vornahme von Ausbesserungen und Erneuerungen im Rahmen der gewöhnlichen Unterhaltung), § 1045 (Versicherung gegen Brand und Unfälle), § 1047 (Lastentragung), § 1048 (Verfügung über Inventar), § 1049 (Ersatz von Verwendungen), § 1051 (Sicherheitsleistung). Strittig ist, ob § 1037 I (kein Veränderungsrecht) abgeändert werden kann, z.B. Umwandlung von Acker in Obstfeld, Wohnung in Werkstatt. Dies dürfte jedoch dann zulässig sein, wenn die grundsätzliche Pflicht, den wirtschaftlichen Wert der Sache zu erhalten, dadurch nicht eingeschränkt wird (MünchKomm-Petzoldt Rz. 16 vor § 1030). Wenn mit dem Objekt steuerbare Einkünfte erzielt werden, z.B. Mieten, kann es umgekehrt zweckmäßig sein, daß der Nießbraucher auch die außerordentlichen öffentlichen Lasten sowie die außergewöhnlichen Ausbesserungen und Erneuerungen übernimmt, weil nur dann diese Aufwendungen als Werbungskosten geltend gemacht werden können.

790 **Verdinglichung abweichender Vereinbarungen.** In dem angegebenen Rahmen können vom gesetzlichen Regeltyp abweichende Vereinbarungen nicht nur mit schuldrechtlicher Wirkung, sondern auch als Inhalt des dinglichen Rechts vereinbart werden (BayObLG DNotZ 1973, 299; 1978, 99). Durch entsprechende Aufnahme in die Eintragungsbewilligung und Eintragung im Grundbuch werden sie nicht nur für die Vertragsschließenden verbindlich, sondern bestimmen das Rechtsverhältnis zwischen dem Nießbraucher und dem jeweiligen Grundstückseigentümer. Darüber hinausgehende Abweichungen haben nur schuldrechtliche Wirkungen, werden aber nicht Inhalt des dinglichen Rechts (KG DNotZ 1992, 675); so z.B. auch die Vereinbarung von Leistungspflichten des Eigentümers, Abhängigkeit von einem Mietvertrag usw.

2. Unentgeltlich und entgeltlich bestellter Nießbrauch

791 **Ein „unentgeltlich“ bestellter Nießbrauch liegt vor, wenn die Einräumung des Rechts mit keinen oder nur unwesentlichen Gegenleistungen und Auflagen verbunden ist** (BGH NJW 1974, 641).

Ein „entgeltlich“ bestellter Nießbrauch ist gegeben, wenn der Wert der Nutzungsüberlassung und der Wert der Gegenleistung nach wirtschaft-

lichen Gesichtspunkten gegeneinander abgewogen sind. Beim Vergleich von Leistung und Gegenleistung sind die von den Vertragspartnern jeweils insgesamt zu erbringenden Leistungen gegenüberzustellen (zur Gestaltung eines entgeltlichen Nießbrauchs s. BayObLGZ 1979, 273 = Rpfleger 1979, 382). Die Steuerpraxis geht davon aus, daß ein zwischen Fremden vereinbarter Nießbrauch in der Regel entgeltlich bestellt worden ist, es sei denn, daß Leistung und Gegenleistung in einem deutlichen Mißverhältnis stehen. Bei entgeltlicher Bestellung ist das Entgelt für die Einräumung des Nießbrauchs beim Eigentümer (Besteller) als steuerpflichtige Einnahme aus Vermietung zu behandeln, die auf Antrag auf einen Zeitraum bis zu 10 Jahren gleichmäßig verteilt wird (Nießbrauchserlaß Tz. 31f.). Bei Vermögensübertragungen von Eltern auf Kinder mit Nießbrauchsvorbehalt besteht jedoch die Vermutung der Unentgeltlichkeit (Nießbrauchserlaß Tz. 6–8). Der Vorbehalt eines dinglichen Nutzungsrechts stellt keine Gegenleistung des Erwerbers dar, die für diesen zu Anschaffungskosten führen könnte (BFH BStBl. 1992, 803). Bei der Vertragsgestaltung ist zu beachten, daß sich die Frage der Entgeltlichkeit oder Unentgeltlichkeit nur auf das Kausalgeschäft bezieht; der Nießbrauch als dingliches Recht ist abstrakt und kann deshalb nicht als „entgeltliches" oder „unentgeltliches" Recht bestellt werden.

3. Die Lastenverteilung – Nettonießbrauch und Bruttonießbrauch

792 **Die für die Vertragspraxis wichtigsten Gestaltungsmöglichkeiten betreffen die Lastenverteilung zwischen Eigentümer und Nießbraucher.** Unter „Nettonießbrauch" versteht man den gesetzlich geregelten Normalfall des Nießbrauchs, bei dem der Nießbraucher für die gewöhnliche Erhaltung der Sache (§ 1041 BGB), die Versicherung gegen Brand und Unfälle (§ 1045 BGB) zu sorgen und die wiederkehrenden öffentlichen und privaten Lasten gem. § 1047 BGB zu tragen hat. Diese Bestimmungen stellen jedoch nachgiebiges Recht dar. Die Beteiligten können deshalb -abweichend vom Gesetz- vereinbaren, daß diese Lasten teilweise oder ganz vom Eigentümer zu tragen sind. Wenn sie ganz vom Eigentümer übernommen werden, verbleiben dem Nießbraucher die Bruttoerträge bzw. die Nutzung ohne Schmälerung durch Kosten und Lasten. Man nennt dies deshalb den „Bruttonießbrauch." Umgekehrt kann auch vereinbart werden, daß der Nießbraucher auch die außerordentlichen Lasten und die außergewöhnlichen Ausbesserungen und Erneuerungen zu tragen hat, z.B. die Erschließungsbeiträge und die Kosten größerer Reparaturen.

4. Die einkommensteuerliche Behandlung des Nießbrauchs

Literaturhinweise: Nießbrauchserlaß (2. Fassung vom 15.11. 1984, BStBl. 1984 I 561, ber. 609; BMF-Schreiben v. 13.Januar 1993 betr. Ertragsteuerliche Behandlung der vorweggenommenen Erbfolge, BStBl. 1990 II 847; Haus- und Grundbesitz in der Besteuerung, 2. Aufl. 1994; Jansen, Der Nießbrauch im Zivil- und Steuerrecht, 5. Aufl. 1993; Lexikon des Steuer- und Wirtschaftsrechts, Heft 6/90; Petzoldt, Der Nießbrauchserlaß, DNotZ 1984, 294; 1985, 66; Spiegelberger, Der 2. Nießbrauchserlaß, MittBayNot 1984, 231

a) Allgemeines

Keine Einkünfte bei Selbstnutzung. Meist handelt es sich um Objekte, die im Privatvermögen der Beteiligten stehen. Dabei muß man unterscheiden, ob der Nießbraucher das Objekt selbst nutzt oder ob er Einkünfte aus dem Objekt hat, z. B. durch Vermietung und Verpachtung. Wenn und soweit der Nießbraucher das Objekt selbst bewohnt, fallen dafür keine einkommensteuerpflichtigen Einkünfte an. Andererseits können weder die AfA noch andere Werbungskosten abgesetzt werden. Seit dem Wegfall der Besteuerung des Nutzungswerts der selbstgenutzten Wohnung ab dem Veranlagungszeitraum 1987 (sog. Konsumgutlösung) ist weder der Nutzungswert zu versteuern noch sind die AfA und andere Werbungskosten absetzbar, es sei denn, daß der Eigentümer einer eigengenutzten Wohnung im Zweifamilienhaus für die Übergangsregelung bis 1998 optiert hat (s. § 52 Abs. 14, 15 und 21 EStG). 793

Nießbrauchserlaß. Hat der Nießbraucher Einkünfte aus dem Objekt, z. B. durch Vermietung oder Verpachtung, fallen zu versteuernde Einkünfte an. Ihre Behandlung hat die Finanzverwaltung durch den o. a. Erlaß geregelt. Der Erlaß gibt jedoch nicht mehr durchgängig die bestehende Rechtslage wieder, denn ein Teil der Anweisungen ist durch neuere Rechtsprechung des BFH überholt. Für die steuerliche Behandlung des Nießbrauchs an Objekten, die zum Betriebsvermögen gehören, gelten besondere Regeln.

Nießbrauchsverhältnisse zwischen nahen Angehörigen. Nießbrauchsbestellungen kommen meist zwischen nahen Angehörigen vor. In diesen Fällen ist Voraussetzung für die steuerliche Anerkennung, daß die zivilrechtlichen Gestaltungen klar vereinbart, ernsthaft gewollt und auch tatsächlich durchgeführt werden. Dazu gehört beim Vorbehalts- und beim Zuwendungsnießbrauch, daß die Mieter benachrichtigt, neue Mietverträge vom Nießbraucher abgeschlossen und die Mieten auf ein Konto des Nießbrauchers gezahlt werden (Erlaß Tz. 2, 3). 794

b) Die einkommensteuerliche Behandlung des Vorbehaltsnießbrauchs

Ein Vorbehaltsnießbrauch ist gegeben, wenn sich bei der Übertragung eines Grundstücks, einer Eigentumswohnung oder eines Erbbaurechts der Übertragende ein Nießbrauchsrecht vorbehält (Erlaß Tz. 36/37). Die Bestellung des Nießbrauchs ist keine Gegenleistung des Erwerbers 795

(Erlaß Tz. 38). Nutzt der Nießbraucher das Objekt zur Erzielung von Einkünften durch Vermietung oder Verpachtung gilt:

Der Nießbraucher (bisher sachenrechtlicher Eigentümer, jetzt wirtschaftlicher Eigentümer):

- muß die Einnahmen als „Einkünfte aus Vermietung und Verpachtung" versteuern (§ 21 I Nr. 1 EStG)
- kann – wie bisher als Eigentümer – die AfA absetzen sowie seine Aufwendungen für die laufenden Unterhaltungsreparaturen, die ihm nach der gesetzlichen Lastenverteilung obliegen, als Werbungskosten geltend machen. Kosten für außergewöhnliche Aufwendungen (substanzwerterhöhende Aufwendungen, wie z. B. neue Fenster, neue Heizung) sind grundsätzlich sog. Drittaufwand und deshalb nicht abzugsfähig, es sei denn, daß sie vertraglich vom Nießbraucher zu tragen sind. Ist das Objekt mit Schulden belastet, sollten mindestens die Zinsen weiterhin vom Nießbraucher getragen werden, da nur er sie als Werbungskosten absetzen kann.

Der Eigentümer (Erwerber):

- hat aus dem nießbrauchsbelasteten Objekt keine Einnahmen und kann deshalb weder die AfA noch andere Werbungskosten geltend machen (Erlaß Tz. 44)
- kann erst nach dem Erlöschen des Nießbrauchs die AfA und die anderen Werbungskosten geltend machen; das AfA-Volumen ist dann jedoch nach Maßgabe der Tz. 48 und 49 zu kürzen.
- kann Versorgungsleistungen, die er in Verbindung mit dem nießbrauchsbelasteten Erwerb erbringt, in der Regel nicht als Sonderausgaben gem. § 10 I Nr. 1 a Satz 1 EStG geltend machen.

796 **Alternative Vertragsgestaltungen.** Da das Steuerrecht nur demjenigen die Geltendmachung von Werbungskosten erlaubt, der Einkünfte aus dem Objekt bezieht, kann es zweckmäßig sein, den gesamten Reparaturaufwand dem Nießbraucher aufzubürden. Im übrigen führt der Umstand, daß bei Vorbehalt eines Nießbrauchs- oder Wohnungsrechts der neue Eigentümer die AfA und die sonstigen Werbungskosten nicht absetzen kann, in der Praxis der Übergabeverträge zu bedauerlichen Fehlentwicklungen. Der Übernehmer hat vielfach ein höheres Einkommen als der Übergeber und wird deshalb von der Steuerprogression schärfer erfaßt. Um dem Übernehmer die Abzugsfähigkeit zu erhalten, wollen die Beteiligten manchmal von einer dinglichen Sicherung der vorbehaltenen Nutzungsrechte durch Bestellung eines Wohnungsrechts oder Nießbrauchsrechts absehen, wodurch der Nutzungsberechtigte einer zivilrechtlich nicht vertretbaren Unsicherheit ausgesetzt wird.

797 **Mitberechtigung des Ehegatten.** Überträgt ein Alleineigentümer das Objekt mit gleichzeitiger Bestellung des Nießbrauchs für sich und seinen Ehegatten, so gehen ihm 50 % der AfA und der anderen Werbungskosten

verloren, weil der nicht mitübertragende Ehegatte kein Vorbehaltsnießbraucher, sondern Zuwendungsnießbraucher ist (BFH BStBl. 1983 II 6; vgl. Rz. 489). In diesen Fällen kann die Abzugsfähigkeit jedoch dadurch erhalten bleiben, daß der Nießbrauch zunächst nur für den übertragenden Ehegatten bestellt wird und der andere ein lediglich für den Fall seines Längerlebens bedingtes Nießbrauchsrecht erhält (vgl. BFH BStBl. 1983 II 739). Die volle Abzugsfähigkeit kann aber auch dadurch erhalten bleiben, daß der Alleineigentümer zunächst einen 1/2-Miteigentumsanteil auf seinen Ehegatten überträgt und dann die Ehegatten sich gemeinsam den Nießbrauch vorbehalten. Diese Lösung ist jedoch nur interessant, wenn im Einzelfall die Übertragung keine schenkungsteuerlichen Konsequenzen hat.

c) Die einkommensteuerliche Behandlung des Vermächtnisnießbrauchs

Keine AfA. Um einen Vermächtnisnießbrauch handelt es sich, wenn das Nießbrauchsrecht durch eine testamentarische oder erbvertragliche Verfügung des Erblassers zugewendet ist. Entgegen Tz. 51, 41 des Nießbrauchserlasses hat der BFH entschieden, daß ein Vermächtnisnehmer die Gebäude-AfA aufgrund der vom Erblasser getragenen Anschaffungs- oder Herstellungskosten nicht in Anspruch nehmen kann (BFH-Urteil vom 28.9. 1993 – IX R 156/88). Diese Entscheidung ist durch BMF-Schreiben vom 22.4. 1994 – Az. IV B 3-F 2253-31/94 für alle zukünftigen Fälle für allgemeinverbindlich erklärt worden. Der Nießbrauchserlaß ist daher insoweit nicht mehr anwendbar. Die Gebäude-AfA würde an sich nur dem Erben als Gesamtrechtsnachfolger zustehen. Da er aber durch den Nießbrauch des Vermächtnisnehmers keine Einkünfte aus dem Objekt hat, gibt es beim Vermächtnisnießbrauch keine AfA. Der Vermächtnisnehmer kann jedoch seine anderen Werbungskosten absetzen, wenn er Einkünfte aus dem Objekt hat. **798**

Alternative. Anstelle des Vermächtnisnießbrauchs kommt auch die Zuwendung einer wiederkehrenden Geldleistung in Form einer wertgesicherten Rente oder einer Dauernden Last in Betracht (vgl. Rz. 935–943). Die Zahlungen sind jedoch beim Verpflichteten nicht abzugsfähig, da sie nicht mit der Erzielung von Einkünften verbunden sind. Beim Empfänger sind dagegen die Zahlungen bei der Rente mit dem Ertragsanteil und bei der Dauernden Last in vollem Umfang einkommensteuerpflichtig (s. Rz. 937 und 940).

d) Die einkommensteuerliche Behandlung des Zuwendungsnießbrauchs

Inhalt und Zweck. Beim Zuwendungsnießbrauch bestellt der Eigentümer für einen anderen ein Nießbrauchsrecht, ohne das Eigentum zu übertragen. Dies dient meist zur Verlagerung von Einkünften, insbesondere zugunsten von Kindern mit keinem oder geringem Einkommen. Der Vorteil liegt in der Ausnutzung des Grundfreibetrages des Einkom- **799**

mensteuertarifs und der Milderung der Steuerprogression. Nachteilig ist andererseits, daß die Abzugsfähigkeit der AfA verloren geht (Tz. 20). Außerdem unterliegt der Kapitalwert der Erträge sofort der Schenkungsteuer beim Nießbraucher. Werbungskosten kann der Nießbraucher aber geltend machen, soweit er nach Gesetz und Vertrag die entsprechenden Aufwendungen zu tragen verpflichtet ist (Tz. 21). Der Eigentümer hat keine Einnahmen aus dem Grundstück und kann deshalb weder die AfA noch andere Werbungskosten geltend machen (Tz. 24).

800 **Voraussetzungen der Anerkennung.** Der Zuwendungsnießbrauch wird steuerlich nur anerkannt, wenn er bürgerlich-rechtlich wirksam bestellt ist, tatsächlich durchgeführt und auf eine Mindestdauer von 5 Jahren bestellt wird (Tz. 1, 3, 5, 9). Bei Nießbrauchsrechten für Minderjährige verlangt die Finanzverwaltung außerdem, daß ein Ergänzungspfleger bestellt und die Vereinbarung vormundschaftsgerichtlich genehmigt wird, dies auch dann, wenn dies zivilrechtlich nicht erforderlich ist (BFH BStBl. 1992 II 506). Zur tatsächlichen Durchführung gehört, daß etwaigen Mietern der Eintritt des Nießbrauchers in den Mietvertrag angezeigt wird (vgl. §§ 577, 571 BGB), neue Mietverträge durch den Nießbraucher abgeschlossen werden und unbare Mietzahlungen auf Konten den Nießbrauchers geleistet werden (Erlaß Tz. 11, 12). Vertreten dabei die Eltern ihre minderjährigen Kinder, muß die Vertretung offengelegt und eine Willenserklärung im Namen der Kinder abgegeben werden. Vermietet der Nießbraucher das Gebäude oder eine Wohnung an den Eigentümer, so kann darin ein Mißbrauch rechtlicher Gestaltungsmöglichkeiten i.S. des § 42 AO liegen (Erlaß Tz. 15). Bei Einfamilienhäusern und Eigentumswohnungen wird der Nießbrauch steuerlich nicht anerkannt, wenn Eigentümer und Nießbraucher das Haus/die Wohnung gemeinsam bewohnen (Erlaß Tz. 16).

5. Die vermögensteuerliche Behandlung des Nießbrauchs

801 Vermögen (Betriebsvermögen, land- und forstwirtschaftliches Vermögen, Grundvermögen und sonstiges Vermögen) unterliegt grundsätzlich der Vermögensteuer. Zum Zwecke der Vermögensbesteuerung wird zunächst das Rohvermögen ermittelt. Davon werden sodann die Schulden und Lasten abgezogen, soweit sie nicht bereits gemäß §§ 98 a, 103 BewG bei der Ermittlung des Rohbetriebsvermögens (= Einheitswert des Betriebsvermögens) berücksichtigt sind. **Der Eigentümer versteuert** also **sein Vermögen abzüglich des Wertes der Nießbrauchslast**. Dem entspricht spiegelbildlich, daß das **Nießbrauchsrecht** mit seinem kapitalisierten Wert beim Nießbraucher als **selbständiger Vermögenswert** der Vermögensteuer unterliegt (§ 110 I Nr. 4 BewG). Dabei fällt das Nießbrauchsrecht, wenn es nicht ausnahmsweise einer der besonderen Vermögensarten zugehört, unter den Sammeltatbestand „Sonstiges Vermögen“ (§ 110 I Nr. 4 BewG).

6. Das Entnahmeproblem beim Vorbehaltsnießbrauch

Wenn das unter Nießbrauchsvorbehalt zu übertragende Grundstück steuerlich zum Betriebsvermögen gehört, ist das Entnahmeproblem mit den sich daraus ergebenden einkommensteuerlichen Folgen zu bedenken. Der Vorgang der Eigentumsübertragung bedeutet steuerrechtlich, daß der Eigentümer zunächst das Grundstück aus seinem Betriebsvermögen in sein Privatvermögen überführt und dann das Eigentum überträgt. Das kann zu unerwartet hohen Steuerforderungen führen, weil die Differenz zwischen dem (meist niedrigen) Buchwert und dem betrieblichen Teilwert (= Verkehrswert) voll als Gewinn versteuert wird. Eine Ermäßigung des Steuersatzes nach § 34 EStG kommt nur bei einer Betriebsaufgabe oder -veräußerung in Betracht (§ 16 EStG). 802

Eine „Entnahme" ist nicht gegeben, wenn das Grundstück nach wirtschaftlicher (nicht sachenrechtlicher) Betrachtungsweise steuerlich im Betriebsvermögen bleibt. Das ist z. B. der Fall, wenn die tatsächlichen und rechtlichen Befugnisse des Vorbehaltsnießbrauchers erheblich über die gesetzlichen Befugnisse eines Nießbrauchers hinausgehen, so daß er steuerlich als „wirtschaftlicher Eigentümer" des Grundstücks behandelt wird. 803

Vermeidung der Entnahme. Die Besteuerung eines Entnahmegewinns kann auch durch die Gründung einer Gesellschaft vermieden werden. **Beispiel:** Der alleinige Inhaber eines Betriebes, zu dessen Betriebsvermögen das Grundstück gehört, gründet mit seinen Kindern eine Gesellschaft, die seinen Einzelbetrieb fortführt. Der Vater überträgt das Grundstück unter Nießbrauchsvorbehalt an die Gesellschaft. In diesem Falle entsteht ein steuerlicher Buchgewinn weder bei der Einbringung des Grundstücks in die Gesellschaft noch bei späterem Austritt des Vaters aus der Gesellschaft, weil das Grundstück steuerlich im Betriebsvermögen bleibt. 804

§ 18. Das Vorkaufsrecht an Grundstücken

Literaturhinweise: Beck'sches Notarhandbuch (Amann) A VIII; Dumoulin, Das Vorkaufsrecht im BGB, MittRhNotK 1967, 740; Grziwotz, Fälligkeit und Verzinsung des Kaufpreises bei Ausübung eines Vorkaufsrechts, MittBayNot 1992, 173; HSS Rz. 1394–1443; RAB-Albrecht Rz. 558 ff.

I. Allgemeines

1. Begriff

805 **Der Vorkaufsberechtigte ist dem Eigentümer gegenüber zum Vorkauf berechtigt** (§ 1094 BGB). Das bedeutet: Wenn der Eigentümer das Grundstück verkauft, ist der Vorkaufsberechtigte befugt, aufgrund einseitiger Erklärung gegenüber dem Eigentümer das Grundstück zu den gleichen Vertragsbedingungen zu erwerben, wie sie mit dem Vertragskäufer vereinbart worden sind.

Entsprechendes gilt für das Wohnungseigentum (OLG Celle NJW 1955, 953 = DNotZ 1955, 320) und das Erbbaurecht (§ 11 ErbbauVO).

2. Geschichtliche Entwicklung

806 Rechtsgeschichtlich hat das dingliche Vorkaufsrecht (VR) seine Wurzeln im deutschen Recht der Frühzeit und des Mittelalters (vgl. Wolff/Raiser § 126). Aus der starken Gemeinschaftsbindung des Grundeigentums in der Frühzeit haben sich im Mittelalter die sog. **„Näherrechte“** entwickelt. Darunter verstand man das Recht des der Sache Näheren: der Verwandten, der Anlieger, der Marktgenossen. Der Nähere war zum käuflichen Erwerb der Sache besser berechtigt als ein Fremder. Ein Überbleibsel davon im heutigen Recht ist das gesetzliche VR der Miterben (§§ 2034 f. BGB). Hinzu traten schon im Mittelalter zahlreiche rechtsgeschäftlich eingeräumte Näherrechte an Grundstücken. Die Formen für diese Vorläufer des VR waren zeitlich und regional sehr unterschiedlich. Nach der Rezeption des mehr individualistisch geprägten spätrömischen Rechts haben sich gemeinrechtlich die alten Näherrechte zu einem Näherrecht des Lehnsherrn abgeschwächt.

3. Der praktische Anwendungsbereich

Das VR gewährt ein Vorrecht vor anderen Käufern des Grundstücks. 807
Es dient deshalb dem Berechtigten dazu, eigene Erwerbschancen auf das belastete Grundstück zu schaffen, aber auch als Mittel, andere Erwerber von dem Grundstück fernzuhalten. Daraus ergeben sich die hauptsächlichen **Anwendungsfälle:**

- Der Mieter/Pächter mit einem langjährigen Mietvertrag/Pachtvertrag möchte sich für den Fall des Verkaufs des Grundstücks die Möglichkeit des Erwerbs sichern, z.B. weil er die gewohnte Geschäftslage behalten will oder weil er auf das Grundstück erhebliche Investitionen gemacht hat (Geschäftsausstattung, Anlegung eines Weinbergs, einer Obstanlage usw.).
- Ein Grundstückseigentümer will Vorsorge treffen, daß das angrenzende Grundstück oder die benachbarte Eigentumswohnung im Falle des Verkaufs nicht an einen anderen fällt.
- Im familiären Bereich besteht der Wunsch, den Grundbesitz auch bei einem Verkauf in der eigenen Familie zu behalten bzw. Familienfremde fernzuhalten.
- Die Begründung eines Erbbaurechts wird fast immer verbunden mit einem VR des Grundstückseigentümers am Erbbaurecht und meist auch einem VR des Erbbauberechtigten am Grundstück (s. Rz. 1333).

Minderung des Verkehrswerts. Für den Eigentümer hat die Belastung seines Grundstücks mit einem VR zwar keine Einschränkung seiner Nutzungs- und Verfügungsmacht zur Folge, wirtschaftlich aber mindert das VR in der Regel die Verkaufsmöglichkeiten und damit den Verkehrswert des Grundstücks. Das gilt insbesondere, wenn das VR auch für weitere Verkaufsfälle besteht. Durch ein VR werden Kaufinteressenten verunsichert, und es verzögert sich die Abwicklung des Kaufvertrages. Auch wird eine Beleihung des Grundstücks erschwert, weil der Kreditgeber regelmäßig Vorrang vor dem VR verlangt (s. dazu BGH DNotZ 1973, 606). Der Eigentümer wird deshalb im allgemeinen nur unter besonderen Bedingungen bereit sein, einem anderen ein VR zu bestellen, sei es aus Gründen der Freundschaft, der Verwandtschaft oder weil die Bestellung Teil einer umfassenderen Vertragsgestaltung ist. 808

4. Die gesetzlichen Grundlagen

Das BGB kennt vier Vorkaufsrechte: 809

- das schuldrechtliche VR (§§ 504ff. BGB)
- das dingliche VR (§§ 1094ff. BGB)
- das gesetzliche VR der Miterben beim Verkauf eines Erbteils an einen Dritten (§§ 2034ff. BGB)

- das gesetzliche Vorkaufsrecht des Mieters beim Verkauf der neugebildeten, von ihm bewohnten Eigentumswohnung (§ 570b BGB; s. Rz. 862).

Hinzu kommen VRe an Grundstücken oder Eigentumswohnungen in einer Reihe von weiteren Gesetzen (s. Rz. 849–860). Als Mittel der staatlichen und kommunalen Bodenpolitik und Raumordnung sowie der Sozialpolitik haben sie neben den VRen des BGB große praktische Bedeutung im Grundstücksverkehr erlangt. Für sie gelten die Regeln des BGB über das rechtsgeschäftlich bestellte VR entsprechend, soweit keine besonderen Bestimmungen bestehen.

5. Schuldrechtliches und dingliches Vorkaufsrecht

Eine besondere Schwierigkeit für das Verständnis des dinglichen VR ergibt sich dadurch, daß seine Bestimmungen nur im Zusammenhang mit den Bestimmungen über das schuldrechtliche VR zu verstehen sind.

a) Das schuldrechtliche Vorkaufsrecht

810 **Das schuldrechtliche VR** (§§ 504–514 BGB) **begründet lediglich Rechtsbeziehungen zwischen den Vertragschließenden.** Gegenstand kann jede bewegliche oder unbewegliche Sache und jedes Recht sein. Wie im Schuldrecht die Regel, sind seine Normen **nachgiebiges Recht**; das VR kann deshalb von den Vertragschließenden auch abweichend vom gesetzlichen Typus gestaltet werden (Prinzip der Vertragsfreiheit). Das schuldrechtliche VR kommt deshalb z. B. in Frage, wenn der Vorkaufsberechtigte die Möglichkeit haben soll, im Falle eines Verkaufs an Dritte zu Vorzugsbedingungen zu erwerben (s. auch Rz. 864).

Das schuldrechtliche VR entsteht durch **Vertrag** zwischen dem Eigentümer und dem Vorkaufsberechtigten. Wenn sich das VR auf ein Grundstück bezieht, bedarf der Vertrag, da er eine bedingte Verpflichtung zur Übertragung eines Grundstücks zum Gegenstand hat, der **Beurkundung** nach § 313 BGB (RGZ 148, 105, 108). Die vielfach in privatschriftlich abgeschlossenen Pachtverträgen über landwirtschaftliche Grundstücke enthaltenen Vereinbarungen über VRe sind deshalb unwirksam. Ist die Vereinbarung des VR untrennbare Bedingung eines anderen Vertrages, so bedarf der ganze Vertrag der Beurkundung (§ 139 BGB).

Das beurkundete schuldrechtliche VR an einem Grundstück kann durch die Eintragung einer EV grundbuchmäßig gesichert werden und erhält dadurch eine ähnliche Wirkung gegen Dritte wie das dingliche VR (s. Rz. 673–675 und 864).

b) Das dingliche Vorkaufsrecht

811 **Ein dingliches VR** (§§ 1094–1104 BGB) **gibt es nur an Grundstücken,** Miteigentumsanteilen an Grundstücken (§ 1095 BGB) und grundstücksgleichen Rechten (Wohnungs- und Teileigentum), Erbbaurechten (§ 11 ErbbauVO) und Bergwerkseigentum (§ 9 I BBergG). **Gegenüber dem schuldrechtlichen VR bestehen folgende Unterschiede:**

- Als dingliches Recht entsteht es erst durch **Einigung und Eintragung** im Grundbuch (§ 873 I BGB).
- Das Rechtsverhältnis zwischen dem Berechtigten und dem Verpflichteten richtet sich nur nach den Regeln der §§ 504–514 BGB über das schuldrechtliche VR (§ 1098 I 1 BGB). Diese Verweisung ist zwingend. Das bedeutet, daß beim dinglichen VR **keine Vertragsfreiheit** besteht: Eine Abweichung vom gesetzlichen Typus ist nicht zulässig. Es gibt deshalb z.B. kein dingliches VR zu einem vorher vereinbarten festen Preis (sog. limitiertes VR) oder mit anderen Zahlungsbedingungen als sie in dem das VR auslösenden Kaufvertrag vereinbart werden (§ 1098 I 1, 505 II BGB; vgl. Rz. 864).
- Das dingliche VR kann **für einen, für mehrere oder für alle Verkaufsfälle** bestellt werden (§ 1097 BGB; s. Rz. 818).
- Dritten gegenüber hat das dingliche VR die **Wirkung einer Vormerkung** (§ 1098 II BGB; s. Rz. 838).

II. Die Begründung des dinglichen Vorkaufsrechts

1. Begründung durch Vertrag

812 Nach § 313 BGB bedarf ein Vertrag, durch den eine Verpflichtung zur Übertragung oder zum Erwerb eines Grundstücks begründet wird, der **notariellen Beurkundung.** Dies gilt auch, wenn die Übertragungs- oder Erwerbsverpflichtung bedingt oder befristet ist. Da ein Vorkaufsrecht eine solche bedingte Verpflichtung zum Gegenstand hat, ist der Verpflichtungsvertrag formbedürftig (BGH DNotZ 1968, 93).

Sachenrechtlich genügt zur Entstehung des Rechts die (formlose) dingliche Einigung und Eintragung im Grundbuch (§ 873 I BGB). Zur Eintragung sind, gemäß dem formellen Konsensprinzip des Grundbuchrechts, die einseitige Eintragungsbewilligung des Eigentümers in der Form des § 29 GBO und ein Antrag gemäß § 13 GBO erforderlich und ausreichend. Das GBAmt kann nicht die Vorlage eines beurkundeten Verpflichtungsvertrages verlangen. Erfolgt die Eintragung aufgrund einer einseitigen Bewilligung des Betroffenen, so wird der Mangel der Beurkundungsform entsprechend § 313 Satz 2 BGB geheilt (BGH a.a.O.). Dennoch ist aus guten Gründen (Rechtssicherheit, Verpflichtungswirkung und fachliche Beratung) bei der Bestellung des VR die beurkundete Vereinbarung immer zu empfehlen. Als Rechtsgrund (causa) für die Bestellung eines VR kommen alle denkbaren Zuwendungsverträge (z.B. Schenkung, entgeltlicher Vertrag auf Bestellung des Rechts usw.) in Betracht.

2. Begründung durch Verfügung von Todes wegen

813 **Die Verpflichtung zur Bestellung eines VR kann auch durch eine Verfügung von Todes wegen** (Testament oder Erbvertrag) **begründet werden.** In diesem Fall ersetzt das Vermächtnis als causa den Verpflichtungsvertrag (§§ 1939, 2174 BGB). Der Erbe ist dann verpflichtet, dem Vermächtnisnehmer das vermachte VR zu bestellen, d.h. mit ihm die (formlose) dingliche Einigung über die Begründung des Rechts zu vollziehen und die Eintragung im Grundbuch in der Form der §§ 19, 29 GBO zu bewilligen. Der Erblasser kann auch in einer beurkundeten Verfügung von Todes wegen dem Vermächtnisnehmer Vollmacht erteilen, sich nach dem Erbfall das Vorkaufsrecht selbst zu bestellen.

3. Berechtigter und Verpflichteter

814 Das VR kann zugunsten einer natürlichen oder einer juristischen Person bestellt werden (**subjektiv-persönliches VR**, § 1094 I BGB). Es ist aber auch die Bestellung zugunsten des jeweiligen Eigentümers eines anderen Grundstücks zulässig (**subjektiv-dingliches VR**, § 1094 II BGB); in diesen Fällen wird sich in der Regel die Aufnahme einer zeitlichen Beschränkung oder einer auflösenden Bedingung empfehlen.

Verpflichteter aus dem VR ist der Eigentümer des Grundstücks (§ 1094 I BGB). Wenn es sich um ein VR für mehrere oder alle Verkaufsfälle handelt, richtet es sich auch gegen den Eigentümer im Zeitpunkt eines späteren Verkaufsfalls. Beim Tode des Verpflichteten treten die Erben in dessen Stellung ein (§ 1922 BGB), d.h. auch sie sind in gleicher Weise durch das VR verpflichtet.

4. Die Eintragung im Grundbuch

815 **Das VR wird auf dem Grundbuchblatt des zu belastenden Grundstücks in der Abt. II eingetragen** (§ 10 GBV). Dazu genügt die Bezeichnung als VR und die Angabe des oder der Berechtigten (§ 15 GBV) sowie etwaiger Bedingungen und Befristungen. Wegen des weiteren Inhalts kann auf die Eintragungsbewilligung Bezug genommen werden (§ 874 BGB). Falls das Recht für mehrere oder alle Verkaufsfälle bestellt ist, sollte aber auch dies im Eintragungsvermerk zum Ausdruck gebracht

werden. Sicherheit gibt hier aber leider bei der Einsicht nur die Beiziehung der Grundakte. Das subjektiv-dingliche VR ist auf Antrag auch auf dem Blatt des herrschenden Grundstücks im Bestandsverzeichnis zu vermerken (Aktivvermerk gem. § 9 GBO; s. Rz. 304).

III. Der Inhalt des dinglichen Vorkaufsrechts

1. Unübertragbarkeit und Unvererblichkeit

816 **Das VR ist nicht übertragbar und es geht nicht auf die Erben des Berechtigten über** (§§ 1098, 514 BGB). Damit soll dem VR eine gewisse zeitliche Begrenzung gegeben werden. Es ist auch nicht pfändbar und verpfändbar (§§ 1274 BGB, 851 ZPO). Zur beschränkten Übertragbarkeit eines VR für eine juristische Person s. §§ 1098 III, 1059a – d BGB.

Der Grundsatz des § 514 BGB ist nicht zwingend. Die Beteiligten können bei der Bestellung oder auch später vereinbaren, daß das VR **übertragbar** und/oder **vererblich** sein soll. Ein VR für eine bestimmte Zeit ist im Zeifel gem. § 504 Satz 2 BGB vererblich, aber nicht übertragbar. Möglich sind auch Kombinationen, z. B. vererblich, aber beschränkt auf die Dauer von X Jahren. Diese Vereinbarungen bedürfen, um dinglich wirksam zu sein, der Eintragung im Grundbuch, die aber durch Bezugnahme auf die Eintragungsbewilligung ersetzt werden kann (§ 874 BGB). In Zweifelsfällen sollte deshalb auch die Grundakte eingesehen werden.

Für den durch die Ausübung des VR entstandenen Übereignungsanspruch gilt § 514 BGB nicht; er ist frei übertragbar und vererblich (RGZ 163, 142, 154).

Ein subjektiv-dingliches VR ist Bestandteil des herrschenden Grundstücks und wird ipso iure mit ihm übertragen (§§ 96, 1094 II BGB).

2. Bedingungen und Befristungen

817 **Das Recht zur Ausübung des VR kann bedingt oder befristet sein.** **Beispiele:**
- Ausübung nur bei Verkauf durch den Besteller (nicht dessen Erben)
- Ausübung nur einheitlich für alle verkauften Grundstücke
- Erlöschen nach zwanzig Jahren
- Erlöschen aufgrund einer auflösenden Bedingung, z. B. einer Wiederverheiratung des Berechtigten.

Nicht möglich ist dagegen, **das VR für die Laufzeit eines anderen Vertrages,** z. B. für die Dauer eines Miet- oder Pachtvertrages **zu bestellen,** denn das VR ist ein abstraktes dingliches Recht und kann deshalb nicht von dem Bestehen eines kausalen Schuldverhältnisses abhängig gemacht werden. Schuldrechtlich kann jedoch in einem solchen Miet- oder Pachtvertrag vereinbart werden, daß der Mieter/Pächter verpflichtet ist, nach Beendigung des Vertrages die Löschung des VR zu bewilligen.

3. Vorkaufsrecht für einen oder mehrere Verkaufsfälle

818 **Das VR besteht grundsätzlich nur für den ersten Verkaufsfall**; es erlischt, wenn es nicht ausgeübt wird. Es kann aber auch für mehrere oder für alle Verkaufsfälle bestellt werden (§ 1097 BGB); dies bedarf jedoch der ausdrücklichen Vereinbarung und der Eintragung im Grundbuch. Auch hier ist eine Bezugnahme auf die Eintragungsbewilligung möglich, so daß es sich in Zweifelsfällen empfiehlt, die Grundakte einzusehen.

Das VR kann nur bei einem Verkaufsfall ausgeübt werden. Ist es nur für den ersten Verkaufsfall bestellt und beruht die Veräußerung auf einem anderen Vertrag, so erlischt es, ohne daß die Möglichkeit der Ausübung bestand (s. Rz. 507 a. E., 508). Da ein nur für den ersten Verkaufsfall bestelltes VR auf diese Weise leicht umgangen werden kann, empfiehlt es sich, das VR so zu bestellen, daß es erst erlischt, wenn ein echter Vorkaufsfall vorgelegen hat. **Formulierung:** Das VR besteht solange, bis es erstmals ausgeübt werden kann; es wirkt insoweit auch gegen Rechtsnachfolger im Eigentum. Es erlischt, wenn es ausgeübt werden kann, aber nicht ausgeübt wird.

Auch wenn das VR für mehrere oder für alle Verkaufsfälle bestellt ist, kann es nur einmal ausgeübt werden und erlischt mit der Ausübung. Ist es nicht ausgeübt, so entsteht es bei jedem neuen in Frage kommenden Verkaufsfall als Gestaltungsrecht neu.

4. Die Befugnis zum Vorkauf

819 **Durch die Bestellung des dinglichen VR entsteht** – ähnlich wie beim Nießbrauch zwischen dem Eigentümer und dem Nießbraucher – **ein gesetzliches Schuldverhältnis zwischen dem Eigentümer und dem Vorkaufsberechtigten.** Es gewährt dem Vorkaufsberechtigten die Befugnis zum Vorkauf (§ 1094 BGB): Bei einem Verkauf des belasteten Grundstücks durch den Eigentümer an einen Dritten kann er verlangen, daß ihm das Grundstück aufgelassen und zu den gleichen Zahlungsbedingungen übertragen wird, wie sie der Verkäufer mit dem Vertragskäufer vereinbart hat.

Die Ausübung des VR ist ausgeschlossen, wenn die Veräußerung des Grundstücks im Wege der Zwangsversteigerung erfolgt; es erlischt, wenn es nur für einen Verkaufsfall bestellt ist (Ausnahme: Teilungsversteigerung, s. Rz. 508 a. E.). Ist das VR für mehrere Verkaufsfälle bestellt, bleibt es bestehen, wenn es dem betreibenden Gläubiger vorgeht, anderenfalls erlischt es nach den Regeln der §§ 52 I 2, 92 ZVG.

5. Das Erlöschen des Vorkaufsrechts

Das VR erlischt: 820

- durch wirksame Ausübung
- wenn es befristet ist, mit Ablauf der Frist
- wenn es auflösend bedingt bestellt ist, mit Eintritt der Bedingung
- durch einseitige Aufhebungserklärung des Berechtigten und Löschung im Grundbuch gem. § 875 BGB
- durch Erlaßvertrag gemäß § 397 BGB mit dem Eigentümer (nicht durch einseitigen Verzicht); dieser Erlaßvertrag kann auch schon vor Abschluß des Kaufvertrages vereinbart, u.U. sogar durch schlüssiges Verhalten gegenüber dem Eigentümer begründet werden (s. Palandt/Putzo § 504 Rz. 7); in diesem Falle ist die Löschung im Grundbuch lediglich Grundbuchberichtigung
- wenn es nur für einen Verkaufsfall bestellt ist, durch Erlaßvertrag mit dem Käufer; ist es für mehrere oder alle Verkaufsfälle bestellt, so bleibt es für die späteren Verkaufsfälle bestehen
- wenn es nur für den ersten Verkaufsfall bestellt ist, bei einem Verkauf, der mit Rücksicht auf ein künftiges Erbrecht an einen gesetzlichen Erben erfolgt (§ 511 BGB)
- wenn das VR nur für den ersten Verkaufsfall bestellt ist und das Grundstück durch Zwangsversteigerung veräußert wird; nicht jedoch im Falle einer Teilungsversteigerung gem. § 180 ZVG (s. Rz. 822 a. E.)
- durch den Tod des Berechtigten, wenn es nicht vererblich gestellt ist (§ 514 BGB)
- wenn es nur für den ersten Verkaufsfall bestellt wurde, durch bewußte Nichtausübung oder Versäumung der Ausübungsfrist; ist es für mehrere oder alle Verkaufsfälle bestellt, so entsteht es bei jedem entsprechenden Verkaufsfall neu als Gestaltungsrecht
- wenn es nur für den ersten Verkaufsfall bestellt wurde und der Besteller das Grundstück durch einen Vertrag veräußert, der sich seinem Inhalt nach nicht als Kaufvertrag darstellt (§ 1097 1. Halbsatz BGB; s. Rz. 822).

Ist das VR erloschen, so kann gemäß § 894 BGB die Berichtigung des Grundbuchs durch Berichtigungsbewilligung verlangt werden.

IV. Die Ausübung des Vorkaufsrechts

1. Voraussetzung ist ein rechtswirksamer Kaufvertrag

Der Berechtigte kann das VR ausüben, wenn der Eigentümer mit einem Dritten (Vertragskäufer) einen Kaufvertrag über das belastete Grundstück geschlossen hat (§§ 1098 I, 504 BGB). Voraussetzung für 821 die Ausübung des VR ist die Rechtswirksamkeit des Vertrages, d.h. der Kaufvertrag muß rechtsgültig beurkundet sein, und es müssen alle dazu erforderlichen privaten und behördlichen Genehmigungen vorliegen. Die Unbedenklichkeitsbescheinigung der Grunderwerbsteuerbehörde ist keine Genehmigung und deshalb keine Voraussetzung für die Entstehung des VR.

822 **Das VR besteht nur bei einem Kaufvertrag** i.S. des § 433 BGB, d.h. bei einem Austauschvertrag, bei dem sich die Verpflichtung zur Übertragung des Grundstücks und zur Zahlung eines Kaufpreises gegenüberstehen. Eine Grundstücksveräußerung mit anderer Vertragsgestaltung löst dagegen ein VR nicht aus, z.B. ein Schenkungsvertrag (reine oder gemischte Schenkung, RGZ 101, 99), die Übertragung in Verbindung mit Auflagen und/oder persönlichen Gegenleistungen, z.B. Dienst- und Pflegeverpflichtungen, wie sie in Übergabeverträgen vielfach üblich sind (RGZ 121, 137, 140; OGH NJW 1950, 224), ein Tauschvertrag (auch wenn wegen eines Wertunterschiedes der Tauschgrundstücke eine Ausgleichszahlung zu leisten ist, BGH NJW 1964, 540 = DNotZ 1965, 35), ein Ringtausch (BGH NJW 1968, 104 = DNotZ 1968, 412), ein Erbteilungsvertrag, die Auseinandersetzung einer Miteigentümergemeinschaft, die Einbringung des Grundstücks in eine Gesellschaft. Dabei kommt es jedoch nicht auf die von den Beteiligten gewählte Bezeichnung, sondern auf den **tatsächlichen Inhalt des Vertrages** an (RGZ 88, 361, 364). Das VR ist jedoch gegeben, wenn es sich bei der besonderen Vertragsgestaltung um eine Nebenleistung handelt, die auch der Vorkaufsberechtigte erbringen oder in Geld abgelten kann (§ 507 BGB).

Teilungsversteigerung. Das VR kann auch ausgeübt werden, wenn das Grundstück zum Zwecke der Aufhebung einer Gesamthands- oder Miteigentümergemeinschaft gem. §§ 753 BGB, 180ff. ZVG versteigert wird und ein nicht an der Gemeinschaft Beteiligter das Grundstück erwirbt.

2. Die Anzeigepflicht des Verkäufers

823 **Der Verkäufer hat unverzüglich nach Eintritt der Rechtswirksamkeit des Vertrages dem Vorkaufsberechtigten den Vertragsinhalt mitzuteilen** (§§ 1098 I, 510 I BGB). Dabei hat er zu erklären, daß alle zu dem Vertrag etwa erforderlichen Genehmigungen rechtswirksam vorliegen (einfache Abschrift des Vertrages, einschließlich etwaiger nachträglicher Änderungen, genügt). Das Vorkaufsrechtszeugnis der Gemeinde und die Unbedenklichkeitsbescheinigung der Grunderwerbsteuerbehörde sind nicht erforderlich. Das Unterlassen der Mitteilung macht schadensersatzpflichtig und verhindert den Fristbeginn nach § 510 II BGB. Die Mitteilung geschieht, um den Fristbeginn nachweisen zu können, zweckmäßig durch Einschreibebrief gegen Rückschein oder gegen Empfangsbekenntnis. Zur Anzeige ist auch der Dritte (der Vertragskäufer) berechtigt, aber

nicht verpflichtet (§ 510 I 2 BGB). In der Praxis wird die Mitteilung in der Regel im Auftrage des Verkäufers durch den beurkundenden Notar vorgenommen. Die Mitteilung enthält den Hinweis, daß sie im Namen und Vollmacht des Verkäufers erfolgt, daß alle zu dem Vertrag erforderlichen Genehmigungen vorliegen und daß durch diese Mitteilung die Frist zur Ausübung des VR in Lauf gesetzt wird (Muster s. Beck'sches Notarhandbuch (Amann) A VIII Rz. 22).

3. Frist für die Ausübung

824 **Mit dem Zugang der Mitteilung an den Vorkaufsberechtigten beginnt der Lauf der Frist für die Ausübung des VR** (§§ 1098 I, 510 II, 130 BGB). Sie beträgt gesetzlich 2 Monate. Für die Fristberechnung gelten die §§ 186 ff. BGB. Die Beteiligten können bei der Bestellung des VR eine andere Frist vereinbaren, doch hat eine solche Vereinbarung nur dann dingliche Wirkung, wenn sie in das Grundbuch eingetragen wird oder im Eintragungsvermerk auf die Eintragungsbewilligung Bezug genommen ist (§§ 873, 874 BGB).

Der Berechtigte kann sein VR erst nach Rechtswirksamkeit des Vertrages ausüben. Die Mitteilung über die Rechtswirksamkeit ist nicht Voraussetzung der Ausübung, aber nur sie setzt die Ausübungsfrist in Lauf.

Wird das VR nicht innerhalb der Frist ausgeübt, so erlischt es für den konkreten Verkaufsfall. Die Fristen sind Ausschlußfristen, nicht Verjährungsfristen. Die Gesetzesvorschriften über Hemmung und Unterbrechung kommen daher hier nicht in Betracht.

4. Die Ausübungserklärung

825 **Die Ausübung des VR geschieht durch einseitige empfangsbedürftige Erklärung gegenüber dem Verkäufer** (§§ 1098 I, 505 I 1 BGB); eine Erklärung gegenüber dem Vertragskäufer wäre wirkungslos. Sie bedarf nach noch h. M. keiner besonderen Form (§ 505 I 2 BGB); aus Gründen der Beweissicherung ist aber mindestens Schriftform und Übermittlung durch Einschreibebrief mit Rückschein oder gegen Empfangsbekenntnis zweckmässig. Richtigerweise bedürfte die Ausübungserklärung jedoch der Beurkundung, da seit der Änderung des § 313 BGB im Jahre 1973 nicht nur die Veräußerungsverpflichtung, sondern auch die Erwerbsverpflichtung der Beurkundung bedarf (Wufka, DNotZ 1990, 350 ff.).

826 **Zugang an Notar.** Der Notar ist zur Entgegennahme der Ausübungserklärung nur zuständig, wenn er vom Verkäufer hierzu besonders bevollmächtigt ist. Besteht eine solche Vollmacht nicht und wird gleichwohl irrtümlicherweise die Ausübung ihm gegenüber erklärt, stellt sich für ihn die Frage, ob er den Absender auf die durch Fristablauf drohende Unwirksamkeit aufmerksam machen darf bzw. soll. Rechtsprechung

dazu ist nicht bekannt. Dabei kann es eine Rolle spielen, daß der Notar kraft seines Amtes eine Person des öffentlichen Vertrauens ist, an den sich nicht nur die wenden, deren rechtsgeschäftliche Erklärungen der förmlichen Mitwirkung bedürfen, sondern auch diejenigen, welche aufgrund solcher Erklärungen und der von ihnen erhofften Sicherheit weitere Rechtsgeschäfte vornehmen wollen (s. dazu RAB-Reithmann Rz. 185).

827 Die Erklärung über die Ausübung des VR ist unwirksam, wenn sie gegen **Treu und Glauben** verstößt, so z. B. wenn der Vorkäufer offenbar nicht in der Lage ist, die Zahlungsverpflichtungen aus dem Kaufvertrag zu erfüllen oder wenn er deren Erfüllung ablehnt (Palandt/Putzo § 505 Rz. 2).

5. Das Vorkaufsrecht an mehreren Grundstücken

828 Häufig wird ein VR an mehreren Grundstücken bestellt. Es handelt sich dann um soviele **selbständige VRe**, wie Grundstücke belastet werden, denn ein einheitliches Recht an mehreren Grundstücken i. S. einer dem Gesamtschuldverhältnis nachgebildeten Gesamtbelastung kennt das BGB nur bei den Verwertungsrechten (§§ 1132, 1192, 1200, 1107 BGB). Das gilt auch dann, wenn -wie zulässig und üblich- im Grundbuch nur ein zusammenfassender Vermerk eingetragen wird (Sammelbuchung). Zulässig ist hingegen die Vereinbarung und Eintragung der Bedingung, daß die VRe für mehrere oder alle Grundstücke nur einheitlich ausgeübt werden können.

Das **Problem** zeigt sich bei der Geltendmachung: **Kann bei einem Verkauf mehrerer oder aller belasteten Grundstücke das VR nur für alle verkauften Grundstücke zusammen oder auch bezüglich nur einzelner Grundstücke ausgeübt werden?** Das Gesetz gibt darauf keine Antwort. Eine eindeutige Rechtsprechung fehlt. Wenn die Grundstücke eine wirtschaftliche Einheit bilden und bleiben sollen, kann eine Beschränkung auf die Gesamtausübung gewollt sein. Dadurch entsteht aber nicht ein Gesamt-Vorkaufsrecht, sondern die Ausübung der einzelnen VRe wird an die Bedingung der Gesamtausübung geknüpft. Für die Vertragspraxis empfiehlt sich auf jeden Fall eine Klarstellung, welche Möglichkeit gewollt ist. **Formel z. B.:** „Das VR kann nur einheitlich an allen verkauften Grundstücken ausgeübt werden“ oder „Das VR kann auch beschränkt auf einzelne verkaufte Grundstücke ausgeübt werden.“

6. Das Vorkaufsrecht bei mehreren Berechtigten

829 **Das VR kann auch zugunsten von mehreren Berechtigten in Bruchteilsgemeinschaft oder in Gesamthandsgemeinschaft bestellt werden.** Auch in diesen Fällen kann es nur im Ganzen ausgeübt werden (§§ 1098 I, 513 Satz 1 BGB). Wird das VR von einem oder mehreren der Berechtigten nicht ausgeübt, so sind die übrigen befugt, das Recht im Ganzen aus-

zuüben (§ 513 Satz 2 BGB). Das VR der Ausgefallenen wächst den übrigen bzw. dem zuletzt allein verbleibenden Berechtigten an (BayObLG DNotZ 1953, 262, mit Anm. Weber S. 264; LG Köln MittRhNotK 1977, 192). Wird das VR durch mehrere Berechtigte gem. § 513 BGB ausgeübt, entsteht zwischen ihnen Bruchteilseigentum, falls bei der Bestellung des VR nichts anderes vereinbart wurde (HSS Rz. 1404).

7. Möglichkeiten und Grenzen der Verhinderung

Häufig versuchen der Verkäufer und der Vertragskäufer, die Ausübung des VR zu verhindern. Damit stellt sich der Konflikt zwischen dem Prinzip der Vertragsfreiheit und der Sicherung des VR.

a) Freiheit der Vertragsgestaltung und Umgehungsgeschäfte

830 **Das VR kann nur bei einem Kaufvertrag i. S. des § 433 BGB ausgeübt werden**, nicht dagegen in allen anderen Fällen der Sondernachfolge (vgl. Rz. 822). Der Vorkaufsberechtigte hat grundsätzlich keinen Anspruch auf eine Gestaltung des Vertrages, die ihm eine Ausübung des VR ermöglicht. Die Beteiligten sind deshalb in der tatsächlichen Gestaltung des Vertrages frei, auch wenn dadurch das VR vereitelt wird.

831 **Umgehungsversuche.** Gelegentlich wird versucht, das Vorkaufsrecht durch eine andere Vertragsgestaltung zu umgehen. Dem Vorkaufsberechtigten wird es dann meist nicht möglich sein, unter Berufung auf § 162 I BGB sein Recht durchzusetzen. Eine Form der Umgehung wäre z. B. die Einbringung des Grundstücks in eine Gesellschaft mit nachfolgendem Gesellschafterwechsel (vgl. MünchKomm-Westermann § 504 Rz. 18; OLG Nürnberg NJW-RR 1992, 461).

832 **Die Rechtsprechung hat auf Umgehungsversuche mit einem unterschiedlichen – im Lauf der Zeit verfeinerten – Instrumentarium reagiert.** Die bisherigen Lösungsansätze waren:
- Nichtigkeit einer Vertragsgestaltung zur Vereitelung des Vorkaufsrechts, wenn sie auf verwerflichen Gründen oder der Verwendung unlauterer Mittel beruht oder ausschließlich den Zweck verfolgt, dem Vorkaufsberechtigten Schaden zuzufügen (BGH WPM 1964, 231)
- Nichtigkeit des Kaufvertrages als Scheingeschäft, wenn zur Abschreckung des Vorkaufsberechtigten ein überhöhter Scheinkaufpreis beurkundet wurde (BGH WPM 1970, 321)
- Unbeachtlichkeit von Nebenbestimmungen des Kaufvertrages, die völlig außerhalb des Abhängigkeitsverhältnisses von Leistung und Gegenleistung liegen (BGHZ 77, 359).

In BGH NJW 1992, 236 = DNotZ 1992, 414 ist die Rechtsprechung noch einen bedeutsamen Schritt weitergegangen: Der Vorkaufsfall kann nach Treu und Glauben sogar dann eintreten, wenn zwar nur ein unwiderrufliches Verkaufsangebot beurkundet ist, aber durch weitere Vereinbarungen mit dem Charakter der Endgültigkeit (EV, Veräußerungs- und Belastungsvollmacht sowie Besitzübergang) dem „Erstkäufer" die Stellung eines wirtschaftlichen Eigentümers eingeräumt wurde.

833 **Der Notar sollte nicht zu Umgehungsgeschäften raten,** weil Betreuungspflichten auch gegenüber nur mittelbar Beteiligten bestehen können, deren Interessen nach der besonderen Natur des Amtsgeschäfts berührt werden (dazu ausführlich: RAB-Reithmann, Rz. 183 ff. m. zahlreichen Nachweisen).

834 **Zur Umgehung von öffentlichen-rechtlichen Vorkaufsrechten** s. ferner Ebert NJW 1956, 1621, 1623 und 1961, 1430, 1434.

b) Vorbehalte, Änderungen und Aufhebung des Vertrages

835 **Vereinbarungen, durch die der Kaufvertrag von der Nichtausübung des VR abhängig gemacht wird, sind dem Vorkaufsberechtigten gegenüber unwirksam** (§ 506 BGB). Eine auflösende Bedingung oder ein **Vorbehalt des Rücktritts** kann zwar mit Innenwirkung zwischen dem Verkäufer und dem Vertragskäufer vereinbart werden, aber ein entstandenes VR nicht vereiteln. Wenn der Vertrag rechtswirksam ist, d. h. alle erforderlichen Genehmigungen vorliegen, kann das dadurch entstandene Gestaltungsrecht des Vorkaufsberechtigten nicht mehr durch die Ausübung eines vertraglich vorbehaltenen Rücktritts verhindert werden, denn das Gesetz knüpft das Entstehen des Rechts zur Ausübung des VR allein an das Zustandekommen eines rechtswirksamen Vertrages (BGH NJW 1977, 762 = DNotZ 1977, 349). Aus dem gleichen Grunde ist nach Rechtswirksamkeit des Vertrages auch eine **einverständliche Aufhebung des Vertrages** durch Verkäufer und Vertragskäufer dem Vorkaufsberechtigten gegenüber unwirksam (BGH NJW 1954, 1442 = DNotZ 1954, 532).

836 **Bedingungen und Rücktrittsvorbehalte anderer Art**, d. h. für nicht mit der Ausübung des VR zusammenhängende Fälle, gelten aber auch gegenüber dem Vorkaufsberechtigten. Bis zur Ausübungserklärung sollen auch nachträgliche Änderungen des Kaufvertrages mit Wirkung gegen den Vorkaufsberechtigten möglich sein, müssen ihm aber erneut mitgeteilt werden und setzen eine neue Frist für die Ausübung des VR in Lauf (BGH NJW 1973, 1365 = DNotZ 1974, 362).

V. Die Rechtsverhältnisse nach Ausübung des Vorkaufsrechts

1. Zwei selbständige Kaufverträge

837 **Wenn der Vorkaufsberechtigte sein VR ausübt, wird er zum Vorkäufer.** Er tritt aber nicht -wie vielfach irrtümlich angenommen wird- in den zwischen dem Verkäufer und dem Vertragskäufer geschlossenen Kaufvertrag ein, sondern **es entsteht kraft Gesetzes neben dem beurkundeten Kaufvertrag ein zweiter, nicht beurkundeter Kaufvertrag zwischen dem Verkäufer und dem Vorkäufer mit den gleichen Bedingungen** (§§ 1098 I, 505 II BGB; BGH NJW 1977, 762 = DNotZ 1977, 349). Zum Vollzug kommt jedoch der zweite Kaufvertrag. Er hebt zwar den ersten Kaufvertrag nicht auf, er verdrängt ihn nur (Rz. 518). Dadurch bildet sich ein 3-Personenverhältnis mit zwei selbständigen Kaufverträgen und einem komplizierten Geflecht vertraglicher und gesetzlicher Beziehungen:

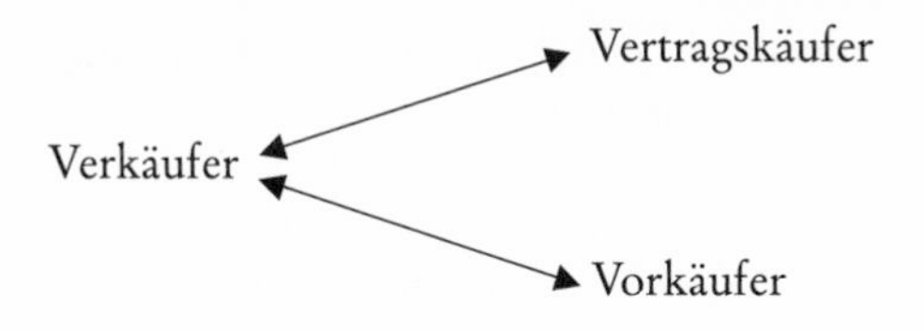

2. Die Vormerkungswirkung des Vorkaufsrechts

838 **Das Gesetz verleiht dem dinglichen VR die Wirkung einer Vormerkung** (§ 1098 II BGB). Dadurch wirkt es nicht nur im Verhältnis zwischen dem Besteller und dem Vorkaufsberechtigten, sondern gegenüber jedem Eigentümer und in dem nachstehend dargestellten Umfange auch gegen Dritte, die ein Recht an dem Grundstück erwerben.

Da eine Vormerkung nicht zur absoluten, sondern nur zur relativen Unwirksamkeit einer vormerkungswidrigen Verfügung führt (§ 883 II BGB), hindert das eingetragene VR nicht die Auflassung des Grundstücks durch den Verkäufer an den Vertragskäufer und dessen Eintragung als Eigentümer im Grundbuch. Das GBAmt darf eine solche Eintragung nicht ablehnen. Der Erwerb ist aber **dem Vorkäufer gegenüber unwirksam**: Trotz der Umschreibung auf den Vertragskäufer bleibt der Verkäufer verpflichtet, die Auflassung an den Vorkäufer zu erklären, und gegen den eingetragenen Vertragskäufer hat der Vorkäufer einen Anspruch auf Zustimmung zur Auflassung und Eintragung der Rechtsänderung im Grundbuch (§§ 1098 II, 883 II, 888 I BGB; BayObLG Rpfleger 1982, 337; vgl. Rz. 842).

Gegen Belastungen beginnt die Vormerkungswirkung des VR jedoch erst mit dem Eintritt der Vorkaufslage, also nach wirksam geschlossenem und evtl. behördlich genehmigtem Kaufvertrag (BGH NJW 1973, 1278); nur Belastungen nach diesem Zeitpunkt sind dem Vorkäufer gegenüber unwirksam.

3. Das Rechtsverhältnis zwischen Verkäufer und Vertragskäufer

839 **Trotz der Ausübung des VR bleibt der beurkundete Kaufvertrag wirksam.** Dadurch bestehen jetzt gegen den Verkäufer nebeneinander zwei Übereignungsansprüche, von denen er jedoch nur einen erfüllen kann. Wenn er seine Übereignungspflicht gegenüber dem Vorkäufer erfüllt, ist die Übereignung an den Vertragskäufer nicht mehr möglich. Dessen Erfüllungsanspruch entfällt gem. § 275 I, II BGB wegen nachträglichen Unvermögens. Dadurch wäre der Verkäufer an sich aus §§ 433 I 1, 440 I, 325 I 1 BGB gegenüber dem Vertragskäufer zum Schadensersatz verpflichtet. In der Regel kennt jedoch der Vertragskäufer das eingetragene VR infolge der Belehrung durch den Notar. Dann hat der Verkäufer gem. § 439 I BGB die Unmöglichkeit nicht zu vertreten und wird damit von seiner Schadensersatzpflicht frei. Dennoch empfiehlt es sich, in den Kaufvertrag aufzunehmen, daß im Falle einer Ausübung des VR keine gegenseitigen Schadensersatzansprüche bestehen.

840 **Handelt es sich um das VR einer Gemeinde** (s. dazu Rz. 849–860), erlöschen mit der Unanfechtbarkeit des Bescheids über die Ausübung des VR die Pflichten des Verkäufers aus dem Kaufvertrag, mit Ausnahme der Auskunftspflichten nach § 444 BGB (§ 28 III 2 BauGB); dabei kommt es nicht auf die Kenntnis des Vertragskäufers an, weil der Verkäufer das Bestehen dieser VRe nicht zu vertreten hat. Zur Belehrungspflicht des Notars über die Möglichkeit eines gesetzlichen VR s. § 20 BeurkG und RAB-Reithmann Rz. 143.

841 **Mit dem Wegfall der Übereignungspflicht entfällt auch die Zahlungspflicht des Vertragskäufers** (§§ 323 I, 439 I BGB). Einen evtl. bereits gezahlten Kaufpreis muß der Verkäufer nach den Grundsätzen über die ungerechtfertigte Bereicherung zurückgeben (§§ 323 III, 812 BGB). Einen Anspruch auf Zahlung von Zinsen für den gezahlten Kaufpreis hat der Vertragskäufer aber nicht (OLG Celle NJW 1957, 1802). Außerdem hat der Verkäufer dem Vertragskäufer die **Kosten des Vertrages** zu erstatten. Der Vertragskäufer trägt also bei vorzeitiger Zahlung des Kaufpreises im Falle der Ausübung des VR das Entreicherungsrisiko gemäß 818 III BGB und den Zinsverlust!

4. Das Rechtsverhältnis zwischen Verkäufer und Vorkäufer

842 Durch die Ausübung des VR wird der Vorkäufer noch nicht Eigentümer des Grundstücks; zu dem zweiten Kaufvertrag müssen die etwa erforderlichen behördlichen Genehmigungen erneut eingeholt werden

und es bedarf dazu noch der Auflassung und Eintragung (§§ 873, 925 BGB). Aufgrund des zwischen ihm und dem Verkäufer zustandegekommenen Kaufvertrages kann er jetzt **von dem Verkäufer die Auflassung verlangen**, und er ist verpflichtet, die im beurkundeten Vertrag vereinbarten Gegenleistungen zu erbringen, insbesondere den Kaufpreis zu zahlen (§ 433 BGB). Bezüglich der Fälligkeitsvoraussetzungen, z.B. der Eintragung einer Eigentumsvormerkung für den Käufer, ist der Vertrag jedoch sinnentsprechend anzupassen. Fälligkeit kann aber immer erst nach wirksamer Ausübung des VR eintreten (BGH NJW 1983, 682 = DNotZ 1983, 302; NJW 1989, 37; OLG München MittBayNot 1994, 30). Im Falle einer Stundung des Kaufpreises muß der Vorkäufer auf Verlangen Sicherheit leisten (§§ 1098 I, 509 BGB). Die Kosten des ersten Vertrages muß er dem Verkäufer erstatten, da dieser sie, soweit er sich nicht selbst schuldet, dem Vertragskäufer ersetzen muß (OLG Celle NJW 1957, 1802). Sondervereinbarungen zwischen Verkäufer und Vorkäufer sind jedoch zulässig.

843 **Fortbestand des ersten Kaufvertrages.** Das Zustandekommen des zweiten Kaufvertrages mit dem Vorkäufer bringt den ersten Kaufvertrag nicht zum Erlöschen. Dies wird u.a. dann praktisch, wenn der zweite Kaufvertrag durch actus contrarius aufgehoben wird. Dann erstarkt der erste Kaufvertrag wieder zur vollen Wirkung. Dazu folgendes **Beispiel:** V verkauft an K. Der vorkaufsberechtigte B übt sein VR aus. Gegen Zahlung eines Abfindungsbetrages an B heben V und B den zweiten Kaufvertrag auf. Damit kommt der Vertrag zwischen V und K wieder voll zum Zuge.

5. Das Rechtsverhältnis zwischen Vertragskäufer und Vorkäufer

844 **Zwischen dem Vertragskäufer und dem Vorkäufer entstehen keine vertraglichen, wohl aber gesetzliche Beziehungen.** Ist der Vertragskäufer bereits als Eigentümer im Grundbuch eingetragen (was praktisch kaum vorkommt), dann hat er einen unmittelbaren Anspruch gegen den Vorkäufer auf Ersatz des bereits von ihm gezahlten Kaufpreises, und er kann die Zustimmung zur Eintragung des Vorkäufers als Eigentümer sowie die Herausgabe des Grundstücks bis zur Erstattung verweigern (§ 1100 BGB). Das gleiche gilt für die von ihm bezahlten Kosten des Vertrages und, nach richtiger Ansicht, auch die Kosten einer Eigentumsvormerkung (MünchKomm-H.P. Westermann § 505 Rz. 7). Nicht verlangen kann er dagegen die Zahlung einer von ihm bereits entrichteten Grunderwerbsteuer, da sie ihm auf Antrag von der Grunderwerbsteuerbehörde erstattet wird (§ 16 GrEStG) und die Erstattung etwaiger Aufwendungen anläßlich des Kaufs, z.B. Fahrtkosten, Verdienstausfall usw. Soweit der Vorkäufer den Kaufpreis dem Vertragskäufer erstattet, wird er von seiner Zahlungspflicht gegenüber dem Verkäufer frei (§ 1101 BGB).

Ist ausnahmsweise bereits der Vertragskäufer im Grundbuch eingetragen, kann die Abwicklung des Vorkaufs auch in der Weise erfolgen, daß der Vertragskäufer die Auflassung des Grundstücks gem. § 267 I BGB in Erfüllung einer fremden Schuld an den Vorkäufer erklärt (vgl. das Beispiel Rz. 679).

845 **Finanzielle Ausgleichung.** Der Regelfall in der Praxis ist jedoch, daß der Vertragskäufer noch nicht im Grundbuch eingetragen ist. Dann müßte an sich der Verkäufer dem Vertragskäufer die erbrachten Leistungen erstatten und sie vom Vorkäufer fordern. In diesen Fällen empfiehlt es sich aber, um ein Hin- und Herzahlen des Kaufpreises zu vermeiden, den finanziellen Ausgleich unmittelbar zwischen dem Vertragskäufer und dem Vorkäufer vorzunehmen. Meist wird dies in Verbindung mit der Urkunde geregelt, in der die Auflassung an den Vorkäufer erklärt wird und der Vertragskäufer die Löschung der für ihn (meist) eingetragenen EV bewilligt.

846 **Besitzverhältnis.** Ist der Vorkäufer Eigentümer geworden, aber der Vertragskäufer noch im Besitz des Grundstücks, so gelten zwischen ihnen grundsätzlich die Regeln über das Eigentümer-Besitzer-Verhältnis gem. §§ 987 ff. BGB (vgl. Soergel/Baur § 1098 Rz. 4 m.w.N.). Dies gilt für:

- die Ansprüche des Vertragskäufers auf Ersatz seiner Verwendungen auf das Grundstück (Unterhaltungskosten usw.)
- die Haftung des Vertragskäufers auf Schadensersatz wegen Verschlechterung des Grundstücks während seiner Besitzzeit
- auf Herausgabe der während der Besitzzeit aus dem Grundstück gezogenen Nutzungen an den Vorkäufer.

847 **Risiko des Vertragskäufers.** Zu beachten ist die Entscheidung BGH NJW 1983, 2024: Danach muß der Vertragskäufer, dem das Bestehen eines VR bekannt oder infolge grober Fahrlässigkeit unbekannt ist, damit rechnen, daß das VR ausgeübt werde. Er wird deshalb wie ein bösgläubiger Besitzer oder Besitzer nach Rechtshängigkeit behandelt, mit der Folge, daß ihm gemäß §§ 996, 990 BGB kein Anspruch auf Ersatz der von ihm auf das Grundstück gemachten nützlichen Verwendungen zusteht. Der Käufer sollte deshalb z. B. mit Renovierungsarbeiten solange zuwarten, bis klar ist, daß der Vorkäufer sein VR nicht ausübt. Für notwendige Verwendungen, z. B. dringenden Erhaltungsaufwand, gilt § 994 II BGB. Gezogene Nutzungen sind herauszugeben, ggf. ist Wertersatz zu leisten (§§ 987, 990, 818 II BGB).

6. Die Maklerprovision

848 **Ein gelegentlicher Streitpunkt bei Vorkaufsfällen ist die Maklerprovision.** Dazu gilt folgendes: War der Verkäufer Auftraggeber und Schuldner des Maklers, so bleibt er provisionspflichtig, weil für ihn der erstrebte

Erfolg eintritt. Wurde die Provision vom Käufer geschuldet, so wird er von der Provisionspflicht wegen Nichterreichung des Erfolges frei (RGZ 157, 243 = DNotZ 1938, 396). Um dennoch dem Makler die Provision zu erhalten, empfiehlt es sich, die Provisionspflicht des Käufers in den Vertrag aufzunehmen. Eine im Erstvertrag enthaltene Maklerklausel gehört wesensmäßig zum Kaufvertrag und ist deshalb auch vom Vorkäufer zu erfüllen. Dabei macht es keinen Unterschied, ob der Käufer im Kaufvertrag eine ursprünglich nur vom Verkäufer dem Makler versprochene Provision übernimmt oder ob es sich um eine ursprünglich vom Käufer eingegangene Verpflichtung handelt (BGH NJW 1996, 654).

VI. Die gesetzlichen Vorkaufsrechte

849 In den Jahrzehnten seit dem 1. Weltkrieg sind eine Reihe von gesetzlichen Vorkaufsrechten begründet worden. Im Laufe der Zeit wurden sie ständig vermehrt und inhaltlich ausgeweitet; sie haben heute **in der Vertragspraxis eine weit größere Bedeutung als die privatrechtlichen Vorkaufsrechte**. Hier können nur die wichtigsten in Grundzügen behandelt werden. Eine ausführliche Darstellung s. HSS Rz. 3810 ff.

Die gesetzlichen VRe sind mangels Eintragung im Grundbuch für den Teilnehmer am Rechtsverkehr nicht erkennbar. Der Gesetzgeber hat deshalb für gesetzliche VRe eine besondere Belehrungspflicht des Notars begründet (§ 20 BeurkG). Zu dem Mangel der Publizität kommt erschwerend eine übertriebene Kompliziertheit der Regelung. Speziell bei den gemeindlichen Vorkaufsrechten steht der damit verbundene Verfahrensaufwand jedoch in keinem angemessenen Verhältnis zu Zweck und Nutzen: Der Prozentsatz der tatsächlichen Ausübungsfälle ist wegen der Finanzknappheit der Gemeinden sehr gering; die Regelung sollte deshalb insgesamt vereinfacht werden (s. dazu Lenz ZRP 1983, 300). Eine Reform ist in Planung.

1. Die Vorkaufsrechte der Gemeinden

Literaturhinweise: Engelken, Amtspflichten der Gemeinde beim Vorkaufsrecht und Negativzeugnis, DNotZ 1977, 579; Kommentare zum BauGB

850 Zur Sicherung der Bauplanung und anderer städtebaulicher Maßnahmen bestehen in einer Reihe von Tatbeständen VRe zugunsten der Gemeinde (§§ 24–26 BauGB). Sie gelten nicht beim Verkauf von Eigentumswohnungen und Erbbaurechten (§ 24 II BauGB). Jedes der gemeindlichen Vorkaufsrechte darf nur ausgeübt werden, wenn das

Wohl der Gemeinde dies rechtfertigt; der Verwendungszweck ist dabei anzugeben (§§ 24 III, 25 III BauGB). Die Ausübung ist ausgeschlossen, wenn es sich um den Verkauf an einen nahen Angehörigen i.S. des § 1589 BGB handelt (§ 26 Nr. 1 BauGB). In bestimmten Fällen kann der Käufer die Ausübung des Vorkaufsrechts durch eigene Maßnahmen abwenden (§ 27 BauGB).

851 **Erweiterung.** Um den Gemeinden auch den Zugriff auf künftiges Bauland zu einem Zeitpunkt zu erleichtern, in dem die Bauerwartung und damit der Verkehrswert noch gering sind, wurden die VRe des BauGB auf alle unbebauten Grundstücke ausgedehnt, deren Nutzung als Wohngebiet oder Wohnbaufläche in einem **Bauleitplan** vorgesehen ist. Dieses VR steht der Gemeinde bereits zu, wenn sie beschlossen hat, einen **Flächennutzungsplan** aufzustellen, zu ändern oder zu ergänzen (§ 3 BauGB-MaßnG). Dabei kann die Gemeinde zwischen einem preislimitierten VR nach dem MaßnahmenG zum BauGB und dem herkömmlichen VR nach dem BauGB wählen.

b) Die Sicherung des gemeindlichen Vorkaufsrechts

852 Der Verkäufer hat der Gemeinde den Inhalt des Kaufvertrages unverzüglich mitzuteilen; die Mitteilung des Verkäufers wird durch die Mitteilung des Käufers ersetzt (§ 28 I 1 BauGB). In der Regel übernimmt dies der Notar im Auftrag der Beteiligten. Nach Mitteilung des Kaufvertrages kann die Gemeinde das GBAmt um die Eintragung einer Vormerkung ersuchen, um einen gutgläubigen Erwerb eines Dritten auszuschließen (§ 28 II 2 BauGB). Dies kann jedoch praktisch kaum eintreten, denn das GBAmt darf den Käufer als Erwerber erst eintragen, wenn eine mit Unterschrift und Siegel versehene **Bescheinigung der Gemeinde** vorgelegt wird, daß ein VR der Gemeinde nicht besteht oder ein bestehendes VR nicht ausgeübt wird, sog. **Negativattest** (§ 28 I 2, 3 BauGB).

c) Ausübung und Wirkung

853 **Die Frist zur Ausübung des VR beträgt zwei Monate nach Mitteilung des rechtswirksamen Vertrages**, d.h. eines Vertrages, zu dem alle erforderlichen Genehmigungen vorliegen (§ 28 II 1 BauGB).

854 Die Erklärung der Ausübung des VR nach dem BauGB ist ein **privatrechtsgestaltender Verwaltungsakt** (§ 28 II 1 BauGB). Er ist, versehen mit Unterschrift eines vertretungsberechtigten Organs und Dienstsiegel der Gemeinde, beiden Beteiligten zuzustellen und kann sowohl durch den Verkäufer wie durch den Vertragskäufer nach den allgemeinen Regeln über die Anfechtung von Verwaltungsakten angefochten werden. Der **Rechtsweg** geht zu den Verwaltungsgerichten.

855 **Durch die rechtswirksame Ausübung kommt ein dem Privatrecht unterliegender Vertrag zustande**, für den die Regeln des BGB gelten, soweit

nichts anderes bestimmt ist (BGH NJW 1959, 478; vgl. auch die Verweisungen auf das schuldrechtliche VR in § 28 II 2 BauGB). Streitigkeiten aus dem Vertrag fallen deshalb in die Zuständigkeit der Zivilgerichte.

856 Mit der Eintragung der Gemeinde als Eigentümer erlöschen etwaige privatrechtliche Vorkaufsrechte; eine für den Vertragskäufer eingetragene EV ist auf Ersuchen der Gemeinde zu löschen (§ 28 II 5 BauGB).

857 **Bestehen die Voraussetzungen für die Ausübung des VR nur bezüglich eines Teils des verkauften Grundstücks,** z. B. zur Verbreiterung einer Straße, so darf die Gemeinde den Vorkauf nur bzgl. dieses Teils erklären (BayObLG NJW 1967, 113 = DNotZ 1967, 497 unter Hinweis auf §§ 508 BGB, 93 III BBauG). Sie hat einen verhältnismäßigen Teil des Gesamtkaufpreises zu tragen. Ist die Beeinträchtigung durch die Ausübung des VR derart, daß der Vertragskäufer an der Restfläche des Grundstücks kein Interesse mehr hat, kann er anstelle der Kaufpreisminderung auch die Wandelung gemäß § 468 Satz 2 BGB verlangen (Mayer NJW 1984, 103). Hat dann das Restgrundstück auch für den Verkäufer kein Interesse mehr, kann er von der Gemeinde verlangen, daß sie das ganze Grundstück erwirbt (analog § 508 Satz 2 BGB; BayObLG NJW 1967, 113; BGH DNotZ 1970, 264).

d) Das preislimitierte Vorkaufsrecht

858 Von dem Grundsatz, daß die Gemeinde im Falle der Ausübung des VR verpflichtet ist, den beurkundeten Kaufpreis zu zahlen, gibt es eine Ausnahme: Handelt es sich um ein Grundstück im Geltungsbereich eines Bebauungsplans, für das eine Nutzung für öffentliche Zwecke festgesetzt ist, und entspricht der vereinbarte Kaufpreis nicht dem Entschädigungswert, hat die Gemeinde den Kaufpreis durch Verwaltungsakt zu bestimmen (§§ 24 I Nr. 1, 28 III BauGB). Für die Vertragsgestaltung empfiehlt es sich deshalb zur Sicherung des Käufers, in den in Frage kommenden Fällen, die Zahlung des Kaufpreises von der Vorlage des Negativattestes der Gemeinde abhängig zu machen.

Für das preislimitierte VR gelten folgende **Besonderheiten**: Mit der Rechtskraft des Bescheides erlöschen die Pflichten des Verkäufers aus dem ersten Kaufvertrag. Die Gemeinde kann ohne Beurkundung einer Auflassung das GBAmt ersuchen, die Umschreibung des Eigentums vorzunehmen (§ 28 III 2–4 BauGB).

2. Das siedlungsrechtliche Vorkaufsrecht

859 Nach §§ 1, 4–10 des Reichssiedlungsgesetzes von 1919 (BGBl. III Nr. 2331-1, abgedruckt bei Horber/Demharter Nr. 22 bis zur 19. Auflage) besteht beim **Verkauf von landwirtschaftlichen Grundstücken über 2 Hektar** (20.000 qm) ein VR für das landesrechtlich zuständige gemeinnützige Siedlungsunternehmen. Dieses VR kommt jedoch nur in Betracht, wenn der Verkauf zu einer ungesunden Verteilung des Bodens führen würde und deshalb nach § 9 GrdstVG die landwirtschaftliche Genehmigung zu versagen wäre (§ 4 RSG). Weitere Einzelheiten s. HSS Rz. 4137 ff.

3. Vorkaufsrechte nach Landesrecht

860 Im Bereich des Denkmalschutzes, des Naturschutzes und des Forstrechts bestehen landesrechtlich vielfach Vorkaufsrechte für das Land oder die Gemeinde (Einzelheiten s. HSS Rz. 4181 ff).

4. Das Vorkaufsrecht des Mieters nach dem Wohnungsbindungsgesetz

861 Beim **Verkauf einer öffentlich geförderten Mietwohnung** (Sozialwohnung), die in eine Eigentumswohnung umgewandelt worden ist oder werden soll, steht dem Mieter ein VR zu (§ 2 b WoBindG). Die Frist für die Ausübung des VR beträgt 6 Monate seit Mitteilung des rechtswirksamen Vertrages durch den Verkäufer oder einen von ihm Bevollmächtigten, z. B. den Notar.

5. Das Vorkaufsrecht des Mieters nach § 579 b BGB

Literaturhinweise: Brambring, DNotI-Report 13/1993; Schmidt, MittBayNot 1994, 285

862 Nach dem 1993 neu eingefügten § 579 b BGB ist der Mieter einer Wohnung in einem Mehrfamilienhaus zum Vorkauf berechtigt, wenn nach der Überlassung der Wohnung an ihn Wohnungseigentum daran begründet worden ist oder begründet werden soll und die Wohnung an einen Dritten verkauft wird (§ 570 b I 2 BGB). Dadurch soll der Mieter die Möglichkeit haben, das gem. § 564 b II Nr. 2 Satz 1 BGB bei einer Umwandlung erhöhte Risiko einer Eigenbedarfskündigung abzuwenden. Die Mitteilung des Verkäufers oder des Dritten über den Kaufvertragsinhalt ist mit einer Unterrichtung des Mieters über sein Vorkaufsrecht zu verbinden (§ 570 b II BGB). Wird das Gesamtobjekt verkauft, sind alle Mieter zu unterrichten. Eine zum Nachteil des Mieters abweichende Vereinbarung ist unwirksam (§ 570 b IV BGB). Deshalb kann der Mieter auf sein VR erst verzichten, wenn ihm der rechtswirksame Kaufvertrag mitgeteilt ist, ein vorheriger Verzicht wäre unwirksam. Da kein Vormerkungsschutz besteht, ist der Mieter jedoch im Falle einer Verletzung seines Vorkaufsrechts auf Schadensersatzansprüche angewiesen. Gemäß § 20 BeurkG ist der Notar verpflichtet, über das gesetzliche VR des Mieters zu belehren, sofern es erkennbar in Betracht kommt (ausführlich dazu Langhein, DNotZ 1993, 650). Zu den enormen praktischen Schwierigkeiten beim Verkauf einer Wohnungsanlage mit mehreren Wohnungen s. Schmidt a.a.O.

Das Verhältnis der beiden Mieter-Vorkaufsrechte: **863**
- Das VR gem. § 2b WoBindG gilt für öffentlich geförderte und damit der Wohnungsbindung unterliegende Wohnungen und hat eine Erklärungsfrist von 6 Monaten (§ 2b I WoBindG)
- das VR nach § 570b BGB gilt für frei finanzierten oder bindungsfrei gewordenen Wohnraum und hat eine Erklärungsfrist von 2 Monaten.

VII. Das Vorkaufsrecht zu vereinbartem Preis

864 **Es kommt vor, daß die Beteiligten bei der Vereinbarung über ein VR festlegen wollen, daß im Falle der Ausübung des VR vom Vorkäufer nicht der beurkundete, sondern ein anderer Preis zu zahlen ist,** z.B. ein Festpreis, der von einem Gutachter zu schätzende Verkehrswert, ein indexorientierter Festpreis, oder daß andere Zahlungsbedingungen gelten sollen. Dies ist jedoch beim dinglichen VR wegen des Typenzwangs nicht möglich (§§ 1098 I, 505 II BGB; RGZ 154, 355, 358; vgl. Rz. 498). **Ein solches VR kann** aber **als schuldrechtliches VR vereinbart werden.** Auch dieses VR bedarf, da es die (bedingte) Verpflichtung zur Übertragung eines Grundstücks zum Gegenstand hat, der Beurkundung nach § 313 BGB.

865 **Sicherung.** Wie jeder andere bedingte Übereignungsanspruch auf ein Grundstück kann auch der bedingte Anspruch aus einem schuldrechtlichen VR durch eine Eigentumsvormerkung gesichert werden und erhält dadurch eine quasi Verdinglichung durch die rangsichernde Wirkung der Vormerkung (§§ 883 II, 888 I BGB).

VIII. Das Vorkaufsrecht der Miterben

1. Zweck und Gegenstand

866 Beim Verkauf eines Erbteils an einen Nichterben haben die Miterben ein gesetzliches Vorkaufsrecht (§§ 2034f. BGB). Dies wird z.B. praktisch, wenn ein Miterbe aus der Erbengemeinschaft ausscheidet, weil er seinen Erbanteil kurzfristig versilbern oder sich die Auseinandersetzung mit seinen Miterben ersparen will. Durch das VR gibt das Gesetz den Miterben die Möglichkeit, ein unerwünschtes Eindringen Außenstehender, z.B. Familienfremder, in die Erbengemeinschaft zu verhindern. Beim Verkauf an einen Miterben ist das VR deshalb nicht gegeben.

Das VR richtet sich auf den Erbanteil als Gesamtheit, da nur er dem Verfügungsrecht des Miterben unterliegt. Es kann deshalb nicht bezüglich einzelner Gegenstände, z.B. eines Grundstücks, geltend gemacht werden. In vielen Fällen gehören aber zum Nachlaß auch Grundstücke und sind wirtschaftlich der Hauptgegenstand der Erbteilsübertragung.

2. Die Ausübung

867 **Vorkaufsberechtigt sind alle übrigen Miterben gemeinschaftlich zur gesamten Hand.** Will einer der Miterben es nicht ausüben, so verbleibt es den übrigen (§ 513 BGB). Ist nur ein Miterbe vorhanden, so steht es ihm allein zu.

Voraussetzung für die Ausübung des VR ist ein beurkundeter, rechtswirksamer Kaufvertrag über den Erbteil (§§ 2034 I, 2371 BGB). Die Frist zur Ausübung beträgt zwei Monate nach Mitteilung des Kaufvertrages durch den Verkäufer (§§ 510 I, 2034 II BGB).

Die Ausübungserklärung ist an sich formlos, muß aber klar sein (§ 510 BGB). Sie richtet sich an den Verkäufer, wenn zwar der Kaufvertrag beurkundet ist, die dingliche Übertragung aber noch nicht stattgefunden hat (§ 505 I BGB). Da sowohl der schuldrechtliche Kaufvertrag als auch der dingliche Übertragungsvertrag der notariellen Beurkundung bedürfen (§§ 2371, 1922 II, 2032 I 2 BGB), werden in der Regel beide zusammen beurkundet. In diesem Fall ist die dingliche Übertragung bereits erfolgt und die Erklärung über die Ausübung des VR muß an den Käufer gerichtet werden (§ 2035 I BGB). Eine getrennte Beurkundung kommt allerdings in Frage, wenn der Kaufpreis erst gezahlt werden soll, nachdem die Miterben auf ihr VR verzichtet haben oder die Frist abgelaufen ist.

3. Die Wirkung

868 Die Wirkung des ausgeübten VR der Miterben ist anders als beim normalen VR. Es kommt nicht ein zweiter Kaufvertrag zwischen dem Verkäufer und den Vorkäufern zustande, sondern es entsteht kraft Gesetzes ein **schuldrechtlicher Anspruch der Vorkäufer auf dingliche Übertragung des Erbteils** in der Form des § 2033 I BGB. Er richtet sich gegen den Inhaber des Erbteils, d.h. vor der dinglichen Übertragung gegen den Verkäufer und nach einer bereits erfolgten dinglichen Übertragung gegen den Käufer. Der Erbteilskäufer ist verpflichtet, den erworbenen Erbteil auf die Miterben zu übertragen, während diese ihm den etwa schon bezahlten Kaufpreis nebst sonstigen Aufwendungen, einschließlich der Kosten der Rückübertragung, zu erstatten haben (Palandt/Eden-

hofer § 2035 Rz. 3). Mit der daraufhin zu beurkundenden dinglichen Übertragung auf die Vorkäufer wächst diesen der Erbteil als Gesamthändern analog § 2094 BGB im Verhältnis ihrer Erbquoten an. Das Grundbuch wird dadurch unrichtig und ist auf Antrag zu berichtigen (§§ 13, 22, 29 GBO). Ein erteilter Erbschein wird jedoch nicht unrichtig und ist deshalb nicht einzuziehen.

869 **Grunderwerbsteuer.** Die Erbteilsübertragung auf einen Miterben ist eine besondere Art der Teilauseinandersetzung des Nachlasses und deshalb grunderwerbsteuerfrei (§ 3 Nr. 3 GrEStG). Grunderwerbsteuer fällt aber an, und zwar von dem auf die Grundstücke entfallenden Teil des Kaufpreises, wenn der Erbteilskäufer nicht zum Kreis der Miterben gehört (§ 1 I Nr. 3 GrEStG).

IX. Ankaufsrecht und Wiederkaufsrecht

1. Das Ankaufsrecht

Literaturhinweise: HSS Rz. 1444–1458; Mummenhoff, Das Wiederkaufsrecht und das Ankaufsrecht bei Grundstücken, MittRhNotK 1967, 813; M. Wolf, Rechtsgeschäfte im Vorfeld von Grundstücksübertragungen und ihre eingeschränkte Beurkundungsbedürftigkeit, DNotZ 1995, 179

a) Vertragstyp eigener Art

870 **Begriff.** Unter „Ankaufsrecht" (auch „Optionsrecht" genannt) versteht man im einzelnen sehr unterschiedlich ausgestaltete Rechtsverhältnisse. Sie haben sich im Rahmen der Vertragsfreiheit entsprechend den Bedürfnissen des Wirtschaftslebens entwickelt. Der Begriff „Ankaufsrecht" kommt jedoch im Gesetz nicht vor. Zu anderen Vertragsformen wie: Vorvertrag, Verkaufsrecht, Vorhand, Letter of Intent, Instruction of Proceed usw. s. Wolf a. a. O.

Das Ankaufsrecht gewährt dem Berechtigten die Befugnis, unter gewissen Voraussetzungen (Bedingungen oder Befristungen) durch einseitige Erklärung einen Kaufvertrag mit dem Verpflichteten zur Entstehung zu bringen. Das Ankaufsrecht unterscheidet sich vom VR dadurch, daß seine Ausübung nicht von dem Abschluß eines Kaufvertrages des Verpflichteten mit einem Dritten abhängt, sondern von anderen Umständen, z. B. Tod, Konkurs, Ehescheidung des Eigentümers usw; es ist daher stärker als das VR. Sein Zweck ist die Bindung des Verkäufers, während sich der Käufer noch freie Hand behalten will. **Beispiel:** Ankaufsrecht für den Pächter eines Weinbergs, der diesen neu angelegt, z.Zt. aber noch nicht die Mittel für den Ankauf hat.

b) Die Begründung des Ankaufsrechts

871 **Das Ankaufsrecht wird in der Regel begründet durch ein einseitiges Verkaufsangebot des Eigentümers.** Da das Angebot zu einer Bindung des Verkäufers führt, bedarf es der Beurkundung gemäß § 313 BGB. Der Anspruch kann durch eine **Vormerkung** gesichert werden (§ 883 I 2 BGB). Auch die Annahmeerklärung des Käufers bedarf der Beurkundung. Wird jedoch das Ankaufsrecht durch einen zweiseitigen, aufschiebend bedingten Kaufvertrag begründet, der bereits alle wesentlichen Bestimmungen des künftigen Verkaufs enthält, dann bedarf die Ausübung des Ankaufsrechts keiner besonderen Form mehr (s. HSS Rz. 1452).

c) Zur Vertragsgestaltung

872 Das Angebot oder der Vertrag zur Begründung eines Ankaufsrechts bedarf einer besonders **sorgfältigen Formulierung, unter welchen Voraussetzungen das Recht ausgeübt werden kann, wie lange es befristet ist und welchen Inhalt der Vertrag haben soll.** Insbesondere die Höhe des Kaufpreises sowie die Modalitäten der Kaufpreiszahlung bedürfen der genauen Festlegung oder einer klaren Vereinbarung darüber, wie der Kaufpreis entweder aufgrund eines objektiven Maßstabs (z. B. Index der Lebenshaltungskosten) festgestellt oder durch Dritte ermittelt werden soll (§ 317 BGB). **Beispiel:** Der Kaufpreis soll verbindlich mittels Schätzung durch eine unabhängige Stelle (z. B. durch einen von der IHK zu bestellenden unabhängigen Sachverständigen oder den zuständigen Gutachterausschuss) bestimmt werden (s. auch LG Düsseldorf DNotZ 1981, 743 m. Anm. Ludwig DNotZ 1982, 356).

2. Das Wiederkaufsrecht

Literaturhinweise: HSS Rz. 1603–1610 a; Mummenhoff, Das Wiederkaufsrecht und das Ankaufsrecht bei Grundstücken, MittRhNotK 1967, 813

a) Das vertragliche Wiederkaufsrecht

873 **Das Wiederkaufsrecht** ist ein gesetzlich geregelter Vertragstyp (§§ 497–503 BGB). Es **begründet das Recht des Verkäufers, das Grundstück unter im Voraus festgelegten Bedingungen durch einseitige Erklärung zurückzukaufen**; es wird deshalb auch Rückkaufsrecht genannt. Dadurch eignet es sich als Mittel, den Käufer in der Verwendung des Grundstücks zu binden. Seine praktische Anwendung findet es deshalb vor allem bei Grundstücksverkäufen der öffentlichen Hand, um in Verbindung mit der Erschließung von Baugelände die alsbaldige Bebauung sicherzustellen und Spekulationen mit den Grundstücken zu verhindern. **Beispiel:** Die Stadt verkauft Bau-

plätze an Bauwillige und behält sich dabei den Anspruch auf Rückübertragung vor für den Fall, daß das verkaufte Grundstück nicht innerhalb von 3 Jahren mit einem Wohnhaus im Rahmen des Bebauungsplanes bebaut ist.

Das Wiederkaufsrecht hat nur schuldrechtliche Wirkung. Seiner Rechtsnatur nach ist der Vorbehalt des Wiederkaufs ein aufschiebend bedingter Rückkaufvertrag, der einen Anspruch auf Rückübereignung begründet. Dieser bedingte Anspruch kann durch **Vormerkung** gesichert werden (§ 883 I 2 BGB), was auch in aller Regel geschieht. Im o.a. Beispiel ist ein doppelt aufschiebend bedingter Rückkaufvertrag gegeben:
- die erste Bedingung ist die Nichterfüllung der Bebauungsverpflichtung in der vorgesehenen Frist
- die zweite Bedingung die Ausübung des Wiederkaufsrechts durch die Verkäuferin.

Die Bedingungen des Rückkaufs werden zweckmäßigerweise im Voraus festgelegt, besonders der Rückkaufpreis (meist gleich dem Kaufpreis) und die Entschädigung für evtl. Aufwendungen des Käufers, z.B. für von ihm gezahlte Erschließungsbeiträge und für den Wert angefangener Bauten. Subsidiär gelten die Vorschriften der §§ 497ff. BGB. **874**

Die Begründung des Wiederkaufsrechts bedarf der Beurkundung nach § 313 BGB, die in der Regel schon dadurch gegeben ist, daß die Vereinbarung als Teils des Kaufvertrages mitbeurkundet wird. Es wird **ausgeübt** durch eine gegenüber dem Verpflichteten abzugebende einseitige, empfangsbedürftige Erklärung des Wiederkäufers, daß er sein Wiederkaufsrecht ausübe (§ 497 I 1 BGB). Mit der Abgabe dieser Erklärung kommt der Rückkaufvertrag zustande. Der Wiederverkäufer hat dem Wiederkäufer das Grundstück nebst Zubehör herauszugeben (§ 498 I BGB) sowie das Eigentum durch Auflassung zu verschaffen, und der Wiederkäufer hat den Wiederkaufpreis nebst einem evtl. Aufwendungsersatz zu zahlen. **875**

b) Das gesetzliche Wiederkaufsrecht

Literaturhinweis: HSS Rz. 4177

Ein gesetzliches Wiederkaufsrecht findet sich im § 20 des Reichssiedlungsgesetzes von 1919 (BGBL III Nr. 2331–1, abgedruckt bei Demharter Nr. 22). Hiernach hat **das nach Landesrecht zuständige gemeinnützige Siedlungsunternehmen** kraft Gesetzes ein Wiederkaufsrecht, wenn der Ansiedler die Siedlerstelle ganz oder teilweise veräußert oder aufgibt oder sie nicht dauernd bewohnt oder bewirtschaftet. Das Wiederkaufsrecht ist im Grundbuch einzutragen und muß befristet sein. In seinem Rechtscharakter entspricht es dem dinglichen Vorkaufsrecht des BGB, d.h. es hat Dritten gegenüber die Wirkung einer Vormerkung zur Sicherung des bedingten Anspruchs auf Übertragung des Eigentums und nimmt damit an der Rangfolge der Grundbucheintragungen teil. **876**

§ 19. Die Reallast

Literaturhinweise: Beck'sches Notarhandbuch (Jerschke) A V Rz. 174ff.; Spiegelberger, Vermögensnachfolge, 1994; HSS Rz. 1285–1319; Staudinger/Amann Vorbem. zu §§ 1105–1112 BGB; Wegmann, Grundstücksüberlassung, DNotI-Schriftenreihe, Bd. 1 1994

877 **Die Reallast ist das gegebene Mittel zur dinglichen Sicherung von schuldrechtlichen Verpflichtungen, die auf wiederkehrende Geld-, Sach- oder Dienstleistungen gerichtet sind.** In der Vertragspraxis spielt sie deshalb eine wichtige Rolle. Trotzdem führt sie in Lehrbüchern und Kommentaren meist ein vergleichsweise bescheidenes Dasein. Auch sind ihr im BGB nur 8 Paragraphen gewidmet (§§ 1105–1112 BGB). Ihre rechtliche Struktur ist aber nicht ganz so einfach, wie man beim ersten Anschein anzunehmen geneigt sein könnte.

I. Entwicklungsgeschichte und Rechtsnatur

1. Die Vorläufer

878 **Die Reallast wurzelt im deutschen Recht des Mittelalters.** Ihre Vorläufer waren im bäuerlichen Bereich die Verpflichtungen gegenüber dem Grundherrn zur Leistung des Zehnten sowie von Hand- und Spanndiensten, in den Städten die Grundrenten, die aufgrund eines Leiherechts oder eines Rentenkaufs geschuldet wurden (Wolff/Raiser § 127 II; H. Westermann (Lehrbuch) § 124 Einl.). Nach gemeinem Recht waren die Reallasten Leistungen, die dem jeweiligen Eigentümer eines Grundstücks oblagen und entweder in einem Geben (Naturalleistungen, Bodenzinsen usw.) oder in Handlungen (Dienstleistungen, Fronden) bestanden. Im Zuge der Bauernbefreiung im 18. und 19. Jahrhundert wurden diese Reallasten als überholte Einschränkungen der persönlichen und wirtschaftlichen Freiheit mit oder ohne Entschädigung beseitigt und ihre Neubegründung beschränkt. Nachwirkungen dieser Entwicklung sind die noch bestehenden landesrechtlichen Vorbehalte gemäß Art. 113, 115, 117 I EGBGB (s. Rz. 902).

2. Die wesentlichen Begriffselemente

a) Die Verpflichtung zu positiven „Leistungen"

879 **Die Reallast des BGB ist die Belastung des Grundstücks mit einem Recht, das auf wiederkehrende Leistungen gerichtet ist.** Dabei unterscheidet man begrifflich das Stammrecht und die daraus fließenden Ansprüche auf die Einzelleistungen (§§ 1105 I, 1107 BGB). Gegenstand der Reallast können Dienstleistungen, Sachleistungen oder Geldleistungen sein. Als Mittelding zwischen Nutzungsrechten und Pfandrechten (manche sprechen von einer Doppelnatur der Reallast) steht die Reallast im BGB systemgerecht zwischen den Dienstbarkeiten und der Hypothek.

Der wesentliche Inhalt der Reallast ist die Verpflichtung zu einem Geben oder positiven Tun. Die Leistungen können in Geld, Naturalien oder in Handlungen bestehen. Dadurch unterscheidet sich die Reallast von der Dienstbarkeit, die dem Verpflichteten in der Hauptsache ein Dulden oder Unterlassen auferlegt, während ein positives Tun immer nur Nebenpflicht einer Dienstbarkeit sein kann. Zum Unterschied zwischen Dienstbarkeit und Reallast folgende **Beispiele:**

- der Grundstückseigentümer E räumt dem Berechtigten B das Recht ein, auf seinem Grundstück Kies abzubauen: beschränkte persönliche Dienstbarkeit
- E verpflichtet sich, dem B den Kies zu liefern: Reallast.

b) Die Verpflichtung zu „wiederkehrenden" Leistungen

880 **Es muß sich um wiederkehrende Leistungen handeln.** Die einzelnen Leistungen brauchen allerdings nicht regelmäßig wiederzukehren, nicht gleichartig und nicht gleich groß zu sein, müssen aber auf einem einheitlichen Schuldverhältnis beruhen (Soergel/Baur § 1105 Rz. 10 m.w.N.). Eine **einmalige Leistung** kann nicht Gegenstand einer Reallast sein, es sei denn, daß sie neben anderen wiederkehrenden Leistungen steht, z. B. neben einer Pflegeverpflichtung, der einmaligen Abfindung weichender Geschwister oder der Übernahme der Sterbefallskosten.

c) Die Bestimmtheit oder Bestimmbarkeit der Leistungen

881 **Die sich aus der Reallast ergebenden Leistungspflichten müssen bestimmt oder bestimmbar sein.** Nachrangige Berechtigte sollen dadurch die Möglichkeit haben, schon bei der Bestellung ihres Rechts zu erkennen, welchen Umfang die ihnen vorgehende Reallast in einer Zwangsversteigerung haben kann. Andererseits ist bei längerfristigen wiederkehrenden Leistungen eine gewisse Anpassungsfähigkeit an mögliche Veränderungen der Verhältnisse erforderlich. In diesem Konflikt zwischen noch

genügender Bestimmbarkeit und wünschenswerter Flexibilität liegt die wesentliche **Problematik der Reallast.**

Die aus der Reallast geschuldeten Leistungen müssen mindestens bestimmbar sein (BGH NJW 1957, 23 = DNotZ 1957, 200; BayObLG DNotZ 1980, 94, 97 m.w.N.). Das heißt nicht, daß sie schon im voraus genau bestimmt sind, und sie müssen auch nicht mit einem bezifferten Geldbetrag eingetragen werden (für die Berechnung der Eintragungsgebühr ist allerdings ein geschätzter Wert anzugeben, der aber nicht präjudizierend ist). Aber die Kriterien für den Umfang der Leistungen müssen doch so hinreichend bestimmt sein, daß die mögliche Höchstbelastung des Grundstücks in Geld ausgedrückt werden kann (BayObLG Rpfleger 1981, 106). Dies gilt nicht nur für Geld-, sondern ebenso für Sach- und Dienstleistungen; zum Zwecke der Zwangsvollstreckung muß die Umwandlung in eine Geldforderung möglich sein. Dabei können auch außerhalb der Eintragungsbewilligung liegende Umstände zur näheren Bestimmung des Umfangs der Leistungspflicht herangezogen werden, wenn sie nachprüfbar sind und die Eintragungsbewilligung auf sie Bezug nimmt (BayObLG MittBayNot 1993, 370).

882 **Im Einzelfall ist die Abgrenzung zwischen zulässigen und nicht zulässigen Inhalten einer Reallast schwierig und unsicher.** Die Rechtsprechung dazu ist kasuistisch, aber meist relativ großzügig.

Als hinreichend bestimmbar sind anerkannt:

- bei einer Rente eine Wertsicherungsklausel mit Koppelung an den Preisindex der Lebenshaltung (Gleitklausel, s. nachstehend Rz. 577; statt vieler: BGH NJW 1973, 1838 = DNotZ 1974, 90; OLG Celle DNotZ 1977, 548)
- Rente zur Sicherung des standesgemäßen Unterhalts (BayObLGZ 1953, 200)
- Deckung des Wärmebedarfs einer Eigentumswohnung (OLG Celle JZ 1979, 268)
- Pflege und Aufwartung in gesunden und kranken Tagen (OLG Düsseldorf MittRhNotK 1972, 708; nicht bestimmt genug jedoch „soweit dies für den Erwerber zumutbar ist" (BayObLG MittBayNot 1993, 370)
- Verpflegung sowie Pflege und Betreuung im Krankheits- oder Pflegefall (LG Köln MittRhNotK 1969, 654).

Als nicht genügend bestimmbar wurden angesehen:

- Vereinbarung, daß die Höhe der Rente überprüft werden soll, wenn sich das Ruhestandsgehalt für Staatsbeamte ändert (OLG Düsseldorf NJW 1957, 1766)
- Vereinbarung, daß jeder Vertragsteil bei einer Änderung seiner wirtschaftlichen Verhältnisse gemäß § 323 ZPO eine Änderung der versprochenen Leistungen verlangen könne, ohne gleichzeitige inhaltliche Konkretisierung (BayObLG DNotZ 1980, 94; zu dem Problem s. auch

Amann: Die Anpassung von Reallastleistungen gemäß § 323 ZPO, MittBayNot 1979, 219). Nach den allgemeinen Grundsätzen der Bestimmbarkeit muß aber auch in diesen Fällen eine Reallast möglich sein, wenn der Bemessungs- und damit Anpassungsmaßstab die objektive Feststellung des Leistungsumfangs erlaubt. Dabei dürfen auch außerhalb des Grundbuchs und der Eintragungsbewilligung liegende Umstände herangezogen werden, wenn sie nachprüfbar sind und die Eintragungsbewilligung auf sie Bezug nimmt (Staudinger/Amann § 1105 Rz. 12 mit zahlreichen Nachweisen).

883 **Ergänzende Absicherung durch Schuldanerkenntnis.** Wenn es nach diesen Grundsätzen an der geldwerten Bestimmbarkeit der Leistungsverpflichtung fehlt und deshalb eine direkte Sicherung nicht möglich ist, kann vertragskonstruktiv dadurch geholfen werden, daß neben der schuldrechtlichen Verpflichtung sicherungshalber ein abstraktes Schuldversprechen/Schuldanerkenntnis gemäß §§ 780, 781 BGB, gerichtet auf bestimmte, regelmäßig wiederkehrende Zahlungspflichten oder die Leistung einer bestimmten Menge vertretbarer Sachen, erklärt und durch eine Reallast gesichert wird. Diese Konstruktion hat auch den Vorteil, daß das abstrakte Schuldversprechen mit einer persönlichen Unterwerfungsklausel gemäß § 794 I Nr. 5 ZPO verbunden werden kann. Sie ermöglicht die Vollstreckung in das gesamte Vermögen des Schuldners, also auch in das Grundstück, jedoch nur aus der Rangklasse 5 (s. Rz. 575, 911).

d) Die Reallast gibt ein Verwertungsrecht

884 **Kraft der Reallast sind die wiederkehrenden Leistungen „aus dem Grundstück" zu entrichten.** Das heißt jedoch nicht -wie der Wortlaut zunächst vermuten lassen könnte- daß die Leistungen „aus dem Grundstück" produziert sein müssen. Der jährlich zu liefernde Wein, die Kartoffeln usw. brauchen nicht von dem belasteten Grundstück zu stammen, Pflegeleistungen werden nicht „aus dem Grundstück" erbracht. Es braucht kein wirtschaftlicher oder sonstiger Zusammenhang zwischen dem Grundstück und den Leistungen zu bestehen.

Den Sinn der Formulierung erschließt ein Blick auf das Hypothekenrecht. Der Hypothekengläubiger kann wegen einer Forderung die Befriedigung durch Zwangsvollstreckung „aus dem Grundstück" verlangen (§§ 1113, 1147 BGB). Entsprechend bedeutet bei der Reallast „aus dem Grundstück": Wenn der Eigentümer des belasteten Grundstücks die durch die Reallast gesicherten Ansprüche nicht erfüllt, kann der Berechtigte aus der Reallast, d.h. aus der dinglichen Rangstelle der Reallast (§ 10 Nr. 4 ZVG), die Befriedigung in Geld durch Zwangsvollstreckung in das Grundstück betreiben. **Das Grundstück haftet für die Erfüllung der Leistungen.** Die Reallast steht daher den Grundpfandrechten nahe.

Da die Reallast auf wiederkehrende Leistungen gerichtet ist, verweist § 1107 BGB auf die Zwangsvollstreckung wegen Hypothekenzinsen. Eine Vollstreckung aus der Reallast kann demnach nur wegen der einzelnen fällig gewordenen Leistungen erfolgen, nicht dagegen zur Realisierung des Wertes des Stammrechts. Darin liegt der wesentliche Unterschied zu den Grundpfandrechten.

885 **Keine Unterwerfung des jeweiligen Grundstückseigentümers.** Ein weiterer Unterschied zu den Grundpfandrechten besteht darin, daß nach h. M. bei der Reallast eine gegen den jeweiligen Grundstückseigentümer wirkende Unterwerfungsklausel gemäß §§ 794 I Nr. 5, 800 ZPO nicht zulässig ist. Die praktische Bedeutung dieser Einschränkung ist jedoch gering, weil gem. §§ 727 I, 325 III ZPO eine Vollstreckungsklausel auch gegen einen späteren Grundstückseigentümer erteilt werden kann (s. Rz. 908 f.).

II. Die Reallast in der Vertragspraxis

In der Vertragspraxis zeichnen sich **drei Hauptanwendungsgebiete** ab:

1. Übergabeverträge

886 **In Hausübergabe- und Betriebsübergabeverträgen werden häufig neben einem Wohnungsrecht oder Nießbrauch für den bzw. die Übergeber auch Verpflichtungen des Übernehmers zur Pflege und anderen Dienst- oder Sachleistungen vereinbart. Beispiel:** Der Übernehmer (z. B. Sohn, Tochter) verpflichtet sich, die Übergeber lebenslänglich in gesunden und kranken Tagen ihren jeweiligen Bedürfnissen und Gewohnheiten entsprechend zu pflegen und zu verpflegen, ihre Räume und Sachen in Ordnung zu halten usw. Neben oder anstelle der Pflegeverpflichtung kommen auch Naturalleistungen in Frage, z. B. die Lieferung von jährlich 100 Flaschen Wein bestimmter Qualität, von einem Zentner Kartoffeln, einem geschlachteten Schwein usw. Wenn die Übergeber eine unzureichende finanzielle Altersversorgung haben, wird vielfach auch eine Geldrente vereinbart. Diese verschiedenen Verpflichtungen können als Reallast zusammen mit einem Wohnungsrecht (beschränkte persönliche Dienstbarkeit) unter dem zusammenfassenden Begriff **„Altenteilsrecht“** (landschaftsbedingt auch Leibgedinge, Leibzucht oder Auszug genannt) im Grundbuch eingetragen werden (§ 49 GBO; BayObLG DNotZ 1975, 622; s. nachstehend § 20).

887 **Anrechnung auf Ausgleichungspflicht.** Zum Ausgleich für die übernommenen Verpflichtungen erhält der Übernehmer das Haus oder den Betrieb gewöhnlich zu einem entsprechend unter dem Verkehrswert an-

gesetzten Anschlagswert, nach dem dann die Ausgleichsleistungen an die weichenden Geschwister berechnet werden.

Weitere Versorgungsleistungen. Wird mit einem Wohnungsrecht (Einsitzrecht) gem. § 1093 BGB der Anspruch des Übergebers auf freie Versorgung mit Heizung, Strom und Wasser verbunden, so kann dies nur durch eine zusätzliche Reallast gesichert werden (OLG Frankfurt DNotZ 1972, 354 = Rpfleger 1972, 20). Dies geschieht meist zusammengefaßt als Altenteilsrecht (s. § 20). **888**

Pflege der Grabstätte. Mit den Altenteilsvereinbarungen wird vielfach auch die Verpflichtung des Übernehmers verbunden, die spätere Grabstätte der Übergeber auf längere Zeit, z.B. auf die sog. Liegezeit, zu pflegen. Dies kann durch eine vererbliche Reallast gesichert werden. Für die Vertragsgestaltung ist allerdings zu bedenken, daß die Reallast nach dem Tode des Berechtigten nur dann in den erleichterten Formen des § 23 GBO gelöscht werden kann, wenn das Recht „auf die Lebenszeit des Berechtigten beschränkt ist". Anderenfalls wird immer eine Löschungsbewilligung des (der) Erben erforderlich (vgl. BayObLG DNotZ 1985, 41). Praktischer ist es deshalb in der Regel, die Grabpflege nicht durch eine Reallast zu sichern, sondern nur schuldrechtlich zu vereinbaren. **889**

2. Vertragliche Rentenverpflichtungen

Leibrente. In Übergabeverträgen wird vielfach auch eine Rentenverpflichtung vereinbart, die wegen ihrer Langfristigkeit einer dinglichen Sicherung bedarf. Auch beim Verkauf eines Hausgrundstücks, einer Eigentumswohnung oder eines Betriebes ist der Veräußerer vielfach nicht daran interessiert, den Kaufpreis sofort als Kapital zu erhalten, sondern bevorzugt eine langfristig verteilte, regelmäßig wiederkehrende Leistung, meist auf seine Lebenszeit. (§§ 759ff. BGB). **890**

Vorteile der Reallast. Zur Sicherung von Rentenverpflichtungen eignet sich die Reallast (Rentenreallast) mehr als die Hypothek oder die Grundschuld, weil sie besser die Wertsicherung der zukünftigen Leistungen ermöglicht (s. Rz. 913). Sie ist dafür auch besser geeignet als die Rentenschuld, weil diese durch den Eigentümer abgelöst werden kann (§§ 1199 II, 1201 I, II BGB), was bei der Reallast nur in den landesrechtlich bestimmten besonderen Fällen möglich ist (Art. 113 EGBGB). Der Rentenberechtigte ist jedoch in aller Regel daran interessiert, daß die Rente auf seine Lebenszeit gesichert ist. Ein Vorteil der Reallast gegenüber der Rentenschuld besteht auch darin, daß der Eigentümer nicht nur mit dem Grundstück für die Erfüllung haftet (die Rentenschuld ist eine Sonderform der Grundschuld!), sondern die während seines Eigentums fällig werdenden Leistungen auch persönlich schuldet (vgl. §§ 1199, 1191 BGB mit § 1108 I BGB). Die Rentenschuld hat deshalb in der Vertragspraxis keine Bedeutung. **891**

892 **Die Wertsicherung der Reallast.** Gegenüber der Hypothek und der Grundschuld hat die Reallast bei der Sicherung einer Rente den weiteren Vorteil, daß sie als wertgesicherte Reallast gestaltet werden kann, d.h. deren jeweilige Höhe sichert (s. Rz. 919ff.). Zur Zulässigkeit s. Münch-Komm-Joost § 1105 Rz. 18 m.w.N. Die Wertsicherungsklausel braucht dabei nicht ins Grundbuch eingetragen werden; es genügt vielmehr, daß die Reallast als wertgesichert bezeichnet wird, wenn sich der Inhalt der Wertsicherung aus der Eintragungsbewilligung ergibt (BGH NJW 1957, 23 = DNotZ 1957, 200). Eine Vormerkung des Anspruchs auf Erhöhung der Rente ist daher überflüssig und unzulässig (OLG Celle DNotZ 1977, 548). Voraussetzung ist allerdings, daß die jeweilige Höhe bestimmbar ist. Dies dürfte aber nur gegeben sein, wenn sie durch Bezugnahme auf einen amtlichen Index objektivierbar ist.

3. Das Rentenvermächtnis

893 **Unter den Möglichkeiten zur Gestaltung der Erbfolge in Testamenten und Erbverträgen spielt das Vermächtnis einer Rente eine wichtige Rolle.** Es soll dem Bedachten, z.B. dem überlebenden Ehegatten oder einem behinderten Kind, **regelmäßige, unterhaltssichernde Einkünfte** gewähren, während die Substanz des Vermögens anderen Personen zugewendet wird. Für eine solche Gestaltung können persönliche oder betriebliche Gründe oder auch steuerliche Überlegungen maßgebend sein. Zur dinglichen Sicherung einer solchen Rente ist die Reallast das gegebene Mittel. Das Vermächtnis sollte deshalb mit der ausdrücklichen Anordnung verbunden werden, daß die Rente durch die Eintragung einer Reallast im Grundbuch zu sichern ist. Zur Vereinfachung des späteren Eintragungsverfahrens kann es zweckmäßig sein, im Testament oder Erbvertrag dem Vermächtnisnehmer Vollmacht zu erteilen, sich selbst die Reallast zu bewilligen. Wenn die Rente der Versorgung des Bedachten dienen soll, ist außerdem an das Problem der Wertsicherung zu denken (s. Rz. 919ff.).

4. Der Erbbauzins

894 **Bei Erbbauverträgen** besteht die Gegenleistung des Erbbauberechtigten für die Nutzung des Grundstücks fast immer in der Leistung einer regelmäßig wiederkehrenden Zahlung an den Grundstückseigentümer (Erbbauzins, § 9 ErbbauVO). Der Erbbauzins ist eine **Sonderform der Reallast.** Nach der Neufassung des § 9 II ErbbauVO kann die Erbbauzins-Reallast wertgesichert bestellt und als ihr dinglicher Inhalt vereinbart werden, daß sie in einer Zwangsversteigerung des Erbbaurechts auch dann bestehen bleibt, wenn das Verfahren aus einem vorrangigen Recht betrieben wird (s. Rz. 1316ff.).

5. Andere Anwendungsfälle

895 Auch in vielen anderen Fällen ist die Reallast das geeignete Sicherungsmittel, z. B. für die dauernde Verpflichtung, eine Anlage (Weg, Straße, Mauer, Hof, Brücke usw.) zu unterhalten. Es muß sich aber immer um wiederkehrende Leistungen handeln; eine einmalige Leistung, z. B. eine Herstellungspflicht, kann gemäß § 1105 BGB nicht durch eine Reallast gesichert werden. Soweit solche Unterhaltungspflichten im Zusammenhang mit einer Dienstbarkeit stehen, können sie als deren Inhalt vereinbart werden (§ 1021 BGB).

In neuerer Zeit findet die Reallast auch Verwendung bei größeren Wohnanlagen zur Sicherung von Wärmelieferungsverträgen und ähnlichen Leistungspflichten. Beispiel: Eine Wohnanlage besteht aus 5 Grundstücken mit je einem Hochhaus. Die zentrale Heizungsanlage befindet sich im mittleren Block C. Von hier muß die Heizwärme und das Warmwasser für die Blöcke A, B, D und E geliefert werden. Die Reallast sichert den Anspruch der jeweiligen Grundstückseigentümer (oder Wohnungseigentümer) der Grundstücke A, B, D und E auf Lieferung aus der Wärmezentrale (subjektiv-dingliche Reallast, § 1105 II BGB). Eine Abnahmeverpflichtung kann nicht unmittelbar, sondern nur mittelbar gesichert werden, z. B. durch eine Dienstbarkeit, die ein Verbot begründet, Wärme für Heizung und Brauchwarmwasser zu erzeugen oder zu beziehen, in Verbindung mit einem Lieferungsvertrag (s. BayObLG DNotZ 1989, 573).

Gesetzliche Anwendungsfälle der Reallast ergeben sich durch die Verweisungen bei der **Überbaurente** und der **Notwegrente** (§§ 913, 914 II, 917 II BGB).

III. Begründung und Erlöschen

1. Die Begründung des dinglichen Rechts

896 **Eine rechtsgeschäftlich bestellte Reallast entsteht**, wie alle durch Rechtsgeschäft begründeten Rechte an Grundstücken, **durch Einigung zwischen dem Eigentümer und dem Berechtigten und Eintragung im Grundbuch** (§ 873 I BGB). Sie kann für bestimmte natürliche oder juristische Personen oder für den jeweiligen Eigentümer eines anderen Grundstücks bestellt werden (§ 1105 I, II BGB). Die für eine bestimmte Person bestellte Reallast ist übertragbar und vererblich, soweit nicht die Natur der Leistungspflicht entgegensteht (§ 1111 BGB). Im Falle der Überbaurente und der Notwegrente entsteht die Reallast kraft Gesetzes; sie bedarf daher keiner Einigung und wird auch nicht im Grundbuch eingetragen.

897 **Die Eintragung erfolgt in der Abt. II des Grundbuchs.** Dabei ist der **Wesenskern der Verpflichtung mindestens schlagwortartig anzugeben** und der Berechtigte zu bezeichnen, im übrigen kann auf die Eintragungsbewilligung gemäß § 874 BGB Bezug genommen werden. **Bei mehreren Berechtigten** (z.B. Eheleuten) **ist das Rechtsverhältnis anzugeben** (§ 47 GBO). Die eingetragene Reallast sichert den jeweiligen Umfang der Verpflichtungen, auch wenn zur Bestimmung außerhalb der Eintragungsbewilligung und der Grundbucheintragung liegende Umstände herangezogen werden müssen, soweit sie sich aus der Eintragungsbewilligung ergeben und nachprüfbar sind (BayObLG DNotZ 1980, 94, 97). Die Reallast sichert deshalb auch die jeweilige Höhe einer durch Wertsicherungsklausel mit automatischer Anpassung (Gleitklausel) wertgesicherten Rente; eine Vormerkung zur Sicherung des Anspruchs auf Erhöhung der Rente aufgrund einer Gleitklausel ist daher überflüssig und unzulässig (OLG Celle DNotZ 1977, 548).

2. Das Kausalgeschäft

898 **Die Einigung der Beteiligten gemäß § 873 BGB ist ein abstrakter dinglicher Vertrag.** Grundlage der Bestellung ist jedoch im allgemeinen eine schuldrechtliche Verpflichtung, die zwar an sich formlos, aber meist Bestandteil eines umfassenderen beurkundeten Grundstücksvertrages, z.B. eines Übergabevertrages, eines Kaufvertrages mit Verrentung des Kaufpreises, eines Erbbauvertrages usw. ist. Der Vertrag als das Kausalgeschäft und die Reallast als dingliche Sicherung sind in der Regel miteinander verknüpft durch die (meist stillschweigende) Sicherungsabrede, wonach die Reallast der Sicherung der schuldrechtlichen Verpflichtungen dient. Grundlage kann aber auch eine Verfügung von Todes wegen (Testament oder Erbvertrag) sein, in welcher der Erbe verpflichtet wird, einem Dritten (dem Vermächtnisnehmer) eine Rente zu zahlen und zur Sicherung der Rente eine Reallast zu bestellen (s. Rz. 893). Die sich aus dem Vertrag oder der Verfügung von Todes wegen ergebende Verpflichtung stellt das Kausalgeschäft dar. Fehlt die causa für die Reallast oder fällt sie später weg, z.B. durch Anfechtung, Rücktritt oder Vertragsaufhebung, kann der Grundstückseigentümer die Aufhebung des bestellten dinglichen Rechts wegen ungerechtfertigter Bereicherung verlangen.

3. Das Erlöschen der Reallast

899 **Die Reallast erlischt:**

- durch rechtsgeschäftliche Aufhebung, d.h. durch einseitige Aufgabeerklärung des Berechtigten und Löschung im Grundbuch (§ 875 BGB); in der Regel ist die materiellrechtliche Aufgabeerklärung in der formellen Löschungsbewilligung enthalten

- auf einer abzuschreibenden Teilfläche des belasteten Grundstücks aufgrund einer Freigabeerklärung des Berechtigten (§ 875 BGB) oder eines Unschädlichkeitszeugnisses der landesrechtlich dafür zuständigen Behörde und die lastenfreie Abschreibung im Grundbuch (lastenfreie Abschreibung ist gleich Löschung, § 46 II GBO)
- durch den Tod des Berechtigten, wenn es sich um eine subjektiv-dingliche, nicht vererbliche Reallast, z.B. eine Pflegeverpflichtung oder Leibrente, handelt
- durch den Zuschlag in der Zwangsversteigerung (s. Rz. 900)
- den Ablauf der vereinbarten Frist
- den Eintritt einer auflösenden Bedingung
- eine Ablösung nach Landesrecht gem. Art. 113 EGBGB (ausführliche Zusammenstellung der landesrechtlichen Bestimmungen s. Staudinger/Promberger Art. 113 EGBGB Rz. 72 ff.).

4. Die Reallast in der Zwangsversteigerung

900 **Das Schicksal der Reallast in der Zwangsversteigerung hängt** – wie bei jedem anderen beschränkten dinglichen Recht – **von ihrem Rang ab.** Wird von einem Dritten die Zwangsversteigerung in das Grundstück betrieben, kommt es darauf an, ob die Reallast dem betreibenden Gläubiger im Range vorgeht oder nachgeht (vgl. Rz. 568 ff.). **Geht sie im Range vor, so kommt das Stammrecht in das geringste Gebot und bleibt beim Zuschlag bestehen;** die laufenden und bei rechtzeitiger Anmeldung auch die rückständigen Leistungen werden aus dem Bargebot gedeckt (§§ 10 I Nrn. 4 und 8, 12 Nr. 2, 37 Nr. 4, 44–47, 49, 52 ZVG). Für nicht in Geld bestehende wiederkehrende Leistungen hat das Versteigerungsgericht zur Berechnung des geringsten Gebots einen Geldbetrag festzusetzen (§ 46 ZVG).

901 **Geht die Reallast dem betreibenden Gläubiger im Range nach, so erlischt sie durch den Zuschlag** (§ 52 I 2 ZVG). An ihre Stelle tritt der Anspruch auf Ersatz des Wertes aus dem Versteigerungserlös (§ 92 I ZVG). Die erlöschenden zukünftigen Ansprüche aus der Reallast sind zu kapitalisieren und -soweit das Meistgebot dazu ausreicht- ein Dekkungskapital zu bilden, aus dem der Berechtigte eine dem Jahreswert des Rechts gleichkommende Rente erhält (§§ 92 II, 121 ZVG). Bei Lebenszeitrechten ist das Deckungskapital nach der statistischen Lebenserwartung zu berechnen, der 25 fache Betrag einer Jahresleistung darf jedoch nicht überschritten werden (§ 121 ZVG). Zu der besonderen Behandlung von Altenteilsrechten in der Zwangsversteigerung s. Rz. 597; zur Behandlung der Reallast in der Zwangsverwaltung s. Haegele DNotZ 1976, 5. In der Zwangsverwaltung kommt naturgemäß nur eine Befriedigung der rückständigen und laufenden Ansprüche aus der Reallast in Betracht.

5. Landesrechtliche Besonderheiten

902 Der Gesetzgeber des BGB hat die Reallast als Teil des Agrarrechts angesehen. Mit Rücksicht auf bestehende regionale Unterschiede hat er deshalb den Ländern vorbehalten, bezüglich der Zulässigkeit, inhaltlichen Gestaltung, Umwandlung und Ablösbarkeit von Reallasten besondere Bestimmungen zu treffen (Art. 113, 115, 117 I EGBGB). Hiervon haben alle 16 Länder Gebrauch gemacht. Zusammenstellung s. Staudinger/Amann Vorbem. 2–14 vor § 1105 BGB; Fundstellen der Ländergesetze s. Palandt/Heinrichs Anm. 1 vor Art. 55 EGBGB. Die Einschränkungen sind im wesentlichen darauf gerichtet, über die Lebenszeit eines Berechtigten hinausgehende Dauerbelastungen einzuschränken. Für die Vertragspraxis haben sie deshalb nur geringe Bedeutung.

IV. Die Ansprüche aus der Reallast

1. Die Anspruchskonkurrenzen

903 **Bei der Reallast besteht ein kompliziertes Nebeneinander von persönlichen und dinglichen Ansprüchen:**

- **In der Regel besteht aus einem Grundgeschäft ein schuldrechtlicher Anspruch auf die wiederkehrenden Leistungen,** z. B. Pflegeleistungen aufgrund eines Übergabevertrages, Rentenzahlungen aufgrund eines Kaufvertrages oder aufgrund eines Vermächtnisses (§§ 241, 2174 BGB). Dieser Anspruch richtet sich gegen den Vertragspartner des Berechtigten, der dafür mit seinem ganzen Vermögen haftet.
- **Für alle fälligen Leistungen aus der Reallast haftet der jeweilige Eigentümer des belasteten Grundstücks mit seinem Grundstück** (dingliche Haftung, §§ 1105 I, 1107, 1147 BGB). Dieser Anspruch richtet sich nicht auf Zahlung oder sonstige Leistung, sondern auf Duldung der Zwangsvollstreckung in das Grundstück, und zwar wegen aller fällig gewordenen Leistungen, auch eines etwaigen früheren Eigentümers.
- **Der Grundstückseigentümer schuldet die während seines Eigentums fällig werdenden Leistungen auch persönlich** (§ 1108 I BGB). Dieser Anspruch richtet sich auf Zahlung oder sonstige Leistung, für die der Verpflichtete mit seinem ganzen Vermögen haftet.

904 Ein einfaches **Beispiel** soll die bei der Reallast gegebenen Anspruchskonkurrenzen verdeutlichen: In einem Übergabevertrag hat sich der Übernehmer B verpflichtet, an den Übergeber A eine Leibrente von monatlich DM 1.000,– zu zahlen. Diese Rentenverpflichtung wird durch eine Reallast gesichert. B, der sich mit der Rentenzahlung 2 Jahre im Verzug befindet, überträgt das belastete Grundstück an seinen Sohn C.

Der Übergeber A hat folgende Ansprüche:

- Aus der im Übergabevertrag enthaltenen Leibrentenverpflichtung gegen B wegen aller rückständigen Leistungen (§ 241 BGB);
  Vollstreckung ist möglich in das gesamte Vermögen des B, also auch in seine Gehaltsansprüche, Wertpapiere, Bankguthaben, antike Möbel usw.
- Aus der Reallast gegen B wegen der rückständigen Leistungen, die in der Zeit seines Eigentums fällig geworden sind (§ 1108 BGB);
  Vollstreckung wie oben in das gesamte Vermögen des B möglich
- Aus der Reallast gegen C wegen aller Rückstände auf Duldung der Zwangsvollstreckung in das Grundstück (§§ 1107, 1146, 1147 BGB)
- Aus der Reallast gegen C wegen der rückständigen Leistungen, die in der Zeit seines Eigentums fällig geworden sind (§ 1108 BGB);
  Vollstreckung in das gesamte Vermögen des C möglich.

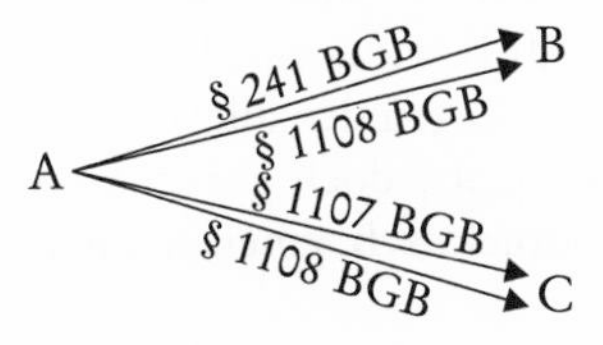

Zum Innenverhältnis zwischen B und C s. BGH NJW 1972, 814 mit Anm. Herr.

2. Die Vollstreckung wegen Geldforderungen

Literaturhinweise: Haegele, Wohnungsrecht, Leibgeding und ähnliche Rechte in Zwangsvollstreckung, Konkurs und Vergleich, DNotZ 1976, 5; Wolfsteiner Rz. 64.5, 75.2 ff.

905 **Zur Vollstreckung gegen den säumigen Schuldner benötigt der Gläubiger einen vollstreckbaren Titel** (§§ 704, 794, 724 ZPO). Diesen erhält er in der Regel aufgrund einer vom Besteller der Reallast abgegebenen Unterwerfungserklärung, die eine prozeßersetzende Funktion hat (§ 794 I Nr. 5 ZPO). Hierzu bestehen in Verbindung mit der Reallast folgende Möglichkeiten:

a) Die Vollstreckung aus dem schuldrechtlichen Anspruch

906 **Ist die Verpflichtung auf die wiederkehrende Zahlung von Geld gerichtet (Rentenreallast), kann sich der Schuldner** -wie bei allen Zahlungsverpflichtungen- **in Verbindung mit dem Verpflichtungsgeschäft persönlich der sofortigen Zwangsvollstreckung gem. § 794 I Nr. 5 ZPO unterwerfen** (s. Rz. 990 ff.). Diese Erklärung bedarf der notariellen Beurkundung. Die Höhe der Einzelleistungen muß bestimmt sein; Bestimmbarkeit genügt aber, wenn die ziffernmäßige Höhe sich aus der Ur-

kunde errechnen läßt (BGHZ 88, 62, 65). Es genügt aber auch, wenn die Berechnung mit Hilfe offenkundiger, insbesondere aus dem Bundesgesetzblatt oder dem Grundbuch ersichtlicher Umstände möglich ist (DNotI-Report 5/95 m.w.N.). Danach dürften auch die aufgrund einer diesen Anforderungen genügenden Wertsicherungsklausel eventuell geschuldeten Erhöhungsbeträge von der Unterwerfungserklärung erfaßt sein (str.; vgl. BGH NJW 1957, 23 = DNotZ 1957, 200; Wolfsteiner Rz. 26.4 ff.). Nicht ausreichend ist dagegen die bloße Bezugnahme auf § 323 ZPO ohne inhaltliche Bestimmung des Maßstabs der Änderung (OLG Oldenburg NJW-RR 1991, 1174).

907 **Die Zwangsvollstreckung aus diesem Titel berechtigt zur Vollstrekkung in das gesamte Vermögen des Schuldners,** also auch in das Grundstück, hier jedoch nur aus der Rangklasse 5 (s. Rz. 575). Diese persönliche Unterwerfungsklausel ist, da sie den schuldrechtlichen Anspruch aus dem Verpflichtungsgeschäft betrifft, unabhängig von dem Eigentum am Grundstück. Sie wirkt auch gegen den allgemeinen Rechtsnachfolger (den Erben) des Schuldners, nicht jedoch gegen den Sonderrechtsnachfolger in das belastete Grundstück, z. B. einen Käufer, Übernehmer oder Schenknehmer.

b) Die Vollstreckung aus der Reallast

908 **Vollstreckungstitel.** Die Zwangsvollstreckung aus der Reallast erfolgt aus einem vollstreckbaren Titel, der den Eigentümer verpflichtet, die Zwangsvollstreckung in das Grundstück zu dulden. Dies kann ein vollstreckbares Urteil sein (s. auch Rz. 912). Möglich ist aber auch, daß sich der Eigentümer wegen der dinglichen Haftung in notarieller Urkunde gem. § 794 I Nr. 5 ZPO der sofortigen Zwangsvollstreckung unterwirft (BayObLG NJW 1959, 1876 = DNotZ 1959, 402; Wolfsteiner Rz. 75.1). Nach h. M. ist es zwar nicht möglich, daß sich der Eigentümer dabei der sofortigen Zwangsvollstreckung in das Grundstück mit Wirkung gegen den jeweiligen Eigentümer gem. § 800 ZPO unterwirft. Dies hat jedoch nur geringe praktische Bedeutung, weil eine Vollstreckungsklausel gem. §§ 727 I, 325 III ZPO auch gegen den späteren Eigentümer erteilt werden kann (BayObLG DNotZ 1959, 391).

909 **Eine Vollstreckung aus der Reallast ist für den Berechtigten allerdings sehr problematisch.** Vollstreckt werden kann nur wegen der fälligen Einzelleistungen (§§ 1107, 1113, 1147 BGB). Mit diesem Titel steht der betreibende Reallastgläubiger zwar in der besseren Rangklasse 4 (§ 10 Nr. 4 ZVG). Aber durch den Zuschlag erlischt die Reallast, und zwar nicht nur im Umfang der bereits fälligen, sondern insgesamt auch für alle zukünftigen Leistungen. Das Stammrecht geht unter. An seine Stelle tritt der Anspruch auf Ersatz des kapitalisierten Wertes (§§ 91 I, 92

ZVG). Er ist durch Zahlung einer Geldrente zu leisten, für die ein Deckungskapital gebildet wird (§§ 92 I, 121 ZVG). Das bedeutet aber:

- Ein Deckungskapital kann nur gebildet werden, soweit das Meistgebot dazu ausreicht.
- Das Deckungskapital wird nach der statistischen Lebenserwartung des Berechtigten gebildet. Höchstsumme ist der 25-fache Jahreswert (§ 121 ZVG); lebt der Berechtigte länger, entfällt die Rente.
- Künftige Änderungen des Geldwertes sind bei der Bildung des Deckungskapitals kaum zu berücksichtigen.

Die Nachteile der Vollstreckung aus der Reallast entstehen jedoch nicht, wenn statt der Zwangsversteigerung die **Zwangsverwaltung** betrieben wird, weil in diesem Verfahren lediglich wegen der laufenden wiederkehrenden Leistungen (§ 165 II 2 ZVG) und nur in die Erträge des Grundstücks vollstreckt wird.

910 **Erhaltung des Stammrechts.** Das Erlöschen des Stammrechts in der Zwangsversteigerung kann durch eine von § 12 ZVG abweichende Vereinbarung vermieden werden. Bereits bei der Bestellung der Reallast kann vereinbart und als dinglicher Inhalt in das Grundbuch eingetragen werden, daß im Falle einer Zwangsversteigerung wegen einzelner rückständiger und laufender Leistungen diese den Rang nach dem Stammrecht der Reallast haben, so daß das Stammrecht durch Aufnahme in das geringste Gebot bestehen bleibt und auf den Ersteher des Grundstücks als Belastung mit übergeht (BayObLG DNotZ 1991, 805 = NJW-RR 1991, 407; Amann, Durchsetzung der Reallast ohne Verlust der Reallast, DNotZ 1993, 222; a.A. HSS Rz. 1317 a).

c) Persönliche und dingliche Unterwerfungserklärung

911 Aus den vorstehenden Darlegungen ergibt sich, daß es für den Gläubiger zweckmäßiger sein kann, die Vollstreckung nur aus dem schuldrechtlichen Titel zu betreiben. Um jedoch beide Möglichkeiten offen zu halten, empfiehlt es sich, die persönliche und die dingliche Unterwerfungserklärung miteinander zu verbinden.

Formel z. B.: „Der Käufer (Übernehmer) unterwirft sich der sofortigen Zwangsvollstreckung aus dieser Urkunde:

- wegen der vorstehend übernommenen Verpflichtung zur Zahlung einer wertgesicherten Leibrente von z.Zt. monatlich DM 1.000,– in sein gesamtes Vermögen
- wegen der fällig werdenden Leistungen aus der wertgesicherten Reallast in das belastete Grundeigentum

und bewilligt die Erteilung einer vollstreckbaren Ausfertigung dieser Urkunde für den Gläubiger, ohne Nachweis der Fälligkeit. Sollte die Unterwerfungserklärung bezüglich etwaiger Erhöhungsbeträge wegen mangelnder Bestimmtheit nicht wirksam sein, ist der Käufer verpflichtet, sich auf Verlangen des Verkäufers auch wegen des Erhöhungsbetrages in einer notariellen Urkunde der sofortigen Zwangsvollstreckung zu unterwerfen."

3. Die Vollstreckung wegen anderer Ansprüche

912 Eine Unterwerfungserklärung gem. § 794 I Nr. 5 ZPO ist nur über Ansprüche auf Zahlung einer bestimmten Geldsumme oder die Leistung einer bestimmten Menge anderer vertretbarer Sachen oder Wertpapiere möglich. Geht die Reallast auf wiederkehrende Dienstleistungen oder auf die wiederkehrende Leistung unvertretbarer Sachen, ist deshalb immer die Erwirkung eines gerichtlichen Vollstreckungstitels erforderlich. Dabei ist der Anspruch auf die Sach- oder Dienstleistungen gem. § 283 BGB in einen Geldanspruch umzuwandeln (Haegele DNotZ 1976, 5,12; Palandt/Bassenge § 1107 Rz. 5).

V. Die Bemessung und Wertsicherung wiederkehrender Geldleistungen

1. Die Bemessung einer Rente

Literaturhinweise: Heubeck/Heubeck, Neue Rechnungsgrundlagen bei Verrentung und Kapitalisierung, DNotZ 1985, 469, 606; Jansen/Wrede, Renten, Raten, dauernde Lasten, 10. Aufl. 1992; Vogels, Verrentung von Kaufpreisen – Kapitalisierung von Renten, 2. Auf. 1992

913 **Die Reallast ist das gegebene Mittel für die Sicherung wiederkehrender Geldleistungen,** z. B. die Sicherung einer Leibrente beim Übergabevertrag, beim Rentenvermächtnis oder beim Verkauf eines Grundstücks auf Rentenbasis. Dabei stellt sich für die Vertragsgestaltung zunächst die Frage, wie hoch die zu zahlende Rente sein soll. Beim Übergabevertrag sind neben dem Wert des übertragenen Vermögens der Bedarf des Übergebers und die Leistungsmöglichkeit des Übernehmers abzuwägen.

Bei der Verrentung eines Kaufpreises besteht die Aufgabe in der Umrechnung des Kapitalwerts in wiederkehrende Leistungen. Die dabei auftauchenden Berechnungsprobleme sind sehr schwierig, so daß es sich u. U. empfiehlt, einen Versicherungsmathematiker einzuschalten. Es muß auch nachdrücklich vor der irrigen Annahme gewarnt werden, es gäbe bei der Umwandlung von Kapital in eine Leibrente nur eine objektiv richtige Rentenhöhe. Je nach den eingesetzten Faktoren ergeben sich vielmehr sehr unterschiedliche Ergebnisse. Hier können nur einige Hinweise auf Vorfragen gegeben werden.

a) Laufzeit

914 Man unterscheidet Zeitrenten, d.h. Renten auf eine bestimmte Laufzeit, und Renten, deren Laufzeit durch Umstände bestimmt wird, die in der Person des Berechtigten liegen (Heirat, Berufseintritt, Pensionierung, Tod). Die wichtigste davon ist die auf Lebenszeit angelegte Rente (Leibrente, § 759 BGB).

Bei Leibrenten wird die Berechnung meist aufgrund der statistischen Lebenserwartung des Berechtigten vorgenommen. In der Bundesrepublik Deutschland werden seit 1949/51 in Abständen von jeweils einigen Jahren sog. **„Allgemeine Sterbetafeln"** ermittelt und veröffentlicht. Sie zeigen ein langsames, aber stetiges Ansteigen der durchschnittlichen Lebenserwartung. Dabei wird nach dem Geschlecht (männlich – weiblich) unterschieden, weil die Lebenserwartung der Frauen wesentlich höher liegt. Sie baut sich allerdings mit zunehmendem Lebensalter ab. Nach der derzeit letzten Sterbetafel 1992/94 (alte Bundesländer) beträgt der Unterschied bei Neugeborenen 6,53 Jahre, bei 50-jährigen noch 5,24 Jahre und bei 80-jährigen nur noch 1,15 Jahre (Quelle: Statistisches Bundesamt).

Die statistische Lebenserwartung steigt mit zunehmendem Alter. So hat z.B. ein neugeborener Junge eine statistische Lebenserwartung von 72,77 Jahren, der 50-jährige Mann dagegen noch eine Lebenserwartung von ca. 25,99 Jahren, also bis zu seinem 77. Lebensjahr, der 80-jährige Mann von 6,33 Jahren, d.h. bis zu seinem 87. Lebensjahr. Die relative Zunahme der Lebenserwartung mit zunehmendem Lebensalter beruht auf dem Umstand, daß der Lebensältere das Sterberisiko seiner bisherigen Lebenszeit bereits überwunden hat.

Die Sterbetafeln geben für jedes Lebensalter die durchschnittliche Lebenserwartung an. Die tatsächliche Lebensdauer des Rentenberechtigten ist aber kürzer oder länger. Ein Leibrentenvertrag enthält deshalb wegen seiner unbestimmten Laufzeit -materiell gesprochen- für jeden der beiden Parteien die Chance eines guten und das Risiko eines schlechten Geschäfts (sog. Wagnisgeschäft).

b) Der Zinsfuß

915 **Eine spätere Geldzahlung ist bei gleicher Summe weniger belastend als eine frühere**, weil der Zahlungspflichtige in der Zwischenzeit entweder das Kapital zinstragend anlegt oder die dafür erforderlichen Kreditzinsen erspart. Umgekehrt verzichtet der Gläubiger bei der späteren Zahlung auf diesen Zinsvorteil. Dieser Umstand wird bei der Verrentung eines Kapitals dadurch ausgeglichen, daß bei der Berechnung ein sog. **Zwischenzins** eingerechnet wird (Aufzinsung). Es liegt auf der Hand, daß die Höhe des Zwischenzinses (der Zinsfuß) wesentlich die Höhe der

Rente mitbestimmt. So liegt die Rente bei einer Aufzinsung mit 6% entsprechend höher als bei Zugrundelegung eines Zinsfußes von nur 5%. Umgekehrt wird bei einer Kapitalisierung zukünftiger Leistungen auf den Barwert (= gegenwärtiger Wert) abgezinst. Welchen Zinssatz die Beteiligten ihrem Vertrag zugrunde legen, ist rechtlich nicht festgelegt, sondern Verhandlungssache. Im Einkommensteuerrecht wird von einem Zinssatz von 5,5% ausgegangen.

c) Die Zahlungsbedingungen

916 **Neben dem Zinsfuß spielt die Zahlungsweise eine Rolle.** Aus den gleichen Gründen wie beim Zwischenzins macht es einen Unterschied, ob die Rente vorschüssig oder nachschüssig, ob sie monatlich, vierteljährlich oder jährlich gezahlt wird. Eine Verrentungstabelle für eine lebenslänglich monatlich zahlbare Rente, getrennt nach Männern und Frauen, unter Berücksichtigung eines Rechnungszinses von 3,5%, 5,5% und 8%, enthält HSS Rz. 3241.

d) Die Umrechnung von Kapital in Leibrente

917 **Die Umrechnung eines Kapitals in eine Leibrente erfolgt nach der Formel: Barwert geteilt durch Abfindungsfaktor = Jahresrente.** Dabei ergibt sich der Abfindungsfaktor aus der Kombination der statistischen Lebenserwartung und dem Zinssatz. Dazu folgendes **Beispiel:**

Die Eheleute M und F, beide 65 Jahre alt, verkaufen das ihnen zu je 1/2 Miteigentum gehörende Hausgrundstück gegen eine monatlich vorschüssig zu zahlende Leibrente. Der angenommene Barwert des Grundstücks beträgt DM 400.000,–. Die Verzinsung soll mit 5,5% erfolgen. Die beiden Renten sollen unabhängig voneinander sein, d.h. jeweils mit dem Tode des Berechtigten enden. Dann lautet die Berechnung:

$$\text{M: } \frac{\text{Barwert DM 200 000}}{\text{Abfindungsfaktor 9 177}} = \text{Jahresrente DM 21.793,61}$$

$$\text{F: } \frac{\text{Barwert DM 200 000}}{\text{Abfindungsfaktor 10 857}} = \text{Jahreswert DM 18.421,30.}$$

Das Beispiel zeigt, daß sich die höhere Lebenserwartung der Frau in einer Minderung ihrer Jahresrente niederschlägt.

Ob es zweckmäßig erscheint, die Berechnungsgrundlagen in den Vertrag aufzunehmen, ist eine Ermessensfrage. Dafür spricht, daß Rechenfehler nachprüfbar sind. Dagegen könnte sprechen, daß später Streit darüber entstehen kann, ob die Prämissen sachgerecht waren. Es müssen weder der Kapitalwert des Grundstücks noch die Berechnungsgrundlagen der Rente angegeben werden; es genügt zu sagen: „Anstelle eines Kaufpreises wird folgende Leibrente vereinbart ...“.

e) Rente auf einfache oder auf verbundene Leben ?

918 Die Sterbetafel beruht auf der durchschnittlichen Lebenserwartung der Einzelperson. Häufig werden aber Leibrenten auf die Lebenszeit von Eheleuten abgestellt. Man spricht dann von **verbundenen Leibrenten**. Hier stellt sich zunächst die Frage, ob die Rente nach dem Tode eines Ehegatten an den anderen voll oder in verminderter Höhe zu zahlen ist. Darüber hinaus ergibt sich eine weitere Komplikation: Es wäre nicht richtig, bei Renten auf verbundene Leben einfach vom Lebensalter des jüngsten der beiden Ehegatten auszugehen, vielmehr ergeben sich je nach dem Alter der beiden Ehegatten und ihrem Altersunterschied andere Berechnungsfaktoren. Hier sollte evtl. auf eine versicherungsmathematische Beratung nicht verzichtet werden. Eine Tabelle für die Ermittlung des Abfindungsfaktors bei verbundenen Leibrenten und einem Zinssatz von 5,5 % s. HSS Rz. 3242.

2. Der Schutz gegen Entwertung

Literaturhinweise: Dürkes, Wertsicherungsklauseln, 10. Aufl. 1992; HSS Rz. 3254–3286; Mittelbach, Wertsicherungsklauseln in Zivil- und Steuerrecht, 4. Aufl. 1980; Palandt/Heinrichs, § 245 Rz. 18 ff.

919 **Wertsicherungsklauseln.** Die Wirtschaftsgeschichte zeigt, daß langfristig gesehen, je nach der Qualität der Wirtschaftspolitik, mit einem mehr oder weniger schleichenden, trabenden oder galoppierenden Schwund des Geldwertes gerechnet werden muß. Die Postulate der Gerechtigkeit und Rechtssicherheit verlangen jedoch die Wertbeständigkeit längerfristiger Geldschulden. Das führt zwangsläufig dazu, nach Wegen zu suchen, wie diesem Wertschwund begegnet werden kann. Dies geschieht in der Regel durch die Verbindung mit einer Wertsicherungsklausel, die den inflatorischen Wertschwund des Geldes ausgleichen soll. Diese Werterhaltung hat an sich nichts mit der vorstehend behandelten Aufzinsung zu tun, die ja ein Ausgleich für den durch spätere Zahlung entstehenden Zinsverlust darstellt. Dennoch kann es der Billigkeit entsprechen, die beiden Dinge zusammenzusehen, d.h. die zu erwartende durchschnittliche Geldentwertungsrate und die Aufzinsung zu addieren, so daß diese zusammen in etwa dem langfristig erzielbaren Kapitalzins entsprechen.

3. Die Einschränkung der Vertragsfreiheit

920 **Aus währungspolitischen Gründen hält der Gesetzgeber am Nominalprinzip (Mark = Mark) fest. Er hat deswegen die Vertragsfreiheit durch das Währungsgesetz weitgehend eingeschränkt.**

Nach § 3 Satz 2 WährG dürfen Geldschulden, deren Betrag in DM durch den Kurs einer anderen Währung oder „durch den Preis oder eine Menge von Feingold oder von anderen Gütern oder Leistungen bestimmt werden soll", nur mit Genehmigung der Bundesbank eingegangen werden. Rechtstechnisch handelt es sich dabei um ein Verbot mit Erlaubnisvorbehalt. Der Gesetzgeber geht damit einen Mittelweg zwischen einem völligen Verbot und der uneingeschränkten Freigabe von Wertsicherungsklauseln. Als Einschränkung der Vertragsfreiheit, die grundgesetzlich durch Art. 2 I GG als Grundrecht geschützt ist, muß § 3 Satz 2 WährG eng ausgelegt werden (BGH DNotZ 1969, 96; BVerwG NJW 1973, 529).

921 **Die Bundesbank hat Richtlinien für die Genehmigung erlassen** (sog. „Grundsätze"), die eine Negativliste der nicht genehmigungsfähigen Vereinbarungen enthalten (Bundesanzeiger Nr. 109 v. 15.6. 1978 = DNotZ 1978, 449 = NJW 1978, 2381). Soweit diese Richtlinien eine Genehmigung nicht ausschließen, kann im allgemeinen mit ihrer Erteilung gerechnet werden (Nr. 4 der Grundsätze).

Die Bundesbank hat die Zuständigkeit für die Erteilung der Genehmigung auf die **Landeszentralbanken** delegiert. Ist eine Genehmigung erforderlich, dann ist die vereinbarte Klausel (und damit im Zweifel der ganze Vertrag, § 139 BGB) bis zur Genehmigung schwebend unwirksam. Ist die Genehmigung nicht erforderlich, erteilt die Landeszentralbank auf Antrag ein Negativattest. Es ist deshalb zweckmäßig, in allen Zweifelsfällen die **Genehmigung** der Wertsicherungsklausel zu der persönlichen Forderung und zu der sicherungshalber bestellten Reallast (die Genehmigung zu beidem ist erforderlich!) **oder ein Negativattest** zu beantragen. In beiden Fällen sollte den Beteiligten eine Ausfertigung des Vertrages erteilt werden, die den Bescheid enthält.

4. Die Wertsicherung von Renten in der Vertragspraxis

922 In der Vertragsgestaltung besteht die gedankliche Schwierigkeit darin, die Negativliste der „Grundsätze" der Bundesbank ins Positive umzusetzen, d. h. zu erkennen, welche Wertsicherungsklauseln genehmigungsfrei und welche genehmigungsfähig sind. Dabei muß man zwischen Spannungsklauseln und Indexklauseln unterscheiden. Sowohl Spannungsklauseln als auch Indexklauseln können entweder als Leistungsvorbehalt oder als Gleitklauseln gestaltet werden.

a) Spannungsklauseln

923 **Als Spannungsklauseln werden Vereinbarungen bezeichnet, durch die eine geschuldete Geldleistung abhängig gemacht wird vom Preis oder Wert von Gütern, die mit der zu erbringenden Gegenleistung gleichartig oder zumindest vergleichbar sind** (BGH NJW 1979, 1888 = DNotZ 1980, 85). Der Begriff „Spannungsklausel" erscheint allerdings dafür nicht glücklich gewählt. Besser wäre m.E. eine Bezeichnung, die zum Ausdruck bringen würde, daß es sich um den Gleichlauf mit einer sachbezogenen Bezugsgröße handelt, z.B. „Gleichlaufklausel", „Mitlaufklausel" oder „Adäquanzklausel".

Eine „Spannungsklausel" ist z.B. gegeben, wenn Löhne, Gehälter oder Ruhestandsbezüge ständig im gleichen Verhältnis zu den Bezügen einer bestimmten Gruppe von Lohn-, Gehalts- oder Ruhegehaltsempfängern stehen sollen. Weitere **Beispiele:**
- Der Mietzins soll sich der jeweiligen Miete für Räume gleicher Art und Lage im Ort anpassen (BGH NJW 1960, 818)
- Die Kaufpreisrente soll sich am jeweiligen Ertragswert des Grundstücks, z.B. den Mieterträgen, orientieren (BGH NJW 1979, 1888 = DNotZ 1980, 85).
- Nicht gleichartig ist z.B. die Koppelung einer Geschäftsraummiete an Bezüge einer Angestellten- oder Beamtentätigkeit.

Weitere Beispiele s. Dürkes D 5ff.

Keine Genehmigungspflicht. Liegt eine Spannungsklausel vor, ist eine Genehmigung der Landeszentralbank nicht erforderlich, weil nach § 3 Satz 2 WährG nur solche Vereinbarungen der Genehmigung bedürfen, bei denen die geschuldete Leistung von dem Wert „anderer" Leistungen abhängig ist, bei der Spannungsklausel aber im wesentlichen gleichartige Leistungen miteinander verkoppelt werden (BGH NJW 1983, 1909 = DNotZ 1984, 174).

b) Indexklauseln

924 Unter Indexklauseln versteht man Vereinbarungen, bei denen die wiederkehrende Geldleistung von einem Index abhängig gemacht wird, der keinen konkreten Bezug zum Objekt hat, z.B. einem Preisindex der Lebenshaltung oder dem Gehalt einer bestimmten Beamten- oder Arbeitnehmergruppe.

Preisindex. Für die Sicherung von Renten hat sich in der Vertragspraxis die Orientierung an dem vom Statistischen Bundesamt monatlich veröffentlichten Preisindex der Lebenshaltung aller privaten Haushalte als zweckmäßigste Lösung herausgebildet; er indiziert die allgemeine Preisentwicklung nach den jeweiligen durchschnittlichen Verbrauchsgewohnheiten und ist damit der Schlüsselindex für die Änderung der Kaufkraft der DM. Die Monatsberichte können abonniert werden (z. B. Reihe M I 2 des Statistischen Landesamts Rh.-Pf.), Auskünfte kostenlos mit Beifügung eines Freiumschlags angefordert werden.

Auch eine Orientierung an anderen Indices ist möglich, z. B. am Gesamtpreisindex für Bauwerke oder an den spezielleren Indices für Wohngebäude, Eigenheim-, Mehrfamilienheim- und gemischt genutzte Grundstücke, Bürogebäude oder gewerbliche Betriebsgebäude. Die entsprechenden Indices können beim Statistischen Bundesamt in Wiesbaden oder beim jeweiligen Statistischen Landesamt erfragt werden. Beamten- oder Tarifgehälter sind dagegen nur ausnahmsweise geeignet, weil sie nicht mit den tatsächlichen Veränderungen der allgemeinen Lebenshaltungskosten parallel laufen. Bei Besoldungsindices muß bei längeren Zeitabläufen auch mit strukturellen Änderungen des Besoldungsgefüges gerechnet werden. Außerdem kann für sie wegen mangelnder Bestimmtheit keine vollstreckbare Urkunde erstellt werden (gegen Anbindung an Beamtengehalt OLG Nürnberg NJW 1957, 1286 = DNotZ 1957, 665 und LG Essen NJW 1972, 2050 = DNotZ 1973, 26 mit ablehnender Anm. Pohlmann NJW 1973, 199).

c) Die Umrechnung von Punkten in Prozente

925 **Der Index weist die Änderungen des Preisgefüges in Punkten aus.** Dabei geht er jeweils von einem Basisjahr aus = 100 Punkte, letztes Basisjahr ist z.Zt. 1991. Eine Erhöhung von 140 auf 154 Punkte bedeutet eine Änderung um 14 Punkte, aber nur eine Änderung um 10 Prozent. Je weiter der Abstand vom Basisjahr, desto größer wird die Schere zwischen Punkten und Prozenten. Es ist deshalb zweckmäßig, die Anpassung nicht nach Punkten, sondern nach Prozenten vorzusehen, und bei Bedarf eine Umrechnung von Punkten in Prozente vorzunehmen, weil nur so das Verhältnis zwischen Index und Rentenveränderung stets gleich bleibt. Dabei sollte man nicht schon bei jeder geringfügigen Änderung eine Anpassung eintreten lassen, sondern erst, wenn sich der Index jeweils um einen Mindestprozentsatz, z. B. um mehr als 10 % nach oben oder unten, geändert hat, oder in festgelegten Zeitabständen, z. B. alle drei Jahre.

926 **Umbasierungen.** Die Indices werden etwa alle fünf Jahre umgerechnet. Dabei wird jeweils ein neues Basisjahr gebildet und der Index aufgrund der veränderten Verbrauchsgewohnheiten neu ermittelt. Gleichzeitig werden jedoch die alten Indexreihen unter Berücksichtigung der neuen Verbrauchswerte auf ihr Ursprungsjahr zurückgerechnet und fortgeführt, wodurch sich geringfügige Abweichungen gegenüber den auf Originalbasis errechneten Indexwerten ergeben können. Für die Vertragspraxis empfiehlt es sich, zu vereinbaren, daß nachträgliche Änderungen bereits veröffentlicher Indexzahlen aufgrund einer solchen Umbasierung unberücksichtigt bleiben.

Beispiel einer Berechnung: Auf der Grundlage des Basisjahres 1985 betrug der Index 927

im Oktober 1991 = 112.0 Punkte
im Mai 1994 = 123,4 Punkte
Punktdifferenz = 11,4 Punkte.

Dann lautet die Rechnungsformel:

$$\frac{11\,4 \quad 100}{112\,0} = 10{,}18\,\%$$

Dies ist der Prozentsatz, um den sich die Rente nach der Gleitklausel erhöht.

d) Leistungsvorbehalt oder Gleitklausel

Ein Leistungsvorbehalt (besser: Vorbehalt der Leistungsbestimmung) **ist gegeben, wenn die Änderung der Bezugsgröße nur eine Voraussetzung dafür ist, daß eine Partei die Erhöhung oder Ermäßigung der Rente durch eine ergänzende Vereinbarung oder aufgrund Bestimmung durch einen Dritten verlangen kann,** z.B. durch einen unabhängigen Gutachter. In diesen Fällen ist die Änderung der Bezugsgröße (z.B. des Preisindexes der Lebenshaltung) nur eine auslösende Voraussetzung für eine mögliche Änderung des geschuldeten Geldbetrages, aber die geschuldete Summe erhöht oder ermäßigt sich **nicht automatisch** in demselben Ausmaß wie die Bezugsgröße. Beim Leistungsvorbehalt ist also nicht die starre Koppelung wie bei der Gleitklausel gegeben, sondern die Verbindlichkeit muß durch die Vertragsparteien in einem weiteren Rechtsakt neu festgesetzt werden, wobei für das Maß der Anpassung ein, wenn auch begrenzter, Ermessensspielraum für die Berücksichtigung von Billigkeitsgesichtspunkten gegeben sein muß. Solche Klauseln sind ohne Genehmigung wirksam. 928

Von einer Gleitklausel spricht man, wenn die Höhe der geschuldeten Geldleistungen unmittelbar von der Änderung der vereinbarten Bezugsgröße abhängt, d.h. wenn die Änderung der Bezugsgröße, z.B. des Preisindexes der Lebenshaltung, automatisch zu einer entsprechenden Änderung der geschuldeten Geldleistung führt. **Die Gleitklausel bedarf der Genehmigung.** Voraussetzung für die Genehmigung ist, daß: 929

- es sich um wiederkehrende Leistungen entweder auf die Lebenszeit des Gläubigers oder des Schuldners oder für mindestens 10 Jahre handelt (Nr. 3 a der Grundsätze)
- die Veränderung nach beiden Seiten offen, d.h. sowohl eine Erhöhung als auch eine Ermäßigung der Rente möglich ist (keine Einseitigkeitsklauseln, Nr. 2 a der Grundsätze)
- die Änderungen der Zahlungspflicht proportional zu den Änderungen des Indexes erfolgen.

e) Formeln für Indexklauseln

930 **Indexklausel mit Leistungsvorbehalt**

Formel z. B.: „Für den Fall, daß sich der vom Statistischen Bundesamt veröffentlichte Index der Lebenshaltung aller privaten Haushalte auf der Basis (letztes Basisjahr) – Gebietsstand vor dem 03.10. 1990 – bis zur Fälligkeit der einzelnen Raten gegenüber dem Stand des Monats dieser Beurkundung um mehr als 10 % erhöhen oder ermäßigen sollte, ist jeder Beteiligte berechtigt, eine Anpassung der künftigen Zahlungen zu verlangen. Die Anpassung erfolgt dann durch vertragliche Vereinbarung ohne starre Koppelung an die Indexänderung. Sollten die Beteiligten sich nicht einigen können, erfolgt die Anpassung für alle Beteiligten bindend durch einen vom Gutachterausschuß der Stadt X zu benennenden unabhängigen vereidigten Sachverständigen."

931 **Indexklausel mit Gleitklausel**

Formel z. B.: „Diese Rente soll wertgesichert sein; deshalb wird folgendes vereinbart:

Wenn und soweit sich der vom Statistischen Bundesamt veröffentlichte Index der Lebenshaltung aller privaten Haushalte auf der Basis (letztes Basisjahr) gegenüber dem Stand des Monats dieser Beurkundung um mehr als 10 % erhöhen oder ermäßigen sollte, erhöht oder ermäßigt sich auch die Rente im gleichen Umfang, und zwar von dem auf die maßgebliche Änderung des Indexes folgenden Monat an. Diese Anpassung wiederholt sich jeweils erneut, sobald eine entsprechende Änderung des Preisindexes der Lebenshaltung gegenüber der vorherigen Anpassung eingetreten ist. Bei einer späteren Umbasierung (Änderung des zugrundeliegenden Warenkorbs) soll eine rückwirkende Änderung bereits veröffentlichter Indexzahlen unberücksichtigt bleiben. Die Beteiligten beauftragen den Notar, bei der Landeszentralbank gemäß § 3 Währungsgesetz die Genehmigung oder ein Negativattest zu dieser Vereinbarung einzuholen."

Die Praxis bevorzugt, trotz der Genehmigungspflicht, **die indexgebundene Gleitklausel,** weil sie durch ihre Automatik klare Verhältnisse schafft und dadurch immer wieder neue Verhandlungen der Beteiligten über die Anpassung überflüssig macht.

VI. Die einkommensteuerliche Behandlung wiederkehrender Leistungen und Bezüge

Literaturhinweis: Fischer, Wiederkehrende Bezüge und Leistungen, 1994; Jansen/Wrede, Renten, Raten, Dauernde Lasten, 10. Aufl. 1992; BMF-Schreiben v. 13. Januar 1993 betr. Ertragsteuerliche Behandlung der vorweggenommen Erbfolge, BStBl. 1990 II 847; Martin, Renten und andere wiederkehrende Leistungen bei Vermögensübertragungen, Betriebs-Berater 1993, 1773.

1. Die Bedeutung für die Vertragsgestaltung

932 **Die Reallast als Mittel zur Sicherung wiederkehrender Leistungen hat ihre besondere Bedeutung bei der Gestaltung von Übergabeverträgen** (s. Rz. 549). Dabei werden Art und Inhalt der wiederkehrenden Leistungen häufig durch die steuerlichen Auswirkungen mitbestimmt. Sie können sich nicht nur bei der Einkommensteuer ergeben, sondern auch bei der Erbschaft- und Schenkungsteuer, der Vermögensteuer, der Feststellung des Einheitswertes des Betriebsvermögens und bei der Gewerbesteuer. Es kann deshalb zweckmäßig sein, neben den zivilrechtlichen Gestaltungszielen (Eigentumsübertragung, Sicherung des Übergebers, Abfindung weichender Geschwister usw.) auch die Steuerziele in die Überlegungen einzubeziehen.

933 **Auswirkungen auf beiden Seiten.** Von der Art der Leistungen hängt nicht nur deren steuerliche Behandlung beim Empfänger ab, sondern auch die Abzugsfähigkeit bei der Ermittlung des Einkommens, das der Leistende erzielt. Im Einkommensteuerrecht besteht jedoch kein allgemeines Korrespondenzprinzip, so daß die Auswirkungen sich nicht immer spiegelbildlich entsprechen. Eine wichtige Rolle spielt dabei die prinzipielle Zweiteilung in betriebliche und private Renten. Trotz der Häufigkeit der Vereinbarung wiederkehrender Leistungen in der Vertragspraxis enthält das Einkommensteuerrecht bedauerlicherweise keine systematisch einwandfreie und umfassende Regelung, so daß die Beurteilung der Auswirkungen selbst dem erfahrenen Steuerpraktiker Schwierigkeiten bereitet. Die steuerliche Behandlung wiederkehrender Leistungen ist geradezu ein Musterbeispiel für eine beklagenswert schlechte Gesetzessystematik und häufige Änderungen der Rechtsprechung. Hier können deshalb nur einige Hinweise zum Einstieg in die Problematik gegeben werden. Wenn es den Beteiligten auf die steuerlichen Auswirkungen ankommt, empfiehlt es sich dringend, vor dem Vertragsabschluß auch die steuerlichen Folgen zu klären. Dies ist jedoch grundsätzlich nicht die Aufgabe des Notars, denn ihm obliegt keine Belehrungspflicht über die wirtschaftliche Zweckmäßigkeit des Rechtsgeschäfts und dessen wirtschaftliche Folgen (RAB-Reithmann Rz. 147 m.w.N.).

2. Grundsätze der Besteuerung

a) Pflegeleistungen

934 Die aufgrund eines Übergabevertrages erbrachten Pflegeleistungen wirken sich nicht auf die Einkommensteuer aus. Es handelt sich um persönliche Dienstleistungen, die keine geldwerten Aufwendungen i. S. des Einkommensteuerrechts darstellen (BFH-Urteil v. 18.9. 1991 – Az. XI R 11/85 in BFH/NV 1992, 234). Wenn sich die Pflegeverpflichtung ausnahmsweise auch auf die Übernahme der Kosten erstreckt, die beispielsweise durch Krankheit oder Aufenthalt in einem Pflegeheim verursacht werden, können diese Aufwendungen als „Dauernde Last“ geltend gemacht werden (s. Rz 938).

b) Wiederkehrende Geldleistungen

935 **Einteilung.** Wiederkehrende Geldleistungen des Übernehmers können Versorgungsrenten, Unterhaltsrenten oder Veräußerungsrenten sein. Im Normalfall eines Übergabevertrages handelt es sich um eine Versorgungsrente. Je nach ihrer vertraglichen Gestaltung ist dies eine „Leibrente“ oder eine „Dauernde Last.“ Sind derartige Aufwendungen betrieblich veranlaßt, wirken sie sich im Rahmen der Gewinnermittlung gem. §§ 4–7 EStG aus. Dann besteht kein Unterschied zwischen Renten und Dauernden Lasten. Die Unterscheidung bezieht sich deshalb nur auf den außerbetrieblichen Bereich. Nur dieser wird nachstehend behandelt.

c) Leibrenten

936 **Begriff.** Leibrenten sind Renten, die auf die Lebenszeit des Berechtigten vereinbart werden. Möglich sind auch Variationen, wie die verlängerte Leibrente (= Rente auf Lebenszeit, aber mindestens auf die Dauer von X Jahren) oder die abgekürzte Leibrente (= Rente auf Lebenszeit, höchstens aber auf die Dauer von X Jahren).

Die „Leibrente“ ist im Einkommensteuerrecht nicht definiert. Nach ständiger Rechtsprechung des BFH ist der zivilrechtlich entwickelte Begriff der Leibrente (§ 759 BGB) grundsätzlich auch für das Einkommensteuerrecht maßgeblich. Steuerlich ist eine Leibrente gegeben, wenn aufgrund eines dem Berechtigten eingeräumten Stammrechts **gleichmäßig wiederkehrende Leistungen in Geld oder vertretbaren Sachen auf die Lebenszeit des Berechtigten** zu erbringen sind (BFH BStBl. 1974 II 103). Die Vereinbarung einer Wertsicherungsklausel, insbesondere die Anpassung an den jeweiligen Preisindex der Lebenshaltung, beseitigt nicht die eine Leibrente charakterisierende Gleichmäßigkeit der Leistungen, auch wenn in diesem Zusammenhang auf § 323 ZPO Bezug genommen wird (BFH BStBl. 1986 II 348). Es empfiehlt sich vielmehr, ausdrücklich anstelle oder neben der Wertsicherung zu vereinbaren, daß bei einer wesentlichen Änderung der für die Rentenhöhe maßgeblichen Verhältnisse von beiden Vertragsteilen eine angemessene Anpassung der Rente gem. § 323 ZPO verlangt werden kann. Der Erwerb des Rentenstammrechts durch Vertrag oder aufgrund Verfügung von Todes wegen spielt sich auf der Vermögensebene ab und berührt das Einkommensteuerrecht nicht. Einkommensteuerlich ist deshalb auch ohne Bedeutung, ob der Berechtigte das Stammrecht als solches entgeltlich oder unentgeltlich erworben hat.

937 **Die Besteuerung der Leibrente.** Jede Leibrenten-Zahlung besteht aus einem Zins- und einem Tilgungsanteil. Einkommensteuerpflichtig ist nur der in jeder einzelnen Rentenzahlung enthaltene Zinsanteil (vom Gesetz **„Ertragsanteil"** genannt), der sich aus der Tabelle zu § 22 EStG ergibt. Ihr liegt eine 5,5 %ige Aufzinsung zugrunde. Die Höhe des steuerpflichtigen Ertragsanteils richtet sich nach dem bei Beginn des Rentenbezugs gegebenen Lebensalter des Berechtigten (§ 22 Nr. 1 lit. a EStG). So beträgt z. B. der steuerpflichtige Ertragsanteil beim Renteneinstieg mit 60 Jahren 29 %, beim Einstieg mit 70 Jahren 19 %. Der beim Einstieg gegebene Prozentsatz bleibt dann während der gesamten Laufzeit der Rente unverändert. Der Ertragsanteil von Renten, deren Dauer von der Lebenszeit mehrerer Personen abhängt, ergibt sich aus der Tabelle zu § 55 I Nr. 3 EStDV.

Die Begrenzung der Steuerpflicht auf den Ertragsanteil führt in Verbindung mit der Werbungskostenpauschale nach § 9 a Nr. 3 EStG und – soweit gegeben – dem Altersentlastungsbetrag gem. § 24 a EStG bei kleineren Renten vielfach dazu, daß die Rente steuerfrei bleibt.

Beim Leistenden ist die Behandlung spiegelbildlich entsprechend: Er kann seine Leistungen nur mit dem Ertragsanteil als Sonderausgaben geltend machen (§§ 10 I Nr. 1 a Satz 2, 22 Nr. 1 Satz 3 a EStG).

d) Die „Dauernde Last"

938 **Der Begriff.** Die Begründung privater wiederkehrender Leistungen in der Form einer „Dauernden Last" ist in der Vertragsgestaltung von erheblicher steuerlicher Bedeutung. Das Gesetz gibt dafür jedoch keine Definition. Nach der Rechtsprechung gelten als „Dauernde Last" wiederkehrende Leistungen (Geld oder andere Leistungen), die aufgrund eines Versorgungsvertrages über einen längeren Zeitraum (mindestens 10 Jahre) erbracht werden und denen das Merkmal der Gleichmäßigkeit fehlt, weil sie von der Leistungsfähigkeit des Verpflichteten und/oder den Bedürfnissen des Berechtigten oder von sonstigen sich verändernden Umständen abhängig sind, z. B. dem jeweiligen Bedarf des Berechtigten. Als weiteres Merkmal soll gelten, daß die Leistungen aus den Erträgen des übertragenen Vermögens erbracht werden können (BFH DB 1994,

661 mit kritischer Anmerkung von Spiegelberger in MittBayNot 1995, 106).

939 **Veränderlichkeit.** Für die Annahme einer „Dauernden Last“ spricht also insbesondere, wenn die Leistungen durch die künftigen persönlichen oder wirtschaftlichen Verhältnisse der Beteiligten mitbestimmt werden. Ein wichtiges Indiz für die Annahme einer „Dauernden Last“ ist u.a. die Vereinbarung, daß jede Partei das Recht haben soll, unter Berufung auf die Änderung ihrer persönlichen oder wirtschaftlichen Verhältnisse gemäß **§ 323 ZPO** eine Änderung der vereinbarten Leistungen zu verlangen. Dann fehlt in der Regel das Merkmal der Gleichmäßigkeit, und es handelt sich nicht um eine Leibrente, sondern um eine „Dauernde Last“ (BFH BStBl. 1980 II 573). Die Vereinbarung einer Wertsicherungsklausel reicht dazu jedoch nicht aus, weil auch in diesem Fall eine Vorbestimmtheit der Leistung gegeben ist. Andererseits bedarf es nicht eines ausdrücklichen Vorbehalts des § 323 ZPO, vielmehr kann sich auch aus der Rechtsnatur des Vertrages ergeben, daß eine Anpassung nach den Bedürfnissen des Übergebers oder der Leistungsfähigkeit des Übernehmers möglich sein soll. Bei einem ausdrücklichen Verzicht auf die Abänderbarkeit nach § 323 ZPO ist dagegen eine Rente gegeben (BFH BStBl. 1981 II 26). **Versorgungsleistungen in Geld sind deshalb als Dauernde Lasten nur abziehbar, wenn sich die Abänderbarkeit entweder aus einer ausdrücklichen Bezugnahme auf § 323 ZPO oder in anderer Weise aus dem Vertrag ergibt** (BFH GrS NJW 1992, 710). Wenn die Beteiligten eine „Dauernde Last“ wollen, ist es deshalb zweckmäßig, die Abänderbarkeit nach § 323 ZPO ausdrücklich zu vermerken. Diese auf Verträge analog anwendbare Bestimmung des Prozeßrechts ist jedoch nur eine Verfahrensvorschrift; sie eröffnet zwar eine prozessuale Möglichkeit zur Durchbrechung der Rechtskraft, liefert aber keine materiellen Maßstäbe für Art und Umfang der verlangten Anpassung. Die Verweisung auf § 323 ZPO sollte deshalb mit einer inhaltlichen Aussage über Anlaß und Maßstab der Anpassung verbunden werden (BFH BStBl. 1986 II 384). Dies empfiehlt sich auch im Hinblick auf die Sicherung durch eine Reallast (s. Rz. 941).

940 **Die steuerliche Behandlung „Dauernder Lasten.“** Der Zahlungspflichtige kann die einzelnen Leistungen in vollem Umfang als Sonderausgaben oder im Rahmen einer Einkunftsart als Werbungskosten geltend machen (§ 10 I Nr. 1a EStG). Andererseits sind die Leistungen beim Bezieher, soweit die ihm zustehenden Freibeträge überschritten werden, voll zu versteuern (§ 22 Nr. 1 Satz 1 EStG; vgl. BFH GrS BStBl. 1992 II 78). Die „Dauernde Last“ wird deshalb – wegen der Steuerprogression – von den Beteiligten meist bevorzugt, wenn der Übernehmer ein höheres Einkommen als der Übergeber hat. Umgekehrt wird die Leibrente bevorzugt, wenn das Einkommen des Übergebers höher ist.

941 **Gestaltungsproblem.** Die Vereinbarung einer „Dauernden Last“ ist für die Beteiligten nicht unproblematisch. Sie kann dazu führen, daß sich die

Zahlungspflicht bei Erkrankung oder Pflegebedürftigkeit des Berechtigten enorm erhöht oder daß sie sich bei wirtschaftlichem Verfall des Verpflichteten in unbilliger Weise verringert oder gar wegfällt. Wenn man diese Risiken ausschalten will, ist an die Vereinbarung von Ober- und Untergrenzen oder die Herausnahme von bestimmten möglichen Änderungsfaktoren zu denken, z.B. das Erlöschen oder die Verminderung des Zahlungsanspruchs beim Übergang in ein Alten- oder Pflegeheim.

Formel z.B.: „Bei einer wesentlichen Änderung seiner persönlichen oder wirtschaftlichen Verhältnisse kann jeder Beteiligte gem. § 323 ZPO eine Änderung der vereinbarten Leistungen verlangen. Allein wegen etwaiger Kosten eines Alten- oder Pflegeheimes soll eine Erhöhung der Zahlungen nicht eintreten."

Um dem Übergeber trotz der Abänderbarkeit eine gewisse Sicherheit zu geben, kann eine **Mindestleistung** vereinbart werden. In diesen Fällen ist jedoch nicht auszuschließen, daß die Zahlungen in der Mindesthöhe als „Renten" und nur die Schwankungsbeträge als „Dauernde Lasten" behandelt werden (s. Spiegelberger Rz. 153, Wegmann Rz. 284 jeweils m.w.N.). Stattdessen kann aber auch bestimmt werden, daß nur Änderungen der wirtschaftlichen Verhältnisse des Versorgungsberechtigten zu einer Änderung der Höhe führen (Wegmann Rz. 285).

942 **Die Sicherung durch Reallast.** Die „Dauernde Last" ist nur eingeschränkt reallastfähig. Wegen des sachenrechtlichen Bestimmtheitsgrundsatzes kann sie nur dann durch eine Reallast gesichert werden, wenn sie mit einer inhaltlich ausreichend bestimmten Angabe der Voraussetzungen und der Maßstäbe der Änderung verbunden wird. Ein allgemeiner Hinweis auf § 323 ZPO reicht dafür nicht aus (OLG Frankfurt Rpfleger 1988, 247). Eine Bezugnahme auf den „standesgemäßen Unterhalt" wurde früher als ausreichend angesehen (BayObLG MittBayNot 1987, 94). Nach neuerer Rechtsprechung soll jedoch zumindest der Betrag angegeben werden, der zum standesgemäßen Unterhalt erforderlich ist und aus welchen Einkünften die Leistungen bestritten werden (BayObLG NJW-RR 1993, 1171). Da die Reallast ein nichtakzessorisches dingliches Recht ist, kann diese Schwierigkeit dadurch umgangen werden, daß die Reallast zur Sicherung eines bestimmten Betrages mit Wertsicherung bestellt und die über die Wertsicherung hinausgehende Anpassungsverpflichtung als lediglich schuldrechtliche Vereinbarung qualifiziert wird.

943 **Die Unterwerfungserklärung zur Dauernden Last.** Die Unterwerfung unter die sofortige Zwangsvollstreckung bedarf der Bestimmtheit über die Höhe der geschuldeten Geldleistungen (s. Rz. 612). Die „Dauernde Last" kann deshalb nicht unmittelbar durch eine Unterwerfungsklausel gesichert werden. Möglich ist aber ein davon unabhängiges abstraktes Schuldanerkenntnis mit Unterwerfungsklausel über einen bestimmten regelmäßig zu zahlenden Betrag. Damit kann die schuldrechtliche Verpflichtung verbunden werden, im Falle einer Erhöhung der Zahlungsverpflichtung eine zusätzliche Unterwerfungserklärung abzugeben.

e) Unterhaltsrenten

944 Eine „Unterhaltsrente" ist (ausnahmsweise) gegeben, wenn der Kapitalwert der Rente/Dauernden Last mehr als das Doppelte des Wertes des übertragenen Grundvermögens beträgt. Dann nimmt die Finanzverwaltung an, daß die wiederkehrende Zahlung als Unterhaltsleistung erbracht wird, mit der Folge, daß es sich um eine „Zuwendung" i.S. des § 12 Nr.2 EStG handelt, die beim Zahlenden nicht abzugsfähig und beim Empfänger nicht zu versteuern ist. Dies trifft jedoch in der Regel bei Übergabeverträgen im Wege der vorweggenommenen Erbfolge nicht zu, so daß die „Dauernde Last" beim Verpflichteten abzugsfähig und beim Berechtigten zu versteuern ist.

f) Veräußerungsrenten

945 Eine Veräußerungsrente liegt vor, wenn die Übertragung nach den Vorstellungen der Beteiligten (ausnahmsweise) entgeltlich erfolgt, d.h. wenn der Rentenbarwert dem Wert des übertragenen Vermögens entspricht. Dies führt dazu, daß in Höhe des Barwerts ein Veräußerungsentgelt und Anschaffungskosten entstehen, und daß die Zahlungen des Übernehmers erst dann als „Dauernde Last" abgezogen werden können, wenn sie den Rentenbarwert übersteigen.

§ 20. Das Altenteilsrecht

Literaturhinweise: Böhringer, Das Altenteil in der notariellen Praxis, MittBayNot 1988, 103; HSS Rz. 934, 1230ff.; Kommentierungen zu § 49 GBO; MünchKomm-Pecher Anm. zu Art. 96 EGBGB; Staudinger/Amann Vorbem. 32ff. vor § 1105 BGB; Wolf, Das Leibgeding – ein alter Zopf? MittBayNot 1994, 117

I. Geschichte, Zweck und Inhalt

Historisch hat sich der Altenteilsvertrag im wesentlichen in Verbindung mit dem landwirtschaftlichen Hofübergabevertrag entwickelt. Übergabeverträge beschränken sich aber heute nicht mehr auf die Landwirtschaft, sondern sind ein allgemeiner wichtiger Vertragstyp in vielen Lebensbereichen geworden. Das wesentliche Element ist immer der Versorgungscharakter des Vertrages für den Berechtigten. 946

Zusammenfassung von Einzelrechten. In solchen Übergabeverträgen werden häufig verschiedene Auflagen und Gegenleistungen des Übernehmers vereinbart. § 49 GBO erlaubt, mehrere dingliche Einzelrechte mit einem zusammenfassenden Vermerk im Grundbuch einzutragen. Dadurch wird die gem. § 874 BGB gegebene Möglichkeit der Bezugnahme auf die Eintragungsbewilligung erweitert. § 49 GBO spricht von „Leibgedinge, Leibzucht, Altenteil und Auszug“. Diese Begriffe werden regional unterschiedlich gebraucht, betreffen aber denselben Sachverhalt (OLG Frankfurt Rpfleger 1972, 20). Als die heute gebräuchlichste Bezeichnung kann der Begriff „Altenteil“ angesehen werden und wird nachstehend auch für die Synonyma verwendet. 947

Der Begriff „Altenteil“ ist gesetzlich nicht definiert. Nach der Rechtsprechung versteht man darunter ein durch Vertrag oder Verfügung von Todes wegen begründetes Rechtsverhältnis, das durch einen Inbegriff von Nutzungen und Leistungen für den Berechtigten in Verbindung mit einem Nachrücken des Verpflichteten in eine die Existenz mindestens teilweise begründende Wirtschaftseinheit geprägt ist (BGH NJW-RR 89, 451). Dieses Rechtsverhältnis muß zwar nicht mit der Überlassung von Grundvermögen verbunden sein. In der Praxis sind die Altenteilsvereinbarungen in der Regel jedoch Teil einer Grundstücksübertragung und die nachstehend genannten Landes-AGBGB aufgrund Art. 96 EGBGB regeln nur diese Fälle. Deshalb kann auch die Übergabe eines 948

Hausgrundstücks im Wege der vorweggenommenen Erbfolge Altenteilscharakter haben (BGH NJW 1981, 2568). Dabei sollte der Begriff „Wirtschafts"-einheit nicht auf die Fälle einer Betriebsübergabe eingeschränkt werden (s. Wolf a. a. O.).

949 **Weitere Charakteristika** von Altenteilsvereinbarungen sind:
- das Rechtsverhältnis dient der allgemeinen, in der Regel auf Lebenszeit angelegten, leiblichen und persönlichen **Versorgung des Berechtigten**
- es bestehen **persönliche,** nicht notwendig verwandtschaftliche **Beziehungen** zwischen den Beteiligten
- **Leistung und Gegenleistung** sind wertmäßig nicht gegeneinander abgewogen
- es werden **nicht nur Geldleistungen** vereinbart
- es besteht eine **örtliche Bindung des Berechtigten zu dem Grundstück, auf dem oder aus dem die Leistungen gewährt werden**

(vgl. BGH NJW 1962, 2249; OLG Hamm DNotZ 1970, 659; BayObLG DNotZ 1975, 622; BGH NJW 1981, 2568 = DNotZ 1982, 45).

950 **Sachenrechtliche Inhalte.** Zur Verbindung in einem Altenteilsrecht kommen im wesentlichen beschränkte persönliche Dienstbarkeiten (z. B. Wohnungs- und Mitbenutzungsrechte) und Reallasten (z. B. Pflegepflichten, Geld- und Sachleistungen) in Betracht. Auch ein Nießbrauchsrecht kann mit zum Inhalt gehören, wenn es sich nur auf einzelne Grundstücke bezieht, die einen untergeordneten Teil des übertragenen Grundeigentums ausmachen. Die Berechtigung zur eigenwirtschaftlichen Betätigung aufgrund des Nießbrauchs darf nicht so groß sein, daß dem Vertrag der Charakter einer Versorgungsvereinbarung verloren geht (BayObLG DNotZ 1975, 622 = Rpfleger 1975, 314). Aber auch ein einzelnes Wohnungsrecht kann i. V. m. einem Übergabevertrag als Altenteil eingetragen werden, wenn es für den Begünstigten von erheblicher Bedeutung ist (OLG Hamm Rpfleger 1986, 270; HSS Rz. 1328 m. w. N.).

951 **Nicht zum Bestandteil eines Altenteilsrechts können gemacht werden:**
- ein Nießbrauchsrecht an allen übertragenen Grundstücken oder dem einzigen übertragenen Grundstück, weil dann das Merkmal der Versorgung nicht mehr gegeben ist (BayObLG a. a. O.)
- Grunddienstbarkeiten und andere subjektiv-dingliche Rechte, Grundpfandrechte sowie – da zwar dienstbarkeitsähnlich, aber vererblich und übertragbar – das Dauerwohnrecht nach § 31 WEG
- reine Geldleistungspflichten (BayObLG a. a. O.).

II. Landesrechtliche Regelungen

Kein einheitlicher Vertragstyp. Wegen der regional unterschiedlichen Rechtstraditionen hat der Gesetzgeber des BGB darauf verzichtet, das Altenteil als Vertragstyp einheitlich zu regeln und die schuldrechtliche Ausgestaltung in Art. 96 EGBGB dem Landesgesetzgeber vorbehalten. Mit Ausnahme von Hamburg haben alle Länder der alten Bundesrepublik von diesem Vorbehalt Gebrauch gemacht (Fundstellen s. Palandt/Heinrichs Art. 96 EGBGB Rz. 5; HSS Rz. 347). Diese Landesgesetze enthalten Auslegungsgrundsätze sowie dispositive vertragsergänzende Regeln; sie sind deshalb bei der inhaltlichen Ausgestaltung des schuldrechtlichen Vertragsverhältnisses der Partner sowie bei einer späteren Auslegung des Vertrages zu beachten. Diese Regeln gelten aber nur, soweit die Beteiligten nichts anderes vereinbart haben. 952

Auslegungsgrundsätze. In diesen Landesgesetzen dominiert die aus der traditionellen bäuerlichen Hofübergabe kommende Vorstellung, daß die erfolgte Vermögensübertragung auf die nächste Generation nach Möglichkeit eine endgültige sein soll. Andererseits werden Regelungen für die Fälle späterer Leistungsstörungen getroffen, die – wegen des Charakters als langjähriges Dauerschuldverhältnis und des üblicherweise engen persönlichen Zusammenlebens der Beteiligten – bei diesem Vertragstyp leider besonders häufig sind. Gegenstand der landesrechtlichen Regelungen sind insbesondere: 953

- der Umfang der Benutzungsbefugnis bei Wohnungsrechten
- Ausschluß oder Einschränkung des Rücktrittsrechts des Altenteilers gem. §§ 325, 326 BGB sowie des Anspruchs auf Rückabwicklung gem. § 527 BGB im FAlle der Nichterfüllung oder Schlechterfüllung durch den Verpflichteten
- Voraussetzungen und Umfang der Umwandlung eines Wohnungsrechts oder anderer Sach- oder Dienstleistungen in Geldleistungen im Falle von Leistungsstörungen (z. B. §§ 14–16 AGBGB v. Rheinland-Pfalz)
- die Pflicht zur Ersatzgewährung, wenn das mit dem Wohnungsrecht belastete Gebäude zerstört wird.

Neben diesen Bestimmungen der Landesrechte für Altenteilsverträge gelten die allgemeinen Grundsätze von Treu und Glauben sowie des Wegfalls oder der Veränderung der Geschäftsgrundlage. Sie können zu einer Änderung der Rechte und Pflichten des Altenteilsvertrages einschließlich des Inhalts des dinglichen Rechts führen (Staudinger/Amann Vorbem. 40 vor § 1105 BGB m. w. N.).

III. Gestaltungsfragen

954 **Die Eintragungsbewilligung** muß eindeutig erkennen lassen, aus welchen dinglichen Einzelrechten sich das Altenteilsrecht zusammensetzt und auf welchen Grundstücken die einzelnen Rechte lasten (OLG Hamm Rpfleger 1973, 98; 1975, 357). Dabei müssen die einzelnen Leistungen nach Art und Umfang mindestens bestimmbar angegeben sein (BayObLG DNotZ 1954, 98).

955 **Wird das Recht für mehrere Personen eingetragen,** ist das Beteiligungsverhältnis anzugeben (§ 47 GBO). Dies kann eine Bruchteilsgemeinschaft, eine Gesamthandsgemeinschaft (z.B. Gütergemeinschaft, BGB-Gesellschaft) oder (häufigster Fall) eine Gesamtberechtigung nach § 428 BGB sein. Dabei können sogar, was aber selten praktisch wird, bezüglich der im Altenteil zusammengefaßten Einzelrechte verschiedenartige Beteiligungsverhältnisse bestehen (BGH NJW 1979, 421 = DNotZ 1979, 499) und bei nachträglicher Änderung von Einzelrechten sogar verschiedene Rangverhältnisse (LG Traunstein MittBayNot 1980, 65).

956 **Kostenrechtlich** führt die Verbindung der Einzelrechte zu einer Kostenersparnis gegenüber mehreren Einzeleintragungen (§ 63 II 2 KostO); eine weitere Kostenersparnis bringt die Zusammenfassung für mehrere Personen in einem Eintragungsvermerk. Erfolgt die Eintragung, wie in aller Regel, aufgrund eines Übergabe- oder Erbteilungsvertrages, so erfällt nur $^1/_2$ Gebühr (§ 62 II KostO).

957 **Löschungsklausel.** Mit der Eintragungsbewilligung wird meist die Klausel verbunden, daß zur späteren Löschung des Rechts der Nachweis des Ablebens des Berechtigten genügen soll (§ 23 II GBO). Dies ist aber nur möglich, wenn es sich ausschließlich um Rechte handelt, die „auf die Lebenszeit des Berechtigten beschränkt" sind und wenn mindestens auf einzelne Rechte Rückstände möglich sind (s. Rz. 370ff.).

958 **Einfluß des Sozialhilferechts.** Höchstpersönliche Rechte aus dem Altenteilsvertrag, z.B. der Anspruch auf Kost- und Pflegeleistungen, sind zwar nicht übertragbar und nicht pfändbar. Wenn sie nicht erfüllt und dadurch Sozialhilfeleistungen notwendig werden, kann jedoch der Sozialhilfeträger gem. § 90 I 4 SozialhilfeG auch diese Ansprüche auf sich überleiten und in Form von Geldforderungen geltend machen (HSS Rz. 1345 m.w.N.). In der Vertragsgestaltung ist deshalb zu erwägen, diese Leistungen auf die Erbringung im eigenen Anwesen zu beschränken. Davon unberührt bleiben natürlich die allgemeinen gesetzlichen Unterhaltsansprüche i.S. der §§ 1601ff. BGB. Außerdem kann ein landesrechtlich etwa gegebener Ersatzanspruch für den Fall ausgeschlossen werden, daß der Berechtigte sein Wohnungsrecht aus Gründen nicht ausübt, die in seiner Person liegen, z.B. bei Unterbringung in einem Altenheim.

Rücktrittsvorbehalt. Nach dem gesetzlichen Typus soll der Altenteilsvertrag grundsätzlich unumkehrbar sein. Da gerade diese Art von Verträgen häufig mit späteren Leistungsstörungen verbunden sind, kommt als Sicherheit für den Altenteiler u. U. ein vertragliches Rücktrittsrecht für den Fall des Leistungsverzuges oder der Schlechtleistung in Betracht. Dies kann ein Mittel zur Förderung der Vertragstreue sein. Zur Sicherung des bedingten Anspruchs auf Rückübertragung kann eine EV im Grundbuch eingetragen werden. Falls eine solche Gestaltung gewünscht wird, bedürfen die Fragen des Ranges der EV und der etwaigen Erstattungsansprüche des Verpflichteten für bereits erbrachte Leistungen und eventuelle Investitionen der besonderen Beachtung. 959

IV. Der Schutz des Altenteils im Vollstreckungsverfahren

Literaturhinweise: Bengel, Das Leibgeding in der Zwangsversteigerung, MittBayNot 1970, 133; Drischler, Das Altenteil in der Zwangsversteigerung, Rpfleger 1983, 229; Haegele, Wohnungsrecht, Leibgeding und ähnliche Rechte in Zwangsvollstreckung, Konkurs und Vergleich, DNotZ 1976, 5; Hagena, Probleme des Doppelausgebots nach § 9 Abs. 2 EGZVG, Rpfleger 1975, 73.

Ein Altenteilsrecht kann nicht einheitlich gepfändet werden; pfändbar sind nur die einzelnen künftig fällig werdenden Leistungen, soweit sie übertragbar sind und nur in dem eingeschränkten Rahmen des § 850 b I Nr. 3, II ZPO. 960

Erhaltung in der Zwangsversteigerung. In der Zwangsversteigerung des Grundstücks gibt es eine Sonderregelung, die dem Altenteiler Schutz gegen den Verlust seines Rechts geben soll. Nach § 9 I EGZVG soll eine Dienstbarkeit oder eine Reallast, wenn sie als Altenteil usw. eingetragen ist, beim Zuschlag auch dann bestehen bleiben, wenn das Altenteil dem betreibenden Gläubiger im Range nachgeht. Das Bestehenbleiben des Altenteilsrechts würde aber potentielle Bieter abschrecken. Dies könnte dazu führen, daß nur ein geringeres oder überhaupt kein Angebot abgegeben würde. Ein dem Altenteil vorgehender oder gleichstehender Berechtigter kann deshalb als abweichende Versteigerungsbedingung beantragen, daß das Altenteilsrecht erlischt, falls er durch dessen Bestehenbleiben einen Ausfall erleiden würde. Da vor dem Ausgebot noch nicht feststeht, wie sich das Bestehenbleiben des Altenteilsrechts auf die Befriedigung des vor- oder gleichrangigen Gläubigers auswirken würde, wird regelmäßig ein **Doppelausgebot nach** § 59 II ZVG in der Weise vorgenommen, daß entweder: 961

– das Altenteilsrecht bestehen bleibt (§ 9 I EGZVG) oder

– das Altenteilsrecht durch den Zuschlag erlischt, wenn der Antragsteller durch das Bestehenbleiben des Rechts beeinträchtigt wird (§ 9 II EGZVG).

962 **Auswirkung des Doppelausgebots.** Eine Beeinträchtigung des antragstellenden vor- oder gleichrangigen Gläubigers liegt vor, wenn er bei einem Erlöschen des Altenteils eine bessere Befriedigung erhält als bei dessen Fortbestand. Praktisch bedeutet dies, daß das Altenteil nur dann bestehenbleibt, wenn Angebote abgegeben werden, durch die alle Ansprüche der vor- und gleichrangigen Gläubiger voll abgedeckt werden. Daraus ergibt sich, daß die Schutzwirkung des § 9 I EGZVG nur gering ist. Für die Sicherung des Altenteilers ist es deshalb wichtig, an welcher Rangstelle sein Recht steht. Sollen z. B. bei einem Übergabevertrag die Rechte des Übergebers den Rang nach Hypotheken oder Grundschulden erhalten, die zur Sicherung von Krediten zur Abfindung weichender Geschwister oder zur Modernisierung/Erweiterung usw. des Hauses oder Betriebes bestellt werden, so ist dazu Vertrauen in die finanzielle Verläßlichkeit des Übernehmers und eine gewisse Risikobereitschaft erforderlich.

§ 21. Die Sicherung von Geldforderungen durch Grundpfandrechte

Literaturhinweise: Pottschmidt/Rohr, Kreditsicherungsrecht, 6. Aufl. 1986; Reithmann, Grundpfandrechte heute – Rechtsentwicklung und Aufgaben des Notars, DNotZ 1982, 67; Roemer, Ausgewählte Probleme aus dem Bereich der Grundpfandrechte, MittRhNotK 1991, 69 und 97; Scholz/Lwowski, Das Recht der Kreditsicherung, 7. Aufl. 1994

I. Allgemeines über Sicherheiten für Geldforderungen

Eine Geldforderung kann in verschiedener Weise gesichert werden. Die wichtigsten Sicherungsmittel sind: **963**

1. der Eigentumsvorbehalt an gelieferten beweglichen Sachen (§ 455 BGB)
2. die Sicherungsübereignung beweglicher Sachen (vgl. Baur/Stürner § 57; Lent/Schwab § 31)
3. die Sicherungsabtretung von Forderungen und Rechten gemäß §§ 398ff., 413 BGB, z.B. durch Abtretung einer Kaufpreisforderung, eines GmbH-Anteils (§ 15 GmbH-Gesetz), eines Erbanteils (§ 2033 I BGB)
4. die Verpfändung beweglicher Sachen (§ 1204 BGB); sie ist allerdings wegen der Lästigkeit der Übergabe (§ 1205 BGB) weitgehend durch die Sicherungsübereignung verdrängt worden
5. die Verpfändung von Forderungen und Rechten gemäß §§ 1273ff. BGB, z.B.:
   - die Pfändung oder Verpfändung eines Übereignungsanspruchs (s. Rz. 148f.)
   - die Pfändung oder Verpfändung des Anwartschaftsrechts auf Übereignung eines Grundstücks (s. Rz. 93)
   - die Pfändung oder Verpfändung eines Miterbenanteils (§ 2033 I BGB); gehört Grundbesitz zum Nachlaß, ist die Eintragung eines Vermerks im Grundbuch zulässig, obwohl dem Pfandrecht nur der Anteil am ungeteilten Nachlaß, nicht aber der einzelne Nachlaßgegenstand unterliegt; zur Verfügung der Erbengemeinschaft über das Grundstück bedarf es dann der Zustimmung des Pfändungsgläubigers (Palandt/Edenhofer § 2033 Rz. 18)

6. die Stellung einer Bürgschaft (§§ 765ff. BGB)
7. die Bestellung eines Grundpfandrechts (§§ 1113ff. BGB).

Im Grundstücksrecht werden Forderungen in der Regel durch Grundpfandrechte gesichert. Sie sind der Gegenstand dieses Abschnitts.

II. Grundpfandrechte sind Verwertungsrechte

964 **Der Begriff „Grundpfandrechte" kommt im Gesetz nicht vor.** Er hat sich jedoch allgemein als zusammenfassender Begriff eingebürgert. Er umfaßt die Hypothek (§§ 1113–1190 BGB), die Grundschuld (§§ 1191–1198 BGB) und -als Unterfall der Grundschuld- die Rentenschuld (§§ 1199–1203 BGB).

Grundpfandrechte sind Pfandrechte an Grundstücken. Das Verständnis erschließt sich, wie bei allen Pfandrechten, durch die Begriffe **„Schuld"** und **„Haftung"**. Der Schuldner schuldet die Leistung persönlich. Der Eigentümer des Grundstücks haftet mit seinem Grundstück dafür, daß die geschuldete Leistung erbracht wird. Im Normalfall sind Schuldner der Leistung und haftender Eigentümer dieselbe Person oder Personenmehrheit. Sehr häufig handelt es sich aber um verschiedene Personen. **Beispiel:** Der Sohn S nimmt bei der B-Bank einen Kredit auf. Zur Sicherung der sich aus dem Kredit ergebenden Zahlungspflichten bestellen die Eltern des S für die B-Bank eine Hypothek oder Grundschuld.

965 **Der Unterschied zwischen Schuld und Haftung zeigt sich deutlich, wenn Schuldner und haftender Eigentümer verschiedene Personen sind.** Der Gläubiger kann von dem Schuldner die Zahlung der Forderung verlangen und im Falle der Nichtzahlung in das gesamte Vermögen des Schuldners vollstrecken. Der Grundstückseigentümer ist nicht Schuldner der Forderung, aber er haftet für ihre Erfüllung, und zwar nur mit seinem verpfändeten Grundstück, nicht auch mit seinem übrigen Vermögen.

966 **Allen Grundpfandrechten gemeinsam ist, daß sie dem Berechtigten ein dingliches Verwertungsrecht an dem belasteten Grundstück geben.** Wenn die durch das Grundpfandrecht gesicherte Forderung nicht bezahlt wird, kann er das Grundstück als Pfand verwerten, d.h. er kann wegen der gesicherten Forderung die Zwangsversteigerung (= Zugriff auf die Substanz) und/oder die Zwangsverwaltung des Grundstücks (= Zugriff auf die Nutzungen) betreiben und aus dem dabei erzielten Erlös die Befriedigung seiner Forderung suchen; der Eigentümer ist zur Duldung der Zwangsvollstreckung verpflichtet (§§ 1113, 1147, 1191, 1192, 1199, 1200 BGB). **Beispiel:** Wenn der Sohn S seinen Zahlungspflichten aus dem Kredit nicht nachkommt, kann die B-Bank die Zwangsversteigerung des von den Eltern dafür verpfändeten Grundstücks betreiben. Die Eltern kön-

nen jedoch die Vollstreckung in das Grundstück durch Zahlung des geschuldeten Betrages abwenden (§ 1142 BGB).

967 **Der Rang des Verwertungsrechts ergibt sich aus der Eintragung im Grundbuch** (vgl. § 14). Die Eigenart eines Grundpfandrechts besteht darin, daß es bei der Zwangsvollstreckung in das Grundstück allen persönlichen, d.h. nicht dinglich gesicherten Gläubigern vorgeht, zu deren Gunsten die Beschlagnahme erst später erfolgt ist (s. Rz. 568 ff., 575).

III. Die wirtschaftliche Bedeutung der Grundpfandrechte

968 **Die volkswirtschaftliche Bedeutung des „Grundkredits"** ist sehr groß. Die gesamten Bankkredite an Nichtbanken in der Bundesrepublik Deutschland betrugen Ende 1994 über 3 Billionen DM davon allein 1,2 Billionen Hypothekenkredite auf Wohngrundstücke (Monatsbericht der Deutschen Bundesbank März 1995).

Die Bevorzugung der Sicherung durch Grundpfandrechte beruht auf:
- der langfristigen **Wertbeständigkeit** des Grundvermögens
- der **Publizität des Grundbuchs**: Man weiß, wer der Eigentümer ist und an welcher Rangstelle man steht, während man im Mobiliarsachenrecht das Eigentum nicht sicher erkennen kann und auch nicht genau weiß, mit welchen anderen Gläubigern man eventuell konkurriert
- dem **Gutglaubensschutz des Grundbuchs**: Der Schutz des guten Glaubens macht das Sicherungsmittel verkehrsfähig, z.B. die Abtretung des Grundpfandrechts zum Zwecke der Refinanzierung des gewährten Kredits praktisch erst möglich.

969 **Die häufigsten wirtschaftlichen Gründe für die Bestellung von Grundpfandrechten** sind:
- Finanzierung von Hausbau, Modernisierung von Gebäuden (Baudarlehen)
- mittel- und langfristige Investitionsdarlehen für Betriebe
- Geschäftskredite in laufender Rechnung (Kontokorrentkredit)
- Abfindungsansprüche bei Übergabe- oder Erbteilungsverträgen für die Auszahlung von Geschwistern
- Bürgschaften (der Bürge läßt sich zur Sicherung seines Ersatzanspruchs gem. § 774 BGB eine nachrangige Hypothek bestellen)
- Anschaffungsdarlehen, soweit sie nicht durch Sicherungsübereignung gesichert oder im Leasing-Verfahren finanziert werden.

970 **Wandlungen des Realkredits.** Im Gegensatz zu früher ist der private Grundpfandkredit (Privatdarlehen gegen Hypothek) heute fast völlig verdrängt durch den Institutskredit von Banken, Sparkassen, Bausparkassen, Versicherungen, öffentlichen Darlehensgebern (Landesdarlehen)

usw., sowie durch Arbeitgeberdarlehen. Hand in Hand damit ist die Hypothek heute weitgehend von der Grundschuld verdrängt (s. Rz. 1117). Trotzdem ist es aus systematischen und didaktischen Gründen notwendig, sie vor der weitgehend auf ihr aufbauenden Grundschuld zu behandeln. Die Grundschuld ist nicht ohne die Kenntnis der Hypothek zu verstehen (s. Rz. 1120).

971 Die **Rentenschuld** hat in der Praxis keine Bedeutung, insbesondere weil sie wegen der Ablösbarkeit durch den Schuldner (§ 1201 BGB) für den Gläubiger zu unsicher ist, und weil wiederkehrende Geldleistungen zweckmäßiger durch eine Reallast gesichert werden (s. Rz. 891). Sie wird deshalb hier nicht behandelt.

IV. Kreditfragen

1. Beleihungswert und Beleihungsgrenze

972 **Vor der Kreditgewährung gegen Hypotheken oder Grundschulden prüft das Kreditinstitut neben der Bonität des Antragstellers den Beleihungswert des Grundstücks.** Dieser Beleihungswert ist nicht identisch mit dem Verkehrswert, sondern wird nach besonderen institutseigenen Regeln ermittelt. Grundlage für die Wertermittlung sind alle Umstände, die den Erlös im Falle einer Verwertung des Pfandobjekts beeinflussen, insbesondere der Bodenwert, der Substanzwert des Gebäudes und der Ertragswert bzw. Nutzungswert des Grundstücks. Schema: Summe aus Sachwert und Ertragswert × 1/2 = **Beleihungswert.** Bei Wohngebäuden, die mehr als 10 Jahre alt sind, wird üblicherweise ein **Altersabschlag** von 1 % pro Jahr seit der Errichtung in Ansatz gebracht. Von dem sich aus diesen Komponenten ergebenden Wert wird in der Regel nochmals ein **Sicherheitsabschlag** von etwa 10 % abgezogen.

973 **Die Beleihungsgrenze ist der Prozentsatz des Beleihungswertes, bis zu dem das Kreditinstitut bereit ist, das Grundstück zu beleihen.** Er wird mitbestimmt u. a. durch die Unsicherheit des in einer Zwangsversteigerung zu erzielenden Höchstgebots sowie durch den Vorwegabzug der Verfahrenskosten und der möglichen Ansprüche aus den vorgehenden Rangklassen 1–3 (§ 10 I Nrn. 1–3 ZVG). Gehen dem vorgesehenen Grundpfandrecht andere Rechte in Abt. II oder III vor, so wird dadurch der Beleihungsspielraum insoweit bereits ausgeschöpft. Bei vorgehenden Eintragungen in der Abt. II ist jedoch zu prüfen, ob und inwieweit die Belastung den Wert des Grundstücks mindert. Die Beleihungsgrenze beträgt gem. § 20 II Nr. 1 KreditwesenG und dem vom Bundesaufsichtsamt für das Kreditwesen erlassenen Eigenkapitalgrundsatz (Bundesanzeiger 1984, 15302; §§ 11, 12 HypothekenbankG) 60 % des Beleihungswertes. Für öffentlich geförderte und andere Sonderkredite gelten jedoch andere Richtsätze.

2. Der Auszahlungssatz

974 **Häufig wird das bewilligte Darlehen nicht zu 100 %, sondern zu einem geringeren Prozentsatz ausgezahlt,** z. B. zu 96 %. Den Abzug nennt man „Abgeld", „Disagio" oder auch „Damnum". Abgeld (Disagio) ist also der Unterschiedsbetrag zwischen dem bewilligten Darlehen und der tatsächlich ausgezahlten Summe (Verfügungssumme). **Beispiel:** Bei einem bewilligten Darlehen von DM 100.000,– und einem Abgeld von 4 % erhält der Darlehensnehmer nur eine Auszahlung von DM 96.000,–, wird aber so behandelt, als ob er DM 100.000,– erhalten hätte; er hat die vollen DM 100.000,– zu verzinsen und zu tilgen.

Wegen der Verminderung des tatsächlich verfügbaren Betrages muß man das Abgeld bei der Aufstellung eines Finanzierungsplanes berücksichtigen und gegebenenfalls eine um das Abgeld erhöhte Kreditsumme vereinbaren. Die Höhe des Abgeldes ist, wie der Zins, Verhandlungssache. **Zinssatz und Auszahlungssatz stehen wirtschaftlich in einer Wechselbeziehung:** Je höher der Auszahlungssatz, desto höher der Zinssatz und umgekehrt, z. B.:
- Auszahlung 96 % – Zinssatz 7 %
- Auszahlung 98 % – Zinssatz 7 1/4 %.

975 **Steuerlich wird das Abgeld als Aufwand für die Kreditbeschaffung behandelt.** Der private Kreditnehmer kann diese Kosten deshalb -sofern sie im Zusammenhang mit steuerpflichtigen Einkünften stehen, z. B. bei Einkünften aus Vermietung und Verpachtung- sofort als Werbungskosten gemäß § 9 EStG absetzen. Ein relativ hohes Abgeld ist deshalb manchmal dem Kreditnehmer nicht unerwünscht, kann jedoch im Falle einer vorzeitigen Tilgung des Kapitals teilweise oder ganz verlorengehen (BGHZ 111, 287; OLG Köln NJW-RR 1992, 681). Wer zur Ermittlung seines jährlichen Gewinns Bilanzen aufstellt (§ 5 EStG), kann das Abgeld nicht sofort absetzen, sondern muß den Aufwand auf die Laufzeit des Darlehens verteilen. Zur einkommensteuerlichen Behandlung eines Disagios vgl. BFH NJW 1981, 2080.

3. Der Zinssatz

a) Wesen und Funktion des Zinses

976 **Zins ist die Gegenleistung für die Überlassung von Kapital.** Er wird üblicherweise in einem jährlichen Prozentsatz des Kapitals ausgedrückt (z. B. „8 % p. a."). Der gesetzliche Zinssatz beträgt 4 % (§ 246 BGB), bei beiderseitigem Handelsgeschäft 5 % (§ 352 HGB). Im gewöhnlichen Kreditverkehr liegt er aber wesentlich höher. Um auf marktgerechte Zinsen hinzuarbeiten und Umschuldungsmaßnahmen zu erleichtern, hat der Gesetzgeber durch § 609 a BGB dem Kreditnehmer besondere Kündigungs-

möglichkeiten eingeräumt. Danach können durch Grundpfandrechte gesicherte Darlehen mit Ablauf der Zinsbindung, spätestens jedoch nach 10 Jahren gekündigt werden (§ 609a I BGB). Dieses Kündigungsrecht kann nicht durch Vertrag ausgeschlossen oder erschwert werden (§ 609a IV BGB). Sind die Voraussetzungen des § 609a BGB nicht gegeben, ist eine Auflösung des Kreditvertrages nur im Einvernehmen mit dem Gläubiger möglich, der jedoch vielfach für den entgangenen Gewinn eine Vorfälligkeitsentschädigung beansprucht. In diesen Fällen sollte eine Umschuldung wohl überlegt werden, weil der erhoffte Vorteil durch deren Kosten und die Vorfälligkeitsentschädigung aufgezehrt werden kann.

Im Bankgeschäft bezeichnet man als **„Sollzins“** das vom Kunden zu zahlende wiederkehrende Entgelt für die Kreditgewährung, als **„Habenzins“** die Vergütung, die vom Geldinstitut für Kundeneinlagen gewährt wird. Die Höhe des Habenzinses wird u.a. dadurch bestimmt, ob es sich um jederzeit fällige Sichteinlagen oder um befristet fällige Termineinlagen handelt.

b) Die Höhe des Zinses

977 **Die Höhe des Kreditzinses und seine Schwankungen hängen von verschiedenen Faktoren ab.** Dies sind insbesondere:
- der jeweilige allgemeine Kapitalmarktzins
- die Bonität des Kreditnehmers
- die vereinbarte Laufzeit des Kredits; Darlehen sind niedriger verzinslich als Kredite in laufender Rechnung, langfristig festgeschriebene Zinsen meist höher als kurzfristige
- der vereinbarte Auszahlungssatz des Darlehens (s. Rz. 974)
- die Art der Sicherung; ungesicherte Kredite sind im allgemeinen wegen des höheren Risikos für den Gläubiger höher verzinslich als durch Grundpfandrechte gesicherte
- der Rang des sichernden Grundpfandrechts: erstrangig gesicherte Kredite sind im Bereich des allgemeinen Kapitalmarktkredits zinsgünstiger als nachrangig gesicherte; dies gilt allerdings nicht für die in der Regel nachrangig zu sichernden Bauspardarlehen und insbesondere nicht für die meist letztrangig zu sichernden zinsverbilligten Darlehen aus öffentlichen Kreditprogrammen (z.B. Landesdarlehen) und Arbeitgeberdarlehen.

978 **Der Effektivzins.** Die Kostenbelastung des Kreditnehmers wird nicht nur von der Höhe des Nominalzinses bestimmt. Gemäß § 4 II PreisangabenVO vom 14. März 1985 (BGBl. I 580) ist der Kreditgeber verpflichtet, dem Kreditnehmer den sog. Effektivzins mitzuteilen. Darin sind alle preisbestimmenden Faktoren einzurechnen, die sich unmittelbar auf den Kredit und seine Vermittlung beziehen, also neben dem Nominalzins z.B. etwaige Bereitstellungszinsen, ein Abgeld, Bearbeitungsgebühren,

Schätzkosten usw. Einfluß auf den Effektivzins hat auch die Regelung, wann die Tilgungsbeträge vom Kapital abgeschrieben werden und damit aus der Zinspflicht ausscheiden. Prämienzahlungen für eine zur Sicherung des Kredits abgeschlossene Lebensversicherung gehen zur Hälfte in die Berechnung des Effektivzinses ein. Zur Methode der Berechnung s. Palandt/Heinrichs § 246 Rz. 7. Die Gesamtbelastung pro Jahr ist in einem Vomhundertsatz des Kredits anzugeben und als „effektiver Jahreszins" oder, wenn eine Änderung des Zinssatzes oder anderer preisbestimmender Faktoren vorbehalten ist, als „anfänglicher effektiver Jahreszins" zu bezeichnen. Dabei ist auch anzugeben, wann preisbestimmende Faktoren geändert werden können und auf welchen Zeitraum ein Disagio oder ein Zuschlag zum Kreditvertrag verrechnet worden ist.

979 **Neben dem Effektivzins sind weitere Kosten der Kreditaufnahme zu kalkulieren.** Dazu gehören insbesondere die Gebühren für die Bestellung der Grundpfandrechte (Notar und Grundbuchamt). Alle Kosten zusammen ergeben erst die Gesamtbelastung durch den Kredit.

980 **Ein Kreditvertrag kann wegen Sittenwidrigkeit gemäß § 138 I BGB nichtig sein,** wenn Leistung und Gegenleistung, bei umfassender Würdigung des Einzelfalles, insbesondere auch etwaiger Risiken, in einem auffälligen Mißverhältnis zueinander stehen und der Kreditgeber die schwächere Lage des anderen Teils bewußt zu seinem Vorteil ausnutzt oder sich leichtfertig der Erkenntnis verschließt, daß der Kreditnehmer sich nur wegen seiner schwächeren Lage auf die drückenden Bedingungen einläßt (BGH NJW 80, 446; 88, 818). Rechtsprechung dazu s. Palandt/Heinrichs § 138 Rz. 25 ff., 67 ff.

c) Der Diskontsatz

981 **Der allgemeine Kapitalmarktzins wird wesentlich durch den Diskontsatz der Bundesbank mitbestimmt.** Der Diskontsatz spielt aber auch in der Vertragsgestaltung eine wichtige Rolle als Eckpunkt für Zinsvereinbarungen (z. B. „5% über dem jeweiligen Diskontsatz der Bundesbank"). Der Begriff sei deshalb näher erläutert:

Kreditinstitute leisten ihren Kunden u. a. dadurch Finanzierungshilfe, daß sie Warenwechsel von ihnen ankaufen. Dabei zahlen sie dem Kunden den Wechselbetrag, abzüglich eines Zinssatzes. Das hat für den Kunden den Vorteil, daß er anstelle des erst später fällig werdenden Wechsels zwar weniger, aber sofort verfügbares Geld erhält. **„Diskontierung" nennt man also den Ankauf eines Wechsels durch eine Bank unter Abzug der Zinsen (Diskont) von der Wechselsumme.** Wenn die Bank für ihre Kreditgewährungen nicht über genügend Eigenmittel und Einlagen verfügt, kann sie sich dadurch refinanzieren und damit ihren Geschäftsspielraum erweitern, daß sie angekaufte Wechsel an die Bundesbank weiterverkauft und dafür den Gegenwert unter Abzug des jeweils gültigen (etwas niedrigeren) Zentralbank-Diskontsatzes erhält (Wechselrediskont). Die Differenz zwischen dem Bankdiskont und dem Bundesbankrediskont ist der Bruttoertrag der Bank aus dem Wechselgeschäft.

Der Diskontsatz der Bundesbank wird jeweils vom unabhängigen Zentralbankrat unter wirtschaftspolitischen Gesichtspunkten festgesetzt (§§ 6, 15 BundesbankG). Da er die Höhe des Wechseldiskonts und die Kreditkonditionen der Banken beeinflußt, ist er, neben dem Lombardsatz und den übrigen Mitteln der Geldmengensteuerung, eines der klassischen kreditpolitischen Instrumente der Bundesbank zur Beeinflussung des Geld- und Kapitalmarktes.

4. Die Nebenleistungen

Nebenleistungen sind Forderungen, die neben der Kapitalforderung und den Zinsen zu entrichten sind. Dabei unterscheidet man die gesetzlichen und sonstige (vereinbarte) Nebenleistungen (§§ 1118, 1115 BGB).

982 **Gesetzliche Nebenleistungen eines Grundpfandrechts** (und damit nicht eintragungsfähig!) sind:

- die gesetzlichen Zinsen (Prozeß- und Verzugszinsen, s. §§ 246, 288, 291 BGB, 352 HGB)
- die Kosten der Kündigung, z.B. Zustellungskosten
- die Kosten der die Befriedigung aus dem Grundstück bezweckenden Rechtsverfolgung, z.B. Zustellungskosten, Kosten der Beschaffung eines vollstreckbaren dinglichen Titels durch Urteil oder Erteilung einer notariellen Vollstreckungsklausel (nicht dagegen der Schuldklage gegen den persönlichen Schuldner!), die Kosten der Zwangsvollstreckung in das Grundstück gemäß § 1147 BGB; dazu gehören jeweils auch die Kosten einer anwaltlichen Vertretung.

Die Haftung des Grundstücks für die gesetzlichen Nebenleistungen ergibt sich aus § 10 II ZVG. Sie sind rechtzeitig im Verfahren anzumelden (§ 37 Nr. 4 ZVG).

983 **Andere Nebenleistungen können vereinbart werden, bedürfen aber zu ihrer dinglichen Wirksamkeit der Eintragung im Grundbuch** (§ 1115 I BGB). Dies sind neben den Hypothekenzinsen z.B. Säumniszuschläge, Verwaltungskostenbeiträge, Vorfälligkeitsentschädigungen usw.; weitere Beispiele s. HSS Rz. 1966. Sie müssen -wegen des Bestimmtheitsgrundsatzes des Grundbuchrechts- summenmäßig oder in ihren Berechnungsfaktoren angegeben werden. Angabe in Höhe eines Prozentsatzes der Hauptsumme ist zulässig und weitgehend üblich. In diesem Falle muß aus der Eintragung ersichtlich sein, ob die Nebenleistung monatlich, jährlich oder einmalig zu zahlen ist (HSS Rz. 1969 m.w.N.). So kann die Eintragung z.B. lauten: „Als Nebenleistung sind 5 % des Hypothekenbetrages (des Grundschuldbetrages) einmalig zu zahlen“.

5. Fälligkeit und Tilgung des Kredits

984 Unter dem Gesichtspunkt der Fälligkeit und Tilgung des gesicherten Kredits unterscheidet man folgende Hypothekenarten:

- **die Fälligkeitshypothek:** der Kredit ist zu einem bestimmten Zeitpunkt in einer Summe zurückzuzahlen
- **die Kündigungshypothek:** der Kredit ist nach Kündigung in einer Summe zurückzuzahlen (§ 609 BGB)
- **die Abzahlungshypothek:** das gewährte Darlehen ist in gleichbleibenden Raten zu tilgen; dabei vermindern sich die auf das jeweils noch geschuldete Restkapital zu leistenden Zinsen von Rate zu Rate entsprechend; dadurch vermindern sich mit jeder Zahlung die aus Zins und Tilgung bestehenden Raten
- **die Tilgungshypothek:** bei Darlehensgewährungen wird heute meist die Leistung gleichbleibender Zins- und Tilgungsbeträge (Annuitäten) durch den Schuldner vereinbart. **Beispiel:** „Der Schuldner verpflichtet sich, das Darlehen mit 7,5 % jährlich zu verzinsen und das Kapital mit 2 % jährlich vom ursprünglich gegebenen Kapital, zuzüglich der durch die Tilgung ersparten Zinsen zu tilgen und die Tilgungsraten gleichzeitig mit den Zinsen zu zahlen." Bei dieser Konstruktion wachsen die mit der fortschreitenden Tilgung ersparten Zinsen der Tilgung zu, so daß sich der Tilgungsanteil laufend in dem Maße erhöht, wie der Zinsanteil abnimmt. Auf der Höhe der vereinbarten Zinsen und Tilgungsbeträge baut sich der Tilgungsplan auf, dem – regelmäßige Zahlungen vorausgesetzt – der jeweilige Stand der Restforderung entnommen werden kann. Häufig wird dabei festgelegt, daß die Abschreibung der geleisteten Tilgungsbeträge vom Kapital nicht bei jeder Rate, sondern nur in bestimmten Abschnitten erfolgt. Darin liegt eine versteckte zusätzliche Verzinsung, weil sie zu einer kurzzeitigen Weiterverzinsung bereits getilgter Schuldbeträge führt. Der BGH hat deshalb Darlehensverträge mit Nichtkaufleuten für unwirksam erklärt, wenn die Tilgungsverrechnung gegen das Äquivalenzprinzip des § 9 AGB-Gesetz verstößt und der Kunde nicht auf die zinssteigernde Wirkung hingewiesen worden ist (NJW 1991, 889; 1992, 181, 1098, 1108).

985 **Die Laufzeit des Tilgungsdarlehens** bis zur völligen Tilgung wird nicht nur durch den Tilgungssatz, sondern auch durch den Zinssatz bestimmt. Je höher der Zinssatz, desto schneller die durch den Wegfall der Zinsen zuwachsende Tilgung. Die Laufzeit beträgt, gleichbleibenden Zinssatz vorausgesetzt, z. B.:

1 % Anfangstilgung	7 % Zinsen	Laufzeit = 30 Jahre 9 Monate
1 % Anfangstilgung	8 % Zinsen	Laufzeit = 28 Jahre 7 Monate
2 % Anfangstilgung	7 % Zinsen	Laufzeit = 22 Jahre 3 Monate
2 % Anfangstilgung	8 % Zinsen	Laufzeit = 20 Jahre 11 Monate;

beim Grundtypus des Bauspardarlehens:
7 % Anfangstilgung 5 % Zinsen Laufzeit = 11 Jahre 1 Monat.

986 **Die Versicherungshypothek mit Tilgungsdurchsetzung.** Eine besondere Form des Hypothekenkredits ist die Verbindung einer Festhypothek mit einer Lebensversicherung. Dies ist eine von Lebensversicherungsgesellschaften gewährte Form des Hypothekenkredits, bei der das Darlehen mit einem über die gleiche Summe abgeschlossenen Lebensversicherungsvertrag verbunden wird. Auf das Darlehen sind lediglich Zinsen, aber keine laufenden Tilgungsbeträge zu leisten. Statt dessen zahlt der Darlehensnehmer, der zugleich Versicherungsnehmer ist, monatlich Prämien auf den Lebensversicherungsvertrag. Die Tilgung erfolgt dann in einem Betrag, wenn die Versicherungssumme zur Auszahlung kommt, was in der Regel nach 30 Jahren der Fall ist. Zur Sicherung des Darlehens bestellt der Darlehensnehmer eine Hypothek oder Grundschuld für die Versicherungsgesellschaft und verpfändet ihr seinen künftigen Anspruch auf die Versicherungssumme.

Risikoschutz. Stirbt der Darlehensnehmer vor Ablauf der Vertragszeit, wird das Darlehen mit der fällig werdenden Lebensversicherungssumme getilgt, so daß den Erben lastenfreies Eigentum bleibt. Diesen Vorteil des Risikoschutzes muß der Versicherungsnehmer natürlich über die entsprechend kalkulierten Prämien bezahlen.

Auch **steuerlich** kann das Modell für den Darlehens- und Versicherungsnehmer interessant sein. Zu den Einschränkungen im betrieblichen Bereich s. jedoch § 10 II 2 EStG.

V. Die Erleichterung des Beurkundungsverfahrens bei Grundpfandrechten

987 In Verbindung mit der Bestellung von Grundpfandrechten wird von den Kreditinstituten vielfach die Abgabe von mehr oder weniger umfangreichen Erklärungen verlangt, die weder beurkundungsbedürftig sind noch zum Inhalt der Eintragungsbewilligung gehören. Meist handelt es sich dabei um Erklärungen des Eigentümers (Bestellers), gelegentlich auch des Kreditnehmers, z. B.:

- die Zweckbestimmung der Grundschuld (s. Rz. 1133)
- die Abtretung der Rückgewähransprüche gegen vorrangige Grundschuldgläubiger (s. Rz. 1148 und 1175)
- die Anrechnungsvereinbarung (Zahlung nur auf den Kredit, nicht auf die Grundschuld; s. Rz. 1161)
- die Pflicht zur Versicherung und Werterhaltung des Pfandobjekts
- Anzeigepflichten bei baulichen und rechtlichen Veränderungen.

988 **Eingeschränkte Vorlesungspflicht.** Die Aufnahme solcher Nebenpflichten hat die Hypotheken- und Grundschuldbestellungsformulare

der Kreditinstitute oft zu umfangreich gemacht und den Beurkundungsvorgang unangemessen belastet. Der Gesetzgeber hat daraus die Konsequenz gezogen und in § 14 BeurkG die Möglichkeit geschaffen, dieses Beiwerk in ein besonderes Schriftstück zu nehmen, das der Niederschrift als Anlage beigefügt wird. Die Unterwerfungserklärung muß jedoch in die Urkunde selbst aufgenommen werden. Die Anlage braucht nicht vorgelesen zu werden. Voraussetzung dafür ist, daß in der Niederschrift auf die Anlage verwiesen wird und alle Beteiligten auf das Vorlesen verzichten. Der Verzicht muß in der Urkunde festgestellt werden. Das Schriftstück soll jedoch den Beteiligten zur Durchsicht vorgelegt und von ihnen unterschrieben werden; in der Niederschrift soll vermerkt werden, daß die Vorlage erfolgt ist. Sind der Eigentümer (Grundschuldbesteller) und der Kreditnehmer verschiedene Personen und enthält die Anlage nur Erklärungen des Eigentümers, so genügt dessen Unterschrift. Eine Unterschrift des Notars unter der Anlage ist nicht erforderlich (s. HSS Rz. 2086–2089; Muster HSS Rz. 2069 f.).

989 **Die Verfahrenserleichterung des § 14 BeurkG soll das Beurkundungsverfahren praktikabel gestalten.** Es soll vermieden werden, daß durch das Vorlesen überlanger Vordrucke die Aufnahmefähigkeit der Beteiligten überfordert und dadurch das Verständnis des wesentlichen Inhalts der Urkunde verstellt wird. Die **Prüfungs- und Belehrungspflichten des Notars** gem. § 17 BeurkG erstrecken sich jedoch auch auf das Anlageschriftstück, so daß auch die darin enthaltenen Erklärungen ihrer Bedeutung entsprechend zu erörtern sind. In letzter Zeit wird jedoch von den Kreditgebern nur noch gelegentlich von dieser Konstruktion Gebrauch gemacht.

VI. Die Unterwerfung unter die sofortige Zwangsvollstreckung

Literaturhinweise: HSS Rz. 2036–2068; Magis, Die vollstreckbare notarielle Urkunde, MittRhNotK 1979, 111; Weirich, Die vollstreckbare Urkunde, Jura 1980, 630; Werner, Die Rechtsnatur der notariellen Unterwerfungsklausel, DNotZ 1969, 713; Wolfsteiner, Die vollstreckbare Urkunde, 1978; ders., Die Zwangsvollstreckung findet aus Urkunden statt, DNotZ 1990, 531; Wolpers, Die vollstreckbare Urkunde, Diss. Erlangen 1937; ders., Die vollstreckbare Urkunde als Mittel vorbeugender Rechtspflege, DNotZ 1938, 641

1. Die Unterwerfungserklärung

990 **Zweck: Sofortige Vollstreckbarkeit.** Gemäß § 794 I Nr. 5 ZPO kann sich der Schuldner in einer notariellen Urkunde, wenn sie „über einen Anspruch errichtet ist, der die Zahlung einer bestimmten Geldsumme

oder die Leistung einer bestimmten Menge anderer vertretbarer Sachen oder Wertpapiere zum Gegenstand hat", der sofortigen Zwangsvollstreckung aus der Urkunde unterwerfen. Diese Erklärung ist die Grundlage für einen vollstreckbaren Titel. Der darauf beruhende Vollstreckungstitel ist dem Leistungsurteil gleichgestellt; er hat prozeßersetzende Funktion (Wolpers). Mit seiner freiwillig abgegebenen Unterwerfungserklärung verzichtet der Schuldner auf sein Recht, der Vollstreckung erst nach einem gerichtlichen Verfahren ausgesetzt zu sein, und gibt dem Gläubiger einen unmittelbaren Anspruch auf Zwangsvollstreckung. „Sofortige" bedeutet also „ohne vorheriges gerichtliches Verfahren."

991 **In der täglichen Praxis des Notars und in der Kreditwirtschaft spielt die vollstreckbare Urkunde eine große Rolle.** Ein hochentwickeltes Wirtschaftssystem mit seinen notwendigerweise massenhaften Kreditgeschäften bedarf eines Instruments, das dem vorleistenden Gläubiger den raschen und möglichst unkomplizierten Zugriff auf Vermögenswerte des säumigen Schuldners ohne umständliche und langwierige Gerichtsverfahren ermöglicht. Durch die Unterwerfungserklärung des Schuldners erspart sich der Gläubiger, wenn eine Vollstreckung notwendig wird, die mit der Erwirkung eines Urteils gem. § 704 ZPO verbundene Arbeit, Zeitaufwendung und Kostenvorlage. Das Wissen um die Möglichkeit der sofortigen Vollstreckung fördert die Vertragstreue des Schuldners und damit auch die Bereitschaft des Gläubigers zur Vorleistung. Im Verhältnis zu der millionenfachen Verwendung der vollstreckbaren Urkunde kommt es deshalb verhältnismäßig selten zur tatsächlichen Vollstreckung. Damit erfüllt die vollstreckbare Urkunde in hervorragender Weise die Funktion, dem Rechts- und Wirtschaftsleben ein im Vergleich zum Prozeß- und Mahnverfahren einfaches, billiges und diskretes, vertrauensschaffendes Sicherungsmittel zur Verfügung zu stellen.

Aus diesen Gründen wird die Beurkundung eines Grundpfandrechts in der Regel mit einer Unterwerfungserklärung/Unterwerfungserklärungen verbunden. Zusätzliche Kosten entstehen dadurch nicht (§ 44 I KostO). Inhaltlich ist zu unterscheiden zwischen dinglichen und persönlichen Unterwerfungserklärungen. Dies wird nachstehend dargestellt (Rz. 994–1001).

2. Das Verfahren

992 **Die Unterwerfungserklärung bedarf der Beurkundung;** öffentliche Beglaubigung der Unterschrift reicht nicht aus. Zuständig für die Beurkundung einer Unterwerfungserklärung sind gem. § 794 I Nr. 5 ZPO die deutschen Notare. Die früher gegebene allgemeine Beurkundungszuständigkeit der Amtsgerichte ist durch § 56 IV BeurkG aufgehoben und

auf die in § 62 BeurkG angeführten Sonderfälle beschränkt. Das Beurkundungsverfahren richtet sich nach dem BeurkG (Beurkundung von Willenserklärungen, §§ 6ff.).

3. Der Bestimmtheitsgrundsatz

993 **Wird die Urkunde über einen Geldanspruch errichtet, so müssen die Höhe des Geldbetrages, der Zinsen, der etwaigen Nebenleistungen sowie der Fälligkeitszeitpunkt und die Fälligkeitsvoraussetzungen bestimmt sein** (Bestimmtheitsgrundsatz). Bestimmbarkeit genügt, wenn sich der zu vollstreckende Anspruch aus den in der Urkunde enthaltenen Angaben für das Vollstreckungsorgan (Vollstreckungsgericht oder Gerichtsvollzieher) mühelos berechnen läßt; das Vollstreckungsorgan soll zur Bestimmung der Forderung nur noch rechnen, nicht jedoch Recht bewerten müssen (BGH NJW 1983, 2262 = DNotZ 1983, 679; Baumbach/Lauterbach, ZPO, 53. Aufl. 1995, § 794 Rz. 20–35 m. zahlreichen Nachweisen). **Beispiele:** 12 % Zinsen seit Beurkundung (oder Eintragung); 5 % Zinsen p.a. über dem jeweiligen Diskontsatz der Bundesbank; Anpassung des geschuldeten Geldbetrages nach dem amtlich veröffentlichten Preisindex der Lebenshaltung. Nicht genügend bestimmbar: Bemessung nach einer bestimmten Gehaltsgruppe oder Pension (BGH NJW 1957, 23 = DNotZ 1957, 200). Bei schwer im voraus bestimmbarer Höhe der Forderung empfiehlt es sich deshalb, die Unterwerfungsklausel auf einen bezifferten Grundbetrag zu beschränken (LG Essen NJW 1972, 2050 = DNotZ 1973, 26 mit Anm. Pohlmann NJW 1973, 199).

4. Die dingliche Unterwerfungserklärung

994 **Duldungstitel.** Der Eigentümer kann sich wegen des Anspruchs aus einer Hypothek oder Grundschuld in der Weise der sofortigen Zwangsvollstreckung unterwerfen, daß er verpflichtet ist, die Vollstreckung in das belastete Grundstück zu dulden (§ 794 I Nr. 5 Satz 2 ZPO). Diese Unterwerfungserklärung schafft einen dinglichen Titel und berechtigt den Gläubiger, aus seiner Hypothek oder Grundschuld in das Grundstück zu vollstrecken. Dabei steht der Gläubiger in der Zwangsversteigerung oder Zwangsverwaltung gemäß § 10 Nr. 4 ZVG in der Rangklasse 4 (s. Rz. 573). In sonstige Vermögenswerte des Schuldners kann er mit dem dinglichen Titel nicht vollstrecken. Er wirkt jedoch nicht nur gegen den gegenwärtigen Eigentümer, sondern auch gegen seinen Gesamtrechtsnachfolger, z.B. den Erben. Wegen der Wirkung gegen einen Einzelrechtsnachfolger, z.B. Käufer oder Schenknehmer, s. Rz. 995.

995 **Die Vollstreckbarkeit gegen den jeweiligen Eigentümer.** Der Eigentümer kann sich in einer notariellen Urkunde über die Bestellung einer

Hypothek, Grundschuld oder Rentenschuld „der sofortigen Zwangsvollstreckung auch in der Weise unterwerfen, daß die Zwangsvollstrekkung aus der Urkunde gegen den jeweiligen Eigentümer des Grundstücks zulässig sein soll“ (§ 800 I ZPO). In diesem Fall bedarf die Unterwerfung der Eintragung im Grundbuch; Bezugnahme ist hier nicht ausreichend (§ 800 I 2 ZPO). Diese Regelung bedeutet im Falle einer Rechtsnachfolge auf Seiten des Eigentümers eine Verfahrenserleichterung für den Gläubiger. Zur Erteilung einer Vollstreckungsklausel gegen einen späteren Eigentümer bedarf es – als Sondervorschrift gegenüber § 325 ZPO – nicht der Zustellung der den Erwerb des Eigentums nachweisenden öffentlichen oder öffentlich beglaubigten Urkunde (§ 800 II ZPO).

5. Das persönliche Schuldversprechen/Schuldanerkenntnis mit Unterwerfungserklärung

996 **Die Beurkundung einer Hypothek oder Grundschuld wird in der Regel mit einem abstrakten Schuldversprechen oder Schuldanerkenntnis gem. §§ 780, 781 BGB verbunden.** Die beiden Begriffe sind inhaltlich identisch; sie unterscheiden sich nur im Wortlaut: „Ich verspreche zu zahlen“ – „Ich erkenne an, zu schulden.“ In den Formularen der Kreditinstitute wird häufig ungenau von der „Übernahme der persönlichen Haftung“ für den Eingang des Grundschuldbetrages nebst den Zinsen und Nebenleistungen gesprochen. „Haften“ ist aber nicht Schulden, sondern das Einstehenmüssen für die Schuld eines anderen. Tatsächlich handelt es sich um die Begründung eines selbständigen Schuldverhältnisses (s. Rz. 1001). Dabei unterwirft sich der Schuldner wegen des Anspruchs aus dem Schuldversprechen/ Schuldanerkenntnis gem. § 794 I Nr. 5 ZPO der sofortigen Zwangsvollstreckung aus der Urkunde in sein gesamtes Vermögen (persönliche Unterwerfung).

997 **Einseitige Erklärung.** Das Schuldversprechen ist ein Vertrag zwischen dem Versprechenden und dem Versprechensempfänger. Die Urkunde enthält jedoch regelmäßig nur die einseitige Erklärung des Versprechenden, nicht aber die Annahmeerklärung des Gläubigers. Sie ist das Angebot zum Abschluß des Vertrages, das der Gläubiger durch widerspruchslose Entgegennahme der vollstreckbaren Ausfertigung der Urkunde oder spätestens mit dem Antrag auf Erteilung einer vollstreckbaren Ausfertigung annimmt. Ein Zugang der Annahmeerklärung ist gemäß § 151 Satz 1 BGB entbehrlich.

998 **Die Unterwerfungserklärung schafft einen persönlichen Schuldtitel (= Zahlungstitel).** Er berechtigt den Gläubiger zur Zwangsvollstreckung in alle Vermögensgegenstände des Schuldners, d. h. in alle ihm gehörenden Grundstücke ebenso wie in sein bewegliches Vermögen, ohne vorheriges gerichtliches Verfahren. Dies ermöglicht dem Gläubiger den meist leichteren und schnelleren Zugriff auf Gegenstände des beweglichen Ver-

mögens, wie Wertgegenstände, Bank- und Sparguthaben, Wertpapiere, Lohn-und Gehaltsforderungen, als durch das aufwendige und langwierige Verfahren der Zwangsversteigerung eines Grundstücks; dies gilt insbesondere für kleine Forderungen, z.B. Zinsrückstände. Bei der Vollstreckung in Grundstücke steht der Gläubiger aus diesem Titel in der Rangklasse 5 gem. § 10 ZVG. Das bedeutet: Betreibt der Gläubiger die Zwangsversteigerung des Grundstücks aus einem persönlichen Schuldtitel, so gehen ihm alle dinglich gesicherten Gläubiger vor, deren Recht vor der zu seinen Gunsten erfolgten Beschlagnahme eingetragen wurde. Alle Gläubiger, deren Recht erst später eingetragen wurde oder die als persönliche Gläubiger dem Verfahren erst später beigetreten sind, gehen ihm jedoch nach (s. Rz. 568ff.). Diese Rangfolge ergibt sich aus § 10 I Nr. 4 („soweit sie nicht infolge der Beschlagnahme dem Gläubiger gegenüber unwirksam sind") i.V.m. §§ 20 I, 23 I 1 ZVG): Jede spätere rechtsgeschäftliche Verfügung über das Grundstück ist dem Beschlagnahme-Gläubiger gegenüber unwirksam.

999 **Das abstrakte Schuldversprechen/Schuldanerkenntnis führt zu einer Umkehrung der Beweislast.** Dies gilt für alle Umstände, die der Gläubiger sonst zum Nachweis des Bestehens und der Fälligkeit seiner Forderung darlegen und beweisen müßte. Die Umkehr der Beweislast ist für den Gläubiger vor allem zweckmäßig, wenn es sich um die Sicherung eines Kredits in laufender Rechnung (Kontokorrent) handelt. Geht der Gläubiger aus dem Schuldtitel vor, hat er nur die formgültige Erteilung des Versprechens zu beweisen, während es Sache des Schuldners ist, das etwaige Nichtbestehen oder die Nichtfälligkeit der Forderung im Wege der Vollstreckungsabwehrklage gemäß § 767 ZPO geltend zu machen und zu beweisen.

1000 **Der persönliche Schuldtitel wirkt auch gegen den allgemeinen Rechtsnachfolger des Schuldners,** d.h. gegen den Erben, nicht jedoch gegen einen Sondernachfolger in das Grundeigentum oder andere Vermögenswerte, nicht also z.B. gegen den Käufer, Übernehmer oder Schenknehmer. Zur Funktion und Verwendung des Schuldversprechens/Schuldanerkenntnisses i.V.m. der Hypothek und der Grundschuld s. Rz. 990–993 und 1182.

1001 **Das Schuldversprechen/Schuldanerkenntnis begründet eine selbständige Zahlungsverpflichtung.** In der Regel sichert es eine bestehende oder entstehende Kreditschuld. Dann wird es erfüllungshalber gegeben, d.h. es tritt neben die kausale Schuld (§ 364 II BGB). Die Selbständigkeit des Schuldversprechens/Schuldanerkenntnisses (Abstraktheit) hat zur Folge, daß der Gläubiger sich nur auf diesen Rechtsgrund zu berufen braucht, ohne das kausale Schuldverhältnis beweisen zu müssen (BGH NJW 1976, 567 = DNotZ 1976, 364). Damit wird dem Gläubiger die Durchsetzung seines Anspruchs erleichtert. Zum Schuldnerschutz s. Rz. 1012ff.

6. Die formellen Voraussetzungen der Zwangsvollstreckung

Literaturhinweise: HSS Rz. 2034–2089; Wolfsteiner Rz. 1.1, 48.1 ff.

Formale Voraussetzung jeder Zwangsvollstreckung sind: **a) Titel, b) Klausel, c) Zustellung.**

a) Zur Zwangsvollstreckung benötigt der Gläubiger einen vollstreckbaren Titel (§§ 704, 794 ZPO) und zwar:

1002 – **zur Zwangsvollstreckung aus einem Grundpfandrecht einen dinglichen Titel** (Duldungstitel); der gegen den Eigentümer gerichtete dingliche Vollstreckungstitel lautet nicht auf Zahlung einer Geldsumme, sondern auf „Duldung der Zwangsvollstreckung wegen der in der Hypothek genannten Geldsumme in das Grundstück" (s. Rz. 994)
– **zur Zwangsvollstreckung aus einer persönlichen Forderung,** z. B. aus einem Schuldversprechen oder Schuldanerkenntnis, **einen persönlichen Titel** (Zahlungstitel); er berechtigt zur Vollstreckung in das gesamte bewegliche und unbewegliche Vermögen des Schuldners.

Der Unterschied zwischen Duldungstitel und Zahlungstitel bei der Vollstreckung in den Grundbesitz ergibt sich aus § 10 ZVG:
– Wenn aus einem Duldungstitel vollstreckt wird, fallen nur die vorgehenden dinglichen Rechte in das geringste Gebot (§ 44 ZVG); die dem betreibenden Gläubiger nachstehenden dinglichen Rechte erlöschen gem. §§ 52, 91 ZVG mit dem Zuschlag
– Wenn aus einem Zahlungstitel vollstreckt wird, fallen alle dinglichen Gläubiger in das geringste Gebot, deren Rechte vor der Beschlagnahme entstanden sind (s. Rz. 575, 578).

Einen vollstreckbaren Titel erhält der Gläubiger u. a. durch rechtskräftiges oder vorläufig vollstreckbares Urteil (§ 704 I ZPO), gerichtlichen Vergleich (§ 794 I Nr. 1 ZPO), Vollstreckungsbescheid (§§ 794 I Nr. 4, 699, 700 ZPO), Unterwerfungserklärung in notarieller Urkunde (§ 794 I Nr. 5 ZPO). Gegenstand dieser Darstellung ist der notarielle Vollstreckungstitel.

b) Erteilung der Klausel

1003 Zur Zwangsvollstreckung aus einer notariellen Urkunde mit Unterwerfungserklärung ist die Erteilung einer mit der Vollstreckungsklausel versehenen Ausfertigung der Urkunde erforderlich (§§ 724 I, 795 ZPO). Sie bedeutet die Entscheidung über die Vollstreckbarkeit der Urkunde und ist eine Weisung an die Vollstreckungsorgane (Vollstreckungsgericht oder Gerichtsvollzieher), auf Antrag des Gläubigers die Vollstreckung durchzuführen. „Ausfertigung" ist eine Abschrift oder Kopie der Niederschrift

(Urschrift), mit allen zur Wirksamkeit des Rechtsgeschäfts erforderlichen Genehmigungen, die als Ausfertigung bezeichnet und mit einem Ausfertigungsvermerk des amtlichen Verwahrers der Urschrift versehen ist (§ 49 BeurkG). Sie soll auch die Bestätigung erhalten, daß die Ausfertigung mit der Urschrift übereinstimmt (§ 49 II BeurkG). Besteht die Ausfertigung aus mehreren Blättern, so sollen diese durch Schnur und das Prägesiegel verbunden werden (§ 44 BeurkG). Auszugsweise Ausfertigung der Urkunde ist zulässig, wenn sie den Anspruch hinreichend bezeichnet (§ 49 V BeurkG). Die vollstreckbare Ausfertigung (= Ausfertigung mit Vollstrekkungsklausel) wird durch den Notar erteilt, der die Urkunde verwahrt (§ 797 II ZPO). Die Vollstreckungsklausel ist gem. § 725 ZPO der Ausfertigung am Schluß beizufügen, vom Notar zu unterschreiben und mit seinem Siegel (Präge- oder Farbdrucksiegel = Gummistempel) zu versehen.

1004 **Auf der Urschrift der Urkunde ist zu vermerken, für wen und wann eine vollstreckbare Ausfertigung erteilt ist** (§§ 734, 795 ZPO). Zum Schutz des Schuldners vor Übervollstreckung darf der Notar eine weitere vollstreckbare Ausfertigung, z.B. bei Verlust der 1. Ausfertigung, erst erteilen, wenn er dazu durch einen besonderen Beschluß des Amtsgerichts ermächtigt ist (§§ 733, 797 III ZPO).

1005 **Nachweis der Voraussetzungen.** Eine Vollstreckungsklausel darf nur erteilt werden, wenn die Tatsachen nachgewiesen werden, die nach dem Inhalt der Unterwerfungserklärung zur Voraussetzung für die Vollstrekkung gemacht sind (§§ 726, 795 ZPO), z.B. Fälligkeit des Anspruchs nach dem Eintritt eines bestimmten Ereignisses. Die Formulare der Kreditinstitute enthalten jedoch in aller Regel die Erklärung des Schuldners, dem Gläubiger könne eine vollstreckbare Ausfertigung erteilt werden, „ohne Nachweis der Tatsachen, von denen eine Vollstreckbarkeit abhängt." In diesen Fällen hat der Notar keine Vollstreckbarkeitsbedingungen zu prüfen (BGH NJW 1981, 2756).

1006 **Änderungen der materiellen Rechtslage, die nach Beurkundung der Unterwerfungserklärung eingetreten sind, hat der Notar bei der Erteilung der vollstreckbaren Ausfertigung grundsätzlich nicht zu beachten,** weil diese den Bestand der prozessualen Unterwerfungserklärung nicht berühren (Wolfsteiner Rz. 35.14 m.w.N.). So ist z.B. der Einwand des Schuldners, die Zahlung sei zwischenzeitlich erbracht, vom Notar nicht zu beachten; hierfür steht dem Schuldner nur die Vollstreckungsabwehrklage gem. § 767 ZPO zur Verfügung (s. Rz. 1014). Wenn der Notar jedoch positiv weiß, daß der Anspruch nicht mehr besteht, z.B. bei Zahlung über Anderkonto des Notars, ist die Zwangsvollstreckung wegen fehlenden Rechtsschutzbedürfnisses unzulässig und eine Vollstreckungsklausel darf nicht mehr erteilt werden; bloße Zweifel oder Bedenken genügen jedoch nicht (str., vgl. Wolfsteiner Rz. 35.16–35.22 m.w.N.). Verweigert der Notar die Erteilung der Vollstreckungsklausel ist dagegen die Beschwerde zum Landgericht gem. § 54 BeurkG gegeben.

c) Zustellung

1007 Die Zwangsvollstreckung darf erst beginnen, nachdem der vollstreckbare Titel mit Vollstreckungsklausel dem Schuldner zugestellt ist (§§ 795, 750 II ZPO). Die Zustellung geschieht dadurch, daß der Gerichtsvollzieher dem Schuldner eine beglaubigte Abschrift (Kopie) der mit der Vollstreckungsklausel versehenen Ausfertigung übergibt. Bei der Vollstreckung aus einer notariellen Urkunde muß die Zustellung mindestens zwei Wochen vorher erfolgt sein (§§ 795, 798 ZPO). Der Tag der Zustellung wird dabei nicht mitgerechnet (§§ 187, 188 BGB). Wenn nach dem Inhalt der Unterwerfungserklärung die Klausel „ohne Nachweis der die Vollstreckbarkeit begründenden Tatsachen" erteilt werden darf, kann der Schuldner bei der Unterwerfung auf die Einhaltung der 2-Wochenfrist verzichten, weil er einer Schutzfrist für die Prüfung seiner Abwehrrechte gegen die Klauselerteilung nicht bedarf (vgl. Wolfsteiner Rz. 51.5). Die Zustellung selbst bleibt jedoch auch dann Vollstreckungsvoraussetzung.

7. Die Erteilung der Vollstreckungsklausel für und gegen Rechtsnachfolger

a) Die Vollstreckungsklausel kann auch für den Rechtsnachfolger des Gläubigers erteilt werden (§§ 727, 795 ZPO)

1008 Rechtsnachfolge i. S. des § 727 ZPO sind sowohl die Sondernachfolge (Hauptfall: Abtretung gem. § 398 BGB), als auch die Gesamtrechtsnachfolge, z. B. Erbfolge (§ 1922 BGB), Vermögensübernahme (§ 311 BGB), Vereinbarung der Gütergemeinschaft (§§ 1415, 1416 BGB), Testamentsvollstreckung über den Nachlaß des Gläubigers (§§ 2197 BGB, 749 ZPO). Bei notariellen Urkunden wird die Vollstreckungsklausel für den Rechtsnachfolger durch den Notar erteilt, der die Urkunde verwahrt (§ 797 II ZPO).

1009 **Die Rechtsnachfolge muß offenkundig sein oder durch öffentliche oder öffentlich beglaubigte Urkunde nachgewiesen werden** (§ 727 ZPO). Offenkundig ist die Rechtsnachfolge, wenn sie sich aus einem öffentlichen Register, z. B. aus dem Grundbuch oder dem Handelsregister ergibt. Zum Urkundennachweis geeignet sind z. B. Erbschein, beurkundete oder beglaubigte Abtretungserklärung. Die Offenkundigkeit oder der Nachweis ist in der Vollstreckungsklausel festzustellen (§ 727 II ZPO). **Beispiele:** „Die Rechtsnachfolge des Gläubigers ergibt sich aus der Eintragung im Grundbuch von . . . ." oder: „. . . . ist durch Vorlage der Abtretungserklärung vom . . . . UR.Nr. . . . . des Notars . . . . in . . . . nachgewiesen." Ist -wie meist in der Praxis- bereits dem ursprünglichen Gläubiger eine vollstreckbare Ausfertigung erteilt, kann sie auf den Rechtsnachfolger umgeschrieben werden (näheres s. Wolfsteiner Rz. 37.1–37.21).

Getrennte Prüfung der Titel. Ist bei einer vollstreckbaren Grundschuld nur die Grundschuld abgetreten, kann auch nur der dingliche Titel umgeschrieben werden. Enthält die Grundschuldbestellungsurkunde auch ein Schuldversprechen/Schuldanerkenntnis mit Unterwerfungsklausel, kann der Schuldtitel nur umgeschrieben werden, wenn auch der sich daraus ergebende Anspruch abgetreten ist. Es ist deshalb zweckmäßig, daß bei Abtretungen auch dieser Anspruch mit abgetreten wird, insbesondere auch deshalb, weil es sonst zwei Vollstreckungsgläubiger geben würde. 1010

b) Die Vollstreckungsklausel kann auch gegen den Rechtsnachfolger des Schuldners erteilt werden (§§ 727, 795 ZPO)

In Fällen der allgemeinen Rechtsnachfolge, z.B. bei Erbfolge (§ 1922 BGB), Vermögensübernahme (§ 311 BGB), Übernahme eines Handelsgeschäfts unter Fortführung der bisherigen Firma (§ 25 I 1, II HGB), Vereinbarung der Gütergemeinschaft (§ 1415 BGB), richtet sich die Erteilung der Vollstreckungsklausel nach §§ 727ff., 795 ZPO. Auch hier muß die Rechtsnachfolge offenkundig sein oder durch öffentliche oder öffentlich beglaubigte Urkunde nachgewiesen werden, was in der Vollstreckungsklausel festzustellen ist. Entsprechend wird verfahren, wenn eine bereits gegen den ursprünglichen Eigentümer erteilte Vollstreckungsklausel gegen den Rechtsnachfolger umzuschreiben ist. In den Fällen der Sondernachfolge ist bei Grundpfandrechten die Erteilung einer Vollstreckungsklausel unter den Voraussetzungen des § 800 ZPO möglich (vgl. Rz. 995). 1011

Rechtsnachfolge bei Schuldübernahme. Eine befreiende Schuldübernahme gemäß §§ 414ff. BGB genügt nach h.M. nicht zum Nachweis der Rechtsnachfolge auf der Schuldnerseite (BGHZ 61, 140; a.A. Wolfsteiner 38.12; 43.24 und DNotZ 1968, 392 m.w. Literaturhinweisen). In der praktischen Gestaltung einer Schuldübernahme, z.B. in einem Kaufvertrag, ist es deshalb üblich und zweckmäßig, daß der Übernehmer wegen der persönlichen Zahlungsverpflichtung erneut die Unterwerfung unter die sofortige Zwangsvollstreckung erklärt.

8. Die Abwehrrechte des Schuldners

Der Schuldner ist gegen die erteilte Vollstreckungsklausel nicht schutzlos:

Bei inhaltlichen oder formalen Mängeln der Vollstreckungsklausel kann der Schuldner Einwendungen gegen die Zulässigkeit der Vollstreckungsklausel erheben (sog. Klauselerinnerung; §§ 732, 795 ZPO). **Bei-** 1012

spiele: Unwirksamkeit der Unterwerfungserklärung, z.B. wegen mangelnder Bestimmtheit des Anspruchs, fehlendem Nachweis der Rechtsnachfolge, Erteilung der Klausel durch einen unzuständigen Notar. Über die Einwendungen entscheidet das Amtsgericht (Richtersache), in dessen Bezirk der Notar seinen Amtssitz hat (§ 797 III ZPO).

1013 **Mängel beim Verfahren des Vollstreckungsorgans** kann der Schuldner durch Erinnerung gegen „die Art und Weise der Zwangsvollstreckung oder das vom Gerichtsvollzieher bei ihr zu beachtende Verfahren" geltend machen (§ 766 ZPO). **Beispiele:** Mängel der Zustellung, fehlerhafte Umrechnung des Anspruchs aufgrund einer Wertsicherungsklausel, Überpfändung, Pfändung unpfändbarer Gegenstände, fehlerhafte Berechnung der Vollstreckungskosten, Verstoß gegen Art. 13 GG (Unverletzlichkeit der Wohnung). Zuständig für die Entscheidung ist gem. § 764 ZPO das Vollstreckungsgericht (Richtersache).

1014 **Einreden und Einwendungen gegen den vollstreckbar gestellten Anspruch kann der Schuldner im Wege der Vollstreckungsabwehrklage geltend machen** (§ 767 ZPO). Sie richtet sich gegen den Gläubiger. Ihr Ziel ist die Aufhebung der Vollstreckungsklausel. Wenn aus einem Urteil vollstreckt wird, können mit der Vollstreckungsabwehrklage nur solche Umstände geltend gemacht werden, die erst nach der letzten mündlichen Tatsachenverhandlung des Vorprozesses entstanden sind (§ 767 II ZPO). Für die vollstreckbare notarielle Urkunde gilt diese zeitliche Begrenzung nicht, weil bei ihr keine Rechtskraft gegeben ist; der Schuldner kann deshalb alle Einreden und Einwendungen aus dem kausalen Schuldverhältnis und aus dem Bestellungsakt entgegenhalten, auch solche, die bereits vor der Beurkundung entstanden sind (§ 797 IV ZPO). **Beispiele:** Zurückbehaltungsrecht, Stundung, Verjährung, Erfüllung, Aufrechnung, Erlaß, Verzicht, Vergleich. ER hat dafür aber die Beweislast = Umkehrung der Beweislast (RGZ 74, 142). Dies verstößt nicht gegen § 11 Nr. 15 AGB-Gesetz, weil Schuldversprechen und Schuldanerkenntnis gesetzlich anerkannte Rechtsinstitute sind (OLG Stuttgart NJW 1979, 222 = DNotZ 1979, 21). Ist der kausale Schuldgrund weggefallen und der Gläubiger um das Schuldversprechen/Schuldanerkenntis ungerechtfertigt bereichert, kann der Schuldner es gem. § 812 BGB zurückfordern. Sind die Einwendungen oder Einreden glaubhaft gemacht, wird dies in der Regel zur einstweiligen Einstellung des Vollstreckungsverfahrens führen, eventuell gegen Sicherheitsleistung des Schuldners (§ 769 ZPO).

Zuständig für die Vollstreckungsabwehrklage ist das Gericht des Wohnsitzes des Schuldners (§§ 797 V, 13 ZPO). Hat sich der Eigentümer der sofortigen Zwangsvollstreckung gegen den jeweiligen Eigentümer unterworfen, ist jedoch das Gericht zuständig, in dessen Bezirk das Grundstück belegen ist (§ 800 III ZPO).

VII. Der gesetzliche Löschungsanspruch und die Löschungsvormerkung

Literaturhinweise: HSS Rz. 2595–2638; Jerschke, Löschungsansprüche gegenüber Grundpfandrechten nach neuem Recht, DNotZ 1977, 708 und 1978, 65; MünchKomm-Eickmann, Kommentierung zu §§ 1179–1179 b; Weirich, Der gesetzliche Löschungsanspruch und die Löschungsvormerkung, Jura 1980, 127

1. Der Löschungsanspruch nachrangiger Grundpfandrechtsgläubiger

1015 **Zweck: Rangverbesserung.** Wegen der Auswirkungen des Ranges in einer Zwangsversteigerung sind die Inhaber von eingetragenen Rechten daran interessiert, einen möglichst günstigen Rang zu haben oder durch späteres Aufrücken zu erhalten (s. Rz. 338–352). Dem hat der Gesetzgeber durch die Reform von 1977 Rechnung getragen. Dabei wurde § 1179 BGB neu gefaßt und es wurden die §§ 1179 a und b neu eingefügt.

1016 **Bedingter Löschungsanspruch.** Nach § 1179 a kann der Gläubiger einer Hypothek vom Eigentümer verlangen, daß dieser eine vorrangige oder gleichrangige Hypothek löschen läßt, wenn und soweit sich diese mit dem Eigentum in einer Person vereinigt (Vereinigungslage). Gemäß § 1192 BGB gilt dies entsprechend für Grundschulden. Dieser Anspruch (LöA) steht dem jeweiligen Inhaber des begünstigten Grundpfandrechts zu. Da es sich um einen „Anspruch" handelt („kann"), steht die Geltendmachung im Ermessen jedes nachrangigen Gläubigers (§ 1179 a I 1 BGB). Dogmatisch handelt es sich, auch wenn das Gesetz von „Löschung" spricht, um einen Anspruch auf Aufhebung des Rechts i. S. des § 875 BGB. Da der Anspruch zum Inhalt des begünstigten Rechts gehört, wird er nicht im Grundbuch eingetragen und ist auch nicht selbständig abtretbar.

1017 **Der LöA besteht für alle Fälle der Vereinigung von Eigentum und Grundpfandrecht,** also auch dann, wenn die Vereinigung im Zeitpunkt der Eintragung des nachrangigen Grundpfandrechts bereits bestand. Das Entstehen der Hypothek soll aber nicht verhindert werden. Der LöA ist deshalb noch nicht gegeben, solange die bestellte Hypothek vor der Valutierung noch gemäß § 1163 I 1 BGB dem Eigentümer als auflösend bedingte Eigentümergrundschuld zusteht; er entsteht erst, wenn feststeht, daß das Eigentümerrecht ein endgültiges geworden ist, d. h. wenn das zu sichernde Kreditverhältnis nicht zustande kommt und deshalb die zu sichernde Forderung und damit die Hypothek „nicht mehr entstehen wird" (§ 1179 a II 1 BGB).

Der LöA gilt auch im Falle eines Rangrücktritts (§ 1179 a IV). Tritt ein nach dem 31. 12. 1977 begründetes Grundpfandrecht im Range hinter ein anderes Grundpfandrecht zurück, so erwirbt es gegen das vortretende Recht einen LöA, der sich auf alle bereits bestehenden oder künftig eintretenden Vereinigungslagen erstreckt.

2. Die Wirkung

1018 **Der LöA gibt dem nachrangigen Grundpfandrechtsgläubiger die Chance, im Rang aufzurücken.** Wird aufgrund des geltend gemachten Anspruchs das vorgehende Recht gelöscht, so tritt eine Rangverbesserung aller nachrangigen Grundpfandrechte ein. Auch der Wegfall eines gleichrangigen Rechts bewirkt für den verbleibenden Gläubiger eine Verbesserung seines Ranges, weil er einen möglicherweise zur vollen Befriedigung beider Gläubiger nicht ausreichenden Versteigerungserlös nicht mehr mit dem anderen Gläubiger teilen muß.

Für Zwangshypotheken sieht das Gesetz keine Sonderregelung vor. Der gesetzliche LöA steht deshalb auch dem Gläubiger einer Zwangshypothek zu. Dadurch wird die „Jagd nach der verdeckten Eigentümergrundschuld" (H. Westermann) überflüssig. Dem Gläubiger einer (ja nur vorläufig sichernden) Arresthypothek steht der LöA dagegen nicht zu (§ 932 I 2 ZPO; kritisch dazu MünchKomm-Eickmann § 1179a Rz. 14).

3. Die Vormerkungswirkung des Löschungsanspruchs

1019 **Zur Sicherung des LöA fingiert das Gesetz eine Vormerkung** (§§ 1179a I 3, 883 II). Sie hindert, ebenso wie eine nach § 883 BGB eingetragene Vormerkung, weder die Entstehung einer Eigentümergrundschuld noch die Verfügung des Eigentümers über eine entstandene Eigentümergrundschuld. Verfügungen des Eigentümers, die den LöA beeinträchtigen oder vereiteln würden, sind aber dem Berechtigten gegenüber unwirksam. Der gesetzliche LöA schützt also den Berechtigten z. B. gegen die Abtretung oder Belastung einer Eigentümergrundschuld, gegen eine Forderungsauswechslung, Umwandlung einer Hypothek in eine (abstrakte) Grundschuld, die wiederholte Abtretung einer Eigentümergrundschuld (s. dazu Rz. 1202). Hat z. B. der Eigentümer die zur Eigentümergrundschuld gewordene Hypothek oder Grundschuld an einen Dritten abgetreten und damit vormerkungswidrig verfügt, so kann der Berechtigte vom Eigentümer die Aufhebung und vom Zessionar die Zustimmung zur Aufhebung des Rechts gemäß §§ 883 II, 888 I BGB verlangen. Da für den LöA eine Vormerkung als eingetragen fingiert wird, ist ein gutgläubiger Erwerb des Zessionars vom Eigentümer ausgeschlossen.

4. Der Löschungsanspruch in der Zwangsversteigerung

1020 **Der LöA wirkt in der Zwangsversteigerung auch dann, wenn das vorgehende Eigentümerrecht noch nicht gelöscht ist.** Er wird aber, da es sich um einen „Anspruch" handelt, nicht von Amts wegen, sondern nur auf Anmeldung beachtet. Bezüglich der Wirkung muß man unterscheiden:

a) **Stehen beide Rechte im geringsten Gebot** und bleiben sie deshalb beim Zuschlag bestehen, so wirkt sich der LöA nicht aus.

b) **Fallen beide Rechte nicht in das geringste Gebot** und erlöschen sie deshalb durch den Zuschlag gemäß §§ 52 I 2, 91 ZVG, wird der Berechtigte des begünstigten Grundpfandrechts im Verteilungsverfahren so gestellt, als ob das Eigentümerrecht schon vor dem Zuschlag gelöscht worden wäre: Er hat den Anspruch auf den Erlösanteil, der auf das Eigentümerrecht entfällt (BGH NJW 1958, 21 = DNotZ 1958, 144).

c) **Kompliziert ist die Regelung, wenn das vorrangige Eigentümerrecht ins geringste Gebot fällt und demzufolge bestehen bleibt, das begünstigte nachrangige Grundpfandrecht aber erlischt** (§§ 52 I, 91 I ZVG). Mit der Löschung entfällt die Vormerkungswirkung (§ 1179a I 3 BGB). Wird der LöA bereits im Verteilungstermin geltend gemacht, hat der Ersteher eine Zuzahlung zu leisten (§§ 50 I, 125 I ZVG). Kommt es dazu nicht, kann der Gläubiger des erloschenen Grundpfandrechts im Verteilungstermin beantragen, daß im Grundbuch eine Löschungsvormerkung zu seinen Gunsten eingetragen wird (§ 130a II ZVG). Wird das zunächst stehengebliebene Eigentümerrecht später gelöscht, ist der Ersteher um den Betrag bereichert, mit dem das Recht im geringsten Gebot berücksichtigt worden ist, und zu einer Zuzahlung auf das Bargebot an den nächstberechtigten Gläubiger verpflichtet (§ 50 II Nr. 1 ZVG).

5. Das Entstehen von Splitterrechten

1021 **Da der LöA zum gesetzlichen Inhalt des Grundpfandrechts gehört, sind Gläubiger des Anspruchs der jeweilige Inhaber des begünstigten Grundpfandrechts und Schuldner der jeweilige Eigentümer des Grundstücks.** Hat der Grundstückseigentümer während des Bestehens des belasteten Grundpfandrechts gewechselt, kann es zur Entstehung von „Splitterrechten" kommen. In diesen Fällen richtet sich der LöA gegen jeden Eigentümer wegen der aus der Zeit seines Eigentums (noch) bestehenden Vereinigungslagen (§ 1179a I 1 und 2 BGB). Zur Vermeidung dieser sehr unzweckmäßigen Splitterrechte ist dringend zu empfehlen, bei Grundstücksübertragungen auch solche etwaigen Eigentümergrundschulden auf den Erwerber mitzuübertragen (s. jedoch auch Rz. 1023 a. E.).

6. Der vertragliche Ausschluß des Löschungsanspruchs

1022 **Es kann zweckmäßig sein, ein vom gesetzlichen LöA nachrangiger Gläubiger freies Grundpfandrecht zu haben.** Der gesetzliche LöA kann deshalb durch Vereinbarung zwischen dem Eigentümer und dem Gläubiger eines nachrangigen Grundpfandrechts ausgeschlossen werden (§ 1179 a V BGB; s. auch Rz. 1202). Dieser Ausschluß bedarf der Eintragung bei dem nachrangigen Grundpfandrecht, das ganz oder teilweise ohne den LöA bleiben soll. Wird der Ausschluß gleichzeitig mit dem Grundpfandrecht eingetragen, so genügt verfahrensrechtlich die einseitige Erklärung des Eigentümers in der Bestellungsurkunde. Soll der Ausschluß erst nachträglich eingetragen werden, handelt es sich um eine inhaltsändernde Vereinbarung i. S. des § 877 BGB; in diesem Fall ist die Bewilligung des betroffenen nachrangigen Gläubigers erforderlich (§§ 19, 29 GBO).

7. Der Anspruch des Gläubigers auf Löschung des eigenen Rechts

1023 **Der Gläubiger eines Grundpfandrechts hat nicht nur den Anspruch auf Löschung vorgehender oder gleichstehender Grundpfandrechte, sondern auch auf Löschung seines eigenen Rechts** (§ 1179 b BGB). Mit diesem besonderen LöA wollte der Gesetzgeber die früher sehr verbreitete Löschungsvormerkung (LöV) beim eigenen Recht überflüssig machen. Hier geht es nicht um die Verbesserung des Ranges, sondern darum, daß der Gläubiger nach endgültiger Abwicklung des Kreditverhältnisses von dem Eigentümer verlangen kann, daß das Grundpfandrecht gelöscht wird. Er hat daran u. U. ein Interesse, weil er seine Akten abschließen möchte. Außerdem gibt ihm dieser LöA die Möglichkeit, über den insgesamt getilgten Betrag eine abstrakte Löschungsbewilligung zu erteilen. Er braucht dann nicht zu prüfen, ob bezüglich der entstandenen Eigentümergrundschuld durch einen Eigentümerwechsel oder Abtretung eines Teileigentümerrechts oder durch Pfändung Rechte anderer Personen (Splitterrechte) entstanden sind. Dadurch vermeidet er, sich bei unrichtiger Ausstellung einer Löschungsbewilligung oder löschungsfähigen Quittung etwaigen Regreßansprüchen auszusetzen.

8. Die beschränkte Wirkung gegen vorgehende Grundschulden

a) Folgen aus der Abstraktheit der Grundschuld

1024 **In der Praxis der Kreditsicherung hat heute die (abstrakte) Grundschuld die (akzessorische) Hypothek weitgehend verdrängt** (s. Rz. 1118). Die Grundschuld entsteht und besteht unabhängig von der zu sichernden Forderung, insbesondere verwandelt sie sich nicht gemäß § 1163 I 2 BGB durch Tilgung der Forderung in eine Eigentümergrundschuld, sondern bleibt eine Fremdgrundschuld. Eigentümergrundschuld wird sie nur in den besonderen Fällen, wenn der Eigentümer „auf die Grundschuld" zahlt (s. Rz. 1160–1162). **Dadurch ergibt sich eine sehr wesentliche Einschränkung der effektiven Wirkung des LöA:** Bei Zahlung auf den gesicherten Kredit kommt der Anspruch des § 1179a BGB nicht zum Zuge. Der Gesetzgeber von 1977 wollte jedoch die gesetzliche Neuregelung unter möglichster Schonung des bestehenden Systems der Grundpfandrechte vornehmen und war deshalb nicht zu einer durchgreifenden Lösung auch bei der Grundschuld bereit.

b) Die Abtretung der Ansprüche aus dem Sicherungsvertrag

1025 **Wegen der sehr eingeschränkten Wirkung des gesetzlichen LöA gegen vorgehende Grundschulden hat die Kreditpraxis die Abtretung der Nebenrechte aus dem Sicherungsvertrag entwickelt.** Kern dieses im Detail sehr komplizierten Beziehungsgeflechts ist die Abtretung des Rückgewähranspruchs. Der Eigentümer hat aus dem Sicherungsvertrag mit dem vorrangigen Grundschuldgläubiger den (bedingten) Anspruch auf Rückgewähr der Grundschuld, wenn sie nicht mehr als Sicherheit benötigt wird. Diesen Anspruch mit den ergänzenden Nebenrechten tritt der Eigentümer bei der Bestellung eines nachrangigen Grundpfandrechts an den neuen nachrangigen Gläubiger ab. Diese Abtretung der Ansprüche aus dem Sicherungsvertrag ist heute allgemein üblich. Zum Umfang und der Wirkung der Abtretung der Rückgewähransprüche s. Rz. 1174–1181.

c) Die Sonderregelung für die ursprüngliche Eigentümergrundschuld

1026 Der Eigentümer kann gemäß § 1196 BGB eine Grundschuld für sich bestellen (sog. ursprüngliche Eigentümergrundschuld). Dies geschieht häufig zum Zwecke der Zwischenfinanzierung oder zur verdeckten Kreditaufnahme (s. Rz. 695–697). Um diese Funktionsfähigkeit zu erhalten, mußte der Gesetzgeber für die ursprüngliche Eigentümergrundschuld eine Sonderregelung treffen. Sie wird gemäß dem neugeschaffenen Absatz III des § 1196 BGB erst dann dem gesetzlichen LöA des nachrangigen Gläubigers ausgesetzt, wenn sie bereits einmal abgetreten und dadurch Fremdrecht geworden war und anschließend durch Rückübertragung wieder Eigentümergrundschuld wird. Erst ein Zweitzessionar ist also der Löschungsverpflichtung unterworfen. Zur Problematik dieser Konstruktion s. Rz. 1202.

9. Die Löschungsvormerkung für andere Berechtigte

1027 Der gesetzliche LöA besteht nur für Gläubiger gleichrangiger oder nachfolgender Grundpfandrechte. Der Gesetzgeber hat aber anerkannt, daß auch andere Personen als Grundpfandgläubiger ein berechtigtes In-

teresse an der Löschung eines vorgehenden Grundpfandrechts haben können. Der Kreis der Berechtigten ist jedoch beschränkt. Gemäß § 1179 BGB kann eine LöV (richtig: Aufhebungsvormerkung) im Grundbuch eingetragen werden:
- für Inhaber eines gleichrangigen oder nachrangigen Rechts am Grundstück, das kein Grundpfandrecht ist, z.B. für die Inhaber von Nießbrauchsrechten, Wohnungsrechten, Reallasten usw. (§ 1179 Nr. 1 BGB)
- für Inhaber eines Anspruchs auf Einräumung eines solchen Rechts oder auf Übertragung des Eigentums am Grundstück (§ 1179 Nr. 2 BGB).

Beispiel aus der Vertragspraxis: Der Inhaber eines im Range zurücktretenden Nießbrauchsrechts, Wohnungsrechts oder Altenteilsrechts will sicherstellen, daß die vortretende Umbau-Hypothek nach Abtragung des Darlehens gelöscht und damit die Gefährdung seines Rechts beseitigt wird.

1028 **Wirkung.** Die LöV sichert die vom Eigentümer gegenüber dem Berechtigten eingegangene Verpflichtung, die vorgehende Hypothek oder Grundschuld löschen zu lassen, wenn und soweit sie sich mit dem Eigentum in einer Person vereinigt. Die Eintragung der LöV erfolgt auf Bewilligung des Eigentümers. Die **Drittwirkung** dieser LöV ergibt sich aus §§ 883 II, 888 I BGB. Sie schützt den Berechtigten gegen eine Abtretung oder Belastung der Eigentümergrundschuld sowie gegen Forderungsauswechslung und Umwandlung gemäß §§ 1180, 1186, 1198 BGB. Sie schützt aber nicht -weil sich der Löschungsanspruch nur gegen den Eigentümer richtet- gegen Verfügungen des Hypothekengläubigers zugunsten eines gutgläubigen Zessionars (MünchKomm-Eickmann § 1179 Rz. 34 m.w.N.).

1029 **In der Zwangsversteigerung des Grundstücks** wird der Berechtigte, wenn er seinen Anspruch im Verteilungsverfahren geltend macht, so gestellt, als ob das Eigentümerrecht nicht bestehe; er erhält den Erlösanteil, der auf das Eigentümerrecht entfällt (Einzelheiten, insbesondere zur Rechtslage beim Bestehen von Zwischenrechten, s. MünchKomm-Eickmann § 1179 Rz. 35 ff.).

1030 **Geringe Bedeutung.** Von der Möglichkeit, eine LöV gemäß § 1179 BGB zu bestellen, wird in der Praxis wenig Gebrauch gemacht, insbesondere wohl deshalb, weil die vorgehenden Grundpfandrechte fast immer Grundschulden sind, bei denen die Wirkung der LöV sehr beschränkt ist.

VIII. Die Grundpfandrechte im Insolvenzverfahren

Allgemeines. Durch die am 1. Januar 1999 in Kraft tretende Insolvenzordnung (InsO) werden die Konkursordnung, die Vergleichsordnung und die in den neuen Bundesländern bestehende Gesamtvollstreckungsordnung aufgehoben (BGBl. 1994 I 2866). Zweck des Verfahrens ist, die Gläubiger eines Schuldners gemeinschaftlich zu befriedigen und dabei nach Möglichkeit durch einen Insolvenzplan Voraussetzungen dafür zu schaffen, daß das Unternehmen weitergeführt werden kann. Dadurch ergeben sich auch Konsequenzen für die Sicherungswirkung von Grundpfandrechten. **1031**

Abgesonderte Befriedigung. Gemäß § 50 InsO sind die Gläubiger von Pfandrechten zur abgesonderten Befriedigung aus dem Pfandgegenstand berechtigt. Dies entspricht im Grundsatz der Regelung in §§ 4, 47 ff. KO. Ist im Insolvenzplan nichts anderes bestimmt, werden die Rechte der absonderungsberechtigten Gläubiger vom Plan nicht berührt (§ 223 I InsO). Im Plan kann jedoch eine abweichende Regelung getroffen werden. Dabei ist anzugeben, um welchen Bruchteil die Rechte gekürzt, gestundet oder sonstigen Regelungen unterworfen werden (§ 223 II InsO). Zur Durchführung des Insolvenzplans können Rechte an Gegenständen begründet, geändert, übertragen oder aufgehoben werden (§ 228 InsO). **1032**

Verfahren. Soll durch den Insolvenzplan in die Rechte von absonderungsberechtigten Gläubigern eingegriffen werden, bilden sie eine eigene Gruppe (§ 222 I Nr. 1 InsO). Dabei sind für alle in der gleichen Gruppe gleiche Rechte anzubieten; eine unterschiedliche Behandlung innerhalb der Gruppe ist nur mit Zustimmung aller Betroffenen zulässig (§ 226 InsO). Die Rechte der absonderungsberechtigten Gläubiger sind im einzelnen im Termin zu erörtern (§ 238 InsO). Zur Annahme des Insolvenzplans durch die Gläubiger ist erforderlich, daß in jeder Gruppe die Mehrheit zustimmt und die Summe der Ansprüche der zustimmenden Gläubiger mehr als die Hälfte der Summe der Ansprüche aller abstimmenden Gläubiger beträgt (§ 244 I InsO). **1033**

Praktisch bedeuten diese Regelungen, daß Grundpfandrechte zwar auch im Insolvenzverfahren weiterhin eine bevorzugte Rangstellung einnehmen, zukünftig aber durch einen Insolvenzplan auch Forderungen verkürzt werden können, die durch Grundpfandrechte gesichert sind.

§ 22. Die Hypothek

Literaturhinweise: Baur/Stürner, Lehrbuch des Sachenrechts, 16. Aufl. 1992, §§ 37–43; HSS Rz. 1911–2276; Klaus Müller, Sachenrecht, Rz. 1514–1940;

I. Der Pfandrechtscharakter der Hypothek

1. Schuld und Haftung

1034 **Die Hypothek ist ein Pfandrecht an einem Grundstück zur Sicherung einer bestimmten Geldforderung** (§ 1113 BGB). Sie gibt dem Gläubiger bei der Pfandreife, d.h. bei der Fälligkeit der gesicherten Forderung, ein dingliches Verwertungsrecht, d.h. ein Recht zur Zwangsversteigerung und/oder zur Zwangsverwaltung des Grundstücks nach den Regeln des ZVG (s. Rz. 964).

1035 **Begrifflich sind klar zu unterscheiden: Schuld und Haftung.** Die Hypothek ist ein Pfandrecht, keine Forderung. Der Hypothekengläubiger kann nicht kraft der Hypothek von dem Eigentümer des Grundstücks Zahlungen verlangen, sondern der Eigentümer ist nur -wenn die Forderung durch den Schuldner nicht bezahlt wird- verpflichtet, die Zwangsvollstreckung aus dem Grundpfandrecht in das Grundstück zu dulden, § 1147 BGB (RGZ 93, 234). Zwischen dem Gläubiger und dem Schuldner, der auf seinem Grundstück eine Hypothek bestellt hat, bestehen also zwei Rechtsbeziehungen:

- **Der Anspruch auf Zahlung einer Geldsumme,** z.B. aus Darlehen gem. § 607 BGB oder aus einem abstrakten Schuldversprechen/ Schuldanerkenntnis gem. §§ 780, 781 BGB oder aus einem Kontokorrentkreditvertrag; für dieses Rechtsverhältnis gilt das Schuldrecht
- **Die Hypothek als Verwertungsrecht** (§§ 1113, 1147 BGB); dieses Rechtsverhältnis richtet sich nach dem Sachenrecht.

1036 **Die praktische Bedeutung dieses Unterschieds zeigt sich, wenn persönlicher Schuldner und Eigentümer verschiedene Personen sind. Beispiel:** Der Ehemann nimmt einen Kredit bei der Bank auf. Die Ehefrau bestellt zur Sicherung des Kredits eine Hypothek an ihrem Grundstück. Er ist der persönliche Schuldner, sie Hypothekenschuldnerin. Kommt der Ehemann seinen Zahlungspflichten aus dem Kreditvertrag nicht nach, haftet die Ehefrau mit dem Grundstück, d.h. sie muß wegen der Forderung die Zwangsvollstreckung in das Grundstück dulden.

Den vollstreckungsrechtlichen Unterschied zwischen der persönlichen Schuld des Kreditnehmers und der dinglichen Haftung des Hypothekenschuldners zeigt das nachfolgende Schema:

Gläubiger:
- → Darlehensforderung gegen den Ehemann: Vollstreckung in das gesamte Vermögen des Schuldners möglich (§ 607 BGB)
- → Hypothek am Grundstück der Ehefrau: Vollstrekkung nur in das haftende Grundstück möglich (§§ 1113, 1147 BGB).

Unterschied zur Bürgschaft: Auch der Bürge haftet für eine fremde Schuld, aber mit seinem ganzen Vermögen (§ 765 BGB), der Hypothekenschuldner nur mit dem belasteten Grundstück.

2. Die Bindung an den Schuldgrund

1037 **Das Entstehen und Bestehen der Hypothek setzt eine Forderung voraus.** Die Hypothek entsteht nur, wenn die zu sichernde Forderung entstanden ist, und sie besteht nur solange, wie die Forderung besteht; sie ist ein „Anhängsel" an die Forderung. Man nennt dies die **„Akzessorietät der Hypothek"**. Sie hat zur Folge:
- **Solange die Forderung nicht entstanden ist, steht die Hypothek dem Eigentümer zu** (§ 1163 I 1 BGB).
- **Erlischt die Forderung, geht die Hypothek auf den Eigentümer über** (§ 1163 I 2 BGB). Dadurch bleibt ihr Rang erhalten, nachrangige Gläubiger rücken nicht auf (Durchbrechung des Prinzips der gleitenden Rangfolge). Allerdings hat der Gläubiger eines nachrangigen Grundpfandrechts dann den gesetzlichen Löschungsanspruch nach § 1179a BGB (s. Rz. 1015–1020).
- **Forderung und Hypothek können nur zusammen übertragen werden** (§ 1153 II BGB). Mit der Abtretung der Forderung geht auch die Hypothek, und ebenso geht umgekehrt bei einer Übertragung der Hypothek auch die Forderung mit auf den Zessionar über **(Mitlaufkoppelung).** Dadurch wird verhindert, daß Forderung und Hypothek in die Hände verschiedener Personen gelangen können; anders als auf der Schuldnerseite, wo Kreditschuldner und Hypothekenschuldner verschiedene Personen sein können und häufig auch sind, steht auf der Seite des Gläubigers immer nur eine Person oder Personenmehrheit.

Die Bindung der Hypothek an die Forderung ist nicht einheitlich. Nach dem unterschiedlichen Grade der Akzessorietät unterscheidet man die Verkehrshypothek und die Sicherungshypothek mit ihren Sonderformen. Dies wird nachstehend näher behandelt (s. Rz. 1060ff., 1079ff.).

3. Die zu sichernde Forderung

1038 **Eine Hypothek kann nur für eine Geldforderung bestellt werden** (§ 1113 I, 1115 I BGB). Die zu sichernde Forderung kann auf jedem rechtlich zulässigen Schuldgrund beruhen, sei er vertraglich vereinbart oder gesetzlich gegeben, privatrechtlich oder öffentlich-rechtlich; für öffentlich-rechtliche Ansprüche können jedoch Hypotheken nur bestellt werden, wenn nicht bereits kraft Gesetzes eine Haftung des Grundstücks in der Rangklasse 3 besteht (vgl. § 10 I Nr. 3 ZVG). Mögliche Grundlage für eine Hypothek ist auch eine künftige oder bedingte Forderung (§ 1113 II BGB), z. B. eine für den Fall der Nichterfüllung oder Schlechterfüllung einer Leistung oder der Verletzung eines Konkurrenzverbots vereinbarte Vertragsstrafe, die Rückgriffsforderung aus einer Bürgschaft gem. § 774 BGB.

1039 **Der Schuldgrund für die Forderung muß bestimmt sein.** Unwirksam ist deshalb z. B. die Bestellung für die eine oder die andere Forderung oder für eine noch unbestimmte Forderung (z. B. „aus Bauleistungen“). Die Praxis löst dieses Problem aber durch die Bestellung einer abstrahierten Hypothek oder einer Grundschuld (s. Rz. 1058 und § 23).

1040 **Eine spätere Forderungsauswechslung durch Vereinbarung der Beteiligten ist möglich** (§ 1180 BGB). Ob die für eine Darlehensforderung bestellte Hypothek im Falle der Unwirksamkeit des Darlehensvertrages auch den Bereicherungsanspruch des Gläubigers sichert, ist streitig, aber wohl zu bejahen (so auch MünchKomm-Eickmann § 1113 Rz. 73 m.w.N.).

1041 **Die Forderung muß auf die Leistung einer zahlenmäßig bestimmten Geldsumme gerichtet sein** (Ausnahme: Höchstbetragshypothek, § 1190 BGB). Die Summe muß auf Deutsche Mark lauten (§ 28 Satz 2 GBO). Ansprüche auf Sach- oder Dienstleistungen können deshalb nicht durch eine Hypothek gesichert werden; dafür ist die Reallast das gegebene Sicherungsmittel.

1042 **Mehrere Forderungen können zusammengefaßt durch eine Hypothek gesichert werden.** Umgekehrt können aber nicht mehrere Hypotheken für eine Forderung bestellt werden (Verbot der Doppelsicherung). Darunter fällt nicht die Gesamthypothek, die eine einheitliche Hypothek an mehreren Grundstücken darstellt (§ 1132 BGB; s. Rz. 1040).

4. Der Umfang der gesicherten Forderungen

1043 **Kraft der Hypothek haftet das Grundstück für die Forderung einschließlich der Zinsen und Nebenleistungen** (§§ 1115, 1118 BGB). Deshalb müssen im Grundbuch neben dem Geldbetrag auch der Zinssatz und, soweit über die gesetzlichen Nebenleistungen hinaus weitere Nebenleistungen vereinbart worden sind, auch der Geldbetrag oder Prozentsatz dieser Nebenforderungen angegeben werden. Zum Begriff „Nebenleistungen“ s. Rz. 982f. Wegen des Bestimmtheitsgrundsatzes im Grundbuchrecht kann ein unbestimmter Zinssatz nicht eingetragen werden; Grund: jeder Teilnehmer am Grundbuchverkehr, insbesondere ein nachrangiger Gläubiger, muß das größtmögliche Ausmaß ihm vorgehender Belastungen erkennen können. Die Eintragung nur eines Höchst- und Mindestzinssatzes genügt aber nicht; stets ist auch erforderlich, daß die jeweilige Höhe des Zinssatzes nicht von der Willkür des Gläubigers abhängt, sondern durch objektive Merkmale bestimmt ist (BGH NJW 1961, 1247). Die Bestimmung kann z. B. lauten: „Die Hypothek ist verzinslich mit 2 % über dem Diskontsatz der Bundesbank, mindestens mit 6 %, höchstens mit 12 % jährlich“. Damit ist das Ausmaß der dinglichen Belastung erkennbar. Zum Begriff „Diskontsatz“ s. Rz. 981.

1044 **Der Zinslauf** beginnt mit der Eintragung im Grundbuch, es sei denn, daß ein anderer Zinsbeginn, der vor oder nach der Eintragung liegen kann, eingetragen ist. Für den Fall des Verzuges kann eine Zinserhöhung vereinbart und eingetragen werden.

1045 **Kraft der Hypothek haftet das Grundstück neben den Zinsen und sonstigen Nebenleistungen auch für die Kosten** (§ 1118 BGB). Hierunter fallen die Kosten der Kündigung der Hypothek gegenüber dem Eigentümer und die Kosten der Rechtsverfolgung, soweit sie zur Befriedigung aus dem Grundstück notwendig und zweckentsprechend sind, z. B. die zur Wahrnehmung der Rechte des Gläubigers im Zwangsversteigerungsverfahren erfallenden Kosten, einschließlich der Anwaltsgebühr, nicht aber die Kosten der Schuldklage.

5. Gläubiger und Schuldner

1046 **Aus dem Grundsatz der Akzessorietät ergibt sich, daß Gläubiger der Forderung und der Hypothek nur dieselbe Person sein kann.** Dies kann auch eine Gläubigermehrheit sein, z. B. in Form einer Gesamthandsgemeinschaft, einer Bruchteilsgemeinschaft oder Gesamtgläubigerschaft i. S. des § 428 BGB.

1047 **Schuldner der Forderung und Grundstückseigentümer können verschiedene Personen sein** (s. § 1143 BGB). Der Schuldner schuldet die Geldleistung und der Eigentümer haftet kraft der Hypothek -ähnlich wie ein Bürge- mit dem Grundstück für die Erfüllung der Forderung. Häufig sind auch der Eigentümer und eine andere Person Gesamtschuldner der Forderung. **Beispiel:** Die Eheleute sind Gesamtschuldner des Darlehens, aber nur einer der Ehegatten ist Eigentümer des Grundstücks und bestellt zur Sicherung die Hypothek.

1048 **Eine Trennung von Schuldner und Eigentümer kann sich auch später ergeben. Beispiel:** Das belastete Grundstück wird übertragen und mit dem Übergang des Eigentums soll auch die Hypothek als Belastung übergehen, es findet aber keine Schuldübernahme statt, weil der Erwerber die Schuld nicht übernimmt oder weil die zwischen Veräußerer und Erwerber vereinbarte Schuldübernahme vom Gläubiger nicht genehmigt wird (§ 415 BGB).

6. Die Gesamthypothek

1049 **Begriff.** Eine Hypothek für eine und dieselbe Forderung kann auch an mehreren Grundstücken bestellt werden (sog. Gesamthypothek, § 1132 BGB). Ihre Besonderheit besteht darin, daß sie erst mit der Eintragung an allen Grundstücken entsteht (OLG München DNotZ 1966, 371). Zum Grundbuchverfahren s. § 48 GBO. Nicht möglich ist, daß für eine Forderung mehrere Hypotheken bestellt werden, anders aber bei der (abstrakten) Grundschuld (OLG München a.a.O.).

Haftung. Die Bestellung einer Gesamthypothek kommt in Betracht, wenn die Belastung eines Grundstücks zur Sicherung des gewünschten Kredits nicht ausreicht. Bei der Gesamthypothek haftet jedes Grundstück für die ganze Forderung. Der Gläubiger kann die Befriedigung nach seinem Belieben aus jedem der belasteten Grundstücke zum vollen Betrag oder zu einem Teilbetrag suchen (§ 1132 I 2 BGB); er kann aber die Forderung insgesamt natürlich nur einmal beanspruchen.

Eine Gesamthypothek entsteht auch bei **Teilung eines Grundstücks** gemäß § 7 GBO (s. Rz. 27) und bei **Aufteilung in mehrere Wohnungseigentumsrechte** (§§ 3, 8 WEG; s. Rz. 1217 ff.).

Behandlung in der Zwangsversteigerung. Mehrere in demselben Verfahren zu versteigernde Grundstücke sind grundsätzlich einzeln auszubieten (§ 63 I ZVG). Jeder der Beteiligten kann jedoch eine Zusammenfassung zu einem Gruppenausgebot oder Gesamtausgebot verlangen (§ 63 II ZVG). In diesem Fall wird der Erlös auf die einzelnen Grundstücke nach dem Verhältnis ihrer Werte aufgeteilt (§ 112 ZVG).

7. Die Bruchteilshypothek

1050 **Eine Hypothek kann auch an dem Anteil eines Miteigentümers bestellt werden** (§ 1114 BGB). Nicht möglich ist dagegen die Eintragung einer Hypothek zu Lasten eines Gesamthandsanteils an einer BGB-Gesellschaft, OHG, KG, Erbengemeinschaft oder ehelichen Gütergemeinschaft. **Beispiel:** Der Anteil eines Miterben an erbengemeinschaftlichem Grundbesitz kann nicht mit einer Hypothek belastet werden, denn der Miterbe hat zwar einen quotenmäßig bestimmten Anteil am Gesamtnachlaß, nicht dagegen auch einen bestimmten Anteil an einem einzelnen Nachlaßgegenstand, wie es ja das Grundstück darstellt (§ 2033 II BGB). Ein Miterbe allein kann deshalb eine Hypothek erst dann bestellen, wenn das gesamthänderische Eigentum der Erbengemeinschaft an dem

Grundbesitz durch eine Erbteilung entweder in eine Bruchteilsgemeinschaft der bisherigen Miterben oder in das Alleineigentum des Miterben umgewandelt worden ist. Vor der Auseinandersetzung kann der Miterbe jedoch zum Zwecke der Kreditsicherung seinen Anteil am ungeteilten Nachlaß verpfänden (s. Rz. 963 Nr. 5).

8. Die Eigentümergrundschuld und Eigentümerhypothek

a) Die verdeckten Eigentümergrundschulden

Grundpfandrechte sind in der Regel Fremdgrundpfandrechte, d.h. sie stehen einem anderen als dem Eigentümer zu. Sie können aber auch dem Eigentümer zustehen: Bei den in Verbindung mit der Hypothek entstehenden Eigentümergrundschulden ist -im Gegensatz zur offenen Eigentümergrundschuld, die den Eigentümer als Gläubiger ausweist- aus dem Grundbuch nicht erkennbar, daß sie dem Eigentümer zustehen. Man nennt sie deshalb „verdeckte Eigentümergrundschulden" im Gegensatz zu den „offenen Eigentümergrundschulden" (s. Rz. 1189). Für die verdeckten Eigentümergrundschulden gilt: **1051**

- **Bis zur Valutierung steht die Hypothek dem Eigentümer zu** (§ 1163 I 1 BGB). Da ihr noch keine Forderung zugrundeliegt, ist sie Eigentümergrundschuld (§ 1177 I 1 BGB); die Rechtsstellung des Eigentümers ist jedoch auflösend bedingt durch die künftige Entstehung der Forderung. Solange die Forderung aus dem Schuldverhältnis noch entstehen kann, hat der Eigentümer deshalb kein Recht auf Grundbuchberichtigung nach § 894 BGB. Ein Löschungsanspruch nachrangiger Gläubiger besteht bis dahin nicht (§ 1179 a II 1 BGB; vgl. Rz. 1015). **1052**
- **Wenn und soweit die Forderung erlischt, wird die Hypothek zur Eigentümergrundschuld** (§§ 1163 I 2, 1177 BGB). **Beispiel:** Der Schuldner und Eigentümer hat auf die Hypothek von DM 100.000,– eine Tilgung in Höhe von DM 40.000,– geleistet. In Höhe von DM 60.000,– besteht dann noch eine erstrangige Hypothek für den Gläubiger, in Höhe von DM 40.000,– eine danach rangierende Eigentümergrundschuld. Ihr Nachrang ergibt sich aus § 1176 BGB. **1053**
- **Bei Briefhypotheken ist die Hypothek bis zur Übergabe des Briefes an den Gläubiger Eigentümergrundschuld** (§ 1117 I 1 BGB). Die Übergabe kann jedoch durch die Vereinbarung eines Besitzkonstituts gemäß § 930 BGB oder die Abtretung des Herausgabeanspruchs gemäß § 931 BGB ersetzt werden (§ 1117 I 2 BGB). In der Praxis üblich ist jedoch der Ersatz der Übergabe durch die Vereinbarung, daß der Hypothekenbrief vom GBAmt unmittelbar dem Gläubiger ausgehändigt werden soll, sog. **Aushändigungsabrede** (s. §§ 60 GBO, 1117 II BGB). In diesem Fall entsteht die Hypothek – das Bestehen einer For- **1054**

derung vorausgesetzt – bereits mit der Eintragung als Recht des Gläubigers (s. Rz. 1061).

b) Die Eigentümerhypothek

1055 **Zur Eigentümergrundschuld wird die Hypothek nur, wenn die Forderung durch Erfüllung oder aus anderen Gründen erlischt; die Hypothek bleibt Hypothek, wenn die Forderung auf den Eigentümer übergeht** (§ 1177 BGB), z. B.: Der nicht persönlich schuldende Eigentümer zahlt an den Gläubiger. Dadurch geht die Forderung mit der Hypothek auf ihn über und die bisherige Fremdhypothek wird zur Eigentümerhypothek (§§ 1143 I, 1153 I BGB). Der Eigentümer kann die Forderung mit der Hypothek abtreten und sie damit wieder zu einer Fremdhypothek machen.

c) Keine Selbstvollstreckung durch den Eigentümer

1056 **Der Eigentümer kann aus der kraft Gesetzes entstehenden Eigentümergrundschuld nicht selbst die Zwangsvollstreckung in sein Grundstück betreiben** (§ 1197 I BGB). Dadurch soll verhindert werden, daß der Eigentümer in unlauterer Weise nachrangige dingliche Rechte zum Erlöschen bringt. Aus dem gleichen Grunde gebühren ihm Zinsen aus der Eigentümergrundschuld nur im Falle der Zwangsverwaltung des Grundstücks (§ 1197 II BGB). Vollstreckung aus der EG ist jedoch möglich durch den Konkursverwalter oder einen Gläubiger, der die EG gepfändet hat (MünchKomm-Eickmann § 1197 Rz. 7, 8).

d) Das Eigentümergrundpfandrecht bei Veräußerung des Grundstücks

1057 **Im Falle der Veräußerung des belasteten Grundstücks geht das Eigentümergrundpfandrecht nicht automatisch auf den Erwerber über;** es wird zum Fremdgrundpfandrecht in der Hand des Veräußerers. **Beispiel:** Von der Hypothek ist infolge teilweiser Tilgung der Forderung ein entsprechender letztrangiger Teilbetrag zur Eigentümergrundschuld geworden (§ 1163 I 2 BGB). Wenn nun E das Grundstück verkauft und nicht gleichzeitig den zur Eigentümergrundschuld gewordenen Teil der Hypothek an den Käufer abtritt, wird mit der Umschreibung des Grundstücks die Eigentümergrundschuld zur Fremdgrundschuld in der Hand des Veräußerers. Sollen bei einem Veräußerungsvertrag bestehende Grundpfandrechte durch den Erwerber mitübernommen werden, ist deshalb zur **Vermeidung von Splitterrechten** dringend zu empfehlen, daß der Veräußerer gleichzeitig seine etwaigen -durch Tilgung oder aus anderen Gründen entstandenen- Eigentümergrundschulden an den Erwerber abtritt.

9. Die abstrahierte Hypothek

1058 **An die Stelle des konkreten Schuldgrundes (Darlehen, Kontokorrentkredit, Bürgschaft usw.) wird bei Hypothekenbestellungen heute vielfach ein selbständiges (abstraktes) Schuldversprechen oder Schuldanerkenntnis gem. §§ 780, 781 BGB gesetzt** (s. Rz. 996–1001). Sind Eigentümer und Schuldner der eigentlichen Forderung verschiedene Personen, wird das Schuldversprechen/Schuldanerkenntnis nicht vom Eigentümer, sondern vom Schuldner abgegeben. Darauf sollte in der Beurkundungspraxis sorgfältig geachtet werden. Mit dem Schuldversprechen/Schuldanerkenntnis wird zwischen das kausale Schuldverhältnis und die Hypothek ein selbständiger Schuldgrund eingeschoben, so daß die Hypothek nicht den Kredit, sondern das abstrakte Schuldversprechen/Schuldanerkenntnis sichert. Das hat für den Gläubiger den Vorteil einer Umkehr der Beweislast. Wenn er die Forderung geltend macht, muß er lediglich das Bestehen des selbständigen Schuldversprechens/Schuldanerkenntnisses beweisen, während den Schuldner die volle Beweislast für Einwendungen und Einreden trifft, die sich aus dem Grundgeschäft ergeben, z.B. den Nachweis, daß die Darlehensforderung durch Zahlung oder Aufrechnung getilgt oder daß sie gestundet ist.

1059 **Da mit dem abstrakten Schuldversprechen/Schuldanerkenntnis ein selbständiger Schuldgrund gegeben ist, sichert die Hypothek sofort mit ihrer Eintragung eine bestehende Forderung.** 1163 I 1 BGB gilt deshalb für die abstrahierte Hypothek nicht; sie ist auch schon vor einer Kreditauszahlung Fremdhypothek. Mit dieser Konstruktion eignet sich die Hypothek auch für die Sicherung von Kontokorrentkrediten (= Kredite in laufender Rechnung) und anderen noch unbestimmten Forderungen oder für Darlehensverträge mit der Möglichkeit einer späteren Wiederaufstockung des Schuldbetrages, weil immer der Nennbetrag des Schuldversprechens/Schuldanerkenntnisses geschuldet wird.

II. Die Verkehrshypothek

1. Begriff der Verkehrshypothek

1060 **Grundmodell des Hypothekenrechts ist die Verkehrshypothek** (§§ 1113ff. BGB). Es gibt sie in Form der Briefhypothek und der Buchhypothek. Die im Gesetz nicht vorkommende Bezeichnung „Verkehrshypothek“ hat sich im allgemeinen Sprachgebrauch durchgesetzt, weil diese Form der Hypothek -infolge der Möglichkeit des gutgläubigen Erwerbs- auf den Wechsel des Inhabers, d.h. auf die Verkehrsfähigkeit, eingestellt ist. Damit wird sie zu einem geeigneten Sicherungsmittel für langfristige Kredite, das dem Kreditgeber jederzeit ermöglicht, seine Forderung entgeltlich abzutreten oder sich zu refinanzieren.

2. Die Verkehrshypothek als Briefhypothek

Nach dem BGB ist die Briefhypothek die Regelform der Verkehrshypothek. Bei ihr wird ein Hypothekenbrief gebildet (§ 1116 I BGB).

a) Die Begründung der Briefhypothek

1061 **Zur Begründung einer Briefhypothek sind nach materiellem Recht erforderlich:**
- Eine bestimmte, bestehende oder künftige **Geldforderung** des Hypothekengläubigers (§§ 1113, 1115 BGB; s. Rz. 1037–1042, 1046–1048)
- die **dingliche Einigung** zwischen Eigentümer und Gläubiger über die Bestellung der Hypothek (§ 873 I BGB)
- die **Eintragung** im Grundbuch (§ 873 I BGB)
- die Entstehung der Forderung (Valutierung der Hypothek; § 1163 I 1 BGB), wenn es sich nicht um eine abstrahierte Hypothek handelt (s. Rz. 1058)
- die **Übergabe des Hypothekenbriefes** an den Gläubiger (§ 1117 BGB); in der Praxis wird jedoch zwecks schnellerer und sichererer Abwicklung der Auszahlung regelmäßig die Übergabe des Briefes durch die Vereinbarung zwischen Eigentümer und Gläubiger ersetzt, daß das GBAmt den Brief unmittelbar dem Gläubiger oder dem Notar für den Gläubiger aushändigen soll (**Aushändigungsabrede,** § 1117 II BGB). Dies bewirkt, daß die Hypothek bereits entsteht, wenn sie eingetragen und die Valutierung erfolgt ist (s. Rz. 1054).

Formelle Grundlage des Eintragungsverfahrens sind:
- die förmliche Eintragungsbewilligung des Eigentümers (§§ 19, 29 GBO; s. Rz. 340ff.)
- der Antrag eines Beteiligten (§ 13 GBO; s. Rz. 191–199); in der Praxis wird der Antrag meist aufgrund der gesetzlichen Ermächtigung nach § 15 GBO durch den Notar gestellt, der die Eintragungsbewilligung beurkundet oder beglaubigt hat. Er stellt den Antrag in der Regel auch für den Gläubiger; dadurch wird der Gläubiger gegen eine Antragsrücknahme des Eigentümers und eine Zurückweisung des Antrags wegen Nichtzahlung der Kosten gesichert (s. Rz. 329).

b) Der Hypothekenbrief

1062 **Der Aussagewert des Hypothekenbriefes ist gering.** Seit der Neufassung der §§ 56, 57 GBO im Jahre 1977 enthält er im wesentlichen nur noch die Angabe des Geldbetrages der Hypothek sowie der Zinsen und etwaigen besonderen Nebenleistungen, des Gläubigers und der belasteten Grundstücke. Dabei werden die Grundstücke nur noch durch die laufende Nummer bezeichnet, unter der sie im Bestandsverzeichnis des Grundbuchs eingetragen sind. Auch der Rang der Hypothek ist aus dem Hypothekenbrief nicht mehr ersichtlich. Damit hat der Hypothekenbrief seine Auskunftsfunktion weitgehend verloren und ist ohne gleichzeitigen (aktuellen) Grundbuchauszug zur Information nicht mehr ausreichend. Der Zweck des Hypothekenbriefes beschränkt sich deshalb heute auf seine Funktion bei der Entstehung des Rechts, bei der Übertragung und bei der Geltendmachung der Hypothek (§§ 1117, 1154 I, 1160 I, 1161, 1144 BGB).

3. Die Verkehrshypothek als Buchhypothek

1063 **Bei der Buchhypothek wird kein Hypothekenbrief gebildet;** sie hat ihren Namen daher, daß sie nur im Grundbuch eingetragen wird. Der Ausschluß des Hypothekenbriefes ist im Grundbuch zu vermerken (§ 1116 II BGB). Die Buchhypothek entsteht unter den gleichen Bedingungen wie die Briefhypothek, jedoch treten als konstitutive Elemente an die Stelle der Bildung und Übergabe des Briefes die Einigung, daß ein Brief nicht gebildet werden soll, und die Eintragung des Vermerks im Grundbuch. Die Buchhypothek kann nachträglich durch Bildung eines Hypothekenbriefes in eine Briefhypothek umgewandelt werden und umgekehrt (§ 1116 II, III BGB).

III. Die Verwirklichung der Hypothekenhaftung

1. Die Pfandreife

1064 **Leistet der Schuldner nicht, muß der Gläubiger die Befriedigung seiner Forderung aus dem Grundstück und aus den Gegenständen, auf sich die Hypothek erstreckt, im Wege der Zwangsvollstreckung suchen** (§ 1147 BGB). Voraussetzung dafür ist die Fälligkeit der Hypothek, die sog. Pfandreife. Sie kann eintreten durch Zeitablauf oder aufgrund ordentlicher oder außerordentlicher Kündigung. Da Schuldner und Eigentümer verschiedene Personen sein können, ist die Kündigung der Hypothek nur wirksam, wenn sie vom Gläubiger dem Eigentümer oder vom Eigentümer dem Gläubiger erklärt wird (§ 1141 I BGB). Kündigt der Gläubiger nur dem persönlichen Schuldner, so wird davon nur die persönliche Forderung erfaßt. Hier wird vom Gesetz der Grundsatz der Akzessorietät durchbrochen.

2. Die Legitimation des Gläubigers

1065 **Vorlage des Briefes und etwaiger Abtretungserklärungen.** Will der Gläubiger einer Briefhypothek sein Gläubigerrecht geltend machen, z.B. durch Kündigung der Hypothek oder Durchführung der Hypothekenklage, muß er auf Verlangen des Eigentümers den Hypothekenbrief vorlegen (§ 1160 I, II BGB). Ist die Hypothek außerhalb des Grundbuchs abgetreten, hat er außerdem die lückenlose Kette der beglaubigten Abtretungserklärungen vorzulegen, wobei die letzte Abtretung an ihn selbst nicht beglaubigt sein muß (§§ 1160 I 2. Halbsatz, 1155 BGB; s. jedoch Rz. 1066 und 1088). Wenn der Eigentümer zugleich der persönliche Schuldner ist, gilt dies gem. § 1161 BGB auch für die Geltendmachung der persönlichen Forderung. Bei der Buchhypothek ergibt sich die Legitimation des Gläubigers nur aus dem Grundbuch (§§ 891, 893 BGB).

1066 **Die Praxis sieht freilich auch hier wieder anders aus**: In den Hypotheken- und Grundschuldformularen der Kreditinstitute ist heute regelmäßig ein Verzicht des Eigentümers auf die Einreden aus § 1160 BGB enthalten. Der Verzicht kann im Grundbuch eingetragen werden (HSS Rz. 1982 m.w.N.). Er bewirkt, daß der Gläubiger zum Betreiben der Zwangsvollstreckung zwar noch einen vollstreckbaren, gegebenenfalls auf ihn als Rechtsnachfolger umgeschriebenen Titel vorlegen muß (§ 16 I, II ZVG), daß jedoch der Eigentümer der Zwangsvollstreckung nicht mehr unter Hinweis auf das Fehlen der Vorlage des Hypothekenbriefes widersprechen kann (§ 1160 I BGB). Der Gläubiger muß den Brief erst bei der Auszahlung des Versteigerungserlöses vorlegen (§§ 117, 126 ZVG; RGZ 73, 298, 300). Für den Eigentümer besteht deshalb bei einem Verzicht auf die Einrede aus § 1160 BGB die Gefahr, daß ein ehemaliger Gläubiger, der zwar noch durch einen vollstreckbaren Titel ausgewiesen ist, die Hypothek jedoch mit Übergabe des Hypothekenbriefes bereits an einen Dritten abgetreten hat, unter Androhung der Zwangsversteigerung Zahlung verlangt. Der Verzicht erscheint deshalb eigentlich nicht sachgerecht und verstößt möglicherweise gegen § 9 II Nr. 1 oder § 11 Nr. 2b AGB-Gesetz.

3. Die Haftung des Grundstücks

Literaturhinweis: Kollhosser, Der Kampf ums Zubehör, JA 1984, 196

a) Die Hypothek soll den Zugriff auf das Grundstück als wirtschaftliche Einheit ermöglichen

1067 Sie erfaßt deshalb das Grundstück mit allen wesentlichen und unwesentlichen Bestandteilen. Zum Haftungsverband der Hypothek gehören außerdem:

- die vom Grundstück getrennten Erzeugnisse und Bestandteile, soweit sie nicht nach der Trennung einem anderen als dem Eigentümer gehören (§ 1120 BGB), z.B. dem Pächter
- das dem Eigentümer gehörende Zubehör des Grundstücks (§ 1120 BGB), einschließlich von Anwartschaftsrechten darauf (BGH NJW 1961, 1349 = DNotZ 1961, 480)
- die Miet- und Pachtzinsforderungen (§ 1123 BGB); sie werden jedoch nur im Falle einer Zwangsverwaltung erfaßt (§§ 21 II, 148 I 1 ZVG)
- die Versicherungsforderungen aus der Versicherung von Gegenständen, die der Hypothekenhaftung unterliegen = Surrogate des Hypothekenobjekts (§§ 1127–1130 BGB).

Der Eigentümer soll jedoch nicht in seiner normalen Verfügungsfreiheit behindert werden. Den Ausgleich zwischen den verschiedenen Interessen im Dreiecksverhältnis zwischen Hypothekengläubiger, Eigentümer und dem Erwerber von mithaftenden Gegenständen regeln die §§ 1120ff. BGB wie folgt:

b) Bis zur Beschlagnahme des Grundstücks (= Anordnung der Zwangsversteigerung gem. § 20 ZVG oder der Zwangsverwaltung gem. § 148 ZVG) kann der Eigentümer über das Grundstück sowie über die Erzeugnisse, sonstigen Bestandteile und Zubehörgegenstände sowie über die Miet- und Pachtzinsforderungen frei verfügen

1068 Das Grundstück bleibt jedoch im Haftungsverband der Hypothek. Erzeugnisse und Zubehörgegenstände werden aus dem Haftungsverband frei, wenn sie vor der Beschlagnahme veräußert und vom Grundstück entfernt werden (beide Elemente müssen zusammenkommen! § 1121 I BGB). Miet- und Pachtzinsforderungen werden nach Maßgabe der §§ 1123 II, 1124 aus dem Haftungsverband frei.

c) Der Beschluß, durch den die Zwangsversteigerung/Zwangsverwaltung angeordnet wird, bewirkt zugunsten des betreibenden Gläubigers und jedes Beitrittsgläubigers die Beschlagnahme des Grundstücks und der mithaftenden Gegenstände (§§ 20 I, II, 146 ZVG)

1069 Der Beschluß hat die Wirkung eines relativen Veräußerungsverbots (§§ 23 ZVG, 135, 136 BGB). Danach tritt eine Enthaftung der dem Eigentümer gehörenden Erzeugnisse, Bestandteile und Zubehörstücke nur ein, wenn der Erwerber bezüglich der Beschlagnahme gutgläubig ist (§ 936 II BGB). Nicht gutgläubig ist, wer den Versteigerungsantrag oder die Beschlagnahme kennt oder grobfahrlässig nicht kennt (§ 23 II 1 ZVG). Die Beschlagnahme gilt stets als bekannt, sobald der Versteigerungsvermerk im Grundbuch eingetragen ist (§ 23 II 2 ZVG).

d) Die Regelung der Enthaftung ist im einzelnen sehr kompliziert (§§ 1121, 1122 BGB)

1070 Dabei sind neben **„Beschlagnahme"** zwei weitere Begriffe von besonderer Bedeutung: **„Veräußerung"** bedeutet die Übereignung einer beweglichen Sache i.S. der §§ 929ff. BGB, einschließlich der Übergabe oder eines Übergabesurrogats. **„Entfernung"** bezeichnet das Wegschaffen der Sache von dem Grundstück auf Dauer durch den Eigentümer, den Erwerber oder einen Dritten. Je nach der zeitlichen Reihenfolge dieser drei Tatbestände sind **sechs verschiedene Haftungsreihen** denkbar. Dabei kommt es jedesmal auf den Zeitpunkt der Beschlagnahme an:

1071 – Veräußerung – Entfernung – **Beschlagnahme** oder
– Entfernung – Veräußerung- **Beschlagnahme**:
Mit der Veräußerung und Entfernung von dem Grundstück scheiden die Gegenstände aus dem Haftungsverband der Hypothek aus; von der nachfolgenden Beschlagnahme werden sie nicht mehr erfaßt (§§ 1121 I BGB, 20 II ZVG).

1072 – Veräußerung – **Beschlagnahme** – Entfernung:
Obwohl der Grundstückseigentümer die Sache bereits veräußert, d.h. wirksam übereignet hat, wird sie von der Beschlagnahme mit erfaßt, weil sie noch nicht vom Grundstück entfernt ist (§ 1121 I BGB). Der Erwerber der Sache kann sich nicht darauf berufen, er habe gutgläubig lastenfrei erworben, weil er von der Hypothek nichts gewußt habe; § 936 BGB ist insoweit ausgeschlossen (§ 1121 II 1 BGB). Enthaftung tritt nur ein, wenn der Erwerber bei der Entfernung hinsichtlich der Beschlagnahme gutgläubig i.S. des § 23 II ZVG war (§ 1121 II 2 BGB).

1073 – **Beschlagnahme** – Veräußerung – Entfernung:
Die Beschlagnahme erfaßt die noch im Eigentum des Grundstückseigentümers stehende Sache (§ 1121 I BGB). Wie im Falle Rz- 1072) kann die Übereignung alleine noch nicht zum gutgläubig lastenfreien Erwerb führen (§ 1121 II 1 BGB); Enthaftung tritt nur ein, wenn der Erwerber bei der Entfernung hinsichtlich der Beschlagnahme gutgläubig war (§§ 1121 II 2 BGB, 23 II ZVG).

1074 – Beschlagnahme – Entfernung – Veräußerung:
Die Beschlagnahme erfaßt den Gegenstand (§ 1121 I BGB). Für die Enthaftung knüpft das Gesetz hier -anders als in den Fällen Rz. 1072 und 1073- nicht an die gutgläubige Entfernung des Gegenstandes an. Der gute Glaube des Erwerbers verdient erst dann den Schutz des Gesetzes, wenn er Eigentümer wird. Demzufolge ist § 1121 II BGB hier nicht anwendbar und der Weg zur allgemeinen Regelung frei. Danach tritt Enthaftung ein, wenn der Erwerber in dem gem. §§ 136, 135 II, 932ff., 936 BGB maßgeblichen Zeitpunkt hinsichtlich der Beschlagnahme gutgläubig war.

– Entfernung – **Beschlagnahme** – (Veräußerung): **1075**
Werden die Gegenstände vor der Beschlagnahme im Rahmen einer ordnungsgemäßen Wirtschaft vom Grundstück getrennt und endgültig entfernt, so werden sie auch ohne Veräußerung von der Beschlagnahme nicht mehr erfaßt (§ 1122 I BGB). Sind die Voraussetzungen des § 1122 BGB nicht erfüllt, so kann der Erwerber wie im Falle Rz. 1074 nur noch pfandfrei erwerben, wenn er bei der Übereignung hinsichtlich der Beschlagnahme gutgläubig ist (§§ 136, 135 I, 932ff., 936 BGB).

e) Zur Problematik des Haftungsverbandes der lehrreiche Fall: Der verschuldete Gastwirt (BGH NJW 1979, 2514 = DNotZ 1980, 47):

1076 Der Gast- und Pensionswirt E hat von der B-Bank ein Darlehen erhalten und dieser zur Sicherheit eine Hypothek an seinem Gaststättengrundstück bestellt. Als er später in finanzielle Schwierigkeiten geriet, übereignete E die Theke zur Sicherheit seiner Forderung gem. §§ 929, 930 BGB an den T. Den zum Pensionsbetrieb gehörenden Kleinbus, der die Gäste von der weit entfernten Bahnstation holte, verkaufte er an K, der den Bus gleich mitnahm. Die Tische und Stühle waren von der Möbelhandlung M unter Eigentumsvorbehalt geliefert und noch nicht bezahlt. Als E das Darlehen nicht zurückzahlt, betreibt die B-Bank aus der Hypothek die Zwangsversteigerung des Grundstücks.

Fragen: Erstreckt sich die Versteigerung des Grundstücks:

aa) auf die Theke?
bb) auf den Kleinbus?
cc) auf die Möbel?

1077 **Zu aa):** Die Zwangsversteigerung erstreckt sich auf alle Gegenstände, deren Beschlagnahme noch wirksam ist (§ 55 I ZVG)

Die Beschlagnahme erfaßt auch diejenigen Gegenstände, auf die sich die Hypothek erstreckt (§ 20 II ZVG)

Die Hypothek erstreckt sich auf das Zubehör (§ 97 BGB), mit Ausnahme der Zubehörstücke, die nicht in das Eigentum des Grundstückseigentümers gelangt sind (§ 1120 BGB).

Ist **die Theke** durch die Sicherungsübereignung aus dem Haftungsverband ausgeschieden?

Nach § 1121 I BGB tritt Enthaftung ein, wenn der Zubehörgegenstand vor der Beschlagnahme veräußert und von dem Grundstück entfernt wird (Doppelvoraussetzung; s. Rz. 1071). E hat zwar die Theke gem. §§ 929, 930 BGB veräußert, aber sie ist nicht von dem Grundstück entfernt worden. Ersetzung der Übergabe durch ein Besitzkonstitut reicht zur Enthaftung nach § 1121 BGB nicht aus (BGH NJW 1979, 2514). Die Theke wird daher von der Zwangsversteigerung miterfaßt.

Die Enthaftung kann aber auch ohne Veräußerung durch Aufhebung der Zubehöreigenschaft eingetreten sein (§ 1122 II BGB). Dies ist jedoch hier nicht der Fall, denn die Theke wird weiter benutzt; deshalb keine Aufhebung der Zubehöreigenschaft.

Auch nach der wirksamen Beschlagnahme kann noch eine Enthaftung eintreten, wenn der Erwerber den Zubehörgegenstand von dem Grundstück entfernt und dabei bezüglich der Beschlagnahme im guten Glauben ist (§ 1121 II 2 BGB). Die Theke ist jedoch nicht entfernt worden. Daher kommt es hier nicht auf die Gutgläubigkeit des Erwerbers an. Eine Enthaftung ist nicht eingetreten; die Versteigerung erstreckt sich auch auf die Theke.

1078 **Zu bb): Der Kleinbus** gehörte zum Zubehör des Pensionsgrundstücks, denn er war dazu bestimmt, dem Betriebe der Pension zu dienen und stand zu ihr in einer entsprechenden räumlichen Beziehung (§ 97 BGB). Er war jedoch vor der Beschlagnahme veräußert und vom Grundstück entfernt worden. Damit ist er gem. § 1121 I BGB von der Haftung frei geworden. Die Versteigerung erstreckt sich deshalb nicht auf den Kleinbus.

1079 **Zu cc):** E hatte die **Tische und Stühle** von dem Möbelhaus M unter Eigentumsvorbehalt gekauft. Erstreckt sich die Hypothek auch darauf?

E hat an den gelieferten Gegenständen eine Eigentumsanwartschaft (= Vorstufe des Eigentums). Er ist Besitzer, § 55 II ZVG: Mit Rücksicht auf die Sicherheit der Bieter wird auch das mitversteigert, was nur scheinbar zum Eigentum des Schuldners gehört, d.h. das Zubehör, das sich zwar im Besitz des Schuldners befindet, aber nicht sein Eigentum ist.

Das Versteigerungsgericht fordert jedoch mit der Terminbestimmung zur Geltendmachung von Drittrechten auf, und der Vorbehaltsverkäufer kann dann sein Eigentum als „ein der Versteigerung entgegenstehendes Recht" anmelden, § 37 Nr. 5 ZVG. Notfalls hat er die Drittwiderspruchsklage nach § 771 ZPO. Versäumt er die Anmeldung, so tritt mit dem Zuschlag der Erlös an die Stelle des mitversteigerten Gegenstandes. Ist der Erlös verteilt, so bleibt nur ein Bereicherungsanspruch gegen den letztrangigen Erlösempfänger.

IV. Die Abwehrrechte gegen die Hypothek

1080 **Die Begriffe „Einreden" und „Einwendungen".** Als Abwehrrechte gegen den Hypothekar kommen Einreden und Einwendungen in Betracht. Einreden richten sich dagegen, daß das Recht jetzt geltend gemacht wird; sie wirken rechtshemmend. Einwendungen bestreiten den Bestand des Rechts; sie wirken rechtsverneinend oder rechtsvernichtend. Dabei muß man jeweils unterscheiden, ob sie sich aus dem Schuldverhältnis oder aus dem Hypothekenverhältnis ergeben.

a) Die Abwehrrechte aus dem Schuldverhältnis

1081 **Der Eigentümer hat gegen die Geltendmachung der Hypothek alle Einreden, die dem Schuldner oder einem Bürgen gegen die Forderung zustehen** (§ 1137 I 1 BGB); z.B. die Einreden der Stundung, des Verstoßes gegen Treu und Glauben (§ 242 BGB), des Zurückbehaltungsrechts (§ 273 BGB), des nicht erfüllten Vertrages (§ 320 BGB), der ungerechtfertigten Bereicherung (§§ 812, 821 BGB) sowie die Einrede, der (von ihm verschiedene) Schuldner könne das der Forderung zugrundeliegende Rechtsgeschäft anfechten oder gegen die Forderung aufrechnen (§§ 1137 I 1, 770 BGB). Die Einrede der Verjährung ist jedoch nur bezüglich der Zinsen zulässig (§ 223 I, III BGB).

1082 **Dem Eigentümer stehen gegen die Hypothek auch die Einwendungen zu, die sich aus dem Schuldverhältnis ergeben,** d.h. die Berufung auf das Nichtentstehen oder Erlöschen der Forderung, z.B. wegen Nichtigkeit des Kreditgeschäfts, Nichtvalutierung der Hypothek, Aufrechnung, Erfüllung. Das ist zwar nicht ausdrücklich im Gesetz gesagt, ergibt sich aber aus der Bindung der Hypothek an die Forderung: Wenn die Forderung nicht entstanden oder untergegangen ist, steht dem Gläubiger die Hypothek nicht mehr zu. Der Gesetzgeber hat es als selbstverständlich angesehen, daß bestandsverneinende oder bestandsvernichtende Einwendungen auch ohne ausdrückliche gesetzliche Erwähnung geltend gemacht werden können (Mot. III 697); s. auch Rz 1166.

1083 **Keine Einrede der Vorausklage.** Der Eigentümer kann – anders als der Bürge – von dem Gläubiger nicht verlangen, daß er zunächst versucht, den Schuldner in Anspruch zu nehmen. § 1137 BGB verweist nur auf § 770 BGB, d.h. der Eigentümer kann die Befriedigung des Gläubigers verweigern, wenn der Schuldner entweder ein Anfechtungsrecht hat (§ 770 I BGB) oder eine Aufrechnung erklären könnte (§ 770 II BGB). Hat der Schuldner tatsächlich angefochten oder aufgerechnet, so hat der Eigentümer die Einwendung „gegen die Forderung" gem. § 1137 BGB. § 771 BGB ist jedoch in § 1137 BGB nicht in Bezug genommen. Der Eigentümer hat demnach nicht die Einrede der Vorausklage wie der Bürge nach § 771 BGB.

b) Die Abwehrrechte aus dem Hypothekenverhältnis

1084 **Der Eigentümer hat gegen die Hypothek auch alle Einreden und Einwendungen, die sich aus dem dinglichen Rechtsverhältnis ergeben,** z.B.:

– die Einrede, der Gläubiger habe sich verpflichtet, die Hypothek während einer bestimmten Frist nicht geltend zu machen (nicht zu verwechseln mit einer Stundung oder Befristung der Forderung!) oder

erst geltend zu machen, wenn die Zwangsvollstreckung gegen den persönlichen Schuldner erfolglos geblieben ist
- Einwendungen gegen den Bestand oder Fortbestand des dinglichen Rechts, z.B. wegen Nichtigkeit der dinglichen Einigung aufgrund erfolgter Anfechtung oder wegen fehlerhafter Eintragung der Hypothek.

c) Das Ablösungsrecht wegen drohendem Rechtsverlust

1085 **Leistung auf fremde Schuld.** Ist der Eigentümer nicht auch persönlicher Schuldner und wird er vom Gläubiger aus der Hypothek in Anspruch genommen, so ist er berechtigt, zur Abwendung der Zwangsvollstreckung den Gläubiger durch Zahlung zu befriedigen (s. § 267 I BGB). Er kann den Gläubiger auch schon vorher befriedigen, wenn die Hypothek fällig oder der persönliche Schuldner zur Leistung berechtigt ist (§ 1142 BGB).

V. Die Übertragung der Hypothek

1. Grundsatz

1086 Hypotheken können durch Abtretung auf einen Zessionar übertragen werden. Wegen der Bindung der Hypothek an die gesicherte Forderung wird jedoch nicht die Hypothek, sondern die Forderung übertragen. Mit der Forderung geht die Hypothek auf den neuen Gläubiger über (§ 1153 I BGB). Die Forderung kann nicht ohne die Hypothek und die Hypothek nicht ohne die Forderung übertragen werden (§ 1153 II BGB); deshalb ist auch die meist gebrauchte Bezeichnung „Abtretung der Hypothek" grundsätzlich unschädlich, weil im Zweifel die gekoppelte Abtretung als das rechtlich allein Mögliche gewollt ist (s. auch Rz. 1037).

2. Die Übertragung der Briefhypothek

1087 Zur Übertragung der Forderung einer Briefhypothek sind nur erforderlich:
- die dingliche Einigung gem. § 873 I BGB zwischen Zedent und Zessionar (Abtretungsvertrag), wobei die Erklärung des Zedenten schriftlich erfolgen muß (§ 1154 I BGB)
- die Übergabe des Briefes an den Zessionar bzw. ein Übergabesurrogat (§§ 1154 I, 1117 I 2 BGB)

Eine Gläubigerumschreibung im Grundbuch ist möglich, aber zur Wirksamkeit der Abtretung nicht erforderlich. Das erleichtert die Übertragung der Hypothek.

3. Beglaubigung der Abtretungserklärung

1088 Der Zessionar kann verlangen, daß die Abtretungserklärung öffentlich beglaubigt wird (§ 1154 I 2 BGB). Dies ist für ihn auch zweckmäßig, denn:

- im Falle einer Abtretungskette sichert nur die Beglaubigung aller früheren Abtretungen den Gutglaubensschutz des letzten Zessionars (§ 1155 BGB); die letzte Abtretung kann dabei privatschriftlich erteilt sein (s. Rz. 1065).
- bei mehrfacher Abtretung (Kettenabtretung) ist eine Eintragung des letzten Zessionars nur möglich, wenn die gesamte Kette der Abtretungen lückenlos durch öffentliche oder öffentlich beglaubigte Urkunden nachgewiesen ist und der Brief vorgelegt wird (§§ 26 I, 29, 39 II GBO); an Stelle der Abtretungskette genügt jedoch die Eintragungsbewilligung des letzten durch die Kette der beglaubigten Abtretungserklärungen legitimierten Gläubigers (§§ 19, 29 GBO).
- eine Zwangsversteigerung oder Zwangsverwaltung aus der Hypothek setzt einen vollstreckbaren Titel voraus; zur Umschreibung einer Vollstreckungsklausel muß der Zessionar seine Legitimation durch eine lückenlose Kette öffentlicher oder öffentlich beglaubigter Urkunden nachweisen (§§ 727, 795 ZPO; s. Rz. 1092)
- der Zessionar eines durch den Zuschlag im Zwangsversteigerungsverfahren erlöschenden Brief-Grundpfandrechts erhält im Verteilungsverfahren eine Zahlung nur, wenn er mit dem Brief auch die Kette der Abtretungserklärungen in öffentlicher oder öffentlich beglaubigter Urkundenform vorlegt (§§ 117 I, 126 ZVG).

Im Verkehr zwischen Kreditinstituten, z. B. bei Zwischenfinanzierungen und Refinanzierungen, wird jedoch meist mit stillen Abtretungen ohne Beglaubigung und Umschreibung im Grundbuch gearbeitet.

4. Die Abtretung außerhalb des Grundbuchs

1089 Da die Briefhypothek außerhalb des Grundbuchs abgetreten werden kann, läßt sich aus dem Grundbuch nicht mit Sicherheit erkennen, wer der derzeitige Gläubiger ist. Für den Gläubiger kann die Abtretung außerhalb des Grundbuchs verfahrensmäßige Nachteile haben: Da das GBAmt nicht weiß, daß anstelle des eingetragenen Gläubigers ein anderer Gläubiger getreten ist, wird er nicht gem. § 55 GBO von einem Wechsel des Eigentümers benachrichtigt; er erhält auch keine Mitteilung des Versteigerungsgerichts, wenn das Zwangsversteigerungsverfahren eröffnet wird, so daß er seine Rechte im Verfahren nur wahrnehmen kann, wenn er anderweitig davon Kenntnis erlangt.

5. Die Übertragung der Buchhypothek

1090 Zur Übertragung der Forderung einer Buchhypothek sind gemäß §§ 1154 III, 873 I BGB erforderlich:
- die formlose dingliche Einigung (Abtretungsvertrag)
- die beurkundete oder beglaubigte Bewilligung des Zedenten (§ 29 GBO)
- da kein Hypothekenbrief vorhanden ist: die Eintragung im Grundbuch.

Durch die Notwendigkeit der Grundbuchumschreibung wird die Verkehrsfähigkeit eingeschränkt. Die Buchhypothek wird deshalb nur verwendet, wenn eine Abtretung (z.B. zur Zwischenfinanzierung oder zur Refinanzierung des Kredits) nicht vorgesehen ist, und dadurch dem Eigentümer die Gebühr für die Bildung des Hypothekenbriefes erspart werden kann (§ 71 KostO).

6. Das Abtretungsverbot

1091 Die Abtretbarkeit von Forderung und Hypothek kann durch Vereinbarung ausgeschlossen oder erschwert, z.B. an bestimmte Voraussetzungen gebunden werden. Eine solche Vereinbarung erhält durch Eintragung im Grundbuch dingliche Wirkung (OLG Hamm DNotZ 1968, 631).

VI. Der gutgläubige Erwerb der Hypothek

1. Die Abwehrrechte gegen den Zessionar

1092 Die vorstehend dargestellten Abwehrrechte des Eigentümers gegen den Erstgläubiger bestehen auch gegenüber einem Zessionar. Es können also alle Einreden und Einwendungen sowohl aus dem Schuldverhältnis als auch aus dem Hypothekenverhältnis geltend gemacht werden (§§ 1137, 1157 BGB). Sie werden ihm jedoch abgeschnitten, wenn sich der Zessionar auf seinen guten Glauben an das Bestehen von Forderung und Hypothek berufen kann.

2. Der Interessenkonflikt

1093 Bestehen gegenüber einem Zessionar Einreden oder Einwendungen gegen die Forderung oder gegen die Hypothek, so entsteht gesetzestechnisch ein Konflikt zwischen drei Grundsätzen:
- nach den Grundsätzen des gutgläubigen Erwerbs des § 892 BGB muß die Hypothek auf den gutgläubigen Erwerber übergehen

- nach den Grundsätzen des Schuldrechts gibt es keinen gutgläubigen Erwerb einer nichtbestehenden Forderung (§§ 398ff. BGB)
- nach dem Prinzip der Akzessorietät kann die Hypothek nicht ohne die Forderung übertragen werden (§ 1153 II BGB).

Diesen Konflikt lösen die §§ 1137, 1138, 1157 BGB im Sinne der Verkehrsfähigkeit der Hypothek. Dabei spricht das Gesetz zwar nur von „Einreden"; die „Einwendungen" werden nicht besonders erwähnt, weil es als selbstverständlich gilt, daß der Schuldner das Bestehen einer Forderung oder einer Hypothek bestreiten kann (s. Rz. 1082).

3. Gutglaubensschutz durch Forderungsfiktion

1094 Wenn der Eigentümer gegen die Geltendmachung der Hypothek die sich aus dem Schuldverhältnis ergebenden Einreden und Einwendungen auch gegenüber einem gutgläubigen Zessionar geltend machen könnte, dann würde dieser zwar die Hypothek erwerben, aber er müßte sich – wegen der Bindung der Hypothek an die Forderung – die Einreden und Einwendungen aus dem Schuldverhältnis entgegenhalten lassen. Damit wäre die erworbene Hypothek für ihn u. U. wertlos.

Um die Hypothek verkehrsfähig zu machen, erweitert § 1138 BGB den Schutz des gutgläubigen Erwerbers. Zu seinen Gunsten wird vermutet, daß die Forderung besteht, daß sie dem Hypothekengläubiger zusteht und daß ihr keine Einwendungen und Einreden entgegenstehen. Wegen § 1153 I BGB, d. h. weil eine Hypothek nicht ohne die Forderung übertragen werden kann, wird hier die Forderung fingiert, soweit sie für das Bestehen der Hypothek erforderlich ist („für die Hypothek"). Dadurch erwirbt der Zessionar zwar keine Forderung, denn das Gesetz kennt grundsätzlich keinen Schutz des guten Glaubens an das Bestehen einer Forderung, wohl aber erwirbt er gem. § 1138 BGB die Hypothek. M. a. W.: Wenn der Erwerber der Hypothek gutgläubig ist, d. h. wenn ihm keine Einwendungen und Einreden gegen die Forderung bekannt sind, werden dem Eigentümer gegenüber der Hypothek die Geltendmachung der ihm gegen die Forderung zustehenden Einwendungen (z. B. aus § 1163 I BGB): Nichtentstehen oder Erlöschen der Forderung) und der Einreden (z. B. die Einrede der Stundung) abgeschnitten.

1095 **Die Vollstreckung durch den Zessionar.** Praktisch bedeutet demnach § 1138 BGB für den gutgläubigen Zessionar, daß er aus der Hypothek in das Grundstück vollstrecken kann, ohne daß ihm der Eigentümer etwaige Einreden und Einwendungen aus dem Schuldverhältnis entgegenhalten könnte. Er kann die dingliche Klage erheben (= Klage auf Duldung der Zwangsvollstreckung in das belastete Grundstück), um einen vollstreckbaren Titel zu erhalten. Die persönliche Schuldklage, mit der Möglichkeit der Vollstreckung in das sonstige Vermögen des Schuldners, ist dem Zessionar aber dadurch nicht gegeben. **Beispiel:** G1 ist Gläubiger einer Hypothek von DM 20.000,–. Der Schuldner und Eigentümer SE zahlt das Darlehen zurück. Die Löschung der Hypothek unterbleibt jedoch. G1 tritt trotz der Rückzahlung des Darlehens die Hypothek an den gutgläubigen G2 ab. Die Forderung ist durch Erfüllung untergegangen. G2 hat zwar keine Forderung erworben, wohl aber die Hypothek. SE muß die Vollstreckung aus der Hypothek durch G2 dulden. **Schema:**

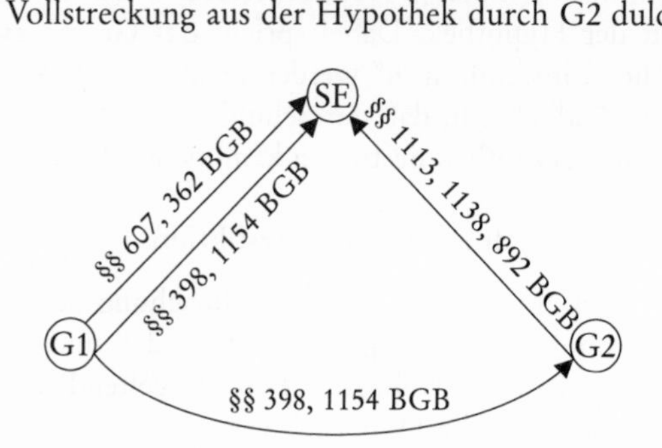

4. Die Abwehrrechte aus dem Hypothekenverhältnis

1096 **Während die §§ 1137, 1138 BGB die Einreden und Einwendungen des Eigentümers gegen die Hypothek behandeln, die sich aus dem Schuldverhältnis ergeben, regelt § 1157 BGB seine Einreden und Einwendungen gegen das dingliche Recht. Beispiele:**

- Vereinbarung, daß befristet nicht vollstreckt werden soll
- Vereinbarung, daß der Gläubiger verpflichtet ist, vorher die Vollstrekkung in das übrige Vermögen zu versuchen
- Vereinbarung, daß die Hypothek nicht abgetreten werden darf (Abtretungsverbot, § 399 BGB)
- Einwendung, die Hypothek sei wegen Nichtigkeit der dinglichen Einigung oder wegen fehlerhafter Eintragung nicht entstanden oder durch Wegfall der Forderung Eigentümergrundschuld geworden.

5. Die Erweiterung des Gutglaubensschutzes bei Briefhypotheken

1097 Nach **§ 892 BGB** wird geschützt, wer in gutem Glauben von einem im Grundbuch Eingetragenen ein Recht erwirbt. Da Briefhypotheken auch außerhalb des Grundbuchs abgetreten werden können, bedarf der Gutglaubensschutz im Interesse der Verkehrsfähigkeit eine Erweiterung. **Nach § 1155 BGB wird auch der Erwerber einer Hypothek geschützt, wenn er gutgläubig von einem Gläubiger erworben hat, der sein Recht durch eine zusammenhängende, auf einen eingetragenen Gläubiger zurückführende Reihe öffentlich beglaubigter Abtretungserklärungen nachgewiesen hat.** Bei mehrfach außerhalb des Grundbuchs abgetretenen Briefhypotheken muß also die lückenlose Kette der beglaubigten Abtretungserklärungen bis zum letzten Zedenten reichen, weil es um den guten Glauben an dessen Rechtsinhaberschaft geht; für die Abtretung an den letzten Zessionar genügt dagegen eine Erklärung in privatschriftlicher Form. Im praktischen Rechtsverkehr ist jedoch zweckmäßig, daß auch die letzte Abtretung beglaubigt wird (s. Rz. 1065).

Leistung an den eingetragenen Gläubiger. Der Gutglaubensschutz durch die beglaubigte Abtretungskette umfaßt auch § 893 BGB. Geschützt wird, wer gutgläubig an einen leistet, der durch die Kette des § 1155 BGB legitimiert ist. 1098

6. Die Verhinderung des gutgläubigen Erwerbs

Besteht eine Einrede oder Einwendung gegen die Hypothek, ist das Grundbuch insoweit unrichtig. Um sich dagegen zu sichern, daß sie durch den gutgläubigen Erwerb eines Dritten abgeschnitten wird, kann der Eigentümer ihre Eintragung im Grundbuch verlangen (§§ 894 BGB, 22 GBO). Zur vorläufigen Sicherung kann ein Widerspruch gegen die Richtigkeit des Grundbuchs erwirkt werden (§ 899 BGB; Palandt/Bassenge § 1157 Rz. 3). Bei Briefhypotheken genügt der Vermerk auf dem Hypothekenbrief. **Beispiel:** Eine auf dem Hypothekenbrief (auch privatschriftlich) vermerkte Teilzahlung oder ein Abtretungsverbot schließen insoweit den guten Glauben des Erwerbers aus. Teilzahlungen an private Gläubiger oder der Ausschluß der Abtretbarkeit sollten deshalb möglichst auf dem Brief vermerkt werden. 1099

Um zu verhindern, daß bestehende Einreden oder Einwendungen gegen die Hypothek durch einen gutgläubigen Erwerb Dritter überwunden werden, kann der Eigentümer vom Gläubiger Löschungsbewilligung oder löschungsfähige Quittung verlangen und damit die Löschung oder die Umschreibung in eine Eigentümergrundschuld herbeiführen. Auch in diesen Fällen kann als vorläufige Sicherung ein Widerspruch erwirkt werden.

Verlust durch gutgläubigen Erwerb. Sind die Einreden oder Einwendungen gegen die Hypothek weder im Grundbuch eingetragen noch auf dem Hypothekenbrief vermerkt und sind sie dem Zessionar auch nicht bekannt, erwirbt er kraft guten Glaubens eine einredefreie bzw. einwendungsfreie Hypothek (§ 1157 BGB). 1100

VII. Die Sicherungshypothek und ihre Sonderformen

1. Die Sicherungshypothek des BGB

Im Unterschied zur Verkehrshypothek ist die Sicherungshypothek streng akzessorisch (§ 1184 BGB). Bei ihr bestimmt sich das Recht des Gläubigers aus der Hypothek „nur aus der Forderung". Dadurch wird 1101 der Gutglaubensschutz des Zessionars gem. § 1138 BGB ausgeschlossen (§ 1185 II BGB). Wenn und soweit keine Forderung besteht, erwirbt der Zessionar weder eine Forderung noch die Hypothek. Dadurch ist der Eigentümer gegen den gutgläubigen Erwerb eines Dritten gesichert. Für einen Widerspruch des Eigentümers gegen die Richtigkeit des Grundbuchs im Falle des Nichtbestehens der Forderung besteht deshalb kein Rechtsschutzbedürfnis. Will der Zessionar sicher gehen, daß er die Hypothek tatsächlich erwirbt, muß er sich über den Bestand der Forderung vergewissern. Die Sicherungshypothek eignet sich aus diesem Grunde nur für solche Fälle, in denen eine Abtretung nicht vorgesehen ist (z. B. für eine Abfindungshypothek unter Verwandten). Sie ist – da sie nicht für den Umlauf gedacht ist – immer brieflos (§ 1185 I BGB).

1102 **Zur Begründung einer rechtsgeschäftlichen Sicherungshypothek sind erforderlich:**

- die (formlose) dingliche Einigung (§ 873 I BGB)
- die Eintragung im Grundbuch (§ 873 I BGB); sie muß im Grundbuch als Sicherungshypothek bezeichnet sein (§ 1184 II BGB), denn der Erwerber muß wissen, daß er sich auf den guten Glauben an das Bestehen der Hypothek nicht verlassen kann. Fehlt die Bezeichnung, so handelt es sich um eine Verkehrshypothek.

1103 **Zur Übertragung einer Sicherungshypothek** sind die (formlose) Einigung und – da brieflos – die Umschreibung im Grundbuch erforderlich (§§ 1154 III, 873 I BGB).

1104 **Eine Sonderform der Sicherungshypothek ist die Bauhandwerkerhypothek** (§ 648 BGB). Das Gesetz gibt dem Bauhandwerker einen Anspruch auf Einräumung einer Sicherungshypothek für seine Forderungen aus geleisteter Arbeit im Rahmen des Werkvertrages. Erforderlich zur Entstehung der Hypothek sind die dingliche Einigung oder Urteil und Eintragung im Grundbuch. Der Anspruch auf Bestellung der Hypothek kann durch eine Vormerkung aufgrund Bewilligung oder einstweiliger Verfügung gesichert werden. Da der Anspruch erst nach erbrachter Leistung besteht und in diesem Zeitpunkt die verwertbaren Rangstellen im Grundbuch meist bereits für Zwecke der Kauf- und Baufinanzierung ausgenutzt sind, wurde die Regelung im Jahre 1993 durch § 648 a BGB ergänzt. Danach kann der Bauhandwerker seine Vorleistung davon abhängig machen, daß der Besteller ihm eine Sicherheit gewährt.

2. Die vollstreckungsrechtlichen Formen

a) Die Zwangshypothek (§ 866 ZPO):

1105 **Sie ist ein Mittel der Zwangsvollstreckung.** Der Inhaber eines vollstreckbaren Titels kann die Eintragung einer Zwangshypothek gegen den Eigentümer beantragen (§§ 866–868 ZPO). Als Vollstreckungstitel kommen insbesondere in Betracht:
- ein für vollstreckbar erklärtes Urteil (§ 704 ZPO)
- ein Vollstreckungsbescheid (§§ 699, 794 I Nr. 4, 796 ZPO)
- eine notarielle Urkunde mit Unterwerfungserklärung (§ 794 I Nr. 5 ZPO).

Für die Eintragung der Zwangshypothek im Grundbuch gelten die allgemeinen Voraussetzungen der Zwangsvollstreckung: **Titel, Klausel** und **Zustellung** an den Schuldner gem. §§ 704, 794, 724, 750, 798 ZPO (s. Rz. 616 ff.). Die Eintragung erfolgt auf einfachen schriftlichen Antrag mit Beifügung des Vollstreckungstitels nebst Zustellungsurkunde (§§ 13 GBO, 867 ZPO).

1106 **Mit der Eintragung erhält der Gläubiger für seine persönliche Forderung eine dingliche Sicherung.** Vollstreckt er aus dem persönlichen Titel, steht er in der Zwangsversteigerung des Grundstücks in der Rangklasse 5. Vollstreckt er aus der Hypothek, steht er in der Rangklasse 4. Dazu benötigt er nach heute einhelliger Meinung einen dinglichen Vollstreckungstitel (**Duldungstitel**; HSS Rz. 2222 m.w.N.). Zu den Rangklassen in der Zwangsversteigerung s. Rz. 570 ff.

1107 **Der Mindestbetrag einer Zwangshypothek ist DM 500,–** (§ 866 III ZPO). Sollen mehrere Grundstücke im Wege der Zwangsvollstreckung hypothekarisch belastet werden, so ist der Betrag auf die einzelnen Grundstücke aufzuteilen; eine Gesamthypothek ist unzulässig (§ 867 II ZPO). Es entstehen dann so viele Einzel-Zwangshypotheken, wie Grundstücke belastet werden. Die Größe der Teile kann der Gläubiger frei bestimmen. Bei der Aufteilung auf mehrere Grundstücke kann der Betrag der Einzel-Zwangshypothek unter DM 500,– liegen. Fehlt die Aufteilung, kann der Antrag nicht ausgeführt werden, sondern nur ein neuer geänderter Antrag bzw. ein neues Ersuchen zur Eintragung führen; eine rangwahrende Zwischenverfügung nach § 18 GBO ist deshalb nicht zulässig, jedoch ist dem Gläubiger mit Verfügung gem. § 139 ZPO die Möglichkeit zu geben, die Aufteilung nachzuholen (HSS Rz. 2194).

b) Die Steuerhypothek (§ 322 AO)

1108 **Das Finanzamt kann zur Sicherung einer Steuerforderung das GBAmt um die Eintragung einer Sicherungshypothek ersuchen** (§ 38 GBO). Sie ist eine Sonderform der Zwangshypothek. Der Vorlage eines Vollstrekkungstitels mit Zustellungsnachweis bedarf es dazu nicht. Die Vollstreckungsbehörde hat lediglich zu bestätigen, daß die gesetzlichen Voraussetzungen für die Vollstreckung vorliegen. Diese Fragen unterliegen nicht der Beurteilung durch das GBAmt (§ 322 III AO). Dabei kann auch für mehrere vom Finanzamt verwaltete Steuern verschiedener Steuergläubiger (z.B. Bund, Land, Kirche) eine zusammenfassende Sicherungshypothek eingetragen werden; im Vollstreckungsverfahren gilt diejenige Körperschaft als Gläubigerin der zu vollstreckenden Ansprüche, der die Vollstreckungsbehörde angehört, d.h. in der Regel das Land (§ 252 AO).

c) Die Arresthypothek (§ 932 ZPO)

1109 **Auch sie ist eine Sonderform der Zwangshypothek.** Wenn zu besorgen ist, daß ohne einen schnellen Zugriff auf das Grundstück eine spätere Vollstreckung vereitelt oder wesentlich erschwert würde, z.B. durch bevorstehende Veräußerung oder Belastung des Grundstücks, kann der Gläubiger schon vor der Erlangung eines vollstreckbaren Titels durch einen Arrestbefehl die Eintragung einer Zwangshypothek erwirken (§§ 917, 922, 932 ZPO). Wegen der Eilbedürftigkeit darf hier die nach § 750 ZPO erforderliche Zustellung des Titels und der Urkunden nachfolgen (§ 929 III ZPO).

3. Die Höchstbetragshypothek (§ 1190 BGB)

1110 **Bei der Höchstbetragshypothek wird im Grundbuch nur der Höchstbetrag angegeben, bis zu dem das Grundstück haften soll; die Höhe des geschuldeten Betrages bleibt der späteren Feststellung vorbehalten.** Sie wird ohne Zinsen eingetragen; etwaige Zinsen der gesicherten Forderung sind bei der Bemessung des Höchstbetrages zu berücksichtigen (§ 1190 II BGB). Auch sie ist eine Unterart der Sicherungshypothek, d.h. das Recht des Gläubigers bestimmt sich „nur aus der Forderung" (§§ 1190 III, 1184 BGB). Es gibt deshalb bei der Höchstbetragshypothek, soweit die Forderung nicht besteht, keinen gutgläubigen Erwerb gem. § 1138 BGB. Die endgültige Feststellung der Forderung erfolgt entweder durch Vertrag zwischen dem Gläubiger und dem persönlichen Schuldner oder aufgrund dinglicher Klage durch Urteil.

Bis zur Feststellung des Schuldbetrages ist die Höchstbetragshypothek in ihrem jeweils nicht valutierten Teil eine Eigentümergrundschuld, die durch das künftige Entstehen der Forderung auflösend bedingt ist. Erst mit der Feststellung des endgültigen Schuldbetrages entsteht in dieser Höhe eine Sicherungshypothek und in Höhe des nicht valutierten Teils eine endgültige Eigentümergrundschuld. Vor diesem Zeitpunkt kann der Eigentümer bezüglich der Eigentümergrundschuld weder Grundbuchberichtigung noch Löschung verlangen.

Die Praktikabilität der Höchstbetragshypothek ist gering: 1111

- Wegen ihrer strengen Akzessorietät ist der Gläubiger kaum in der Lage, sie im Wege der Abtretung zu verwerten.
- Der Gläubiger muß zur Feststellung seiner Forderung nach § 1147 BGB klagen, wobei ihn die Beweislast trifft.
- Vor der Feststellung eines bestimmten Schuldbetrages ist eine dingliche Unterwerfung des Eigentümers unter die sofortige Zwangsvollstreckung gem. § 794 I Nr. 5 ZPO nicht möglich. Allerdings kann die Bestellung der Hypothek mit einem abstrakten Schuldversprechen/ Schuldanerkenntnis mit Unterwerfungsklausel verbunden werden (s. Rz. 996–1001, 1058).

VIII. Das Erlöschen der Hypothek

1. Kein Erlöschen bei Übergang der Hypothek

Ein Schuldverhältnis erlischt gem. § 362 BGB, wenn die geschuldete Leistung an den Gläubiger bewirkt wird; akzessorische Sicherheiten werden unwirksam, z. B. die Bürgschaft (§ 767 I 1 BGB). Dies gilt im Hypothekenrecht grundsätzlich nicht, weil die Hypothek wegen der Erhaltung ihres Ranges auf einen anderen übergeht. Dabei entsteht, je nach Sachlage, entweder eine Eigentümergrundschuld, eine Eigentümerhypothek oder eine Fremdhypothek: 1112

a) Der Eigentümer tilgt die Hypothek. Hier sind zwei Fälle zu unterscheiden:

- **Ist der Eigentümer zugleich der persönliche Schuldner, so erlischt die Forderung und die Hypothek wird zur Eigentümergrundschuld** (§§ 1163 I 2, 1177 I BGB). Der Gläubiger ist dann verpflichtet, dem Eigentümer durch löschungsfähige Quittung in der Form des § 29 GBO zu bestätigen, daß er die Forderung getilgt hat. Der Eigentümer kann sodann gem. § 22 GBO die Umschreibung der Hypothek in eine Eigentümergrundschuld im Wege der Grundbuchberichtigung betreiben oder die Löschung bewilligen und beantragen. In den Formularen der Kreditinstitute ist jedoch häufig bestimmt, daß der Gläubiger nur verpflichtet ist, Löschungsbewilligung, nicht aber löschungsfähige Quittung zu erteilen. Dadurch will sich das Kreditinstitut die Prüfung ersparen, durch wen die Tilgung geleistet worden ist bzw. wem das Grundpfandrecht jetzt zusteht. Bei teilweiser Befriedigung kann der Eigentümer verlangen, daß der Gläubiger die geleistete Zahlung auf dem Hypothekenbrief quittiert (§ 1145 BGB). Das genügt zwar nicht dem Formerfordernis für eine Teillöschung, schließt aber insoweit einen gutgläubigen Erwerb gem. § 1138 BGB aus. 1113

- **Ist der Eigentümer nicht der persönliche Schuldner,** so geht die Forderung auf ihn über und die Hypothek wird zur **Eigentümerhypothek.** Sie wird wie eine Eigentümergrundschuld behandelt (§§ 1143, 1177 II BGB).

b) Der mit dem Eigentümer nicht identische Schuldner tilgt die Hypothek. Dann sind zwei Fälle denkbar:

1114 – Hat der Schuldner, wie im Regelfall, keinen Ersatzanspruch gegen den Eigentümer, geht die Hypothek auf den Eigentümer über und wird, da keine Forderung mehr besteht, zur **Eigentümergrundschuld** (§§ 362, 1163 I 2, 1177 BGB).

- War jedoch im Innenverhältnis zwischen Schuldner und Eigentümer der Eigentümer zur Tilgung verpflichtet und hat deshalb der Schuldner einen Ersatzanspruch gegen den Eigentümer, geht die Hypothek auf den Schuldner über und bleibt damit **Fremdhypothek. Beispiel Erfüllungsübernahme:** Im Kaufvertrag hat der Käufer in Anrechnung auf den Kaufpreis eine Schuld des Verkäufers mit der sie sichernden Hypothek übernommen (§ 415 I BGB), der Gläubiger jedoch die Schuldübernahme nicht genehmigt (§ 415 II 1 BGB). Der Käufer bleibt aber im Verhältnis zum Verkäufer aus der Erfüllungsübernahme verpflichtet, anstelle des Verkäufers zu leisten (§§ 415 III 2, 329 BGB). Leistet nun dennoch der Verkäufer, so erlischt zwar die gesicherte Forderung, aber er hat aus der Erfüllungsübernahme einen Ersatzanspruch gegen den zum neuen Eigentümer gewordenen Käufer. Es tritt eine gesetzliche Forderungsauswechslung ein und die Hypothek geht auf den Verkäufer über (§ 1164 BGB).

c) Die Hypothek wird durch einen dazu berechtigten Dritten abgelöst

1115 Dadurch geht sie auf den Dritten über und bleibt **Fremdhypothek.** Hier sind insbesondere zwei Fälle zu unterscheiden:

- **Der Bürge befriedigt den Gläubiger** und erwirbt dadurch Forderung und Hypothek (§§ 774 I 1, 1153 I BGB); zur Ausgleichspflicht zwischen Bürge und Hypothekenschuldner s. § 426 BGB.
- **Ablösungsrecht.** Verlangt der Gläubiger der Hypothek Befriedigung aus dem Grundstück, so kann jeder, der Gefahr läuft, durch die Zwangsversteigerung ein Recht an dem Grundstück zu verlieren, den Gläubiger befriedigen (§ 268 I BGB). Durch die Befriedigung geht die Forderung mit der Hypothek auf ihn über (§§ 268 III 1, 1150, 1153 BGB). **Beispiel:** Der nicht in das geringste Gebot fallende Wohnungsberechtigte oder der Pächter des Grundstücks wehrt die angedrohte Zwangsversteigerung des Grundstücks durch Zahlung an den Hypothekengläubiger ab.

2. Die Fälle des Erlöschens

Die Hypothek erlischt nur in den folgenden Fällen: 1116

- **Tilgung.** Hat der Eigentümer und persönliche Schuldner die Forderung getilgt, so kann er durch löschungsfähige Quittung des bisherigen Gläubigers nachweisen, daß die Hypothek ihm als Eigentümergrundschuld zusteht. Sodann kann er selbst ihre Aufgabe erklären und sie zur Löschung bewilligen (§ 875 I BGB).
- **Aufgabe.** Ist die Hypothek noch valutiert, erlischt sie durch rechtsgeschäftliche Aufgabeerklärung des Berechtigten, Zustimmung des Eigentümers (wegen der potentiellen Eigentümergrundschuld) und Löschung im Grundbuch (§§ 875, 1183 BGB, 27 GBO); die Löschungsbewilligung des Gläubigers ist an sich nur die -wegen des formellen Konsensprinzips des Grundbuchrechts erforderliche- formelle Erklärung des Betroffenen (§ 19 GBO). In der Regel wird darin jedoch zugleich die (stillschweigende) materielle Aufgabeerklärung des Gläubigers zu sehen sein.
- **Löschung.** Ist die Forderung getilgt, steht die Hypothek nicht mehr dem bisherigen Gläubiger, sondern entweder dem Eigentümer, dem persönlichen Schuldner oder einem Dritten zu. Wenn – wie in der Praxis üblich – der bisherige Gläubiger dennoch eine Löschungsbewilligung erteilt, handelt er zwar materiell als Nichtberechtigter, aber der Vollzug der Löschung im Grundbuch führt doch zum Erlöschen der Hypothek, weil in der erforderlichen Zustimmung des Eigentümers zugleich dessen Aufgabeerklärung als wahrer Berechtigter liegt.
- **Zuschlag.** Im Zwangsversteigerungsverfahren erlischt die Hypothek, wenn es sich um das Recht des betreibenden Gläubigers oder eine gleichstehende oder nachfolgende Hypothek handelt (= Rechte die nicht in das geringste Gebot fallen), §§ 91, 52, 44 ZVG.

§ 23. Die Grundschuld

Literaturhinweise: Beck'sches Notarhandbuch (Amann) A VI; Gaberdiel, Kreditsicherung durch Grundschulden, 5. Aufl. 1991; HSS Rz. 2277–2349; Roemer, Ausgewählte Probleme aus dem Bereich der Grundpfandrechte, MittRhNotK 1991, 69; RAB-Reithmann Rz. 710–804; Muster eines Grundschuldbriefes am Ende dieses Abschnitts

I. Die Verdrängung der Hypothek durch die Grundschuld

1117 Der Gesetzgeber des BGB hatte bei der Gestaltung der Grundpfandrechte die Kreditverhältnisse vor Augen, wie sie sich gegen Ende des 19. Jahrhunderts dargestellt haben. Der **Privatkredit** war weit verbreitet, seine Sicherung durch ein Pfandrecht an Grundbesitz durch eine mit der Forderung verbundene (akzessorische) Hypothek deshalb zweckmässig. Seit dem 1. Weltkrieg und besonders nach dem 2. Weltkrieg ist jedoch der Privatkredit immer mehr durch den **Institutskredit** ersetzt worden. Heute wird Kredit auf Grundpfandrechte fast nur noch von institutionellen Kreditgebern wie Banken, Sparkassen, Bausparkassen, Versicherungen sowie durch die öffentliche Hand (z. B. Wohnungsbaudarlehen, Instandsetzungsdarlehen usw.) und durch Unternehmen (Arbeitgeberdarlehen) gewährt.

1118 **Im Zuge dieser Entwicklung hat die forderungsunabhängige (abstrakte) Grundschuld weitgehend die Hypothek verdrängt.** Aber auch soweit noch Hypotheken bestellt werden, zeigt sich eine Tendenz zur Abstrahierung der Sicherungsmittel. Wie bereits dargestellt, dient die Hypothek meist nicht unmittelbar zur Sicherung einer Forderung aus einem Kreditvertrag, sondern zur Sicherung eines dazwischengeschalteten abstrakten Schuldversprechens oder Schuldanerkenntnisses i. S. der §§ 780, 781 BGB (sog. abstrahierte Hypothek; s. Rz. 1058).

1119 **Sonderfälle.** Zweckmässig und üblich ist die Verwendung der Hypothek, insbesondere der Sicherungshypothek, jedoch weiterhin als Sicherungsmittel für Ansprüche im familiären Bereich, z. B. zur Sicherung von Herauszahlungsansprüchen aus Übergabe- und Erbteilungsverträgen, bei denen die Verkehrsfähigkeit des Grundpfandrechts nicht beabsichtigt und meist auch unerwünscht ist. Daneben behauptet die Hypothek natürlich ihren Platz in dem wichtigen Bereich der vollstreckungsrechtlichen Sonderformen der Sicherungshypothek (Zwangshypothek, Arresthypothek und Steuerhypothek, vgl. Rz. 1083–1087).

II. Die Abstraktheit der Grundschuld

1120 Während die Hypothek grundsätzlich das Bestehen einer zu sichernden Forderung voraussetzt und (wenn auch je nach Ausgestaltung als Verkehrshypothek oder Sicherungshypothek in unterschiedlichem Grade) akzessorischen Charakter hat, ist die Grundschuld abstrakt. **Zur Entstehung und zum Fortbestehen der Grundschuld ist eine persönliche Forderung nicht erforderlich.** Für sie gelten zwar die Vorschriften über die Hypothek (§§ 1113 ff. BGB) entsprechend, aber nur „soweit sich nicht daraus ein anderes ergibt, daß die Grundschuld eine Forderung nicht voraussetzt" (§ 1192 I BGB). Umgekehrt gesprochen: Auf die Grundschuld finden diejenigen Vorschriften über die Hypothek keine Anwendung, die mit der Akzessorietät zusammenhängen. **Daraus ergeben sich als wesentliche Unterschiede:**

- 1121 **§ 1163 I 1 BGB:** Die Hypothek ist bis zur Valutierung Eigentümergrundschuld (vorläufige Eigentümergrundschuld). Die Grundschuld entsteht durch die Einigung zwischen Grundschuldbesteller und Grundschuldgläubiger und Eintragung im Grundbuch sowie – im Falle der Briefgrundschuld – Übergabe des Grundschuldbriefes sofort als Fremdgrundschuld (§§ 873 I, 1117 BGB); das Entstehen einer zu sichernden Forderung ist dazu nicht erforderlich.
- 1122 **§ 1163 I 2 BGB:** Die Hypothek geht kraft Gesetzes auf den Eigentümer über und wird Eigentümergrundschuld, wenn und soweit die gesicherte Forderung durch ihn getilgt wird (§ 1177 BGB; nachträgliche Eigentümergrundschuld). Die Grundschuld bleibt auch dann in voller Höhe als Fremdgrundschuld bestehen, wenn Zahlungen auf die gesicherte Forderung geleistet werden; zur Zahlung auf die Grundschuld s. Rz. 1160–1162.
- 1123 **§ 1153 BGB:** Hypothek und Forderung sind gekoppelt. Die Forderung kann nicht ohne die Hypothek, die Hypothek nicht ohne die Forderung übertragen werden (Mitlaufkoppelung). Die Grundschuld kann ohne die gesicherte Forderung und die Forderung kann ohne die sie sichernde Grundschuld abgetreten werden; Grundschuld und gesicherte Forderung können deshalb bei der Abtretung verschiedene Wege zu unterschiedlichen Gläubigern gehen (s. Rz. 1171).
- 1124 **§ 1137 BGB:** Gegen die Geltendmachung der Hypothek kann der Eigentümer die Einwendungen und Einreden geltend machen, die dem Schuldner gegen die Forderung zustehen oder die einem Bürgen gemäß § 770 BGB zustehen würden (s. Rz. 1095–1097). Zu den Begriffen „Einreden" und „Einwendungen" s. Rz. 1069. Gegen die Grundschuld können aus der Forderung keine Einwendungen und Einreden geltend gemacht werden; die Geltendmachung der Grundschuld ist insbeson-

dere nicht von der Fälligkeit einer Forderung abhängig, sondern das Kapital der Grundschuld wird durch Kündigung der Grundschuld fällig (§ 1193 BGB). Wegen der Verbindung zwischen dem Schuldverhältnis und der Grundschuld durch den Sicherungsvertrag s. Rz. 1159. Weitere wichtige Vorschriften des Hypothekenrechts wie die §§ 1138, 1161, 1164, 1173 I 2, 1174, 1177, 1184 und 1190 BGB gelten wegen der fehlenden Akzessorietät dieses Sicherungsmittels bei der Grundschuld gleichfalls nicht.

1125 **Wie die Hypothek erlischt die Grundschuld:**
- durch Aufhebungserklärung des Berechtigten, Zustimmung des Eigentümers und Löschung im Grundbuch (§§ 875, 1183, 1192 I BGB, 27 GBO)
- durch Befriedigung des Gläubigers im Wege der Zwangsvollstreckung (§§ 1181, 1192 I BGB)
- durch Zuschlag im Zwangsversteigerungsverfahren, wenn es sich um die Grundschuld des betreibenden Gläubigers oder eine dem betreibenden Gläubiger gleichstehende oder nachstehende Grundschuld handelt (§§ 91, 52, 44 ZVG).

III. Die Sicherungsgrundschuld

Literaturhinweise: Clemente, Die Sicherungsgrundschuld, 2. Aufl. 1992; MünchKomm-Eickmann, § 1191 Rz. 13–124; Palandt/Bassenge, § 1191 Rz. 12–40

1. Der Begriff

1126 **Die Bestellung einer Grundschuld erfolgt fast immer zur Sicherung eines gewährten oder versprochenen Kredits.** Man spricht dann von einer Sicherungsgrundschuld. Dieser Begriff kommt zwar im Gesetz nicht vor, hat aber allgemein Eingang in den Sprachgebrauch von Wissenschaft und Kreditpraxis gefunden. Grundschulden sind deshalb in aller Regel Sicherungsgrundschulden, was man ihnen allerdings nicht ansehen kann, weil der Sicherungscharakter nicht im Grundbuch eingetragen wird. Die Sicherungsgrundschuld ist also eine Fremdgrundschuld, die aufgrund eines Sicherungsvertrages eine persönliche Forderung des Grundschuldgläubigers (Sicherungsnehmer) gegen den Eigentümer (Sicherungsgeber) oder einen Dritten sichert.

1127 **Nicht jede Fremdgrundschuld ist jedoch eine Sicherungsgrundschuld.** Sie ist es nicht in den – allerdings sehr seltenen – Fällen, in denen die Grundschuld keine Forderung sichern soll (sog. **isolierte Grundschuld**). Ein solcher Ausnahmefall ist z. B. gegeben, wenn ein Grundstückseigentümer pro forma eine Grundschuld für einen fremdnützigen Treuhänder bestellt, sei es, um die Rangstelle freizuhalten oder ein Kreditverhältnis vorzutäuschen bzw. den Zugriff durch einen Gläubiger zu erschweren (Eickmann NJW 1981, 545). Dann ist zwar -die dingliche Einigung vorausgesetzt- mit der Eintragung eine Grundschuld entstanden, aber sie hat -mangels einer Forderung- keine Sicherungsfunktion. Da die Grundschuld aber fast immer eine Sicherungsgrundschuld ist, soll unsere weitere Darstellung ganz auf sie abgestellt werden.

1128 **Bei der Sicherungsgrundschuld bestehen nebeneinander mehrere Rechtsbeziehungen:**

- der Kreditvertrag zwischen Kreditgeber und Kreditnehmer (Rz. 1129 f.)
- der Sicherungsvertrag zwischen Kreditgeber und Eigentümer (Rz. 1131 ff.)
- das Grundschuldverhältnis zwischen Kreditgeber und Eigentümer (Rz. 1135 ff., 1157 ff.)
- meist außerdem ein abstraktes Schuldverhältnis zwischen Kreditgeber und Schuldner aufgrund eines Schuldversprechens/Schuldanerkenntnisses gem. §§ 780, 781 BGB (Rz. 1182 ff.)
- wenn Eigentümer und Kreditnehmer nicht identisch sind: Das Innenverhältnis zwischen Schuldner und Eigentümer (Sicherungsgeber) z. B. Auftrag, Schenkung usw.

Durch dieses Nebeneinander und Ineinandergreifen mehrerer Rechtsverhältnisse ist die Sicherungsgrundschuld – trotz ihrer massenhaften und im allgemeinen problemlosen Verwendung in der Kreditpraxis – ein Gebilde mit außerordentlich komplizierter Systematik.

2. Der Kreditvertrag

1129 **Anlaß für die Bestellung einer Grundschuld ist in der Regel ein Kreditvertrag zwischen dem Kreditgeber und dem Kreditnehmer;** Gegenstand dieses Kreditvertrages kann ein Darlehen oder ein Kredit in laufender Rechnung (Kontokorrentkredit) sein. Er regelt die schuldrechtlichen Beziehungen zwischen den Vertragspartnern, z. B. die Verzinsung und Tilgung des Kredits, und unterliegt den Regeln des Schuldrechts, ergänzend auch des AGB-Gesetzes. Der Abschluß bedarf keiner Form, Schriftform ist jedoch aus Beweisgründen zweckmässig und auch in der Form besonderer Vordrucke des jeweiligen Kreditinstituts üblich. Vielfach wird auch die Vereinbarung mündlich getroffen und durch einen Bewilligungsbescheid des Kreditinstituts bestätigt. Zum Inhalt des Vertrages werden auch die Allgemeinen Geschäftsbedingungen des Kreditinstituts (AGB), auf die im Kreditvertrag Bezug genommen wird, soweit die übrigen Voraussetzungen des § 2 AGB-Gesetz (Möglichkeit der Kenntnisnahme und Einverständnis des Kreditnehmers) gegeben sind. Insbesondere gilt hier die sog. Pfandklausel der AGB. Danach dienen alle Wertgegenstände, die im Laufe der Geschäftsverbindung, durch den Kunden oder für seine Rechnung durch Dritte, in den unmittelbaren oder mittelbaren Besitz oder sonst in die Verfügungsmacht des Kreditinstituts gelangen -soweit gesetzlich zulässig- als Pfand für alle bestehenden und künftigen Ansprüche des Kreditinstituts gegen den Kunden (vgl. z.B. „Allgemeine Geschäftsbedingungen der Sparkassen/Girozentralen" Nr. 21).

1130 **Sicherheiten.** Der Kreditvertrag regelt neben den Konditionen des Kredits (Zinssatz, Zinsbindungsfrist, Tilgung, Kündigung) auch, ob und gegebenenfalls welche Sicherheiten der Kreditnehmer zu stellen hat. In den Fällen des Immobiliarkredits verpflichtet sich der Kreditnehmer, dem Kreditgläubiger eine Sicherheit durch die Bestellung einer Grundschuld zu verschaffen. Besteller der Grundschuld ist entweder der Kreditnehmer selbst (wenn er der Eigentümer ist) oder ein anderer, der zur Stellung dieser Sicherheit bereit ist. **Beispiele:** (s. Rz. 1135)

3. Der Sicherungsvertrag

a) Abschluß und Inhalt

1131 **Der Sicherungsvertrag ist im Gesetz nicht geregelt;** er ist an keine Form gebunden und wird gelegentlich auch stillschweigend getroffen (BGH NJW-RR 1991, 305). Meist hat er lediglich die Gestalt einer Zweckerklärung, die sich der Gläubiger vom Eigentümer unterschreiben läßt. Vielfach wird die Zweckerklärung nebst einigen Nebenerklärungen auch in die hauseigenen Grundschuldformulare der Kreditinstitute aufgenommen. Zu der schriftlichen Erklärung treten regelmäßig stillschweigend vereinbarte oder durch ergänzende Vertragsauslegung zur ermittelnde Vertragselemente hinzu (s. Rz. 1134).

Im Sicherungsvertrag verpflichtet sich der Eigentümer (**Sicherungsgeber**) gegenüber dem Gläubiger (**Sicherungsnehmer**), zur Sicherung einer Forderung eine Grundschuld zu bestellen, zu übertragen oder zu belassen. Dieser Vertrag ist der **Rechtsgrund** (causa) für die Bestellung und den Bestand der Grundschuld (BGH NJW 1989, 1732).

b) Rechtsnatur und Wirkung

1132 **Der Sicherungsvertrag ist ein schuldrechtlicher Vertrag.** Er begründet zwischen dem Eigentümer und dem Gläubiger ein auf dem Grundsatz von Treu und Glauben beruhendes fiduziarisches Rechtsverhältnis, das weitgehend nach den Regeln der §§ 662ff. BGB über den Auftrag beurteilt wird. Sein Treuhandcharakter ergibt sich daraus, daß der Gläubiger nach außen zwar die volle Rechtsstellung eines Grundschuldgläubigers hat, im Innenverhältnis diese Rechtsmacht aber nur im Rahmen des Sicherungsvertrages ausüben darf. Dabei ist er auch zur Wahrung der Interessen des Eigentümers verpflichtet (BGH NJW 1989, 1732). Dies gilt vor allem im Falle einer Abtretung oder einer Verwertung der Grundschuld in der Vollstreckung. Eine Verletzung dieser treuhänderischen Pflichten kann zu Schadensersatzansprüchen aus positiver Vertragsverletzung führen. Unklarheiten der vom Gläubiger entworfenen Zweckerklärung gehen stets zu dessen Lasten (BGH NJW 1976, 2340).

Die Abreden des Sicherungsvertrages können nicht in das Grundbuch eingetragen werden, weil die Grundschuld ihrem Wesen nach forderungsunabhängig ist. Sie darf daher nur schuldrechtlich, nicht aber in ihrem dinglichen Bestand mit dem Sicherungszweck verbunden werden (BGH NJW 1986, 53). Eintragungsfähig sind aber Einwendungen und Einreden, welche die Grundschuld selbst betreffen (§§ 1192 I, 1157 BGB), insbesondere ein Abtretungsverbot (HSS Rz. 2379 Fn. 1 m.w.N., s. auch Rz. 1154 sowie MünchKomm-Eickmann § 1191 Rz. 127 f.).

c) Die Zweckbestimmung

1133 **Kernstück des Sicherungsvertrages ist die „Zweckbestimmung" der Grundschuld.** Je nach den Usancen des Kreditinstituts findet sich die Zweckbestimmung des Grundschuldbestellers entweder in der Grundschuldbestellungsurkunde bzw. in einem der Urkunde gem. 14 BeurkG beigefügten Schriftstück oder als Erklärung in Verbindung mit dem Kreditvertrag. Hat der Eigentümer die Zweckerklärung einseitig bei der Grundschuldbestellung abgegeben, wird sie mit der Annahme durch das Kreditinstitut, d. h. spätestens mit der Kreditauszahlung, zur Vereinbarung.

Die Zweckvereinbarung bestimmt, wessen Verbindlichkeiten und welche Verbindlichkeiten durch die Grundschuld gesichert werden. Dies ist der sachliche Deckungsbereich. Meist wird festgelegt, daß die Grundschuld als Sicherheit für alle gegenwärtigen und zukünftigen Verbindlichkeiten des Kreditnehmers aus der Geschäftsverbindung mit dem Kreditinstitut dienen soll. Dient die Grundschuld nur als Sicherheit für eine bestimmte Forderung, sollte dies im Sicherungsvertrag ausdrücklich festgelegt werden. Dann darf der Gläubiger nach dem Erlöschen der Forderung die Grundschuld nicht mehr verwerten (s. Rz. 1148). Ein etwaiger Bereicherungsanspruch des Gläubigers (bei Unwirksamkeit des Kreditvertrages) ist im Zweifel mitgesichert, ein Schadensersatzanspruch nach h. M. jedoch nur, wenn die Grundschuld eine eigene Verbindlichkeit des Grundstückseigentümers sichert (MünchKomm-Eickmann § 1191 Rz. 38).

d) Weitere Inhalte des Sicherungsvertrages

1134 Über die Zweckbestimmung hinaus enthält der Sicherungsvertrag in der Regel eine Reihe weiterer ausdrücklicher oder stillschweigender Abreden über:

- die Konditionen der Grundschuld (Zinssatz, Fälligkeit, Kündigung s. Rz. 1142 ff.)
- Rückgewähr oder Löschung der Grundschuld bei endgültigem Wegfall des Sicherungszwecks, eventuell auch eines nicht mehr als Sicherheit benötigten Teils der Grundschuld (s. Rz. 1148 ff.)
- die Anrechnung von geleisteten Zahlungen (s. Rz. 1161)
- die Verwertung der Grundschuld erst bei Fälligkeit (auch) der gesicherten Forderung (s. Rz. 1159)
- die Geltendmachung oder Nichtgeltendmachung des nicht valutierten Teils der Grundschuld in einer Zwangsversteigerung (s. Rz. 1152, 1177)
- Verbot der isolierten Übertragung der Grundschuld oder generelles Abtretungsverbot (s. Rz. 1153–1155)
- die Abtretung der Rückgewähransprüche des Eigentümers gegen vorrangige Grundschuldgläubiger (s. Rz. 1175–1181)
- die Pflicht des Eigentümers zur Versicherung des Gebäudes und die Abtretung von Versicherungsansprüchen
- das Verbot, Baulasten ohne Zustimmung des Gläubigers zu bestellen (s. Rz. 750 ff.)
- ein Betretungs- und Besichtigungsrecht des Gläubigers
- das Recht des Gläubigers, eine Buchgrundschuld in eine Briefgrundschuld umzuwandeln und umgekehrt.

e) Die Haftung für fremde Schuld

Literaturhinweis: Rieder, Aktuelle Probleme des AGB-Rechts in der notariellen Praxis, MittBayNot 1983, 203

1135 **Die Interessenlage.** Wenn der Grundschuldbesteller auch der Kreditnehmer ist, haftet er mit dem belasteten Grundstück für eine eigene Schuld. Vielfach handelt es sich jedoch um verschiedene Personen, wobei auch Teilidentität gegeben sein kann. **Beispiele:**
- Die Eltern verpfänden ihr Hausgrundstück zur Sicherung einer Kreditaufnahme ihres Sohnes.
- Der Ehemann nimmt einen Kredit für sein Geschäft auf, aber die Eheleute sind gemeinsam Eigentümer des zu belastenden Grundstücks; hier ist teils Identität und teils Verschiedenheit zwischen Kreditnehmer und Grundschuldbesteller gegeben.

1136 **Das Problem der Haftungsbegrenzung.** In den Fällen der Haftung für fremde Schuld stellt sich für den haftenden bzw. mithaftenden Eigentümer die Frage, in welchem Umfang er verpflichtet sein soll und bereit ist, mit seinem Grundstück für die Kreditverpflichtungen des Schuldners einzustehen. In der Regel wird er die Sicherheit nur für ein bestimmtes Kreditgeschäft zur Verfügung stellen wollen, z. B. für ein zweckgebundenes Darlehen, aber nicht bereit sein, auf eine nicht absehbare Zeit für alle etwaigen zukünftigen Forderungen des Kreditgebers gegen den Kreditnehmer zu haften. Insbesondere will er nicht, daß sein Anspruch auf Rückgewähr der Grundschuld nach Abwicklung des gesicherten Kredits durch eine ohne seine Mitwirkung erfolgende neue Kreditaufnahme vereitelt werden kann.

Rechtsprechung. Zum Schutz des mit dem Kreditnehmer nicht identischen Eigentümers hat die Rechtsprechung folgende Grundsätze entwikkelt: Wer sein Grundstück zur Sicherung einer bestimmten Darlehensschuld eines anderen mit einer Grundschuld belastet, braucht nicht damit zu rechnen, daß ohne besondere und mit ihm ausgehandelte Vereinbarung die Grundschuld als Sicherheit für alle zukünftigen Forderungen des Kreditgebers gegen den Kreditnehmer dient (BGH NJW 1982, 1035 = DNotZ 1982, 314; seitdem st. Rechtsprechung; s. Palandt/Bassenge § 1191 BGB Rz. 39 m.w.N.). Haftung für fremde Schuld in diesem Sinne ist auch gegeben, wenn Ehegatten am gemeinschaftlichen Grundstück eine Grundschuld bestellen und nach der Klausel jeder mit seinem Anteil auch für alle zukünftigen Forderungen des Gläubigers gegen den anderen Ehegatten haften soll (BGH NJW 1989, 831; 1992, 1822). **1137**

Das bedeutet: **Eine vorformulierte Zweckerklärung kann als sog. „überraschende Klausel" gemäß § 3 AGB-Gesetz insoweit unwirksam sein, als sie sämtliche gegenwärtigen und zukünftigen Forderungen gegen den Kreditnehmer in ihren Sicherungsbereich einbezieht.** Dies ist insbesondere der Fall, wenn die Grundschuld aus Anlaß einer bestimmten einzelnen Kreditverpflichtung eines Dritten bestellt wird und den Sicherungsbereich über den durch den Anlaß des Geschäfts bestimmten Rahmen hinaus in einem nicht zu erwartenden Umfang erweitert (BGH NJW 1990, 576; 1992, 1822). Eine andere Beurteilung gilt jedoch, wenn die Grundschuld, für den Besteller erkennbar, der Sicherung für Geschäftskredite in laufender Rechnung dienen soll (BGH NJW 1987, 946), oder wenn der Sicherungsgeber maßgeblich beeinflußen kann, ob und in welcher Höhe künftige in den Deckungsbereich der Grundschuld fallende Forderungen entstehen, z.B. wenn der Alleingesellschafter und Alleingeschäftsführer einer GmbH sein Privatgrundstück belastet.

Behandlung bei der Beurkundung. Eine eingehende Belehrung über die Tragweite der Haftungsklausel mag ihr zwar das Überraschungsmoment nehmen, macht sie aber noch nicht zu einer „im Einzelfall ausgehandelten Vereinbarung" (§ 1 II AGB-Gesetz). Als Formularvertrag fällt sie unter die Generalklausel des § 9 I AGB-Gesetz, die eine unangemessene Benachteiligung des Vertragspartners verbietet. Ist danach die erweiterte Haftungsklausel unwirksam, führt dies nur zur Unwirksamkeit dieser Bestimmung, die übrige Zweckerklärung und die Bestellung der Grundschuld bleiben davon unberührt. **1138**

Einschränkung der Zweckbestimmung. Leider hat die Kreditwirtschaft aus dieser Rechtsprechung erst teilweise die erforderlichen Konse- **1139**

quenzen gezogen. Vielfach enthalten auch heute noch die Grundschuldformulare unwirksame Haftungsklauseln. In solchen Fällen sollte der Notar – möglichst nach Rücksprache mit dem Kreditinstitut – die unbeschränkte Zweckbestimmung durch einen Zusatz einschränken. **Formel** z.B.: „Die Grundschuld dient zur Sicherung aller Ansprüche, welche die Gläubigerin gegen ... (den Schuldner) mit Zustimmung ... (des Eigentümers) erworben hat oder erwerben wird." Wird die Grundschuld durch **Ehegatten als gemeinschaftliche Eigentümer** bestellt, kann die **Formel** lauten: „Die Grundschuld dient zur Sicherung aller gegenwärtigen und zukünftigen Ansprüche der Gläubigerin gegen die Eheleute ... gemeinsam oder gegen einen von ihnen allein, wenn der andere Ehegatte seine Zustimmung zur Kreditaufnahme erklärt hat." Soll die Grundschuld ein bestimmtes Darlehen sichern, kann die Zweckbestimmung wie folgt lauten: „Die Grundschuld dient als Sicherheit für das Darlehen ... Für zukünftige weitere Verpflichtungen des Darlehensnehmers gegenüber der Gläubigerin dient die Grundschuld nur als Sicherheit, wenn der Grundstückseigentümer seine Zustimmung zur Kreditaufnahme erklärt hat."

Auf die Einschränkung der Zweckbestimmung sollte der Notar auch nicht deshalb verzichten, weil die unbeschränkte Zweckerklärung unwirksam ist, denn dies kann dazu führen, daß der Eigentümer im Vertrauen auf die Gültigkeit der Klausel leistet, ohne hierzu verpflichtet zu sein.

1140 **Umgehung durch Einbeziehung in das Schuldverhältnis.** Um eine Haftung für fremde Schuld handelt es sich nicht, wenn der Eigentümer zwar nicht der eigentliche Kreditnehmer ist, aber den Darlehensvertrag als Gesamtschuldner mitunterschrieben oder die Bürgschaft für den Kredit übernommen hat. Dieser Umstand wird von den Kreditinstituten häufig ausgenutzt, um den Sicherungsrahmen möglichst weit zu ziehen und die in der Rechtsprechung entwickelten Grundsätze zur Haftung für fremde Schuld zu umgehen. Hier zieht die Rechtsprechung in Extremfällen allerdings § 138 BGB als Schranke heran. Sittenwidrig und damit nichtig kann es danach sein, wenn das Kreditinstitut bei Bewilligung eines Betriebskredits die einkommens- und vermögenslose Ehefrau des Betriebsinhabers zur Übernahme der Mithaftung veranlaßt (BGH NJW 1991, 92). Diese Umstände sind dem Notar jedoch in der Regel nicht bekannt und liegen außerhalb seines Einwirkungsbereichs.

f) Haftung des Eigentümers bei Kaufpreisfinanzierung durch vorgezogene Grundschuld

1141 Bei Grundstückskäufen wird heute vielfach der Kaufpreis ganz oder teilweise durch eine vom Verkäufer für den Kreditgeber des Käufers bestellte Grundschuld finanziert (Modell: Kaufvertrag mit Finanzierung durch vorgezogene Grundschuld; s. Rz. 216). Auch in diesen Fällen stellt sich das Problem der Haftung für fremde Schuld. Zur Sicherung des Verkäufers sollte deshalb durch einen Zusatz in der Urkunde oder durch ausdrückliche Bestätigung des Gläubigers sichergestellt werden, daß die Grundschuld vor der vollen Zahlung des Kaufpreises höchstens für den Betrag in Anspruch genommen werden darf, der vom Kreditgeber auf den Kaufpreis gezahlt worden ist, d. h. je nach Vertragsgestaltung an den Verkäufer selbst, an abzulösende Gläubiger oder auf Anderkonto des Notars. Mit dem Übergang des Eigentums auf den Käufer ist der Sicherungsvertrag zwischen dem Verkäufer (Grundschuldbesteller) und dem Kreditinstitut (Grundschuldgläubiger) erledigt, und es gilt nur noch die weitergehende Zweckvereinbarung zwischen Käufer (persönlichem Schuldner) und Kreditinstitut.

g) Die Konditionen der Grundschuld

1142 **Inhalt des Sicherungsvertrages sind weiter die Konditionen der Grundschuld.** Dazu gehören neben der Bestimmung des Gläubigers insbesondere: der Nennbetrag und der Zinssatz der Grundschuld, der Betrag oder Prozentsatz etwaiger vertraglicher Nebenleistungen, die Zins- und Tilgungstermine, die Fälligkeits- und Kündigungsbestimmungen der Grundschuld sowie vor allem der für die Eintragung im Grundbuch geforderte Rang. Dabei weichen die Konditionen der Grundschuld in aller Regel von den vereinbarten Konditionen des zu sichernden Kredits ab. Dieser Umstand ist dem Laien zunächst unverständlich und bedarf deshalb beim Abschluß des Kreditvertrages bzw. bei der Beurkundung der Grundschuld einer besonderen Aufklärung. Dazu das wichtigste im einzelnen:

- 1143 **Der Nennbetrag der Grundschuld wird häufig etwas höher gewählt, als die vereinbarte Kreditsumme.** Dadurch soll ein ausreichender Sicherungsrahmen auch für den Fall gegeben sein, daß der Kredit nachträglich erhöht oder der Kreditrahmen überzogen wird.
- 1144 **Die Grundschuld wird meist sofort fällig oder jederzeit fristlos kündbar gestellt.** Dies ermöglicht dem Gläubiger, die Grundschuld sofort geltend zu machen, wenn das Kreditverhältnis notleidend wird.
- 1145 **Der Zinssatz der Grundschuld liegt meist erheblich über dem aktuellen Zinssatz des Kredits.** Das hat folgende Gründe: Durch die Eintragung eines relativ hohen Zinssatzes der Grundschuld (z. B. 12 % oder 15 %) will der Gläubiger sicherstellen, daß der Zinsrahmen der Grundschuld auch dann noch eine ausreichende Sicherung bildet, wenn der Kreditzins aufgrund einer inflatorischen Entwicklung des Geld- und Kapitalmarktes oder aus anderen Gründen extrem ansteigen sollte. Auch Zinserhöhungen für den Fall des Verzuges werden dadurch abgedeckt. Außerdem unterliegt der Zinssatz des Kredits –

mindestens längerfristig – in der Regel den Veränderungen des Geld- und Kapitalmarktes. Einen veränderlichen Zinssatz kann man jedoch nicht in das Grundbuch eintragen; das widerspräche dem Bestimmtheitsgrundsatz des Grundbuchrechts. Aus der Eintragung muß für nachfolgende Gläubiger die mögliche Höchstbelastung des Grundstücks erkennbar sein (s. Rz. 1043). Ihnen geht in einer etwaigen Zwangsversteigerung oder Zwangsverwaltung des Grundstücks höchstens der Betrag der Grundschuld nebst ihren Zinsen und Nebenleistungen vor, und zwar auch dann, wenn die aus dem gesicherten Kredit geschuldeten Beträge höher sein sollten. Die Eintragung bestimmt somit den Sicherungsrahmen für den Gläubiger und begrenzt zugleich seine Berechtigung zugunsten von nachrangigen Berechtigten.

1146 – **Bei den Nebenleistungen muß man unterscheiden:**
Gesetzliche, d. h. nicht eintragbare Nebenleistungen, sind die Kosten der Kündigung des Grundpfandrechts und der die Befriedigung aus dem Grundstück bezweckenden Rechtsverfolgung (§§ 1118, 1192 BGB)
Vertragliche Nebenleistungen bedürfen der Eintragung (§§ 1115, 1192 BGB), z. B. Geldbeschaffungskosten, Verwaltungskostenbeitrag, Vorfälligkeitsentschädigung; sie werden in der Regel als einmalige pauschale Summe oder als Prozentsatz des Nennbetrages der Grundschuld angegeben.

1147 **Die tatsächlichen Zahlungspflichten des Kreditnehmers gegenüber dem Kreditgeber richten sich jedoch nur nach den Konditionen des Kreditvertrages.** Die höheren Nennbeträge und Zinssätze bzw. schärferen Fälligkeitsbestimmungen der Grundschuld gegenüber den Konditionen des Kredits bedeuten deshalb in der Hand eines seriösen Grundschuldgläubigers kein Risiko für den Grundstückseigentümer. Zu seinen Abwehrrechten im Falle einer gegen den Sicherungsvertrag verstoßenden Verwendung der Grundschuld s. Rz. 1170 ff.

h) Die Rückgewähransprüche des Bestellers

1148 **Aus der Zweckbestimmung der Grundschuld ergibt sich, daß ihr Rechtsgrund entfällt, wenn die zu sichernde Forderung nicht zur Entstehung gelangt oder das zu sichernde Kreditverhältnis endgültig abgewickelt ist.** Dann hat der Besteller einen schuldrechtlichen Anspruch auf Rückgewähr der Grundschuld. Dieser Anspruch richtet sich nach Wahl des Eigentümers (Wahlschuldverhältnis i. S. der §§ 262 ff. BGB) auf:

- **die Abtretung der Grundschuld** an den Eigentümer oder an einen von ihm bezeichneten Dritten (§§ 1192, 1154 BGB)
- **den Verzicht des Gläubigers auf die Grundschuld** (§§ 1192, 1168 BGB); mit diesem in der Praxis seltenen Verzicht und dessen Eintragung im Grundbuch geht die Grundschuld auf den Eigentümer über; seine Ein-

tragung als Grundschuldinhaber ist dann nur noch Grundbuchberichtigung

- **die Aufhebung der Grundschuld** = Aufgabeerklärung des Gläubigers und Löschung im Grundbuch (§§ 1192, 1183, 875 BGB). Vielfach werden die Wahlrechte des Eigentümers auf diese Lösung (= Anspruch auf Erteilung einer Löschungsbewilligung) beschränkt, und es wird dazu bestimmt, daß der Gläubiger berechtigt ist, die Löschungsbewilligung dem jeweiligen Eigentümer auszuhändigen. Dadurch werden die Ansprüche auf Rückübertragung und auf Verzicht ausgeschlossen. Mit dieser Beschränkung will der Gläubiger vermeiden, nach Abwicklung des Kreditverhältnisses prüfen zu müssen, ob und gegebenenfalls in welchem Umfange andere Personen Ansprüche auf die Grundschuld haben (vgl. Reithmann NJW 1977, 661, 665). Diese Einschränkung ist jedoch für den Fall unzulässig, daß das Eigentum im Wege der Zwangsversteigerung wechselt (BGH NJW 1989, 1349 = DNotZ 1989, 618).

Rechtsgrundlage für die Rückgewähransprüche ist der Sicherungsvertrag, nach anderer Ansicht §§ 320ff. BGB. Ist die Sicherungsabrede unwirksam, ergibt sich der Anspruch aus § 812 I 2 BGB (BGH NJW 1985, 8002). 1149

Eine Übersicherung des Gläubigers kann gegen Treu und Glauben verstoßen. In diesem Falle kann der Eigentümer die teilweise Herausgabe der Sicherheit nach den Grundsätzen der Billigkeit verlangen (BGH NJW 1981, 571 = DNotZ 1981, 378). 1150

Die Rückgewähransprüche können abgetreten werden. Dies geschieht in der Praxis auch in großem Umfange zugunsten nachrangiger Gläubiger, um ihnen für den Fall einer Zwangsversteigerung die Chance einer Rangverbesserung zu geben (s. Rz. 1175ff.). 1151

Der Anspruch auf den Übererlös. Die Rückgewähransprüche wirken auch in der Zwangsversteigerung des Grundstücks: Erlischt die Grundschuld mit dem Zuschlag in der Zwangsversteigerung, so tritt an die Stelle der Grundstückshaftung als Surrogat der Versteigerungserlös. Er ist grundsätzlich dem Gläubiger in voller Höhe des Nennbetrages seiner Grundschuld zuzuteilen. Der Rückgewähranspruch gibt seinem Inhaber jedoch einen schuldrechtlichen Anspruch gegen den Grundschuldgläubiger auf Auskehrung des Übererlöses. Lediglich wenn der Grundschuldgläubiger in Erfüllung des Rückgewähranspruchs bereits vor dem Verteilungstermin seinen Anspruch auf Zuteilung des Erlösanteils in Höhe der Nicht-Valutierung an den Inhaber des Rückgewähranspruchs abgetreten hat, kann dieser vom Versteigerungsgericht die unmittelbare Zuteilung des Betrages verlangen (s. auch MünchKomm-Eickmann § 1191 Rz. 99 und nachstehend Rz. 1177). 1152

i) Einschränkungen des Abtretungsrechts

1153 **Gläubiger und Grundschuldbesteller können schuldrechtlich die Abtretung der Grundschuld davon abhängig machen, daß sie nur zusammen mit der gesicherten Forderung bzw. nur in Höhe der gesicherten Forderung abgetreten werden darf** (§ 137 Satz 2 BGB). Tritt der Gläubiger entgegen dieser Unterlassungsverpflichtung die Grundschuld ohne die Forderung ab, so ist die Abtretung zwar dinglich wirksam, aber der Eigentümer hat gegen den Zessionar die Einrede aus dem Sicherungsvertrag (§ 1157 Satz 1 BGB). Zur Frage des gutgläubigen Erwerbs s. Rz. 1173.

1154 **Die Abtretung der Grundschuld kann auch mit dinglicher Wirkung ausgeschlossen werden** (§ 399 BGB; pactum de non cedendo). Ein solches Abtretungsverbot ist eine Inhaltsbestimmung der Grundschuld und fällt deshalb nicht unter § 137 BGB. Es kann im Grundbuch eingetragen werden und dadurch Wirkung gegen jeden Dritten erlangen (OLG Hamm NJW 1968, 1289 = DNotZ 1968, 631).

1155 **Umgekehrt kann sich aus dem Sicherungsvertrag ausdrücklich oder stillschweigend ergeben, daß der Gläubiger die Grundschuld zum Zwecke der Refinanzierung abtreten darf.** Dies gilt vor allem für Fälle der Zwischenfinanzierung oder wenn kleinere Kreditinstitute sich die Mittel für die Kreditgewährung durch Refinanzierung bei ihrem Zentralinstitut beschaffen.

j) Die Beendigung des Sicherungsvertrages

1156 **Der Sicherungszweck findet in der Regel sein Ende, wenn die gesicherte Geschäftsverbindung beendet wird und nicht mehr damit zu rechnen ist, daß künftig neue Forderungen des bisherigen Kreditgebers entstehen.** Bei einem Kontokorrentkredit, dessen Wesen ja darin besteht, daß der eingeräumte Kredit bis zur vereinbarten Höhe (Kreditlinie) in stets wechselndem Umfang in Anspruch genommen werden kann, endet der Sicherungszweck erst, wenn feststeht, daß künftig keine Inanspruchnahme des Kredits mehr erfolgen wird.

Der Sicherungsvertrag endet auch:

- mit dem Erlöschen der Grundschuld in der Zwangsversteigerung (s. § 91 ZVG)
- wenn der Gläubiger die Grundschuld zurücküberträgt (s. Rz. 1148)
- wenn der Eigentümer voll auf die Grundschuld zahlt (s. Rz. 1160–1162).

4. Das Grundschuldverhältnis

a) Keine Akzessorietät der Grundschuld

Zur Entstehung der Grundschuld sind nur erforderlich die dingliche Einigung zwischen Eigentümer und Gläubiger gem. § 873 I BGB und die aufgrund einseitiger Bewilligung des Eigentümers gem. §§ 19, 29 GBO erfolgende Eintragung im Grundbuch. Bei der Briefgrundschuld kommt die Briefübergabe oder eine Aushändigungsabrede nach § 1117 II BGB hinzu. Dabei darf der Sicherungszweck in der Eintragungsbewilligung nicht enthalten sein und im Grundbuch nicht erwähnt werden (BGH NJW 1986, 53). 1157

Durch den Sicherungsvertrag wird die Grundschuld nicht akzessorisch. Sie bleibt ein abstraktes Recht, das in seinem rechtlichen Bestand unabhängig ist von einer dadurch gesicherten Forderung und auch unabhängig von der Wirksamkeit des Sicherungsvertrages. Deshalb gelten auch für die Sicherungsgrundschuld die allgemeinen Regeln der Grundschuld (s. Rz. 1120ff.), insbesondere: 1158

- Die Sicherungsgrundschuld ist mit der Eintragung im Grundbuch und Übergabe des Grundschuldbriefes, also auch schon vor der Auszahlung des Kredits (Valutierung), eine Fremdgrundschuld; § 1163 I 1 BGB gilt nicht.
- Die Sicherungsgrundschuld bleibt trotz Tilgung der Forderung zunächst Fremdgrundschuld; § 1163 I 2 BGB gilt nicht.
- Forderung und Grundschuld können unabhängig voneinander abgetreten werden; § 1153 BGB gilt nicht. Im Zweifel ist der Gläubiger jedoch nicht berechtigt, die Forderung oder die Grundschuld allein zu übertragen; im Falle eines Verstoßes ist zwar das Verfügungsgeschäft wirksam, aber ein Schadensersatzanspruch des Sicherungsgebers aus positiver Vertragsverletzung gegeben (BGH NJW-RR 1987, 139; 1991, 305).

Dennoch hat der Sicherungsvertrag für die Grundschuld praktische Bedeutung. Seine Wirkung besteht in der schuldrechtlichen Verknüpfung der Grundschuld mit dem Forderungsverhältnis: Der Gläubiger darf aus der Grundschuld nicht mehr Rechte geltend machen, als ihm aus dem Kreditvertrag zustehen. Spiegelbildlich gesehen: Der Eigentümer hat, wenn die Grundschuld geltend gemacht wird, gegenüber dem Grundschuldgläubiger alle Einwendungen und Einreden, die dem Schuldner aus dem Kreditvertrag zustehen. Dies wird bei Rz. 1163–1169 näher dargestellt. 1159

b) Die Zahlung auf die Grundschuld

Aus der abstrakten Natur der Grundschuld folgt, daß Zahlungen des Schuldners auf die gesicherte Forderung den Bestand der Grundschuld nicht berühren (BGH DNotZ 1968, 306). Auch die Abschlußzahlung 1160 auf den Kredit bewirkt noch keinen automatischen Übergang der Grundschuld auf den Eigentümer. Die Grundschuld bleibt Fremdgrundschuld, ungeachtet etwaiger Ansprüche aus dem Sicherungsvertrag. Sie kann deshalb jederzeit aufgrund formloser schuldrechtlicher Vereinbarung wieder als Sicherungsinstrument verwendet und neu beliehen werden. Darin liegt der entscheidende Vorteil gegenüber der Hypothek (vgl. Dempewolf NJW 1957, 1257). Diesen Vorteil sollte man nicht dadurch aufweichen, daß man das Entstehen oder das Erlöschen der gesicherten Forderung zur Bedingung für das Entstehen oder Bestehen der Grundschuld macht (zum Meinungsstreit s. MünchKomm-Eickmann, § 1191 Rz. 18f.).

1161 **Zahlt der Schuldner, der zugleich Eigentümer ist, an den Gläubiger,** richtet sich die Anrechnung der Zahlung auf die persönliche Forderung oder auf die Grundschuld nach dem Willen des Leistenden (§ 366 I BGB; BGH NJW 1976, 2132, 2140; NJW-RR 1987, 1350). Zahlt er ausdrücklich auf die Grundschuld, geht sie analog § 1143 BGB auf ihn über (BGH NJW 1986, 2108). Die meisten Grundschuldformulare der Kreditinstitute enthalten jedoch eine **Anrechnungsvereinbarung.** Darin wird festgelegt, daß alle Zahlungen an den Gläubiger nicht auf die Grundschuld, sondern nur auf die persönliche Schuld angerechnet werden. Dadurch wird das gem. § 366 I BGB gegebene Bestimmungsrecht des Schuldners ausgeschlossen. Seine Zahlungen gehen in diesen Fällen nur auf den Kredit, die Grundschuld bleibt davon unberührt.

1162 **Leistet der Eigentümer, der nicht zugleich auch persönlicher Schuldner ist,** so ist in der Regel davon auszugehen, daß er die Absicht hat, die Grundschuld abzulösen, damit sein Grundstück lastenfrei wird. **Er zahlt deshalb im Zweifel auf die Grundschuld.** Eine Ausschließung dieses Ablösungsrechts halte ich nicht für zulässig, denn der Ausschluß der Anrechnungsbestimmung des § 366 I BGB gilt ja nur, wenn der Schuldner aus mehreren Schuldverhältnissen zu gleichartigen Leistungen verpflichtet ist; dies ist aber gerade nicht der Fall, wenn der Sicherungsgeber nur dinglich haftet (so MünchKomm-Eickmann § 1191 Rz. 76). Das gilt, wegen der abstrakten Natur des dinglichen Grundschuldverhältnisses, m. E. auch dann, wenn die Grundschuld nicht ein Darlehen, sondern ein Kontokorrentverhältnis sichert. Es muß mindestens dann gelten, wenn der Gläubiger die Zwangsvollstreckung aus der Grundschuld androht oder betreibt (BGH NJW-RR 1987, 1350; OLG Karlsruhe NJW-RR 1988, 1357; a. A. anscheinend MünchKomm-Eickmann § 1191 Rz. 77). Dem für eine fremde Schuld Haftenden muß in jedem Falle die Möglichkeit gegeben sein, sich aus der Haftung zu lösen. Im übrigen dürfte ein Ausschluß des Ablösungsrechts als unangemessene Benachteiligung gemäß § 9 AGB-Gesetz unwirksam sein.

Die persönliche Forderung des Gläubigers gegen den Schuldner bleibt bestehen. Der Gläubiger darf sie jedoch nicht mehr geltend machen, weil er dadurch eine doppelte Befriedigung erhalten würde; er muß sie an den Eigentümer abtreten, wenn dieser einen Rückgriffsanspruch gegen den persönlichen Schuldner hat (BGH NJW 1981, 1554).

5. Die Abwehrrechte des Eigentümers gegenüber dem Erstgläubiger

1163 **Abwehr der Zwangsvollstreckung.** Kraft der Grundschuld kann der Gläubiger vom Eigentümer die Duldung der Zwangsvollstreckung in das Grundstück wegen der Grundschuldsumme und der Zinsen sowie der gesetzlichen und der vertraglichen Nebenleistungen verlangen (§§ 1147, 1191, 1192, BGB). Der Eigentümer ist dagegen aber nicht schutzlos; nur ist es seine Sache, seine rechtlichen Möglichkeiten dagegen geltend zu machen. Allerdings ist -im Gegensatz zu der großen Praktikabilität der Grundschuld im täglichen Rechtsverkehr- die Systematik dieser Ansprüche und Abwehrrechte des Eigentümers gegen die Grundschuld von einer auch für den Juristen oft kaum verständlichen Kompliziertheit (Reithmann NJW 1977, 661).

a) Keine Einwendungen und Einreden aus dem Schuldverhältnis

1164 **Aus dem persönlichen Schuldverhältnis zwischen Schuldner und Gläubiger,** z.B. aus dem Darlehensvertrag, **stehen dem Eigentümer keine unmittelbaren Einwendungen oder Einreden gegen die Grundschuld zu.** Das ergibt sich aus dem Grundsatz der Abstraktheit (= völligen Losgelöstheit) der Grundschuld von der gesicherten Forderung. §§ 1163, 1137 BGB sind nicht anwendbar. Zu den Begriffen „Einwendungen" und „Einreden" s. Rz. 1069.

b) Die Einwendungen und Einreden aus dem Grundschuldverhältnis

1165 **Aus dem Grundschuldverhältnis können sich Einwendungen und Einreden des Eigentümers gegen das Entstehen, das Fortbestehen oder die Geltendmachung der Grundschuld ergeben** (§§ 1192, 1157 BGB). **Beispiele:**

- Nichtigkeit der Einigung, weil die Grundschuld als Sicherheit für ein wucherisches Darlehen gegeben wurde (BGH NJW 1982, 2767 = DNotZ 1984, 172)
- Anfechtung der dinglichen Einigung wegen Irrtums, Täuschung oder Drohung
- Verlust des Gläubigerrechts durch Rechtsübergang außerhalb des Grundbuchs auf den Eigentümer oder einen Dritten
- Zur Nichtigkeit führende Mängel der Grundbucheintragung, z.B. wegen Verletzung des Bestimmtheitsgrundsatzes
- Stundung der bereits gekündigten Grundschuld.

Die Einwendungen gegen den dinglichen Bestand der Grundschuld sind im Gesetz nicht besonders geregelt. Der Gesetzgeber hat es als selbstverständlich angesehen, daß sie geltend gemacht werden können (Mot. III 697). Prozessual geschieht dies durch das einfache Bestreiten des Rechts. Wegen der Rechtsvermutung des § 891 BGB hat der Eigentümer dafür allerdings die volle Beweislast. Geht der Gläubiger aus einer vollstreckbaren Urkunde vor, bedarf es einer Vollstreckungsabwehrklage gemäß § 767 ZPO (s. Rz. 1014, 1167).

c) Die Abwehrrechte aus dem Sicherungsvertrag

1166 **Einwendungen und Einreden des Eigentümers gegen die Grundschuld können sich auch aus dem Sicherungsvertrag ergeben.** Danach darf der Gläubiger nicht mehr Rechte aus der Grundschuld geltend machen, als ihm aus dem gesicherten Kreditverhältnis zustehen (Rz. 1132). Über den Sicherungsvertrag greifen also die Einwendungen und Einreden gegen die Forderung auch gegen die Grundschuld durch. Ist z. B. die Grundschuld (wie in der Praxis häufig) jederzeit fällig gestellt, die Forderung aber noch nicht fällig, so kann der Eigentümer dem Anspruch des Gläubigers auf Duldung der Zwangsvollstreckung die Einrede entgegenhalten, daß die Vollstreckung nach dem Sicherungsvertrag unzulässig sei, z. B. weil der Schuldner seinen laufenden Verpflichtungen nachgekommen oder die Forderung gestundet sei. Hat der Schuldner die gesicherte Forderung getilgt (Hauptfall: Endgültige Abwicklung des Kreditverhältnisses), so entfällt der Sicherungszweck. Eine Zwangsvollstreckung aus der Grundschuld ist dann unzulässig (§§ 1192 II, 1169 BGB; BGH NJW 1985, 800).

aa) Die Vollstreckungsabwehrklage

1167 Macht der Gläubiger die Grundschuld zum Zwecke der Zwangsvollstreckung geltend, obwohl er hierzu nach dem Sicherungsvertrag nicht, noch nicht oder nicht mehr berechtigt ist, kann ihm der Eigentümer die Einrede aus dem Sicherungsvertrag entgegenhalten (Palandt/Bassenge § 1191 Rz. 20 f.). Dies geschieht, falls der Gläubiger durch Klage auf Duldung der Zwangsvollstreckung vorgeht, durch Einrede im Prozeß, und, falls er mit Hilfe einer vollstreckbaren Ausfertigung der Bestellungsurkunde vorgeht (Normalfall), im Wege der Vollstreckungsabwehrklage gem. § 767 ZPO i. V. m. §§ 794 I Nr. 5, 795, 797 IV ZPO (vgl. Rz. 1014).

bb) Leistung Zug um Zug

1168 Besteht die Schuld noch, kann der Eigentümer dem Zahlungsanspruch des Grundschuldgläubigers aus dem Kreditverhältnis die Einrede aus dem Sicherungsvertrag entgegensetzen, daß er die Zahlung nur Zug um Zug gegen Rückgewähr der bestellten Sicherheit zu leisten brauche (§§ 273, 274 BGB; BGH NJW 1982, 2768).

cc) Die Unwirksamkeit des Sicherungsvertrages

1169 **Ist die Grundschuld ohne wirksamen Sicherungsvertrag bestellt oder fällt dieser aus einem späteren Grunde weg,** z. B. infolge Anfechtung, **wird davon der Rechtsbestand der Grundschuld nicht berührt.** Der Gläubiger hält dann aber die Grundschuld ohne rechtlichen Grund und ist zur Rückgewähr an den Eigentümer (Sicherungsgeber) aufgrund ungerechtfertigter Bereicherung verpflichtet (§ 812 I 1 und 2 BGB; BGH DNotZ 1968, 306; NJW 1985, 800). Dieser Anspruch geht nach Wahl des Eigentümers auf Aufhebung der Grundschuld (§ 875 BGB), Übertragung der Grundschuld (§ 1154 BGB) oder Verzicht auf die Grundschuld (§ 1169 BGB). Wird die Grundschuld dennoch geltend gemacht, kann der Eigentümer die Erfüllung mit der Bereicherungseinrede gem. § 812 i. V. m. § 242 BGB verweigern (lat.: dolo agit, qui petit, quod statim redditurus sit).

6. Die Abwehrrechte des Eigentümers gegenüber einem Zessionar

a) Die Abtretung von Forderung und Grundschuld an denselben Zessionar

1170 Tritt der Gläubiger die gesicherte Forderung und die Grundschuld zusammen an einen Dritten ab, so stellt sich die Frage, welche Einwendungen und Einreden der Eigentümer der Geltendmachung der Grundschuld durch den Zessionar entgegensetzen kann.

- Aus dem gesicherten persönlichen Schuldverhältnis können unmittelbar keine Einwendungen und Einreden gegen die Grundschuld geltend gemacht werden, weil die §§ 1137, 1138 BGB auf die Grundschuld, und d. h. auch auf die Sicherungsgrundschuld, keine Anwendung finden (s. Rz. 1164).
- Der Eigentümer kann die Einwendungen gegen das dingliche Recht sowie etwaige Einreden gegen die derzeitige Geltendmachung der Grundschuld vorbringen, die sich aus dem Grundschuldverhältnis ergeben (s. Rz. 1165).
- Es besteht jedoch Übereinstimmung darüber, daß die Vorschrift des § 1157 BGB auch für die Sicherungsgrundschuld gilt (BGH NJW 1974, 185 = DNotZ 1974, 292; 1976, 740; NJW 1979, 717 = DNotZ 1979, 497). Dies bedeutet, daß der Eigentümer die Einwendungen und Einreden, die er aufgrund des Sicherungsvertrages der Grundschuldklage des ursprünglichen Gläubigers entgegensetzen konnte, auch einem Zessionar entgegenhalten kann. Der Eigentümer kann sich daher z. B. dem neuen Gläubiger gegenüber damit verteidigen, daß wegen des Nichtentstehens oder des Erlöschens der Forderung, zu deren Sicherheit die Grundschuld bestellt worden ist, der ursprüngliche Gläubiger zur Rückübertragung verpflichtet sei, oder daß er – mangels Fälligkeit – zur Zeit nicht vollstrecken dürfe.

b) Die Trennung von Forderung und Grundschuld

1171 **Forderung und Grundschuld können sich trennen, weil die Mitlaufkoppelung des § 1153 BGB für die Grundschuld nicht gilt.** Dies kann dadurch geschehen, daß der bisherige Gläubiger entweder nur die Forderung oder nur die Grundschuld abtritt oder dadurch, daß er Forderung und Grundschuld an zwei verschiedene Zessionare zediert. Eine solche Trennung der Grundschuld von der gesicherten Forderung widerspricht zwar grundsätzlich dem Sicherungsvertrag und kann den Gläubiger aus positiver Vertragsverletzung schadensersatzpflichtig machen, aber an der Wirksamkeit der vertragswidrigen Abtretung der Grundschuld ändert dies nichts. Um ein Auseinandergehen von Forderung und Grundschuld möglichst zu verhindern, bestimmt Nr. 21 III 2 AGB der Banken: „Grund- und Rentenschulden wird die Bank freihändig mangels Zustimmung des Sicherheitsbestellers nur zusammen mit der gesicherten Forderung und nur in einer im Verhältnis zu ihr angemessenen Höhe verkaufen." Gehen dennoch Forderung und Grundschuld verschiedene Wege, dann ergibt sich die Frage, wie der Eigentümer-Schuldner gegen die Gefahr einer doppelten Inanspruchnahme geschützt ist.

1172 **Der gutgläubige Erwerber der Forderung wird nicht geschützt.** Ihm kann der Eigentümer alle Einwendungen und Einreden aus dem Sicherungsvertrag entgegenhalten (§ 404 BGB). Er kann daher verlangen, wenn er vom Zessionar der Forderung auf Zahlung in Anspruch genommen wird, daß ihm Zug um Zug die zur Löschung oder Übertragung der Grundschuld auf ihn erforderlichen Urkunden ausgehändigt werden, d. h. die Löschungsbewilligung oder Abtretung erklärt und der Grundschuldbrief übergeben wird. Dazu ist der Forderungsgläubiger aber nicht in der Lage, da er nicht der Inhaber der Grundschuld ist. Der Schuldner kann daher die Zahlung verweigern.

c) Der gutgläubige Erwerb der Grundschuld

1173 **Gutglaubensschutz bei Unkenntnis des Sicherungscharakters.** Aus Gründen der Sicherheit des Rechtsverkehrs wird der gutgläubige Erwerber der Grundschuld geschützt (§§ 1157, 892, 1192 BGB). Der Eigentümer kann deshalb seine Einwendungen und Einreden gegen die Grundschuld einem Zessionar nur entgegensetzen, wenn dieser die zugrundeliegenden Tatsachen bei dem Erwerb gekannt hat, oder wenn die Gutgläubigkeit durch andere Umstände ausgeschlossen wird. Dies geschieht im Falle der Duldungsklage des Zessionars durch Geltendmachung im Prozess, im Falle der Vollstreckung aus vollstreckbarer Urkunde durch Erhebung der Vollstreckungsabwehrklage nach § 767 ZPO. Die Einrede des Anspruchs auf Rückübertragung kann der Eigentümer daher nur dann mit Erfolg geltend machen, wenn dem Zessionar der Sicherungscharakter der Grundschuld und ihre Nichtvalutierung bekannt waren (so nach langer Kontroverse unter Abkehr von RGZ 91, 224 jetzt BGH NJW 1972, 1463 = DNotZ 1972, 612). Hat der Zessionar dagegen die Grundschuld kraft guten Glaubens einredefrei erworben (§§ 1157 Satz 2, 892 BGB), kann er von dem Eigentümer die Duldung der Zwangsvollstreckung wegen der vollen in der Grundschuld genannten Geldsumme verlangen, und der geschädigte Eigentümer bleibt auf seine (häufig wertlosen) schuldrechtlichen Rückgriffsansprüche aus positiver Vertragsverletzung gegen den Zedenten verwiesen (Reithmann NJW 1977, 661, 663). Um einen einredefreien Erwerb der Grundschuld durch einen gutgläubigen Zessionar auszuschließen, kann der Eigentümer gem. § 1157 Satz 2 BGB i.V.m. §§ 894, 899 BGB die Sicherung seiner Einreden erwirken. **Beispiel:** Der Sicherungszweck ist erfüllt. Der Gläubiger verweigert die Rückgewähr der Grundschuld. Der Eigentümer erwirkt durch einstweilige Verfügung die Eintragung eines Widerspruchs (BGH Betrieb 1976, 1619; s. auch Rz. 1100).

7. Die Abtretung der Ansprüche aus dem Sicherungsvertrag

Literaturhinweis: RAB-Reithmann Rz. 792–804

a) Der gesetzliche Löschungsanspruch bei vorgehender Grundschuld

1174 **Gemäß § 1179a BGB hat der Gläubiger eines nachrangigen Grundpfandrechts einen Anspruch auf Löschung des vorgehenden Rechts, wenn und soweit es sich mit dem Eigentum in einer Person vereinigt** (s. Rz. 1015 ff.). Ist das vorrangige Grundpfandrecht nicht eine Hypothek, sondern eine Grundschuld, so ist dieser Löschungsanspruch allerdings nur von geringem Wert, weil die Grundschuld infolge ihrer abstrakten Natur regelmäßig trotz Tilgung der gesicherten Schuld eine Fremdgrundschuld bleibt (s. Rz. 1122). Die Kreditpraxis hat deshalb nach Wegen gesucht, wie dennoch das Interesse des nachrangigen Gläubigers an einem Aufrücken durchgesetzt werden kann.

b) Die Abtretung der Rückgewähransprüche an nachrangige Gläubiger

1175 In Rz. 1148 ff. haben wir die Rückgewähransprüche des Eigentümers dargestellt, die sich aus dem Sicherungsvertrag ergeben, wenn die zu sichernde Forderung nicht entstanden oder das zu sichernde Kreditverhältnis endgültig abgewickelt ist. Diese Ansprüche können abgetreten, verpfändet oder durch Pfändungs- und Überweisungsbeschluß gem. § 857 ZPO gepfändet werden. Die Möglichkeit der Abtretung wird in der Praxis der Kreditinstitute weitgehend in der Weise genutzt, daß der Inhaber einer nachrangig zu bestellenden Hypothek oder Grundschuld sich die Rückgewähransprüche des Eigentümers gegen den Inhaber der vorrangigen Grundschuld abtreten läßt (vgl. BGH NJW 1985, 800).

1176 **Die Abtretung der Rückgewähransprüche geschieht regelmäßig bei der Bestellung einer nachrangigen Grundschuld.** Abgetreten werden formularmäßig insbesondere alle gegenwärtigen und künftigen Ansprüche des Eigentümers gegen die Gläubiger vor- oder gleichrangiger Grundschulden auf:

- Rechnungslegung über das Kreditverhältnis, das durch die vorgehende Grundschuld gesichert ist
- volle oder teilweise Rückübertragung, Verzicht oder Aufhebung (Löschung) der Grundschuld, wenn und soweit sie nicht mehr als Sicherheit benötigt wird
- Herausgabe des Grundschuldbriefes oder dessen Vorlage beim GBAmt zur Bildung von Teilgrundschuldbriefen
- Auszahlung des Erlöses im Falle einer Zwangsversteigerung des Grundstücks, soweit dieser die Forderung des Grundschuldgläubigers übersteigt.

1177 **Die Abtretung der Rückgewähransprüche verstärkt und erweitert die Rechtsstellung des nachrangigen Gläubigers:**

- Er erhält die Chance, durch Löschung der vorrangigen Grundschuld im Rang aufzurücken.
- Wenn ihm die vorrangige Grundschuld abgetreten wird, verfügt er über zwei Grundschulden, wodurch seine Sicherheit verstärkt wird, z. B. für den Fall der Kreditüberziehung; gegen die Gefahr der Übersicherung ist der Eigentümer in der Regel dadurch geschützt, daß der Gläubiger seine Sicherheiten nur im Rahmen des Sicherungsvertrages verwerten darf (s. Rz. 1132).
- Ist bei der Zwangsversteigerung des Grundstücks die vorrangige Grundschuld noch eingetragen, wirkt sich die Verstärkung in folgender Weise aus:
  - Erhält der vorrangige Grundschuldgläubiger bei der Verteilung mehr als den Betrag seiner Kreditforderung, ist er insoweit zur Herausgabe an den Inhaber des Rückgewähranspruchs verpflichtet (s. Rz. 1152). Um sich etwaige spätere Auseinandersetzungen darüber zu ersparen, welcher Teil des Mehrerlöses dem Eigentümer und welcher nachrangigen Gläubigern zusteht, denen der Eigentümer seine Rückgewähransprüche abgetreten hat, pflegen die Kreditinstitute im Sicherungsvertrag klarzustellen, daß sie nicht verpflichtet sind, in einer Zwangsversteigerung mehr als ihre eigene Forderung geltend zu machen.
  - Fällt die vorrangige Grundschuld in das geringste Gebot und bleibt deshalb bestehen, kann der Inhaber der Rückgewähransprüche vom vorrangigen Gläubiger Rechnungslegung und im Falle der Nichtvalutierung die Abtretung der Grundschuld verlangen. Gegen den Er-

steher des Grundstücks kann er dann in Höhe seiner unbefriedigten Forderung vorgehen.

1178 **Wirkung gegen den vorrangigen Gläubiger.** Hat der vorrangige Grundschuldgläubiger keine Kenntnis von der Abtretung der Rückgewähransprüche, kann er die Grundschuld mit befreiender Wirkung an den Sicherungsgeber zurückgewähren (§ 407 BGB). Um dies auszuschließen, ist es zweckmäßig, daß sich der nachrangige Grundschuldgläubiger vom vorrangigen Gläubiger bestätigen läßt, daß er von der Abtretung Kenntnis genommen hat. Darüber hinaus kann sich der nachrangige Gläubiger von ihm zusichern lassen, daß die vorrangige Grundschuld
- nur einmal valutiert wird
- höchstens im Betrage von DM X einschließlich Zinsen und Nebenleistungen oder nur für einen bestimmten Zweck geltend gemacht wird.

1179 **Übergang der Rückgewähransprüche bei Schuldübernahme.** Übernimmt in einem Kaufvertrag der Käufer in Anrechnung auf den Kaufpreis ein Grundschulddarlehen des Verkäufers, so enthält dies grundsätzlich die stillschweigende Abtretung des – durch die Tilgung des Darlehens bedingten – Rückgewähranspruchs des Verkäufers an den Käufer (BGH NJW 1991, 1821).

1180 **Mehrfache Abtretung der Rückgewähransprüche.** Werden nachrangig weitere Grundschulden bestellt, verlangt i. d. R. jeder Gläubiger vom Eigentümer die Abtretung der Rückgewähransprüche gegen alle vorrangigen Gläubiger. Diese Abtretungen sind jedoch zunächst nur für die Rückgewähransprüche des Eigentümers gegenüber dem Gläubiger der vorletzten Grundschuld wirksam, da die Rückgewähransprüche bezüglich der davor stehenden Grundschulden bereits jeweils an den Gläubiger der ihnen nachfolgenden Grundschuld abgetreten sind. Ein gutgläubiger Erwerb der bereits anderweitig abgetretenen Ansprüche tritt nicht ein (BGH Rpfleger 1985, 103). Üblicherweise tritt der Bestellter dem jeweils neuen letztrangigen Gläubiger jedoch auch seine (aufschiebend bedingten) Rückgewähransprüche gegen die dem unmittelbaren Vordermann vorgehenden Grundschuldgläubiger ab. Diese Abtretungen werden deshalb erst wirksam, wenn die früheren Abtretungen gegenstandslos werden. **Beispiel:** Der Eigentümer E hat zunächst Grundschulden für die Gläubiger G1 und G2 bestellt und dabei seine zukünftigen Rückgewähransprüche gegen G1 an G2 abgetreten (Aufrückungsanspruch des G2). Bei Bestellung einer weiteren Grundschuld für G3 hat der Eigentümer sowohl seine Rückgewähransprüche gegen G2 als auch seine bereits an G2 abgetretenen und deshalb aufschiebend bedingten Ansprüche gegen G1 an G3 abgetreten. Entfällt später der Sicherungszweck der Grundschuld G1 durch Erlöschen des Kreditverhältnisses, kommt der Anspruch des G2 zum Zuge. G1 darf die Grundschuld nicht an den Eigentümer zurückgeben, weil dieser seine Rückgewähransprüche gegen G1 an G2 und G3 abgetreten hat. Entfällt dagegen der Sicherungszweck der Grundschuld G2, kann E von G2 die Rückabtretung der Rückgewähransprüche gegen G1 an sich verlangen; diese fallen dann aufgrund der aufschiebend bedingten Abtretung an G3. Um sicherzustellen, daß die Rückabtretung von G2 an E erfolgt, kann sich G3 den Anspruch des E auf diese Rückabtretung abtreten lassen.

1181 **Ausschluß.** Die Abtretung der Rückgewähransprüche kann durch Vereinbarung oder auch durch Allgemeine Geschäftsbedingungen ausgeschlossen werden (§ 399 BGB). In neuerer Zeit wird vielfach von den Kreditgebern auf die mehrfache Abtretung der Rückgewähransprüche verzichtet, weil sie infolge des dadurch eintretenden kaum übersehbaren Beziehungsgeflechts nicht die erhoffte Besserstellung des Gläubigers erbringt.

8. Das Schuldversprechen/Schuldanerkenntnis

Literaturhinweis: Kolbenschlag, Grundschuld und Übernahme der persönlichen Haftung für den Grundschuldbetrag, DNotZ 1965, 205

1182 In den Grundschuldformularen der Kreditinstitute ist meist auch eine schuldrechtliche Verpflichtungserklärung enthalten. Darin übernimmt der Erklärende „wegen der Ansprüche aus der Grundschuld auch die persönliche Haftung mit seinem gesamten Vermögen." Dabei handelt es sich jedoch nicht um die Übernahme einer „Haftung", sondern um ein abstraktes Schuldversprechen/Schuldanerkenntnis gem. §§ 780, 781 BGB, das ein selbständiges Schuldverhältnis begründet (BGH NJW 1992, 971). Es wird in aller Regel mit einer Unterwerfungserklärung gem. § 794 I Nr. 5 ZPO verbunden (s. Rz. 996 ff.).

1183 **Doppelsicherung.** Bei dieser Gestaltung der Grundschuld erhält der Gläubiger einen dinglichen und einen persönlichen Vollstreckungstitel. Der dingliche Titel aus der Grundschuld ermöglicht ihm nur die Vollstreckung in den Pfandgrundbesitz, der persönliche Titel aus dem Schuldversprechen die Vollstreckung in das gesamte Vermögen desjenigen, der die Erklärung abgegeben hat. Wählt der Gläubiger den Weg über den persönlichen Titel, kann er rasch und unkompliziert auf sonstiges Vermögen des Schuldners zugreifen, z. B. auf Lohn- oder Gehaltsansprüche oder Mobiliar, was insbesondere dann zweckmäßig ist, wenn es sich um relativ geringfügige Rückstände handelt. Ist der Gläubiger in der Zwangsversteigerung des Grundstücks ganz oder teilweise ausgefallen, kann er wegen seiner noch offenen Forderung auf das Schuldversprechen zurückgreifen (BGH NJW-RR 1987, 59).

1184 **Keine Doppelvollstreckung.** Durch den Doppeltitel besteht an sich die Gefahr, daß der Gläubiger zweimal den vollen Betrag der Grundschuld erhält, obwohl er ihn nur einmal zu beanspruchen hat (Übervollstrekkung). Aus dem Sicherungsvertrag ergibt sich jedoch, daß er insgesamt nur bis zur Höhe des gesicherten Kredits vollstrecken darf. Eine Verletzung dieser Obliegenheit würde ihn zum Schadensersatz verpflichten. Die praktische Bedeutung des Risikos der Übervollstreckung ist auch deshalb gering, weil dem Schuldner in einem solchen Falle eine Abwehrmöglichkeit durch die Vollstreckungsabwehrklage nach § 767 ZPO gegeben ist.

Die Selbständigkeit der beiden Vollstreckungstitel. Der dingliche und der persönliche Vollstreckungstitel können verschiedene Wege gehen. Wird die Grundschuld abgetreten, geht die persönliche Forderung aus dem Schuldversprechen/Schuldanerkenntnis nicht automatisch auf den Zessionar über. Es bedarf dazu einer besonderen Abtretung. Veräußert der Eigentümer den Pfandgrundbesitz, geht zwar die dingliche Haftung, nicht aber automatisch auch die Verpflichtung aus dem Schuldversprechen/Schuldanerkenntnis auf den Erwerber mit über. Es bedarf dazu einer vom Gläubiger genehmigten Schuldübernahme gem. § 415 BGB. Im Falle der Erbfolge geht jedoch die Verpflichtung kraft Gesetzes auf den Erben über, da er Rechtsnachfolger in das gesamte Vermögen des Erblassers ist (§§ 1922, 1967 BGB). Wenn der Notar eine vollstreckbare Ausfertigung für oder gegen Rechtsnachfolger erteilt, ist deshalb für jeden der beiden Vollstreckungstitel die Rechtsnachfolge gesondert zu prüfen (§§ 727, 795, 797 II 1 ZPO). **1185**

Verbindung durch den Sicherungsvertrag. Der Sicherungsvertrag stellt auch die Verbindung zwischen dem Schuldversprechen/Schuldanerkenntnis und der gesicherten Forderung her. Der Verpflichtung des Grundschuldgläubigers, die Grundschuld nach Erledigung ihres Sicherungszwecks zurückzugeben, entspricht die Pflicht des persönlichen Gläubigers zum Verzicht auf die Rechte aus dem Schuldversprechen/Schuldanerkenntnis, insbesondere zur Rückgabe der vollstreckbaren Ausfertigung der Urkunde. Werden die Grundschuld und der Anspruch aus dem Schuldversprechen/Schuldanerkenntnis durch Abtretung getrennt, kann der Schuldner dem Zessionar des persönlichen Titels – wie bei getrennter Abtretung von Grundschuld und Kreditforderung – alle Einwendungen und Einreden aus dem Sicherungsvertrag entgegenhalten (s. Rz 1166). **1186**

Das Schuldversprechen/Schuldanerkenntnis für fremde Schuld. Das Problem des Einstehenmüssens für fremde Schuld gilt auch hier (s. Rz 1135 ff.). Sichert die Grundschuld eine Forderung des Gläubigers gegen einen Dritten, so verstößt auch ein abstraktes Schuldversprechen/Schuldanerkenntnis, durch das der mit dem Kreditnehmer nicht identische Eigentümer zum persönlichen Mitschuldner gemacht wird, gegen § 9 II Nr. 1 AGB-Gesetz (BGH NJW 1991, 1677). Sind Kreditnehmer und Eigentümer verschiedene Personen, sollte deshalb das persönliche Schuldversprechen/Schuldanerkenntnis in der Regel nur vom Kreditnehmer er- **1187**

klärt werden. Anderenfalls kann hier – wie bei der erweiterten Zweckerklärung – die Erklärung als überraschende Klausel unwirksam sein (BGH DNotZ 1992, 91).

9. Die Risiken und Vorzüge der Grundschuld

1188 Die vorstehenden Darlegungen zeigen, daß die Grundschuld, die ja fast immer eine Sicherungsgrundschuld ist, für den Besteller -trotz der Abwehrmöglichkeiten aus dem Sicherungsvertrag- ihre Gefahren hat. Wegen des Risikos einer abredewidrigen Zession ist die Grundschuldbestellung **Vertrauenssache**. Als Fazit ergibt sich: Auch bei der Grundschuld ist der Eigentümer zwar davor geschützt, von zwei verschiedenen Zessionaren, nämlich von einem Forderungsgläubiger und einem Grundschuldgläubiger, in Anspruch genommen zu werden; **durch den Sicherungsvertrag wird die Grundschuld praktisch der akzessorischen Hypothek angenähert**. Aber der Eigentümer ist -ähnlich wie bei der Verkehrshypothek gemäß § 1138 BGB- nicht dagegen geschützt, den Grundschuldbetrag an einen gutgläubigen Zessionar zahlen zu müssen, obwohl eine Forderung nicht oder nicht mehr besteht, und seinen Schadensersatzanspruch gegen den Zedenten eventuell nicht realisieren zu können. Im Bereich des seriösen Institutskredits ist die Grundschuld jedoch ungefährlich. Insbesondere ihre Wiederbeleihbarkeit und ihre gute Verwendbarkeit als Zwischenfinanzierungs- und Refinanzierungsmittel machen sie zu einem vorzüglich geeigneten Instrument der Kreditsicherung. In der Rechtspraxis hat sich deshalb das dem BGB nicht bekannte Rechtsinstitut „Sicherungsgrundschuld“ zum wichtigsten Sicherungsmittel entwickelt.

IV. Die Eigentümergrundschuld

Literaturhinweise: Roemer, MittRhNotK 1991, 101; RAB-Reithmann Rz. 806 ff.

1. Die verdeckte und die offene Eigentümergrundschuld

1189 In Verbindung mit der Akzessorietät der Hypothek haben wir bei Rz. 1051 ff., 1113 f. die Eigentümergrundschuld (EG) behandelt, die kraft Gesetzes dadurch entsteht, daß entweder die Hypothek noch nicht valutiert ist (§§ 1163 I 1, 1177 BGB = auflösend bedingte Eigentümergrundschuld) oder dadurch, daß die Forderung teilweise oder ganz getilgt wird (§§ 1163 I 2, 1177 BGB = endgültige Eigentümergrundschuld). Wir haben diese Eigentümergrundschulden, weil sie als solche nicht aus dem Grundbuch erkennbar sind, verdeckte Eigentümergrundschulden genannt.

Gegenstand dieses Abschnitts ist die vom Eigentümer durch Rechtsgeschäft bestellte Eigentümergrundschuld, die als solche im Grundbuch eingetragen wird und deshalb als offene Eigentümergrundschuld bezeichnet wird. Sie unterscheidet sich von der verdeckten Eigentümergrundschuld durch die Art ihrer Entstehung, durch ihre Erkennbarkeit und durch ihre Zweckbestimmung als Vorratsgrundschuld.

2. Die Begründung der offenen Eigentümergrundschuld

1190 **Der Eigentümer kann für sich selbst an seinem Grundstück eine Grundschuld bestellen** (§ 1196 I BGB). Zur Eintragung einer Eigentümergrundschuld (EG) erforderlich ist nach § 1196 II BGB die einseitige Erklärung des Eigentümers gegenüber dem Grundbuchamt, daß die Grundschuld für ihn eingetragen werden soll (für eine „Einigung“ nach § 873 BGB fehlt hier ja der Partner) und die Eintragung im Grundbuch. Im übrigen gelten für die Eintragung dieselben Grundsätze wie für die Fremdgrundschuld: Die Eintragungsbewilligung bedarf der Form nach § 29 GBO, d.h. der notariellen Beurkundung oder Beglaubigung; für die Eintragung gelten die Mindesterfordernisse des § 1115 BGB, d.h. es sind der Gläubiger, der bestimmte Geldbetrag der Grundschuld, der Zinssatz und der Geldbetrag etwaiger Nebenleistungen anzugeben; da es sich um eine Grundschuld handelt, ist jedoch kein Schuldgrund anzugeben (§ 1192 I BGB). Als Zinsbeginn kann nicht nur der Tag der Eintragung, sondern auch jeder andere Termin, z.B. der Tag der Bestellung gewählt werden.

1191 **Steht das zu belastende Grundstück im Miteigentum mehrerer Personen eingetragen,** z.B. von Eheleuten zu je 1/2, können sie als Gesamtgläubiger der Grundschuld gem. § 428 BGB oder auch als Gläubiger zu je 1/2 eingetragen werden (HSS Rz. 2355 m.w.N.). In diesem Fall ist die Grundschuld teilweise EG und teilweise Fremdgrundschuld.

1192 **Da ein Gläubiger für die Übergabe des Grundschuldbriefes nicht vorhanden ist, entsteht die EG bereits mit der Eintragung;** § 1117 BGB (Briefübergabe) gilt daher für die EG nicht. Im übrigen kann auch die EG sowohl als Brief-wie als Buchgrundschuld eingetragen werden. In der Praxis kommt sie aber fast nur als Briefgrundschuld vor.

1193 **§ 878 BGB findet auch auf die EG Anwendung** (§ 1196 II 2. Halbsatz BGB). Dies bedeutet: Wenn der Eigentümer die Bestellungserklärung dem Grundbuchamt gegenüber abgegeben und den Eintragungsantrag gestellt hat, so entsteht mit der Eintragung die EG auch dann, wenn der Eigentümer zwischen dem Eintragungsantrag und der Eintragung in seiner Verfügungsbefugnis beschränkt worden ist. **Beispiel:** Kurz vor der drohenden Beschlagnahme im Zwangsversteigerungsverfahren bewilligt und beantragt der Eigentümer die Eintragung einer EG. Die Beschlagnahme erfolgt noch vor der Eintragung der EG. Die EG wirkt auch gegenüber dem Beschlagnahmegläubiger, weil der Antrag beim GBAmt bereits gestellt war, als die Beschlagnahme erfolgte (§§ 878 BGB, 22, 23 ZVG).

1194 **Mit der Eintragung der EG entsteht ein selbständiges Recht des Eigentümers an seinem Grundstück**; es tritt eine Abspaltung vom Eigentum ein. Eigentum und EG haben jeweils ihr eigenes Schicksal; sie trennen sich, wenn entweder die EG abgetreten wird oder wenn der Eigentümer das Grundstück veräußert, ohne gleichzeitig die EG mitabzutreten.

3. Die praktische Bedeutung der Eigentümergrundschuld

1195 **Die praktische Bedeutung der offenen EG besteht darin, daß sie sofort den von ihr eingenommenen Grundbuchrang belegt und sofort oder später abgetreten oder verpfändet werden kann.** Das macht sie zu einem sehr zweckmäßigen Instrument u. a. für die Vorbereitung einer künftigen Kreditaufnahme (**Vorratsgrundschuld**) und auch für die Fälle, in denen der Eigentümer ein bestehendes oder künftiges Kreditverhältnis nicht offenlegen möchte. Die offene EG spielt deshalb in der Rechtspraxis -anders als die verdeckte EG- eine wichtige Rolle. Häufig wird eine Kette von gleichrangigen oder hintereinander gestaffelten Vorratsgrundschulden bestellt, wobei der Spielraum der Verfügbarkeit um so größer ist, je kleiner die Einzelbeträge sind.

1196 **Die Hauptgründe für die Bestellung einer EG sind:**

- Der Eigentümer will sich für die Beschaffung eines eventuellen späteren Kredits ein jederzeit verfügbares Instrument schaffen; wenn der Kreditbedarf auftritt, braucht er nicht erst eine Grundschuld zu bestellen und die Eintragung im Grundbuch abzuwarten, sondern kann sofort dem Kreditgeber die EG abtreten und den bereitliegenden EG-Brief übergeben.
- Der Eigentümer will sich für einen späteren Kredit eine bevorzugte Rangstelle offenhalten; wenn dann der Kreditgeber feststeht, tritt er diesem die EG ab; dies ist oft praktischer als die Eintragung eines Rangvorbehalts.
- Der Eigentümer hat u. U. ein geschäftliches oder persönliches Interesse, daß aus dem Grundbuch nicht ersehen werden kann, wer sein Kreditgeber ist; er tritt deshalb die EG außerhalb des Grundbuchs an den Gläubiger ab (verdeckte Kreditsicherung).
- Der Eigentümer möchte sich die Möglichkeit offenhalten, die EG an wechselnde Gläubiger abzutreten; dies kann jeweils ohne Umschreibung im Grundbuch dadurch geschehen, daß der Gläubiger die ihm abgetretene -und dadurch zur Fremdgrundschuld gewordene- EG an den Eigentümer zurück abtritt und dieser dann die EG erneut an einen anderen Gläubiger zediert (s. jedoch Rz. 1202).

4. Die Verwertung der Eigentümergrundschuld

a) Keine Selbstvollstreckung

1197 Bei der kraft Gesetzes entstehenden Eigentümergrundschuld haben wir bereits festgehalten, daß der Eigentümer nicht berechtigt ist, aus der ihm zustehenden Grundschuld in das eigene Grundstück zu vollstrecken (s. Rz. 1056). Der Eigentümer soll nicht die Möglichkeit haben, durch das Betreiben der Zwangsversteigerung in das eigene Grundstück nachrangige Rechte zum Erlöschen zu bringen. § 1197 I BGB gilt deshalb sowohl für die kraft Gesetzes entstehende wie für die rechtsgeschäftlich bestellte EG.

b) Die Abtretung der Eigentümergrundschuld

1198 In der Regel dient auch die EG der Kreditsicherung, und sie wird deshalb entweder sofort -in besonderer Urkunde- oder später an den Kreditgeber abgetreten. **Die Übertragung erfolgt wie bei einer Hypothek oder Fremdgrundschuld durch Abtretungsvertrag,** wobei die Abtretungserklärung des Grundschuldinhabers der Schriftform bedarf, und Übergabe des Grundschuldbriefes (§§ 1154, 1192 BGB). Meist wird dabei vereinbart, daß die Abtretung im Grundbuch (vorläufig) nicht eingetragen werden soll, sei es zur Ersparung der Kosten oder sei es aus Gründen der Anonymität. Mit der Abtretung wird die EG eine Fremdgrundschuld. Die Grundschuldzinsen stehen dem Zessionar ab dem Zeitpunkt der Abtretung zu (s. § 1197 II BGB). Ist die EG bereits eingetragen, können die Zinsen auch rückwirkend ab Eintragung der EG abgetreten werden (BayObLG DNotZ 1988, 116). Dadurch wird das Volumen der Grundschuld u.U. erheblich erweitert (§§ 10 I, 13 I und IV Satz 1 ZVG).

1199 **Wird die EG sofort abgetreten, dann stellt sich die Frage, wie sich die Übergabe des Grundschuldbriefes vollziehen soll:** Es kann zweckmäßig sein, daß der Eigentümer seinen Anspruch an das GBAmt auf Aushändigung des Briefes an den Gläubiger abtritt (§§ 1117 II, 1192 I BGB), sei es zwecks Beschleunigung der Kreditauszahlung oder um einem die EG und den Anspruch auf Aushändigung des Briefes pfändenden Gläubiger zuvorzukommen. Je nach Sachlage kann es aber auch zweckmäßig sein, daß der Grundschuldbrief vom GBAmt an den Eigentümer geht, damit dieser die Möglichkeit behält, die Übergabe des Briefes an den Gläubiger mit der Verhandlung über die Kreditkonditionen zu verbinden.

c) Die Unterwerfungsklauseln

1200 **Der Zessionar einer EG verlangt in der Regel die Verbindung der Grundschuld mit einer dinglichen Unterwerfungsklausel.** Bereits bei der Bestellung kann sich der Eigentümer für den Fall der Abtretung einem noch unbestimmten zukünftigen Gläubiger gegenüber der sofortigen Zwangsvollstreckung aus der Grundschuld unterwerfen, und zwar auch in der Weise, daß die Zwangsvollstreckung gemäß §§ 795 I Nr. 5, 800 ZPO gegen den jeweiligen Eigentümer zulässig ist (BGH NJW 1975, 1356 = DNotZ 1975, 617; NJW 1976, 567 = DNotZ 1976, 364). Wegen des Verbots der Selbstvollstreckung kann eine vollstreckbare Ausfertigung durch den Notar allerdings erst erteilt werden, wenn die Abtretung der EG durch öffentliche oder öffentlich beglaubigte Urkunde nachgewiesen ist. **Formel** z. B.: „Wegen aller Ansprüche aus der Grundschuld nebst Zinsen und Nebenleistungen unterwerfe ich den jeweiligen Eigentümer der sofortigen Zwangsvollstreckung in das Grundstück gemäß § 800 ZPO. Ich bewillige und beantrage die Eintragung der Grundschuld und der Unterwerfung unter die sofortige Zwangsvollstreckung in das Grundbuch. Der jeweilige Gläubiger der Grundschuld ist berechtigt, eine vollstreckbare Ausfertigung zu verlangen, ohne daß es des urkundlichen Nachweises der Fälligkeit bedarf."

1201 **Auch bei der EG verlangt der Abtretungsgläubiger meist zusätzlich die Abgabe eines abstrakten Schuldversprechens/Schuldanerkenntnisses mit Unterwerfungsklausel gem. § 794 I Nr. 5 ZPO.** Diese Erklärung kann sowohl in die Bestellungsurkunde wie in die Abtretungsurkunde aufgenommen werden. Sie bedarf in jedem Fall der Beurkundung. Ist sie in der Bestellungsurkunde enthalten, stellt sie ein Angebot an den künftigen Gläubiger auf Begründung eines Schuldverhältnisses dar, das der Gläubiger in der Regel mit der Valutierung, spätestens mit dem Antrag auf Erteilung der Vollstreckungsklausel annimmt (BGH NJW 1991, 228). Zwecksmäßiger ist es jedoch, die Erklärung des Eigentümers erst in die Abtretungsurkunde aufzunehmen, weil vorher nicht sicher ist, ob der Gläubiger sie verlangen wird.

5. Eigentümergrundschuld und gesetzlicher Löschungsanspruch

1202 **Eigentümergrundschulden können ihre Funktion als Mittel der Kreditsicherung nur voll erfüllen, wenn sie verkehrsfähig, d. h. wiederholt abtretbar sind.** Zwar unterliegt die ursprüngliche EG nach § 1196 III BGB nicht dem gesetzlichen Löschungsanspruch aus §§ 1179a oder 1179b (s. Rz. 1015 ff.). Dadurch wird dem Eigentümer die einmalige Verwertung der EG als Kreditsicherungsmittel ermöglicht. Der Löschungsanspruch eines nachrangigen Gläubigers entsteht jedoch, wenn die EG nach einer Abtretung wieder an den Eigentümer zurückabgetreten wird.

Dieser Umstand bringt für den Zessionar erhebliche Unsicherheiten. Er kann weder aus dem Grundbuch noch aus dem Grundschuldbrief ersehen, ob die EG bereits einmal abgetreten war und an den Eigentümer zurückgegeben wurde (§ 1196 III BGB). Da für den gesetzlichen Löschungsanspruch eine Vormerkung fingiert wird, nützt dem Erwerber sein guter Glaube nichts (vgl. Rz. 1019). Zwar kann bei einem Wechsel der Gläubiger die Rückabtretung dadurch vermieden werden, daß der Altgläubiger unmittelbar an den Neugläubiger überträgt. Die volle Verkehrsfähigkeit der EG kann jedoch nur dadurch hergestellt werden, daß bei der Bestellung gleich- oder nachrangiger Grundpfandrechte der Löschungsanspruch dieser Gläubiger ausgeschlossen wird (§ 1179a V BGB). Im Verhältnis zwischen inländischen Kreditinstituten genügt aber auch die Zusicherung des nachrangigen Gläubigers, den gesetzlichen Löschungsanspruch nicht geltend zu machen und die Grundschuld nicht abzutreten.

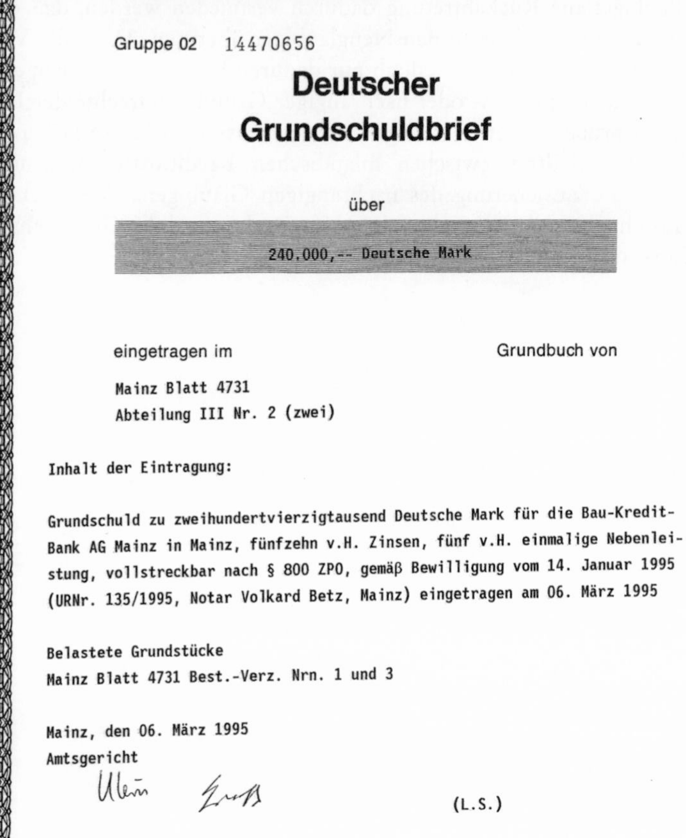

Gruppe 02 14470656

Deutscher Grundschuldbrief

über

240.000,-- Deutsche Mark

eingetragen im Grundbuch von

Mainz Blatt 4731
Abteilung III Nr. 2 (zwei)

Inhalt der Eintragung:

Grundschuld zu zweihundertvierzigtausend Deutsche Mark für die Bau-Kredit-Bank AG Mainz in Mainz, fünfzehn v.H. Zinsen, fünf v.H. einmalige Nebenleistung, vollstreckbar nach § 800 ZPO, gemäß Bewilligung vom 14. Januar 1995 (URNr. 135/1995, Notar Volkard Betz, Mainz) eingetragen am 06. März 1995

Belastete Grundstücke
Mainz Blatt 4731 Best.-Verz. Nrn. 1 und 3

Mainz, den 06. März 1995
Amtsgericht

(L.S.)

§ 24. Das Wohnungseigentum

Literaturhinweise: Bärmann, Wohnungseigentum, 1991; Bärmann/Pick, Wohnungseigentumsgesetz, 13. Aufl. 1994; Bärmann/Pick/Merle, Wohnungseigentumsgesetz, 7. Aufl. 1994; Beck'sches Notarhandbuch (Rapp) A III; HSS Rz. 2800–2996; Müller, Praktische Fragen des Wohnungseigentums, 1986; RAB-Röll Rz. 872–977; Röll, Handbuch der Wohnungseigentümer und Verwalter, 6. Aufl. 1994; Weitnauer u. a., Wohnungseigentumsgesetz, 8. Aufl. 1995

I. Allgemeines

1. Das Wohnungseigentum ist eine Sonderform des Grundeigentums

1203 **Nach dem BGB bilden das Grundstück und die eventuell darauf stehenden Gebäude eine rechtliche Einheit** (§§ 93, 94 BGB). Der Eigentümer des Grundstücks ist kraft Gesetzes auch Eigentümer der aufstehenden Gebäude, es sei denn, daß diese nur zu einem vorübergehenden Zweck mit dem Grund und Boden verbunden sind (§ 95 BGB). Nach dem BGB gibt es demnach kein Eigentum an Teilen des Grundstücks, z. B. an realen Gebäudeteilen, sondern gemeinschaftliches Eigentum am unbebauten oder bebauten Gesamtgrundstück nur in den Formen der Miteigentumsgemeinschaft (= Bruchteilsgemeinschaft) oder einer der gegebenen Gesamthandsgemeinschaften. Dieser allgemeine Grundsatz wird jedoch – abgesehen von dem noch fortbestehenden Gebäudeeigentum in den neuen Bundesländern und dem in seltenen Einzelfällen gemäß Art. 182 EGBGB fortbestehenden Stockwerkseigentum – durch zwei besonders gestaltete Rechtsinstitute durchbrochen:
durch das **Wohnungseigentum (WE)**
durch das **Erbbaurecht.**
Sie bedürfen deshalb einer besonderen Darstellung.

2. Rechtsgrundlage, Zweck und Bedeutung des Wohnungseigentums

1204 **Rechtsgrundlage des WE ist das „Gesetz über das Wohnungseigentum und das Dauerwohnrecht"** vom 15. 3. 1951 (WEG). Mit diesem Gesetz verfolgte der Gesetzgeber eine Reihe von sozialpolitischen und wirtschaftlichen Zwecken. Insbesondere sollte möglichst vielen Bürgern die Möglichkeit gegeben werden, mit relativ geringem Kapitalaufwand echtes Eigentum in der Form des „Eigenheims in der Etage“ zu erwerben. Diesen Zweck hat das Gesetz voll erfüllt. Nach einer verhältnismäßig langen Anlaufzeit hat das Rechtsinstitut WE eine rasche Ausbreitung erfahren. Die heutige Baustruktur unserer Städte und inzwischen auch unserer Gemeinden ist ohne das WE nicht mehr denkbar. Größere Wohnanlagen werden fast nur noch in der Form der WE-Gemeinschaft errichtet. Ende 1993 besaßen in der alten Bundesrepublik über 20% der privaten Haushalte Eigentumswohnungen, in den neuen Bundesländern waren es erst rund 3%. Die Zahl der Eigentumswohnungen steigt laufend und rasch weiter an. Das WEG kann deshalb als ein großer gesetzgeberischer Wurf angesehen werden.

1205 **Das ursprünglich für größere Gemeinschafts-Wohnanlagen gedachte WEG hat inzwischen auch eine verbreitete Anwendung auf familiäre Kleingemeinschaften gefunden.** Hier ermöglicht es oft die ideale Lösung für die Eigentums- und Nutzungsprobleme, die sich bei einem Anbau, bei einer Aufstockung des Gebäudes, bei der Umwandlung einer Scheune oder eines Ladens in eine Wohnung, bei der Teilung unter Geschwistern und in ähnlichen Fällen ergeben. „Das Leben ist erfindungsreicher als die kühnste Juristenphantasie“ (Weitnauer).

3. Die Systematik des Wohnungseigentums

1206 **Nach § 1010 BGB können Miteigentümer eines Grundstücks** (nicht auch Gesamthandseigentümer!) **eine Verwaltungs- und Nutzungsregelung treffen** und dabei jedem von ihnen die ausschließliche Nutzung an einer bestimmten Wohnung zuweisen. Diese Vereinbarung kann in das Grundbuch eingetragen werden und erhält dadurch dingliche Wirkung, d.h. Wirkung gegen jeden Sonderrechtsnachfolger eines Miteigentümers. Die geniale gesetzgeberische Lösung des WEG besteht nun darin, daß die Miteigentumsanteile am Grundstück und Gebäude mit dem ausschließlichen Sondereigentum an bestimmten Wohnungen verbunden werden (**Wohnungseigentum,** § 1 II WEG). **Beispiel:** Miteigentumsanteil zu 1,16/100 an dem Grundstück Flur 20 Nr. 162, Lindenallee 18, verbunden mit dem Sondereigentum an der Wohnung Nr. 23 laut Aufteilungsplan, bestehend aus 3 Zimmern, Flur, Bad, WC, Loggia und dem Kellerraum Nr. 23. Damit ist – unter Weiterentwicklung des § 1010 BGB – eine neue eigenständige Eigentumsform mit einem gesetzlich geregelten Gemeinschaftsverhältnis neben den Sachenrechtsformen des BGB entstanden. Zu den dogmatischen Grundfragen s. MünchKomm-Röll, Vorbemerkungen vor § 1 WEG Rz 12ff. Die praktische Bedeutung der Theorien über das Wesen des Wohnungseigentums ist jedoch gering.

1207 **Teileigentum.** Sondereigentum kann auch an anderen, nicht zu Wohnzwecken dienenden Räumen eines Gebäudes gebildet werden, z.B. Läden, Werkstätten, Büros, Praxisräumen, Garagen usw. In diesen Fällen spricht man nicht von Wohnungseigentum, sondern von Teileigentum (§ 1 III WEG). Beide Formen zusammen bezeichnet man auch als Raumeigentum oder als WE im weiteren Sinne.

1208 **Sonderformen.** Wohnungs- und Teileigentum können auch an einem Erbbaurecht bestellt werden (sog. Wohnungserbbaurecht; § 30 WEG). Zum Dauerwohnrecht s. Rz. 1274.

4. Gemeinschaftseigentum und Sondereigentum

a) Die sachenrechtliche Verbindung

1209 **WE ist**, wie wir gesehen haben, **eine Verbindung von Gemeinschaftseigentum und Sondereigentum.** Es ist echtes Eigentum, nicht nur ein dienstbarkeitsähnliches Nutzungsrecht, und zwar eine Mischung von Alleineigentum (§§ 903 ff. BGB) und Bruchteilseigentum (§§ 1008 ff. BGB): Es verbindet das Alleineigentum an einer Wohnung oder sonstigen Raumeinheit (Sondereigentum) mit dem Bruchteilseigentum am Grundstück und den zum gemeinschaftlichen Eigentum gehörenden Gebäudeteilen. Dabei wird für den Wohnungseigentümer in der Regel das Sondereigentum wirtschaftlich und auch subjektiv die Hauptsache darstellen, rechtssystematisch steht aber das Miteigentum im Vordergrund und das Sondereigentum ist daran angehängt (vgl. BGH NJW 1968, 499 = DNotZ 1968 417).

1210 **Miteigentum und Sondereigentum sind untrennbar miteinander verbunden.** Solange die Wohnungseigentümergemeinschaft besteht, kann über das Sondereigentum und den Miteigentumsanteil, zu dem es gehört, nicht gesondert verfügt werden (§ 6 WEG). Kein Miteigentümer kann die Aufhebung der Gemeinschaft verlangen (§ 11 WEG). Eine Einschränkung dieses Grundsatzes besteht nur für den Fall, daß das Gebäude ganz oder teilweise zerstört wird und eine Verpflichtung zum Wiederaufbau nicht gegeben ist (§§ 11 I 2, 22 II WEG).

b) Gemeinschaftseigentum

1211 **Gemeinschaftliches Eigentum (GemE) sind das Grundstück sowie die Teile, Anlagen und Einrichtungen des Gebäudes, die nicht im Sondereigentum oder im Eigentum eines Dritten stehen** (§ 1 V WEG). Dies sind insbesondere:

- die Teile des Gebäudes, die für dessen Bestand oder Sicherheit erforderlich sind (§ 5 II WEG), z. B. die Fundamente, die tragenden Mauern, das Dach
- die Anlagen und Einrichtungen, die dem gemeinschaftlichen Gebrauch dienen (§ 5 II WEG), z. B. Treppenhaus, Aufzüge, Waschküche, Speicher, Fahrradkeller, Installationen für Wasser, Gas und Strom sowie die zentrale Heizungsanlage jeweils bis zur Abzweigung in die einzelnen Wohnungen, Kanalisation, Gemeinschaftsantenne

- die Elemente der äußeren Gestaltung des Gebäudes, z.B. der Außenputz, die Außenseiten der Fenster und Balkontüren, die Verkleidungen der Balkone und Loggien, die Abschlußtüren (§ 5 I WEG)
- Bestandteile des Gebäudes, die an sich sondereigentumsfähig sind, aber kraft Teilungserklärung oder Vereinbarung der Wohnungseigentümer dem gemeinschaftlichen Eigentum zugewiesen sind (§§ 5 III, 10 III WEG), z.B. eine als Gemeinschaftseigentum ausgewiesene Hausmeisterwohnung
- das Zubehör des Grundstücks, z.B. das Heizöl, die Gartengeräte usw.

1212 **Gemeinschaftseigentum ist auch das Verwaltungsvermögen der WE-Gemeinschaft.** Dazu gehören der jeweilige Hausgeldbestand und die gebildete Instandhaltungsrücklage (KG NJW-RR 1988, 844). Nach a.A. soll daran jedoch Miteigentum nach Bruchteilen bestehen (s. Palandt/Bassenge § 1 Rz. 14 und HSS Rz. 2829 m.w.N.) Die Zuordnung hat praktische Bedeutung für die Frage der Pfändung der Anteile und ihre Mitübertragung bei der Veräußerung des WE. Solange darüber keine völlige Übereinstimmung gefunden ist, sollte vorsorglich bei der Veräußerung einer EW der Anteil am Verwaltungsvermögen ausdrücklich mitübertragen werden.

c) Sondereigentum

1213 **Sondereigentum (SE) kann eingeräumt werden an Räumen und den zu diesen gehörenden nichtkonstruktiven Bestandteilen des Gebäudes**, die verändert, beseitigt oder eingefügt werden können, ohne daß dadurch das gemeinschaftliche Eigentum oder ein auf Sondereigentum beruhendes Recht eines anderen WEers über das nach § 14 WEG zulässige Maß hinaus beeinträchtigt oder die äußere Gestaltung des Gebäudes verändert wird (§§ 5 I, 3 I WEG). Zum Sondereigentum gehören demnach z.B. die nichttragenden Zwischenwände, Innentüren, Wand- und Deckenputz, Tapeten oder Innenanstrich, Fußbodenbelag, eingebaute Schränke, Bade- und Wascheinrichtungen, Heizkörper, die Versorgungsleitungen ab der Abzweigung in die Wohnung, sowie die Innenseiten der Fenster, Balkontüren und Abschlußtüren.

1214 **Abgeschlossenheit.** Sondereigentum kann grundsätzlich nur an in sich abgeschlossenen Raumeinheiten bestehen (§ 3 II 1 WEG). Damit verbunden werden können aber auch außerhalb der Raumeinheit liegende einzelne Räume, wenn sie in sich geschlossen sind, z.B. Keller- und Dachbodenräume. **Einzelgaragen** können selbständiges Teileigentum bilden oder als Nebenräume mit dem Sondereigentum an einer Wohnung verbunden werden. Stellplätze in einer oberirdischen oder unterirdischen Sammelgarage gelten als abgeschlossene Räume, wenn ihre Flächen dauerhaft (nicht nur durch einen Farbstrich) markiert sind (§ 3 II 2 WEG). An seitenoffenen **Carports** ist kein SE, sondern nur ein Sondernutzungsrecht möglich (s. Rz. 1261 ff.). An **Doppelstockgaragen** kann getrenntes

SE an dem oberen und dem unteren Teil nicht gebildet werden, weil es sich nicht um zwei in sich begrenzte Räume handelt (BayObLG DNotZ 1995, 622 m. zahlreichen Nachweisen). **Lösung:** Es wird eine SE-Einheit an der ganzen Doppelstockgarage in hälftigem Miteigentum gebildet, in Verbindung mit einer Nutzungsregelung gemäß § 1010 BGB. Auch kann eine Gebrauchsregelung nach § 15 I WEG als Inhalt des SE im Grundbuch eingetragen werden (BayObLG a. a. O.).

1215 **Veranden, Loggien, Balkone und Dachterrassen** sind zwar keine geschlossenen Räume, können aber zum Sondereigentum erklärt werden, wenn sie mit Sondereigentumsräumen tatsächlich verbunden sind und soweit sie nicht zu den konstruktiven Bestandteilen oder den Elementen der äußeren Gestaltung des Gebäudes gehören (BGH NJW 1985, 1551). **Ebenerdige Terrassen,** soweit sie nicht in den Raum des Gebäudes einbezogen sind, sind dagegen nicht sondereigentumsfähig, können aber durch Einräumung eines Sondernutzungsrechts einer EW zugeordnet werden (s. Rz. 1261 ff.).

d) Bedeutung der Zuordnung

1216 Die Zugehörigkeit von Bestandteilen eines Gebäudes zum Gemeinschaftseigentum oder zum Sondereigentum kann im Einzelfall aus tatsächlichen Gründen unklar sein. Auch sind manche Abgrenzungsfragen noch nicht endgültig von der Rechtsprechung geklärt. Da das SE die Ausnahme darstellt, spricht dann die Vermutung für die Zugehörigkeit zum gemeinschaftlichen Eigentum.

Die Unterscheidung zwischen GemE und SE ist von praktischer Bedeutung, weil das gemeinschaftliche Eigentum gem. § 16 II WEG der Verwaltung und Erhaltung durch die Gemeinschaft der WEer unterliegt, während über das Sondereigentum jeder Wohnungseigentümer im Rahmen des § 13 I WEG nach Belieben verfügen kann. Zur Vermeidung von Streitigkeiten empfiehlt sich deshalb, eine möglichst klare Zuordnung in der Teilungserklärung vorzunehmen und die Kostentragung in der Gemeinschaftsordnung zu regeln.

II. Die Begründung des Wohnungseigentums

Die Begründung von WE kann in zweierlei Weise erfolgen (§ 2 WEG):
- **durch vertragliche Vereinbarung der Miteigentümer** (§ 3 WEG)
- **durch einseitige Teilungserklärung des Eigentümers** (sog. Vorratsteilung, § 8 WEG).

Die Begründungsurkunde hat in der Regel zwei Teile: den dinglichen Teil zur Begründung von Sondereigentum (Teilungserklärung) und den Vereinbarungsteil (Gemeinschaftsordnung); s. Rz. 1235 ff.

1. Die Begründung durch Vertrag

1217 **Umwandlung einer Bruchteilsgemeinschaft.** Eine bestehende oder durch Übertragung entstehende Miteigentümergemeinschaft kann in der Weise umgewandelt werden, daß jedem Miteigentümer das Sondereigentum an einer bestimmten, in sich abgeschlossenen Wohnung eingeräumt wird (§ 3 I WEG). Entsprechendes gilt für die Bildung von Teileigentum. Die Umwandlung bedarf der Beurkundung nach § 313 BGB und der Auflassung nach §§ 925 BGB, 4 II 1 WEG.

1218 **Besteht noch keine Bruchteilsgemeinschaft, muß sie zunächst hergestellt werden.** Gesamthandsgemeinschaften, z.B. eine Erbengemeinschaft, Personengesellschaft oder Gütergemeinschaft, können deshalb erst dann gemäß § 3 WEG eine WE-Gemeinschaft bilden, wenn sie sich zuvor durch Auflassung in eine Bruchteilsgemeinschaft umgewandelt haben, was allerdings in einem Zuge erfolgen kann.

1219 **WE kann nur mit jeweils einem ME-Anteil verbunden werden.** Sind bei einer Begründung nach § 3 WEG mehr ME-Anteile vorhanden, als SE-Rechte gebildet werden, muß deshalb zunächst die Zahl der ME-Anteile auf die Zahl der geplanten SE-Rechte zurückgeführt werden. **Beispiel:** Die Eheleute A1-A2 und B1-B2 sind Miteigentümer zu je 1/4 eines Doppelhausgrundstücks, an dem sie 2 WE-Rechte bilden wollen. Dazu ist erforderlich, daß im Vertrag zunächst 2 ME-Anteile zu je 1/2 gebildet und diese sodann mit je einem SE verbunden werden. Dies ist ein rein rechtstechnischer Vorgang und bedarf nicht der Eintragung in dem zu schließenden Grundbuchblatt. Im Bestandsverzeichnis der beiden neu anzulegenden Wohnungsgrundbuchblätter wird dann jedes WE in Verbindung mit einem 1/2 Miteigentumsanteil am Grundstück eingetragen, und als Eigentümer des SE werden jeweils die Eheleute A und B als Miteigentümer zu je 1/2 verlautbart (vgl. Weitnauer § 3 Rz. 2 a).

2. Die Begründung durch einseitige Teilungserklärung

1220 **Sachenrechtliche Aufteilung.** Der Eigentümer teilt durch eine einseitige Erklärung gegenüber dem GBAmt das Eigentum an seinem Grundstück in Miteigentumsanteile in der Weise auf, daß mit jedem Anteil das SE an einer bestimmten Wohnung oder an nicht zu Wohnzwecken dienenden Räumen verbunden wird (sog. Vorratsteilung, § 8 I WEG). Die Erklärung bedarf im Hinblick auf § 29 GBO der Beurkundung oder der Beglaubigung. Beurkundung ist jedoch im Hinblick auf die damit verbundene Beratung und Belehrung zweckmäßig; außerdem ermöglicht sie, bei der Veräußerung von noch nicht im Grundbuch eingetragenen EWen die Verlesung der Teilungserklärung gem. § 13a BeurkG durch die Bezugnahme auf die Teilungsurkunde zu ersetzen (vgl. BGH NJW 1979, 1498 = DNotZ 1979, 479; s. Rz. 101).

1221 **Die Teilung durch den Eigentümer ist die häufigste Art der Begründung.** Dieser Weg ist gegeben, wenn das Grundstück noch im Alleineigentum steht und die Eigentümermehrheit erst gebildet werden soll, z. B.:
- Der Bauträger plant ein größeres Bauvorhaben mit zahlreichen Wohnungen, für welche die Käufer erst noch gefunden werden müssen
- Ein Althauseigentümer teilt in WE auf, um anschließend einzelne oder alle Einheiten zu veräußern.

Nach der Vorratsteilung stehen alle WE-Einheiten zunächst dem bisherigen Grundstückseigentümer zu. Eine WEer-Gemeinschaft entsteht erst, wenn mit der Veräußerung mindestens eines WE-Rechts eine Personenmehrheit gegeben ist.

1222 **Auch eine Personenmehrheit,** z. B. eine Miteigentümergemeinschaft, eine Erbengemeinschaft oder eine BGB-Gesellschaft, kann WE durch einseitige Erklärung nach § 8 WEG bilden. Im Unterschied zur Begründung durch Vertrag gem. § 3 WEG stehen dann alle neugebildeten WE-Rechte den Beteiligten in dem gleichen Verhältnis zu, in dem sie bisher Eigentümer des Grundstücks waren. **Beispiel:** Die Erbengemeinschaft, bestehend aus A, B und C, teilt zum Zwecke der Veräußerung das Eigentum am Hausgrundstück in die WE-Einheiten I und II auf. Nach der Teilung stehen beide WE-Rechte der Erbengemeinschaft zu. In der Regel schließt sich daran die Auseinandersetzung in Einzeleigentum oder der Verkauf an.

3. Weitere Voraussetzungen bei beiden Begründungsformen

a) Das Grundstück

1223 **WE kann nur auf einem Einzelgrundstück gebildet werden** (§ 1 IV WEG). Wenn das Gebäude auf mehreren Grundstücken steht oder errichtet werden soll, ist zuvor deren Vereinigung gemäß §§ 890 I BGB, 5 GBO oder Bestandteilszuschreibung gem. §§ 890 II BGB, 6 GBO erforderlich; eine bloße Zusammenschreibung auf einem gemeinsamen Grundbuchblatt gemäß § 4 I GBO genügt dafür nicht (Bärmann/Pick/Merle § 3 Rz. 7 m.w.N.). Einer katastermäßigen Verschmelzung der Grundstücke bedarf es jedoch nicht. Zu den Begriffen Vereinigung und Zuschreibung s. Rz. 30–36.

1224 **Reihenhausmodell.** Wenn auf einem Grundstück mehrere Gebäude bestehen oder errichtet werden sollen, kann WE in der Weise gebildet werden, daß mit jedem ME-anteil das SE an allen Räumen eines jeden Gebäudes verbunden wird. Diese Lösung wird häufig von Bauträgern gewählt, wenn eine reale Teilung des Grundstücks nicht möglich oder nicht gewollt ist. Auch in diesen Fällen sind die konstruktiven Teile der Gebäude zwingend Gemeinschaftseigentum (BGH NJW 1968, 1230 = DNotZ 1968, 420). Andererseits sind die Eigentümer bzw. Erwerber der Doppelhaushälften/Reihenhäuser daran interessiert, weitgehend unbeschränktes Eigentum zu erwerben, so als ob das Grundstück vermessen und real geteilt wäre. Die Lösung dieses Problems erfolgt durch die Verbindung der TE mit einer besonders gestalteten Gemeinschaftsordnung. Darin wird festgelegt, daß jedem WEer das Sondernutzungsrecht an allen im Gemeinschaftseigentum stehenden Gebäudeteilen seines Hauses und an dem zum Haus gehörenden Teil des Hofes oder Gartens zusteht, verbunden mit der Pflicht, die darauf bezogenen Unterhaltungs- und Betriebskosten zu tragen. Dadurch wird eine Vertragsgestaltung erreicht, die dem Volleigentum nahe kommt (vgl. Beck'sches Notarhandbuch (Rapp) A III Rz. 52 ff.).

b) Grundbuchnachweise

1225 Um die Abgrenzung zwischen Gemeinschaftseigentum und Sondereigentum festzulegen und sicherzustellen, daß nur in sich abgeschlossene Wohnungen bzw. Raumeinheiten Gegenstand des Sondereigentums werden, sind dem Grundbuchamt vorzulegen:

- **der Aufteilungsplan**, d.h. eine von der Baubehörde mit Unterschrift und Siegel oder Stempel versehene Bauzeichnung, aus der die Aufteilung des Gebäudes sowie die Lage und Größe der im Sondereigentum und der im gemeinschaftlichen Eigentum stehenden Gebäudeteile ersichtlich ist (§§ 7 IV Nr. 1, 8 II WEG) sowie
- **eine Abgeschlossenheitsbescheinigung der Baubehörde,** aus der sich ergibt, daß die Wohnungen oder sonstigen Raumeinheiten in sich abgeschlossen bzw. daß die Garagenplätze dauerhaft markiert sind (§§ 7 IV Nr. 2, 8 II i.V.m. § 3 II WEG).

1226 **Richtlinien.** Für den Aufteilungsplan und die Erteilung der Abgeschlossenheitsbescheinigung hat der Bundesminister für Wohnungsbau Bestimmungen erlassen (Bundesanzeiger 1974 Nr. 58, abgedruckt u.a. bei Demharter Nr. 18). Aufteilungsplan und Abgeschlossenheitsbescheinigung müssen miteinander durch Schnur und Siegel verbunden oder ihre Zusammengehörigkeit durch übereinstimmende Angabe des Aktenzeichens der Baubehörde ausgewiesen werden. Dabei hat die Baubehörde nur die Abgeschlossenheit zu prüfen, bei Altbauten nicht auch die Einhaltung neuer Standards für Schall- und Wärmedämmung, Feuerschutz usw., die das Bauordnungsrecht des jeweiligen Bundeslandes aufstellt (GmS-OGB NJW 1992, 3290).

Grundrisse, Schnitte, Ansichten und Lagepläne. Für sämtliche Geschosse vom Keller bis zum Dachgiebel sind Grundrisse im Maßstab mindestens 1:100 vorzulegen. Alle zu demselben WE gehörenden Räume sind mit der jeweils gleichen Nummer zu kennzeichnen. In der Regel wird von den GB-Ämtern auch die Vorlage von Schnitten und Ansichten verlangt (LG Stuttgart DNotZ 1973, 692; BayObLG Rpfleger 1980,

435). Diese Praxis erscheint auch zweckmäßig, weil sich nur aus der Verbindung von Grundrissen, Schnitten und Ansichten die Gesamtstruktur des Gebäudes (Geschoßhöhe, Fassadengestaltung usw.) erkennen läßt. Wenn sich auf dem Grundstück freistehende Garagen oder andere Nebengebäude befinden oder wenn an Grundstücksflächen Sondernutzungsrechte begründet werden sollen, ist außerdem ein Lageplan des Grundstücks mit entsprechender Einzeichnung erforderlich.

c) Gebäude

1227 **Zum Zeitpunkt der Begründung des WE braucht das Gebäude noch nicht fertiggestellt, ja noch nicht einmal begonnen zu sein**; die Begründung kann auch aufgrund des genehmigten und mit Abgeschlossenheitsbescheinigung versehenen Bauplans erfolgen, denn § 3 I WEG spricht von einem „errichteten oder zu errichtenden Gebäude." Vor der Fertigstellung besteht dann eine Art Anwartschaft, die das WE schrittweise mit der Bauentwicklung zum Entstehen bringt (HSS Rz. 2873 m.w.N.). Es muß auch nicht ein Neubau sein; auch ein bereits bestehendes Gebäude kann in WE aufgeteilt werden. Beispiel: Aufteilung eines Mietwohnhauses in WE.

1228 **Probleme entstehen, wenn die Bauausführung vom Aufteilungsplan abweicht**, was relativ oft vorkommt, z.B. wenn der Bauträger aus bautechnischen Gründen oder zwecks besserer Verkäuflichkeit der Wohnungen Grundrißänderungen vornimmt. Weicht die Bauausführung nur unwesentlich vom Plan ab, so entsteht das SE entsprechend den tatsächlichen Verhältnissen; der Aufteilungsplan ist aber zu berichtigen (s. Diester NJW 1971, 1153, 1157; OLG Karlsruhe DNotZ 1973, 235). Besteht dagegen eine wesentliche Abweichung, insbesondere wenn nicht mehr jedem Raum im Aufteilungsplan ein Raum im Gebäude entspricht, kann wegen Verletzung des Bestimmtheitsgrundsatzes kein SE entstehen (Soergel/Stürner § 7 WEG Rz. 10 m.w.N.). Es entsteht dann lediglich Gemeinschaftseigentum mit dem Anspruch auf Umbau oder Änderung der Begründungsurkunde (s. Diester a.a.O.). Betrifft die Änderung nur das SE einzelner WEer, so genügt deren Einigung und Eintragungsbewilligung.

1229 **Änderungsvorbehalt.** Bei der Errichtung von Wohnanlagen durch Bauträger ergibt sich häufig die Zweckmäßigkeit, gegenüber dem ursprünglichen Plan bauliche Veränderungen vorzunehmen, z.B. um bestimmten Käuferwünschen zu entsprechen. Sind bereits EWen verkauft, wäre dazu die Zustimmung der Käufer erforderlich. Ist bereits eine EV für den Käufer beantragt, ist sie auch verfahrensrechtlich nötig. Um dieses Verfahren zu vereinfachen, ist es üblich, daß sich der Bauträger in den Kaufverträgen das Recht vorbehält und sich dazu bevollmächtigen läßt, Änderungen der TE und der GemO vorzunehmen. Ein solcher Vorbehalt ist zulässig (BGH NJW 1986, 845), muß aber zeitlich begrenzt und möglichst konkret sein. Er ist unwirksam, wenn er gegen den Bestimmtheitsgrundsatz des Grundbuchverfahrensrechts verstößt; zulässig jedoch z.B.: „soweit das SE des Käufers nicht unmittelbar betroffen ist" (BayObLG DNotZ 1995, 610 und 612). Wegen nachträglicher Änderungen durch die WE-Gemeinschaft s. Rz. 1240.

Der Vorbehalt macht die Zustimmung der Käufer und ihrer etwaigen Gläubiger entbehrlich (s. Rz. 1265).

d) Die Bemessung der Miteigentumsanteile

1230 **Für die Bemessung der Miteigentumsanteile enthält das WEG keine Regelung.** Der ME-Anteil muß nicht in einem bestimmten Verhältnis zum Wert oder Umfang des SE stehen. WEer können deshalb untereinander die Größe ihrer ME-Anteile ohne Änderung des damit verbundenen SE ändern (BGH NJW 1976, 1976). Entsprechend kann umgekehrt auch das SE geändert werden, ohne daß der ME-Anteil mit geändert wird (BGH MittRhNotk 1987, 97). Die Bemessung der ME-Anteile sollte jedoch nicht willkürlich, sondern in einer vernünftigen Relation zur Raumeinheit erfolgen, da sie praktische Bedeutung hat für:
- die Verteilung der gemeinschaftlichen Kosten und Lasten (§ 16 II WEG); dies gilt auch für eventuelle Sonderumlagen zur Finanzierung von Großreparaturen, wie sie in älteren Wohnanlagen anfallen
- das Stimmrecht in der Wohnungseigentümer-Versammlung, falls es sich – abweichend von dem Kopfprinzip des § 25 II WEG – nach dem Verhältnis der ME-Anteile richtet, sowie für die Beschlußfähigkeit der WEer-Versammlung (§ 25 III WEG)
- die Erlösquote bei Aufhebung der WE-Gemeinschaft oder einem Verkauf des Gesamtobjekts (§§ 752, 753 BGB).

1231 **Maßstäbe.** Für die Bemessung der ME-Anteile kommen in Betracht:
- das Wertverhältnis der Sondereigentumseinheiten (Verkaufspreise); problematisch, da sich die Wertrelationen im Laufe der Zeit ändern können
- die Kubikmeter des umbauten Raums
- das Verhältnis der Netto-Wohn-/Nutzflächen (s. §§ 42–44 der 2. BerechnungsVO; Sartorius I Nr. 357), evtl. differenziert nach der Art der Nutzung; dies ist die häufigste Form.

4. Die Eintragung im Wohnungsgrundbuch

Zur grundbuchmäßigen Behandlung s. ausführlich: Demharter, GBO, Anhang zu § 3.

1232 **Das WE entsteht grundsätzlich mit der Eintragung der Aufteilung im Grundbuch.** Wenn allerdings in diesem Zeitpunkt das Gebäude noch nicht errichtet ist, so entsteht das WE erst mit der Errichtung der im

Aufteilungsplan vorgesehenen WE-Einheiten. Vorher besteht ein Anwartschaftsrecht, das schrittweise zum Vollrecht erstarkt (s. Rz. 1227).

Das GBAmt legt für jeden ME-Anteil i. V. m. dem zugehörigen Sondereigentum ein besonderes Grundbuchblatt an (§ 7 I WEG); der ME-Anteil i. V. m. mit SE tritt hier an die Stelle des Grundstücks. Das ursprüngliche Grundbuchblatt wird geschlossen; es gibt kein besonderes Grundbuchblatt für das Gemeinschaftseigentum (§ 7 I 3, II WEG). Wegen der Eintragung vgl. § 3 WGV (abgedruckt bei Demharter Nr. 17), nebst Anlagen BGBl. I Nr. 6 vom 10. Februar 1995.

1233 **Auf dem Grundstück lastende Grundpfandrechte werden mit der Aufteilung in WE zu Gesamtgrundpfandrechten** i. S. des § 1132 BGB (BGH NJW 1976, 2132). Sie sind in allen neuen Grundbuchblättern mit dem Vermerk der Mithaft einzutragen (§ 48 GBO). Eine Zustimmung der Gläubiger gem. §§ 876, 877 BGB zur Aufteilung in WE ist nicht erforderlich, weil der Haftungsgegenstand unverändert bleibt (Palandt/Bassenge § 4 WEG Rz. 4). Auf andere Belastungen, z. B. Nießbrauchsrechte, Wegerechte, Vorkaufsrechte ist die Regelung des § 1132 BGB nicht anwendbar. Sie werden deshalb mit der Aufteilung in WE nicht zu Gesamtbelastungen, sondern wandeln sich um in Einzelrechte an jedem WE. Sie sind jedoch auf den neuen WE-Blättern in der Weise einzutragen, daß die Belastung des ganzen Grundstücks erkennbar ist und jeweils auf die Eintragungen in den übrigen Wohnungsgrundbuchblättern verwiesen wird (sog. Gesamtvermerk; § 4 WGV).

1234 Wenn das WE durch Vertrag gemäß § 3 WEG begründet wird, ist dem Grundbuchamt eine steuerliche **Unbedenklichkeitsbescheinigung der Grunderwerbsteuerstelle** vorzulegen, nicht dagegen bei der Vorratsteilung durch den Alleineigentümer gemäß § 8 WEG.

III. Das Gemeinschaftsverhältnis der Wohnungseigentümer

1. Die dreigliedrige Einheit

1235 Das Wohnungseigentum stellt eine dreigliedrige Einheit dar, deren Teile wechselseitig untrennbar miteinander verbunden sind:
- das dingliche Gemeinschaftsverhältnis der Miteigentümer
- das Sondereigentum an der Wohnung und
- die personenrechtliche Mitgliedschaft an der Gemeinschaft der WEer mit den sich daraus ergebenden Rechten und Pflichten.

Diese **Gemengelage von Rechten und Pflichten** wird gebildet durch die gesetzlichen Regeln, die Teilungserklärung, die Gemeinschaftsordnung und die Beschlüsse der WEer-Versammlung. Leider werden diese strukturbildenden Elemente vom Gesetz und oft auch in der Praxis nicht deutlich genug unterschieden. Bei der Vertragsgestaltung und in der Verwaltung des WE sollte jedoch auf klare Begrifflichkeit geachtet werden.

a) Die Teilungserklärung

1236 **Teilungserklärung ist die vertragliche Aufteilung durch die Miteigentümer nach § 3 WEG oder die einseitige Teilungserklärung nach § 8 WEG;** sie bewirkt die sachenrechtliche Aufteilung des Grundstücks in Wohnungseigentumsrechte und die Abgrenzung des Sondereigentums vom Gemeinschaftseigentum. Sie muß mit dem Aufteilungsplan übereinstimmen. Eine Aufzählung aller Einzelräume ist weder erforderlich noch zweckmäßig. Eine spätere Änderung der ME-Anteile bedarf der Auflassung und Eintragung im Grundbuch (§§ 3, 4 WEG).

b) Die Gemeinschaftsordnung

1237 **Die Gemeinschaftsordnung (GemO) wird meist bereits bei der Begründung des WE in Verbindung mit der Teilungserklärung errichtet.** Sie regelt die Rechte und Pflichten der WEer aus dem Gemeinschaftsverhältnis, soweit sie nicht bereits durch das Gesetz bestimmt sind. Dabei besteht eine weitgehende Gestaltungsfreiheit, die es ermöglicht, die GemO den besonderen Verhältnissen der Wohnanlage anzupassen. Mit der Eintragung im Grundbuch (Bezugnahme gem. § 874 BGB) wird sie zum Inhalt des Rechts und wirkt dadurch auch gegen Sonderrechtsnachfolger eines WEers (§ 10 II WEG).

1238 **Der Begriff „Gemeinschaftsordnung" kommt im Gesetz nicht vor; das Gesetz spricht von „Vereinbarungen"** (§ 10 I, II WEG). Die Besonderheit dieser „Vereinbarungen" besteht darin, daß sie -wie ein Vertrag- nur durch einstimmigen Beschluß aller WEer geändert oder ergänzt werden können, es sei denn, daß in der GemO etwas anderes bestimmt ist (s. Rz 1240). Der Begriff „Vereinbarungen" ist aber etwas irreführend, weil die Regelung meist in Verbindung mit der Teilung durch den Alleineigentümer getroffen wird; man sollte deshalb den Begriff „Vereinbarungen" durch den inzwischen weitgehend üblich gewordenen Begriff „Gemeinschaftsordnung" ersetzen (Röll).

1239 **Bei der inhaltlichen Gestaltung der GemO ist zunächst zwischen den zwingenden (nicht abänderbaren) und den nachgiebigen (abänderbaren) Bestimmungen des Gesetzes zu unterscheiden. Zwingende Regeln des Gesetzes sind:**

- § 5 II WEG: Notwendige Teile des Gemeinschaftseigentums
- § 6 WEG: Verbindung des SE mit dem Miteigentumsanteil
- § 11 WEG: Ausschluß des Kündigungsrechts
- § 12 II WEG: Eine nach der GemO erforderliche Zustimmung zu einer Veräußerung des WE darf nur aus einem wichtigen Grunde in der Person des Erwerbers versagt werden

- § 18 I, IV WEG: Bei schwerer Verletzung der Gemeinschaftspflichten ist die Entziehung des WE möglich
- § 20 II WEG: Die Bestellung eines Verwalters kann nicht ausgeschlossen werden
- § 26 I WEG: Die Regeln betreffend die Bestellung und Abberufung des Verwalters sind zwingend
- § 27 III WEG: Die Aufgaben und Befugnisse des Verwalters können nicht eingeschränkt werden
- §§ 43 ff. WEG: Das gerichtliche Verfahren zur Regelung von Streitigkeiten aus dem Verhältnis der WEer kann nicht ausgeschlossen werden; möglich ist jedoch die Aufnahme einer Schiedsgerichtsvereinbarung oder einer Schiedsgutachterklausel in die GemO, z.B. zur Entscheidung bestimmter tatsächlicher Fragen durch einen Sachverständigen (MünchKomm-Röll § 43 Rz. 23 f.).

1240 **Änderungen der Gemeinschaftsordnung.** Soweit keine zwingenden gesetzlichen Bestimmungen entgegenstehen, kann die GemO nachträglich durch Vereinbarung geändert werden. Gegen Sonderrechtsnachfolger sind Änderungen jedoch nur wirksam, wenn sie als Inhalt des SE im Grundbuch eingetragen werden (§ 10 II WEG). Dazu ist gem. § 29 GBO die beglaubigte Unterschrift aller WEer erforderlich. Ist jedoch eine Änderung nur durch einen (nicht eintragungsfähigen) Mehrheitsbeschluß erfolgt, der zwar Einstimmigkeit erfordert hätte, aber nicht gem. § 23 IV 2 WEG wirksam angefochten ist, so gilt sie gegen Sonderrechtsnachfolger auch ohne Eintragung (§ 10 III WEG; s. Rz. 1260 und BGH DNotZ 1995, 599).

1241 **Nach dem Gesetz bedürfen Änderungen der GemO einer „Vereinbarung" aller WEer.** Bei größeren Gemeinschaften ist es jedoch nahezu unmöglich, die Zustimmung aller zu erreichen. Andererseits können solche Änderungen im Laufe der Zeit notwendig werden, z.B. größere bauliche Änderungen, die über die Instandhaltung hinausgehen. Aus diesem Grund kann es zweckmäßig sein, in der GemO vorzusehen, daß solche Änderungen auch von einer qualifizierten Mehrheit beschlossen werden können. Dies ist nach der Rechtsprechung zulässig. Voraussetzung ist jedoch, daß:

- die GemO einen entsprechenden Änderungsvorbehalt enthält
- ein sachlicher Grund für die Änderung vorliegt und
- einzelne WEer nicht unbillig benachteiligt werden (BGH NJW 1985, 2832 = DNotZ 1986, 83).

Auch kann sich aus der Natur des Gemeinschaftsverhältnisses in besonderen Fällen die Verpflichtung ergeben, einer Änderung der GemO zuzustimmen (BGH NJW 1995, 2791).

c) Die Beschlüsse der WEer-Versammlung

1242 **Die Angelegenheiten der laufenden Verwaltung des gemeinschaftlichen Eigentums regeln die WEer durch Beschlüsse** (§§ 15 II, 21 III, V WEG). Sie werden in der WEer-Versammlung mit einfacher Mehrheit gefaßt. Enthaltungen sind nicht mitzuzählen (BGH DNotZ 1990, 31). Die Einzelheiten des Beschlußverfahrens sind in § 25 WEG geregelt. Die Beschlüsse binden -wie im Vereinsrecht- nicht nur die widersprechenden oder sich der Stimme enthaltenden und die zur WEer-Versammlung nicht erschienenen, sondern auch die später in die WEer-Gemeinschaft eintretenden WEer (§ 10 IV WEG). **Beispiele:**

- Die Regelung des ordnungsmäßigen Gebrauchs des SE und des gemeinschaftlichen Eigentums, soweit nicht die Teilungserklärung/GemO entgegensteht (§§ 14 Nr. 1, 15 I, II WEG); z. B. Begrenzung von Art und Zahl der Haustiere, zeitliche Begrenzung des Musizierens, Benutzung des gemeinschaftlichen Parkplatzes, Nutzung der Waschküche, Öffnungszeiten für die Haustür
- Aufstellung sowie Änderungen der Hausordnung (§ 21 V Nr. 1 WEG); meist wird die Hausordnung bereits bei der Begründung des WE in Verbindung mit der GemO erstellt. Sie ist aber, wenn nicht ausdrücklich anders vereinbart, nicht Bestandteil der GemO und kann daher später von der WEer-Versammlung durch Mehrheitsbeschluß geändert werden
- Vornahme von größeren Instandhaltungs- und Instandsetzungsmaßnahmen (§ 21 V Nr. 2 WEG)
- Bestellung und Abberufung des Verwalters (§ 26 WEG)
- Verwaltungsabrechnung und Wirtschaftsplan (§ 28 V WEG)
- Wahl eines Verwaltungsbeirats (§ 29 I WEG).

1243 **Das Gesetz unterscheidet also zwischen „Vereinbarungen" (GemO) und „Beschlüssen."** Während Vereinbarungen nur durch einstimmige Zustimmung aller WEer möglich sind, werden Beschlüsse durch Mehrheitsentscheidungen getroffen. Außerdem wirken Vereinbarungen nur dann gegen Sonderrechtsnachfolger, wenn sie im Grundbuch eingetragen sind (§ 10 II WEG). Die Vertrags- und Verwaltungspraxis sollte deshalb immer sorgfältig auf eine eindeutige Zuordnung achten. Zur Wirksamkeit nicht angefochtener Mehrheitsbeschlüsse, für die Einstimmigkeit erforderlich gewesen wäre, s. Rz. 1259 f.

2. Die Rechte und Pflichten der Wohnungseigentümer

a) Die Rechtsstellung als Eigentümer

1244 **Das WE ist volles Eigentum.** Es ist deshalb wie ein Grundstück belastbar und veräußerlich. Vielfach wird jedoch die Veräußerung von einer Zustimmung abhängig gemacht (§ 12 WEG; s. Rz. 1267).

Das WE kann vermietet und verpachtet werden (13 I WEG). Jeder WEer ist zum Mitgebrauch des gemeinschaftlichen Eigentums berechtigt (§ 13 II WEG). Im Erbfall geht das WE auf den Erben über (§ 1922 BGB). Die Zwangsvollstreckung in das WE richtet sich nach den Grundsätzen, die für das Miteigentum an Grundstücken gelten (§§ 864ff. ZPO).

b) Die Mitgliedschaftsrechte

1245 **Die Verwaltung des gemeinschaftlichen Eigentums steht allen WEern gemeinschaftlich zu,** soweit nicht im Gesetz oder durch die Gemeinschaftsordnung etwas anderes bestimmt ist (§ 21 I WEG). Das Recht der Mitwirkung wird in der Versammlung der WEer ausgeübt (§ 23 I WEG); dem entspricht natürlich umgekehrt die Pflicht, die gültig gefaßten Beschlüsse zu respektieren. § 21 IV WEG gibt jedem WEer einen individuellen Anspruch gegen die übrigen WEer und gegen den Verwalter auf Einhaltung von Vereinbarungen, Beschlüssen und gerichtlichen Entscheidungen. Der Erwerber einer EW tritt kraft Gesetzes in die von der WEer-Gemeinschaft bisher gefaßten Beschlüsse ein (wie beim Eintritt in einen Verein). Kraft des Mitgliedschaftsrechts hat der WEer auch Anteil an der von der Gemeinschaft gebildeten Instandhaltungsrücklage, die bei einer Veräußerung des WE deshalb ipso iure auf den Erwerber übergeht (str., s. Rz. 1212).

c) Die Pflichten aus dem Gemeinschaftsverhältnis

1246 **Aus dem Zusammenleben in einer Hausgemeinschaft ergeben sich natürliche Schranken der Eigentümerrechte sowie Pflichten gegenüber der Gemeinschaft.** Nach § 14 WEG ist der WEer u.a. verpflichtet:

- zur Rücksichtnahme auf die anderen WEer
- zur Duldung von Störungen, soweit sie auf dem zulässigen Gebrauch durch andere WEer beruhen
- zur Instandhaltung des WE
- zur anteiligen Tragung der gemeinschaftlichen Lasten (§ 16 WEG), z.B. der Kosten für Verwalter, Hausmeister, Gebäudereinigung, Aufzug, Sammelheizung, Gartenpflege, Rücklage für Instandsetzungen usw.. Zur Aufbringung der gemeinschaftlichen Kosten wird in der Regel eine monatliche Umlage (**Wohngeld oder Hausgeld** genannt) erhoben, dessen jeweilige Höhe sich aus dem beschlossenen Wirtschaftsplan ergibt. Der Verteilerschlüssel bestimmt sich nach § 16 II WEG (Miteigentumsanteile) oder nach davon abweichender Regelung in der GemO. **Beispiele:**
  - Vergütung für Verwalter und Hausmeister nach Wohneinheiten
  - für Fahrstühle stockwerksbezogene Sonderregelung.

3. Der Verwalter

1247 **Jede WEer-Gemeinschaft bedarf der Verwaltung.** Entweder verwaltet sich die WEer-Gemeinschaft selbst, so bei kleineren familiären WEer-Gemeinschaften, oder sie wählt einen Verwalter. Die Bestellung eines Verwalters kann nicht ausgeschlossen werden (§ 20 II WEG). Einen Zwang zur Bestellung eines Verwalters übt das Gesetz jedoch nicht aus. Eine WEer-Gemeinschaft kann also auch ohne Verwalter bestehen. Beschlüsse sind dann aber nur gültig, wenn sie von allen Beteiligten einstimmig gefaßt werden (vgl. Rz. 1254).

1248 **Die Bestellung des Verwalters geschieht durch Mehrheitsbeschluß der WEer-Versammlung.** Das gleiche gilt für eine Abberufung vor Ablauf seiner Amtszeit (§ 26 I 1 WEG). Wird die Wohnanlage durch einen Bauträger errichtet, so bestimmt er gewöhnlich bereits in Verbindung mit der Teilungserklärung und der GemO den ersten Verwalter. Die Bestellung darf auf höchstens 5 Jahre vorgenommen werden (§ 26 I 2 WEG). Wiederholte Bestellung ist zulässig; der Beschluß darf jedoch frühestens ein Jahr vor Ablauf der Zeit gefaßt werden (§ 26 II WEG). Fehlt ein Verwalter oder ist er verhindert, kann in dringenden Fällen die Bestellung durch das Gericht erfolgen (§§ 26 III, 43 I Nr. 3 WEG).

1249 **Zur Bestellung hinzukommen muß der Verwaltervertrag.** Er ist entweder unentgeltlicher Auftrag (§§ 662 ff. BGB) oder – das ist die Regel – entgeltlicher Geschäftsbesorgungsvertrag i.S. des § 675 BGB. Der Abschluß des Verwaltervertrages geschieht in der Regel in der Weise, daß die WEer-Versammlung in Verbindung mit dem Beschluß über die Bestellung des Verwalters einem WEer, z.B. dem Vorsitzenden des Verwaltungsbeirats, hierzu Vollmacht erteilt. Entsprechendes gilt im Falle der Abberufung des Verwalters, wo man begrifflich zwischen dem Beschluß (dem Abberufungsakt) und der Kündigung des Verwaltervertrages unterscheiden muß.

1250 **Der Nachweis der Verwaltereigenschaft gegenüber dem GBAmt** erfolgt durch die Vorlage einer Niederschrift über den Bestellungsbeschluß, bei dem die Unterschriften des Vorsitzenden der Versammlung sowie eines WEers und, falls ein Verwaltungsbeirat bestellt ist, auch des Vorsitzenden des Verwaltungsbeirats oder seines Vertreters, öffentlich beglaubigt sind (§§ 26 IV, 24 VI WEG). Eine Anzeigepflicht gegenüber dem Grundbuchamt über die Bestellung bzw. den Wechsel eines Verwalters besteht (leider) nicht.

1251 **Die Aufgaben und Befugnisse des Verwalters** ergeben sich aus § 27 WEG. Insbesondere hat er die Beschlüsse der WEer durchzuführen, die Einhaltung der Hausordnung zu überwachen, für die ordnungsgemäße Instandhaltung des Gebäudes zu sorgen und die gemeinschaftlichen Gelder zu verwalten. In den in § 27 II WEG genannten Angelegenheiten ist er befugt, im Namen und mit Wirkung für und gegen alle WEer zu handeln. Es handelt sich dabei um eine begrenzte, gesetzlich umschriebene Vertretungsmacht, ähnlich der Prokura. Sie kann nicht eingeschränkt werden (§ 27 III WEG). Zusätzlich können dem Verwalter jedoch im Einzelfall oder generell weitergehende Vertretungsbefugnisse gegeben werden.

Die WEer-Gemeinschaft ist nicht parteifähig; sie kann als solche nicht klagen oder verklagt werden; § 50 II ZPO ist nicht analog anwendbar (BGH NJW 1977, 1686). Kläger oder Beklagter ist grundsätzlich die Gesamtheit der WEer, für die der Verwalter Zustellungsbevollmächtigter ist (§ 27 II Nr. 3 WEG). Prozeßvollmacht gemäß § 81 ZPO hat er jedoch nur, wenn er durch Beschluß der WEer dazu ermächtigt ist (§ 27 II Nr. 5 WEG). Dazu genügt Mehrheitsbeschluß. Die Ermächtigung kann auch generell im Verwaltervertrag oder in der GemO erteilt sein. 1252

4. Die Versammlung der Wohnungseigentümer

Literaturhinweis: Wangemann, Die Eigentümerversammlung nach WEG, 1994

a) Die Einberufung

Die WE-Versammlung ist das oberste Organ der WE-Gemeinschaft (§ 23 WEG). Der Verwalter hat die WEer mindestens einmal im Jahr mit einer Frist von mindestens 1 Woche (in dringenden Fällen auch kürzer) zu einer Versammlung einzuberufen (§ 24 I, IV WEG). Darüber hinaus hat er auch dann einzuberufen, wenn dies schriftlich unter Angabe des Zwecks und der Gründe von mehr als einem Viertel der WEer verlangt wird (§ 24 II WEG). Dieses Minderheitsrecht ist zwar durch die GemO modifizierbar, aber es kann nicht völlig ausgeschlossen werden. Im Verfahren nach §§ 43 ff. WEG kann der Verwalter zur Einhaltung dieser Pflichten angehalten werden. In der Ladung ist die **Tagesordnung** anzugeben (§ 23 II WEG). Dabei müssen die Angaben über den Gegenstand der beabsichtigten Beschlüsse mindestens so genau sein, daß die WEer vor Überraschungen geschützt sind und ihnen die Möglichkeit der Vorbereitung gegeben ist (z. B. OLG Stuttgart NJW 1974, 2137 = DNotZ 1975, 311). Die genaue Einhaltung der Vorschriften über die WEer-Versammlung ist in größeren Gemeinschaften dringend geboten. In kleineren, insbesondere familiären Gemeinschaften, in denen kein Verwalter bestellt ist, wird dies jedoch meist weniger förmlich gehandhabt. 1253

Bei kleineren WEer-Gemeinschaften, insbesondere mit familiärem Charakter, wird häufig davon abgesehen, einen Verwalter zu bestellen und formelle WE-Versammlungen durchzuführen. Die Verwaltung erfolgt in diesen Fällen durch alle WEer gemeinschaftlich, wobei dann 1254 aber bei allen Maßnahmen Einstimmigkeit erforderlich ist (§ 23 III WEG). Wird keine Einigkeit erzielt, bleibt nur der Gang zum Amtsgericht gem. §§ 26 III, 43 ff. WEG. Das Gericht kann auf Antrag eines WEers oder eines Dritten (z. B. eines Mieters oder Gläubigers) einen Notverwalter bestellen, der eine Versammlung einberuft, in der dann das Mehrheitsprinzip gilt.

b) Verwaltungsbeirat

1255 Bei größeren WE-Gemeinschaften ist die Einrichtung eines Beirats als besonderes Organ der WE-Gemeinschaft üblich und zweckmäßig. Dies kann, muß aber nicht bereits in der GemO vorgesehen sein. Die Bestellung erfolgt durch Mehrheitsbeschluß (§ 29 I WEG). Seine Aufgabe ist die fachkundige Unterstützung und Überwachung des Verwalters, insbesondere die Prüfung der Wirtschaftspläne, der Abrechnungen, von Kostenanschlägen usw. (§ 29 III WEG).

c) Das Beschlußverfahren

1256 **Den Vorsitz in der Versammlung führt in der Regel der Verwalter** (§ 24 V WEG). Stimmberechtigt sind grundsätzlich alle der Gemeinschaft angehörenden WEer. Nur in den besonderen Fällen, in denen nur ein Teil der WEer ein sachliches Interesse an der Entscheidung der Angelegenheit hat, beschränkt sich das Stimmrecht auf diese Beteiligten (BayObLG NJW 1962, 494). Das kommt z. B. dann vor, wenn eine große Wohnanlage aus mehreren selbständigen Gebäuden besteht und die Angelegenheit allein die WEer eines Gebäudes betrifft (z. B. die Nutzung des Fahrradkellers eines Gebäudes). Gefaßte Beschlüsse sind nur gültig, wenn der Gegenstand in der Einberufung bezeichnet war (§ 23 II WEG). Über die Versammlung ist eine Niederschrift aufzunehmen, die von dem Vorsitzenden und einem WEer und, falls ein Verwaltungsbeirat bestellt ist, auch von dessen Vorsitzenden oder seinem Vertreter zu unterzeichnen ist (§ 24 VI WEG). Auch ohne Versammlung ist ein Beschluß gültig, wenn alle WEer ihre Zustimmung zu dem Beschluß schriftlich erklären (§ 23 III WEG).

1257 **Das Stimmrecht.** Nach § 25 II WEG gilt das sog. **Kopfprinzip:** Jeder Wohnungseigentümer hat in der Versammlung eine Stimme, unabhängig von der Größe seines ME-Anteils und der Anzahl seiner Wohnungen; sind an einem WE-Recht mehrere Personen beteiligt, haben sie nur eine Stimme. Dies ist jedoch nachgiebiges Recht. Meist wird eine andere Stimmenverteilung festgelegt., z. B. nach dem **Objektprinzip** = jede EW eine Stimme. Zweckmäßiger ist die Bemessung des Stimmrechts nach den Miteigentumsanteilen **(Wertprinzip).** Wer mehr investiert, soll auch ein größeres Stimmrecht haben. Vertretung ist zulässig, möglich jedoch die Beschränkung von Stimmrechtsvollmachten auf Miteigentümer, Ehegatten und Verwalter (BGH NJW 1987, 650), ebenso eine Beschränkung der Zahl der Vollmachten, die durch eine Person ausgeübt werden dürfen. Mieter haben kein Stimmrecht.

Gruppenstimmrecht. Bei Wohnanlagen mit mehreren in sich abgeschlossenen Wohnblocks empfiehlt es sich festzulegen, daß Maßnahmen, die nur ein Haus betreffen, z.B. Treppenhausrenovierung, Aufzugsangelegenheiten usw., nur von den Miteigentümern dieses Hauses beschlossen werden (s. BayObLG NJW 1962, 492; KG NJW 1975, 318).

Beschlußfähigkeit ist nach dem Gesetz nur gegeben, wenn mehr als die Hälfte der eingetragenen ME-Anteile vertreten sind sog. Quorum § 25 III WEG). Diese wenig praktische Bestimmung wird jedoch vielfach geändert. Um die sog. Eventualeinberufung auf den gleichen Tag „eine Stunde später" zu vermeiden, wird vielfach ein geringeres Quorum bestimmt, z.B. daß die Versammlung beschlußfähig ist, wenn 20 v.H. der Stimmen anwesend oder vertreten sind (§ 25 IV WEG).

1258 **Ist ein Nießbrauchsrecht oder ein Wohnungsrecht an der EW bestellt,** so führt dies zu einer Aufspaltung des Stimmrechts. Der Nutzungsberechtigte hat das Stimmrecht in den Angelegenheiten der Verwaltung und Nutzung des gemeinschaftlichen Eigentums (§§ 15, 16, 21 WEG), im übrigen bleibt das Stimmrecht beim Eigentümer (Schöner DNotZ 1975, 78; Palandt/Bassenge § 25 Rz. 2). Praktische Schwierigkeiten können durch Erteilung einer Vollmacht vermieden werden.

d) Fehlerhafte Beschlüsse

1259 **Nichtige Beschlüsse.** Beschlüsse der WE-Gemeinschaft können fehlerhaft sein. Verstoßen sie gegen ein zwingendes gesetzliches Verbot, so sind sie – wie jedes andere verbotene Rechtsgeschäft – gem. § 134 BGB nichtig (BGH DNotZ 1990, 34). Die Nichtigkeit ist in einem gerichtlichen Verfahren von Amts wegen zu beachten. Für die Geltendmachung der Nichtigkeit gibt es keine Ausschlußfrist.

1260 **Anfechtbare Beschlüsse.** Andere Fehler machen den Beschluß nicht unwirksam, aber anfechtbar, z.B. Fehler in der Einberufung, mangelnde inhaltliche Bestimmtheit des Beschlusses, fehlende Vertretungsbefugnis der Abstimmenden, Mängel der Protokollierung, fehlerhafte Stimmenzählung, unrichtige Verkündung des Abstimmungsergebnisses usw. (§§ 23 IV, 43 I Nr. 4 WEG). Zur Anfechtung befugt ist jeder WEer und der Verwalter. Die Anfechtungsfrist beträgt einen Monat vom Tage der Beschlußfassung an. Bis zur etwaigen rechtskräftigen Ungültigerklärung durch den Richter sind die Beschlüsse gültig und durchführbar, im Falle der Ungültigerklärung jedoch ex tunc unwirksam (Bärmann/Pick § 23 Rz. 31 m.w.N.). Wird der fehlerhafte Beschluß nicht innerhalb der Monatsfrist angefochten, so ist er wirksam; das gilt sogar dann, wenn ein Beschluß nur mit Mehrheit gefaßt ist, obwohl Einstimmigkeit aller WEer erforderlich gewesen wäre (s. BGH DNotZ 1995, 599: Maßstab der Kostenbeteiligung). Auf diesem Wege werden häufig fehlerhaft gefaßte Beschlüsse wirksam; sie haben vereinbarungsersetzenden Charakter (BGH MittBayNot 1995, 279: Verbot der Hundehaltung). Allerdings kann ein WEer bei Versäumung der Anfechtungsfrist entsprechend § 22 II FGG die „Wiedereinsetzung in den vorigen Stand" verlangen, wenn er ohne Verschulden nicht in der Lage war, die Frist einzuhalten (BGH NJW 1970, 1316).

Wirkung der Bestandskraft. Gegen Sonderrechtsnachfolger wirken Vereinbarungen nur, wenn sie im Grundbuch eingetragen sind (§ 10 II WEG), während Beschlüsse diese Wirkung ohne Eintragung erlangen (§ 10 III WEG). Sonderrechtsnachfolger eines WEers können sich deshalb nicht allein auf das Grundbuch verlassen, sondern müssen sich auch vergewissern, ob die GemO durch Beschlüsse geändert worden ist, die gem. § 23 IV WEG Bestandskraft erlangt haben (BGH a. a. O.).

IV. Die Sondernutzungsrechte

1261 **Gebrauchsregelung.** Die WEer können den Gebrauch des SE und des gemeinschaftlichen Eigentums durch Vereinbarung regeln (§ 15 I WEG). Insbesondere können einzelne Teile des gemeinschaftlichen Eigentums einzelnen WEern zur ausschließlichen Nutzung zugewiesen werden (sog. Sondernutzungsrecht). Dadurch werden die anderen Miteigentümer vom Mitgebrauch gem. § 13 II WEG ausgeschlossen. Von großer praktischer Bedeutung ist die Begründung von Sondernutzungsrechten an Kfz-Stellplätzen im Freien sowie an ebenerdigen Terrassen, Dachterrassen und Gartenteilen (s. Rz. 1215). Weitere Beispiele: Das Recht zur alleinigen Nutzung von Teilen des gemeinschaftlichen Kellers, zur Anbringung einer Reklame oder zur Aufstellung von Verkaufsautomaten.

1262 **Begründung.** Sondernutzungsrechte werden i. d. R. bereits im Rahmen der Teilungserklärung gem. § 8 WEG oder der vertraglichen Aufteilung gem. § 3 WEG begründet. Nachträgliche Begründung bedarf einer einstimmigen Vereinbarung; ein Mehrheitsbeschluß, auch ein einstimmiger Versammlungsbeschluß, an dem nicht alle WEer mitgewirkt haben, genügt hierfür nicht. Sie können auch nicht durch Mehrheitsbeschluß entzogen werden.

1263 **Eintragung.** Gegen Sonderrechtsnachfolger der anderen WEer wirken Sondernutzungsrechte nur, wenn sie als Inhalt des SE im Grundbuch eingetragen sind (§ 10 II WEG) Zweckmäßigerweise geschieht dies mit einem ergänzenden Hinweis auf die Art des Sondernutzungsrechts (**Beispiel:** ... „mit Sondernutzungsrecht am KFZ-Stellplatz Nr. 1"). Mit der Eintragung werden sie zum Bestandteil des WE, dem sie zugeordnet sind (§§ 5 IV WEG, 96 BGB). Unterbleibt die Eintragung, kann es später Probleme bei der Übertragung des SE und der Wirkung für und gegen Rechtsnachfolger geben.

1264 **Übertragung.** Sondernutzungsrechte folgen dem Eigentum am SE. Sie werden mit ihm übertragen und vererbt. Eine Veräußerung ist nur an Miteigentümer derselben WE-Anlage möglich; schuldrechtliche Überlassung an Außenstehende, z.B. Vermietung, ist aber zulässig.

1265 **Vorbehalt der späteren Zuteilung.** Bei der Errichtung von Wohnanlagen durch Bauträger ist es zweckmäßig und üblich, zwar die vorgesehenen Sondernutzungsrechte, insbesondere die Stellplätze, bereits bei der Begründung des WE festzulegen, sich aber ihre nachträgliche Zuweisung zu einzelnen SE-Rechten vorzubehalten. Die Zuweisung erfolgt dann in den Kaufverträgen an die einzelnen Erwerber. Das Zuteilungsrecht erlischt mit dem Verkauf der letzten Wohnung. Bei diesem Verfahren ist eine Mitwirkung der anderen WEer nicht erforderlich, weil die Flächen bereits durch die Teilungserklärung von der gemeinschaftlichen Nutzung ausgenommen sind (BGH DNotZ 1984, 695, BayObLG DNotZ 1988, 30). Auch eine Zustimmung von Grundpfandrechtsgläubigern der nicht betroffenen WEe ist nicht erforderlich, weil sie nicht mehr Rechte haben können, als ihre Schuldner selbst haben (BayObLG MittBayNot 1986, 24 und OLG Düsseldorf DNotZ 1988, 35).

V. Die Veräußerung des Wohnungseigentums

1. Die Beurkundung des Vertrages

1266 WE ist Eigentum an Grundstücken. Es ist wie Grundeigentum vererblich, übertragbar, belastbar, pfändbar und verpfändbar. Auf die Veräußerung finden deshalb die für Grundstücke geltenden Vorschriften Anwendung. Das Verpflichtungsgeschäft bedarf der Beurkundung gemäß § 313 BGB. Für die dingliche Einigung und die Eintragung gelten die §§ 873, 925 BGB. Beim Verkauf durch einen Bauträger sind die Makler- und BauträgerVO i.d.F. vom 7.11. 1990 (BGBl. I 2479) und das AGB-Gesetz zu beachten. Ist die Teilungserklärung noch nicht im Grundbuch eingetragen, so muß sie, falls sie lediglich mit Unterschriftsbeglaubigung errichtet worden ist, bei der Beurkundung des Veräußerungsvertrages mitverlesen werden (BGH NJW 1979, 1498); ist sie dagegen in Beurkundungsform errichtet, genügt die Bezugnahme gemäß § 13a BeurkG (s. Rz. 101).

2. Die Zustimmung zur Veräußerung

Literaturhinweis: Hollmann, Probleme der Veräußerungsbeschränkung nach § 12 WEG, MittRhNotK 1985, 1

1267 **Die Veräußerung des WE kann von einer Zustimmung abhängig gemacht werden** (§ 12 I WEG). In Frage kommen dafür die Zustimmung:
- aller oder einiger WEer
- durch Mehrheitsbeschluß der WEer-Versammlung
- eines Dritten, z.B. des Verwalters; dies ist in der Praxis der häufigste Fall.

Zweck. Der Zustimmungsvorbehalt soll die Möglichkeit geben, das Eindringen unerwünschter Personen in die Gemeinschaft zu verhindern. Die Zustimmung darf jedoch nur aus einem in der Person des Erwerbers bestehenden wichtigen Grund versagt werden (§ 12 II WEG), z.B. wenn begründeter Verdacht besteht, daß der Erwerber die Hausgemeinschaft stören oder seinen Verpflichtungen zur Zahlung der Abgaben nicht nachkommen oder durch gewerbliche Nutzung den Charakter einer reinen Wohnanlage verändern wird. Ein Verweigerungsrecht wegen rückständiger Hausgeldzahlungen des Veräußerers besteht nicht. Wird die Zustimmung verweigert, kann der Veräußerer die Entscheidung des Gerichts nach § 43 I Nr. 1 WEG anrufen. Die Zustimmung des Verwalters und dessen Verwaltereigenschaft müssen dem GBAmt in der Form des § 29 GBO nachgewiesen werden (s. Rz. 1250).

1268 **Das Zustimmungserfordernis gilt auch für den Fall, daß die EW im Wege der Zwangsversteigerung oder durch den Konkursverwalter veräußert wird** (§ 12 III 2 WEG). Deshalb verlangen die Kreditinstitute vielfach, daß die Zustimmung bereits bei der Bestellung des Grundpfandrechts erklärt wird. Diese Komplizierung der Beleihungsmöglichkeit wird vermieden, wenn der Zustimmungsvorbehalt in der GemO in der Weise eingeschränkt wird, daß eine Zustimmung nicht erforderlich ist, wenn die Veräußerung im Wege der Zwangsversteigerung aus Grundpfandrechten erfolgt.

3. Der Übergang von Kosten und Lasten

1269 **Abgrenzung.** Bei der Veräußerung eines WE wird meist vereinbart, daß der Erwerber ab der Übergabe verpflichtet ist, die monatlichen Zahlungen des Wohngeldes (Hausgeldes) an die WE-Gemeinschaft zu leisten. Fällt dieser Termin in den Lauf eines Wirtschaftsjahres, stellt sich das Problem der Abgrenzung, weil zwar monatliche Abschlagszahlungen auf die Jahresschuld geleistet werden, die endgültige Abrechnung aber erst nach dem Abschluß des Wirtschaftsjahres aufgrund der Jahresrechnung durch den Verwalter erfolgt. In der Praxis wird dabei wie folgt verfahren:

- Gleichbleibende wiederkehrende Leistungen, z.B. die Zahlung des Verwalterhonorars, werden zeitanteilig aufgeteilt.
- Verbrauchsabhängige Kosten, wie Heizung, Wasser, Warmwasser, Kanalgebühren, soweit dafür Verbrauchsmeßgeräte vorhanden sind, werden nach dem Zählerstand, anderenfalls zeitanteilig abgerechnet. Erteilt der Verwalter nur eine Jahresabrechnung, so müssen die Beteiligten die Aufteilung selbst vornehmen. Bei größeren Wohnanlagen ist es jedoch üblich, daß der Verwalter die Aufteilung vornimmt und getrennte Abrechnung erteilt.

Diese Regelung gilt allerdings nur im Innenverhältnis zwischen Veräußerer und Erwerber, denn der Veräußerer bleibt gem. § 16 II WEG gegenüber der WEer-Gemeinschaft so lange zur Zahlung der laufenden Kosten verpflichtet, bis der Erwerber als Eigentümer im Grundbuch eingetragen wird (BGH NJW 1989, 2697). Dies gilt selbst dann, wenn die Übergabe der EW bereits erfolgt und eine EV für den Erwerber im Grundbuch eingetragen ist.

4. Die Haftung für rückständige Gemeinschaftsabgaben

1270 Eine Haftung des Erwerbers für rückständige Hausgeldzahlungen des Veräußerers besteht gesetzlich nicht. Die GemO kann jedoch vorsehen, daß Sonderrechtsnachfolger voll für Rückstände des Rechtsvorgängers haften (HSS Rz. 2921 m.w.N.). Praktisch kann das Problem durch eine vorherige Anfrage beim Verwalter entschärft werden, weil dann in der Regel die Möglichkeit besteht, etwaige Rückstände aus dem Kaufpreis abzulösen. Der Ersteher einer EW in der Zwangsversteigerung haftet nicht für Rückstände. Für Sonderumlagen haftet er nur, wenn und soweit der Beschluß über die Anforderung erst nach dem Zuschlag gefaßt worden ist (§§ 56 Satz 2 ZVG, 28 WEG). Dies gilt auch dann, wenn dadurch Kosten aus der Zeit vor seinem Erwerb erfaßt werden (Palandt/Bassenge § 16 WEG Rz. 23).

5. Der Eintritt des Erwerbers in die Rechte und Pflichten

1271 **Das Gemeinschaftsverhältnis der WEer ist ein gesellschaftsähnliches Verhältnis mit Rechten und Pflichten**; seine Bindung geht sogar noch über die gesellschaftsrechtliche Bindung hinaus, weil eine Kündigung ausgeschlossen ist. Daraus folgt, daß der Erwerber in alle sich aus dem Gemeinschaftsverhältnis ergebenden Rechte und Pflichten des Veräußerers eintritt. Dies gilt nicht nur für das sachenrechtliche Miteigentum und Sondereigentum, wie es in der Teilungserklärung und Gemeinschaftsordnung festgelegt ist, sondern auch für die von der WEer-Gemeinschaft bisher gefaßten Beschlüsse und sämtliche von der WEer-Gemeinschaft mit Dritten abgeschlossenen Verträge, z.B. Verwaltervertrag, Hausmeistervertrag, Wartungs- und Versicherungsverträge. Der Anteil an der gebildeten Instandhaltungsrücklage geht, da zum Gemeinschaftseigentum gehörend, kraft Gesetzes auf den Erwerber über; der Veräußerer kann deshalb seinen Anteil nicht herausverlangen (s. jedoch Rz. 1212).

1272 **Übergang des Stimmrechts.** Das Stimmrecht in der WE-Versammlung geht erst mit der Eintragung im Grundbuch auf den Erwerber über. Dies gilt auch, wenn der Besitz bereits auf ihn übergegangen und eine EV für ihn im Grundbuch eingetragen ist (BGH NJW 1989, 1087). Vertretung aufgrund Vollmacht des Nocheigentümers ist jedoch möglich.

1273 **Information des Erwerbers.** Um sich über seine Rechte und Pflichten zu informieren, sollte der Erwerber nach Möglichkeit vor der Beurkundung des Vertrages die Teilungserklärung und Gemeinschaftsordnung sowie die Protokolle über die WEer-Versammlungen einsehen. Hierbei ist zu beachten, daß der Inhalt der GemO sowohl durch ordnungsgemäß gefaßte sowie durch bestandskräftig gewordene fehlerhafte Beschlüsse geändert sein kann (s. Rz. 1260). Der Veräußerer ist verpflichtet, ihm diese Unterlagen mit den anderen Wohnungspapieren (Einheitswertbescheid, Grundsteuerbescheid, Mietverträge, Versicherungspapiere, Verwaltervertrag usw.) zu übergeben und die erforderlichen Auskünfte zu erteilen (§ 444 BGB).

VI. Das Dauerwohnrecht

1274 Neben dem Wohnungseigentum hat das WEG noch die Sonderform des Dauerwohnrechts geschaffen (§§ 31–42 WEG). Es ist das Recht, „unter Ausschluß des Eigentümers eine bestimmte Wohnung ..." zu bewohnen oder in anderer Weise zu nutzen (§ 31 I WEG). Dem Teileigentum entspricht das Dauernutzungsrecht für Räume, die nicht Wohnzwecken dienen (§ 31 II, III WEG). Das Recht kann sich auch auf ein ganzes Gebäude beziehen (LG Münster DNotZ 1953, 148).

Begrifflich steht das Dauerwohnrecht/Dauernutzungsrecht zwischen dem Wohnungseigentum/Teileigentum und der beschränkten persönlichen Dienstbarkeit (§§ 1090–1093 BGB). Von der Dienstbarkeit unterscheidet es sich dadurch, daß es veräußerlich und vererblich ist (§ 33 I WEG), vom Wohnungseigentum/Teileigentum dadurch, daß es nicht mit Grundpfandrechten, Reallasten, Dienstbarkeiten oder einem Vorkaufsrecht belastet werden kann. Da es sich um ein „Recht" handelt, sind jedoch die Bestellung eines Nießbrauchs (§§ 1068, 873 BGB), die Pfändung (§ 857 ZPO) und die Verpfändung (§§ 1273ff. BGB) möglich.

1275 **Rechtsgrund** für die Bestellung eines Dauerwohnrechts ist i.d.R. eine Schenkung oder ein Rechtskauf. Zur **Eintragung** erforderlich sind eine Eintragungsbewilligung i.V.m. dem Aufteilungsplan und der Bescheinigung, daß es sich um eine abgeschlossene Wohnung handelt; die übrigen Wohnungen des Hauses müssen dagegen, anders als beim Wohnungseigentum, nicht in sich abgeschlossen sein (§§ 32 WEG, 19, 29 GBO). **Inhaltlich** kann das Recht unbefristet, auf bestimmte Zeit befristet oder auf die Lebenszeit des Berechtigten beschränkt bestellt werden (§ 41 WEG).

In der Praxis sind Dauerwohnrechte relativ selten, insbesondere wegen der fehlenden Beleihbarkeit. Zur vertraglichen Gestaltung und zur steuerlichen Behandlung s. Spiegelberger, Vermögensnachfolge, Rz. 183 ff.

VII. Das gerichtliche Streitverfahren nach §§ 43 ff. WEG

Literaturhinweise: Bärmann, Rz. 668–746; Röll S. 180–188; Weirich, Freiwillige Gerichtsbarkeit, § 22

1. Allgemeines

1276 **Interessenkonflikte.** Das Zusammenleben der WEer in einer Eigentümer- und Hausgemeinschaft schafft natürlicherweise Streitigkeiten verschiedenster Art. Die Qualität des Rechtsinstituts „Wohnungseigentum" hing und hängt deshalb auch davon ab, wie weit es gelingt, dafür angemessene Ausgleichsmechanismen zu finden. Die schlechten Erfahrungen mit dem früheren Stockwerkseigentum (im Volksmund „Streithäuser" genannt) sollten sich nicht wiederholen. Der Gesetzgeber hat deshalb mit dem WEG in den §§ 43 ff. ein Verfahren geschaffen, das auf die besonderen Bedingungen dieses Gemeinschaftsverhältnisses zugeschnitten ist.

1277 **Verfahren der Freiwilligen Gerichtsbarkeit.** Bei den Streitigkeiten zwischen WEern handelt es sich vielfach um Angelegenheiten, an denen eine größere Zahl von Personen beteiligt ist. Ziel des Verfahrens ist die Sicherung oder Wiederherstellung des Hausfriedens. Das Gericht soll deshalb versuchen, nach Möglichkeit eine gütliche Einigung zwischen den Beteiligten zu erreichen. Das verlangt ein einfaches Verfahren, in dem weniger förmlich als nach den Regeln der ZPO verhandelt und rascher entschieden werden kann. Der Gesetzgeber hat das Verfahren deshalb als ein Sonderverfahren der Freiwilligen Gerichtsbarkeit gestaltet. Dabei handelt es sich um ein sog. „echtes Streitverfahren der Freiwilligen Gerichtsbarkeit". Ergänzend zu den Vorschriften des FGG können daher die Regeln der ZPO herangezogen werden, wenn und soweit nicht zwingende Verfahrensgrundsätze des FGG oder WEG entgegenstehen (Einzelheiten s. Palandt/Bassenge § 43 WEG Rz. 8–11). Zum Verhältnis des Gerichts der FreiwG zum Prozeßgericht s. § 46 WEG.

Das Verfahren ist Richtersache. Örtlich und sachlich zuständig ist das Amtsgericht, in dessen Bezirk das Grundstück liegt (§ 43 I WEG).

2. Die Gegenstände des Verfahrens

Die dem Verfahren zugewiesenen und damit der ZPO entzogenen Gegenstände ergeben sich aus § 43 I WEG:

1278 **Nr. 1: Das Gericht entscheidet auf Antrag eines WEers über alle Streitigkeiten, die sich aus der Gemeinschaft der WEer und der Verwaltung des gemeinschaftlichen Eigentums ergeben** (§§ 10–16, 20–29 WEG); dies ist die Generalklausel. **Beispiele:**

- Streit über Bestehen oder Inhalt von Sondernutzungsrechten (BGHZ 109, 396)
- Unterbindung von Störungen durch andere WEer (OLG Frankfurt NJW 1961, 324)
- Gebrauch des Fahrradkellers (BayOblG NJW 1962, 492)
- Streit um die Benutzung der gemeinschaftlichen Pkw-Stellplätze (OLG Frankfurt NJW 1965, 2205).

Besteht Streit über die Pflichten, die sich aus der WEer-Gemeinschaft ergeben, so ist § 43 WEG auch dann anwendbar, wenn der Schadensersatzanspruch auf unerlaubte Handlung oder auf § 1004 BGB gestützt wird (BGH NJW-RR 1991, 907). Das Prozeßgericht ist dagegen zuständig, wenn es sich um Fragen der Begründung, Übertragung, Belastung oder Aufhebung des WE oder um den Umfang des Sondereigentums handelt.

1279 **Nr. 2: Das Gericht entscheidet auf Antrag eines WEers oder des Verwalters über alle Streitigkeiten zwischen WEern und Verwalter,** unabhängig davon, ob die Ansprüche auf WEG, BGB oder Vertrag beruhen, insbesondere über Vertragserfüllung, Vergütung, Schadensersatz, Einsicht in Verwaltungsunterlagen, Auskunft und Rechnungslegung. Dies gilt auch für Ansprüche gegen einen ausgeschiedenen Verwalter (BGH NJW 1980, 2466).

1280 **Nr. 3: Auf Antrag eines WEers oder eines Dritten hat das Gericht über die Bestellung eines Notverwalters zu entscheiden,** z. B. um die Einberufung einer WEer-Versammlung zu ermöglichen (§ 26 III WEG).

1281 **Nr. 4: Auf Antrag eines WEers oder des Verwalters entscheidet das Gericht über die formelle oder materielle Gültigkeit von Beschlüssen der WEer-Versammlung;** dies ist eine stark vereinfachte Art der Anfechtungsklage (vgl. § 23 IV WEG). **Beispiele:**

- Ein Beschluß ist in einer nicht ordnungsgemäß einberufenen WEer-Versammlung gefaßt worden (§ 23 I, II, III WEG)
- Bei einer baulichen Veränderung ist streitig, ob dazu ein Mehrheitsbeschluß genügt oder ob die Zustimmung aller oder nur der davon betroffenen WEer erforderlich ist (vgl. dazu BGH NJW 1979, 817)
- Ein Beschluß, durch den ein WEer gegen seinen Willen von der Mitbenutzung des Gemeinschaftseigentums ausgeschlossen wird, ist unwirksam (§ 15 II WEG).

Darüber hinaus ist eine Tendenz der Rechtsprechung erkennbar, den Zuständigkeitsrahmen der §§ 43ff. WEG dort weit auszulegen, wo es aus Gründen des Sachzusammenhangs zweckmäßig erscheint (st. Rspr., BGH NJW 1972, 1318; 1980, 2466). In Zweifelsfällen gebührt dem Verfahren nach dem WEG der Vorzug (BGH NJW-RR 1991, 907). Dagegen fallen in die Zuständigkeit des Prozeßgerichts alle Rechtsstreitigkeiten zwischen der WEer-Gemeinschaft oder einzelnen WEern einerseits und Dritten andererseits, z.B. Streitigkeiten mit dem Bauträger, mit Handwerkern, Mietern usw. Auch ein ausgeschiedener WEer muß, z.B. wegen der Zahlung von Wohngeldrückständen oder Schadensersatz, im Verfahren vor dem Prozeßgericht verklagt werden.

3. Die Beteiligten

1282 **Der Kreis der Verfahrensbeteiligten ist in § 43 IV WEG ausdrücklich angegeben.** Das Gericht hat von Amts wegen festzustellen, wer im Einzelfall Beteiligter ist. Alle materiell Beteiligten haben Anspruch auf rechtliches Gehör. Das Gericht muß deshalb alle im Einzelfall Beteiligten vom Termin und dem Gegenstand einer anberaumten Verhandlung benachrichtigen, um ihnen Gelegenheit zur formellen Beteiligung zu geben. Ob sie diese dann wahrnehmen, ist ihre Sache.

Mieter einer EW gehören nicht zu den Beteiligten des Verfahrens. Die Rechtsprechung läßt es jedoch zu, daß der WEer im Wege der **Verfahrensstandschaft** (= Verfahrensführung im eigenen Namen aus fremdem Recht, entsprechend der Prozeßstandschaft im Zivilprozeß) Belästigungen seines Mieters durch einen anderen WEer im eigenen Namen geltend macht (OLG Frankfurt NJW 1961, 324). Andererseits haftet der WEer, wenn sein Mieter schuldhaft die sich aus der WEer-Gemeinschaft ergebenden Pflichten verletzt, z.B. ruhestörenden Lärm verursacht, gem. **§ 278 BGB** wie für einen Erfüllungsgehilfen. Er kann deshalb seinem Mieter entsprechend §§ 72ff. ZPO den **Streit verkünden**, um für den Fall eines ungünstigen Ausgangs des Verfahrens seine Rechte gegen den Mieter, z.B. auf Schadensersatz oder Kündigung, zu wahren. Ebenso ist ein **Beitritt** des Mieters nach den Regeln der Nebenintervention möglich (§§ 66–71 ZPO; BayObLG NJW 1970, 1550).

4. Die Verfahrensgrundsätze

1283 **Das Gericht wird nur auf Antrag tätig.** Da es sich um ein Verfahren der FreiwG handelt, hat der Richter von Amts wegen die zur Feststellung der Tatsachen erforderlichen Ermittlungen anzustellen und die geeignet erscheinenden Beweise zu erheben (§ 12 FGG). Der Richter ist auch nicht in der strengen Weise wie im Zivilprozeß an die Anträge der Beteiligten gebunden (OLG Frankfurt NJW 1961, 324).

1284 **Der Richter soll mit den Beteiligten in der Regel mündlich verhandeln** (§ 44 I WEG). Dabei soll er den Sachverhalt aufklären und auf eine gütliche Einigung hinwirken, es sei denn, daß dies von vornherein aussichtslos erscheint (KG OLGZ 1970, 198, 200).

1285 Für die Dauer des Verfahrens kann der Richter von Amts wegen **einstweilige Anordnungen** treffen (§ 44 III WEG), z.B. die Benutzung der gemeinsamen Waschküche, des Trockenbodens, des Fahrradkellers usw. vorläufig regeln; sie sind nicht selbständig anfechtbar (LG Düsseldorf Rpfleger 1980, 478).

1286 **Die Entscheidung ergeht nach billigem Ermessen** (§ 43 II WEG). Sie soll auf eine gütliche, das zukünftige Gemeinschaftsverhältnis fördernde Regelung hinwirken (vgl. BayObLG NJW 1973, 152 = DNotZ 1973, 99).

In der Entscheidung soll der Richter nicht nur eine sachliche Entscheidung aussprechen, sondern zugleich auch die Anordnungen treffen, die zu ihrer **Durchführung** erforderlich sind, z.B. Auflagen zur Wahrung des Hausfriedens erlassen (OLG Frankfurt NJW 1961, 324). Ein allgemeines Friedensgebot muß aber so bestimmt sein, daß es zur Vollstreckung nach §§ 888–890 ZPO verwendbar ist. Die Entscheidung ist zu begründen (§ 44 IV WEG).

Wird durch die Entscheidung ein Mehrheitsbeschluß für ungültig erklärt und ist er bereits vollzogen, so ist die Mehrheit gegenüber der überstimmten Minderheit zur Folgenbeseitigung verpflichtet (BayObLG Rpfleger 1975, 367).

5. Rechtsmittel und Rechtskraft

1287 **Gegen die Entscheidung ist das Rechtsmittel der sofortigen Beschwerde gegeben**, wenn der Wert des Beschwerdegegenstandes DM 1.200,– übersteigt (§ 45 I WEG). Die Beschwerdefrist beträgt 2 Wochen (§ 22 I FGG). Sie beginnt, für jeden Beteiligten selbständig, mit der Zustellung oder Bekanntgabe an ihn (§ 16 II, III FGG). Das Gericht kann seine Entscheidung grundsätzlich nicht ändern (§ 18 II FGG). Die sofortige weitere Beschwerde ist im WEG nicht erwähnt. Aus der allgemeinen Anwendbarkeit des FGG folgt jedoch, daß sie auch in WE-Sachen zulässig ist (§§ 27ff., 29 II FGG, 45 I WEG).

1288 **Die Entscheidung wird mit der Rechtskraft wirksam (formelle Rechtskraft)** und für alle nach § 43 IV WEG Beteiligten bindend (§ 45 II WEG). Dies ist der Fall, wenn entweder:
- die Beschwerdesumme nicht erreicht ist
- die Rechtsmittelfrist für alle Beteiligten abgelaufen ist
- alle Beteiligten auf das Rechtsmittel verzichtet haben
- das Gericht der weiteren Beschwerde entschieden hat.

1289 Die **Vollstreckung** findet nach den Vorschriften der ZPO statt (§ 45 III WEG); die Vorschriften über die vorläufige Vollstreckbarkeit sind jedoch nicht anwendbar.

1290 **Die Entscheidung erwächst auch in materielle Rechtskraft.** Diese ist aber nach § 45 IV WEG eingeschränkt. Im Falle einer wesentlichen Änderung der tatsächlichen Verhältnisse (nicht der rechtlichen Beurteilung) kann der Richter auf Antrag eines Beteiligten seine Entscheidung oder einen gerichtlichen Vergleich ändern, soweit dies zur Vermeidung einer unbilligen Härte notwendig ist.

6. Die Kosten des Verfahrens

1291 Die Entscheidung des Richters muß auch einen Ausspruch über die Tragung der Gerichtskosten enthalten (§ 47 Satz 1 WEG). Der **Geschäftswert** (= Streitwert im Zivilprozeß) ist nach dem Interesse der Beteiligten festzusetzen (§ 48 II WEG). Die danach zu berechnenden **Gebühren** ergeben sich aus § 48 I WEG i.V.m. der Gebührentabelle der Kostenordnung. Das Verfahren ist dadurch in der Regel billiger als ein Zivilprozeß. Die **außergerichtlichen Kosten** hat grundsätzlich jeder Beteiligte – auch der obsiegende – zu tragen, soweit nicht aus Billigkeitsgründen eine andere Regelung getroffen wird (§ 47 Satz 2 WEG).

Gegen die Kostenentscheidung ist kein isoliertes **Rechtsmittel** gegeben. Sie kann nur zusammen mit der Hauptsache angefochten werden, es sei denn, daß eine Entscheidung in der Hauptsache nicht ergangen ist und der Beschwerdewert DM 200,– übersteigt (§ 20 a FGG).

§ 25. Das Erbbaurecht

Literaturhinweise: Beck'sches Notarhandbuch (Eichel) A IV; HSS Rz. 1675–1887; Ingenstau, Kommentar zum Erbbaurecht, 6. Aufl. 1987; Linde/Richter, Erbbaurecht und Erbbauzins in Recht und Praxis, 1987; v. Oefele/Winkler, Handbuch des Erbbaurechts, 2. Aufl. 1995; Räfle, ErbbaurechtsVO, 1986

I. Geschichte, Zweck und Bedeutung

1. Geschichtliche Entwicklung

1292 **Das Erbbaurecht ist nicht erst ein Produkt der Neuzeit.** Schon dem römischen Recht war es in der Form der **superficies** bekannt. Dies war das veräußerliche und vererbliche Recht auf dauernde oder langfristige Nutzung eines auf fremdem Grund und Boden befindlichen Gebäudes (vgl. Sohm/Mitteis/Wenger, Institutionen des römischen Rechts, 17. Aufl. 1949, 59). Das Eigentum am Gebäude war bzw. wurde aber Eigentum des Grundherrn (superficies solo cedit). Durch die Rezeption des römischen Rechts fand das Rechtsinstitut der superficies auch Eingang in unser Rechtsgebiet. Aber auch im älteren deutschen Recht hatte das Erbbaurecht einen Vorläufer in der sog. **städtischen Bauleihe** („Bodenleihe"), die bei der Entwicklung der deutschen Städte eine große Rolle gespielt hat. Später haben sich die Formen der deutsch-rechtlichen Bodenleihe und der römisch-rechtlichen superficies miteinander verquickt; im 19. Jahrhundert verloren sie jedoch ihre ursprüngliche Bedeutung (s. Staudinger/Ring, Einleitung zum Abschnitt „Erbbaurecht" Rz. 3 m.w. Literaturnachweisen).

1293 **Für die Verfasser des BGB** stand das Eigentum am Grundstück als das Vollrecht im Vordergrund. Das Erbbaurecht wurde deshalb zwar in das BGB eingebaut, aber in nur 6 Paragraphen (§§ 1012–1017 BGB) geregelt. Insbesondere fehlten Vorschriften für die Beleihbarkeit. Die sich dadurch ergebenden Schwierigkeiten der Finanzierung setzten dem Rechtsinstitut „Erbbaurecht" enge Grenzen.

1294 **Die Bestrebungen der Bodenreformer** (Damaschke) und die Folgen des ersten Weltkrieges mit ihrer Wohnungsnot führten im Jahre 1919 zu einer Neuregelung durch die mit Gesetzeskraft ausgestattete „VO über das Erbbaurecht" vom 15. Januar 1919 (ErbbauVO). Zweck dieses Gesetzes war, einkommensschwächeren Bevölkerungskreisen den Erwerb eines eigenen Hauses dadurch zu erleichtern, daß sie kein Kapital für den Erwerb des Grundstücks, sondern nur den jährlichen Zins für die Nutzung des Bodens aufzubringen haben.

2. Die Aufspaltung des Eigentums

1295 Nach §§ 93, 94 BGB sind fest eingefügte Gebäude wesentliche Bestandteile des Grundstücks. Der Eigentümer des Grundstücks ist deshalb auch Eigentümer der mit dem Grundstück verbundenen Gebäude (was von Nichtjuristen sehr häufig verkannt wird!; s. Rz. 38 ff.). Dieses Prinzip wird durch die Sonderform des Erbbaurechts durchbrochen.

1296 **Das Erbbaurecht ist das veräußerliche, vererbliche und beleihbare Recht, auf oder unter der Oberfläche eines fremden Grundstücks ein Bauwerk zu haben** (§ 1 I ErbbauVO). In Betracht kommen nicht nur Gebäude wie Wohn- und Geschäftshäuser, Supermärkte usw., sondern auch andere bauliche Anlagen der verschiedensten Art, so z. B. Tiefgaragen, Seilbahnen, Gleisanlagen, Golf- und Campingplätze usw. Damit werden das Eigentum am Grundstück und das Eigentum am Bauwerk getrennt: Das Bauwerk ist nicht wesentlicher Bestandteil des Grundstücks, sondern des Erbbaurechts (§§ 95 I 2 BGB, 12 I 1 ErbbauVO). Die Bestellung eines Erbbaurechts spaltet also das Volleigentum am Grundstück auf in das formale Eigentum am unbebauten Grund und Boden einerseits und andererseits das Recht auf Nutzung des Grundstücks als Baugrund in Verbindung mit dem Eigentum am Bauwerk. Das Gebäude kann bereits bestehen und wird mit der Bestellung des Erbbaurechts dessen Bestandteil. Meist wird das Erbbaurecht aber i. V. m. der geplanten Errichtung eines Gebäudes bestellt. Dabei ist es möglich, das Erbbaurecht mit dem Inhalt zu vereinbaren, daß der Erbbauberechtigte jede baurechtlich zulässige Art von Bauwerken errichten darf (BGH NJW 1994, 2024). Dennoch empfiehlt es sich für die Vertragspraxis, mindestens die ungefähre Beschaffenheit des vorgesehenen Bauwerks festzulegen (s. auch BGH NJW 1987, 2674).

1297 Von juristischen Laien ist häufig der Begriff „Erbpacht" zu hören. Zur Klarstellung sei deshalb hier bemerkt: Dieses Rechtsinstitut war vor dem Inkrafttreten des BGB in einigen norddeutschen Landschaften zu Hause (s. Art. 63 EGBGB). Das BGB kennt jedoch ein Erbpachtrecht nicht. Durch das KontrollratsG Nr. 45 ist es endgültig bedeutungslos geworden.

3. Die wirtschaftliche und sozialpolitische Bedeutung

1298 Das Erbbaurecht hat zunächst bis nach dem 2. Weltkrieg keine größere Popularität erlangt. Die Vorstellung, daß zum vollen Eigentum auch das Eigentum am Grundstück gehöre, war stärker. Erst nach 1945 hat das

Erbbaurecht infolge der Boden- und Kapitalknappheit zunehmend an Bedeutung gewonnen. **Für den Eigentümer des Grundstücks**, der nicht selbst bauen, aber Eigentümer bleiben will, ermöglicht die Ausgabe eines Erbbaurechts, sein Grundstück finanziell zu verwerten, ohne es zu veräußern. Er erzielt in Form des Nutzungsentgelts einen laufenden Ertrag und behält langfristig die wahrscheinlichen Wertsteigerungen des Grundstücks. Wegen der Anpassung des Nutzungsentgelts an die Veränderung des Geldwertes s. Rz. 1315 ff. **Für den Erbbauberechtigten** hat der Erwerb eines Erbbaurechts den Vorteil, daß er kein Kapital für den Erwerb des Grundstücks aufzubringen braucht, sondern nur das relativ niedrige Nutzungsentgelt zu leisten hat. Da er nicht Eigentümer des Grundstücks wird, nimmt er zwar nicht an den Wertsteigerungen des Grundstücks teil; wohl aber wächst ihm eine etwaige Wertsteigerung der darauf stehenden baulichen Anlage zu, die sich möglicherweise in langfristig steigenden Erträgen, im übrigen aber erst bei der Beendigung des Vertragsverhältnisses realisiert (s. Rz. 1313, 1319, 1340, 1343).

1299 Die Vertragsgestaltung „Erbbaurecht" wird häufig von institutionellen Großgrundbesitzern, insbesondere Gemeinden, Kirchen, Unternehmungen und Stiftungen zur Förderung des Wohnungsbaues gewählt. Aber auch für gewerbliche Bauten, z.B. Bürohäuser, Großmärkte, Parkhäuser usw. kann das Erbbaurecht eine für beide Seiten interessante Vertragsgestaltung ermöglichen. Auch in der neueren Gestaltungsform des Anlagen-Leasings hat es eine gewisse Bedeutung erlangt. Wegen der Erbbaurechtsverträge im Rahmen der Sachenrechtsbereinigung in den neuen Bundesländern s. Rz. 1374 ff.

II. Die Begründung des Erbbaurechts

1. Die formellen und materiellen Voraussetzungen

1300 **Der schuldrechtliche Vertrag, durch den sich der eine Teil verpflichtet, ein Erbbaurecht zu bestellen, zu übertragen oder zu erwerben, bedarf der notariellen Beurkundung** (§§ 313 BGB, § 11 II ErbbauVO). Es sind deshalb, wie bei der Veräußerung eines Grundstücks, alle Abreden in die Vertragsurkunde aufzunehmen, ohne die auch nur eine Partei den Vertrag nicht abgeschlossen haben würde (BayObLG DNotZ 1979, 180; s. Rz. 94). Das Erbbaurecht als dingliches Recht entsteht – wie alle rechtsgeschäftlich begründeten Rechte an Grundstücken – durch **Einigung und Eintragung** im Grundbuch (§ 873 I BGB). Die dingliche Einigung ist zwar sachenrechtlich formlos gültig (§ 11 I ErbbauVO); 925 BGB gilt nicht, eine Erklärung der Einigung bei gleichzeitiger Anwesenheit beider Teile (Auflassung) ist also nicht erforderlich (BGH DNotZ 1969, 487). Nach formellem Recht muß aber die Einigung über die Bestellung des Erbbaurechts nachgewiesen werden (§§ 20, 29 GBO). Dazu würde zwar eine Unterschriftsbeglaubigung ausreichen. Die Unterscheidung von materiellem und formellem Recht ist hier jedoch praktisch von geringer Bedeutung, denn in der Vertragspraxis werden regelmäßig der Verpflichtungsvertrag und die erforderlichen grundbuchrechtlichen Erklärungen zusammen beurkundet und dem Grundbuchamt vorgelegt. Nur durch die Beurkundung der Einigung tritt auch die sofortige Bindungswirkung gem. § 873 II BGB ein.

1301 **Bestellung durch den Eigentümer.** Die Rechtsprechung hat auch die Bestellung eines Erbbaurechts durch eine einseitige Erklärung des Eigentümers zugelassen (BGH NJW 1982, 2381). Dadurch entsteht ein sog. Eigentümer-Erbbaurecht. Diese Gestaltung kann zweckmäßig sein, z. B. durch einen Bauträger, zur Erleichterung der Errichtung und des Verkaufs, insbesondere wenn damit die Aufteilung in Wohnungseigentum verbunden wird.

2. Der erste Rang des Erbbaurechts

1302 Das Erbbaurecht des BGB konnte an beliebiger Rangstelle eingetragen werden; es nahm in der Zwangsversteigerung des Grundstücks keine Sonderstellung ein. Das hat die Beleihung sehr erschwert. Die Finanzierbarkeit ist aber, wie wir bereits betont haben, eine Kernfrage des Erbbaurechts. Der Gesetzgeber des Jahres 1919 hat deshalb bestimmt, **daß das Erbbaurecht als Belastung des Grundstücks nur an ausschließlich erster Rangstelle** eingetragen werden kann; eine nachrangige Eintragung ist inhaltlich unzulässig (§ 10 I ErbbauVO). Ist das Grundstück bereits belastet, kann das Erbbaurecht nur entstehen, wenn die erste Rangstelle durch Löschung oder Rangrücktritt freigemacht wird. Unzulässig ist auch die Eintragung im gleichen Rang mit einem anderen Recht sowie die nachträgliche Rangverschlechterung. Die Eintragung einer Vormerkung zur Sicherung eines noch einzutragenden Erbbaurechts ist jedoch schon möglich, wenn noch Vorlasten bestehen. Durch den absolut ersten Rang wird gesichert, daß das Erbbaurecht auch im Falle einer Zwangsversteigerung des Grundstücks fortbesteht, damit dem finanzierenden Gläubiger als Pfandobjekt erhalten bleibt und nicht durch einen aus besserer Rangstelle betreibenden Gläubiger zum Erlöschen gebracht werden kann (vgl. §§ 44, 52, 91 ZVG, 25 ErbbauVO). Aus dem gleichen Grunde kann das Erbbaurecht auch nicht unter einer auflösenden Bedingung bestellt werden (§ 1 IV 1 ErbbauVO).

1303 **Doppelbelastung.** Ist der Inhaber eines Rechts am Grundstück, z. B. einer Dienstbarkeit, zunächst nicht bereit, im Rang hinter das neuzubegründende Erbbaurecht zurückzutreten, kann seine Bereitschaft u. U. dadurch erreicht werden, daß sein Recht zusätzlich im Erbbaugrundbuch, und zwar dort eventuell an erster Rangstelle, eingetragen wird. Dadurch wirkt das Recht auch gegen den Erbbauberechtigten. Erlischt später das Erbbaurecht, rückt das im Grundbuch des Grundstücks zurückgetretene Recht wieder an die ursprüngliche Rangstelle vor.

1304 **Von dem Prinzip der Erstrangigkeit gibt es jedoch einige Einschränkungen:**

- Verfügungsbeschränkungen des Eigentümers, die keinen Rang i.S. des § 879 BGB haben, wie z.B. der Umlegungsvermerk und der Sanierungsvermerk, hindern die Eintragung des Erbbaurechts nicht. Die gemäß den Vermerken gegebene Zustimmungsbedürftigkeit bleibt davon natürlich unberührt. Die Eintragung eines Zwangsversteigerungsvermerks hindert jedoch – obwohl er keinen Rang hat – wegen der Unwirksamkeit einer auflösenden Bedingung die Eintragung eines Erbbaurechts (§ 1 IV I ErbbauVO). Das gleiche gilt für den Nacherbenvermerk, es sei denn, daß es sich um eine befreite Vorerbschaft handelt und der Vorerbe entgeltlich verfügt hat oder die Nacherben zugestimmt haben (s. v. Oefele/Winkler Rz. 2.150 ff.).
- Die Eintragung eines Erbbaurechts wird nicht dadurch ausgeschlossen, daß Rechte bestehen, die zu ihrer Wirksamkeit gegenüber dem öffentlichen Glauben des Grundbuchs nicht der Eintragung bedürfen, d.h. nicht aus dem Grundbuch erkennbar sind (§ 10 I 2 ErbbauVO), z.B. altrechtliche Dienstbarkeiten (Art. 187 EGBGB), Überbau- und Notwegrenten (§§ 914 II, 917 II BGB), gesetzliche Vorkaufsrechte, Baulasten usw.
- In der Zwangsversteigerung des Grundstücks steht das Erbbaurecht (nur) in der Rangklasse 4 (§ 10 I Nr. 4 ZVG). Dadurch gehen ihm die in den Rangklassen 1–3 stehenden Ansprüche, soweit sie angemeldet werden, vor (§§ 9 Satz 2, 45 ZVG). Dies gilt insbesondere für die in der Rangklasse 3 zum Zuge kommenden einmaligen und wiederkehrenden Lasten des Grundstücks, z.B. Grundsteuerrückstände, fällige Erschließungs- und Ausbaubeiträge nach dem BauGB und den Kommunalabgabegesetzen. Aber auch, wenn die Zwangsvollstreckung in das Grundstück aus solchen Forderungen betrieben wird, bleibt das Erbbaurecht bestehen (§ 25 ErbbauVO).

3. Grundbuch und Erbbaugrundbuch

Beim Erbbaurecht müssen wir unterscheiden zwischen dem Grundbuch und dem Erbbaugrundbuch.

a) Das Grundbuch

1305 **Das Erbbaurecht entsteht durch die Eintragung in dem für das Grundstück geführten Grundbuchblatt.** Es wird dort als Belastung in der Abt. II Spalten 1–3 eingetragen. Dabei sind der Berechtigte und die

Dauer des Erbbaurechts anzugeben. Zur näheren Bezeichnung des Inhalts des Erbbaurechts wird auf das Erbbaugrundbuch Bezug genommen (§ 14 II ErbbauVO). Für die Entstehung, die Person des Ersterwerbers, das belastete Grundstück, den Rang und die Dauer des Erbbaurechts ist jedoch die Eintragung im Grundbuchblatt des Grundstücks maßgebend.

b) Das Erbbaugrundbuch

1306 **Das Erbbaurecht wird grundbuchmäßig wie ein Grundstück behandelt.** Es erhält ein eigenes Grundbuchblatt, Erbbaugrundbuch genannt (§§ 14 I, III ErbbauVO, 54–59 GBV). Im **Bestandsverzeichnis** ist das Erbbaurecht unter Angabe des belasteten Grundstücks und des Grundstückseigentümers einzutragen; jeder spätere Wechsel im Eigentum des Grundstücks ist hier zu vermerken (§ 14 I 2 ErbbauVO). Zur näheren Bezeichnung des Inhalts des Erbbaurechts kann auf die Eintragungsbewilligung Bezug genommen werden. Für den Inhalt des Erbbaurechts ist ausschließlich das Erbbaugrundbuch maßgeblich; Änderungen des Inhalts können deshalb wirksam nur im Erbbaugrundbuch eingetragen werden. Im Bestandsverzeichnis einzutragen sind auch Verfügungsbeschränkungen des Erbbauberechtigten nach § 5 ErbbauVO, insbesondere wenn er, was häufig vereinbart wird, zur Veräußerung und/oder Belastung des Erbbaurechts der Zustimmung des Eigentümers bedarf (s. Rz. 1331 f.). Für die Person des ersten Erbbauberechtigten, das belastete Grundstück und die Dauer des Rechts ist bei Abweichungen das Grundbuchblatt des Grundstücks maßgeblich.

Die erste Abteilung des Erbbaugrundbuchs dient zur Eintragung des Erbbauberechtigten, **die zweite und dritte Abteilung** werden wie bei Grundstücken verwendet: In der zweiten Abteilung werden alle Belastungen des Erbbaurechts mit Ausnahme der Grundpfandrechte eingetragen, insbesondere der Erbbauzins, Vorkaufsrechte, Vormerkungen usw. Die dritte Abteilung dient zur Eintragung der das Erbbaurecht belastenden Grundpfandrechte.

III. Die vertragliche Gestaltung

1. Dingliche und schuldrechtliche Elemente des Vertrages

1307 Beim Erbbaurechtsvertrag ist zu unterscheiden zwischen den Bestimmungen, die zum dinglichen Inhalt des Erbbaurechts gehören, also für und gegen jeden Sonderrechtsnachfolger des Erbbauberechtigten oder des Grundstückseigentümers wirken, und solchen, die nur schuldrechtliche Wirkung zwischen den Vertragsparteien bzw. Universalrechtsnachfolgern haben. Es empfiehlt sich deshalb, bei der Gestaltung des Vertrages eine klare Abgrenzung zwischen den dinglichen und den schuldrechtlichen Teilen vorzunehmen, z.B. durch räumliche Trennung mit Zwischenüberschriften. Es ist nicht Aufgabe des Grundbuchamts, diese Trennung im Wege der Auslegung vorzunehmen (OLG Hamm DNotZ 1967, 635). Die Trennung hat insbesondere auch den Vorteil, daß bei einer Veräußerung des Erbbaurechts klar erkennbar ist, welche Verpflichtungen kraft Inhalt des Erbbaurechts auf den Erwerber übergehen und welche einer besonderen Übernahme bedürfen (s. Rz. 1310, 1334, 1336).

2. Der dingliche Teil des Vertrages

a) Der gesetzliche Mindestinhalt

1308 Ein Erbbaurecht kann nur entstehen, wenn der gesetzliche Mindestinhalt gem. § 1 ErbbauVO gegeben ist. Dazu gehören:

- Das Recht, auf dem Grundstück ein Gebäude zu haben (§ 1 I); ein Erbbaurecht kann nicht entstehen, wenn die vertraglich vereinbarte Bebauung aus Rechtsgründen dauernd ausgeschlossen ist, z.B. aufgrund eines Bebauungsplans
- die Veräußerlichkeit und Vererblichkeit des Erbbaurechts (§ 1 I)
- Belastung des ganzen Eigentums am Grundstück, d.h. keine Belastung von Miteigentumsanteilen, jedoch ist eine Beschränkung auf reale Teile des Grundstücks möglich, wenn das Bauwerk wirtschaftlich die Hauptsache bleibt (§ 1 II)
- keine auflösende Bedingung (§ 1 III).

1309 **Vertragsdauer.** Zum notwendigen dinglichen Inhalt gehört auch die Vereinbarung über die Laufzeit des Erbbaurechts. Der Gesetzgeber hat davon abgesehen, eine Höchst- oder Mindestdauer festzulegen. Unbegrenzte Dauer ist möglich; sie bedeutet jedoch eine weitgehende Aushöhlung des Eigentums und kommt deshalb kaum vor. Andererseits sind zu kurze Laufzeiten im Hinblick auf die Amortisierung der Baukosten, aber auch aus Beleihungsgründen nicht zu empfehlen. In der Vertragspraxis bewegen sich die Laufzeiten zwischen 40 und 99 Jahren, wobei die voraussichtliche Standdauer des Bauwerks eine Rolle spielt. Zum Optionsrecht auf Verlängerung und dem Vorrecht auf Erneuerung s. Rz. 1310, 1344.

b) Weitere Möglichkeiten der dinglichen Ausgestaltung

1310 Über den gesetzlichen Mindestinhalt hinaus können die Beteiligten (Grundstückseigentümer und Erbbauberechtigter) besondere Vereinbarungen über die Ausgestaltung des Erbbaurechts treffen. Dies ist auch zweckmäßig und bedarf im Hinblick auf die lange Laufzeit des Vertrages einer besonderen Sorgfalt. Welche Vereinbarungen zum dinglichen Teil des Vertrages gemacht werden können, ergibt sich aus den §§ 2, 5, 27 I 2 und 32 I ErbbauVO. Durch Eintragung im Grundbuch (Bezugnahme gem. § 874 BGB) erlangen sie Wirkung für und gegen jeden Rechtsnachfolger. Dabei handelt es sich im wesentlichen um folgende Vereinbarungen:

- Pflicht zur Errichtung, Instandhaltung und Verwendung des Bauwerks (§ 2 Nr. 1 ErbbauVO)
- Versicherung des Bauwerks (§ 2 Nr. 2 ErbbauVO)
- Tragung der öffentlich-rechtlichen und privatrechtlichen Lasten und Abgaben, z. B. der Erschließungskosten (§ 2 Nr. 3 ErbbauVO)
- ein Heimfallrecht für bestimmte Fälle, z. B. Nichterfüllung der Bauverpflichtung, Zahlungsverzug, Verletzung der Instandhaltungspflichten usw. (§ 2 Nr. 4 ErbbauVO)
- Vertragsstrafen für bestimmte Fälle und Vertragsverletzungen zugunsten des Eigentümers (§ 2 Nr. 5 ErbbauVO)
- Vorrecht auf Erneuerung des Erbbaurechts nach dessen Ablauf (§ 2 Nr. 6 ErbbauVO)
- eine dingliche Verpflichtung des Grundstückseigentümers, das Grundstück unter bestimmten Bedingungen an den Erbbauberechtigten zu verkaufen (§ 2 Nr. 7 ErbbauVO)
- Zustimmungsvorbehalte für Veräußerung und Belastung des Erbbaurechts zugunsten des Grundstückseigentümers (§ 5 ErbbauVO; s. Rz. 1331 f.)
- Wertermittlung und Zahlungsmodalitäten oder Ausschluß von Entschädigungsansprüchen beim Erlöschen oder Heimfall des Erbbaurechts (§§ 27 I 2, 32 I 2 ErbbauVO, s. Rz. 1340, 1343).

3. Das Nutzungsentgelt und seine Wertsicherung

a) Die Zahlungsverpflichtung

1311 **Erbbaurechte werden in der Regel entgeltlich bestellt.** Die Gegenleistung kann in einer einmaligen Leistung bestehen. Fast immer besteht sie jedoch in wiederkehrenden monatlichen oder jährlichen Geldzahlungen, meist „Erbbauzins" genannt. Das Gesetz verwendet diesen Begriff jedoch – wie nachstehend dargestellt – für die dingliche Sicherung des Nutzungsentgelts durch die Eintragung einer Reallast im Grundbuch. Aus Gründen der Begriffsklarheit wird deshalb hier der Begriff „Nutzungsentgelt" verwendet. Wirtschaftlich stellt es die Verzinsung des Grundstückswertes dar. Es liegt in der Regel bei 4–5 % des Grundstückswertes. Wird das Erbbaurecht für soziale oder gemeinnützige Zwecke bestellt, wird u. U. ein geringeres oder nur ein symbolisches Entgelt vereinbart.

b) Die Wertsicherung des Zahlungsanspruchs

1312 Wegen der langen Laufzeit der wiederkehrenden Zahlungen und des damit verbundenen Risikos der Geldentwertung besteht für den Eigentümer ein dringendes wirtschaftliches Interesse, daß die Zahlungen für die gesamte Laufzeit wertgesichert sind, d.h. sich jeweils an die Veränderungen des Geldwertes anpassen. Die Vertragspraxis löst dieses Problem durch eine Koppelung der Zahlungsverpflichtung an einen Index. Für die Frage der Genehmigungsbedürftigkeit und Genehmigungsfähigkeit gilt § 3 WährG (s. Rz. 920f.). Wertsicherungsklauseln, die an den Grundstückswert anknüpfen, werden von den Landeszentralbanken nicht genehmigt (Nr. 3e der Genehmigungsgrundsätze, s. DNotZ 1978, 449). Besonders geeignet und zweifelsfrei zulässig als Maßstab für die Anpassung ist der Preisindex der Lebenshaltung aller privaten Haushalte (BGH NJW 1973, 1838 = DNotZ 1974, 90). In Betracht kommen aber auch andere Indices, insbesondere solche, die einen sachlichen Bezug zum Objekt haben, z.B. der Gesamtbaupreisindex oder der Index der Baupreise von Wohngebäuden. In jedem Falle einer indexgebundenen Gleitklausel ist die Genehmigung der Landeszentralbank einzuholen. Zulässige und unzulässige Klauseln s. HSS Rz. 1812ff., 3254ff.

c) Schuldrechtliche Unterwerfungserklärung

1313 Wie bei jeder anderen einmaligen oder wiederkehrenden Zahlungsverpflichtung kann sich der Erbbauberechtigte gem. § 794 I Nr. 5 ZPO der sofortigen Zwangsvollstreckung in sein Vermögen unterwerfen (persönliche Unterwerfungsklausel; s. Rz. 990ff.). Mit diesem Titel steht der Gläubiger in der Zwangsversteigerung des Erbbaurechts in der Rangklasse 5 (s. Rz. 575). Wegen der Zwangsvollstreckungsunterwerfung bezüglich eines wertgesicherten Zahlungsanspruchs s. Rz. 906. Formulierungsvorschlag für eine verbundene schuldrechtliche und dingliche Unterwerfungsklausel s. Rz. 1329.

d) Die Einschränkung bei Erbbaurechten für Wohnzwecke

1314 **Zeitliche und betragsmäßige Beschränkung.** Bei Erbbaurechten für Wohnzwecke sind nach dem im Jahre 1974 eingefügten § 9a ErbbauVO Erhöhungen nur im Abstand von jeweils drei Jahren und nur insoweit zulässig, als sie unter Berücksichtigung der allgemeinen wirtschaftlichen Verhältnisse nicht unbillig sind (§ 9a I 5 ErbbauVO).

Der Begriff „Änderung der allgemeinen wirtschaftlichen Verhältnisse" besagt negativ, daß die persönlichen Verhältnisse der Beteiligten keine Rolle spielen. Auch die Wertänderungen des Grundstücks kommen nur in Betracht, soweit sie auf werterhöhenden Aufwendungen des Eigentümers oder einer Qualitätsänderung des Grundstücks (z.B. durch Kanalanschluß) beruhen (§ 9a I Nrn. 1 und 2 ErbbauVO). Damit wollte der Gesetzgeber vor allem einer übermäßigen Belastung der Erbbauberechtigten im Wohnungsbau durch sog. Bodenwert-Anpassungsklauseln entgegenwirken. Es kommt nur auf die „allgemeinen wirtschaftlichen Verhältnisse" an. Einen Vergleichsmaßstab hat der Gesetzgeber dafür bewußt nicht eingeführt. Nach der Rechtsprechung kommt als Obergrenze für eine durchsetzbare Erhöhung der Mittelwert zwischen der prozentualen Erhöhung des Preisindexes der Lebenshaltung und der durchschnittlichen Steigerung der Bruttolöhne und -gehälter in Betracht (BGH NJW 1980, 2243 = DNotZ 1981, 258; MünchKomm-von Oefele § 9a ErbbauVO Rz. 9 m.w.N.). Wegen der Unbestimmtheit dieses Maßstabes empfiehlt sich für die Vertragspraxis die einfache Anknüpfung an einen Preisindex der Lebenshaltung unter Hinweis auf die Billigkeitsschranke des § 9a ErbbauVO. Wenn im konkreten Fall der sich nach dem Index ergebende Erhöhungsbetrag diese Billigkeitsschranke überschreitet, ist er entsprechend zu ermäßigen (BGH NJW 1983, 986).

4. Der Erbbauzins und seine Wertsicherung

Literaturhinweise: Eichel, Neuregelung des Erbbauzinses nach dem Sachenrechts-Änderungsgesetz, MittRhNotK 1995, 193; v. Oefele, Änderung der ErbbaurechtsVO durch das SachenrechtsänderungsG, DNotZ 1995, 643; Wilke, Zur Auslegung des § 9 II ErbbauVO i.d.F. des SachenrechtsänderungsG 1994, DNotZ 1995, 654

a) Erbbauzins-Reallast

1315 Die dingliche Sicherung des vereinbarten Nutzungsentgelts erfolgt durch die Eintragung eines Erbbauzinses im Grundbuch. Sachenrechtlich handelt es sich dabei um eine Sonderform der Reallast (§ 9 I ErbbauVO). Für sie gelten die allgemeinen Bestimmungen über die Reallast gem. §§ 1105ff. BGB, jedoch mit der Maßgabe, daß sie nur zugunsten des jeweiligen Eigentümers eingetragen werden kann (sog. subjektivdingliches Recht; BayObLG Rpfleger 1990, 507). Die Eintragung erfolgt in Abt. II des Grundbuchs (§ 14 II 1 ErbbauVO).

b) Die Wertsicherung der Erbbauzins-Reallast

1316 **aa) Die alte Rechtslage.** Nach § 9 II 1 ErbbauVO a.F. mußten die Zahlungspflichten aus einer Erbbauzins-Reallast nach Fälligkeitsterminen und Beträgen für die ganze Laufzeit des Erbbauvertrages im voraus bestimmt sein. Bestimmbarkeit wie bei der allgemeinen Reallast der §§ 1105ff. BGB genügte dafür nicht. Es war daher nicht möglich, eine wertgesicherte Erbbauzins-Reallast einzutragen. Dies war einer der kritischen Punkte für die Praktikabilität des Erbbaurechts. Zwar bezog sich der Bestimmtheitsgrundsatz nur auf die Erbbauzins-Reallast, während die schuldrechtliche Zahlungsverpflichtung mit einer Wertsicherungsklausel verbunden werden konnte. Aber zur entsprechenden Anpassung der Erbbauzins-Reallast war es erforderlich, daß sich der Erbbauberechtigte verpflichtete, im Falle von Erhöhungen des zu zahlenden Nutzungsentgelts jeweils entsprechende weitere Reallasten zu bestellen. Um diesen etwaigen zukünftigen Reallasten den gleichen Rang zu sichern, konnte eine sog. Erhöhungsvormerkung eingetragen werden (s. dazu Vorauflage Rz. 774).

1317 **Die neue Rechtslage.** Durch Art. 2 § 1 des SachenRÄndG vom 21.9. 1994 (BGBl. I 2457) hat der Gesetzgeber § 9 II ErbbauVO neu gefaßt. Er lautet nunmehr (s. S. 2489):

„Der Erbbauzins k a n n nach Zeit und Höhe für die gesamte Erbbauzeit im voraus bestimmt werden. Inhalt des Erbbauzinses kann auch eine Verpflichtung zu seiner Anpassung an veränderte Verhältnisse sein, wenn die Anpassung nach Zeit und Wertmaßstab bestimmbar ist. Für die Vereinbarung über die Anpassung des Erbbauzinses ist die Zustimmung der Inhaber dinglicher Rechte am Erbbaurecht erforderlich; § 880 II 3 BGB ist entsprechend anzuwenden."

Die Neufassung bedeutet eine wesentliche Vereinfachung und größere Praktikabilität des Rechtsinstituts „Erbbaurecht":

1318 – **Die Erbbauzins-Reallast wird der allgemeinen Reallast nach §§ 1105 ff. BGB angeglichen.** Der Erbbauzins „kann", nicht „muß" nach Zeit und Höhe im voraus bestimmt werden. Der bisherige strenge Bestimmtheitsgrundsatz der Erbbauzins-Reallast gilt nicht mehr. Es genügt, wenn Zeitpunkt und Ausmaß der zukünftigen Anpassungen bestimmbar sind, d.h., daß sich die jeweilige Leistungshöhe nach objektiv feststehenden, dem Einfluß der Beteiligten entzogenen Bezugsgrößen richtet (BGH DNotZ 1991, 1803). Die Voraussetzungen für die Genehmigung nach § 3 WährG sind unverändert geblieben.

1319 – **Die Anpassungsklausel kann zum dinglichen Inhalt der Erbbauzins-Reallast gemacht werden.** In diesem Fall tritt die Anpassung des Erbbauzinses automatisch in dem sich aus der Wertsicherungsklausel ergebenden Umfang und an der eingetragenen Rangstelle ein. Dadurch entfällt die Notwendigkeit einer Erhöhungsvormerkung. Zwar ist dies leider im Wortlaut mißverständlich zum Ausdruck gebracht. Die Worte „auch eine Verpflichtung zu seiner Anpassung" könnten so verstanden werden, daß zur Anpassung jeweils eine neue Vereinbarung der Beteiligten erforderlich wäre und die sachenrechtliche Wirkung erst mit der vom Erbbauberechtigten bewilligten Eintragung eintreten würde. Der Wille des Gesetzgebers ging aber nachweisbar auf eine unmittelbare sachenrechtliche Wirkung der Erhöhung (s. die Begründung des Bundesrates in BT-Drucksache 12/5992). Solange diese Unklarheit nicht durch ein nachbesserndes Gesetz oder höchstrichterliche Rechtsprechung behoben ist, kann es zweckmäßig sein, bei der Vertragsgestaltung vorsorglich auch mit der bisher üblichen Erhöhungsvormerkung zu arbeiten (s. Wilke a. a. O. S. 665).

- **Wirkung gegen Rechtsnachfolger.** Durch die nunmehr mögliche Verdinglichung der Wertsicherungsklausel zur Erbbauzins-Reallast entfällt auch die Notwendigkeit, den Erbbauberechtigten zu verpflichten, bei einer Veräußerung seines Erbbaurechts dem Rechtsnachfolger die Verpflichtung zur Anpassung der Erbbauzins-Reallast aufzuerlegen (Wilke a. a. O. S. 656). **1320**
- **Keine Inhaltsbestimmung des Erbbaurechts.** Durch die Vereinbarung einer Wertsicherung zur Reallast wird diese nicht zum Inhalt des Erbbaurechts; sie bleibt, wie bisher, eine Belastung des Erbbaurechts. **1321**
- **Zustimmung Dritter.** Nicht geglückt ist auch die Neufassung des § 9 II 3 ErbbauVO. Danach ist zur Vereinbarung einer Wertsicherung der Erbbauzins-Reallast die Zustimmung der (d. h. aller!) anderen dinglich Berechtigten erforderlich. Unklar ist, ob diese Zustimmung zu jeder einzelnen Anpassung oder nur zur Aufnahme der Vereinbarung in den Erbbaurechtsvertrag gebraucht wird. Sinnvoll ist allein die letztere Lösung. Die andere Auslegung würde ein Zurückfallen hinter die bisher mögliche und übliche Lösung bedeuten, nach der durch die Erhöhungsvormerkung alle zukünftigen Erhöhungen gedeckt waren. Praktisch wird dieser Fall jedoch nur bei einer nachträglichen Aufnahme der Wertsicherungsklausel, denn bei der Neubestellung eines Erbbaurechts gibt es noch keine dinglichen Rechte. **1322**

c) Nutzungsentgelt und Erbbauzins

1323 Durch die Verdinglichung der Wertsicherungsklausel zur Reallast wird die schuldrechtliche Vereinbarung über die Zahlung eines Nutzungsentgelts und seine Wertsicherung nicht überflüssig. Ihre Bedeutung besteht weiterhin darin, daß sie:

- den Rechtsgrund für die dingliche Sicherung darstellt und
- einen Titel gemäß § 794 I Nr. 5 ZPO zur Vollstreckung in das gesamte Vermögen des Erbbauberechtigten ermöglicht.

d) Die dingliche Unterwerfungserklärung

1324 Auch wegen der sich aus der Erbbauzins-Reallast ergebenden Zahlungspflichten kann sich der Erbbauberechtigte der sofortigen Zwangsvollstreckung unterwerfen. Sie ermöglicht die Vollstreckung in das Erbbaurecht an der gesicherten Rangstelle. Da bei einer Reallast eine Unterwerfung mit Wirkung gegen den jeweiligen Erbbauberechtigten gem. § 800 ZPO nicht möglich ist, kann der Erbbauzins jedoch nur ohne dingliche Vollstreckungsklausel eingetragen werden (BayObLG NJW 1959, 1876; s. Rz. 885).

Formulierungsvorschlag für eine verbundene Unterwerfungserklärung. Die persönliche und die dingliche Unterwerfungserklärung können miteinander verbunden werden. Z. B.: „Der Erbbauberechtigte unterwirft sich gem. § 794 I Nr. 5 ZPO der sofortigen Zwangsvollstrekkung:

- wegen des Anspruchs aus der vertraglichen Verpflichtung zur Zahlung des wertgesicherten monatlichen Betrages von DM 1.000,– in sein gesamtes Vermögen
- wegen der dinglichen Haftung aus der wertgesicherten Erbbauzins-Reallast in gleicher Höhe in das belastete Erbbaurecht

und bewilligt die Erteilung einer vollstreckbaren Ausfertigung ohne Nachweis der eingetretenen Fälligkeit."

5. Der Erbbauzins in der Zwangsversteigerung

1325 **Das Rangproblem.** Nur ausnahmsweise wird der Erbbauberechtigte in der Lage sein, das Bauvorhaben aus eigenen Mitteln oder durch Beleihung eines anderen Objekts zu finanzieren. In der Regel wird er gezwungen sein, das Erbbaurecht zu beleihen. Dann ergibt sich das Problem des Rangverhältnisses zwischen der Erbbauzins-Reallast und den Finanzierungsgrundschulden. Dabei besteht eine gegensätzliche Interessenlage der Beteiligten. Der Eigentümer wünscht für seine Reallast die erste Rangstelle und damit den Vorrang vor den Finanzierungsgrundschulden. Daran kann jedoch die Finanzierung scheitern, wenn kein Kreditgeber zu einer nachrangigen Beleihung des Erbbaurechts bereit ist. Erhalten die Finanzierungsgrundschulden den Vorrang vor dem Erbbauzins, liegt das Ausfallrisiko beim Eigentümer. Betreibt der Gläubiger einer vorrangigen Grundschuld die Zwangsversteigerung des Erbbaurechts, fällt der Erbbauzins nicht in das geringste Gebot (s. Rz. 578–581). Nach den allgemeinen Regeln des ZVG würde er damit erlöschen und der Ersteher das Erbbaurecht frei von der Erbbauzins-Reallast erwerben (§§ 52 I, 91 I ZVG). Es entstünde ein Erbbaurecht ohne Erbbauzins, das den Eigentümer für die gesamte Restlaufzeit bindet. Zur Vermeidung dieses unzumutbaren Risikos hatte die Vertragspraxis die sog. Stillhalteerklärungen entwickelt, die jedoch das Vertragsgeschehen zwischen Eigentümer, Erbbauberechtigtem und Gläubigern sehr kompliziert und keine wirkliche Sicherheit gebracht haben.

1326 **Versteigerungsfestigkeit der Erbbauzins-Reallast.** Zur Bereinigung dieser Schwierigkeiten hat der Gesetzgeber folgende Neuregelungen getroffen: Nach § 9 III Nr. 1 n. F. ErbbauVO kann als dinglicher Inhalt der Erbbauzins-Reallast vereinbart werden, daß sie – abweichend von § 52 I ZVG – mit ihrem Hauptanspruch auch dann bestehen bleibt, wenn der Inhaber eines vorgehenden oder gleichstehenden dinglichen Rechts oder der Eigentümer aus der Reallast die Zwangsversteigerung des Erbbaurechts betreibt. § 52 ZVG wurde entsprechend geändert. In diesen Fällen wird die Erbbauzins-Reallast nicht kapitalisiert, sondern geht auch dann auf den Ersteher über, wenn sie nicht im geringsten Gebot steht. Dies gilt einschließlich einer als Inhalt der Reallast vereinbarten Wertsicherung und unabhängig vom Rang der Reallast. Dadurch behält der Grundstückseigentümer im Falle einer Zwangsversteigerung des Erbbaurechts auch gegenüber dem Ersteher und dessen Rechtsnachfolgern seinen Anspruch auf die künftigen wertgesicherten Erbbauzinsraten. Formel s.v. Oefele a.a.O.S.645. Lediglich in den seltenen Fällen, in denen die Zwangsversteigerung aus einer der Rangklassen 1–3 des § 10 ZVG betrieben wird, erlischt die Erbbauzins-Reallast und ist zu kapitalisieren. Auch dies kann jedoch dadurch vermieden werden, daß der Eigentümer selbst die Verbindlichkeit ablöst i.V.m. einer Inhaltsvereinbarung nach § 2 ErbbauVO, daß der Erbbauberechtigte zum Ersatz verpflichtet ist.

1327 **Zustimmung der Gläubiger.** Zur Vereinbarung über das Bestehenbleiben der Erbbauzins-Reallast in der Zwangsversteigerung des Erbbaurechts ist die Zustimmung aller der Reallast im Rang vorgehenden oder gleichstehenden Inhaber von dinglichen Rechten erforderlich (§ 9 letzter Satz ErbbauVO). Die Vereinbarung von sog. Stillhalteerklärungen ist dann entbehrlich.

6. Der Rangvorbehalt für den Erbbauberechtigten

1328 **Erhaltung eines Finanzierungsspielraums.** Nach § 9 III Nr.2 n.F. ErbbauVO kann als Inhalt der Erbbauzins-Reallast vereinbart werden, daß der Erbbauberechtigte das Recht hat, das Erbbaurecht in einem bestimmten Umfang vorrangig vor der Erbbauzins-Reallast mit Grundpfandrechten zu belasten. Dabei handelt es sich um einen gesetzlich geregelten Rangvorbehalt, der beliebig oft als Finanzierungsspielraum ausgenutzt werden kann und dem jeweiligen Erbbauberechtigten, also auch einem Ersteher des Erbbaurechts, zur Verfügung steht. Sinnvoll ist diese Vereinbarung jedoch nur als Ergänzung zu einer Vereinbarung über das Bestehenbleiben einer nachrangigen Erbbauzins-Reallast gem. § 9 III Nr.1 ErbbauVO, weil der Grundstückseigentümer nur in diesem Fall sicher sein kann, unabhängig von der Höhe des eingeräumten Rangvorbehalts auch im Falle einer Zwangsversteigerung des Erbbaurechts seinen Erbbauzinsanspruch zu behalten.

1329 **Zustimmung der Gläubiger.** Zur Vereinbarung des Rangvorbehalts ist die Zustimmung aller der Reallast vorgehenden oder gleichstehenden Inhaber von dinglichen Rechten erforderlich (§ 9 letzter Satz ErbbauVO).

7. Die Anpassung alter Erbbaurechtsverträge

1330 Auch bei bereits bestehenden Erbbaurechten können die Umstellung der Erbbauzins-Reallast auf eine Wertsicherung, ihr Bestehenbleiben in der Zwangsversteigerung und die Aufnahme eines vollstreckungsfesten Rangvorbehalts vereinbart werden. Solange eine solche Vereinbarung nicht getroffen wird, gilt die bisherige Rechtslage weiter. Es empfiehlt sich deshalb die Prüfung und eventuelle Anpassung alter Verträge. Für die Änderungen sind erforderlich:
- die Einigung zwischen Grundstückseigentümer und Erbbauberechtigten
- die Zustimmung aller dinglich Berechtigten und
- die Eintragung als Inhaltsänderung der Reallast im Grundbuch.

8. Vertragliche Verfügungsbeschränkungen

1331 **Zustimmungsvorbehalt zur Veräußerung.** Der Grundstückseigentümer ist daran interessiert, daß ein von ihm mit dem Erbbaurecht verfolgter Zweck auch erhalten bleibt. Es kann deshalb als dinglicher Inhalt des Erbbaurechts vereinbart werden, daß der Erbbauberechtigte zur Veräußerung des Erbbaurechts der Zustimmung des Grundstückseigentümers bedarf (§ 5 I ErbbauVO). Die Zustimmung ist zu erteilen, wenn anzunehmen ist, daß durch die Veräußerung der mit der Bestellung verfolgte Zweck nicht wesentlich beeinträchtigt oder gefährdet wird, und daß die Persönlichkeit des Erwerbers Gewähr für eine ordnungsmäßige Erfüllung der sich aus dem Erbbaurechtsinhalt ergebenden Verpflichtungen bietet (§ 7 I ErbbauVO). Eine grundlos verweigerte Genehmigung kann durch das Gericht ersetzt werden (§ 7 III ErbbauVO). Ein vereinbarter Zustimmungsvorbehalt gilt auch bei einer Veräußerung des Erbbaurechts im Wege der Zwangsversteigerung oder durch den Konkursverwalter bzw. künftig den Insolvenzverwalter (§ 8 ErbbauVO).

Die Vereinbarung eines solchen Zustimmungsvorbehalts ist zweckmäßig. Dadurch kann der Grundstückseigentümer den Erwerb durch ungeeignete und unzuverlässige Personen verhindern, und er kann bei jeder Veräußerung seine Zustimmung davon abhängig machen, daß der Erwerber auch in alle nur schuldrechtlich wirksamen Verpflichtungen des Erbbauvertrages, insbesondere in die Verpflichtung zur Anpassung des Nutzungsentgelts, eintritt (s. Rz. 1312, 1336).

1332 **Zustimmungsvorbehalt zur Belastung.** Der Grundstückseigentümer hat auch ein Interesse daran, daß das Erbbaurecht nicht übermäßig belastet wird, damit nicht die Gefahr der Versteigerung entsteht, und auch deshalb, weil er bei einem Heimfall des Erbbaurechts die Belastungen übernehmen muß (§ 33 ErbbauVO). Es kann deshalb mit dinglicher Wirkung vereinbart werden, daß der Erbbauberechtigte zur Belastung des

Erbbaurechts mit einem Grundpfandrecht oder mit einer Reallast der Zustimmung des Grundstückseigentümers bedarf (§ 5 II ErbbauVO). Die Zustimmung muß erteilt werden, wenn die Belastung mit den Regeln einer ordnungsgemäßen Wirtschaft vereinbar ist und der mit der Bestellung des Erbbaurechts verfolgte Zweck nicht wesentlich beeinträchtigt oder gefährdet wird (§§ 5 II, 7 II ErbbauVO). Ein vereinbarter Zustimmungsvorbehalt gilt auch für die Belastung mit Zwangshypotheken und die Arrestvollziehung (§ 8 ErbbauVO).

9. Vorkaufsrechte

1333 **Einseitige und gegenseitige Vorkaufsrechte.** Die Bestellung des Erbbaurechts bewirkt, wie wir dargestellt haben, eine zeitlich befristete Aufspaltung des Eigentums. Zwischen dem Eigentümer und dem Erbbauberechtigten werden deshalb häufig einseitige oder gegenseitige Vorkaufsrechte vereinbart, sei es, daß dem Grundstückseigentümer ein Vorkaufsrecht am Erbbaurecht oder dem Erbbauberechtigten ein Vorkaufsrecht am Grundstück oder gegenseitige Vorkaufsrechte bestellt werden. Die Eintragung der Vorkaufsrechte erfolgt jeweils in der Abt. II des Grundbuchs bzw. des Erbbaugrundbuchs. Diese Vorkaufsrechte sind nicht zu verwechseln mit einem etwaigen Ankaufsrecht des Erbbauberechtigten, das nach § 2 Nr. 7 ErbbauVO zum Inhalt des Erbbaurechts gemacht werden kann. Kommt eines der Rechte zum Verkauf und übt der Vorkaufsberechtigte sein Vorkaufsrecht aus, so vereinigen sich das Eigentum am Grundstück und das Erbbaurecht in einer Person, ohne daß jedoch das Erbbaurecht erlischt. Es besteht dann als Eigentümer-Erbbaurecht fort (s. Rz. 1342).

Das Vorkaufsrecht hat auch neben einem gem. § 5 I ErbbauVO vereinbarten Zustimmungsvorbehalt praktische Bedeutung: Der Grundstückseigentümer muß normalerweise die Zustimmung zu der Veräußerung erteilen (s. vorstehend Rz. 1310, 1331). Er kann aber im konkreten Fall durchaus ein Interesse daran haben, das Erbbaurecht selbst zu erwerben oder es einem anderen zukommen zu lassen.

10. Sonstige Vereinbarungen

1334 Erbbaurechtsverträge bedürfen meist einer sehr individuellen Gestaltung. Dadurch kann sich die Notwendigkeit oder Zweckmäßigkeit ergeben, über die in Rz. 1308 f. dargestellten Mindestinhalte und weiteren dinglichen Vereinbarungen hinaus weitere Punkte im Vertrag zu regeln.

Beispiele:

– Mängelgewährleistung wegen Altlasten des Grundstücks
– Zusicherung der Bebaubarkeit des Grundstücks
– Termin für den Besitzübergang

- Verkehrssicherungspflicht und Straßenreinigung
- Verpflichtung zur Rechnungslegung über die Tilgung der aufgenommenen Fremdmittel
- Dienstbarkeiten zur Sicherung von Wegerechten sowie Leitungsrechten für Ver- und Entsorgung
- Tragung der Kosten bei Notar und Grundbuchamt, der etwaigen Vermessungskosten, Grunderwerbsteuer
- bei Unternehmern: Option für die Umsatzsteuer (§ 9 II UStG)
- Wert des zu errichtenden Gebäudes (für Grundbuchamt und Notar).

Soweit es sich um Rechte handelt, die zur Entstehung gem. § 873 I BGB der Eintragung im Grundbuch bedürfen, werden sie durch die Eintragung verdinglicht. Andere Vereinbarungen haben nur schuldrechtliche Wirkung. Sie gehen deshalb im Falle einer Veräußerung des Erbbaurechts oder des Grundstücks nur dann als Vertragspflichten auf den Erwerber über, wenn sie von ihm ausdrücklich übernommen werden (s. Rz. 1336).

IV. Die Übertragung des Erbbaurechts

1335 **Formvorschriften.** Die Übertragung eines Erbbaurechts (Verkauf, Übergabe, Schenkung) entspricht weitgehend den Regeln für die Übertragung eines Grundstücks. Der Verpflichtungsvertrag bedarf der Beurkundung (§ 11 II ErbbauVO, § 313 BGB). Eine Auflassung ist nicht erforderlich; die nach § 873 I BGB erforderliche dingliche Einigung muß jedoch dem Grundbuchamt in der Form des § 29 GBO nachgewiesen werden. In der Praxis werden deshalb i. d. R. das Verpflichtungsgeschäft und die Erklärung über die dingliche Einigung in einer Urkunde zusammengefaßt. Eine Übertragung unter einer Bedingung oder Zeitbestimmung ist unwirksam (§ 11 I 2 ErbbauVO).

1336 **Übergang der Rechte und Pflichten.** Mit dem Übergang des Erbbaurechts auf den Erwerber gehen nur diejenigen Verpflichtungen des Veräußerers kraft Gesetzes auf den Erwerber über, die zum Inhalt des Erbbaurechts gehören. Zur Übernahme der nur schuldrechtlichen Verpflichtungen bedarf es einer ausdrücklichen Übernahmeerklärung des Erwerbers. Dies ist besonders wichtig für die Verpflichtung zur Zahlung des Nutzungsentgelts und seiner Wertsicherung. Sie wird durch eine Wertsicherung der Erbbauzins-Reallast nicht überflüssig (s. Rz. 1311 ff., 1323). Die Übernahme der Verpflichtungen liegt sowohl im Interesse des Veräußerers, der nur durch eine genehmigte Schuldübernahme aus dem Schuldverhältnis freigestellt wird, als auch des Grundstückseigentümers, der auf den Fortbestand seiner Ansprüche angewiesen ist. Die Verpflichtung zur Weitergabe der schuldrechtlichen Verpflichtungen im Falle einer Veräußerung des Erbbaurechts oder des Grundstücks sollte deshalb im Erbbauvertrag ausdrücklich vereinbart werden (sog. **Weitergabeverpflichtung**).

1337 **Umschreibung des persönlichen Vollstreckungstitels.** Hat sich der Erbbauberechtigte wegen seiner Verpflichtung zur Zahlung eines Nutzungsentgelts persönlich der sofortigen Zwangsvollstreckung in sein gesamtes Vermögen unterworfen, so kann dieser Titel nur dann gegen den Erwerber umgeschrieben werden, wenn dieser die persönliche Schuld mit Genehmigung des Eigentümers übernommen hat (§ 415 I BGB); nur dann ist er auch insoweit Rechtsnachfolger des „alten" Erbbauberechtigten. In dem Antrag auf Erteilung der Klausel gegen den neuen Erbbauberechtigten ist im Zweifel eine konkludente Genehmigung der Schuldübernahme zu sehen. Damit ist der Nachweis der Rechtsnachfolge i. S. des § 727 ZPO erbracht (str.).

1338 **Umschreibung des dinglichen Vollstreckungstitels.** Die vom Erbbauberechtigten gemäß § 794 I Nr. 5 ZPO wegen der wiederkehrenden Zahlung des Erbbauzinses erklärte dingliche Unterwerfung unter die sofortige Zwangsvollstreckung wirkt auch gegen den Erwerber. Zwar kann die Unterwerfungsklausel nicht mit der Rechtsnachfolgeklausel des § 800 ZPO im Grundbuch eingetragen werden (BayObLG Rpfl. 1960, 287 m.w.N.). Die Umschreibung des dinglichen Vollstreckungstitels gegen den neuen Erbbauberechtigten kann jedoch gemäß §§ 727, 730, 795, 797 ZPO auch ohne diese Eintragung erfolgen (BayObLG a. a. O.); weitere Voraussetzung für die Umschreibung des Vollstreckungstitels ist dann lediglich, daß auch die den Erwerb des Erbbaurechts nachweisenden Urkunden dem Schuldner zugestellt werden (§§ 750 II, 800 II ZPO; s. Rz. 885).

1339 **Neue Unterwerfungserklärungen.** Einer Umschreibung des persönlichen und des dinglichen Vollstreckungstitels gegen den Rechtsnachfolger bedarf es nicht, wenn und soweit dieser eigene Unterwerfungserklärungen abgibt. Dies ist jedenfalls für den persönlichen Titel zweckmäßig, um etwaige Zweifel auszuschließen, ob die genehmigte Schuldübernahme als Rechtsnachfolge i. S. des § 727 ZPO angesehen werden kann (s. Rz. 1011). Dann schafft diese Erklärung einen neuen Titel gegen den Erwerber des Erbbaurechts. In diesen Fällen sollte der Notar darauf achten, daß die ursprüngliche vollstreckbare Ausfertigung vernichtet oder dem „alten" Erbbauberechtigten ausgehändigt wird.

V. Die Beendigung des Erbbaurechtsverhältnisses

1. Der Heimfall

1340 **Voraussetzungen und Wirkungen.** Beim Erbbaurecht sind Kündigung, auflösende Bedingungen und Rücktrittsrechte nicht zulässig (§ 1 IV ErbbauVO). Der Eigentümer bedarf jedoch des Schutzes gegen vertragswidriges Verhalten des Erbbauberechtigten. Zu diesem Zweck kann vereinbart werden, daß der Eigentümer in bestimmten Fällen die Übertragung des Erbbaurechts auf sich oder einen von ihm benannten Dritten verlangen kann (sog. Heimfallrecht, § 2 Nr. 4 i. V. m. §§ 3 und 4 ErbbauVO). Hauptfälle sind die Nichterrichtung des Gebäudes, Zahlungsverzug, Zwangsversteigerung in das Erbbaurecht und Konkurs des Erbbauberechtigten, Vernachlässigung oder vertragswidrige Nutzung des Gebäudes.

Mit der wirksamen Ausübung des Heimfallrechts erwirbt der Eigentümer einen Anspruch auf dingliche Übertragung des Erbbaurechts. Macht der Eigentümer von seinem Heimfallanspruch Gebrauch, hat er für die Übertragung des Erbbaurechts eine angemessene Vergütung an den Erbbauberechtigten zu leisten. Über die Höhe, die Fälligkeit und Zahlungsweise oder die Ausschließung einer Entschädigung können Vereinbarungen als Inhalt des Erbbaurechts getroffen werden (§ 32 ErbbauVO). Vielfach wird eine Entschädigung von 2/3 des im Zeitpunkt des Heimfalls gegebenen Gebäudewertes unter Abzug der Belastungen vereinbart. Der Entschädigungsanspruch entsteht erst mit der Erfüllung des Heimfallanspruchs, d. h. durch Einigung und Eintragung (BGH MittBayNot 1990 S. 242). Mit dem Heimfall erlischt das Erbbaurecht nicht, sondern geht einschließlich der bestehenden Belastungen auf den Eigentümer als Eigentümer-Erbbaurecht bzw. auf den Dritten über. Mit den bestehenbleibenden Belastungen gehen auch die dadurch gesicherten Schulden kraft Gesetzes auf den Eigentümer bzw. den Dritten über (§ 33 II ErbbauVO).

2. Die Aufhebung durch Vertrag

1341 **Das Erbbaurecht kann vor Ablauf der Vertragszeit aufgehoben werden.** Dazu sind erforderlich:

- die Erklärung des Erbbauberechtigten, daß er das Recht aufgebe (§ 875 BGB)
- die Zustimmung des Grundstückseigentümers (§ 26 ErbbauVO)
- die Zustimmung der am Erbbaurecht dinglich Berechtigten (§ 876 BGB)
- die Löschung des Erbbaurechts im Grundbuch (§ 875 BGB).

In Verbindung mit der Aufhebung bedürfen in der Regel weitere Fragen der vertraglichen Regelung zwischen den Beteiligten, z. B. die Vereinbarung über die Entschädigung des Erbbauberechtigten für das Bauwerk, die Ablösung bestehender Grundpfandrechte oder deren Übertragung auf das Grundstück. Weiter ist die Löschung der Erbbauzins-Reallast sowie etwaiger gegenseitiger Vorkaufsrechte durchzuführen. In diesen Fällen ist es wegen der besonderen Kompliziertheit der Rechtsverhältnisse zweckmäßig, eine Gesamtregelung durch Beurkundung eines Aufhebungsvertrages vorzunehmen, in dem auch das dem Erbbaurecht zugrundeliegende Verpflichtungsgeschäft aufgehoben wird.

3. Konfusion

1342 Erwirbt durch Vertrag oder Erbfolge der Erbbauberechtigte das Grundstück oder der Eigentümer das Erbbaurecht, so erlischt das Erbbaurecht nicht automatisch, sondern besteht als Eigentümer-Erbbaurecht fort. Ein Verzicht gemäß § 928 BGB ist nicht möglich (§ 11 I ErbbauVO). Der Eigentümer kann jedoch gemäß § 875 BGB die Aufhebung des Erbbaurechts erklären.

4. Die Beendigung durch Zeitablauf

1343 Das Erbbaurecht erlischt mit dem Ablauf der vertraglich vereinbarten Zeit. Dadurch wird das Grundbuch unrichtig, das Bauwerk wird zum Bestandteil des Grundstücks (§ 12 III ErbbauVO), § 94 BGB). Für das Bauwerk ist eine Entschädigung zu zahlen. Die Modalitäten können ebenso wie für den Heimfallanspruch mit dinglicher Wirkung vereinbart werden (§ 27 ErbbauVO). Der Anspruch auf die Entschädigung tritt als dingliches und auf Antrag im Grundbuch einzutragendes Recht an die Stelle des erloschenen Erbbaurechts (§ 28 ErbbauVO). Die etwa noch bestehenden Belastungen des Erbbaurechts erlöschen. Als Ersatz erhalten die Gläubiger von Grundpfandrechten und Reallasten im Wege der dinglichen Surrogation an dem Entschädigungsanspruch des Erbbauberechtigten dieselben Rechte, die ihnen im Falle des Erlöschens ihres Rechts in einer Zwangsversteigerung am Erlös zustehen würden (§ 29 ErbbauVO, § 92 ZVG). Für die Grundpfandgläubiger sind daher die Restlaufzeit des Erbbaurechts und die Bedingungen des Entschädigungsanspruchs von Bedeutung für den Wert der Sicherheit.

Miet- und Pachtverhältnisse am Bauwerk gehen mit ihren Rechten und Pflichten auf den Eigentümer über, können von ihm jedoch unter Einhaltung der gesetzlichen Frist gekündigt werden (§§ 571, 581 BGB, 30 ErbbauVO).

5. Das Vorrecht auf Erneuerung

1344 Als Inhalt des Erbbaurechts kann dem Erbbauberechtigten ein Vorrecht auf die Erneuerung des Erbbaurechts nach dessen Zeitablauf eingeräumt werden (§§ 2 Nr. 6, 31 ErbbauVO). Dabei handelt es sich jedoch nicht um ein Verlängerungsrecht des Erbbauberechtigten, sondern um ein dem Vorkaufsrecht ähnliches Vorrecht für den Fall, daß der Grundstückseigentümer mit einem Dritten einen Vertrag über die Begründung eines Erbbaurechts an dem Grundstück schließt. Die praktische Bedeutung ist deshalb gering.

§ 26. Besonderheiten des Grundstücksrechts in den neuen Bundesländern

von Notar Dr. Stefan Hügel, Weimar

Literaturhinweise: Böhringer, Besonderheiten des Liegenschaftsrechts in den neuen Bundesländern, 1993; Cremer, Immobiliengeschäfte in den neuen Bundesländern, 2. Aufl. 1993; Eickmann, Grundstücksrecht in den neuen Bundesländern, 2. Aufl. 1991; Moser-Merdian/Flik/Keller, Das Grundbuchverfahren in den neuen Bundesländern, 3. Aufl. 1995; Trittel, Grundstücksrecht in den neuen Bundesländern, Beck'sches Notarhandbuch, A IX

1345 **In den neuen Bundesländern sind eine Reihe von Besonderheiten im Grundstücksrecht zu beachten.** Sie ergeben sich zum einen aus der besonderen Rechtslage, zum anderen aus tatsächlichen Besonderheiten. Gründe für diese Besonderheiten sind vor allem

- das unabwendbare Bedürfnis, Rechtsinstitute der ehemaligen DDR, insbesondere des dortigen Zivilgesetzbuches (ZGB) in die Rechtsordnung der Bundesrepublik zumindest für eine Übergangszeit zu übernehmen. Beispiel: Gebäudeeigentum
- die notwendige Schaffung von Anpassungs- und Übergangsrecht, etwa Art. 21, 22 Einigungsvertrag (Vertrag zwischen der Bundesrepublik Deutschland und der Deutschen Demokratischen Republik über die Herstellung der Einheit Deutschlands vom 31.08. 1990, BGBl. II, S. 889 – Art. 230 ff. EGBGB),
- politisch motiviertes Sonderrecht, etwa das Gesetz zur Regelung offener Vermögensfragen (Vermögensgesetz – VermG) zur Wiedergutmachung aus heutiger Sicht rechtswidriger Eigentumsentziehungen.

Das Ziel zahlreicher Gesetzesneuerungen war und ist es, die Rechtslage in den alten Bundesländern und im Beitrittsgebiet langfristig identisch zu gestalten. Im Bereich des Grundstücksrechtes mußte insbesondere das materielle Sachenrecht des Zivilgesetzbuches der DDR in dasjenige des BGB übergeleitet werden. Ein Großteil dieses Überleitungsrechtes wurde in das EGBGB aufgenommen. Zentrale Norm dort für das Grundstücksrecht ist Art. 233 EGBGB **„Sachenrecht"**.

Die endgültige Angleichung wird noch Jahrzehnte in Anspruch nehmen. Bis dahin wird eine teilweise unterschiedliche Rechtslage in den alten und den neuen Bundesländern vorzufinden sein. Die wesentlichen Besonderheiten sollen in diesem Kapitel erläutert werden, wobei nur auf die grundlegenden Unterschiede eingegangen wird, insbesondere auf diejenigen, die von längerer Dauer sind. Ein Großteil der Abweichungen ist aufgrund ihrer Eigenschaft als Übergangsvorschrift nur von vorübergehender Bedeutung und wird deshalb nicht dargestellt.

I. Besonderheiten des Grundeigentums

1. Volkseigentum, § 8 VZOG

Literaturhinweise: Böhringer, Erweiterungen der Verfügungsermächtigung in § 8 VZOG, MittBayNot 1994, 18ff.; ders., Die Verfügungsermächtigung nach § 6 VZOG, MittBayNot 1991, 189ff.

Eine häufige Eintragung im Grundbuch in den neuen Bundesländern lautet: „Volkseigentum, Rechtsträger: Rat der Gemeinde ...“. 1346

Dieses Volkseigentum ist nicht mit kommunalem Eigentum der Gemeinde gleichzusetzen. Die Erlangung des Eigentums an bisherigem Volkseigentum richtet sich nach Art. 233 § 2 II EGBGB in der Fassung der Anlage I Kapitel III Sachgebiet B Abschnitt II Nr. 1 des Einigungsvertrages gemäß den besonderen Vorschriften über die Abwicklung des Volkseigentums. Gemeint sind damit im wesentlichen Art. 21 und 22 des Einigungsvertrages, das Treuhandgesetz und das Vermögenszuordnungsgesetz. In welchen Fällen den Gemeinden und Städten nach Art. 21 und 22 Einigungsvertrag das Eigentum an diesen Grundstücken zusteht, ist im Einzelfall ausgesprochen kompliziert festzustellen. Entscheidend ist, ob es sich bei den Grundstücken um Verwaltungs- oder Finanzvermögen handelt. Bei vielen Grundstücken existieren erhebliche Abgrenzungsschwierigkeiten.

Der Gesetzgeber hat im Rahmen des Hemmnisbeseitigungsgesetzes das Gesetz über die Feststellung der Zuordnung von ehemals volkseigenem Vermögen, BGBl. 1991 I, S. 784 (Vermögenszuordnungsgesetz – VZOG) erlassen. In seinem ersten Teil (§§ 1 bis 5) regelt das Gesetz ein Verfahren, mit dessen Hilfe verbindlich festgestellt werden kann, wem bisheriges Volkseigentum nunmehr gehört. Auf Antrag eines potentiell Berechtigten stellt der Präsident der Bundesanstalt für vereinigungsbedingte Sonderaufgaben – BvS – (bis zum 31. 12. 1994 Treuhandanstalt) in Fällen, in denen der BvS kraft Gesetzes oder Verordnung Eigentum oder Verwaltung übertragen worden ist, in allen übrigen Fällen der örtlich zuständige Oberfinanzpräsident durch Bescheid fest, wer und in welchem Umfang Eigentümer an einem bestimmten Vermögensgegenstand geworden ist. Nach Erlaß des Vermögenszuordnungsbescheids ersucht die zuständige Stelle das Grundbuchamt um Eintragung der getroffenen Feststellungen. Das Grundbuchamt hat weder die Rechtmäßigkeit des

Bescheides zu prüfen noch bedarf es zur Eintragung der für ein Grundstücksgeschäft üblichen Genehmigungen (§ 3 II VZOG).

1347 **Vorläufige Verfügungsbefugnis nach § 8 VZOG.** Da die Vermögenszuordnung aufgrund der sehr großen Anzahl von zuordnungsbedürftigen Grundstücken nicht in der gebotenen Kürze realisiert werden kann, hat der Gesetzgeber zur Überwindung des Engpasses in der Verwaltungskapazität eine besondere Verfügungsbefugnis in § 8 VZOG geschaffen. **Diese Bestimmung enthält eine vorläufige Verfügungsberechtigung für Gemeinden, Städte, Landkreise und Länder sowie die BvS,** wenn diese selbst oder ihre Organe oder – im Falle der Städte und Gemeinden – auch die ehemals volkseigenen Betriebe der Wohnungswirtschaft als **Rechtsträger** im Grundbuch eingetragen sind. Durch diese Berechtigung ist es möglich, über solche Grundstücke zu verfügen, obwohl die materiell-rechtliche Eigentumslage an ihnen nicht geklärt ist. § 8 VZOG gibt den genannten Berechtigten eine uneingeschränkte Verfügungsbefugnis. Diese endet, sobald ein unanfechtbarer Feststellungsbescheid nach dem VZOG vorliegt und dem Grundbuchamt eine öffentliche oder öffentlich beglaubigte Urkunde hierzu vorgelegt wurde. Da § 878 BGB ausdrücklich für anwendbar erklärt ist (§ 8 III VZOG), kommt es für den Zeitpunkt der Verfügungsberechtigung auf den Eingang des Antrags beim Grundbuchamt an. Die Verfügung ist aber auch dann wirksam, wenn vor der Vorlage eines unanfechtbaren Feststellungsbescheides beim Grundbuchamt für einen Erwerber eine Eigentumsvormerkung zur Sicherung seines Anspruchs beantragt wurde (s. Rz. 410).

Verfügen Kommunen über eigene Grundstücke, so bedürfen sie nach den jeweiligen Gemeindeordnungen der kommunalaufsichtlichen Genehmigung. Diese Verfügungsbeschränkung ist vom Grundbuchamt zu beachten. Ihm ist ein entsprechender Genehmigungsbescheid in der Form des § 29 GBO vorzulegen. Verfügungen aufgrund der Ermächtigung im Vermögenszuordnungsgesetz bedürfen nach § 8 I a VZOG nicht einer solchen kommunalaufsichtlichen Genehmigung. Nur diese Genehmigung ist entbehrlich, alle sonst erforderlichen Genehmigung müssen eingeholt werden. Eine Voreintragung des Verfügungsberechtigten nach § 39 GBO ist bei Verfügungen nach § 8 VZOG, die Abt. II und III des Grundbuches betreffen, nicht erforderlich. Dies ist durch § 11 GBBerG (Grundbuchbereinigungsgesetz vom 20.12. 1993; BGBl. I, 2182 ff.) bestimmt.

Die aufgrund dieser Befugnis veräußerten Grundstücke und Gebäude sind dem Innenministerium des jeweiligen Bundeslandes mitzuteilen und von diesem in einer Liste zu erfassen. Der Verfügungsberechtigte ist verpflichtet, zeitgleich mit der Verfügung einen entsprechenden Zuordnungsantrag zu stellen und nach erfolgter Zuordnung den Erlös, mindestens aber den Wert des Vermögensgegenstandes, an einen eventuell anderen tatsächlich Berechtigten auszukehren (§ 8 IV VZOG).

2. Eigentum in ehelicher Vermögensgemeinschaft

a) Grundbucheintragung: Eheliche Vermögensgemeinschaft

1348 **Sehr häufig sind im Grundbuch noch Ehegatten als Eigentümer in ehelicher Vermögensgemeinschaft eingetragen.** Dies war der im Beitrittsgebiet bis zum 02.10. 1990 geltende gesetzliche Güterstand, ähnlich der früheren Errungenschaftsgemeinschaft des BGB. In § 13 des Familiengesetzbuches (FGB) war bestimmt, daß die von einem oder beiden Ehegatten während der Ehe durch Arbeit oder Arbeitseinkünfte erworbenen Sachen, Vermögensrechte und Ersparnisse den Ehegatten gemeinsam gehören. Seit dem 03.10. 1990 ist die eheliche Vermögensgemeinschaft durch den gesetzlichen Güterstand der Zugewinngemeinschaft abgelöst worden, sofern die Ehegatten nicht bis zum 02.10. 1992 durch eine Erklärung gegenüber einem Kreisgericht die Fortgeltung des Güterstandes des Familiengesetzbuches der DDR erklärt haben.

1349 **Gesetzliche Umwandlung in Bruchteilsgemeinschaft.** Nach Art. 234 § 4a EGBGB sind die im Grundbuch eingetragenen ehelichen Vermögensgemeinschaften seit dem 24.06. 1994 grundsätzlich kraft Gesetzes in eine Bruchteilsgemeinschaft zu je 1/2 umgewandelt und die bis dahin bestehenden rechtlichen Unsicherheiten über die Handhabung solchen Ehegatteneigentums durch den Gesetzgeber geklärt worden. Das Grundbuch ist mit dem obigen Datum in aller Regel unrichtig geworden.

Es wird nach Art. 234 § 4a III EGBGB widerleglich vermutet, daß Grundeigentum in ehelicher Vermögensgemeinschaft nun den Ehepartnern als Bruchteilseigentum zu je 1/2 zusteht. Die Betroffenen hatten allerdings die Möglichkeit, bis zu diesem Zeitpunkt abweichende Regelungen zum Bruchteilsverhältnis gegenüber dem Grundbuchamt anzugeben.

Mit dem Übergang in die Bruchteilsgemeinschaft ist jeder Ehegatte berechtigt, über seinen Miteigentumsanteil allein zu verfügen, wohingegen bis zum 24.06. 1994 das Grundstück in beendeter, aber nicht auseinandergesetzter ehelicher Vermögensgemeinschaft Gesamthandsgut war, d.h. nur die Ehegatten gemeinsam über das Grundstück verfügen konnten.

Zu beachten ist allerdings, daß eine Überleitung in Bruchteilseigentum nicht stattfindet, wenn einer der Ehepartner vor dem 03.10. 1990 verstorben ist, da die Ehe zum Zeitpunkt des Beitritts nicht mehr bestand und somit der Güterstand nicht übergeleitet werden konnte. Das Grundstück befindet sich in diesen Fällen im Eigentum einer beendeten, aber nicht auseinandergesetzten ehelichen Vermögensgemeinschaft nach dem FGB und Erbengemeinschaft. Der überlebende Ehepartner kann somit nicht über seinen Anteil am Gesamthandsgut alleine verfügen. Dies gilt natürlich nicht, wenn der überlebende Ehegatte Alleinerbe geworden ist.

b) Grundbucheintragung: Alleineigentum

1350 **Auseinanderfallen von Grundbucheintragung und materieller Rechtslage.** Nicht selten treten Fälle auf, in denen die Ehe am 01.04. 1966 bestand und einer der Ehegatten bereits zu diesem Zeitpunkt in der Ehe Grundvermögen erworben hatte. Dieses Vermögen wurde aufgrund der Regelung in § 4 Einführungsgesetz zum Familiengesetzbuch grundsätzlich durch die Einführung der ehelichen Vermögensgemeinschaft nun gemeinschaftliches Eigentum der Eheleute. Ein ähnliches Problem ergibt sich, wenn ein Ehepartner ein Grundstück aus gemeinsamen Ersparnissen oder beiderseitigem Einkommen erworben hat und bei der Beurkundung verschwieg, daß er verheiratet war. Hier ist trotz anderslautender Grundbucheintragung gemäß § 13 FGB das Grundstück gemeinsames Eigentum der Eheleute geworden. Diese Konstellation dürfte praktisch allerdings weit seltener sein als der zuerst geschilderte Sachverhalt.

Gemeinsam ist jedoch beiden Varianten, daß die Grundbucheintragung nicht mit der materiellen Rechtslage übereinstimmt. Es ist daher bei Verfügungen eines verheirateten Alleineigentümers für den Notar dringend angeraten, eine eingehende Sachverhaltsaufklärung vorzunehmen, um erforderlichenfalls den mitberechtigten Ehegatten den Vertrag mitunterzeichnen zu lassen.

3. Nachlaßspaltung

Literaturhinweise: Schotten/Johnen, Probleme hinsichtlich der Anerkennung, der Erteilung und des Inhalts von Erbscheinen im deutsch-deutschen Verhältnis, DtZ 1991, 257ff.; dies., Erbrecht im deutsch-deutschen Verhältnis – die Rechtslage vor der Vereinigung und die Regelungen im Einigungsvertrag, DtZ 1991, 225ff.

1351 **Fehlende Grundbuchberichtigung.** Aufgrund der geringen wirtschaftlichen Bedeutung von Grundeigentum in der ehemaligen DDR wurde von den Grundstückseigentümern die Berichtigung des Grundbuches nach eingetretener Erbfolge nicht selten unterlassen. In vielen Fällen ist deshalb im Grundbuch in den neuen Bundesländern nicht der derzeitige Eigentümer eingetragen. Dies führt dazu, daß bei einer beabsichtigten Verfügung oft über Generationen hinweg nachgewiesen werden muß, wer aufgrund welcher Erbfolge der tatsächliche Eigentümer des Grundstückes ist.

1352 **Grundsätzlich richtet sich das Erbrecht im Beitrittsgebiet seit dem 03.10. 1990 nach den erbrechtlichen Bestimmungen des BGB** (Art. 230 II EGBGB). Allerdings enthalten die §§ 1 und 2 des Art. 235 EGBGB wichtige Ausnahmen, insbesondere Art. 235 § 1 I EGBGB, wonach **für Erbfälle vor dem 03.10. 1990 das bisherige DDR-Erbrecht maßgeblich bleibt.** Bis zum 31.03. 1966 galt in der ehemaligen DDR das BGB, wenn auch teilweise in einer anderen Fassung. Danach war der überlebende Ehegatte neben Abkömmlingen stets zu 1/4, neben Erben zweiter Ordnung und Großeltern zu 1/2 als Erbe berufen. Am 01.04. 1966 traten durch das Einführungsgesetz zum Familiengesetzbuch der DDR erbrechtliche Neuregelungen in Kraft, die hauptsächlich wiederum den Erbteil des überlebenden Ehepartners betrafen. Der Ehegatte war nun neben Abkömmlingen zu gleichen Teilen als Erbe eingesetzt, mindestens stand ihm jedoch 1/4 des Nachlasses zu. Sofern keine Abkömmlinge vorhanden waren, wurde der Ehepartner durch diese Gesetzesänderung nun grundsätzlich zum Alleinerben. Dieses Erbrecht war gültig bis zum 31.12. 1975. Ab dem 01.01. 1976 galten dann die erbrechtlichen Regelungen des ZGB. Danach war der überlebende Ehegatte neben Abkömmlingen – auch nichtehelichen – zu gleichen Teilen erbberechtigt. Auch nach dem ZGB stand ihm aber mindestens 1/4 des Nachlasses zu. War der Erblasser kinderlos verstorben, wurde der Ehepartner dessen gesetzlicher Alleinerbe.

1353 **Für Sterbefälle ab dem 01.01. 1976 kommt § 25 II des Rechtsanwendungsgesetzes der DDR erhebliche Bedeutung zu,** einer ab diesem Datum geltenden Kollisionsnorm des Internationalen Privatrechts. Nach dieser Vorschrift bestimmen sich die erbrechtlichen Verhältnisse in bezug auf das Eigentum und andere Rechte an Grundstücken und Gebäuden, die sich in der DDR befinden, nach dem Recht der DDR.

Aufgrund dieser vom 01.01. 1976 bis zum 02.10. 1990 geltenden Vorschrift richten sich die erbrechtlichen Verhältnisse auch von Altbundesbürgern in diesen Fällen nach dem Erbrecht der ehemaligen DDR („lex rei sitae“). Bei Altbundesbürgern kommt es damit zu einer **Nachlaßspaltung** in den Fällen, in denen der Erblasser in der alten Bundesrepublik verstorben ist und Grundbesitz in der ehemaligen DDR hinterlassen hat. Hier richtet sich die Erbfolge für den Immobiliarnachlaß in der ehemaligen DDR nach DDR-Erbrecht sowie für den übrigen Nachlaß nach dem BGB. Für die Zeit bis zum 31.12. 1975 bleibt es jedoch beim Grundsatz der Nachlaßeinheit. (Eine gute Übersicht hinsichtlich der einzelnen Erbfolgen findet sich bei Faßbender/Grauel/Kemp/Ohmen/Peter, Notariatskunde, 9. Aufl. 1992, Rz. 916ff.).

1354 **Nachlaßspaltung bedeutet hierbei, daß es sich um zwei vollkommen getrennte Nachlaßmassen handelt, die in jeder Hinsicht rechtlich selbständig sind.** Häufig muß daher für Grundstückseigentümer aus den alten Bundesländern ein neuer Erbschein für den in der ehemaligen DDR gelegenen Grundbesitz beantragt werden. Der Erbschein für die Erbfolge nach dem BGB gilt für Grundstücksgeschäfte in den neuen Bundesländern selbst dann nicht, wenn die Erbfolge nach dem BGB und dem DDR-Erbrecht identisch ist. Es bedarf eines besonderen Erbscheines, der die Erbfolge für das im Beitrittsgebiet belegene Grundvermögen nach dem Recht der DDR nachweist. Zuständig dafür ist das Gericht des letzten Wohnsitzes des Erblassers.

4. Bodenreformland

Literaturhinweise: Böhringer in: Eickmann, Sachenrechtsbereinigung, 1995, Art. 233 § 11 ff.; Keller, Zum Eigentum an Grundstücken aus der Bodenreform, VIZ 1993, 190 ff.; Krüger, Die Rechtsnatur des sogenannten Siedlungseigentums der Neubauern der kommunistischen Bodenreform in der ehemaligen Sowjetischen Besatzungszone/DDR, DtZ 1991, 385 ff.; Schildt, Bodenreform und deutsche Einheit, DtZ 1992, 97 ff.

1355 **Durch die sozialistische Bodenreform wurde ein großer Teil der enteigneten Flächen an Kleinbauern und Umsiedler zur Bewirtschaftung zugeteilt. Diese Grundstücke unterlagen besonderen Bestimmungen als sogenannte Bodenreformgrundstücke.** Nach dem Tode des Bodenreformeigentümers konnte der Grundbesitz durch staatliche Entscheidung in den Bodenfonds zurückfallen und neu ausgegeben werden; der Bodenreformeigentümer konnte über ein Grundstück nicht frei verfügen. Das Grundstück war nur sehr beschränkt veräußerlich und vererbbar. Die Eigenschaft als Bodenreformgrundstück wurde im Grundbuch durch einen besonderen Vermerk gekennzeichnet, dem sogenannten **Bodenreformsperrvermerk.** Mit Inkrafttreten des Gesetzes über die Rechte der Eigentümer von Grundstücken aus der Bodenreform vom 06.03. 1990 (GBl.-DDR, S. 134) wurden sämtliche Beschränkungen dieser Bodenreformgrundstücke aufgehoben. Das Grundeigentum wurde zum Volleigentum des eingetragenen Bodenreformgrundstückseigentümers. Dieser Grundsatz wurde durch mehrmalige Gesetzesänderungen aufgeweicht, die letzte Veränderung der Bodenreform erfolgte durch das Registerverfahrensbeschleunigungsgesetz (BGBl. 1993 I, S. 2222 ff.).

1356 **Häufig sind die Formalitäten des Bodenreformrechtes in der DDR nicht beachtet worden,** so daß in vielen Fällen noch Personen im Grundbuch als Eigentümer eingetragen sind, die bei Beachtung der Bodenreformvorschriften hätten ausgetragen werden müssen. Das nun geltende Recht des Art. 233 §§ 11 ff. EGBGB geht von dem Leitgedanken aus, daß Eigentümer von Bodenreformland derjenige bleiben bzw. werden soll, der nach der Rechtslage in der DDR „Eigentümer" hätte bleiben oder werden sollen, und zwar auch dann, wenn diese Rechtslage nicht mit dem Grundbuch übereinstimmt. Würde der Gesetzgeber nun die Übertragung des Volleigentums an die formale Grundbuchsituation anknüpfen, käme es zu einer Ungleichbehandlung im Vergleich zu den Personen, bei denen die Vorschriften eingehalten wurden. Deshalb liegt dem Gesetz die **„Nachzeichnungslösung"** zugrunde.

Wichtig für den Grundstücksverkehr ist, daß bei Bodenreformgrundstücken das Grundbuch nicht in jedem Fall die materiell bestehende Eigentumslage wiedergibt. Es ist besondere Vorsicht geboten. Im wesentlichen bestehen **vier Hauptprobleme.**

a) Zuteilungsfähigkeit

1357 **Der im Grundbuch Eingetragene ist nur dann zum materiellen Eigentümer dieses Grundstückes geworden, wenn er Berechtigter und zuteilungsfähig ist** (Art. 233 § 12 EGBGB). Zuteilungsfähig gemäß Art. 233 § 12 III EGBGB ist, wer im Beitrittsgebiet bei Ablauf des 15.03. 1990 in der Land-, Forst- oder Nahrungsgüterwirtschaft insgesamt mindestens zehn Jahre lang tätig war und im Anschluß an diese Tätigkeit keiner anderen Erwerbstätigkeit nachgegangen ist und einer solchen voraussichtlich auf Dauer nicht nachgehen wird. An diesem Kriterium der Zuteilungsfähigkeit wird die materielle Berechtigung des im Grundbuch Eingetragenen häufig scheitern. Äußerst problematisch ist diese Rechtslage vor allem deshalb, weil bei Abschluß eines Grundstücksgeschäftes weder von den Beteiligten noch vom beurkundenden Notar mit Sicherheit beurteilt werden kann, ob die Verfügenden auch hierzu berechtigt sind. Der Landesfiskus hat die Möglichkeit, bei jeder Verfügung des Bodenreformgrundstückseigentümers zunächst einen Widerspruch im Grundbuch zu erwirken, um die materiellrechtliche Berechtigung prüfen zu lassen. Erst nach Klärung dieser Frage ist die Verfügung des Grundbuchberechtigten endgültig wirksam.

b) Gelöschter Bodenreformsperrvermerk

1358 **Vielfach wurden nach dem 15.03. 1990 die Bodenreformsperrvermerke im Grundbuch gelöscht.** Entscheidend für die Qualifizierung als Bodenreformgrundstück ist aber nicht nur die Eintragung im aktuellen Grundbuchblatt, sondern auch in früheren Blättern, in denen das Grundstück eingetragen war (so ausdrücklich Antwort der Bundesregierung auf eine parlamentarische Anfrage, abgedruckt in OV Spezial 1995, 177). Wurden neue Grundbuchblätter angelegt, ist die Eigenschaft als Bodenreformland auf den ersten Blick nicht mehr ersichtlich und auch nicht an den gelöschten Sperrvermerken zu erkennen.

c) Eingetragener Alleineigentümer

1359 **Verheiratete Alleineigentümer.** Besondere Aufmerksamkeit ist auch erforderlich, falls nur ein Eigentümer als Alleinberechtigter im Grundbuch eingetragen ist. In diesem Fall ist zu prüfen, ob der eingetragene Grundstückseigentümer am 15.03. 1990 im gesetzlichen Güterstand des Familiengesetzbuches der ehemaligen DDR (FGB) verheiratet war. Sofern dies der Fall war, ist der im Grundbuch allein Eingetragene nicht Alleineigentümer, sondern zusammen mit seinem Ehegatten Miteigentümer zu je 1/2. Das Gesetz berücksichtigt hier den Grundgedanken des Güterstandes der ehemaligen DDR, nach dem Ehepartner an allen Vermögenswerten, die sie gemeinsam während der Ehe erworben haben, gemeinsam berechtigt sind. Auch in diesen Fällen kommt es zu einem Auseinanderfallen des Grundbuchstandes und der tatsächlichen Eigentumslage. Die Ehegatten können nur zusammen als Mitberechtigte über das Grundstück verfügen. Ein ähnliches Problem ergibt sich zwar auch in anderen Bereichen (vgl. Rz. 1350), jedoch ist die Frage bei Bodenreformland aufgrund der Vielzahl von Bodenreformgrundstücken von weitaus größerer praktischer Bedeutung.

d) Verstorbener Eigentümer

1360 **Sehr kompliziert ist die Rechtslage, wenn der Grundbuchberechtigte bzw. dessen Ehegatte in der Zwischenzeit verstorben ist.** Wer in diesen Fällen tatsächlicher Eigentümer ist, richtet sich nicht zuletzt nach dem Sterbedatum (vgl. Art. 233 § 11 EGBGB; sehr hilfreich hierbei die Übersicht von Böhringer in: Eickmann, Sachenrechtsbereinigung; EGBGB, Anh., Übersicht 16).

1361 **In jedem Fall ist bei der Veräußerung von Bodenreformgrundstücken äußerste Vorsicht geboten.** Meist stimmt die materielle Rechtslage nicht mit dem Grundbuchstand überein. Die Gestaltung des notariellen Vertrages muß diesen Besonderheiten gerecht werden und die vorhandenen Risiken minimieren. Primär wird dies durch eine exakte Sachverhaltsaufklärung geschehen. Daneben dürfte ein vertragliches Rücktrittsrecht und ein Verzicht auf gegenseitige Schadensersatzansprüche im Falle der Nichtberechtigung des Verfügenden anzuraten sein.

Das BVerfG hat die Verfassungsgemäßheit der Vorschriften über die Abwicklung der Bodenreform entgegen zahlreicher anderslautender Äußerungen in der Literatur bejaht (vgl. BVerfG, DtZ 1996, 14; siehe hierzu auch Jesch, Die Verfassungsgemäßheit der Bodenreformabwicklungsvorschriften, VIZ 1994, 451 ff.).

II. Selbständiges Gebäudeeigentum und Baulichkeiten

1. Selbständiges Gebäudeeigentum

Literaturhinweise: Böhringer, Zusammenführung von Gebäude- und Grundeigentum, DtZ 1994, 266 ff.; Hügel, Der Umgang mit Gebäudeeigentum – eine Zwischenbilanz – , MittBayNot 1993, 196 ff.; Keller, Das Gebäudeeigentum und seine grundbuchmäßige Behandlung nach der Gebäudegrundbuchverfügung – GGV, MittBayNot 1994, 389 ff.; Thöne/Knauber, Boden- und Gebäudeeigentum in den neuen Bundesländern 1994

a) Übertragung, Beleihung

1362 **In der ehemaligen DDR war es entgegen §§ 93, 94 BGB möglich, daß Eigentum an einem Grundstück und Eigentum am Gebäude auf Dauer voneinander getrennt waren.** Dieses Auseinanderfallen von Grundstückseigentum und Gebäudeeigentum konnte aufgrund der unterschiedlichsten Rechtsvorschriften der ehemaligen DDR entstehen (ausführlich zu den einzelnen Entstehungstatbeständen und deren Voraussetzungen Thöne/Knauber, a. a.O, 1 ff.). Ausgangspunkt ist stets ein **Nutzungsrecht,** aufgrund dessen der Nutzungsberechtigte ein Gebäude auf einem fremden Grundstück errichtet hat. Der juristische Umgang mit solchem selbständigen Gebäudeeigentum war je nach Entstehungsform sehr unterschiedlich. In den sog. Eigenheimfällen wurde in aller Regel den Nutzern eine Nutzungsurkunde verliehen, die das Recht auf Nutzung des entsprechenden Grundstückes übertrug. In Ausübung dieses Nutzungsrechtes erwarb dann der Nutzer durch Errichtung des Gebäudes selbständiges Gebäudeeigentum. Dieses Gebäudeeigentum wurde in den Eigenheimfällen in aller Regel auf dem Grundbuchblatt des „belasteten Grundstücks" vermerkt. Darüber hinaus wurde ein eigenes Gebäudegrundbuch angelegt. Die Eintragung im Gebäudegrundbuch war jedoch entgegen § 873 BGB für die Begründung von selbständigem Gebäudeeigentum nicht erforderlich, sondern hatte lediglich deklaratorischen Charakter.

Es gab jedoch auch Fälle, in denen eine förmliche Verleihung eines Nutzungsrechtes nicht erfolgte, insbesondere weil das Nutzungsrecht bereits durch Gesetz begründet war. Wichtigstes Beispiel hierfür ist das selbständige Gebäudeeigentum nach § 27 LPG-Gesetz. Nach dieser Vorschrift hatten die Landwirtschaftlichen Produktionsgenossenschaften an selbsterrichteten Gebäuden, Anlagen und Anpflanzungen auf dem von ihnen genutzten Boden selbständiges Eigentum, unabhängig davon, wer Eigentümer des Grundstückes war. Somit stehen nach der Wiedervereinigung nun zahlreiche Gebäude im Eigentum der Rechtsnachfolger der ehemaligen LPG, ohne daß irgendwie ersichtlich ist, wer Eigentümer der Gebäude ist. Ebensowenig ist im Grundbuch der betroffenen Grundstücke das Vorhandensein von separatem Gebäudeeigentum erkennbar.

1363 **Im Einigungsvertrag wurde das Fortbestehen solchermaßen selbständig entstandenen Gebäudeeigentums anerkannt** (Art. 231 § 5 I EGBGB). In Abs. 2 dieser Vorschrift wurde in Umkehrung der bisherigen Rechtslage das Nutzungsrecht an Grundstück und Anlagen zum wesentlichen Bestandteil des Gebäudes gemacht. Das Nutzungsrecht verliert seine rechtsbegründende Bedeutung. Dadurch wurde sichergestellt, daß das Gebäude unabhängig von der nach dem Recht der DDR notwendigen Übertragung des Nutzungsrechts grundsätzlich verkehrsfähig ist. Das Nutzungsrecht geht nun durch Übertragung des Gebäudeeigentums kraft Gesetzes auf den Erwerber über. Die mehrfach nachgebesserte Gesetzeslage unterscheidet danach, ob für ein selbständiges Gebäudeeigentum ein Nutzungsrecht bzw. ob hierfür kein besonderes Nutzungsrecht verliehen wurde.

1364 **In Art. 233 § 4 I EGBGB ist der Grundsatz normiert, daß für Gebäudeeigentum die Vorschriften des BGB über Grundstücke entsprechend gelten.** Dies bedeutet, ein Gebäudeeigentum wird wie ein Grundstück durch Einigung und Eintragung im Grundbuch übertragen. Notwendige Form hierfür ist nach § 313 Satz 1 BGB die notarielle Beurkundung für den schuldrechtlichen Vertrag und die Auflassung in der Form des § 925 BGB. Hieraus ergibt sich, daß ein Gebäudeeigentum nur dann getrennt übertragbar ist, wenn für das Gebäude ein Gebäudegrundbuch angelegt wurde. Nur dann kann die Einigung und die Eintragung nach § 873 BGB erfolgen. Sofern ein Gebäudegrundbuch noch nicht angelegt wurde, wie dies in den Fällen des § 27 LPG-Gesetz der Regelfall ist, haben die betroffenen Gebäudeeigentümer die Möglichkeit, im nachhinein Gebäudegrundbücher anlegen zu lassen. Dies setzt voraus, daß auf Antrag des Berechtigten zunächst durch die zuständige Oberfinanzdirektion ein Zuordungsbescheid über das Bestehen und die materielle Berechtigung an einem Gebäudeeigentum erlassen wird (Art. 233 § 2b III EGBGB). Aufgrund dieses Bescheides erfolgt durch das Grundbuchamt die Anlegung eines Gebäudegrundbuches (siehe hierzu auch die Verordnung über die Anlegung und Führung von Gebäudegrundbüchern vom 15.07. 1994, BGBl. I, 1606; Schmidt-Räntsch/Sternal, Zur Gebäudegrundbuchverfügung, DtZ 1994, 262ff.).

In der Praxis wird meist versucht, dieses aufwendige Verfahren für die Neuanlegung von Gebäudegrundbüchern zu umgehen. Das bietet sich vor allem in den Fällen an, in denen ein Dritter sowohl Gebäude als auch Grundstück erwerben möchte. Hier ist ein dreiseitiger Vertrag, in dem der Gebäudeeigentümer sein Eigentum unmittelbar nach Art. 233 § 2b IV i.V.m § 4 VI EGBGB aufgibt und der Grundstückseigentümer sein Eigentum auf den Dritten aufläßt, der gangbare Weg.

Für die Belastung solchen Gebäudeeigentums gilt Vorstehendes entsprechend.

1365 **Gutgläubiger „Wegerwerb" des Gebäudes.** Wichtig für den Grundstücksverkehr ist, daß ein gutgläubiger „Wegerwerb" des Gebäudeeigentums durch einen Grundstückseigentümer, dem das Vorhandensein eines selbständigen Gebäudeeigentums aufgrund fehlenden Hinweises im Grundstücksgrundbuch nicht bekannt ist, bei nutzungsrechtsbewehrtem Gebäudeeigentum erst ab dem 01.01. 1997 möglich ist (Art. 231 § 5 III EGBGB), bei nutzungsrechtslosem Gebäudeeigentum dagegen auch schon derzeit (so Böhringer DtZ 1994, 51; Hügel DtZ 1994, 145). Bei einem gutgläubigen „Wegerwerb" erlischt das Gebäudeeigentum samt den dinglichen Belastungen daran (Böhringer, DtZ 1994, 226). Der Gebäudeeigentümer hat jedoch das Recht, sein Nutzungsrecht im Grundbuch des Grundstücks eintragen zu lassen, um den drohenden Rechtsverlust zu vermeiden (Art. 233 § 2c EGBGB). Auf diese Weise wird ein gutgläubiger „Wegerwerb" verhindert.

b) Aufgabe, Zuschreibung, Vereinigung

1366 **Das selbständige Gebäudeeigentum bleibt auch dann bestehen, wenn sich das Eigentum am Grundstück und Gebäude in einer Hand vereinigt. Eine Konsolidation** (§ 889 BGB) **tritt nicht ein,** d.h. das Gebäudeeigentum und das Grundstückseigentum bleiben ohne weiteres Zutun des Eigentümers getrennt voneinander bestehen. Die früher teilweise vertretene anderweitige Auffassung (so LG Schwerin, MittBayNot 1993, 217 mit ablehnender Anm. Albrecht) ist aufgrund § 78 SachenRBerG endgültig überholt. Nach dieser Bestimmung kann das Grundbuchamt den Eigentümer zur Aufgabeerklärung zwingen, wenn er beide Eigentumspositionen besitzt. Damit geht auch der Gesetzgeber erkennbar vom Fortbestand zweier getrennter Eigentumspositionen aus.

1367 **Das selbständige Gebäudeeigentum mit oder ohne Nutzungsrecht kann aufgegeben werden.** Hierfür ist nach Art. 233 § 4 VI EGBGB für Gebäudeeigentum mit Nutzungsrecht die Aufgabe nach den §§ 875, 876 BGB und für Gebäudeeigentum ohne dingliches Nutzungsrecht nach Art. 233 § 2b IV i.V.m. § 4 VI EGBGB die beurkundete Aufgabeerklärung gegenüber dem Grundbuchamt erforderlich. Mit der Aufgabe des Nutzungsrechtes bzw. selbständigen Gebäudeeigentums wird das aufstehende Gebäude wieder wesentlicher Bestandteil des Grundstücks im Sinne von §§ 93, 94 BGB und damit das Auseinanderfallen von Grundstück und Gebäudeeigentum endgültig aufgehoben. Diese Aufgabeerklärung ist immer möglich, wenn das Gebäudeeigentum und das Grundstückseigentum sich in einer Hand befinden bzw. wenn der Grundstückseigentümer und der Gebäudeeigentümer an einen Dritten das Grundstück und Gebäude in einem Vertrag weiterveräußern. In diesen Fällen ist es ratsam und wegen § 78 SachenRBerG auch geboten, das selbständige Gebäudeeigentum zu beseitigen.

Voraussetzung für die Aufgabe selbständigen Gebäudeeigentums ist stets dessen Lastenfreiheit. Ansonsten bedarf es wegen § 876 BGB der Zustimmung der eingetragenen Berechtigten, die ihre Zustimmung entweder von ihrer Ablösung oder von der Neubelastung des Grundstückes abhängig machen werden. Die Neubelastung ist für den Eigentümer ein kostenintensiver Weg. In diesen Fällen bietet sich aufgrund der Wirkung des § 1131 BGB (Erstreckung der eingetragenen Pfandrechte) die Zuschreibung nach § 890 II BGB des Grundstücks zum Gebäudeeigentum als Möglichkeit der Zusammenführung an.

Auch eine Vereinigung nach § 890 I BGB ist möglich, besitzt jedoch nicht den Vorteil des § 1131 BGB. Vorzuziehen ist – soweit möglich – stets die Aufgabe, da sie eine endgültige Bereinigung beinhaltet.

2. Baulichkeiten

1368 **Streng vom Gebäudeeigentum zu unterscheiden sind sogenannte Baulichkeiten nach § 296 ZGB.** Nach dieser Vorschrift waren Wochenendhäuser und andere Baulichkeiten, die der Erholung, der Freizeitgestaltung oder ähnlichen persönlichen Bedürfnissen der Bürger dienen und in Ausübung eines vertraglichen Nutzungsrechtes errichtet wurden, in der Regel unabhängig vom Grundstück, Eigentum des Nutzungsberechtigten. Nach § 296 I 2 ZGB galten für das Eigentum an diesen Baulichkeiten **die Bestimmungen über das Eigentum an beweglichen Sachen entsprechend.** Folglich sieht Art. 232 § 4 EGBGB bei diesen Baulichkeiten die Fortgeltung durch schuldrechtliche Übergangsvorschriften für bewegliche Sachen vor. Dies bedeutet, solche Baulichkeiten werden durch Einigung und Übergabe übertragen, eine notarielle Beurkundung und eine Eintragung in ein Gebäudegrundbuch sind nicht erforderlich.

In der Praxis bereitet es häufig erhebliche Probleme zu erkennen, um welche Form und welche Art von Gebäudeeigentum bzw. Baulichkeiten es sich handelt. Dies ist aber von entscheidender Bedeutung für die rechtliche Beurteilung. Typische Fälle einer Baulichkeit sind beispielsweise Garagen und sogenannte Datschen.

Veräußerung einer Baulichkeit. Zwar folgt das Recht der Baulichkeiten dem Recht der beweglichen Sachen, daraus kann aber nicht geschlossen werden, daß der Eigentümer einer Baulichkeit diese an Dritte problemlos frei weiterveräußern kann. Dies war schon nach ehemaligem DDR-Recht nur bei Vereinbarung eines neuen Nutzungsrechtes möglich (§ 296 II ZGB). Selbst wenn der Erwerber einer Baulichkeit sachenrechtlich das Eigentum erwerben würde, hätte er kein gegenüber dem Grundstückseigentümer wirkendes Recht auf Nutzung. Der Erwerb einer Baulichkeit kann daher für den Erwerber nur dann einen Sinn machen, wenn er gleichzeitig mit dem Grundstückseigentümer ein neues Nutzungsrecht vereinbart (siehe Matthiessen, OV Spezial 1995, 141). Das Baulichkeitseigentum als solches begründet kein eigenes Besitzrecht gegenüber dem Grundstückseigentümer.

III. Sachenrechtsbereinigung/Schuldrechtsanpassung

1. Abgrenzung

Ziel des Gesetzgebers ist es, das Auseinanderfallen von Grundstückseigentum und Gebäudeeigentum bzw. Eigentum an Baulichkeiten zu beseitigen. Zu diesem Zweck wurden zwei Gesetze erlassen. Es handelt sich um das Sachenrechtsbereinigungsgesetz und das Schuldrechtsanpassungsgesetz. Sie bilden einen vorläufigen Schlußpunkt der Bodenrechtsbereinigung und Aufarbeitung der immobiliarrechtlichen Besonderheiten in den neuen Bundesländern. 1369

Unter das Sachenrechtsbereinigungsgesetz fallen die Fälle des selbständigen Gebäudeeigentums bzw. von baulichen Nutzungen, die nach den Vorschriften der ehemaligen DDR „verdinglicht" worden waren bzw. hätten werden sollen. Entscheidend für die Einordnung eines Sachverhalts unter die Sachenrechtsbereinigung ist nicht die tatsächliche Verleihung oder Zuweisung eines dinglichen Nutzungsrechtes. Diese formale Lösung wäre den Vollzugsdefiziten in der ehemaligen DDR nicht gerecht geworden. Dort unterblieb in einer Vielzahl von Fällen trotz anderslautender Vorschriften eine förmliche Nutzungsrechtszuweisung (ausführlich zu den verschiedenen Nutzungsrechten: Kiethe in: Rechtshandbuch Vermögen und Investitionen in der ehemaligen DDR, SystDarst. II Rz. 103 ff.). Dieser Umstand darf sich nicht zum Nachteil der Betroffenen auswirken, die im Vertrauen auf die Rechtmäßigkeit bauliche Investitionen vorgenommen haben. Entscheidend sind vielmehr die vorgefundenen Sachverhalte. Diese werden unter Anwendung der in der ehemaligen DDR geltenden Bestimmungen und damit systemimmanent zu Ende gedacht. Hätte dem Nutzer ein dingliches Nutzungsrecht zugestanden, so ist seine „dingliche" Position nun auch in der Sachenrechtsbereinigung gesichert. War jedoch das Nutzungsrecht auch nach dem ehemaligen DDR-Recht nur **vertraglich** konzipiert, unterliegt dieses Recht konsequenterweise der Schuldrechtsanpassung (sogenannte **„Nachzeichnungslösung"** vgl. ausführlich hierzu Czub, Sachenrechtsbereinigung, 1994, Rz. 28 ff.). 1370

Unter das Schuldrechtsanpassungsgesetz fallen diejenigen Baulichkeiten, die in Errichtung eines nur vertraglichen, vorübergehenden Nutzungsrechtes errichtet wurden. Es sind Gebäude, welche auf Grundstükken errichtet wurden, die 1371

- zur Erholung, Freizeitgestaltung oder kleingärtnerischen Bewirtschaftung genutzt wurden,
- allein als Standort von Garagen oder ähnlichen, nicht zu Wohnzwekken dienenden Gebäuden genutzt wurden,
- aufgrund eines Miet-, Pacht- oder sonstigen Nutzungsvertrages zu sonstigen Zwecken bebaut wurden, es sei denn, solche Grundstücke

hätten nach den DDR-Vorschriften als Bauland zur Verfügung gestellt oder ein Nutzungsrecht bzw. selbständiges Gebäudeeigentum begründet werden müssen.

Im Einzelfall kann die Abgrenzung, ob ein Fall der Sachenrechtsbereinigung oder der Schuldrechtsanpassung vorliegt, äußerst kompliziert sein. Die Grenzen sind oft fließend. So sind zwar Datschen, auch wenn sie zeitweise bewohnt wurden, Fälle der Schuldrechtsanpassung (§ 5 III SachenRBerG), eine sogenannte unechte Datsche, d.h. eine dauernd zu Wohnzwecken benutzte Datsche, ein Fall der Sachenrechtsbereinigung (siehe zu dieser Abgrenzungsfrage Vossius, Sachenrechtsbereinigungsgesetz, § 5 Rz. 6ff.).

2. Sachenrechtsbereinigung

Literaturhinweise: Czub/Schmidt-Räntsch/Frenz, Kommentar zum Sachenrechtsbereinigungsgesetz 1995; Eickmann, Sachenrechtsbereinigung 1995; Herbig/Gaitzsch/Hügel/Weser, Sachenrechtsänderungsgesetz, 1994; Frenz, Sachenrechtsbereinigung durch notarielle Vermittlung, DtZ 1995, 66ff.; Krauß, Strukturprinzipien und Zweifelsfragen des Sachenrechtsbereinigungsgesetzes – Teil I und II –, MittBayNot 1995, 253ff. bzw. 1995, 353ff.; Schmidt-Räntsch, Einführung in die Sachenrechtsbereinigung, VIZ 1994, 441ff.; v. Oefele, Die Erbbaurechtslösung nach dem Sachenrechtsbereinigungsgesetz, DtZ 1995, 158ff.; Vossius, Sachenrechtsbereinigungsgesetz, 1995; Vossius, Der Ankauf des Grundstückes nach dem Sachenrechtsbereinigungsgesetze, DtZ 1995, 154ff.

1372 **Grundaufgabe der Sachenrechtsbereinigung ist es, einen dauerhaften und funktionsfähigen Ausgleich der unterschiedlichen Belange von Grundstückseigentümer und Gebäudenutzer zu finden.** Die Sachenrechtsbereinigung folgt hierbei, anders als die Schuldrechtsanpassung nicht der Anpassung kraft Gesetzes, sondern statuiert die **Einzelfallösung.** Durch die administrative Zuweisung einer Nutzungsbefugnis ist ein Interessengegensatz zwischen Nutzer und Grundstückseigentümer entstanden. Er soll in der Weise aufgelöst werden, daß entweder jeder Beteiligte seine Rechte am Grundstück behält, die künftige Nutzung jedoch in den Formen des Bürgerlichen Rechtes durch Bestellung eines Erbbaurechtes am Grundstück erfolgt oder ein Beteiligter durch Verkauf seine Rechte am Grundstück oder am Gebäude verliert. Sofern der Grundstückseigentümer das Grundstück an den Nutzer veräußert, erhält er dafür jedoch nur ein Entgelt in Höhe der Hälfte des nach dem Verkehrswert bemessenen Bodenwerts. Der Nutzer hatte ein in der Regel unentgeltliches Nutzungsrecht am Grundstück, der Grundstückseigentümer keinen Ausgleich für den ihm vorenthaltenen Besitz. Nutzer und Grundstückseigentümer sollen an den durch den Übergang zur Marktwirtschaft entstandenen Bodenwerten in gleicher Weise teilhaben und nicht eine Seite allein begünstigt werden. Das

Gesetz versucht den Ausgleich zwischen Grundstückseigentümer und Nutzer durch das **Prinzip der hälftigen Teilung des Bodenwertes.**

Im Falle der Bestellung eines Erbbaurechtes bleibt es insoweit bei dem vorgefundenen Zustand, als auch nach der Sachenrechtsbereinigung zwei Rechte an einem Grundstück fortbestehen: Die durch staatliche Verleihung oder Zuweisung eines Nutzungsrechtes entstandenen Rechtsverhältnisse am Grundstück werden durch das Erbbaurecht ersetzt, wobei den veränderten Verhältnissen durch ein Nutzungsentgelt Rechnung getragen wird. Die Ausübung des Ankaufsrechtes löst dagegen den vorgefundenen Gegensatz der am Grundstück bestehenden Rechte auf.

a) Berechtigte und Verpflichtete

1373 **Das Sachenrechtsbereinigungsgesetz berechtigt und verpflichtet gemäß § 14 SachenRBerG den jeweiligen Nutzer und Grundstückseigentümer.** Die Person des Nutzers wird grundsätzlich durch § 9 SachenRBerG bestimmt. Eine gesetzliche Bestimmung, wer Grundstückseigentümer i.S.d. SachenRBerG ist, existiert hingegen nicht. Berechtigt und verpflichtet ist der im Grundbuch eingetragene Eigentümer.

b) Ankaufsrecht oder Erbbaurecht

1374 **Der Nutzer hat nach § 15 SachenRBerG grundsätzlich das Wahlrecht zu entscheiden, ob er vom Grundstückseigentümer das Grundstück ankaufen oder sich an dem Grundstück ein Erbbaurecht bestellen lassen will.** Die Entscheidung des Gesetzes für das Wahlrecht des Nutzers beruht darauf, daß das Gesetz dem durch das Nutzungsrecht und die bauliche Investition vorgefundenen Bestand grundsätzlichen Vorrang vor dem Interesse des Grundstückseigentümers einräumt, das Grundstück wieder nach seinen Intentionen nutzen zu können. Dieses Wahlrecht entfällt, wenn der maßgebliche Bodenwert nicht mehr als 100.000 DM bzw. bei einer Bebauung mit einem Eigenheim nicht mehr als 30.000 DM beträgt (§ 15 II SachenRBerG). In einem solchen Fall ist für den Nutzer die Belastung aus der Finanzierung des Grundstückskaufs im allgemeinen tragbar und er hat deshalb nur ein Ankaufsrecht. Möglich ist auch die Kombination eines Erbbaurechtsvertrages mit einem Ankaufsrecht des Nutzers (§ 57 SachenRBerG).

c) Regelmäßiger Kaufpreis/Erbbauzins

1375 **Entscheidet sich der Nutzer für den Ankauf des Grundstückes, so beträgt der regelmäßige Kaufpreis nach § 68 II SachenRBerG die Hälfte des Bodenwertes.** Die Bodenwertbestimmung erfolgt nach §§ 19, 20 SachenRBerG. Ausgangspunkt ist der Wert eines baureifen Grundstückes, der nach § 19 III SachenRBerG durch bestimmte Abzugsbeträge vermindert wird. Hierdurch werden die Aufwendungen des Nutzers für die Baureifmachung abgegolten. Zur Festlegung des Grundstückswertes werden die Bodenrichtwerte nach § 196 BauGB herangezogen. Sofern diese nach Ansicht eines Beteiligten im konkreten Fall nicht zutreffend sind, kann er eine abweichende Ermittlung des Wertes verlangen. Notfalls muß hierzu ein Sachverständiger eingeschaltet werden.

Bei einem Erbbaurechtsvertrag beträgt nach § 43 SachenRBerG der Erbbauzins die Hälfte des regelmäßigen Zinses, das ist bei Eigenheimen 2 % vom Bodenwert und bei anders genutzten Gebäuden 3,5 % vom Bodenwert jährlich, wobei diese Zinssätze in der Eingangsphase nach § 51 SachenRBerG nochmals ermäßigt werden. Das Gesetz enthält jedoch zahlreiche Vorschriften, aufgrund deren Anpassungen des Kaufpreises bzw. Erbbauzinses im Einzelfall vorgenommen werden können bzw. müssen.

d) Erfaßte Fläche

1376 **Das Recht des Nutzers erstreckt sich auf die Fläche, die ihm durch Nutzungsurkunde zugewiesen wurde bzw. – bei fehlender Nutzungsurkunde – die für die Funktion des Gebäudes erforderlich ist.** In den Eigenheimfällen stand den Nutzern eine Regelgröße von 500 qm Nutzungsfläche zu. Es gibt allerdings auch zahlreiche Fälle, in denen diese Regelgröße überschritten wurde. Grundsätzlich erstrecken sich die Ansprüche nach dem SachenRBerG auch auf die Mehrflächen. Der Grundstückseigentümer kann jedoch dem Begehren des Nutzers auf den über die Regelgröße hinausgehenden Teil widersprechen, wenn dieser Teil abtrennbar und selbständig baulich nutzbar ist (§ 26 SachenRBerG).

e) Kontrahierungszwang

1377 Stimmt der Grundstückseigentümer dem Verlangen des Gebäudeeigentümers auf Ankauf bzw. Erbbaurechtsbestellung nicht zu, so hat der Nutzer das Recht, den Grundstückseigentümer nach erfolgloser Durchführung eines notariellen Vermittlungsverfahrens auf den Abschluß eines solchen Vertrages zu verklagen. Mit Rechtskraft dieses Urteils kommt ein Kaufvertrag bzw. ein Erbbaurechtsvertrag über das Grundstück zustande. Das Sachenrechtsbereinigungsgesetz enthält somit einen der seltenen Fälle eines Kontrahierungszwanges.

f) Sachenrechtliche Bereinigung

1378 **Sofern der Nutzer das Grundstück durch Ankauf hinzuerworben hat, ist nach § 78 SachenRBerG eine isolierte Verfügung über eines der beiden Rechtsobjekte nicht mehr gestattet.** Damit soll dem zentralen Anliegen der Sachenrechtsbereinigung Rechnung getragen werden, eine einmal eingetretene Vereinigung bestehen zu lassen. Das Grundbuchamt kann den

Eigentümer zur Aufgabe des selbständigen Gebäudeeigentums zwingen (§ 78 I 5 SachenRBerG). Diese Vorschrift gilt nicht nur für Grundstücke, die im Rahmen einer durchgeführten Sachenrechtsbereinigung vom Grundstückseigentümer erworben wurden, sondern für alle Fälle der Vereinigung der beiden Eigentumspositionen in einer Hand (str., wie hier auch Frenz in Czub/Schmidt-Räntsch/Frenz, SachenRBerG, § 78 Rn 18).

3. Schuldrechtsanpassung

Literaturhinweise: Kiethe, Kommentar zum Schuldrechtsanpassungsgesetz (SchuldRAnpG), 1995; Thiele/Krajewski/Röske, Schuldrechtsänderungsgesetz 1995; Trimbach/Matthiesen, Einführung in die Schuldrechtsanpassung, VIZ 1994, 446 ff.

1379 **Durch das Schuldrechtsanpassungsgesetz sind die an den Grundstücken bestehenden Nutzungsrechte kraft Gesetzes zum 01.01.1995** – sozial abgefedert durch zahlreiche Übergangsvorschriften – **in Schuldrechtsverhältnisse nach dem BGB umgewandelt** worden. Das bedeutet im Beispielsfall des Garageneigentums, daß zwischen dem Garageneigentümer und dem Grundstückseigentümer nun ein Mietvertrag über diejenige Fläche besteht, auf der die Garage steht. Das Entgelt für die Nutzung des Grundstückes richtet sich nach der Nutzungsentgeltverordnung (NutzEV) vom 01.08.1993, BGBl. I, 1339. Die einzelnen Verträge sind je nach Art der Nutzung für eine gewisse Zeit unkündbar. Auf diese Weise soll auch dem nur vertraglich berechtigten Nutzer ein gewisser Bestandsschutz gewährt werden. Gleichzeitig wird dadurch den gewachsenen tatsächlichen Strukturen der ehemaligen DDR Rechnung getragen und dabei einem gerechten Interessenausgleich zwischen Grundstückseigentümer und Inhabern von schuldrechtlichen Verträgen aus der Zeit der DDR gedient.

1380 **Grundstücke zur Erholung und Freizeitgestaltung.** Im praktisch besonders wichtigen Fall der Nutzung von Freizeitgrundstücken (nach Schätzungen hatte jeder zweite Haushalt in der DDR ein Erholungsgrundstück) ist bis zum Ablauf des 31.12. 1999 eine ordentliche Kündigung seitens des Grundstückseigentümers unzulässig (§ 23 SchuldRAnpG). Vom 01.01.2000 bis zum Ablauf des 03.10.2015 (25 Jahre nach der Wiedervereinigung) ist eine ordentliche Kündigung des Grundstückseigentümers nur in eng begrenzten Ausnahmefällen zulässig. Nutzern, die am 03.10. 1990 das 60. Lebensjahr vollendet hatten, kann zu Lebzeiten nicht gekündigt werden. Der Nutzer erhält nach § 12 SchuldRAnpG eine Entschädigung in Höhe des Zeitwertes des Bauwerkes, wenn der Vertrag durch ordentliche Kündigung des Grundstückseigentümers vor Ablauf der Investitionsschutzfrist endet. Endet der Vertrag auf andere Weise oder nach Ablauf der vorbezeichneten Frist, erhält der Nutzer eine Entschädigung nur insoweit, als der Wert des Grundstückes durch das Bauwerk erhöht ist. Mit Beendigung geht nach § 11 SchuldRAnpG das Eigentum an der Baulichkeit auf den Grundstückseigentümer über und wird wieder wesentlicher Bestandteil des Grundstücks i.S. des § 94 BGB. Der Nutzer ist zur Beseitigung eines rechtmäßig errichteten Bauwerkes aufgrund § 15 SchuldRAnpG nicht verpflichtet.

Eine erhebliche Stärkung erfährt die Position des Nutzers dadurch, daß ihm durch § 57 SchuldRAnpG ein schuldrechtliches Vorkaufsrecht an dem von ihm genutzten Grundstück eingeräumt wird. Hierdurch soll im Verkaufsfall erreicht werden, daß der Nutzer als derjenige mit den engsten Bindungen zum Grundstück das erste Zugriffsrecht hat.

IV. Rückübertragungsansprüche

1. Abtretung

1381 **Eines der zentralen Probleme der Wiedervereinigung sind die sogenannten offenen Vermögensfragen.** Durch die im Zuge der Beitrittsvereinbarungen getroffene Entscheidung „Rückgabe vor Entschädigung" wurde die Möglichkeit eröffnet, Rückgabeansprüche nach § 1 VermG anzumelden. Diese Ansprüche stellen ein besonderes Problem in den neuen Bundesländern dar. Es wird geschätzt, daß ungefähr 2,5 Millionen Grundstücke mit Rückübertragungsansprüchen belastet sind. Die Aufarbeitung dieser Ansprüche wird dementsprechend viel Zeit in Anspruch nehmen. Mit Wirksamkeit des Rückübertragungsbescheides wird der Anspruchsteller nach § 34 VermG Eigentümer des Grundstücks. Die Umschreibung im Grundbuch stellt lediglich eine Berichtigung dar.

1382 **Nach § 3 I 2 VermG kann der vermögensrechtliche Anspruch auf Rückübertragung, Rückgabe oder Entschädigung abgetreten, verpfändet oder gepfändet werden.** Die Abtretung ist unwirksam, wenn sie unter einer Bedingung oder Zeitbestimmung erfolgt; sie und die Verpflichtung hierzu bedürfen der **notariellen Beurkundung**. Diese Rechtslage hat einen neuen Vertragstyp hervorgebracht, nämlich die entgeltliche bzw. unentgeltliche Übertragung von Rückübertragungsansprüchen. Mit Abtretung des Anspruchs wird der Abtretungsempfänger zum Anspruchsinhaber. Mit Rechtskraft des Rückübertragungsbescheides erwirbt der Abtretungsempfänger das Eigentum am Grundstück. Die kautelarjuristische Behandlung solcher Abtretungsverträge ist allerdings im Einzelfall nicht immer einfach. So versagen aufgrund der bedingungsfeindlichen Abtretung die üblichen vertraglichen Absicherungen für die Verkäuferseite. Der Zessionar seinerseits kann nur die Rechtsstellung des Zedenten erwerben. Mehr kann dieser nicht verschaffen, da der gutgläubige Erwerb von Forderungen grundsätzlich ausgeschlossen ist. Ist der angemeldete Anspruch tatsächlich unbegründet, so erwirbt der Zessionar nichts. Weiterhin muß sorgfältig geklärt werden, wer im Rahmen des laufenden

Rückübertragungsverfahrens welche Pflichten übernimmt, eventuelle Ablöse- und Verfahrenskosten trägt.

2. Genehmigung nach der Grundstücksverkehrsordnung

Literaturhinweise: Frenz, Zur Neufassung der Grundstücksverkehrsordnung, DtZ 1994, 56ff.; Schmidt/Wingbermühle, Die Neufassung der Grundstücksverkehrsordnung und die Auswirkungen auf die Finanzierung des Grundstückserwerbs, VIZ 1994, 328ff.; Wolf, Einige Probleme der GVO-Genehmigung nach dem Registerverfahrensbeschleunigungsgesetz, MittBayNot 1995, 17ff.

1383 **Die ordnungsgemäße Abwicklung der Regelung der offenen Vermögensfragen soll durch die Genehmigung nach der Grundstücksverkehrsordnung sichergestellt werden.** Jeder Vertrag über ein Grundstück in den neuen Bundesländern bedarf dieser in den alten Bundesländern unbekannten Genehmigung. Ausgenommen sind nur solche Grundstükke, bei denen
- bereits ein genehmigter Vorerwerb nach dem 28.09. 1990 gegeben ist (§ 2 I 2 Nr. 1 GVO),
- der eingetragene Eigentümer aufgrund eines Rückübertragungsverfahrens in das Grundbuch eingetragen wurde (§ 2 I 2 Nr. 2 GVO),
- der Veräußerer oder ein Gesamtrechtsvorgänger seit dem 29.01. 1933 ununterbrochen als Eigentümer im Grundbuch eingetragen ist (§ 2 I 2 Nr. 3 GVO).

Das jeweilige Rechtsgeschäft ist bis zur Erteilung der Genehmigung schwebend unwirksam. Die Erteilung der Genehmigung stellt daher in aller Regel eine Fälligkeitsvoraussetzung in einem Kaufvertrag, in jedem Fall aber eine Voraussetzung für die Eigentumsumschreibung dar.
Die Genehmigung ist zu erteilen, wenn
- bei dem Amt und dem Landesamt zur Regelung offener Vermögensfragen, in dessen Bezirk das Grundstück belegen ist, für das Grundstück ein Antrag auf Rückübertragung nicht vorliegt,
- der Anmelder zustimmt,
- die Veräußerung nach § 3c des VermG erfolgt.

Ist ein Anspruch auf Rückübertragung angemeldet und stimmt der Anmelder nicht zu, wird das Genehmigungsverfahren solange ausgesetzt, bis über den angemeldeten Anspruch entschieden ist. Die Klärung der Anspruchsberechtigung kann allerdings mehrere Jahre dauern.

Aufgrund der außerordentlich hohen Anzahl von angemeldeten Ansprüchen und der generellen Überprüfung fast aller Grundstücksverträge stellt diese Genehmigung eines der Hauptprobleme im Grundstücksverkehr in den neuen Bundesländern dar. Zwar schwanken die Bearbeitungszeiten für die Erteilung der Genehmigung regional erheblich, jedoch stellen Zeiträume von über einem Jahr keine Seltenheit dar.

Gesetzesregister

Die fett gedruckten Zahlen vor dem Doppelpunkt bezeichnen die Paragraphen oder Artikel des Gesetzes oder der Verordnung. Die Zahlen nach dem Doppelpunkt verweisen auf die Randziffern. Bei mehreren Fundstellen sind Hauptfundstellen fett gedruckt.

AGB-Gesetz
allg.: 14
1: 402, 1138
2: 1129
3: 189, 1137
9: 189, **402**, 984, 1066, 1138, 1162, 1187
10: 402
11: 190, 193, 196, **402**, 1014, 1066

AGBGB Rh-Pf.
14 ff.: 953

AO
39: 22
42: 800
252: 1108
322: 339, 668, **1108**
368: 149
370: 162

AV GeschBeh.
allg.: 10
18 ff.: 591
19: 296, 335, **396**
20: 296, **396**
24: 381

BauGB
5: 223
14: 27, 529
19: 27, 356, **528**
24: **850**, 858
24 ff.: 17, 356, 850
25: 850
26: 850
27: 850
28: 840, **852–856**, 858
29: 529
29 ff.: 6
30: 27
34: 27
35: 27
45 ff.: 528
47: 528
51: 17, 356, **528**, 768
54: 310, 339, **528**, 753
57 ff.: 786
59: 571
61: 89
64: 605, 786
72: 69
74: 339
85 ff.: 69
93: 857
127 ff.: 300, 571, 786
136 ff.: 529
142: 529
143: 310, 529
144: 6, 17, **27**, 356, **529**, 768
145: 27
153: 571
154: 786
169: 27
196: 1375

BauGB-MaßnG
3: 17, 356, 851

BaunutzungsVO
1 ff.: 225

BauO (neue Bundesländer)
80: 750

BBergG
allg.: 23
9: 811

BeurkG
6 ff.: **99**, 128, 388, 992
8: 99
8 ff.: 388
9: 100
9 ff.: 99
13: 100–101, 714
13 a: 1220, 1266
14: 988–989
17: 93, 240, 989
17 ff.: 388
18: 512
20: 213, 840, 849, 862
21: 754
39: 378, 386

(BeurkG)
40: 378, 386
44: 1003
47: 229, 240
49: 240, 1003
54: 1006
56: 992
57: 63
62: 992
63: 384
65: 385

BewG
13 ff.: 764
70: 22
73: 225
94: 22
98 a: 801
103: 801
110: 801

BGB
2: 245
26: 270–271
30: 271
69: 379
71: 179
79: 314
84: 694
86: 271
93: **38**, **40–41**, **44**, 47, 1203, 1295
93 ff.: 9, **37**, 774, 1362, 1367
94: 37, **40**, 44, 1203, 1295, 1343, 1380
94 ff.: 19, 39
95: 37, 39, **44**, 1203, 1296
96: 37, **45**, 304, 718, 816, 1263
97: 37, 44, **46**, 1077–1078
98: 47
99: 779
100: 776
104: **244**, 246
105: 61, **244**, 246, 550
106: **245**, 757
107: 235, **245**, 399, 553, 757, 761
108: 245
117: 111, **162**, 641, 696
119: 164, **170–172**, 191
119 ff.: 171
122: 173
123: 61, 172, **191**
125: **92**, **108**, 111, 162, 696
127 a: 70, 90
128: 102, 129, 642
129: 378, 383
130: 79, 824
131: 244
133: 168, 353
134: 14, 61, 113, 153, 402, **514**, 1259
135: **514**, 544, 554, 603, 1069, 1074–1075
136: **514**, 521, 544, 603, 1069, 1074–1075
137: 14, **560**, **562**, **667**, 1153–1154
138: 14, **61**, 113, 153, 177, 980, 1140
139: **58**, **60**, 94, 118, 159, 169, 598, 810, 921
145: 63, 102
151: 102, 997
152: 106, 642
154: 167
155: 168
157: 135, 168
158: 89, 134
161: 145
162: 831
163: 89
164: **228**, 234, 551
164 ff.: 130, 228
167: 238
168: 229
170: 229
172: 229, 241
173: 229
175: 229
177: 130, 230
179: 230, 239
181: 97, **234–237**, 248–250, 741, 761
182: 233
183: 245
184: **231**, 245, 555, 645
185: 105, 142, 547
186 ff.: 824
187: 1007
188: 1007
222: 692
223: 1081
241: 746, 903–904
242: 14, 135, 169, **174**, 186, 1081, 1169
246: 976, 982
251: 631
254: 169
258: 42
262 ff.: 1148
266: 203
267: 679, 844, 1085
268: 1115
271: 167
273: 476, 1081, 1168
274: 1168
275: 631, 698, 839
276: 109, 160
278: 1282
280 ff.: 712
283: 912
284: 196, 200
286: 198–199, 202–203
288: 198, 982
291: 982
305: **14**, 746
306: 698
311: 537, 1008, 1011

(BGB)
313: 9, 67, **90–91**, **93**, **102**, **106**, **109**, **111**, **114**, **116–117**, 119, 121, 136, 140–141, 143, 147, 150, 153, 158, 161–164, 195, **242**, 523, 542, 553, 641–642, 696, 810, 812, 825, 864, 871, 875, 1217, 1266, 1300, 1335, 1364
314: 48
315: 637
317: 637, 872
320: 181, 183, 204, 1081
320 ff.: 9, 181, 1149
323: 183, 841
323 ff.: 712
325: 177, 181, **203**, 631, 712, 839, 953
326: 177, 181, **197**, **199**, **202–203**, 475, 690, 712, 953
327: 181, 201
328: 639
329: 1114
335: 639
346: 178, 181, **201**, 462, 475, 561, 690, 712
346 ff.: 177, **201**
347: 178
362: 1112, 1114
363: 193
364: 1001
366: 1161–1162
367: 574
397: 820
398: 142, 649, 1008
398 ff.: 147, 963, 1093
399: 142, **562**, 1096, 1154, 1181
401: 639, 649, 701
404: 1172
404 ff.: 493
407: 1178
412: 649
413: 562, 963
414: 227
414 ff.: 1011
415: 1048, 1114, 1185, 1337
419: **226–227**, 536, 672, 694
426: 1115
428: 75, **308**, 566, 638, 652, 729, 748, 769, 955, 1046, 1191
433: 145, **167**, **181**, 203, 679, 698, 822, 830, 839, 842
433 ff.: 90
434: **179**, **181**, 753
434 ff.: 9
436: 179
439: 180, 839, 841
440: 9, **181**, 631, 839
443: 180
444: 840, 1273
446: 53, 172, **183**
454: 177, **197**, 201, 690
455: 145, 204, 963
459: 182, 185, 187
459 ff.: 9, 172, **191**
460: 183
462: 181, 184
463: 185, 187, 753
465: 184
466 ff.: 184
468: 185, 857
472 ff.: 184
476: 189
477: 190
497: 875
497 ff.: 873–874
498: 875
500: 43
504: 816, 821
504 ff.: 9, 809–811
505: 15, 811, **825**, 837, 864, 867
506: 835
507: 822
508: 857
509: 842
510: **823–824**, 867
511: 820
513: 829, 867
514: 370, 423, **816**, 820
515: 90
516 ff.: 90
527: 953
541: 509
547 a: 43
564 b: 862
570 b: 6, 9, 17, 809, **862–863**
571: 505, 509, 800, 1343
577: 800
581: 43, 179, 505, 1343
601: 43
607: 1035–1036
609: 984
609 a: 976
613 a: 226
633: 193
633 ff.: 190
634: 193
638: 190, 193
640: 193
641: 193
648: 1104
648 a: 1104
651: 193
662 ff.: 1132, 1249
675: 1249
709: 261
714: 261
723 ff.: 363
738: 67, 140, 464
741 ff.: 769
752: 1230
753: 822, 1230
759: 914, 936
759 ff.: 890

(BGB)
765: 1036
765 ff.: 963
767: 1112
770: **1081**, **1083**, 1124
771: 1083
774: 969, 1038, 1115
780, 781: 883, **996**, 1035, 1058, 1118, 1128, **1182**
812: 59–60, 63, 87, **151**, **153**, **155**, 462, **474–475**, 497, 523, 841, 1014, 1081, 1149, 1169
812 ff.: 178
814: 115, 155
816: 510
817: 156
818: 178, 510, 841, 847
821: 692, 1081
822: 154, 510
823: 11, 544, 785
826: 109
839: 459
853: 692
854 ff.: 9, 16
858 ff.: 780
868: 53
873: 16, 19, **52**, **54–56**, **63**, 65, 67, 69, 71, 81, 123, 126, 143, 158, 298, 300, 305, 328, 337, 345–347, 349, 352, 358, 400, 413, 438, 463, 466, 475–476, 501, 549, 552, 557, 565, 609, 650, 676, 711, 716, 741, 765, 767, 811–812, 824, 842, 896, 898, 1061, 1087, 1090, 1102–1103, 1121, 1157, 1190, 1266, 1274, 1300, 1334–1335, 1362, 1364
873 ff.: 9
874: **73**, **75**, 312, 715, 815–816, 824, 897, 947, 1237, 1310
875: 55, **66**, **81–83**, 298, 345, 349, 413, 508, 549, 552, 676, 691, 727, 730, 749, 770, 820, 899, 1016, 1116, 1125, 1148, 1169, 1341–1342
875 f.: 1367
876: 55, **66**, 305, 345, 691, 718, 727, 1233, 1341, 1367
877: 54, 312, 345, 549, 1022, 1233
878: **81**, 143–144, 327, 337, 408, 508, 524, **548**, **550–553**, **555–557**, 676–677, 683–684, 694, 1193, 1347
879: 64–65, 71, 74, 296, 330, 408, **590**, **593–597**, 602, 605, 661, 669
879 ff.: 573
880: 54, 258, 345, 508, 595, **608–609**, **611–612**, 623, 1317
881: 74, 615, 623
883: 153, 179, 552, 561, 573, 633, **642**, **666–667**, **669**, **673–674**, **678–679**, 683–684, **705–706**, 754, 838, 865, 871, 873, 1019, 1028
883 ff.: 631
884: 670
885: 73, 153, 312, 349, 640, **650**, **655**, **657**, 660, 693, 698
886: 692
888: **678**–679, 705–706, 838, 865, 1019, 1028
889: 588, 1366
890: 19, **30**, **32**, 337, 669, 1223, 1304, 1367
891: 16, 25, 71, 298, 341, 469, **487**, **489**, **492**, **494**, 1065, 1165
891 ff.: 499
892: 16, 25, 60, 298, 318, 327, 337, 369, 408, 438, 461, 469, 479, 485, **493–494**, **498**, **500–501**, **504**, **506**, **508**, **511**, 516, 518, 520, 544, 554, 558–559, 603, 677, 694, **696**, **698**, **700**, **702**, 706, 1093, 1097, 1173
893: 16, 25, 318, 327, 408, 469, 485, 494, **508–509**, 520, 677, **696**, **698**, **700**, **702**, 1065, 1098
894: 60, 140, 166, 309, 362, 443, 459, 461–462, **469–472**, **474–475**, **478**, **480**, **482**, 496, 543, 595, 645, 678, 690, 706, 820, 1052, 1099, 1173
895: 478, 498
898: 470
899: 73, 443, 459, 472, **477–478**, 485, 498, 543, 595, 706, 1099, 1173
900: 68
901: 89
902: 485
903: 5–6, 27, 721
903 ff.: 9, **11**, 722, 1209
905 ff.: 6
906: 11, 722
907: 722
910: 722
912: 44, 573, 606
913: 18, 606, 895
914: 18, 505, **606**, 895, 1304
917: 18, 505, 573, **606**, 895, 1304
925: 62, 67, 70, 105, 113, 121, **123**, **125–126**, **131–132**, **136**, **143**, **148**, 158, 177, 360, 397, 466, 475, 553, 842, 1217, 1266, 1300, 1364
925 ff.: 9
925 a: 116, **136**
926: **48**, 774
927: 66, **69**, 309
928: **66**, **69**, 345, 1342
929: 39, 44, **53**, 290, 352, 1076–1077
929 ff.: 1070
930: **53**, 1054, 1076–1077
931: 53, 1054
932: 493
932 ff.: 48, 1074–1075
935: 493

(BGB)
936: 1069, 1072, 1074–1075
946: 41
954: 779
985: 11, 60, 475, 509
985 ff.: 9, 780
986: 509
987: 178, 847
987 ff.: 846
989: 178
990: 847
994: 847
994 ff.: 476
996: 847
1000: 476
1004: **11**, 474, 722, 726, 780, 1278
1006: 290, 487
1008: 308
1008 ff.: 9, 141, 1209
1010: 310, 1206, 1214
1012 ff.: 1293
1018: 11, 15, 486, **719**, **728**, 753
1018 ff.: 9, 45, 304, **709**
1019: **724**, 727, 729
1020: 722–723
1021: **723**, 730, 895
1024: 712
1025: 464, 727
1026: 727, 730
1027: 726
1028: 727
1030: **776**, 788–789
1030 ff.: 9, 709
1031: 774
1034: 785, 789
1036: 767, **776**, 785–786, 788
1036 ff.: 781
1037: 745, 785, 789
1039: **779**, 785, 788
1041: 745, **781**, **785**, **788–789**, 792
1045: **782**, 789, 792
1047: 745, **783**, 786, 789, 792
1048: 789
1049: 43, 789
1050: 781
1051: 785, 789
1053: 785, 788
1056: 744
1059: 770, 773, **777**, 788
1059 a ff.: 729, 770, 816
1061: 15, 67, 370, 464, 756, **770**, 788
1065: 780
1066: 775
1068: 1274
1068 ff.: 709
1085: 765
1085 ff.: 709
1089: 765
1090: 15, 67, 370, 486, **728–730**, 736, 738
1090 ff.: 9, 709, 731, 1274
1091: 729
1092: 729, 744
1093: 11, 43, 67, 370, 486, **736**, **738**, **743**, **745**, 783, 888
1094: 45, 304, **805**, 814, 816, 819
1094 ff.: 9, 809, 811
1095: 811
1097: 811, **818**, 820
1098: 15, 370, 423, 811, 816, **821**, **823–825**, **829**, 837–838, 842, 864
1100: 844
1101: 844
1105: 45, 304, 370, 742, **879**, 895–**896**, 902–903
1105 ff.: 877, 1315–1316, 1318
1107: 828, 879, **884**, 903–904, 909
1108: 891, **903**–904
1109: 345
1111: 896
1113: 11, 884, 909, **966**, **1034–1036**, **1038**, 1061
1113 ff.: 963–964, 1060, 1120
1114: 308, 412, 439, 775, 1050
1115: 74, 312, 439, 982–983, **1038**, **1043**, 1061, 1146, 1190
1116: 74, 345, 1061, **1063**
1117: 55, 1054, **1061–1062**, **1087**, 1121, 1157, 1192, 1199
1118: 982, **1043**, **1045**, 1146
1120: 41, **1067**, 1077
1120 ff.: 49, **1067**
1121: 1068, **1070–1074**, 1077–1078
1122: **1070**, **1075**, 1077
1123: 1067–1068
1124: 1068
1127 ff.: 1067
1131: 30, 32, 1367
1132: 345, 467, 774, 828, 1042, **1049**, 1233
1136: 560
1137: **1081**, **1083**, 1092–1093, 1096, 1124, 1164, 1170
1138: 702, **1093–1096**, **1101**, 1110, 1113, 1124, 1170, 1188
1141: 1064
1142: 508, 966, **1085**
1143: 1047, **1055**, 1113, 1161
1144: 1062
1145: 1113
1146: 904
1147: 11, 884, **903–904**, 909, 966, 982, **1035–1036**, **1064**, 1111, 1163
1150: 1115
1153: **1037**, 1055, 1086, **1093–1094**, 1115, 1123, 1158, 1171
1154: 55, **1062**, 1087–1088, 1090, 1103, 1148, 1169, 1198
1155: 395, 489, **1065**, 1088, **1097–1098**
1157: 1092–1093, **1096**, 1100, 1132, 1153, 1165, 1170, 1173
1160: 1062, 1065, 1066

(BGB)
1161: 1062, 1065, 1124
1163: 343, 464, 588–589, 1017, 1024, 1037, **1052–1053**, **1057**, 1059, 1061, 1094, 1113–1114, 1121–1122, 1158, 1164, **1189**
1164: 1114, 1124
1168: 345, 1148
1169: 1166, 1169
1173: 1124
1174: 1124
1176: 1053
1177: 343, 464, 588, **1052–1053**, **1055**, 1113–1114, 1122, 1124, 1189
1179: 634, **1015**, 1027, 1030
1179 a: 589, 634, **1015–1017**, **1019–1022**, 1024, 1037, 1052, 1174, **1202**
1179 b: 1015, 1023, 1202
1180: 345, 1028, 1040
1181: 1125
1183: 55, 85, 343, 345, **1116**, 1125, 1148
1184: 210, 332, **1101–1102**, 1110, 1124
1185: 1101
1186: 1028
1188: 345
1190: 1041, **1110**, 1124
1191: 891, 966, 1163
1191 ff.: 964
1192: 32, 55, 74, 85, 308, 828, 966, 1016, **1120**, **1125**, 1132, 1146, 1148, 1163, 1165–1166, 1173, 1190, 1198–1199
1193: 1124
1196: 55, 345, 499, 589, **1026**, **1190**, **1193**, **1202**
1197: 1056, **1197–1198**
1198: 1028
1199: 891, 966
1199 ff.: 964
1200: 828, 966
1201: 891, 971
1204: 963
1205: 963
1273 ff.: 148, 963, 1274
1274: 816
1287: 148–149
1363: 534
1364: 534
1365: 61, 113, 177, 227, 397, 401, 465, 514, **535–537**, **539**, **541**, **544**, 694
1366: 540
1368: 542–543
1371: 535
1372: 535
1415: 1008, 1011
1415 ff.: 652
1416: 9, 67, 309, **464**, 497, 1008
1589: 249, 850
1601 ff.: 958
1626: 245, 247, **256**
1628: 256
1629: 247, 249, **256–257**, 259, 761
1643: 247, 251, 256–257, 356, **553**
1705: 256
1706 ff.: 256
1795: **248–250**, 257, 761
1812: 251, 256
1821: 134, 177, **251**, 257, 356, **553**
1822: 134, **251**, 256
1829: **252**, **254**, 553, 647
1831: 252
1896: 246
1896 ff.: 243
1902: 246
1903: 79, 246
1908 i: 247
1909: 249, 259
1915: 247, 356
1922: **67**, **464**, 497, 814, 867, **1008**, **1011**, 1185, 1244
1923: 666
1939: 710, 813
1967: 1185
1975 ff.: 670
1984: 522
2016: 670
2032: 867
2033: 412, 439, **868**, 963, 1050
2033 ff.: 140
2034: 867
2034 ff.: 806, 809, **866**
2035: 867
2042: 90
2050: 756
2094: 868
2100 ff.: 464, 603
2113: 382, 397, 399, 515, **545–546**, 603
2125: 43
2136: 382, 399, **545**
2147: 710
2174: **640**, 666, 765, 813, 903
2176: 765
2177: 765
2197: 1008
2205: 382, 399
2211: 515, **547**, 558
2264: 314
2274: 129
2276: 129
2286: 666
2287: 666
2288: 666
2289: 666
2325: 756, 758
2361: 368, 482
2366: 369, 494
2367: 494
2371: 867

BNotO
20: 388
21: 379
24: 331, 338, 388

BundesbankG
6: 981
15: 981

DenkmalschutzG
allg.: 6, 182

DRiG
25: 294
26: 460

EGBGB
63: 1297
96: 948, 952
113: 878, 891, 899, **902**
115: 878, 902
117: 878, 902
119: 27, 32
182: 1203
187: 18, 179, 505, 573, **716**, 1304
230: 1352
230 ff.: 1345
231 § 5: 1363, 1365
232 § 4: 1368
233: 1345
233 § 2: 1346, 1365
233 § 2 b: 1364, 1367
233 § 4: 24, 92, 505, **1364**, 1367
233 § 11: 1360
233 §§ 11 ff.: 1356
233 § 12: 1357
234 § 4 a: 1349
235 §§ 1 f.: 1352

EGFGB
allg.: 1352
4: 1350

EGInsO
33: 226, 672

EGZVG
9: 960–962

EheG
13: 129

Einigungsvertrag
21 f.: 1345–1346

ErbbauVO
1: **24**, **1296**, 1302, 1304, **1308**, 1340
2: **1310**, 1326, 1333, 1340, 1344
3: 1340
4: 1340
5: 345, 564, 1306, 1310, **1331–1333**
7: 1331–1332
8: 1331–1332
9: 894, **1315–1317**, 1322, 1326–1328
9 a: 1314
10: 486, 608, **1302**, 1304
11: **24**, 92, 805, 811, **1300**, 1335, 1342
12: **44**, **1296**, 1343
14: 24, **1305–1306**, 1315
25: 1302–1304
26: 345, 1341
27: 1310, 1343
28: 1343
29: 1343
30: 1343
31: 1344
32: 1310, 1340
33: 564, 1332, 1340

ErbStG
10: 764
12: 764
23: 764

EStDV
55: 937

EStG
4 ff.: 935
5: 975
6: 22
7: 22
9: 975
9 a: 937
10: 795, 937, 940, 986
10 e: 793, 1275
12: 944
16: 802
21: 795
22: 937, 940
23: 3
24 a: 937
25: 759, 764
34: 802
52: 793

FGB
13: 1348, 1350

FGG
1: 324
12: 377, 400, **416**, 424, 452, **1283**
16: 406, 1287
18: 1287
20: 431
20 a: 1291
22: 1260, 1287
27 ff.: 1287
29: 1287
33: 417

(FGG)
34: 314
45: 541
199: 457

FlurbG
20: 571
26: 277
49: 89
52: 530
61: 69
69: 786
81: 34

GBBerG
11: 1347

GBO
allg.: 10
1: **291**, 397
2: **20–21**, **29**, 33–34, 303, 425
3: 19, 21, **297–299**
4: 31, **297**, 1223
5: **30**, **32**, 1223
6: 32, 1223
7: 1049
8: 339
9: **304**, 718, 815
10: 312
12: 138, **314–317**
12 c: 295, **316**, 425, **445**
13: 29, 64–65, 295–296, **326**, **328**, 335, 397, **431**, 591, 660, 812, 868, 1061, 1105
14: **332**, 397
15: 397, **431**, 592, 660, 1061
16: 210, 334
17: 64, 143–145, 296, 327, 330, 337, 339, 397, 408, 413, 415, 451, 511, 525, 550, 558–559, **590–591**, 595, 605, 633, 677, 699
18: 15, 326, **404**, **409**, **411–412**, 428, 434, 453, 498, 524–525, 590, 688, 1107
19: 56, 84, 126–127, 216, 255, **339–340**, **345**, **349**, **352**, **357**, 359, 371–372, 397, 400, 440, 459, 466, 469, 471, 480, 653, 678, 713, 741, 765, 813, 1022, 1061, 1088, 1116, 1157, 1275
20: 126, 127, 345, **358–359**, 397, 400, 466, 553, 1300
21: 305, 718
22: 339, **365**, **367**, **371–373**, 397, 441–442, 444, 459, 471–473, 543, 690, 727, 770, 868, 1099, 1113
23: **371**, **373–374**, **376**, 397, 423, 730, 749, 770, 889, 957
24: 376, 770
25: 480, 693
26: 1088
27: 85, 267, **336**, 343, 397, **1116**, 1125
28: 139, 353, 1041
29: 29–30, 56, 62, 84–85, 126–127, 139–140, 166, 216, 233, 239–240, 254–255, **336**, 338, 345, 352, 357, 360, **365–368**, **378**, **382**, 389, 397, 400, 440–442, 444, 459, 466, 469, 471, 480, 540, 553, 592, 653, 691, 713, 741, 765, 812–813, 868, 1022, 1061, 1088, 1090, 1113, 1157, 1190, 1220, 1240, 1267, 1275, 1300, 1335, 1347
30: 29–30, **336**, 343, 397, 592
31: 65, 338
32: 379
34: 379
35: 332, **368**, **378**, 399, 443
38: 310, **357**, 397, 518, 655, 668, 1108
39: 142, 332, **394–395**, 397, 660, 1088, 1347
40: 369, 395, 397, 660
41: 397
44: 295, 403
45: 64, 296, 330, 337, 408, 425, 511, 559, **590–592**, 605
46: 88, 310, 425, 438, **468**, 484, 490, 503, 700, 899
47: 75, **308**, 330, 397, 652, 748, 897, 955
48: 1049, 1233
49: 312, 740, 886, **947**
51: 310, 425, 438, 496, **546**, 602–603
51 ff.: 416
52: 310, 425, 496, **547**
53: 420, 422, **437–439**, **443**, 448, 452, 459, **481–482**, **484**, **486**, 498, 595
54: 17, **300**, 572, 605, 752
55: 331, 403, 1089
56: 295, 1062
57: 1062
60: 1054
71: 316, 407, **427**, **432–433**, **436–438**, **440**, **443**, **445**, **448**, 459, 595
72: 449
73: 447, 450
74: 33, 415
75: 449–450
76: 451, 453
78: 456
79: 457
82: 417
82 a: 417
83: 417
84: 33, 452
84 ff.: **423**, 486, 727
85: 424

(GBO)
87: 424
89: 427
90: 452
105: 426–427
110: 426–427
126: 320–322
126 ff.: 320
128: 320
129: 321
133: 323

GBV
allg.: 10
2: 298
4: 302
5: 302
6: 303
7: 304
9: 306
10: **310**, 815
11: 311
12: **310–311**, 661
13: 29–30, 32
15: **307**, 353, 815
16: 309
17: 310
18: 609
19: 409, 661
23: 425
24: 312–313
28: 425
30: 302
36: 302
43: 315
46: 317
54 ff.: 1306
61 ff.: 320
62: 322
64: 322
66: 322
69: 633
73: 320
75: 321
79: 323

GenG
24: 266
25: 266
26: 379

GewO
34 c: 192

GG
2: 920
13: 1013
14: 4, 6, 17
34: 459
72: 753
74: 753

GGV
allg.: 10

GmbHG
6: 264
11: 134
15: 963
35: 264

GrdstVG
2: 6, 114, **356**, **527**, 629, 768
2 ff.: 17
5: 527
7: 114, 382
8: 527, 629
9: 6, 114, 859
10: 527
11: 527

GrEStG
1: 869
3: 869
16: 122, 844
22: 356, 629

GrStG
9: 300
11: 571
12: 17

GVG
allg.: 291
153: 295

GVO
2: 356, 527, 1383

Haager Übereinkommen v. 5.10.1961
3: 392

HemmnisbeseitigungsG
allg.: 1346

HGB
9: 314, 379
15: 262
25: 226, 1011
49: 267–268
50: 267
105: 140
124: 307
125: 262–263
142: 140
161: 140, 263, 307
170: 263
352: 982

HöfeO
allg.: 6

HöfeVfO
6: 302

HypothekenbankG
11: 973
12: 973

InsO
allg.: 464
21: 80, 310, 339, **520**, 630
23: 310, 339
24: 520
32: 310, 339, 520
36: 773
47: 773
50: 1032
80: 80, 520, 550
81: 80, 520
106: 687
140: 520, 687
222: 1033
223: 1032
226: 1033
228: 1032
238: 1033
244: 1033
254: 69

KO
1: 630, 773
4: 1032
6: 80, 464, **518**, 550, 553, 602, 677
7: 80, 464, 515, **518**, 522, 602
15: 518, 553
17: 684
24: 684–685, 687
30: 677
43: 684, 773
47: 684
47 ff.: 1032
106: 518
113: 310, 339, 464, **518**, 553, 602
114: 339
163: 339
190: 339
193: 686
205: 339

KommunalabgabenG
allg.: 300

KonsularG
12: 125
16 ff.: 389

KontrollratsG
Nr. 45: 1297

KostO
2: 230, 331
8: 397, 405
14: 429
30: 458
38: 137, 208
44: 137, 664, 991
60: 50, 418
62: 956
63: 956
66: 50, 664
67: 375
68: 50, 664
70: 424
71: 1090
74: 317
130: 412, 415
131: 458
146: 50
147: 215
149: 214

KreditwesenG
20: 973

LFGG
17: 292
26: 292
29: 292
31: 292
32: 292

LPG-Gesetz
27: 1362, 1364

LuftRG
allg.: 26
47: 26
99: 26

LVO Höferolle Rh-Pf.
7: 302

MaBV
allg.: 192
3: 192
7: 192

NaturschutzG
allg.: 6

Nießbrauchserlaß
allg.: 793
1: 800
2 f.: 794
3: 800
5: 800
6 ff.: 791
9: 800
11 f.: 800
15: 800
16: 800
20: 799
21: 799
24: 799
32: 791

(Nießbrauchserlaß)
36 f.: 795
38: 795
41: 798
44: 795
48 f.: 795
51: 798
52: 747
52 a: 747

NutzEV
allg.: 1379

PreisangabenVO
4: 978

RAG
25: 1353

RegVBG
allg.: 1355

ReichsG v. 1.5.1878
2: 390

RPflG
allg.: 293
2: 294
3: 293, 397, 446
4: 293, 316, 445
5: 293, 446, 450
9: 294
11: 293, **445**, **447–449**, 458
25: 294
27: 294

RSG
1: 859
4: 859
4 ff.: 859
20: 876

SachenRÄndG
2 § 1: 1317

SachenRBerG
allg.: 1369–1370
5: 1371
9: 1373
14: 1373
15: 1374
19f.: 1375
26: 1376
43: 1375
51: 1375
57: 1374
68: 1375
78: 1366–1367, 1378

SchiffsRegO
allg.: 25

SchiffsRG
allg.: 25

SchornsteinfegerG
25: 300, 571

SchuldRAnpG
allg.: 1369, 1371, 1379
11: 1380
12: 1380
15: 1380
23: 1380
57: 1380

SHG
90: 958

StGB
267: 162

StPO
111 b: 521
111 c: 80, 521
111 f: 521
111 g: 521

TreuhandG
allg.: 1346

UmwG
20: 67, 140, 464
36: 67, 140, 464
176: 67, 140, 464

UStG
9: 1334

VerglO
26: 686
59: 80, 519
61: 80, 519
62: 519
63: 519
82: 686

VermG
allg.: 1345
1: 1381
3: 1382
3 c: 1383
34: 69, 339, 464, **1381**

VZOG
allg.: 1346
1ff.: 1346
3: 1346
8: 1346–1347

WährG
3: **920**, 923, 931, 1312, 1318

WasserverbandsG
55: 278

WEG
1: 23, 30, **1206–1207**, **1211**, 1223
2: 1217
3: 1049, 1213–1214, **1217–1219**, 1222, 1225, 1227, 1234, 1236, 1262
4: 92, **345**, 1217, 1236
5: **1211**, 1213, 1239, 1263
6: 1210, 1239
7: 23, 1225, 1232
8: 23, 345, 1049, 1217, **1220**, **1222**, 1225, 1234, 1236, 1262
10: 1211, **1237–1238**, 1240, 1242–1243, **1260**, 1263
10 ff.: 1278
11: 1210, 1239
12: 397, **563**, 1239, 1244, **1267–1268**
13: 1216, **1244**, 1261
14: 1213, 1242, 1246
15: 735, 1214, 1242, 1258, **1261**, 1281
16: 1216, 1230, **1246**, 1258, 1269
18: 1239
20: 1239, 1247
20 ff.: 1278
21: 1242, **1245**, 1258
22: 1210
23: 1240, 1245, **1253–1254**, **1256**, **1260**, 1281
24: 1250, 1253, 1256
25: 1230, 1242, 1257
26: 1239, 1242, **1248**, **1250**, 1254, 1280
27: 1239, **1251–1252**
28: 1242, 1270
29: 1242, 1255
30: 1208
31: 742, 951, 1274
31 ff.: 1274
32: 1275
33: 1274
41: 1275
43: 1248, 1260, 1267, **1277–1278**, **1282**, **1286**, 1288
43 ff.: 1239, 1253–1254, **1276**, **1281**
44: 1284–1286
45: 1287–1290
46: 1277
47: 1291
48: 1291

WGV
allg.: 10
3: 1232
4: 1233

WoBindG
2: 6, 17, 861, 863
6 ff.: 17, 301

ZGB
allg.: 92, 1345
296: 18, 1368

ZPO
13: 1014
50: 1252
66 ff.: 1282
72 ff.: 1282
81: 1252
93: 657
139: 1107
160 ff.: 90, 128
208 ff.: 406
306: 349
307: 349
323: 882, 906, 936, **939**, 941–942
325: 885, **908**, 995, 1011
415: 378, 387
418: 387
550: 456
688 ff.: 553
692: 553
699: 1002, 1105
700: 1002
704: 905, **991**, **1002**, 1105
706: 344
724: 905, **1003**, **1105**
725: 1003
726: 1005
727: 885, 908, **1008–1009**, **1011**, 1088, 1185, 1337–1339
727 ff.: 1011
730: 1338
732: 1012
733: 1004
734: 1004
749: 1008
750: 544, 1007, 1105, 1109, 1338
764: 1013
766: 772, 1013
767: 999, 1006, **1014**, 1165, 1167, 1173, 1184
769: 1014
771: 680, 1079
792: 332
794: 107, 205, 258, 345, 349, 883, 885, 905–906, 908, 912, **990**, **992**, **994**, **996**, **1002**, 1105, 1111, 1167, 1182, 1201, 1313, 1324, 1338
795: **1003–1005**, 1007–1008, 1011–1012, 1088, 1167, 1185, 1200, 1338
796: 1105
797: **1003–1004**, 1008, 1012, 1014, 1167, 1185, 1338
798: 1007, 1105
800: 32, 74, 258, 349, 885, **908**, **995**, 1011, 1014, 1200, 1324, 1338
838: 80
850: 960

(ZPO)
851: 470, 816
857: 149, 470, 773, 778, 1175, 1274
864: 25
864 ff.: 1244
865: 49
866: 69, 332, 486, **1105**, **1107**
866 ff.: 1105
867: 69, 332, 630, **1105**, **1107**
870 a: 25–26
888 ff.: 1286
894: 63, 70, **130**, 152, 239, **344**, 459, 471, 543, 595, **654**, **660**, 679, 690
894 ff.: 332
895: 344, **659–660**
917: 1109
922: 1109
928: 544
929: 524, 655, 1109
932: 69, 655, 1018, **1109**
935: 153, 478, **516**, 543–544, **550**, **640**, **656**, 706
936: 544, 655
937: 655
938: 152, **516**, **523**, **550**
941: **339**, 544, 655, 693
942: 655
946 ff.: 69
977 ff.: 69
1024: 69
1044 b: 360

ZVG
allg.: 909
9: 1304
10: **569–571**, **581**, 884, 900, 973, 982, 994, 998, 1002, 1038, 1198, 1304, 1326
11: **573**, 575, 581
12: **574**, 581, 584, 900, 910
13: 1198
15: 554
15 ff.: 630
16: 1066
19: 310, **339**, **517**, 554
20: 41, 49, 80, **517**, 554, 602, 677, 998, **1068–1069**, **1071**, **1077**
21: 1067
22: 554, 575, 602, 1193
23: 80, **517**, 550, 554, 576, 602–603, 677, 998, **1069**, **1072–1073**, 1193
27: 575, 683
28: 680
29: 681
30: 681
34: 339
37: **572**, 900, 982, 1079
44: 568, **578**, 580, 584, 771, 1002, 1116, 1125, 1302
44 ff.: 900
45: 572, 1304
45 ff.: 580
46: 900
48: 682
49: 580, **584**, 900
50: 584, 682, **1020**
51: 682
52: **568**, **580**–581, 587, 682, 771, 819, 900–901, 1002, **1020**, 1116, 1125, 1302, 1325–1326
53: 771
55: 49, 1077, **1079**
56: 1270
59: 961
63: 1049
74 a: 583
74 b: 583
81: 497, 582
85 a: 583
90: 49, **69**, 309, 464, 497
91: 89, **568**, **581**, 682, 749, 771, 909, 1002, **1020**, 1116, 1125, 1156, 1302, 1325
92: 89, **573**, 586, 682, 749, 771, 819, 901, 909, 1343
105: 569
109: 578, 587
112: 1049
114: 572
117: **569**, 1066, 1088
121: **586**, 749, 771, 901, 909
125: 1020
126: 1066, 1088
130: 69, 89, 339
130 a: 1020
135: 517
146: 310, **517**, 550, 602, **1069**
146 ff.: 569
148: 1067–1068
155: 569
158: 397
165: 909
171 a ff.: 26
180: 820
180 ff.: 822

Zweite BerechnungsVO
42 ff.: 1231

Sachregister

Verwiesen wird auf Randziffern.

Abgeld 974, 975
Abgeschlossenheitsbescheinigung 1225, 1226
Abmarkung 28
Abnahme beim Bauträgervertrag 193
Abschlußklarheit als Beurkundungszweck 93
Absolute Verfügungsbeschränkung 514
Abstraktheit, Grundschuld 1024, 1128, 1160
Abstraktionsprinzip 57–61
- Dienstbarkeit 712
- Fehleridentität 61
- Geschäftseinheit 58
- Kausalgeschäft 59
- praktische Auswirkung 60
- Savigny 57
- Sittenwidrigkeit 61

Abteilung I des Grundbuchs 306–309
Abteilung II des Grundbuchs 310
Abteilung III des Grundbuchs 311
Abtretung, Eigentümergrundschuld 1198, 1199
- Grundschuld, Beschränkung 1153–1155
- Rückgewähransprüche bei Sicherungsgrundschuld 1025, **1182–1187**
- Übereignungsanspruch 142
- Vormerkung 649
- s. auch Übertragung

Abtretungskette 1063–1066, 1088, 1090, 1103
Abwachsung 67
Abwehrrechte, Nießbrauch 780
- Sicherungsgrundschuld 1163, 1171, 1172

Abzahlungshypothek 984–986
Adäquanzklausel 923
AGB-Gesetz, Bauträgervertrag 193
- Grundschuld, Ablösungsrecht 1162
- – Schuldanerkenntnis 1182–1187
- – Zweckerklärung 1137
- Kreditvertrag 1129, 1130
- Möglichkeit der Kenntnisnahme 1129, 1130
- Prüfungsrecht des GBAmtes 402
- Schuldversprechen, Beweislastumkehr 996–1001
- Verzicht auf Briefvorlage 1064–1066
- Wohnungseigentum, Verkauf durch Bauträger 1266

Aktivvermerk 45, 304, 305
- Grunddienstbarkeit 718
- Vorkaufsrecht 815

Akzessorietät, Hypothek **1037–1042,** 1093–1096, 1120–1125
- keine – der Grundschuld 1128, 1157–1159
- Sicherungshypothek 1101
- Vormerkung 639, 641, 649, 690

Altdienstbarkeit 18, 179, 505, 716
Altenteilsrecht 946–962
- Auslegungsregeln 952, 953
- beschränkte persönliche Dienstbarkeit 950
- Bestandteil 947–951
- Doppelausgebot 961, 962
- Einfluß des Sozialhilferechts 958
- Eintragung 947, 954–956
- – Rücktrittsvorbehalt 959
- geschichtliche Entwicklung 946
- Gestaltungsfragen 954–959
- in der Zwangsversteigerung 960–962
- Inhalt 947–951
- Kosten 956
- landesrechtliche Besonderheiten 952, 953
- Leistungsstörungen 952, 953
- Löschungsklausel 957
- Nießbrauch 950, 951
- Rangvorbehalt 617
- Reallast 886–891, 946–962
- Rücktrittsrecht 952, 953, 959
- Übergabevertrag 740, 886–889
- Vertragsgestaltung 954–959
- Zwangsversteigerung 960–962
- Zweck 949

Altersvorsorge-Vollmacht 243
Altlasten als Sachmangel 182
Altrechtliche Dienstbarkeit 18, 716
- als Rechtsmangel 179
- kein gutgläubig lastenfreier Erwerb 505

Amt zur Regelung offener Vermögensfragen, Ersuchen um Grundbucheintragung 339

Amtslöschung 422–424, 486
– als Beschwerdeziel 439
Amtspflegschaft für nichteheliches Kind 256
Amtspflichtverletzung, Schadensersatz 459
Amtsverfahren im Grundbuchrecht 416–426
Amtsvormerkung, Vormerkung, Unterschied 688
Amtswiderspruch 420, 481–485
– als Beschwerdeziel 437
– kein – bei falschem Rang 595
– Voraussetzungen 482
– Wirkung 485
Andeutungstheorie bei „falsa demonstratio“ 165
Aneignung 66
Anfechtung 171, 172, 197
Angebot, Beurkundung 871
Ankaufsrecht 870–872, 1310
Anliegerbeitrag s. Erschließungsbeitrag; Ausbaubeitrag 745
Annahme, Beurkundung 102–107
Anrechnungsvereinbarung, Grundschuld 1162
Antrag im Grundbuchverfahren 326–339
– Antragseingang 396
– Anwartschaftsrecht 143–150
– Ersuchen einer Behörde 339
– Form 335
– Inhalt 333
– materiellrechtliche Wirkungen 337
– Reihenfolge der Erledigung 337
– Rücknahme 65, 150, 338
– – durch Notar 331, 338
– Verfahrenshandlung 326
– Zurückweisung 412
– Zustimmung 336
– Zwischenverfügung 405
Antragsgrundsatz im Grundbuchverfahren 325
Antragstellung
– Verfügungsbeschränkung nach – 548–556
– – Eigentümergrundschuld 1193
– – Vormerkung 676–677
– Verfügungsbeschränkung vor – 557–559
Anwachsung 67
Anwartschaftsrecht 143–150
– Aufhebung 121, 150
– Dogmatik 143–146
– Pfändung 149
– Übertragung 147
– Verpfändung 148
– Wirkungen 147–150
– Wohnungseigentum 1232
Apostille 392
Arglist, Formnichtigkeit 108
Arglistiges Verschweigen, eines Mangels 187
– Offenbarungspflicht 188
Arrest, Vormerkung 674
Arresthypothek 1109
Aufgabe, Eigentum 66
– dingliches Recht 82–87
Aufgebot, Grundstückseigentümer 66, 69
Aufhebung, beschr. pers. Dienstbarkeit 730
– Beurkundung 121
– Erbbaurecht 1341
– Grunddienstbarkeit 727
– Grundschuld 1148
– Kaufvertrag 117, 121
– – bei Anwartschaftsrecht 150
– – Vorkaufsrecht 835, 836
– Vormerkung 691
– Wohnungsrecht 749
– s. auch Erlöschen
Aufhebungsvormerkung s. Löschungsvormerkung
Auflassung 123–156, 358–361
– Anwartschaftsrecht 144
– Bedingungsfeindlichkeit 131–135
– Begriff 124
– Beurkundung, Urkunde über Verpflichtungsgeschäft 136
– Einbringung eines Grundstücks 141
– Eintragungsbewilligung 361
– Erbteilung 141
– erst nach Kaufpreiszahlung 208
– Form 123–128, 360
– GmbH i.Gr. 134
– gleichzeitige Anwesenheit 129
– keine – bei Erbteilungsübertragung 140
– – bei Gesellschafterwechsel 140
– – bei Umwandlung 140
– Kettenauflassung 142
– Kondizierung 152
– Nachweis im Grundbuchverfahren 359
– ohne Rechtsgrund 151–156
– Rechtsbedingungen zulässig 134
– rechtskräftiges Urteil 130
– Rückauflassung 153
– Teilfläche 138, 139
– Urteil 70
– und Vertrag, getrennte Beurkundung 138
– Verfahren 128
– Vergleich 70

- Verknüpfung mit Kausalgeschäft 136–139
- Vermächtniserfüllung 141
- weitere – durch Auflassungsempfängers 142
- wirksam trotz Schwarzkaufs 163
- zuständig zur Entgegennahme 125

Auflassungsvormerkung s. Eigentumsvormerkung; Vormerkung 633
Aufschrift des Grundbuchs 302
Aufteilungsplan, Wohnungseigentum 1225, 1226
- abweichende Bauausführung 1227–1229

Aufwuchsbeschränkung 731
Ausbaubeitrag 571, 745
- Rangklasse 3 571

Ausfertigung, Urkunde 388
- Vollmacht 226, 239–241
- vollstreckbare – s. Unterwerfung 1003–1006

Ausgleichsbeitrag 786
Ausgleichung von Vorempfängen, Regelung im Übergabevertrag 756
Ausländische Urkunde 389
Ausschluß der Auseinandersetzung, Eintragung in Abt. II 310
Ausübungsrang 789
Ausübungsstelle, Dienstbarkeit 714
Auszahlungssatz, Kredit, 974, 975
Auszug s. Altenteilsrecht 946–962
Baden-Württemberg, GBAmt in – 292
Bargebot 584
Baubeschränkung 715, 731
Bauerwartungsland 223
Baugenehmigung, als zugesicherte Eigenschaft 185
- Fehlen der – als Sachmangel 182

Baugesetzbuch, Genehmigung 27, 528, 529, 768
- Vorkaufsrecht 850–858

Bauland 222, 225
Baulast 750–754
- als Sachmangel 182
- Baulastenverzeichnis 752
- Begriff 750
- Begründung 752
- Berechtigter 751
- Dienstbarkeit 751
- Eigentumsvormerkung 754
- Gewährleistungsansprüche 753
- Grundpfandgläubiger 752
- Inhalt 750
- kein gutgläubig lastenfreier Erwerb 505
- Kritik 753
- Reflexwirkung 751
- Vertragsgestaltung 753
- Wirkung 752
- Zwangsversteigerung 752
- Zweck 750

Baulastenverzeichnis 752
- Grundbuch 753
- Notar 754

Baulichkeit 1368
Baurecht 12
Baureife als zugesicherte Eigenschaft 185
Bauträger, Vormerkung im Konkurs des -s 685
Bauträgervertrag, Abnahme des Bauwerks 193
- AGB-Gesetz 1266
- Form 90
- Sachmängelgewährleistung 190, 192, 193

Bebaubarkeit, Geschäftsgrundlage 176
Bebauungsbeschränkung, Dienstbarkeit 731
Bebauungsplan, Vorkaufsrecht innerhalb – 850, 851
Bedingung 177
Bedingungsfeindlichkeit, Auflassung 131–134
- Eintragungsbewilligung 354
- Erbbaurecht 1302, 1335

Beglaubigung, öffentliche – 383–386
- Abtretung einer Hypothek 1088
- amtliche 385
- Grundbucherklärungen 383

Begründung, Ankaufsrecht 871
- Baulast 752
- Briefhypothek 1061
- Dienstbarkeit 710–716
- dingliches Recht 54
- Eigentümergrundschuld 1190
- Erbbaurecht 1300, 1301
- Grundschuld 1128, 1157–1159
- Hypothek 1061
- Nießbrauch 767–768
- Reallast 896, 897
- Sicherungshypothek 1101–1103
- Vorkaufsrecht 810–815
- Wohnungseigentum 1217–1234
- Wohnungsrecht 739

Behörde, Grundbucheinsicht 315
Beibringungsgrundsatz 377
Beitrittsgebiet, Besonderheiten im Grundstücksrecht, s. Grundstücksrecht, Besonderheiten 1345–1383
- Einschränkung des Gutglaubensschutzes 505

Beitrittsgläubiger, Rangklasse 5, 575
Belastung 54
- als Rechtsmangel 179

Belastungsverbot, Vormerkung 665–667
Belastungsvollmacht im Kaufvertrag 216–220, 1141
Belehrungsfunktion der Beurkundung 93
Belehrungspflicht, öffentlich-rechtliches Vorkaufsrecht 849
Beleihungswert/-grenze, Grundpfandrecht 972, 973
Benutzungsregelung, Eintragung in Abt. II 310
Beratungsfunktion der Beurkundung 93
Berechtigter, Baulast 751
– beschr. pers. Dienstbarkeit 729
– Erbbaurecht 1306
– Gemeinschaftsverhältnis **308**, 652, 729, 748, 769, 1206
– Grunddienstbarkeit 717
– Grundschuld 1157–1159
– Hypothek 1046–1048
– Nießbrauch 769
– Reallast 896, 897
– Vorkaufsrecht 816, 829
– Vormerkung 638, 639
– Wohnungsrecht 748
Berechtigtes Interesse, Grundbucheinsicht 315
Bereicherungsanspruch, Ausschluß 154–156
– Dienstbarkeit 712
– Geschädigter bei gutgläubigem Erwerb 510
– kein – bei falschem Rang 596
– nach Eigentumsumschreibung 153
– rechtsgrundlose Auflassung 151–156
– Sicherungsgrundschuld 1133
– vor Eigentumsumschreibung 152
Befreiung, Verbot des Selbstkontrahierens 236
Bergwerkseigentum 23
Berichtigung s. Grundbuchberichtigung 362–376, 469–486
Berichtigungsanspruch 469–486
– Anspruchskonkurrenz 474
– bei „falsa demonstratio“ 166
– Einwendungen 476
– Inhalt 469
– kein – bei falschem Rang 595
– Klage 459 , 471, 472
– nicht abtretbar oder verpfändbar 470
– vorläufige Sicherung 472
Berichtigungsantrag, Beschwerde gegen Zurückweisung 440–444
Berichtigungsbewilligung 459
Berichtigungsklage 459, 471
– Ehegattenzustimmung 543
– Rechtsschutzbedürfnis 472
Beschlagnahme, nach Grundbuchantrag 550, 553–555
– Rang 575
– Strafprozeßordnung 80, 521, 613
– Zwangsvollstreckung 50, 517, **1068–1079**
Beschränkte Geschäftsfähigkeit 244
Beschränkte persönliche Dienstbarkeit 709, 728–749
– Abbaurecht 731
– Altenteilsrecht 950
– Anwendungsbereiche 731
– Aufhebung 730
– auflösende Bedingung 731
– Aufwuchsbeschränkung 731
– Aussiedlerdienstbarkeit 735
– Ausübungsüberlassung 729
– Baubeschränkung 731
– Bedeutung 731
– Begriff 728–730
– Begründung 710–716
– Benzinbezugsverpflichtung unzulässig 735
– Berechtigter 729
– Berufsverbot 735
– Beteiligungsverhältnis 729
– Betriebsverbot 735
– Bezugsverpflichtung unzulässig 735
– Bodenausbeutungsrecht 731
– Brauereidienstbarkeit 731
– Duldungsdienstbarkeit 728
– Eintragung in Abt. II 310
– Erlöschen 730
– Gemeinschaftsverhältnis 729
– Gesamtberechtigte 729
– Getränkebezugsverpflichtung unzulässig 735
– Gewerbeverbot 732, 735
– Grundstücksteilung 730
– Heizwärmebezugsverpflichtung unzulässig 735
– Inhalt 728–730
– inhaltliche Grenzen 733–735
– kein Ausschluß der Nutzung 733
– Leistungspflicht nicht Hauptinhalt 733
– Leitungsrecht 731, 732
– Löschungsanspruch 731
– Löschungs(erleichterungs)klausel unzulässig 730
– mehrere Berechtigte 729
– Mietverhältnis 731
– nicht übertragbar 729
– nicht vererblich 729
– Nießbrauch 789
– Nutzungsdienstbarkeit 728
– Nutzungsrecht, Mietvertrag 731
– Tankstellendienstbarkeit 731

– Typenzwang 733–735
– Überlassung der Ausübung 729
– Unterlassungsdienstbarkeit 728
– Unübertragbarkeit 729
– Verfügungsfreiheit 733
– Verkaufsbeschränkung 734
– Vertragsgestaltung 733–735
– Vorlöschungsklausel unzulässig 730
– Warenbezugsverpflichtung unzulässig 735
– Wettbewerbsbeschränkung 731, 734
– Wohnungs- und Mitbenutzungsrecht 731
– Wohnungsbesetzungsrecht 731
– Wohnungsrecht s. dort 736–749
– s. auch Dienstbarkeit
Beschränktes dingliches Recht s. dingliches Recht
Beschwerde in Grundbuchsachen 426–460
– Abhilfe 447, 449
– Amtslöschung als Beschwerdeziel 439
– Amtswiderspruch als Beschwerdeziel 437
– Aufhebung einer Zwischenverfügung 455
– Berichtigungsantrag 440–444
– Beschwerdeberechtigung 431
– Beschwerdegericht 452, 457
– Dienstaufsichtsbeschwerde 460
– Durchgriffserinnerung 449
– eingeschränkte – gegen Eintragung 432
– einstweilige Anordnung 453
– Eintragung, eingeschränkte Beschwerde 432
– Entscheidung des Beschwerdegerichts 455
– gegen Zwischenverfügung 407
– Grundbucheinsicht 316
– Kosten 458
– Kostenbeschwerde 429
– keine aufschiebende Wirkung 451
– keine reformatio in peius 455
– keine – bei falschem Rang 595
– Landgericht 452
– Oberlandesgericht 457
– Rang 415
– Statthaftigkeit 427–444
– unbefristet 427
– Verfahren 445–458
– Vorbescheid 430
– Vormerkung 436
– weitere Beschwerde 456
– Zulässigkeit 427–444
– Zwischenverfügung 434
– s. auch Rechtsbehelf; Erinnerung
Beseitigungsanspruch, Grunddienstbarkeit 726
Besitz, Nießbrauch 776
Besonderheiten des Grundstücksrechts in den neuen Bundesländern, s. Grundstücksrecht, Besonderheiten 1345–1383
Bestandsverzeichnis des Grundbuchs 303
Bestandteil 37–45
– einfacher – 38
– wesentlicher – 37–45
– – Gebäude 40, 41
– – Grundstück 39
– – Recht als – 45
– – Wegnahmerecht 42, 43
– Erbbaurecht 1295–1297
– Grunddienstbarkeit 718
– Haftungsverband 1067–1079
– Scheinbestandteil 44
Bestandteilszuschreibung 30, 32
Bestimmbarkeit Reallast 881–883
Bestimmtheitsgrundsatz, Erbbauzinsreallast 1316–1318
– Hypothek 1037, 1041, 1043
– Unterwerfung 992
– Vormerkung 637–638
– Wohnungseigentum 1227–1229
– Wohnungsrecht 737
Beteiligungsverhältnis 308
– beschr. pers. Dienstbarkeit 729
– Nießbrauch 769
– Verwaltungs-/Nutzungsregelung 1206
– Vormerkung 652
– Wohnungseigentum 1235–1260
– Wohnungsrecht 748
Betreuer, genehmigungsbedürftige Rechtsgeschäfte 251
– Selbstkontrahieren 248
– Verfügungsbeschränkung 533
– Vertretungsverbot 249
Betreuung 246
– Vorsorgevollmacht 243
Betroffener, Antragsberechtigter 328
– Bewilligender 340
Beurkundung 90–122, 388
– Abrede über Zubehör 51
– Änderung des Vertrages 117–120
– – nach Auflassung 119–120,
– – vor Auflassung 117–118
– Angebot und Annahme 102–107
– – Auflassung 105, 129
– – Zwangsvollstreckungsunterwerfung 107
– Ankaufsrecht 871
– Anlagen 100

(Beurkundung)
- Aufhebung des Vertrages 117–112, 121, 122
- Auflassung 123–140
- Aufteilung 96
- Ausland 389–393
- Beifügungen 100
- bewußte Unrichtigkeit 162, 163
- bindende Vollmacht 242
- Einigungsmangel 167–170
- Erbbaurecht 1300, 1301
- Erbteilsübertragung 867
- falsa demonstratio non nocet 164–166
- Form 99–101
- Formmangel
-- Arglist 108
-- culpa in contrahendo 160
-- Eigentumsvormerkung 160
-- Ersatz des Vertrauensschadens 160
-- Heilung 111–116, 153, 161, 163
-- – Verhinderung durch Erwerbsverbot 523
-- Nichtigkeit 159, 160
-- – keine – bei falsa demonstratio 164
-- Schadensersatz 109–110
-- Schwarzkauf 162
-- Treu und Glauben 108, 160
-- Wirkung 160
- gemischte Verträge 95
- getrennte – Verpflichtungsgeschäft/Auflassung 138, 139
- Grundpfandrechtsbestellung 987–989
- Grundstücksvertrag 90–122
- Identitätserklärung 139
- Inhalt 99–101
- Kaufvertrag 90–122, 159–178
- Konsulat 389
- Messungskauf 138
- Notar 388
- offener Einigungsmangel 167
- Schadensersatz bei Formnichtigkeit 109–110
- Treu und Glauben 108
- Umfang 94
-- conditio sine qua non 159
- unbewußte Unrichtigkeit 164–166
- und mittelbarer Zwang 98
- Unterwerfung 992
- unvollständige – 159–161
- Veräußerung Erbbaurecht 1335
-- Grundstück 90–116
-- Wohnungseigentum 1266
- Vermessungskauf 138
- versteckter Einigungsmangel 168–170
- Verweisung 101
- Vollmacht 97, 242
- Vorkaufsrecht 810, 812
-- schuldrechtliches – 810, 864
- Wiederkaufsrecht 875
- Zubehör 51
- zusammengesetzte Verträge 95
- Zwecke 93

Beurkundungspflicht 90–98
- falsa demonstratio non nocet 164
-- Andeutungstheorie 165
- Falschbeurkundung 162
- Schwarzkauf 162
- Vollmacht 242
- versehentliche Falschbezeichnung 164

Bevollmächtigter s. Vertretung 228–280
Beweislast, Gutgläubigkeit 500
Beweissicherung als Beurkundungszweck 93
Bewilligung s. Eintragungsbewilligung; Grundbuchverfahren 304–356
Bewilligungsgrundsatz, im Grundbuchverfahren 325
Bezugnahme auf Eintragungsbewilligung **73–76,** 715, 816, 897
BGB-Gesellschaft, Eintragung 308
- Vertretung 261

Bindungswirkung, Einigung 62, 63, 549
Binnenschiffsregister 25
Bodenausbeutungsrecht 731
Bodenleihe, Erbbaurecht 1292
Bodenreformland 1355–1361
- eingetragener Alleineigentümer 1359
- gelöschter Bodenreformsperrvermerk 1358
- Nachzeichnungslösung 1356
- verstorbener Eigentümer 1360
- Zuteilungsfähigkeit 1357

Brauereidienstbarkeit 731
Briefgrundschuld 55
Briefhypothek s. Hypothek 55, 1061–1091
Bruchteilsgemeinschaft im Grundbuch 308
Bruchteilshypothek 1050
Bruttonießbrauch 792
Buchersitzung 68
Buchhypothek s. Hypothek 1063, 1090
Buchungszwang 297
- Ausnahmen 299

Bundesanstalt für vereinigungsbedingte Sonderaufgaben (BvS) 1346, 1347
Bundesland, Vertretung 274
Bundesrepublik Deutschland, Vertretung 273
Bürge 963

Culpa in contrahendo, Einigungsmangel 169
- Haftung 194

Damnum 974, 975
Darlehen s. Kredit 972–986
Dauernde Last 747, 798, 934, 935, **938–945**
- Begriff 938
- Einkommensteuer 940
- Sicherung durch Reallast 942
- Unterwerfung 943
- Veränderlichkeit 939
- Vertragsgestaltung 941

Dauernutzungsrecht 1274, 1275
Dauerpflegschaft, keine – bei Nießbrauchszuwendung 762
Dauerwohnrecht 742, 1204, 1274, 1275
Denkmalschutz, als Sachmangel 182
Dereliktion 66
Dienendes Grundstück, Grunddienstbarkeit 717
Dienstaufsichtsbeschwerde 460
Dienstbarkeit 708–753
- altrechtliche – 716, 1304
-- Rangklasse 4 573
- Arten 709
- Ausübungsrang 567
- Ausübungsstelle 714
- Baulast s. dort 751–754
- Begriff 708
- Begründung 710–716
- Berechtigter 715
- beschr. pers. – s. dort 709, 728–749
- Bezugnahme auf Bewilligung 715
- Duldungspflicht 722, 723, 728
- Eigentümerdienstbarkeit 712
- Eintragung in Abt. II 310, 715
- Energieversorgung 735
- Entgeltlichkeit/Un- 713
- Entstehung 711
- Gewerbeverbot 735
- Grunddienstbarkeit s. dort 709, 717–727
- Grundstücksteil 714
- Inhalt 721–726, 728, 735
- Rang 567
- Rangklasse 4 573
- Reallast, Unterschied 879
- Rechtsmangel 179
- schonende Ausübung 722
- Unterlassungspflicht 721, 728
- Verfügungsfreiheit 733
- Verpflichtung zur Baulastbestellung 751
- Verpflichtungsvertrag 710, 712
- Warenbezug 733–735

Dinglicher Vertrag 56
Dingliches Recht 11–18, **52**
- als Rechtsmangel 179
- Änderung 54
-- außerhalb des Grundbuchs 69, 464
-- durch einseitige Erklärung 66, 82–87
-- durch Gesetz 67
-- durch Hoheitsakt 69
-- ohne Einigung 66, 69, 82–87
- Aufhebung 55, 66, 82–87
- Belastung 54
- beschränkte Zahl 14, 636
- Bestimmtheitsgrundsatz 637–638, 737, 1037, 1041, 1043, 1227–1229, 1316–1318
- Eintragung nach Beschlagnahme, Rangklasse 6 576
- Erkennbarkeit 16
- Erwerb und Verlust 52–89
- Rang 574, 576
- Rangklasse 4 573
- Übertragung 54
- Verlust 82–89

Disagio 974, 975
Diskontsatz 981
Dissens s. Einigungsmangel 169
Doppelausgebot, Altenteilsrecht 961, 962
Doppelermächtigung des Notars bei vormundschaftsgerichtlicher Genehmigung 253–255
Duldungsdienstbarkeit 722, 728
Duldungstitel 994, 1002
Durchgriffserinnerung 449
EDV-Grundbuch 319–323
Effektivzins 978–980
Ehegattenzustimmung 534–544
- Einzelverfügung 537
-- Wertvergleich 538
- Ersetzung durch Vormundschaftsgericht 541
- Erwerbsverbot 544
- einstweilige Verfügung 544
- Form 540
- Gesamtvermögen 536
- Prozeßstandschaft 543
- Sicherung 543
- subjektives Element 539
- Unterlassungsanspruch 544
- Veräußerungsverbot 544
- Widerspruch im Grundbuch 543
- Zeitpunkt der Kenntnis 539
- Zweck 535

Eheliche Vermögensgemeinschaft 1348–1350
- Grundbucheintragung 1348
- gesetzliche Umwandlung in Bruchteilsgemeinschaft 1349

Eigenschaft, zugesicherte – 185
Eigenschaftsirrtum 171
Eigentum 1–7, 90–158
– Anwartschaftsrecht 143–150
– Aufspaltung bei Erbbaurecht 1295–1297
– Erwerb und Verlust 90–156
– s. auch Grundeigentum
Eigentümer, Zustimmung zur Grundpfandrechtslöschung 85, 343, 1116
Eigentümerdienstbarkeit 712
– Nießbrauch 789
Eigentümererbbaurecht 1333
Eigentümergrundschuld 588, 1128, 1189–1202
– Abtretung 1198, 1199
– Bedeutung 1195
– Begründung 1190
– durch Zahlung auf Grundschuld 1160
– Hypothek 1051–1057
– keine Selbstvollstreckung 1057, 1197
– Löschungsanspruch 1016–1018, 1026, 1197
– offene – 1189
– Rangvorbehalt 628
– Schuldversprechen/-anerkenntnis 1201
– Übertragung 1198, 1199
– Unterwerfung 1200, 1201
– Veräußerung des Grundstücks 1057
– verdeckte – 1051–1055, 1189
– – Löschungsanspruch 1026
– Verwertung 1202
Eigentümerhypothek 1051–1057
– keine Selbstvollstreckung 1056
– Veräußerung des Grundstücks 1057
Eigentümerverzeichnis 306
Eigentumsaufgabe 66
Eigentumserwerb, Grundstück 90–156
– Wohnungseigentum 93, 1266–1273
Eigentumsgarantie 4
Eigentumsumschreibung 158, 206
Eigentumsvormerkung 211, 213, **633–707**
– Anwartschaftsrecht 144
– Begriff 633
– Baulast 754
– beim Kaufvertrag 211
– Eintragung in Abt. II 310, 661
– Kosten bei Vorkauf 844
– Löschung bei öffentlich-rechtlichem Vorkaufsrecht 856
– nur bewilligt 212
– Sicherung, von Ankaufsrecht 871
– – von preislimitiertem Vorkaufsrecht 810, 865
– – von rechtsgeschäftlichem Verfügungsverbot 561, 665–667
– – Vermächtnis 665–667
– – von Vorkaufsrecht nach BauGB 852
– – von Wiederkaufsrecht 875
– und Formnichtigkeit 160
– s. auch Vormerkung 629–707
Eigentumswohnung s. Wohnungseigentum 23, 1203–1296
Eigenurkunde des Notars 139
Einbaumöbel als Zubehör oder wesentliche Bestandteile 46
Einbringung eines Grundstücks, Auflassung 141
Einfügung in Gebäude 41
Eingangsvermerk 591
Einigung 56–70
– Bindung 62–63, 549
– dinglicher Vertrag 56
– Formfreiheit und Bindung 62, 63
– Geschäftsunfähigkeit nach – 79
– nach Eintragung, Rang 597
– nachträgliches Verfügungsverbot 80, 81
– Rechtsänderungen ohne – 66–70
– Tod nach – 79
– Urteil 70
– Verfügungsbeschränkung nach – 548–556
– Vergleich 70
– Vormerkung, keine Einigung 650
– Widerruflichkeit 63
– Zwischenverfügung 64
Einigung und Eintragung 52–89
– Abweichung 166, 467
– Deckung 78, 166, 467
– Doppeltatbestand 52
– – Ausnahmen 55
– Rang 598
– Reihenfolge 72
Einigungsmangel 167–170
– culpa in contrahendo 169
– offener 167
– und Irrtum 170
– versteckter 168
Einkommensteuer 3, 22
– Betriebsvermögen, Entnahme 802–804
– Dauernde Last 747, 938–943
– Dauerwohnrecht 1275
– Disagio 975
– Entnahmeproblem bei Vorbehaltsnießbrauch 802–804
– Nießbrauch 760, 769, 783, 787–800
– – Vermächtnisnießbrauch 798
– – Vorbehaltsnießbrauch 795–797, 802–804
– – Zuwendungsnießbrauch 799, 800
– Raten 932–945
– Unterhaltsleistung 944
– Vermächtnisnießbrauch 798

– Versicherungshyothek 986
– Vorbehaltsnießbrauch 795–797
–– Entnahmeproblem 802–804
– Wohnungsrecht 747, 748
– wiederkehrende Leistungen/Bezüge 893, 932–945
– Zuwendungsnießbrauch 799, 800
Einrede des nichterfüllten Vertrages bei Rechtsmangel 181
Einreichungssperre, Kaufvertrag 206
Einsicht s. Grundbucheinsicht 295, 314–318
Einstweilige Verfügung, Erwerbsverbot 523
– Verfügungsverbot 516
– Vormerkung 655–657
–– Erlöschen 693
– Widerspruch 478
–– bei fehlender Ehegattenzustimmung 543
Eintragung 71–77, 303–311, 403
– Abtretungsverbot 1132
– Abweichung von Einigung 166, 467
– Aktivvermerk 45, **304**, **305**, 718, 815
– Altenteilsrecht 947, 954–956, 959
–– Rücktrittsvorbehalt 959
– Bezugnahme auf Bewilligung **73–76**, 715, 816, 897
– Dienstbarkeit 310, 715
– dingliche Unterwerfung 995
– eingeschränkte Beschwerde 432
– Einreden aus Sicherungsvertrag 1132, 1170, 1172
– Eintragungsbewilligung s. dort 340–356
– Erbbaurecht 310, 1302–1305
– Flurbereinigungsverfahren, Verfügungsverbot 530
– Gemeinschaftsordnung, Wohnungseigentum 1237, 1238, 1240, 1241
– Gemeinschaftsverhältnis **308**, 652, 729, 748, 769, 1206
– Grundschuld 311
– Hypothek 311, 1062, 1063, 1090
– im Bestandsverzeichnis 303–305
– in Abt. I 306–309
– in Abt. II 310
– in Abt. III 311
– inhaltlich unzulässige –, Amtslöschung 422, 486
– Konkursvermerk 310
– konstitutive Wirkung 16, 71
– Löschungsvermerk 310
– Nacherbenvermerk 310, 546, 603
– Nießbrauchsrecht 310, 767
– Notwegerente, keine – 18, 606
– ohne Einigung 466
– Pfändungsvermerk 310, 311, 963
– Rang 71, 591
– Rangänderung 609
– Reallast 310, 896, 897
– Rechtsänderung ohne – 67, 69, 464
– Rentenschuld 311
– Richtigkeitsvermutung 71
– Sammelbuchung 828
– Sanierungsvermerk 310, 529
– Sicherungsgrundschuld, keine Eintragung 1132
– Sondernutzungsrecht 1263
– Testamentsvollstreckungsvermerk 310, 547
– Überbaurente, keine – 18, 606
– Umlegungsvermerk 310, 528
– Verfügungsbeschränkung s. dort 512–565
– Verpfändungsvermerk 311, 963
– Verwaltungs-/Nutzungsregelung 310, 1206
– Vorkaufsrecht 310, 815
– Vormerkung 310, 311, 660, 661
– Widerspruch 310, 311, 477
– Wirkung 17, 18, 71
– Zwangsversteigerungsvermerk 310, 603
– Zwangsverwaltungsvermerk 310
Eintragungsbewilligung 340–356
– Altenteilsrecht 954
– Auflassung 361
– Auslegung 353
– bedingungsfeindlich 354
– Berichtigungsbewilligung 86, 363, 469
– Bestimmtheitsgrundsatz 353
– Betroffener 340–343
– Bezeichnung des Berechtigten 353
–– des betroffenen Grundstücks 353
– Bezugnahme 73–76, 715
– Einigung 346, 352
– einstweilige Verfügung 655–657
– Ersuchen einer Behörde 357
– Form 378
– Inhalt 353
– Löschungsbewilligung 84, 86, 663, 1099, 1113
– Rechtsnatur 348–352
– Urteil 344, 654
–– vorläufig vollstreckbares – 659
–– Vormerkung 654
– Verfahrenshandlung 348–352
– Vormerkung 651
– Widerspruch 478
Eintragungsvoraussetzungen, Nachweis s. Grundbuchverfahren
Einwilligungsvorbehalt bei Betreuung 246

Eltern, gesetzliche Vertreter 256–258, 533
– Selbstkontrahieren bei Nießbrauchszuwendung 761, 762
Enteignung 69
Entgeltlichkeit, Dienstbarkeit 713
– Erbbaurecht 1311
– Nießbrauch 791
– Wohnungsrecht 739
Entnahme aus Betriebsvermögen, Vorbehaltsnießbrauch 802–804
Entziehung, Wohnungseigentum 1239
Erbauseinandersetzung, keine – infolge Übergabevertrag 756
Erbbaugrundbuch 24, 302, 1306
Erbbaurecht 24, 1292–1344
– Altdienstbarkeit 1304
– Ankaufsrecht 1310
– Aufgabe 1341
– Aufhebung 1341
– Bauwerk 1298, 1299, 1308, 1309
– Bedeutung 1295–1299
– Bedingungsfeindlichkeit 1302
– Beendigung durch Zeitablauf 1343
– Begründung 1300, 1301
– Belastung 1295–1297, 1305, 1308, 1309, 1332, 1343
– Dauer 1309, 1343
– Eigentümererbbaurecht 1333
– Eintragung 310, 1302–1305
– Entschädigung für Gebäude 1343
– Erbbauzins s. dort 1311–1329
– Erbpacht 1297
– Erlöschen 1310, 1340–1344
– Erneuerung 1344
– Form 92, 1300, 1301
– Geschichte 1292–1294
– Heimfall 1309, 1310, 1340
– Inhalt 1298, 1299, 1308, 1309
– Konfusion 1342
– kein Verzicht 1342
– Lastenverteilung 1310
– Rang 608, 1302–1304
– Übertragung 1335–1339
– Veräußerung 1298, 1299, 1333
– Verfügungsbeschränkung 564, 1331, 1332
– Verlängerung 1344
– Versicherung 1310
– Vertragsgestaltung 1310–1339
– Vertragsstrafe 1310
– Vorkaufsrecht 805, 807, 1333
– – kein – nach Baugesetzbuch 850
– Vorrecht auf Erneuerung 1310, 1344
– Wohnungserbbaurecht 1208
– Wohnzweck, Erbbauzinserhöhung 1314
– Zeitablauf 1343
– Zustimmung zur Veräußerung/Belastung 564, 1310, 1332, 1333
– Zweck 1292–1294, 1298, 1299
– Zweckentfremdung 1340
Erbbaurechtsverordnung 1294
Erbbauzins 1311–1329
– dingliche Sicherung 1315, 1324
– Erbbauzinsreallast s. dort 894, 1315, 1324, 1325
– Erhöhung 1312
– persönlicher Anspruch 1313
– Rangvorbehalt 1328, 1329
– Reallast s. Erbbauzinsreallast 1315, 1324, 1325
– Unterwerfung 1313, 1315, 1324
– Wertsicherung 1312, 1314
– Zwangsversteigerung 1325–1327
Erbbauzinsreallast 894, 1315–1329
– Bestimmtheitsgrundsatz 1316–1318
– früher keine Wertsicherungsklausel 1316
– Rang 1325
– Unterwerfung 1315, 1324
– Vormerkung für Erhöhungsreallast 1316
– Wertsicherung 1316–1324
– s. auch Erbbauzins
Erbengemeinschaft im Grundbuch 308
Erbenhaftung, Vormerkung 670
Erbfolge, Grundbuchberichtigung 368
Erbpacht 1297
Erbschaftsteuer 3
– Vermächtnisnießbrauch 764
Erbschein 368, 369, 378
– Grundbuchberichtigung 368
– gutgläubiger Erwerb 494
Erbteil, Pfändung 963
– Übertragung 867
– Verpfändung 963
– Vorkaufsrecht des Miterben 809, 866–869
Erbteilung, Auflassung 141
– Form 90
Erbvertrag, Grundbuchberichtigung 369
Erfüllung einer Verbindlichkeit, bei Selbstkontrahieren 235
Ergänzungspfleger 249, 259, 260
– kein – bei Schenkung unter Nießbrauchsvorbehalt 757
– Nießbrauchszuwendung 762, 800
Erinnerung 446–448
– Abhilfe 447, 449
– bei eingeschränktem Beschwerderecht 448
– Durchgriffserinnerung 449

– gegen die Art und Weise der Zwangsvollstreckung 1013
– keine aufschiebende Wirkung 451
– Kosten 458
– Nichtabhilfe-Entscheidung 449
– Prüfung durch Grundbuchrichter 449
– s. auch Beschwerde 426–460
Erkennbarkeit der Sachenrechte, 16
Erklärungsirrtum 171
Erlöschen, beschr. pers. Dienstbarkeit 730
– Erbbaurecht 1340–1344
– Grunddienstbarkeit 727
– Grundschuld 1148–1152
– Hypothek 1112–1116
– Nießbrauch 770, 771
– Reallast 899
– Vorkaufsrecht 820
– Vormerkung 690–694
– Wohnungsrecht 749
– s. auch Aufhebung
Erschließungsbeitrag 745
– kein gutgläubig lastenfreier Erwerb 505
– kein offener – als zugesicherte Eigenschaft 185
– öffentliche Last 571
– Rangklasse 3, 571
Ertragsanteil, Leibrente 937
Erwerbsverbot 523–525
– Behandlung durch GBAmt 525
– bei rechtsgrundloser Auflassung 152
– Ehegattenzustimmung 544
– nach Grundbuchantrag 550
– Wirkung 524
– Zweck 523
– Zwischenverfügung bei – 525
Erzeugnisse, Haftungsverband 1067–1079
Fälligkeit, Kredit/Hypothek 984–986
Fälligkeitsmitteilung 213
Falsa demonstratio non nocet, Unrichtigkeit des Grundbuchs 467
Falschbeurkundung 162
Familienangehörige, Wohnungsrecht 744
Fehleridentität 61, 475
– Sittenwidrigkeit 61
Fiduziarisches Rechtsverhältnis, Sicherungsgrundschuld 1132
Finanzamt, Ersuchen um Grundbucheintragung 339
Finanzierungsbestätigung, Eintragung Vormerkung 663
Finanzierungsgrundschuld 216–220, 1141
Finanzierungsvollmacht 218
Flurbereinigungsgebühr 3, 571, 783, 786
Flurbereinigungsgemeinschaft, Vertretung 277
Flurbereinigungsverfahren 34, 89
– Genehmigung 530
– relatives Verfügungsverbot 530
Flurbuch, -karte 20
Forderung, Hypothek 1037–1042
Forderungsfiktion, Hypothek 1094
Form, Ankaufsrecht 871
– Auflassung 105, 129
– Beglaubigung 383–386
– Beurkundung 90–122, 388
– bindende Vollmacht 242
– Einigung 63
– Erbbaurecht 1300, 1301, 1335
– Erbteilsübertragung 867
– Gläubigerlegitimation, Hypothek 1064–1066
– Grundbucherklärung 335, 336, 378
– Grundpfandrechtsbestellung 987–989
– Grundstücksvertrag 90–122
– Hypothek, Abtretung 1063–1066, 1090
– löschungsfähige Quittung 1113
– Unterwerfung unter Zwangsvollstrekkung 992
– Veräußerung, Erbbaurecht 1300
– – Grundstück 90–122
– – Wohnungseigentum 1266
– Verpflichtungsvertrag, Dienstbarkeit 710
– – Erbbaurecht 1300
– – Grundschuld 1129, 1130
– – Nießbrauch 767
— Reallast 898
— Vorkaufsrecht 812
– Vollmacht 238–242
– Vorkaufsrecht 810, 864, 865
– – dingliches – 811, 812
– – schuldrechtliches – 810, 864
– Wiederkaufsrecht 874, 875
– Wohnungseigentum 1217, 1220, 1266
– s. auch Beglaubigung; Beurkundung; Formmangel
Formelles Konsensprinzip, 345–347
– Ausnahme bei Auflassung 127, 359
– – bei Erbbaurechtsbestellung, -übertragung 1300
– Löschung vormerkungswidrigen Rechts 678
Formmangel, Arglist 108
– culpa in contrahendo 160
– Eigentumsvormerkung 160
– Ersatz des Vertrauensschadens 160

(Formmangel)
– Heilung 111–116, 153, 161, 163
– – Verhinderung durch Erwerbsverbot 523
– Nichtigkeit 159, 160
– – keine – bei falsa demonstratio 164
– Schadensersatz 109–110
– Schwarzkauf 162
– Treu und Glauben 108, 160
– Wirkung 160
Freiwillige Gerichtsbarkeit, Grundbuchrecht 324
Fristsetzung mit Ablehnungsdrohung 200
Gebäude, wesentlicher Bestandteil 40
– Baulichkeit 1368
Gebäudeeigentum 24, 1362–1367
– Anerkennung durch Einigungsvertrag 1363
– Aufgabe, Zuschreibung, Vereinigung 1366, 1367
– Beurkundungspflicht 92
– gutgläubiger „Wegerwerb" 1365
– Übertragung, Beleihung 1362
– Voraussetzung der Aufgabe 1367
– s. auch Baulichkeit 1368
Gebäudegrundbuch 1364
Gebäudegrundbuchverfügung 10
Gebühren, Rechtsbehelfsverfahren 458
Gegenstandslose Eintragung, Amtslöschung 423
Gemeindegrundstück, Genehmigung zur Veräußerung 531
Gemeinde, Vertretung 276
Gemeinschaftseigentum s. Wohnungseigentum 1211, 1212, 1216
Gemeinschaftsverhältnis, beschr. pers. Dienstbarkeit 729
– im Grundbuch 308
– Nießbrauch 769
– Verwaltungs-/Nutzungsregelung 1206
– Vormerkung 652
– Wohnungseigentum 1235–1260
– Wohnungsrecht 748
Genehmigung 465, 629
– Aufsichtsbehörde 531, 532
– Baugesetzbuch 528
– behördliche –, Vormerkung 645
– Flurbereinigungsgesetz 530
– Grundstücksverkehrsgesetz 356, 527, 629
– Grundstücksverkehrsordnung 356, 527, **1383**
– kirchenaufsichtliche – 532
– kommunalaufsichtliche – 531
– Nießbrauchsbestellung 768
– öffentlich-rechtliche 526–532
– Rückwirkung 555
– Sanierungsverfahren 529
– Umlegungsverfahren 528
– Vertretung ohne Vertretungsmacht 230–233
– Vorkaufsrecht 821, 835, 842
– Vormerkung 629
– Vormundschaftsgericht 251, 356
– – Doppelermächtigung des Notars 253–255
– – Vormerkung 647
Generalvollmacht 238
Genossenschaft, Vertretung 266
Geringstes Gebot 578–581
– Altenteilsrecht 961, 962
– Erbbauzins-Reallast 1325
– gesetzlicher Löschungsanspruch 1020
– Hypothek 1116
– Reallast 900, 901
– Vormerkung 682, 683
Germanisch-deutsches Recht, Liegenschaftsrecht 284
Gesamtberechtigte gem. § 428 BGB, Altenteilsrecht 955
– beschr. pers. Dienstbarkeit 729
– im Grundbuch 308
– Nießbrauch 769
– Vorkaufsrecht 829
– Vormerkung 652
– Wohnungsrecht 748
Gesamthandsgemeinschaft im Grundbuch 308
Gesamthypothek 1049
Gesamtvertretung 261–267
– unechte – 269
Geschäftsfähigkeit 244
– beschränkte 245
– Betreuung 246
Geschäftsgrundlage, Fehlen oder Wegfall 174–176
Geschäftsunfähigkeit, gutgläubiger Erwerb 504
– nach Einigung 79
– nach Grundbuchantrag 550
Geschichtliche Entwicklung, Altenteilsrecht 946
– Erbbaurecht 1292–1294, 1302
– Grundbuch 281–289
– Grundstückskauf im Jahre 587 v. Chr. 281
– Hypothek/Grundschuld 1117, 1118
– Reallast 878
– Vorkaufsrecht 806
Gesellschaft, Vertretung 261–271
Gesellschaft bürgerlichen Rechts im Grundbuch 308

Gesellschafterwechsel, keine Auflassung 140
Gesetzliche Vertretung, Betreuer 248–255
– Eltern 256–258
– Gesellschaften 261–271
– genehmigungsbedürftige Rechtsgeschäfte 251
– juristische Personen 261–280
– Körperschaften des Privatrechts 261–271
– Nießbrauchszuwendung 761–762, 800
– natürlicher Personen 244–260
– Pfleger 248–255
– Verfügungsbeschränkung 533
– Verweisungstechnik des Gesetzes 247
– Vormund 248–255
– Wegfall nach Grundbuchantrag 551
Gewährleistung, Baulast 753
– Kaufvertrag 179–193
– Rechtsmängel 179–181
– Sachmängel 182–193
– – arglistiges Verschweigen 187
– – bei Besitzübergang 183
– – Beschränkung der Haftung 189
– – Irrtumsanfechtung 191
– – Neubauten 190, 192
– – Offenbarungspflicht 188
Gewerbesteuer 932
Gewerbeverbot, Dienstbarkeit 732
Gläubiger, Antragsrecht im Grundbuchverfahren 328
– Hypothek 1046–1048
– Kostenschuldner 328
– titulierter –, Antragsrecht im Grundbuchverfahren 332
Gläubigerlegitimation, Hypothek 1064–1066
Gleichlaufklausel 923
Gleichrangvermerk 591
GmbH, Vertretung 264
GmbH i.Gr., Auflassung 134
GmbH & Co KG, Vertretung 265
Grabpflege, Reallast 889
Grenzabstand, Baulast 750
Griechenland, antikes –, Liegenschaftsrecht 282
Größe des Grundstücks als zugesicherte Eigenschaft 185
Grundakten 312
Grundbuch 10, 281–319
– Abschrift 317
– Abteilung I 306
– Abteilung II 310
– – Dienstbarkeit 715
– – Eigentumsvormerkung 661
– – Erbbaurecht 1305
– – Erbbauzins-Reallast 1306, 1315
– – Reallast 897
– – Sanierungsvermerk 529
– – Umlegungsvermerk 528
– – Vorkaufsrecht 815
– – Vormerkung 661
– Abteilung III 311
– – Vormerkung 661
– Aktivvermerk 45, 304, 305, 718, 815
– allgemeines Veräußerungsverbot vor Konkurseröffnung 518
– Amtslöschung 422, 439, 486
– Aufschrift 302
– Auszug 317
– Baulastenverzeichnis 753
– Berichtigung s. Grundbuchberichtigung 362–376, 469–486, 1160
– Berichtigungsanspruch s. dort 469
– Beschlagnahme nach StPO 521
– Bestandsverzeichnis 303
– Bestimmtheitsgrundsatz s. dort
– Bezugnahme auf Bewilligung **73–76**, 715, 816, 897
– BGB-Gesellschaft 308
– Bruchteilsgemeinschaft 308
– Buchungszwang 297
– – Ausnahmen 299
– EDV-Grundbuch 319–323
– Eigentümerverzeichnis 306
– Einsicht s. Grundbucheinsicht 295, 314–318
– Eintragung s. dort 71–77, 403
– Einzelkaufmann 307
– Erbbaugrundbuch 24, 302, 1306
– Erbengemeinschaft 308
– fehlerhafte Löschung 55, 468
– Gebäudeeigentum s. dort 24, 1362–1367
– Gebäudegrundbuch 1364
– gegenstandslose Eintragung, Amtslöschung 423
– Gemeinschaftsverhältnis s. dort 308
– Gesamtberechtigte gem. § 428 BGB s. dort 308
– Gesamthandsgemeinschaft 308
– Gesellschaft bürgerlichen Rechts 308
– geschichtliche Entwicklung 281–289
– Grundakten 312
– Grundbuchblatt 297
– Grundbucheinsicht s. dort 295, 314–318
– Grundlage der Eigentümereintragung 309
– Grundstück s. dort 19–51
– Gütergemeinschaft 308
– gutgläubiger Erwerb s. dort 493–511, 695–707

(Grundbuch)
- Handblatt 313
- Handelsgesellschaft 307
- Hofvermerk 302
- Hypothekenbücher 287
- Insolvenzvermerk 520
- juristische Person 307
- Kölner Schreinsbücher 285
- Konkursvermerk 518
- konstitutive Wirkung der Eintragung 16
- Liegenschaftskataster 19–21
- Löschung, fehlerhafte 77, 468
- Löschungs(erleichterungs)klausel s. dort 370–376
- Löschungsvormerkung s. dort 634, 1015–1017, 1027–1030
- Loseblattgrundbuch 298
- Miteigentumsanteile, deren Buchung 298
- Nacherbenvermerk 546, 603
- Nachlaßverwaltung 522
- natürliche Person 307
- nicht rechtsfähiger Verein 308
- Öffentliche Last s. dort 300
- öffentlicher Glaube 487–511, 601
- öffentlich-rechtliche Belastungen 300
- öffentlich-rechtliche Verfügungsbeschränkung s. Verfügungsbeschränkung 300, 512–565
- Personalfolium 21, 297
- Personenmehrheit 308
- Präsentatsbeamter 296
- Prioritätsprinzip 397
- Publizität 318
- Rang s. dort 565–628
- Rangvermerk 591, 598, 609
- Rangvorbehalt, s. dort 615–628
- Realfolium 21, 297
- Rechtsänderung außerhalb des – 67, 69, 464
- Registrator 296
- Richtigkeitsvermutung 487–492
- Sammelbuchung 774
- Sanierungsvermerk 529
- Schreinsbücher 285
- Sicherungsgrundschuld, keine Eintragung 1131, 1132
- Stadtbücher 285
- subjektiv-dingliches Recht 45, 304, 305
- Teile des – 302
- Teileigentumsgrundbuch 302, 1232–1234
- Testamentsvollstreckervermerk 547
- Umlegungsvermerk 528, 753
- Unrichtigkeit s. dort 77, 88, 362, 461–486, 496,
- unzulässige Eintragung, Amtslöschung 422
- Verfahren s. Grundbuchverfahren 324–426
- Verfügungsbeschränkung s. dort 512–565
- Verfügungsverbot s. dort
- Vermerk subjektiv-dinglichen Rechts 45, 304, 305, 718, 815
- Vermutung der Richtigkeit 487–492
- Vertrauensschutz 493
- Verwirrung durch Grundstücksvereinigung 32
- Vorlöschungsklausel s. dort 370–376
- Vormerkung s. dort 629–707
- Widerspruch s. dort 477–485
- Wohnungsgrundbuch s. dort 302, 1232–1234
- Zwangsversteigerungsvermerk 517, 603
- Zwangsverwaltungsvermerk 310
- Zweck 290
- s. auch Grundbuchverfahren

Grundbuchabschrift 317

Grundbuchamt 291
- beschränktes materielles Prüfungsrecht 347, 400, 662
- Grundbuchrichter 293
- Organe 293–296
- Präsentatsbeamter 296
- Rechtspfleger 294
- Registrator 296
- Richter 293
- Urkundsbeamter der Geschäftsstelle 295
- Verhinderung gutgläubigen Erwerbs? 511, 559
- s. auch Grundbuchverfahren 324–426

Grundbuchantrag s. Antrag 326–339

Grundbuchberichtigung 362–376, 469–486, 1160
- Amtslöschung 486
- Anspruchskonkurrenzen 474
- aufgrund Bewilligung 86
- Berichtigungsanspruch s. dort 469–486
- Berichtigungsbewilligung 363, 459, 469
- Berichtigungsklage 459, 471, 472
- Beschwerde gegen Zurückweisung eines Berichtigungsantrages 440–444
- Einwendung gegen Berichtigungsanspruch 476
- Erbfolge 368, 417
- Klage 459
- Löschung der Vormerkung 693, 694
- Löschung des Nacherbenvermerks 546
- Löschungsklausel 370–376

– Nachweis der Unrichtigkeit 365, 459
– – Nacherbenvermerk 546
– nach fehlerhafter Löschung 77
– Rang 595, 598
– Rechtsänderung außerhalb des Grundbuchs 67, 68, 464
– Ursprüngliche Unrichtigkeit, keine Beschwerde 443
Grundbuchberichtigungsanspruch s. Berichtigungsanspruch 468–486
Grundbuchberichtigungszwang 417
Grundbucheinsicht 295, 314–318
– berechtigtes Interesse 315
– Beschwerde des Eigentümers? 316
– Rechtsbehelfe 316
Grundbuchordnung 10, 289
Grundbuchrecht, als Teil der Freiwilligen Gerichtsbarkeit 324
Grundbuchrichter 293
– Änderung der Entscheidung des UdG 445
– Entscheidung über Erinnerung 449
Grundbuchsperre, Konkursvermerk 518
– keine – durch Amtswiderspruch 485
– keine – durch Nacherbenvermerk 546
– keine – durch Vormerkung 668
– keine – durch Widerspruch 479
– Testamentsvollstreckervermerk 547
– Verfügungsbeschränkung 558
Grundbuchsystem 290–296
Grundbuchunrichtigkeit s. Unrichtigkeit des Grundbuchs 362, 461–486
Grundbuchverfahren 324–426
– Ablauf des Verfahrens 396–426
– AGB-Gesetz 402
– Amtslöschung 422–424, 486
– Amtsverfahren 416–426
– Amtsvormerkung 409
– Amtswiderspruch 420, 481
– Antrag s. dort 326–339
– Antragsrecht 328
– – des Notars 329
– – des Vollstreckungsgläubigers 332
– Auflassung s. dort 358–361
– – Eintragungsbewilligung 361
– Beglaubigung 383–386
– Begünstigter als Antragsberechtigter 328
– Beibringungsgrundsatz 377
– Berichtigung s. Grundbuchberichtigung 362–376, 469–486, 1160
– Berichtigungsbewilligung 363, 469
– Berichtigungszwang 417–419
– Bescheinigung einer Behörde 356
– beschränktes materielles Prüfungsrecht 347, 400, 662
– Beschwerde s. dort 426–460
– Betroffener
– – Antragsberechtigter 328
– – Bewilligender 340
– Bezeichnung des Berechtigten 353
– – des betroffenen Grundstücks 353
– Dienstbarkeit 711
– Ehegattenzustimmung nach § 1365 BGB 401
– Eingangsvermerk 396, 591
– Einsicht s. Grundbucheinsicht 295, 314–318
– Eintragung s. dort 71–77, 303–311, 403
– Eintragungsbewilligung s. dort 340–357
– Eintragungsfähigkeit des Rechts 397
– Ersuchen einer Behörde 339, 357
– Erbschein 368, 369, 378
– Erwerbsverbot als Eintragungshindernis 524, 525
– fehlerhafter Antrag 404–415
– Form 377–393
– formelles Konsensprinzip 345–347
– – Ausnahme bei Auflassung 127, 359
– – – bei Erbbaurechtsbestellung, -übertragung 1300
– GBAmt – eingeschränktes Prüfungsrecht 347, 398–402, 662
– Genehmigung einer Behörde 356
– Grundbuchberichtigung s. dort 362–376, 469–486, 1160
– Grundbuchberichtigungszwang 417
– Grundbucheinsicht s. dort 295, 314–318
– Konsensprinzip
– – formelles – 345–347, 678
– – materielles – bei Auflassung 127, 359
– – – bei Erbbaurechtsbestellung, -übertragung 1300
– Kostenvorschuß 397
– Legalitätsprinzip 398–402
– Löschungs(erleichterungs)klausel 370–376, 730, 749, 770
– materielles Prüfungsrecht 400–402
– Nacherbenvermerk 546
– Nachweis, Auflassung 127, 358–361
– – Abgeschlossenheit bei Wohnungseigentum 1225, 1226
– – Einigung bei Erbbaurechtsbestellung, -übertragung 1300
– – Eintragungsvoraussetzungen 377–393
– – Nebenumstand 382
– – Offenkundigkeit 381
– – Unrichtigkeit 365–369
– – Vertretungsberechtigung 379
– – Verwaltereigenschaft bei Wohnungseigentum 1250

(Grundbuchverfahren)
– Nebenumstand 382
– Offenkundigkeit 381
– öffentliche Beglaubigung 383–385
– öffentliche Urkunde 387, 388
– – ausländische – 389–393
– Personenstandsurkunde 378
– Präsentation 296, 396
– Prioritätsgrundsatz 397
– Prüfung durch das GBAmt 347, 397–402, 662
– – AGB-Gesetz 402
– – beschränktes materielles – 347, 400–402, 662, 1300
– – Ehegattenzustimmung 401
– – formelles – 662
– – Prüfungsverfahren 397
– Rechtsmittel s. Beschwerde; Erinnerung 407, 426–460
– Registrator 396
– Rücknahme des Antrages 65, 150, 338
– – durch Notar 331, 338
– Standesamtsurkunde 378
– Testamentsvollstreckervermerk 547
– Unterschriftsbeglaubigung 383
– Urteil statt Eintragungsbewilligung 344
– Verfahrensgrundsätze 325
– Verhinderung gutgläubigen Erwerbs durch GBAmt? 511, 559
– Vertretungsbescheinigung 379
– Vorbescheid unzulässig 430
– Voreintragung 394
– – Ausnahme 419
– Vormerkung s. dort 650, 660–662
– Widerspruch s. dort 477–485
– Zurückweisung eines Antrages 412–415
– – Rechtsmittel 415
– Zuständigkeit des GBAmts 397
– Zustimmung und Antrag 336
– Zwischenverfügung 405–411, 434
– – Amtsvormerkung 409
– – Amtswiderspruch 410
Grundbuchverfügung 10
Grunddienstbarkeit 709, 717–727
– Aktivvermerk 45, 304, 305, **718**
– Arten 719–722
– Begründung 710–716
– Berechtigter 717
– Beseitigungsanspruch 726
– Bestandteil des herrschenden Grundstücks 718
– Duldungsdienstbarkeit 722
– dienendes Grundstück 717
– Eintragung in Abt. II 310, 715, 718
– Erlöschen 727
– herrschendes Grundstück 717
– inhaltliche Grenzen 723–726
– keine Bezugsverpflichtung 723
– Leistungspflicht nur als Nebenverpflichtung 723
– Löschung 727
– Nutzungsdienstbarkeit 720
– subjektiv-dingliches Recht 717, 718
– Teilung des Grundstücks 727
– Typologie 719–722
– Unterhaltungspflicht 723
– Unterlassungsanspruch 726
– Unterlassungsdienstbarkeit 721
– Verfügungsfreiheit 725
– Verjährung 727
– Vorteil für herrschendes Grundstück 724
– s. auch Dienstbarkeit
Grundeigentum 1–7, 90–150
– als Herrschaftsrecht 5–6, 11
– als Vollrecht 11
– Bedeutung 1, 2, 7
– – für Realkredit 2
– Besteuerung 3
– Eigentumsbildung 3
– Herausgabeanspruch 11
– öffentliches Interesse 3
– Schadensersatz bei Verletzung 11
– Sozialpflichtigkeit 4–6
– Streuung 1
– subjektive Wirkungen 11
– Unterlassungsanspruch 11
– Verfügungsfreiheit 4
– Verhältnismäßigkeit 7
Grunderwerbsteuer 3, 1334
– Bildung Wohnungseigentum 1234
– Erbteilung, Erbteilskauf 869
– Schwarzkauf 162
– Unbedenklichkeitsbescheinigung 356, 397, 629, 821, 823, 869, 1234
– Vertragsänderung 120
– Vertragsaufhebung 122
– Vorkaufsrecht 821, 823, 844
– Zubehör 50
Grundpfandrecht 963–1202
– Abtretungsausschluß 562
– Abtretungskette 1063–1066, 1088, 1090, 1103
– Baulast 752
– Bedeutung 2
– Begriff 964
– Begründung 1061, 1093, 1120–1125
– Beleihungswert/-grenze 972, 973
– Beurkundungserleichterung 987–989
– Eintragung in Abt. III 311
– Erbbaurecht 1295–1297, 1305, 1308, 1309, 1332, 1343

- Erlöschen 82–87, 343, 1112–1116, 1148–1152
- Fälligkeit 984–986
- Haftungsverband 1067–1079
- Haftungsverbund 49
- Insolvenzverfahren 1031–1033
- Kredit s. dort 972–986
- Löschung, Zustimmung des Eigentümers 85, 343, 1116
- Nebenleistungen 982, 983
- Rang 967
- Tilgung 984–986
- Unterwerfung s. dort 990–1014
- Verwertungsrecht 966, 967
- Volumen 2
- wirtschaftliche Bedeutung 2, 1174
- Wohnungseigentum, Aufteilung 1232–1234
- Zinssatz 976–980
- Zustimmung des Eigentümers zur Löschung 85, 343, 1116
- s. auch Hypothek, Grundschuld; Rentenschuld; Sicherungsgrundschuld

Grundschuld 1117–1202
- Ablösung 1160
- Abstraktheit 1024, 1128, 1160
- Abtretungsausschluß 562
- Anrechnungsvereinbarung 1162
- Aufhebung 1148
- Begründung 1157–1159
- Belastungsvollmacht 216–220, 1141
- Briefgrundschuld 55
- Eigentümergrundschuld s. dort 1128, 1189–1202
- Eintragung in Abt. III 311
- Eintragungsantrag des Gläubigers 328
- Fälligkeit 1160
- Finanzierungsgrundschuld 216–220, 1141
- Grundschuldverhältnis 1157–1165
- Hypothek, Unterschied 1120–1125
- keine Akzessorietät 1157–1159
- keine Mitlaufkoppelung 1123, 1171, 1172
- Konditionen 1142–1147
- Löschungsanspruch, beschränkte Wirkung 1024–1026, 1175–1181
- Rangklasse 4, 573
- Risiken 1188
- Rückgewähr 1148–1152
- Schuldversprechen/-anerkenntnis 1182–1187
- Sicherungsgrundschuld s. dort 1128–1188
- Stundung 1165
- Unterwerfung s. dort 990–1014, 1182–1187
- Verzicht 1148
- Verzinsung 1145, 1147
- Vollstreckungsabwehrklage 1014, 1167
- vorgezogene – 216–220, 1141
- Vorzüge 1188
- Zahlung auf – 1160
- Zinsen 1145, 1147
- s. auch Grundpfandrecht, Hypothek; Sicherungsgrundschuld

Grundschuldverhältnis 1157–1163, 1165

Grundsteuer 17, 1273, 1304
- kein gutgläubig lastenfreier Erwerb 505
- Nießbrauch 783
- öffentliche Last 17, 179, 300, 505, 605
- Rangklasse 3 571
- Wohnungsrecht 745
- Zwangsversteigerung 571, 579

Grundstück 19–51
- Abmarkung 28
- Aneignung 66
- Aufgabe des Eigentums 66
- Aufgebot zum Ausschluß des Eigentümers 66
- Auflassung 123–156
- Bauland, Bauerwartungsland 222–225
- Begriff 19
- Besitzübergabe 53
- Bestandteil s. dort 37–45
- Bestandteilszuschreibung 30, 32
- Beurkundung Grundstücksvertrag 90–122, 159–170
- Beurkundungspflicht 92
- Bezeichnung in Eintragungsbewilligung 353
- Buchersitzung 68
- Dereliktion 66
- Eigentum s. Grundeigentum 1–7, 90–150
- Eigentumserwerb 90–227
- Flurbereinigung 34
- grundstücksgleiche Rechte 23
- im Rechtssinne 21
- katastermäßige Teilung 28
- Rechte – Erwerb und Verlust 52–89
- Rechtsänderungen
  - – durch Hoheitsakt 69
  - – kraft Gesetzes 67
  - – ohne Einigung 66–70
- Rohbauland 224
- Scheinbestandteile 37, 44
- Steuerrecht 22
- Teilung 27–29
  - – Grunddienstbarkeit 727
- Teilungsgenehmigung 27
- Übereignungsverpflichtung 90–122

(Grundstück)
- Umlegung 33
- Veränderung 27
- Veräußerung 90–227
- Vereinigung 30
- Verschmelzung 36
- Vorvertrag 91
- wesentlicher Bestandteil 37–45
-- Rechte 45
-- Wegnahmerecht 42–43
- Zerlegung 35
- Zubehör 37, 46–51
-- Haftung 49
-- Veräußerung 48, 51
- Zuschreibung als Bestandteil 30, 32

Grundstücksgleiches Recht 23

Grundstückskauf s. Kaufvertrag 157–227

Grundstücksrecht, formelles - 10
- materielles - 8
- Typisierung 13

Grundstücksrecht, Besonderheiten in den neuen Bundesländern 1345–1383
- Abgrenzung Sachenrechtsbereinigung/Schuldrechtsanpassung 1369, 1370
- Angleichung 1345
- Anpassungs- und Übergangsrecht 1345
- Auseinanderfallen von Grundbucheintrag und materieller Rechtslage 1350
- Baulichkeit 1368
- Bodenreformland 1355–1361
-- eingetragener Alleineigentümer 1359
-- gelöschter Bodenreformsperrvermerk 1358
-- Nachzeichnungslösung 1356
-- verstorbener Eigentümer 1360
-- Zuteilungsfähigkeit 1357
- eheliche Vermögensgemeinschaft 1348–1350
-- gesetzliche Umwandlung in Bruchteilsgemeinschaft 1349
-- Grundbucheintrag 1348
- Gebäudeeigentum 1362–1367
-- Anerkennung durch Einigungsvertrag 1363
-- Aufgabe, Zuschreibung, Vereinigung 1366, 1367
-- gutgläubiger „Wegerwerb“ 1365
-- Übertragung, Beleihung 1362
-- Voraussetzung der Aufgabe 1367
-- s. auch Baulichkeit 1368
- Gründe der Besonderheiten 1345
- Grundbucheintrag
-- Alleineigentum 1350
-- eheliche Vermögensgemeinschaft 1348
- gutgläubiger Erwerb eingeschränkt 505, 1365
- Nachlaßspaltung 1351–1354
- Nachzeichnungslösung 1356, 1370
- offene Vermögensfragen, Rückübertragungsansprüche 1381–1383
- politisch motiviertes Sonderrecht 1345
- Rückübertragungsanspruch 1381–1383
-- Abtretung 1381, 1382
-- Genehmigung nach der Grundstücksverkehrsordnung 1383
-- notarielle Beurkundung 1382
-- offene Vermögensfragen 1381–1383
-- „Rückgabe vor Entschädigung“ 1381
- Sachenrechtsbereinigung 1372–1378
-- Ankaufsrecht oder Erbbaurecht 1374
-- Berechtigter und Verpflichteter 1373
-- erfaßte Fläche 1376
-- Grundaufgabe 1372
-- keine isolierte Verfügung 1378
-- Kontrahierungszwang 1377
-- regelmäßiger Kaufpreis/Erbbauzins 1375
-- Schuldrechtsanpassung, Abgrenzung 1369, 1370
- Schuldrechtsanpassung 1379, 1380
- selbständiges Gebäudeeigentum s. hier Gebäudeeigentum 1362–1367
- Volkseigentum
-- BvS 1346
-- Hemmnisbeseitigungsgesetz 1346
-- Vermögenszuordnungsgesetz 1346
-- vorläufige Verfügungsbefugnis 1347
- Volkseigentum 1346, 1347

Grundstücksrechte, Änderungen ohne Einigung 66–70
- Aufgabe 82–87
- Aufhebung 66
- Einigung und Eintragung 52–89
-- Reihenfolge 72
- Eintragung 71–77,
- Erkennbarkeit 16
-- Einschränkung 17–18
- Erlöschensgründe 89
- Erwerb und Verlust 52–89
- Herrschaftsrechte 11
- Löschung 82–89
-- fehlerhafte -und Wiedereintragung 77
- Verlust 82–89

Grundstücksverkehrsgesetz 6, 527, 629

Grundstücksverkehrsordnung 356, 527, 1383

Grundstücksvertrag s. Beurkundung 90–117

Grundvermögen s. Grundeigentum 1–7, 11

Gültigkeitsgewähr als Beurkundungszweck 93
Gütergemeinschaft 67, 308
Güterstand, gesetzlicher –, Ehegattenzustimmung 534
– s. auch Gütergemeinschaft, eheliche Vermögensgemeinschaft
Gute Sitten, keine Kondiktion bei Verstoß gegen – 156
Gutgläubig lastenfreier Erwerb 503–505
– durch Eigentumsvormerkung 700, 704
– kein – bei altrechtlicher Dienstbarkeit, Notwegerente, Überbau- 505
– kein – bei öffentlicher Last 505
Gutgläubiger Erwerb 16, 71, 493–511, 695–707
– allgemeines Veräußerungsverbot, Konkurs 518
– – Vergleichsverfahren 519
– altrechtliche Dienstbarkeit 716
– Baulast 752
– Beitrittsgebiet 505, 1365
– Bereicherungsanspruch 510
– Beschlagnahme in Zwangsversteigerung 517
– Beweislast 500
– Einschränkung im Beitrittsgebiet 505
– Erbschein 494
– Ersatzanspruch des Geschädigten 510
– Erwerbsverbot 523
– Geschäftsunfähigkeit 504
– Grenzen 505
– gerichtliches Verfügungsverbot 516
– guter Glaube 500
– gutgläubig lastenfreier Erwerb s. dort 503–505, 700, 704
– Hypothek 1093–1100
– Insolvenzvermerk 520
– Konkursvermerk 518
– kein Identitätsschutz 507
– kein Widerspruch 479, 498
– Nacherbschaft 546
– öffentlich-rechtliche Belastung 505
– Rang 601
– Rechtsgeschäft 497
– relatives Verfügungsverbot 506
– Sicherungsgrundschuld 1173
– Testamentsvollstreckervermerk 547
– Verfügungsbeschränkung 305, 504, 515, 557–559, 603, 604
– Verfügungsverbot in Flurbereinigung 530
– Verhinderung durch das GBAmt? 511, 559
– – durch Erwerbsverbot 544
– – durch Widerspruch 481, 485
– Verkehrsgeschäft 499
– Vertrauensschutz 493–495
– Voraussetzungen 496
– Vormerkung 671, 677, 695–707
– – Ersterwerb 696–700
– – Lastenfreiheit 700, 704
– – Zweiterwerb 701–704
– Widerspruch verhindert – 689
– Wirkungen 503–509
– Zeitpunkt der Gutgläubigkeit 501
– – bei Vormerkung 502
Gutglaubensschutz 493–511
– Leistung an Buchberechtigten 508
– gegen Verfügungsbeschränkungen 557–559
– nicht bei schuldrechtlichen Verträgen 509
– Rechtsgeschäft mit Buchberechtigtem 508
Haftung bei Vermögensübernahme 227, 672
Haftungsverband der Grundpfandrechte 1067–1079
– Zubehör 49
Handblatt 313
Handelsgesellschaft im Grundbuch 307
Handelsregister, Auszug, Zeugnis 379
Hausordnung, Wohnungseigentum 1242
Heilung der Formnichtigkeit 111–116
– keine Rückwirkung 116
– keine – durch Vollzug bei fehlender Ehegattenzustimmung 542
Heimfall, Erbbaurecht 1310, 1340
Heizölvorrat, Zubehör 47
Herausgabeanspruch 11
Herrschendes Grundstück, Aktivvermerk 45, 304, 305
– Erbbauzins-Reallast 1315
– Grunddienstbarkeit 717, 718
– Reallast 896
– Vorkaufsrecht 814–816
Herrschervermerk s. Aktivvermerk 45, 304, 305, 718, 815
Höchstbetragshypothek 1110, 1111
Hochspannungsleitungsrecht 715
Hofübergabe, Vorbehaltsnießbrauch 756
Hofvermerk 302
Hypothek 1034–1116
– abstrahierte – 1058, 1059
– Ablösungsrecht 1115
– Abtretung 1086–1089, 1091
– Abtretungsausschluß 562
– Abzahlungshypothek 984–986
– Akzessorietät 1037–1042, 1093–1096, 1120–1125
– Arresthypothek 69, 1109
– Aufgabe 1113–1116

(Hypothek)
– Bauhandwerkerhypothek 1104
– Begründung 1061
– Beschlagnahme 1068–1079
– Bestandteile, Haftungsverband 1067–1079
– Bestimmtheit 1039, 1041, 1043
– Briefhypothek 55, 1061–1091
– – Abtretung 1086–1089, 1091
– – Abtretungskette 1063–1066, 1088, 1090, 1101–1103
– – Begründung 1061
– – gutgläubiger Erwerb 1093–1100
– Bruchteilshypothek 1050
– Buchhypothek 1063, 1090
– Eigentümergrundschuld 1051–1057
– Eigentümerhypothek 1051–1057
– Eintragung 311, 1062, 1063
– Einwendung/Einrede aus Hypothekenverhältnis 1084, 1097, 1099
– – aus Schuldverhältnis 1081–1083, 1094–1100
– Enthaftung 1070–1079
– Erlöschen 1113–1116
– Erzeugnisse, Haftungsverband 1067–1079
– Fälligkeit 984–986
– Festhypothek 986
– Forderungsfiktion 1094
– Forderung, Zins und Nebenleistung 1043–1045
– Gesamthypothek 1049
– Gläubiger 1046–1048
– Gläubigerlegitimation 1064–1066
– Grundschuld, Unterschied 1120–1125
– gutgläubiger Erwerb 1093–1100
– Haftungsverband 49, 1067–1079
– Höchstbetragshypothek 1110, 1111
– Hypothekenbrief 1062
– Hypothekenverhältnis 1084, 1097, 1099
– Kosten 1045
– Kündigungshypothek 984–986
– Lebensversicherungshypothek 986
– Löschung 1116
– Löschungsbewilligung 1099, 1113
– löschungsfähige Quittung 1099, 1113
– Mindestbetrag Zwangshypothek 1107
– Mitlaufkoppelung 1037, 1123
– Nebenleistung 1043–1045
– Pfandrechtscharakter 1034–1036, 1058, 1059
– Pfandreife 1064–1066
– Rangklasse 4 573
– Schuld und Haftung 1034–1036
– Schuldner 1046–1048
– Schuldverhältnis 1081–1083, 1093–1100
– Schuldversprechen/-anerkenntnis 1058, 1059
– Sicherungshypothek 1064–1066, 1101–1103
– Steuerhypothek 1108
– Tilgung 984, 985, 1113–1116
– Übergang 1113–1116
– Übertragung 1086–1089, 1091
– Valutierung 1051–1054
– Verdrängung durch Grundschuld 1118
– Verkehrshypothek 1060–1100
– – Abtretung 1086–1089, 1091
– – Begriff 1060
– – Briefhypothek 1061, 1062, 1086–1091
– – Buchhypothek 1063, 1090
– – gutgläubiger Erwerb 1093–1100
– Versicherungshypothek 986
– Vertragsgestaltung 1058, 1059
– Verwertungsrecht 1034–1036
– Verwirklichung der Haftung 1064–1079
– Zins 1043–1045
– Zubehör, Haftungsverband 49, 1067–1079
– Zuschlag, Erlöschen 1113–1116
– Zustimmung des Eigentümers zur Löschung 85, 343, 1116
– Zwangshypothek 1105–1107
– Zwangsvollstreckung 1064–1111
– – Ablösungsrecht 1085
– – Abwehrrecht 1081–1085
– – – aus Hypothekenverhältnis 1084
– – – aus Schuldverhältnis 1081–1083, 1095–1099
– – Beschlagnahme 1068–1079
– – Haftungsverband 1067–1079
– s. auch Grundpfandrecht
Hypothekenbrief 1062
Hypothekenbuch 287
Identitätserklärung 139
Identitätsschutz 507
Immobiliarklausel, Prokura 268
Immobiliarsachenrecht 8
Informationelle Selbstbestimmung, Grundbucheinsicht 315, 316
Inhaltsirrtum 171
Inhaltsklarheit als Beurkundungszweck 93
Insichgeschäft des Vertreters 234–237
Insolvenzgericht, Ersuchen um Grundbucheintragung 339

Insolvenzverfahren, allgemeines Verfügungsverbot als Verfügungsbeschränkung 520
– Eröffnung des – als Verfügungsbeschränkung 520
– – nach Grundbuchantrag 550
– Nießbrauch 773
– Vormerkung 674, 687
Institutskredit 1117
Interessenlage beim Kaufvertrag 663
Inventar 46–51
Irrtum, beiderseitiger – 173
– einseitiger – 171–172
– und Einigungsmangel 170
Irrtumsanfechtung und Sachmängelgewährleistung 191
Juristische Person im Grundbuch 307
Kapitalwert, Rente 913
Katasteramt 20
Kaufmann, Eintragung 307
Kaufpreis, Zubehör 50
Kaufpreisfinanzierung, vorgezogene Grundschuld 216–220, 1141
Kaufpreisrente 913
– Einkommensteuer 932–945
Kaufvertrag über Grundeigentum 157–227
– Ablösungstreuhand 214
– Anfechtung 171, 172, 197
– arglistig verschwiegener Mangel 187, 188
– Auflassung 123–150
– – erst nach Zahlung 208
– Bauland 176
– Bedingung 177
– beiderseitige Treuhandabwicklung 221
– Belastungsvollmacht 216–220
– Besitzübergang 209
– Beurkundung 90–122, 159–170
– – Zubehör 51
– culpa in contrahendo s. dort 194
– Eigentumsvormerkung 211
– – nur bewilligt 212
– Einreichungssperre 206
– Erbbaurecht 1300
– Fälligkeitsmitteilung 213
– Form 90–116
– Geschäftsgegenstand 174–176
– Gewährleistung 179–193
– – für Rechtsmängel s. dort 179–181
– – für Sachmängel s. dort 182–193
– Haftung aus Vermögensübernahme 226
– Hinterlegung des Kaufpreises 207, 211
– im Jahre 587 v. Chr. 281
– Interessenausgleich 204
– Kaufpreisfinanzierung 216–220
– Kaufpreishinterlegung 207, 211
– Kausalgeschäft 158
– Lastenfreistellung 214
– Mängel des Vertrages 159–178
– Notaranderkonto 207, 211
– Rechtsmangel 179–181
– Restkaufpreishypothek 210
– Rücktritt 177, 197
– Sachmangel s. dort 182–193
– Schadensersatz wegen Nichterfüllung 185–188, 201, 202
– Scheitern 177
– Sicherung des Käufers 211–213, 663, 664
– – des Verkäufers 204–210, 663
– Teilfläche 629
– Treuhandabwicklung 214
– – ohne Notaranderkonto 215
– Treuhandkonto 207, 211
– und Eigentumsumschreibung 158
– und Verfügungsgeschäft 158
– Unterwerfung 205
– unvollständige Beurkundung 159–161
– Verschulden bei Vertragsverhandlung 169, 194
– Vertragsgestaltung 204–227, 663–667
– Verzicht auf Sicherungen 212
– Verzug 196–203
– Vollstreckungsunterwerfung 205
– vorgezogene Grundschuld 216–220
– Vorlagesperre 206
– Vorleistungsrisiko 204
– Zahlungsüberwachung 206
– Zahlungsverzug 196–203
– Zubehör 50, 51
– zugesicherte Eigenschaft 185, 186
Kausalgeschäft s. Verpflichtungsgeschäft
Kettenauflassung 142
Kinder, Schenkung unter Nießbrauchsvorbehalt 757
– Vertretung durch Eltern 256–258
– Zuwendungsnießbrauch 761–762, 800
Kirchenaufsichtsbehörde, Genehmigung 532
Kirchengemeinde, Vertretung 279, 280
Klausel s. Vollstreckungsklausel 907, 1000–1012
Klauselerinnerung 1012
Kölner Schreinsbücher 285
Kommanditgesellschaft, Vertretung 263
Kommunalaufsicht, Genehmigung 531
Konkurs, allgemeines Veräußerungsverbot als Verfügungsbeschränkung 518
– Eröffnung nach Grundbuchantrag 550, 553, 677
– – vor Grundbuchantrag 677
– – als Verfügungsbeschränkung 518

(Konkurs)
– Nießbrauch 773
– Vormerkung 674, 684
Konkursgericht, Ersuchen um Grundbucheintragung 339
Konkursvermerk, Eintragung in Abt. II 310
Konsensprinzip
– formelles – 345–347
– – Löschung vormerkungswidrigen Rechts 678
– materielles – bei Auflassung 127, 359
– – bei Erbbaurechtsbestellung, -übertragung 1300
Konstitutive Wirkung, Grundbucheintragung 16
Körperschaft des öffentlichen Rechts, Vertretung 272–280
– **des Privatrechts**, Vertretung 261–271
Kosten
– Altenteilsrecht 956
– Rechtsbehelfsverfahren 458
– Unterwerfung 990, 991
– Vormerkung 664
Kostenbeschwerde 429
Kredit 972–986
– an Nichtbanken 2
– Auszahlungssatz 974, 975
– Beleihungswert/-grenze 972, 973
– Disagio 974, 975
– Erlöschen bei Zahlung auf Grundschuld 1161
– Fälligkeit 984–986
– Kündigung 984–986
– Nebenleistungen 982, 983
– Privat-/Instituts- 1117
– Sicherung 963–1033, 1034–1036, 1129, 1130
– Tilgung 985, 1129, 1130
– Unterwerfung s. dort 990–1014
– Zinssatz 976–983, 1129, 1130
Kreditsicherung durch Grundpfandrechte 963–1033
Kündigung, Kredit/Hypothek 984–986
Landesbauordnung, Baulast 750
Landkreise, Vertretung 275
Landwirtschaftsbehörde, Genehmigung 527
Lasten s. öffentliche Last; dingliches Recht
Lebenserwartung 914
Lebenshaltungsindex 924–927, 1312
Legalisation 389–390
Legalitätsprinzip 398–402
Leibgedinge s. Altenteilsrecht 946–962
Leibrente, Begriff 936, 937
– Berechnung 914
– Einkommensteuer 932–945
– Ertragsanteil 937
– Reallast 890, 891
– Rente 915, 936, 937
Leibzucht s. Altenteilsrecht 946–962
Leistungspflicht, nicht Inhalt einer Dienstbarkeit 723, 733
– Wohnungsrecht 746
Leistungsvorbehaltsklausel 928
Leitungsrecht, Dienstbarkeit 720, 731, 732
Liegenschaftsbuch, -karte 20
Liegenschaftskataster und Grundbuch 19–21
Litlohnanspruch 570
Löschung 310, 311
– Eigentümerzustimmung bei Grundpfandrecht 85, 343, 1116
– fehlerhafte 468
– – und Wiedereintragung 77
– gegenstandslose Eintragung 423, 486, 727
– Grundpfandrecht, Zustimmung des Eigentümers 85, 343, 1116
– Rötung 310
– unzulässige Eintragung 422, 486
– Vormerkung nach Erfüllung 694
– Widerspruch gegen – 484
– Widerspruch 480
Löschungsanspruch, gesetzlicher – 589, 1015–1026
– Ausschluß 1022
– am eigenen Recht 1023
– Eigentümergrundschuld 1016–1018, 1197
– – verdeckte – 1026
– gegen früheren Eigentümer 1021
– Grundgedanke 1015
– Grundschuld 1174
– – beschränkte Wirkung 1024–1026
– Inhalt 1015–1017
– Löschungsvormerkung für – nach Zwangsversteigerung 1020
– Rangrücktritt 1017
– Rangverbesserung 1018
– Splitterrechte 1021
– Vormerkungswirkung 1019
– Wirkung in der Zwangsversteigerung 1020
– Zwangshypothek 1018
Löschungsbewilligung 84, 364, 370–376, 1099, 1113
– als Berichtigungsbewilligung 86
– auf Lebenszeit bestelltes Recht 370–376
– Schubladenbewilligung für EV 663
– zu treuen Händen 214

Löschungs(erleichterungs)klausel 370–376
- Altenteilsrecht 957
- keine – bei beschr. pers. Dienstbarkeit 730
- keine – bei Vorkaufsrecht 370
- keine – bei Wohnungsrecht 749
- Nießbrauch 770
- Reallast 370, 889

Löschungsfähige Quittung, Hypothek 1023, 1099, 1113
Löschungsvormerkung 634, 1015–1017, 1027–1030
- für gesetzlichen Löschungsanspruch nach Zwangsversteigerung 1020
- für Nichtgrundpfandgläubiger 1027–1030
- Schutzwirkung 1027–1030
- Überfüllung des Grundbuchs 1015
- Vertragsgestaltung 1027–1030

Loseblattgrundbuch 298
Luftfahrzeug, Pfandrechtsregister 26
Mahnung, kein Verzicht in Formularvertrag 196
- keine – bei Fälligkeit nach Kalendertag 196

Maklerprovision, Vorkauf 848
Makler- und Bauträgerverordnung 192, 1266
Mängel, des Grundstücks, Gewährleistung 182–193
- des Kaufvertrages 159–178

Maßnahmegesetz, Baugesetzbuch 69
Meistgebot 582
- zu geringes – 583

Messungskauf 138
Mietertrag als zugesicherte Eigenschaft 185
Mietverhältnis, als Rechtsmangel 179
- beschr. pers. Dienstbarkeit 731
- keine Vormerkung 636
- Nießbrauch 794, 800
- Sozialbindung 6
- Vorkaufsrecht 6, 17, 817, **861–863**

Minderjähriger, Schenkung unter Nießbrauchsvorbehalt 757
- Vertretung 256–258
- Zuwendungsnießbrauch 761, 762, 800

Minderung 184, 185, 187, 190, 193
Mitbenutzungsrechte, Wohnungsrecht 738
Miteigentümer, Eintragung 308
- Verwaltungs-/Nutzungsregelung 311, 1206

Mitlaufklausel, Wertsicherung 923
Mitlaufkoppelung, Hypothek 1037, 1123
- keine – bei Grundschuld 1123, 1171, 1172

Mobiliarsachenrecht 8
Motivirrtum 171
Nachbarrechtsschutz 12
Nacherbenvermerk 546
- Eintragung in Abt. II 310
- formeller Rang 603

Nacherbschaft, Verfügungsbeschränkung durch – 545
Nachfristsetzung mit Ablehnungsdrohung 200
Nachlaßspaltung 1351–1354
Nachlaßverwaltung als Verfügungsbeschränkung 522
Nachweis der Eintragungsvoraussetzungen s. Grundbuchverfahren 377–393
Näherrecht, Vorkaufsrecht 806
Natürliche Person, im Grundbuch 307
Nebenumstand, Nachweis 382
Nebenvereinbarung, Beurkundung 94
Negativattest, öffentlich-rechtliches Vorkaufsrecht 852, 858
- Wertsicherung 920, 921

Nettonießbrauch 792
Neue Bundesländer, Besonderheiten im Grundstücksrecht s. Grundstücksrecht, Besonderheiten 1345–1383
Nichtabhilfe-Entscheidung, Erinnerung 449
Nichtigkeit des Kaufvertrages 159, 160
Nießbrauch 709, 742, 755–804,
- Abwehrrechte 780
- Altenteilsrecht 950, 951
- Aufhebung 770
- Ausbaubeitrag 783, 786
- Ausbesserungen 781
- Ausgleichsbeitrag 786
- außerordentliche Lasten 786, 792, 796
- Ausschluß einzelner Nutzungen 789
- Ausübung durch Dritte 777
- Ausübungsrang 567
- Begründung 767, 768
- behördliche Genehmigung 768
- Berechtigter 769
- Besitzrecht 776
- Besitzschutz 780
- Bestandteile 774
- Beteiligungsverhältnis 769
- Bruttonießbrauch 792
- Eigentümer
  - außerordentliche Lasten 786
  - Pflichten 786
  - Rechte 785
- Eigentümerdienstbarkeit 789

(Nießbrauch)
- Eigentumswohnung 784
- Einigung und Eintragung 767
- Einkommensteuer 791, 793–800
- – Vermächtnisnießbrauch 798
- – Vorbehaltsnießbrauch 795–797, 802–804
- – Zuwendungsnießbrauch 799, 800
- Eintragung 310, 767
- entgeltlich bestellter – 791
- Erhaltungsaufwand 781, 792
- Erlöschen 770
- – in Zwangsversteigerung 771
- Erschließungsbeitrag 783, 786, 792
- Flurbereinigungsbeitrag 783
- Fruchtziehung 776, 779
- Gegenleistung 791
- Gegenstand 774–775
- Gemeinschaftsverhältnis 769
- Gesamtberechtigte 769
- gesetzliches Schuldverhältnis 781
- Gestaltungsfragen 787–804
- Grundgeschäft 767
- Grundsteuer 783
- Hofübergabe 756
- Hypothekenzinsen 783
- Inhalt
- – dispositiver – 789
- – zwingender – 788
- Inhalt 774–786
- Insolvenz 773
- Kanalgebühr 783
- Konkurs 773
- Lastentragung 781, 789, 792, 796
- Löschungs(erleichterungs)klausel 370, 770
- Masseverfahren 773
- mehrere Berechtigte 769
- Mietverhältnis 794, 800
- Nachlaß 765
- Nettonießbrauch 792
- nicht übertragbar 770
- nicht vererblich 770
- Nießbrauchserlaß 793–800
- Nutzungen 776
- öffentliche Lasten 783, 792
- Pfändung 778
- Pflichten des Eigentümers 786
- – des Nießbrauchers 781, 792–784
- Pflichtteilsergänzungsanspruch 758
- private Lasten 783
- Quotennießbrauch 775
- Rang 567
- Rangklasse 4 573
- Rechte des Eigentümers 785
- – des Nießbrauchers 776–780
- Schenkung an Minderjährige 757
- Schenkungsteuer 759
- Schenkungsvertrag 756
- Sicherheitsleistung 785
- Sicherungsnießbrauch 766
- Tilgungsleistungen 783
- Typenzwang 787–790
- Übergabevertrag 756
- Überlassung der Ausübung 777
- Übermaßfrüchte 779
- unentgeltlich bestellter – 791
- unübertragbar 770
- unvererblich 770
- Umlegungsbeitrag 786
- Verdinglichung abweichender Vereinbarungen 790
- Vermächtnisnießbrauch 763–765
- Vermietung 776
- Vermögensteuer 783, 801
- Verpfändung 778
- Versicherungspflicht 782, 792
- Vertragsgestaltung 755–766, 787–804
- – Einkommensteuer 796–797
- – Vermeidung Entnahmegewinn 804
- Vorbehaltsnießbrauch 756–759
- Vorlöschungsklausel 770
- Wesen 788
- wirtschaftlicher Eigentümer 803
- Wohnungseigentum 1258
- Wohnungsrecht 783, 789
- Zinsen 783
- Zubehör 774
- Zuwendungsnießbrauch 760–762
- Zwangsversteigerung 771
- Zwangsverwaltung 772
- Zwangsvollstreckung 771–773
- s. auch Vorbehalts-, Zuwendungs-, Vermächtnisnießbrauch 755

Nießbrauchserlaß 793–800
- Wohnungsrecht 747

Nießbrauchszuwendung, Ergänzungspfleger 761, 762

Notar, Antragsrecht im Grundbuchverfahren 329
- Antragsrücknahme 331, 338
- Baulastenverzeichnis 754
- Beschwerderecht im Grundbuchverfahren 331
- Beurkundung 387, 388
- Grundbucheinsicht 315
- Rangbestimmung durch – 592
- Unterschriftsbeglaubigung 384

Notaranderkonto, Kaufvertrag 207, 211, 214, 221, 1006

Notverwalter, Wohnungseigentum 1254

Notwegrente 18, 895, 896
- kein gutgläubig lastenfreier Erwerb 505

– Rang 606
– Rangklasse 4, 573
Numerus clausus der Sachenrechte 14, 636, 708
Nutzungen, Nießbrauch 776
Nutzungsdienstbarkeit 720, 728
Offenkundigkeit 381
Öffentliche Beglaubigung s. Beglaubigung 383–386
Öffentliche Last, Baulast 752
– Beispiele 571
– kein gutgläubig lastenfreier Erwerb 505
– kein Rechtsmangel 179
– keine Grundbucheintragung 300
– Nießbrauch 783, 792
– Rang 605
– Rangklasse 3, 571
– Wohnungsrecht 745
öffentliche Urkunde 387–388
– ausländische – 389–393
Öffentlicher Glaube an die Richtigkeit des Grundbuchs s. gutgläubiger Erwerb 487–492, 601
Öffentlich-rechtliche Verfügungsbeschränkung s. Verfügungsbeschränkung 512–565
Öffentlich-rechtliches Vorkaufsrecht s. Vorkaufsrecht, öffentlich-rechtliches – 809, 849–863
Offenbarungspflicht, arglistig verschwiegener Mangel 188
OHG, Vertretung 262
Optionsrecht s. Ankaufsrecht 870–872
Pachtverhältnis als Rechtsmangel 179
Parzellierung des Grundstücks 27–29
Personalfolium 21, 297
Personenmehrheit, Eintragung 308
Personenstandsurkunde 378
Pfändung, Anwartschaftsrecht 149
– Nießbrauch 778
Pfleger 248–260
– Dauerpflegschaft 762
– Ergänzungspfleger 259, 260, 761
– genehmigungsbedürftige Rechtsgeschäfte 251
– Selbstkontrahieren 248
– Verfügungsbeschränkung 533
– Vertretungsverbot 249
Pflegeverpflichtung, Altenteilsrecht 950
– Reallast 889
Pflichtteilsergänzung, Regelung im Übergabevertrag 756
– Vorbehaltsnießbrauch 758
Präsentatsbeamter 296
Preisindex s. Lebenshaltungsindex 924–927, 1312
Prioritätsprinzip 397, 590
Privatautonomie 4
Privateigentum, Garantie 4
Privatkredit 1117
Prokura 267–269
Prozeßgericht, Ersuchen um Grundbucheintragung 339
Prozeßstandschaft, Ehegattenzustimmung 543
Prüfungsrecht, beschränktes materielles – des GBAmtes 400
Publizität, formelle – des Grundbuchs 318
Quotennießbrauch 775
Rang 565–628
– Antragszurückweisung 413–415
– Ausübungsrang 712, 789
– Bedeutung 565–587
– Bereicherungsanspruch 596
– Beschlagnahme 575
– Bestimmung des – 590–606
– bewegliche Rangordnung 588
– dingliches Recht 573, 576
– Eigentümergrundschuld 1195, 1196
– Einigung nach Eintragung 597
– Einigung und Eintragung 71, 598
– Erbbaurecht 1302–1304
– Erbbauzinsreallast 1325
– falscher – 595, 596
– fehlerhafte Eintragung 595, 596
– Gleichrangvermerk 591
– Grundpfandrecht 967
– gutgläubiger Erwerb 601
– Litlohnanspruch 570
– materieller – 593–600
– Nacherbenvermerk 603
– Notwegrente 606
– öffentliche Last 605
– öffentlicher Glaube 601
– Rangänderung 607–614, 1017
– – und Rangvorbehalt 627
– Rangbestimmung
– – abweichende – 592
– – gesetzliche – 591
– Rangfolgevermerk 591
– Rangklassen in der Zwangsversteigerung 570–577
– Rangrücktritt 607, 1017
– Rangtausch 610–614
– Rangvermerk 591, 598, 609
– Rangvorbehalt s. dort 615–628
– relatives Rangverhältnis 623–626
– Überbaurente 606
– Unrichtigkeit des Grundbuchs 595, 598
– Vormerkung 599, 669–672
– Vorrangseinräumung 607
– Widerspruch 600

Rangänderung 607–614
– Rangvorbehalt, Unterschied 627
Rangbestimmung, abweichende – 592
– gesetzliche – 591
– Notar 592
Rangklassen, Zwangsversteigerung 570–577
Rangrücktritt 607
– Risiko 585, 618
– Vormerkung 669
Rangtausch 610–614
– Zwischenrechte 611–614
Rangvermerk, Gleichrangvermerk 591
– Rangänderungsvermerk 609
– Rangfolgevermerk 591
– unrichtiger – 598
Rangvorbehalt 615–628
– Bedürfnis 617
– Begriff 615, 616
– Bestimmtheit 619
– Eigentümergrundschuld 628
– Inhalt 615
– Pfändbarkeit 616
– Rangänderung, Unterschied 627
– relative Rangverhältnisse 623–626
– Risiko 618
– stufenweise Ausübung 620
– Umfang 619
– Unterschied zur Rangänderung 627
– Vormerkung 669
– wiederholbare Ausnutzung 622
– Zweck 615
– Zwischenrechte 623–626
Raten, Einkommensteuer 932–945
Ratsschreiber als baden-württembergischer Grundbuchbeamter 292
Raumeigentum s. Wohnungseigentum 1206, 1207
Realfolium 21, 297
Realkredit, Aktivvermerk 45, 896
– Bedeutung des Grundeigentums für – 2
– Volumen 2
Reallast 878–945
– Altenteilsrecht 886–891, 946–962
– Ansprüche 903–912
– Begriff 877, 879–885
– Begründung 896, 897
– Berechtigter 896, 897
– Bestimmbarkeit 881–883
– Dienstbarkeit, Unterschied 879
– dingliche Haftung 903, 908, 911
– Doppelnatur 879
– Eintragung 310, 896, 897
– Erbbauzinsreallast 894, 1315–1328
– Erlöschen 899
– geschichtliche Entwicklung 878
– Grabpflege 889
– Haftung, dingliche/persönliche 903, 908, 911
– Kausalgeschäft 898
– landesrechtliche Besonderheiten 902
– Leibrente 890, 891
– Leistungsverpflichtung 880
– Löschungsklausel 370, 889
– Notwegrente 895, 896
– persönliche Haftung 903, 908, 911
– Pflegeverpflichtung 889
– Rangklasse 4 573
– Rechtsnatur 879–885
– Rente s. dort 913–931
– Rentenreallast 890, 891
– Rentenschuld 891
– Rentenvermächtnis 893
– Stammrecht 879
– subjektiv dingliche –, Aktivvermerk 45, 896
– Überbaurente 895, 896
– Übergabevertrag 890, 891, 913
– Unterwerfung s. dort 882, 883, 885, 906–908, 911, 1313, 1324
– Verkauf auf Rentenbasis 890, 891
– Vermächtnis 898
– Vertragsgestaltung 886–897, 913–931
– – Bestimmbarkeit 881–883
– – Wertsicherung 919–931
– Verwertungsrecht 884, 885
– Vollstreckungsmöglichkeiten 905–912
– Vormerkung für Erbbauzinserhöhungs- 1316
– Wärmelieferungsvertrag 895
– Wertsicherung 882, 884, 885, 893, 894, 898, 908, 911, 919–931
– wiederkehrende Leistungen 880
– Wohnungsreallast 895
– Zwangsversteigerung 900, 901
– Zwangsverwaltung 909
– Zwangsvollstreckung aus der – 905–912
– – Erhaltung des Stammrechts 910
Recht am Grundstück s. dingliches Recht 11–18, 52
– subjektiv-dingliches –, Aktivvermerk 45, 304
– – Erbbauzins-Reallast 1315
– – Grunddienstbarkeit 717
– – Reallast 896
– – Vorkaufsrecht 814, 816
– subjektiv-persönliches –, beschr. pers. Dienstbarkeit 717, 729
– – Nießbrauch 717, 770
– – Reallast 896
– – Vorkaufsrecht 814, 816
– – Wohnungsrecht 743

Rechtlicher Vorteil, bei beschränkter Geschäftsfähigkeit 245
– bei Selbstkontrahieren 235
– bei Vertretungsverbot des gesetzlichen Vertreters 250
Rechtsänderung, außerhalb des Grundbuchs 69, 464
– ohne Einigung 66–70
– durch einseitiges Erklärung 66
– durch Gesetz 67, 68
– durch Hoheitsakt 69, 70
Rechtsbehelf, Beschwerde s. dort; Erinnerung s. dort
– Antrag auf Änderung der Entscheidung des UdG 445
– Dienstaufsichtsbeschwerde 460
– Zwangsvollstreckung 1012–1014
Rechtsmängel, Gewährleistung 179–181
Rechtsmittel in Grundbuchsachen s. Beschwerde; Erinnerung 426–460
Rechtspfleger 294
– Erinnerung 446–448
Rechts- und Sozialordnung 7
Registergericht, Zeugnis 379
Registrator 296
Reichssiedlungsgesetz, Vorkaufsrecht 859
– Wiederkaufsrecht 876
Relative Unwirksamkeit 678, 679
– allgemeines Veräußerungsverbot vor Konkurseröffnung 518
– Beschlagnahme nach StPO 521
– einstweilige Verfügung 516
– Erwerbsverbot 525
– Vergleichsverfahren 519
– Vorkaufsrecht 838
– Zwangsversteigerung 517
– s. auch Verfügungsverbot; Vormerkung; Vorkaufsrecht 673–678
Relative Verfügungsbeschränkung 514
– allgemeines Veräußerungsverbot vor Konkurseröffnung 518
– – vor Vergleichsverfahren 519
– Beschlagnahme in Zwangsversteigerung 517
– – nach StPO 521
– einstweilige Verfügung 516
– Erwerbsverbot 525
– Flurbereinigung 530
– gutgläubiger Erwerb 506
Relatives Rangverhältnis 623–626
Rente, Berechnung 913–918
– betriebliche- 935
– Einkommensteuer 932–945
– Kapitalwert 913
– Laufzeit 914
– Leibrente 915, 936, 937
– Sterbetafel 914
– Umrechnung Kapital/Leibrente 917
– verbundene Leben 918
– Vertragsgestaltung 913–919, 932, 933
– Wertsicherung 919
– Zahlungsbedingungen 916
– Zeitrente 914
– Zinsfuß 915
– s. auch dauernde Last; Reallast
Rentenreallast s. Reallast 890, 891
Rentenschuld 971
– Eintragung in Abt. III 311
– Reallast 891
Rentenvermächtnis, Reallast 893
Restkaufpreishypothek 210
– Rangvorbehalt 617
Richtigkeitsvermutung s. Vermutung der Richtigkeit 487–492, 601
Römisches Recht, Liegenschaftsrecht 283
Rohbauland 224
Rückauflassung 153
Rückgewähransprüche
– Sicherungsgrundschuld 1148–1152
– – Abtretung 1025, 1182–1187
– Sicherungsnießbrauch 766
Rückkaufsrecht 873–876
Rückstände Löschungs(erleichterungs)-klausel 373
– Rangklassen 7 und 8 577
Rücktritt, bei Verzug 196–203, 177, 178
Rücktrittsvorbehalt, Altenteilsrecht 959
– Vorkaufsrecht 835, 836
Rückübertragungsanspruch (neue Bundesländer) 1381–1383
– Abtretung 1381, 1382
– Genehmigung nach der Grundstücksverkehrsordnung 1383
– notarielle Beurkundung 1382
– offene Vermögensfragen 1381–1383
– „Rückgabe vor Entschädigung" 1381
Sachenrecht 8
– Typenzwang 15
– Typisierung 13
Sachenrechte s. Dingliches Recht
Sachenrechtsbereinigung 24, 1372–1378
– Ankaufsrecht oder Erbbaurecht 1374
– Berechtigte und Verpflichtete 1373
– erfaßte Fläche 1376
– Grundaufgabe 1372
– Kontrahierungszwang 1377
– keine isolierte Verfügung 1378
– regelmäßiger Kaufpreis/Erbbauzins 1375
Sachenrechtsbereinigung/Schuldrechtsanpassung, Abgrenzung 1369, 1370

Sachmängel, Gewährleistung 182–193
– Beispiele 182
– arglistiges Verschweigen 187
– Beschränkung der Haftung 189
– bei Besitzübergang 183
– Neubauten 190, 192
– Offenbarungspflicht 188
– und Irrtumsanfechtung 191
Sammelbuchung 828
Sanierungsverfahren
– Genehmigung 529
– – Nießbrauchsbestellung 768
– Teilungsgenehmigung 27
Sanierungsvermerk, Eintragung in Abt. II 310
Savigny, Friedrich Carl von 57
Schadensersatz, bei Eigentumsverletzung 11
– Formnichtigkeit 109, 110
– Sicherungsgrundschuld 1133
– wegen Amtspflichtverletzung des GBAmtes 459
– wegen Nichterfüllung 185
– – bei Verzug 199
– "großer -" 186
– "kleiner -" 186
Scheinbestandteil 37, 44
Scheineigentümer, gutgläubiger Erwerb einer Vormerkung 697
Scheingeschäft 111
Schenkung, Auflage 759
– kein Vorkaufsrecht 821, 822, 830–834
– Form 90
– unter Nießbrauchsvorbehalt 756
– – Vertretung 757
Schenkungsteuer 3
– Nießbrauch 759
– wiederkehrende Leistungen und Bezüge 932
Schiffsbauregister, -eigentum, -hypothek, -register 25
Schornsteinfegergebühr, öffentliche Last 300, 571, 745
Schreinsbücher 285
Schubladenbewilligung 663
Schuldner, Hypothek 1046–1048
Schuldrechtsanpassung (neue Bundesländer) 1379, 1380
Schuldversprechen/-anerkenntnis 996–1001, 1058, 1059
– Doppelsicherung 1183
– Eigentümergrundschuld 1201
– Hypothek 1058, 1059
– Schuldübernahme 1182–1187
– Sicherungsgrundschuld 1131, 1132, 1182–1187
– Unterwerfung 996–1001
Schwarzkauf 162
– Heilung der Formnichtigkeit 114, 696
– Vormerkung unwirksam 641, 696
Seeschiffsregister 25
Selbstkontrahieren, des Vertreters 234–237
– Eltern bei Nießbrauchszuwendung 761–762
– Eltern 257
– gesetzliche Vertretung 248
Sicherheitsleistung Nießbrauch 785
Sicherungsabtretung 963, 1131, 1132
Sicherungsgrundschuld 1128–1188
– Abtretung, Schuldversprechen/-anerkenntnis 1185
– – an denselben Zessionar 1170
– – von Forderung und Grundschuld 1171, 1172
– Abtretungsbeschränkung 1153–1155
– – Eintragung 1132
– Abwehrrechte 1163–1172
– Anrechnungsvereinbarung 1162
– Bereicherungsanspruch 1133, 1169
– Darlehensvertrag 1129, 1130
– Einwendungen/Einreden 1163–1172
– – Eintragung 1132, 1170, 1172
– fremde Schuld 1141
– gesetzlicher Löschungsanspruch 1174
– Grundschuldverhältnis 1157–1165
– gutgläubiger Erwerb 1173
– Haftung für fremde Schuld 1141
– keine Eintragung 1131, 1132
– keine Mitlaufkoppelung 1171, 1172
– Konditionen 1142–1147
– Kreditvertrag 1129, 1130
– Leistung Zug um Zug 1168
– Löschungsanspruch 1174
– Rechnungslegung 1175–1181
– Risiken 1188
– Rückgewähransprüche 1148–1152
– – Abtretung 1025, 1182–1187
– Schadensersatzanspruch 1133
– Schuldverhältnis 1128, 1164
– Schuldversprechen/-anerkenntnis 1131, 1132, 1182–1187
– Schutz gegenüber Erstgläubiger 1163–1169
– – Zweitgläubiger 1171, 1172
– Sicherungsvertrag s. dort 1131, 1132, 1157–1169
– Trennung von Forderung und Grundschuld 1171, 1172
– Verzinsung 1145, 1147
– vollstreckbare Ausfertigung 1167
– Vollstreckungsabwehrklage 1167
– vorgezogene Grundschuld 1141
– Vorzüge 1188

– Wesen 1226, 1227
– Zahlung auf Grundschuld 1160
– Zinsen 1145, 1147
– Zweckbestimmung 1133–1141
– – AGB-Gesetz 1137
– – eingeschränkte – bei vorgezogener Grundschuld 217, 1141
Sicherungshypothek 1101–1111
– Bauhandwerkerhypothek 1104
– Steuerhypothek 1108
– Zwangshypothek 69, 1105–1107
Sicherungsnießbrauch 766
Sicherungsübereignung 963, 1131, 1132
Sicherungsvertrag 1131, 1132, 1157–1169
– Abtretung der Rechte aus – 1025, 1175–1181, 1185
– Beendigung 1156
– Eintragung von Einreden 1132, 1170, 1172
– Inhalt 1133–1155
– Rechtsnatur 1131, 1132
– Sicherungsgrundschuld 1131, 1132, 1157–1159
– Sicherungsnießbrauch 766
– Unwirksamkeit 1169
Sittenwidrigkeit 61
Sondereigentum s. Wohnungseigentum 1209, 1210, 1213, 1216
Sondernutzungsrecht, Wohnungseigentum 1227–1229, 1261–1265
Sozialpflichtigkeit des Grundeigentums 4, 5
Sozialstaatsprinzip 5
Spannungsklausel 923
Splitterrechte 1021
Stadt, Vertretung 276
Stadtbücher 285
Städtebaulicher Entwicklungsbereich, Teilungsgenehmigung 27
Standesamtsurkunde 378
Sterbetafel 914
Steuer, Grundeigentum 3
– Zwangsvollstreckung 571, 579, 668, 1108, 1119
– s. die einzelnen Steuerarten
Steuerhinterziehung, Schwarzkauf 162
Steuerhypothek 1108, 1119
– Vormerkung 675
Steuerrecht, Grundstücksbegriff 22
Stiftung, Vertretung 271
Stockwerkseigentum 1276
Streitverfahren, Wohnungseigentum s. dort 1276–1291
Subjektiv-dingliches Recht, Aktivvermerk 45, 304, 305
– Erbbauzins-Reallast 1315
– Grunddienstbarkeit 717
– Reallast 896
– Vorkaufsrecht 814, 816
Subjektiv-persönliches Recht, beschr. pers. Dienstbarkeit 717, 729
– Nießbrauch 717, 770
– Reallast 896
– Vorkaufsrecht 814, 816
– Wohnungsrecht 743
Superficies, Erbbaurecht 1292
Surrogationsgrundsatz, Erbbaurecht 1343
– Zwangsversteigerung 581
Tankstellendienstbarkeit 715, 731
Tauschvertrag, Form 90
– kein Vorkaufsrecht 821, 822, 830–834
Teileigentum, Beurkundungspflicht 92
– s. Wohnungseigentum 1206, 1207
Teileigentumsgrundbuch 302, 1232–1234
Teilfläche, Auflassung 138, 139
Teilleistung 203
Teilnichtigkeit bei verstecktem Einigungsmangel 169
Teilung, des Grundstücks 27–29
– Grunddienstbarkeit 727
Teilungserklärung s. Wohnungseigentum 1236
Teilungsgenehmigung 27
Teilungsplan, Zwangsversteigerung 568, 586
Teilverzug 203
Testament, notarielles –, Grundbuchberichtigung 369
Testamentsvollstreckerzeugnis 378
Testamentsvollstreckung, Verfügungsbeschränkung durch – 547
Testamentsvollstreckungsvermerk 310, 547
Tilgung, Kredit/Hypothek 984–986
Tilgungsdarlehen, Nießbrauch 783
Tod nach Einigung 79
Traditionsbücher 285
Treu und Glauben, culpa in contrahendo 194
– Formnichtigkeit 108
– Geschäftsgrundlage 174
– Offenbarungspflicht bezüglich Sachmängel 188
– Übersicherung 1148–1152
Treuhandabwicklung, Kaufvertrag 214–221
Treuhänder Sicherungsgrundschuld 1132
Treuhandkonto, Kaufvertrag 207, 211
Typenzwang, beschr. pers. Dienstbarkeit 733–735
– Grunddienstbarkeit 723–726

(Typenzwang)
– Nießbrauch 787–790
– Sachenrechte 15
– Vorkaufsrecht 811
Überbaurente 18, 895, 896
– kein gutgläubig lastenfreier Erwerb 505
– Rang 606
– Rangklasse 4, 573
Übereignungsanspruch, Abtretung 142, 145
– Verpfändung 963
Übereilungsschutz als Beurkundungszweck 93
Übererlös, Zwangsversteigerung 1176
Übergabevertrag, Altenteilsrecht 886–889
– Form 90
– kein Vorkaufsrecht 821, 822, 830–834
– Reallast 890, 891, 913
– Vorbehaltsnießbrauch 756
– Wohnungsrecht 740
Überlassung der Ausübung, beschr. pers. Dienstbarkeit 729
– Nießbrauch 777
– Wohnungsrecht 743, 744
Übermaßfrüchte, Nießbrauch 779
Übersicherung 1148–1152
Übertragung, Anwartschaftsrecht 143–150
– dingliches Recht 54
– Eigentümergrundschuld 1198, 1199
– Vormerkung 649
– s. auch Abtretung
Umgehungsgeschäfte, Vorkaufsrecht 830–834
Umlegungsbehörde, Ersuchen um Grundbucheintragung 339
Umlegungsbeitrag, öffentliche Last 571
– Rangklasse 3 571
Umlegungsverfahren 33, 69, 89
– Genehmigung 528
Umlegungsvermerk 310, 753
Umsatz als zugesicherte Eigenschaft 185
Umsatzsteuer 1334
Umwandlung einer Gesellschaft, keine Auflassung 140
Unbedenklichkeitsbescheinigung s. Grunderwerbsteuer
Unentgeltlichkeit, Dienstbarkeit 713
– Nießbrauch 791
– Wohnungsrecht 739
Unrichtigkeit des Grundbuchs 77, 88, 362, 461–486, 496
– Abgrenzung zu Rücktritt/Bereicherungsanspruch 462
– Amtslöschung 422, 486
– Amtswiderspruch 420
– Berichtigungsanspruch 469
– Berichtigungsbewilligung 363
– Beschwerde 440–444
– Divergenz von Einigung und Eintragung 467
– Fehlen der dinglichen Einigung 466
– Fehlen einer Genehmigung 465
– Fehlerhafte Löschung 468
– Gefahren 469
– Rechtsänderungen außerhalb des Grundbuchs 464
– Ursachen 463
Unterhaltsrente, Einkommensteuer 944
Unterhaltungskosten, Wohnungsrecht 745
Unterlassungsanspruch 11
– Grunddienstbarkeit 726
Unterlassungsdienstbarkeit 721
– beschr. pers. Dienstbarkeit 728
Unterschriftsbeglaubigung
– öffentliche 383–386
– amtliche 385
– Grundbucherklärungen 383
– Notar 384
Unterwerfung unter die sofortige Zwangsvollstreckung 990–1014
– Abwehrrechte gegen Zwangsvollstreckung 1012–1014
– Bestimmtheitsgrundsatz 993
– Beurkundungspflicht 992
– dauernde Last 943
– dingliche –, Grundpfandrecht 994, 995
– – Reallast 908, 911, 1313, 1315, 1324
– Eigentümergrundschuld 1200, 1201
– Erbbauzins 1313, 1324
– Funktion 990, 991
– Gegenstand 993
– gemäß § 800 ZPO 908, 995, 1324
– Grundpfandrecht 994–1001
– – dingliche Unterwerfung 994, 995
– – schuldrechtliche Unterwerfung 996, 1182
– Kaufvertrag 205
– Kosten 990, 991
– Prüfung bei Klauselerteilung 1003–1011
– Reallast
– – dingliche Unterwerfung 883, 885, 908, 911, 912, 1313, 1324
– – schuldrechtliche Unterwerfung 906, 907
– Schuldversprechen/-anerkenntnis 996–1001
– – bei Grundschuld 1182–1187
– Verfahren 992
– – Klauselerinnerung 1012

– Vollstreckungsklausel 1003–1006
– – für Rechtsnachfolger 1008–1010
– – gegen Rechtsnachfolger 907–912, 1011
– Vollstreckungstitel 990, 991
Unübertragbarkeit, Unvererblichkeit, beschr. pers. Dienstbarkeit 729
– Nießbrauch 770
– Vorkaufsrecht, abdingbar 816
– Wohnungsrecht 743
Unvollständigkeit, Beurkundung 159
Unwirksamkeit, Kaufvertrag 160
– schwebende – 538
– s. auch Genehmigung, Vertretung, Verfügungsbeschränkung
Unzulässige Eintragung, Amtslöschung 422
Urkunde, Apostille 392
– ausländische 389–393
– Legalisation 390
– öffentliche 387, 388
– Zwischenbeglaubigung 391
Urkundsbeamter der Geschäftsstelle 295
– Rechtsbehelf 445
Urteil
– Eintragungsbewilligung 344, 471
– – Vormerkung 654
– vorläufig vollstreckbares –, Vormerkung 659
Veränderungsnachweis 19, 28
Veränderungssperre 27
Veräußerung, Erbbaurecht 1298, 1299, 1333
– Grundstück 90–227
– Wohnungseigentum 1266–1273
– – Form 1266
– – Zustimmung 1239, 1267, 1268
Veräußerungsbeschränkung 512–565
– Erbbaurecht 564
– Wohnungseigentum 563
– s. auch Verfügungsbeschränkung
Veräußerungsrente, Einkommensteuer 945
Veräußerungsverbot s. Verfügungsbeschränkung
Verein, nicht rechtsfähiger – im Grundbuch 308
– Vertretung 270
Vereinigung, Grundstücke 30
Verfügungsbeschränkung 7, 8, 17, 512–565
– absolute 514, 550
– – Ehegattenzustimmung 542
– – Konkurs 518
– als Rechtsmangel 179
– Baugesetzbuch 528, 529
– Begriff 513
– Beschlagnahme nach StPO 521
– Ehegattenzustimmung s. dort 534–544
– einstweilige Verfügung 516
– Eintragung 301, 310, 504, 505, 512, 515, 517, 518, 521, 523–525, 546–553, 558, 559, 603–605
– Erbbaurecht 564, 1331, 1332
– Erwerbsverbot 523–525
– Flurbereinigung 530
– Gemeindegrundstück, Veräußerung 531
– Genehmigung des Vormundschaftsgerichts 251, 533
– gerichtliche – 516
– – bei fehlender Ehegattenzustimmung 544
– gesetzliche Vertreter 533
– Grundbuchsperre 479, 489, 518, 546, 547, 558
– Grundstücksverkehrsgesetz 527
– gutgläubiger Erwerb 301, 504, 505, 515, 557–559, 603, 604
– Insolvenzverfahren 520
– keine – durch Vormerkung 668
– Kirchenrecht 532
– Konkursverfahren 518
– nach Antragstellung 80, 81, 548, 550, 556
– – Eigentümergrundschuld 1193
– – Vormerkung 676, 677
– nach Eigentümergrundschuld 1193
– Nacherbschaft 545, 546
– Nachlaßverwaltung 522
– öffentlich-rechtliche – 17, 301, 504, 505, 512–522, 526–532
– privatrechtliche – 533–547
– Rang 602–604
– relative – 514
– – allgemeines Veräußerungsverbot vor Konkurseröffnung 518
– – – vor Vergleichsverfahren 519
– – Beschlagnahme in Zwangsversteigerung 517
– – – nach StPO 521
– – einstweilige Verfügung 516
– – Erwerbsverbot 525
– – Flurbereinigung 530
– – gutgläubiger Erwerb 506
– Rückwirkung der Genehmigung 555
– Sanierungsverfahren 529
– Schutz gegen nachträgliche – 548–556
– Terminologie 513
– Testamentsvollstreckung 547
– Überblick 512–515
– Umlegungsverfahren 528
– Vergleichsverfahren 519

(Verfügungsbeschränkung)
- vertragliche – 560–564, 665–667
- – Sicherung durch Rücktrittsrecht und EV 561, 665–667
- vor Antragstellung 557–559
- Vormerkung 665–668, 674–677, 684–687
- vormundschaftsgerichtliche Genehmigung 533
- Wohnungseigentum 563, 1239, 1267, 1268
- Zeitpunkt 557
- Zwangsversteigerung 517

Verfügungsfreiheit, Dienstbarkeit 733
Verfügungsgeschäft 158
Verfügungsunterlassungsvereinbarung 560, 665–667
- Vormerkung 665–667

Verfügungsverbot s. Verfügungsbeschränkung
Vergleichsverfahren, allgemeines Verfügungsverbot 519
- Vormerkung 686

Verhältnismäßigkeit 7
Verjährung, Grunddienstbarkeit 727
Verkauf auf Rentenbasis, Reallast 890, 891
Verkaufsbeschränkung durch beschr. pers. Dienstbarkeit 734
Verkehrsgeschäft, gutgläubiger Erwerb 499
Verkehrshypothek s. Hypothek 1060–1099
Vermächtnis, Dienstbarkeit 710
- Reallast 898
- Vorkaufsrecht 813
- Vormerkung 666
- Wohnungsrecht 741

Vermächtniserfüllung, Auflassung 141
Vermächtnisnießbrauch 763–765
- Alternative zu Vor-/Nacherbschaft 763
- Einkommensteuer 798
- Erbschaftsteuer 764
- Erfüllung des Vermächtnisses 765
- postmortale Vollmacht 765

Vermessungsingenieur 28
Vermessungskauf 138
Vermietung, Nießbrauch 776
- Wohnungsrecht 744

Vermögen, Verfügung über – s. Ehegattenzustimmung 534–544
Vermögensteuer, Nießbrauch 783, 801
- wiederkehrende Leistungen und Bezüge 932

Vermögensübernahme, Haftung 226, 227
- und Vormerkung 672

Vermutung der Richtigkeit des Grundbuchs 487–492
- negative 490
- positive 489
- Umfang 492
- Verfahrenswirkung 491

Verpfändung, Anwartschaftsrecht 148
- bewegliche Sachen 963
- Erbteil 963
- Nießbrauch 778
- Übereignungsanspruch 963

Verpflichtungsgeschäft, Rechtsgrund der Leistung 59
- Dienstbarkeit 710
- Erbbaurecht 1300
- Grundschuld 1129, 1130
- Nießbrauch 767
- Reallast 898
- und Erfüllungsgeschäft 57, 136–139
- Vorkaufsrecht 812
- Vorlage bei Auflassung 136

Verschmelzung von Flurstücken 36
Verschulden bei Vertragsverhandlung 169, 194, 230
Versicherung, Nießbrauch 782, 792
- Wohnungsrecht 745

Versprechensempfänger, Vormerkung 639
Vertrag zugunsten Dritter, Vormerkung 639
Vertragsfreiheit 3
Vertragsgestaltung, abstrahierte Hypothek 1058, 1059
- Altenteilsrecht 954–959
- Ankaufsrecht
- Baulast 753
- beschr. pers. Dienstbarkeit 733–735
- Bestandteile in der – 37
- Dauernde Last 941
- Ehegattenzustimmung 540
- Erbbaurecht 1310–1339
- Fälligkeit nach Eintragung der EV 677
- Grundschuld 1129–1156
- – oder Hypothek 1117–1119
- Haftung bei Vermögensübernahme 226
- Hypothek 1058, 1059
- – Verzicht auf Briefvorlage 1064–1066
- Kaufvertrag 220–227, 663–667
- – Bauland 222–225
- Löschungsvormerkung 1027–1030
- Nießbrauch 755–766, 787–804
- – Einkommensteuer 796, 797
- – Vermeidung Entnahmegewinn 804
- preislimitiertes Vorkaufsrecht 810, 864
- Rangvorbehalt 617
- Reallast 886–897, 913–931
- – Bemessung 913–918

-- Bestimmbarkeit 881–883
-- Wertsicherung 919–931
- Rente, Bemessung 913–918
- Sicherungsgrundschuld 1129–1156
- Übergabevertrag 740
- Verfügungsbeschränkung 512
- Verfügungsunterlassungsvereinbarung 560–564, 665–667
- vertragliche Verfügungsbeschränkung 560–564, 665–667
- vorgezogene Grundschuld 216–221, 1141
- Vorkaufsrecht 809, 811
-- Baugesetzbuch 858
-- Verhinderung der Ausübung 830–836
- Vormerkung 561, 663–667
- Wertsicherung 919–931, 1312, 1314, 1316–1324
- Wiederkaufsrecht 874, 875
- Wohnungsrecht 740
-- Lastenverteilung 746
- Zubehör 37
- Zuwendungsnießbrauch 800
- Zweckerklärung bei vorgezogener Grundschuld 1141

Vertragsverhandlungen, Verschulden bei – 169, 194, 230
Vertrauensschutz 493
Vertretung im Grundstücksrecht 228–280
- gesetzliche – s. gesetzliche Vertretung 244–280
- Körperschaften des öffentlichen Rechts 272–280
- ohne Vertretungsmacht 230–233
-- Genehmigung des Selbstkontrahierens 236
-- verdeckte – 239
-- Vormerkung 646, 648
- Prokura 267
- rechtsgeschäftliche – 228–243
- Selbstkontrahieren 234–237
- Wegfall der Vertretungsmacht 551
- s. auch gesetzliche Vertretung

Vertretungsbescheinigung 379
Vertretungsverbot für gesetzlichen Vertreter 249
Verwalter, Wohnungseigentum 1239, 1242, 1247–1252, 1256, 1267, 1268, 1279
Verwalterzustimmung, Wohnungseigentum 563, 1239, 1267, 1268
Verwaltungsakt, privatrechtsgestaltender -, öffentlich-rechtliches Vorkaufsrecht 853–857
Verwaltungsregelung, Eintragung in Abt. II 310
Verwirrung durch Grundstücksvereinigung 32
Verzicht, Grundschuld 1148
Verzug, Ausschluß des § 454 BGB 197
- Fälligkeit nach Kalendertag 196
- Fristsetzung mit Ablehnungsandrohung 200
- Mahnung 196
-- kein Verzicht auf – in AGB 196
-- ohne – bei Fälligkeit nach Kalendertag 196
- Rechtsfolgen 198
- Rücktrittsrecht 199
- Schadensersatz wegen Nichterfüllung 199
- Teilleistungen 203
- Verzögerungsschaden 198

VOB, Bauträgervertrag 193
Volkseigentum 1346, 1347
- BvS 1346
- Hemmnisbeseitigungsgesetz 1346
- Vermögenszuordnungsgesetz 1346
- vorläufige Verfügungsbefugnis 1347

Vollmacht 228–243
- Altersvorsorge – 243
- Ausfertigung der Vollmachtsurkunde 229, 240
- Außenverhältnis 228
- Beglaubigung 240
- Beurkundung 240
- Beurkundungspflicht 242
- bindende – 242
- Form 238, 242
- Generalvollmacht 238
- Innenverhältnis 228
- Nachweis 239, 241
- postmortale – 741, 765, 813, 893
- Prokura 267
- Treuhänder bei Bauherrenmodell 242
- unwiderrufliche – 242
- Vollmachtsurkunde 229
- Vorsorgevollmacht 243
- Widerruf 229, 240
-- nach Willenserklärung 551

Vollmachtlose Vertretung 230–233, 646, 648
Vollstreckbare Ausfertigung s. Vollstreckungsklausel
Vollstreckungsabwehrklage 1014, 1167
Vollstreckungsgericht Ersuchen um Grundbucheintragung 339
Vollstreckungsgläubiger, Antragsrecht im Grundbuchverfahren 332
- Rangklasse 5 575

Vollstreckungsklausel, für Rechtsnachfolger 1008–1010
– gegen Rechtsnachfolger 907, 1000, 1011
– Klauselerinnerung 1012
– Prüfungsrecht bei Klauselerteilung 1003–1006
Vollstreckungstitel, Unterwerfung s. dort 205, 990, 991
Vollstreckungsunterwerfung s. Unterwerfung 205, 990–1014
Vorbehalt, der Auflassung 208
– der Eigentumsumschreibung 206
Vorbehaltsnießbrauch 756–759
– Einkommensteuer 795–797
– – Entnahmeproblem 802–804
– erbrechtliche Auswirkungen 758
– Pflichtteilsergänzungsanspruch 758
– Schenkung an Minderjährige 757
– Schenkungsteuer 759
Vorbehalts-Wohnungsrecht 748
Vorbescheid, kein – im Grundbuchverfahren 430
Voreintragung 325, 394
Vorerbe 545
– Verfügungsbeschränkungen 545
Vorhand 870
Vorkaufsrecht 805–876
– Aktivvermerk 815
– Ankaufsrecht, Wiederkaufsrecht 870–876
– Anwendungsbereich 807, 808
– Anzeigepflicht des Verkäufers 823
– Aufhebung des Kaufvertrages 835, 836, 842, 843
– Ausübung 821–836
– – Erklärung 825, 826
– – Frist 824
– – Rang 567
– Baugesetzbuch 850–858
– – Ausübung 853–857
– – limitierter Preis 858
– – Negativattest 852, 858
– – Rücktrittsrecht 857
– – Sicherung durch Vormerkung 852
– – Tatbestände 850, 851
– – Wirkung 853–857
– Bebauungsplan 850, 851
– Bedingung 817, 835, 836
– Befristung 817
– Befugnis zum Vorkauf 819
– Begriff 805
– Begründung 810–815
– Berechtigter 816, 829
– Beurkundungspflicht 810, 812, 864
– dingliches – 811
– Eigentumsvormerkung, Kosten 844
– – Sicherung preislimitierten Vorkaufsrechtes 810, 865
– Eintragung 310, 815
– Erbbauberechtigter am Grundstück 807, 808
– Erbbaurecht 805, 807, 1333
– Erbteil 809, 866–869
– Erlöschen 820
– fester Preis 811, 864, 865
– Form 810, 864, 865
– Frist zur Ausübung 824
– Genehmigung 821, 835, 842
– geschichtliche Entwicklung 806
– Gesamtberechtigte 829
– gesetzliches – 6, 17, 809, 850–858, 861–863, 866–869
– – kein gutgläubig lastenfreier Erwerb 505
– Grundlagen 809
– keine Löschungsklausel 370
– Kosten des Vertrages 841, 842, 844
– Kosten einer Eigentumsvormerkung 844
– Maklerprovision 848
– mehrere Berechtigte 829
– mehrere Grundstücke 828
– Mieter 6, 17, 861–863
– Mietverhältnis 817
– Miterbe am Erbteil 809, 866–869
– Mitteilungspflicht des Verkäufers 823
– Näherrecht 806
– Nutzungen, Herausgabe 846, 847
– öffentlich-rechtliches- 629, 809, 849–863
– – Ausübung durch Verwaltungsakt 853–857
– – Belehrungspflicht 849
– – kein gutgläubig lastenfreier Erwerb 505
– – limitierter Preis 858
– – nach Landesrecht 860
– – Negativattest 852, 858
– – Teilfläche 857
– preislimitiertes – 811, 858
– Rang 567
– Rangklasse 4 573
– Rechtsverhältnisse nach Ausübung 837–848
– – Verkäufer/Vertragskäufer 839–841
– – Verkäufer/Vorkäufer 842, 843
– – Vertragskäufer/Vorkäufer 844–847
– Reichssiedlungsgesetz 859
– relative Unwirksamkeit 838
– Rücktrittsvorbehalt 835, 836
– Sammelbuchung 828
– Schadensersatz für Vertragskäufer 839–841

– schuldrechtliches – 810
– – Beurkundungspflicht 810, 864
– – Sicherung durch Eigentumsvormerkung 865
– siedlungsrechtliches – 859
– städtebauliche Entwicklungsziele 850, 851
– subjektiv-dingliches – 814–816
– – Aktivvermerk 45, 304
– subjektiv-persönliches – 814
– Tauschvertrag 821, 822, 830–834
– Typenzwang 811
– Übergabevertrag 821, 822, 830–834
– Umgehungsgeschäfte 830–834
– Umlegung 850
– Unübertragbarkeit, abdingbar 816
– vereinbarter Preis 811, 864, 865
– Verhinderung der Ausübung 830–836
– Verkaufsfälle: einer, mehrere, alle 811, 818
– Vermächtnis 813
– Verpflichteter 814, 829
– Vertragsaufhebung 835, 836
– Vertragsgestaltung 809, 811, 858
– Vertragskosten 841, 842, 844
– Verwendungsersatz 847
– Voraussetzung: rechtswirksamer Kaufvertrag 821, 822
– Vormerkungswirkung 811, 838
– Wohnungsbindungsgesetz 861
– Wohnungseigentum 6, 17, 805, 862, 863
Vorlagesperre, Kaufvertrag 206
Vorläufig vollstreckbares Urteil, Widerspruch 478
Vorleistungsrisiko 204
Vorlöschungsklausel 370–376
– Altenteilsrecht 957
– keine – bei beschr. pers. Dienstbarkeit 730
– keine – bei Vorkaufsrecht 370
– keine – bei Wohnungsrecht 749
– Nießbrauch 770
– Reallast 370, 889
Vormerkung 629–707
– Abtretung 649
– Akzessorietät 639, 641, 649, 690, 695, 696, 702
– Amtsvormerkung, Unterschied 688
– Anspruch
– – bedingter – 642–649
– – behördliche Genehmigung 646
– – Bindung für Schuldner 646
– – Erfüllung 694
– – Erlöschen 690
– – Grundlage des -s 640
– – gültiger – 641
– – kein Nachweis gegenüber GBAmt 662
– – künftiger – 642–649
– – schwebend unwirksamer – 645
– – Vermächtnis 666
– – vormundschaftsgerichtliche Genehmigung 647
– Anspruch aus der – 678, 679
– Anspruch 635–649
– Arrest 674
– Aufhebung 691, 692
– bedingter Anspruch 642–649
– Belastungsverbot 665–667
– Berechtigter 639
– Bestimmbarkeit
– – des Anspruchs 637
– – des Berechtigten 638
– Beteiligungsverhältnis 652
– Bewilligung 650–654
– – ersetzt durch einstweilige Verfügung 655–658
– – ersetzt durch Urteil 654
– – ersetzt durch vorläufig vollstreckbares Urteil 659
– Bindung für Schuldner 646
– Durchsetzung des Anspruchs 678, 679
– Einreden 692
– einstweilige Verfügung 655–657, 693
– Eintragung im Grundbuch 311, 312, 601, 660
– Eintragungsvoraussetzungen 650–659
– Entstehung 635–662
– Erbe haftet unbeschränkt 670
– Erfüllung des Anspruchs 694
– Erlöschen 690–694
– Gebundenheit des Bewilligenden 646
– Gemeinschaftsverhältnis 652
– Genehmigung
– – behördliche – 646
– – vormundschaftsgerichtliche – 647
– Gesamtberechtigte 652
– geringstes Gebot 682, 683
– gesicherter Anspruch 635–649
– Grundbuchsperre, keine – 668
– gutgläubig lastenfreier Erwerb 700, 704
– gutgläubiger Ersterwerb 696–700
– gutgläubiger Erwerb 502, 671, 677, 695–707
– – einer unwirksamen Vormerkung 703, 704
– – Konkurs 684
– – nur bei Anspruch 696–699, 702
– – Schwarzkauf 696
– – vom Scheineigentümer 665
– gutgläubiger Zweiterwerb 701–704
– Heilung 116
– Insolvenzverfahren 674, 687

(Vormerkung)
– keine Einigung 650
– Konkurs 674, 684
– Kosten 664
– künftiger Anspruch 642–649
– Löschung 690–694
– – nach Erfüllung des Anspruchs 694
– Löschungsanspruch, Vormerkungswirkung 1019
– Löschungsbewilligung 663
– Löschungsvormerkung s. dort 634
– mehrere Berechtigte 652
– Platzhalterfunktion 669
– Rang 599
– Rangklasse 4 573
– Rangrücktritt 669
– Rangvorbehalt 669
– Rangwirkung 669–672
– Rechtsnatur 695
– relative Unwirksamkeit 678, 679
– – vormerkungswidriger Verfügung 673–677
– Rückübertragungsanspruch 643
– Schubladenbewilligung 663
– Schutz durch – 631
– – gegen Scheineigentümer 705
– – gegen wahren Eigentümer 706, 707
– – gutgläubig erworbene Vormerkung 705–707
– – vor Verfügungsbeschränkung 668, 674–677, 684–687
– Schwarzkauf 641
– Sicherung, von Ankaufsrecht 871
– – von preislimitiertem Vorkaufsrecht 811, 865
– – von rechtsgeschäftlicher Verfügungsbeschränkung 561, 665–667
– – von Vorkaufsrecht nach Baugesetzbuch 852
– – von Vermächtnis 665–667
– – von Wiederkaufsrecht 875
– sicherungsfähiges Recht 632, 633
– Sicherungszweck 629–634
– Steuerhypothek 675
– sicherungsfähige Rechte 632
– Übertragung 649
– Urteil 654
– – vorläufig vollstreckbares 659
– Verfügungsbeschränkung 665–667, 674
– – nach Antragstellung 552, 676, 677
– – keine – durch Vormerkung 668
– Verfügungsverbot 665–667,674
– – nach Antragstellung 676, 677
– Vergleichsverfahren 686
– Verkehrsfähigkeit eingeschränkt durch – 663
– Vermächtnis 666
– Vermögensübernahme, Haftung bei – 672
– Versprechensempfänger 639
– Vertrag zugunsten Dritter 639
– Vertragsgestaltung 663–667
– Vertreter ohne Vertretungsmacht 646, 648
– Verzicht 658
– Voraussetzungen, formelle 650–659
– – materielle 635–649
– Widerspruch nach – 671
– Widerspruch, Unterschied 689
– Wirkung 705–707
– Wirkungen 668–689
– Zwangshypothek 675
– Zwangsversteigerung 680–683
– – Beitrittsgläubiger 683
– Zwangsvollstreckung 674
– Zweck 629–634
Vormerkungswirkung, Löschungsanspruch 1019
– Vorkaufsrecht 811, 838
Vormund, genehmigungsbedürftige Rechtsgeschäfte 251
– Selbstkontrahieren 248
– Verfügungsbeschränkung 533
– Vertretungsverbot 249
Vormundschaftsgericht, Ehegattenzustimmung, Ersetzung 541
– Genehmigung 251, 533
– – Doppelermächtigung des Notars 253–255
– – Einholung und Wirksamwerden 252
Vorrangseinräumung 607
– Risiko 585
Vorratsgrundschuld, Eigentümergrundschuld 1195, 1196
Vorsorgevollmacht 243
Vorvertrag 91
Wandelung 184
Warenbezug, Dienstbarkeit 735
Wärmelieferungsvertrag, Reallast 895
Wasser- und Bodenverband, Vertretung 278
Wegerecht 715
Wegfall der Geschäftsgrundlage 174–176
Wegnahmerecht 42, 43
Weitere Auflassung durch Auflassungsempfänger 142
Weitere Beschwerde 456
Werkvertragsrecht für Bauträgervertrag 193
Wertsicherung 919–931
– Adäquanzklausel 923
– Bezugsgröße 924
– Erbbauzins 1312, 1314, 1316–1324

– Genehmigung der Bundesbank 920, 921
– Gleitklausel 929, 931
– Grundsätze der Bundesbank 920, 921
– Lebenshaltungsindex 924–927
– Leistungsvorbehaltsklausel 928
– Negativattest 920, 921
– Reallast, Rente 882, 884, 885, 893, 894, 898, 908, 911, 919–931
– Spannungsklausel 923
Wesentlicher Bestandteil
– des Gebäudes 40–41
– – Einfügung 41
– des Grundstücks 38, 39
– Recht als – 45
– Wegnahmerecht 42, 43
Wettbewerbsbeschränkung durch Dienstbarkeit 731, 734
Widerruf der Vollmacht 229, 240, 242, 551
Widerspruch gegen die Richtigkeit des Grundbuchs 477–480
– Amtswiderspruch s. dort 481–485
– Ehegattenzustimmung 543
– Eintragung aufgrund Urteils 344
– – aufgrund einstweiliger Verfügung 478, 543
– gegen Eigentümer, Eintragung in Abt. II 208
– Rang 600
– verhindert gutgläubigen Erwerb 498
– Vormerkung vor – 671
– Vormerkung, Unterschied 689
Wiedereintragung nach fehlerhafter Löschung 77
Wiederkaufsrecht 873–876
Wiederkehrende Leistungen Reallast 880
Wiederkehrende Leistungen/Bezüge Einkommensteuer 932–945
Willenserklärung, Beurkundung 388
Willensmängel 167–178
Wohnrecht, Wohnungsrecht, Unterschied 736
Wohnungsbesetzungsrecht 731
Wohnungsbindungsgesetz, Bindung als Rechtsmangel 179
– keine Grundbucheintragung 301
– Vorkaufsrecht 861
Wohnungseigentum 23, 92, 1203–1296
– Abgeschlossenheitsbescheinigung 1225, 1226
– Alleineigentum 1209, 1210
– Anwartschaftsrecht 1232
– Aufteilungsplan 1225, 1226
– – abweichende Bauausführung 1227–1229
– Bauplan 1225, 1226
– Bauträger, Verwalter
– Bedeutung 1204, 1205
– Begründung 1217–1234
– – durch Teilungserklärung 1220–1222
– – durch Vertrag 1217–1219
– – von Sondernutzungsrecht 1262
– – Voraussetzungen 1223–1231
– Beurkundungspflicht 92
– Bruchteilseigentum 1209, 1210
– Dauernutzungsrecht 1274, 1275
– Dauerwohnrecht 1204, 1274, 1275
– Eintragung im Wohnungsgrundbuch 1232–1234
– – Gemeinschaftsordnung 1237, 1238, 1240, 1241
– – Sondernutzungsrecht 1263
– Entziehung 1239
– Gebäude 1227–1229
– Gemeinschaftseigentum 1211, 1212, 1216
– Gemeinschaftsordnung 1237, 1238, 1240, 1241
– – Änderung 1227–1229
– – Eintragung 1237, 1238, 1240, 1241
– Gemeinschaftsverhältnis 1235–1260
– – Pflichten 1246
– – Rechte 1245
– gerichtliches Streitverfahren 1276–1291
– – Beschluß der Wohnungseigentümerversammlung, Anfechtung 1281
– – Beteiligte 1282
– – Gegenstände 1278–1281
– – Kosten 1291
– – Mieter 1282
– – Notverwalter 1280
– – Rechtskraft 1287–1290
– – Rechtsmittel 1287–1290
– – Verfahrensgrundsätze 1283–1286
– – Verwalter 1279
– Gesamtbelastung 1233
– Grundpfandrecht bei Aufteilung 1233
– Grundriß 1225, 1226
– Grundstück 1223
– Hausordnung 1242
– Kostenverteilung 1246
– Lageplan 1225, 1226
– Lasten 1246
– Mieter 1282
– – Vorkaufsrecht 6, 17, 862, 863
– Miteigentumsanteil 1219
– – Bemessung 1230, 1231
– Mitgliedschaftsrecht 1245
– Nießbrauch 784, 1250
– Notverwalter 1254
– – gerichtliches Streitverfahren 1280
– Raumeigentum 1206, 1207

(Wohnungseigentum)
– Rechte/Pflichten des Wohnungseigentümers 1244–1246
– Rechtsgrundlage 1204
– Rechtsstellung des Wohnungseigentümers 1244
– Schenkung an Minderjährige 757
– Sondereigentum 1209, 1210, 1213, 1216
– Sonderform des Grundeigentums 1203
– Sondernutzungsrecht 1227–1229, 1261–1265
– Stockwerkseigentum 1276
– Systematik 1206
– Teileigentum 1206, 1207
– Teilungserklärung 1236
– – Änderung 1227–1229
– Untergemeinschaft 1223
– Veräußerung 1266–1273
– – Abgrenzung der Lasten 1269
– – Eintritt in Rechte/Pflichten 1271–1273
– – Form 1266
– – Haftung für Gemeinschaftsabgaben 1270
– – Zustimmung 563, 1239, 1267, 1268
– Veräußerungsbeschränkung 563, 1239, 1267, 1268
– Vereinbarungen 1238
– Verteilung der Kosten 1246
– Verwalter 1239, 1242, 1247–1252, 1256, 1267, 1268, 1279
– – gerichtliches Streitverfahren 1279
– Verwalterzustimmung 563, 1239, 1267, 1268
– Verwaltung 1245
– Verwaltungsbeirat 1255
– Verwaltungs/-Nutzungsregelung, Eintragung 1206
– Vorkaufsrecht 805
– – des Mieters 6, 17, 862, 863
– – kein – nach Baugesetzbuch 850
– Vorratsteilung 1220–1222
– Wohnungseigentümergemeinschaft, nicht parteifähig 1252
– Wohnungseigentümerversammlung s. dort 1253–1260
– Wohnungserbbaurecht 1208
– Wohnungsgrundbuch 1232–1234
– Zustellungsbevollmächtigter 1252
– Zustimmung zur Veräußerung 563, 1239, 1267, 1268
– Zwangsvollstreckung 1244
– Zweck 1204, 1205
Wohnungseigentümerversammlung 1253–1260
– Beschluß 1242, 1243
– – fehlerhafter –, Anfechtung 1259, 1260, 1281
– Beschlußverfahren 1256–1258
– Einberufung 1253, 1254
– Stimmrecht 1230, 1242, 1243, 1257
– Tagesordnung 1253, 1254
– Vorsitz 1256
Wohnungseigentumsgesetz 1204
Wohnungserbbaurecht 1208
Wohnungsgrundbuch 302, 1232–1234
– Eintragung Gemeinschaftsordnung 1237, 1238, 1240, 1241
– – Sondernutzungsrecht 1263
Wohnungsgrundbuchverfügung 10
Wohnungsreallast 742, 895
Wohnungsrecht 731, 736–749
– Altenteilsrecht 740, 950
– Ausschließlichkeit der Nutzung 736, 737
– Ausschluß des Eigentümers 736
– Ausübung durch Dritte 744
– Bedingung, Befristung 749
– Begründung 739
– Belastungsgegenstand 740
– Berechtigter 748
– Bestimmtheitsgrundsatz 737
– Beteiligungsverhältnis 748
– Dauerwohnrecht 742
– Einkommensteuer 747, 748
– entgeltlich 739
– Erlöschen 749
– Familienangehörige 744
– Gemeinschaftsverhältnis 748
– Gesamtberechtigte 748
– Grundsteuer 745
– Grundstückslasten 745
– Instandhaltungskosten 745, 746
– keine Löschungsklausel 370
– Lastenverteilung 745, 746
– Leistungspflichten des Eigentümers 746
– Löschungs(erleichterungs)klausel unzulässig 749
– mehrere Berechtigte 748
– Mietverhältnis 744
– Mitbenutzungsrechte 738
– Nießbrauch 742, 783, 789
– Nießbrauchserlaß 747
– persönliche Ausübung 743
– Räume genau bezeichnet 737
– Schönheitsreparaturen 745, 746
– Übergabevertrag 740
– Überlassung der Ausübung 744
– Umfang des Nutzungsrechts 743
– unentgeltlich 739
– Unterhaltungskosten 745
– verbrauchsabhängige Kosten 745, 746
– Vermächtnis 741
– Vermietung 744

– Versicherung 745
– Vertragsgestaltung 746
– Vorbehalts- 748
– Vorlöschungsklausel unzulässig 749
– Wohnrecht, Unterschied 736
– Wohnungsreallast 742
– Zerstörung des Gebäudes 749
– Zwangsversteigerung 749
Wohnung- und Mitbenutzungsrecht 715
Zahlungsüberwachung Kaufvertrag 206
Zahlungsverzug bei Kaufvertrag 196–203
Zeitrente 914
Zerlegung eines Flurstücks 35
Zeugnis des Registergerichts 379
Zins 976–980
– Diskontsatz 981
– Effektivzins 978–980
– Funktion 976
– Höhe 977, 1129, 1130
– Hypothek 1043–1045
– Sollzins/Habenzins 976
Zubehör 37, 46–49
– Grunderwerbsteuer 50
– Haftung 49
– Haftungsverband 1067–1079
– Kaufpreisteil für – 50
– Mitbeurkundung bei Kaufvertrag 51
– Veräußerung 48
– Zubehöreigenschaft 46
Zugesicherte Eigenschaft 185
Zugewinngemeinschaft Ehegattenzustimmung s. dort 534–544
Zurückweisung eines Antrages 412
Zuschreibung eines Grundstücks 32
Zustellung Vollstreckungstitel 1007
Zustimmung, des Ehegatten, s. Ehegattenzustimmung 534–544
– des Eigentümers zur Grundpfandrechtslöschung 85, 1116
– zur Verfügung über Erbbaurecht 564, 1310, 1332, 1333
– zur Veräußerung von Wohnungseigentum 1239, 1267, 1268
Zuwendungsnießbrauch 760–762
– Einkommensteuer 799, 800
– Kinder 761, 762, 800
– Minderjährige 761, 762, 800
– Zweck 760
Zwangshypothek 69, 1105–1107
– Löschungsanspruch 1018
– Vormerkung 675
Zwangsversteigerung, Altenteilsrecht 960–962
– Anmeldung 572
– Bargebot 584
– Baulast 752
– Beschlagnahme als Veräußerungsverbot 517
– – nach Vormerkungsantrag 677
– bestehenbleibende Rechte 568, 580, 1020
– Eigentumsübergang durch Hoheitsakt 69
– Erbbauzins 1325–1327
– erlöschende Rechte 89, 568, 581
– Erlösverteilung 569
– Ersetzung durch Sicherungsnießbrauch 766
– geringstes Gebot 578–581, 682, 683, 900, 901, 961, 962, 1020, 1116, 1325
– Löschungsanspruch 1020
– Mehrgebot 584
– Meistgebot 582
– – zu geringes – 583
– Mindestgebot 583
– Nießbrauch 771
– Rang in der – 566, 568–587
– Rangklassen 570–577
– Reallast 900, 901
– Surrogationsprinzip 581
– Teilungsplan 569
– Übererlös 1176
– Versagung des Zuschlags 583
– Verteilung des Erlöses 569, 1020
– Vormerkung in der – 680–683
– – Beitrittsgläubiger 683
– Wohnungsrecht 749
– Zuzahlungsanspruch 1020
– s. auch Zwangsvollstreckung
Zwangsversteigerungsvermerk 517, 603
– Eintragung in Abt. II 310
– formeller Rang 603
Zwangsverwaltung, Ersetzung durch Sicherungsnießbrauch 766
– Nießbrauch in der – 772
Zwangsverwaltungsvermerk, Eintragung in Abt. II 310
Zwangsvollstreckung, Abwehrrechte 1012–1014
– Beschlagnahme 1068–1079
– Duldungstitel 1002
– Erinnerung gegen die Art und Weise der – 1013
– Hypothek 1064–1111
– – Ablösungsrecht 1085
– – Abwehrrechte 1081–1085
– – Haftungsverband 1067–1079
– keine – aus Eigentümergrundschuld/-hypothek 1056, 1197
– Klausel 1003–1006
– Klauselerinnerung 1012
– Liegenbelassungsvereinbarung 771

(Zwangsvollstreckung)
- Nießbrauch 771–773
- Titel 1002
- Vollstreckungsabwehrklage 1014, 1167
- Voraussetzungen 1002–1007
- Vormerkung 674
- Zustellung 1007

Zweckbestimmung, Sicherungsgrundschuld 1133
- vorgezogene Grundschuld 1141

Zwischeneintragung, Vormerkung, Löschung 694

Zwischenrechte beim Rangtausch 611–614
- beim Rangvorbehalt 623–626

Zwischenverfügung 405–411
- Amtswiderspruch 410
- Beschwerde gegen – 455
- Erwerbsverbot 525
- Rangwahrung 408
- Rechtsmittel 407
- Zustellung 406